el-Regel 2

BI-Lexikon Rassekatzen

BI-Lexikon Rassekatzen

254 Textabbildungen

48 Farbtafeln

Herausgegeben von

CLAUDIA MÜLLER-GIRARD

VEB BIBLIOGRAPHISCHES INSTITUT LEIPZIG

Autoren
Veterinärrat Dr. med. vet. Rangolf Müller, Berlin
Claudia Müller-Girard, Berlin
Dozent Dr. sc. nat. Dieter Wallschläger, Berlin
Dozent Dr. med. vet. habil. Sigfried Willer, Berlin

Gutachter
Prof. Dr. sc. nat. G. Tembrock, Humboldt-Universität Berlin, Sektion Biologie

Rassekatzen/hrsg. von Claudia Müller-Girard. – 1. Aufl. – Leipzig : Bibliographisches Institut, 1988. –
495, 48 S.: 254 Ill. (z. T. farb.).
(BI-Lexikon)
ISBN 3-323-00189-3
NE: Müller-Girard, Claudia [Hrsg.]; GT

ISBN 3-323-00189-3

1. Auflage

Verlagslizenz-Nr. 433-130/111/88
Printed in the German Democratic Republic
Gesamtherstellung: Karl-Marx-Werk,
Graphischer Großbetrieb, Pößneck V15/30
Lektorat: Helmut Kahnt
Bild- und Technische Redaktion: Elke Kubitzki, Monika Thiel
Herstellung: Karin Fleischer
Schutzumschlag- und Einbandgestaltung: Rolf Kunze
LSV 1367
Best.-Nr. 578 151 7
02980

Geleitwort

Die Hauskatze ist ein alter Weggenosse des Menschen, die Beziehungen zwischen Mensch und Katze nehmen eine Sonderstellung ein innerhalb der vielfältigen Möglichkeiten, die das Verhältnis des Menschen zu verschiedenen Tierarten bestimmen. Sie hat bleibende Spuren in der Kulturgeschichte des Menschen hinterlassen, aber auch der Mensch hat die Natur der Katze verändert, indem er zahlreiche Rassen herauszüchtete, ihr Erscheinungsbild und oft auch Eigenschaften ihres Verhaltens veränderte. Gleichwohl hat sich „die Katze" eine gewisse Selbständigkeit bewahrt, und vor allem jene „Mischungen", die noch immer wesentliche Züge der Wildform beibehalten haben und halb „verwildert" unsere Kulturlandschaften durchstreifen, waren Anlaß zu unterschiedlichsten Auffassungen und Einstellungen. Die „Katze" hat sich als einzige Tierart im Kreise der „Haustiere" Freiräume des Verhaltens erhalten, gelangte nie in die strenge Kontrolle der Fortpflanzung (Rassekatzen natürlich jetzt ausgenommen), und sie hat sich daher auch die Fähigkeit bewahrt, zahlreiche Sozialsysteme herauszubilden, Formen des Zusammenlebens in einer Vielfalt und Anpassungsfähigkeit, die wir sonst eigentlich nur von uns selber kennen. Sie zeigt auch eine erstaunliche Vielfalt im Erscheinungsbild, man kann bei ihr Konstitutionstypen wiederfinden, die sich durch ähnliche Merkmale und Eigenschaften kennzeichnen lassen, wie jene des Menschen. Sie hat sich gewissermaßen selbst zum Haustier gemacht, wurde dabei Partner des Menschen in seinen Lebensräumen. Das Wort „Katze" ruft bei jedem Menschen zahlreiche Assoziationen hervor, und diese Vielfalt spiegelt ein wenig von der Wesenfülle wider, die für die Hauskatze kennzeichnend ist.

Das vorliegende Buch ist ein gelungener Versuch, einmal als Nachschlagewerk Antworten auf die zahlreichen Fragen anzubieten, die sich beim Thema „Katze" stellen. Hier sind natürlich auch die Rassekatzen eingeschlossen, die ja einen großen Liebhaberkreis haben. Aber auch für den, der in der Katze ein bemerkenswertes „Objekt" für Verhaltensstudien sieht, hält es Antworten auf aktuelle Fragen bereit. Wer Rassenkatzen züchtet, nutzt Gesetze der Natur, er sollte daher Antworten auf Fragen an die Lehre von der Vererbung finden, und diese werden hier angeboten. Nicht zuletzt auch bietet sich die Katze als Heimtier an, ihre vielfältigen Beziehungen zum Menschen schließen Formen einer Partnerschaft ein, die beglückt und bereichert, Emotionen schenkt, die zu unserem Leben gehören, wie das Nachdenken darüber, warum sich Katzen zum Menschen so vielfältig verhalten. Gründe dafür sind auch in diesem „Lexikon" zu finden.

Ich wünsche ihm einen weiten und dankbaren Kreis von Lesern und „Nutzern", die auch an der Vielfalt der bildlichen Darstellung ihre Freude haben. Unsere Katzen werden es uns danken, wenn wir im Umgang mit ihnen die hier angebotenen Kenntnisse über sie nutzen.

Günter Tembrock

Bildquellenverzeichnis

Die figürlichen Zeichnungen und das Vorsatz fertigte Michael Lissmann, Markkleeberg, an. Andere Textabbildungen stammen von Jens Borleis, Leipzig, Annemirl Riehl, Wiederitzsch und Joachim Zindler, Leipzig.

Die Vorlagen für den Tafelteil stammen zum überwiegenden Teil von Thomas Schlegel, Lunzenau.

Einzelne Fotos wurden von Gerhard Kießling, Berlin, Bernd Engelmann, Berlin, und Helmut Gepp, Berlin, zur Verfügung gestellt.

A

Aalstrich: farblich abgesetzte, mehr oder weniger scharf begrenzte Rückenmittellinie bei ↑ Agoutikatzen. Der A. verläuft vom Hals bis zur Schwanzwurzel. Bei getigerten, getupften und gestromten Katzen entspricht der A. der Farbe der ↑ Tabbyzeichnung. In Kombination mit ↑ Scheckung (S-) kann er durch deren epistatische Wirkung (↑ Epistasie) teilweise überdeckt werden. Bei den Farbschlägen der ↑ Abessinier und ↑ Somalis ist das Rückgrat insgesamt in der genetischen Grundfarbe etwas intensiver pigmentiert.

Abessinier, *Nubierin*,, Kurzform *Aby:* Kurzhaarkatze von mittlerer Länge, geschmeidig und muskulös auf langen, schlanken Beinen mit schmalen, ovalen Pfoten stehend. Der verhältnismäßig lange Schwanz ist am Ansatz kräftig und läuft in einer Spitze aus. Der Kopf von mittlerer Keilform hat abgerundete, weiche Konturen, ein kräftiges Kinn, eine mittellange Nase ohne ↑ Stop, aber mit einer sanften Einbuchtung. Die senkrecht zum Kopf stehenden Ohren sind relativ groß, breit am Ansatz, weit gesetzt und mit einem ↑ Wildfleck versehen. An den gerundeten Spitzen sind Ohrbüschel erwünscht. Die A. hat leicht mandelförmige, große, weit auseinanderstehende Augen von leuchtender, intensiv bernsteingelber oder grüner Farbe. Die Augenlider sind dunkel umrandet. Das Fell ist kurz, dicht anliegend und von feiner Textur. Das einzelne Haar muß ein doppeltes oder dreifaches ↑ Ticking aufweisen. Zu wenig Ticking, eine kalte, graue oder zu helle Unterwolle, ↑ Geisterzeichnung, Streifung, Siamtyp oder ein zu runder Kopf sind ebenso Fehler wie ein weißes Medaillon, eine weiße Brust, kleine oder spitze Ohren, runde Augen und eine unsaubere ↑ Augenfarbe. Ein aufgehelltes Kinn ist zwar unerwünscht, wird jedoch toleriert.
Die A. ist eine ↑ Agoutikatze reinster Prägung. Nach Überlieferungen soll die A.zucht auf eine Katze namens *Zula* zurückgehen, die 1868 bei Rückkehr einer britischen Militärexpedition aus dem damaligen Abessinien nach Großbritannien mitgebracht wurde. Um diese Katze und die Anfänge der A.zucht ranken sich viele Legenden, jedoch wird heute die A. als Ergebnis reinen züchterischen Fleißes angesehen. Die Ähnlichkeiten mit Katzendarstellungen aus dem alten Ägypten lassen vermuten, daß die britischen Züchter vor 100 Jahren als Idealbild eine Falbkatze anstrebten, oder daß eine Falbkatze, eventuell *Zula*, und Katzen, die dieser sehr ähnlich sahen, den Ausgangsbestand gebildet haben müssen. Fest steht, daß es unter den Ahnen der A. neben Importen unbekannter Herkunft auch englische Hauskatzen, Siamkatzen bzw. ↑ American Shorthair und Burmesen (↑ Burma) gab. In der ersten Zeit wurden immer wieder Tiere geboren, die kaum noch den berühmten antiken Vorbildern glichen. Ihr Fell hatte eine rußige bis silberne Färbung, die Streifung wurde intensiver, und weiße Medaillons traten vermehrt auf. Namen wie *harecat*, *rabbitcat* und *bunnycat* [engl. Hasen- bzw. Kaninchenkatzen] zeigen jedoch, daß die britischen Züchter schon damals ein wildfarbenes, zeichnungsfreies Fell als wichtigstes Rassemerkmal ansahen. Dieses sogenannte ↑ Abessiniertabby trat in dieser

Form nur bei den A. auf, wurde inzwischen aber auch schon in andere Rassen eingekreuzt. Der erste, 1929 gegründete britische A.katzenclub stellte einen verbindlichen Standard auf, der im wesentlichen dem heutigen gleicht. Etwa zur gleichen Zeit setzte sich die A. auch auf dem europäischen Kontinent durch. Die *wildfarbene* Varietät hat eine warme, braune, mit Schwarz getickte Körperfarbe. Der Ansatz der Haare ist dunkelorange, ebenso der Bauch und die Innenseiten der Beine. Der Nasenspiegel ist ziegelrot und schwarz umrandet. ↑ Fußballen, ↑ Sohlenstreifen und Schwanzspitze sind ebenfalls schwarz. Die wildfarbene A. ist genetisch eine schwarze Katze und unterscheidet sich von der chocolate A. nur durch eine weniger warme Tönung, durch die Farbe der Nasenspiegelumrandung, der Fußballen und der Schwanzspitze.

Schon in den 80er Jahren des vorigen Jahrhunderts wurde von der ersten „roten“ A. in Großbritannien berichtet. Ein halbes Jahrhundert lang wurde sie als ↑ Fehlfarbe angesehen und ausgemerzt, bis sie schließlich 1963 von der F.I.Fe. als zweite A.varietät offiziell anerkannt wurde. Sie hat ein rotbraun geticktes, kupferrotes, glänzendes Fell. Der Ansatz der Haare, der Bauch und die Innenseite der Beine sind dunkel aprikosenfarbig. Der Nasenspiegel ist rosa und rotbraun umrandet, die Fußballen sind rosa, Sohlenstreifen und Schwanzspitze rotbraun. Sehr bald stellte sich heraus, daß es sich bei diesem Rot nicht um das geschlechtschromosomengebundene Rot der Katze handeln konnte (↑ Orange); eine braune Mutante wurde vermutet. Entgegen den ersten Annahmen, war dieses Braun genetisch jedoch nicht mit dem Braun der Siam Chocolate-Point und der ↑ Havana identisch, sondern ist auf ein ↑ Allel zurückzuführen, das eine hellbraune Fellfärbung hervorruft. Logischerweise wurde die „rote“ A. in ↑ Sorrel [engl., rotbraun] umbenannt und die Bezeichnung rot bleibt somit den geschlechtschromosomengebundenen roten A. vorbehalten, die jedoch noch nicht anerkannt sind. Sie wurden durch Einkreuzen von roten ↑ Hauskatzen in wildfarbene A.linien über die ↑ Schildpatt gezüchtet.

Die verdünnten Farben der A. wurden erst 1982 von der F. I. Fe. offiziell anerkannt und zwar in Blau als ↑ Verdünnung von Schwarz (↑ wildfarben) und als ↑ Fawn-Beige, der Verdünnung von Sorrel.

Die *blaue A.* hat eine warme, blaugrau getickte Körperfarbe, ihre Haarspitzen sind tief stahlblau. Der Ansatz der Haare ist ein helles Creme oder Beige, ebenso gefärbt sind der Bauch, die Schwanzspitze und die Innenseite der Beine. Der ziegelrote Nasenspiegel ist blau umrandet, die Fußballen sind blaugrau.

Die Körperfarbe der Fawn-Beige hingegen ist ein stumpfes, mattes Beige, mit einem warmen Creme getickt. Haaransatz, Bauch, Innenseiten der Beine und Schwanzspitze müssen ein helleres Creme aufweisen. Der rosafarbene Nasenspiegel ist altrosafarben umrandet. Die Fußballen sind altrosa. 1983 beschloß die F. I. Fe., die bis dahin anerkannten A. varietäten auch als silberne zuzulassen. Das Ticking der silbernen A. ist jeweils schwarz, blau, hellbraun oder hellilac. Die Rufuspolygene, die die warme Körpergrundfarbe erzeugen, fallen durch die Wirkung des ↑ Melanininhibitors aus, und ein silbriges Weiß entsteht. Diese Varietäten züchtete man durch Einkreuzen von silbernen Britisch Kurzhaar. An der cameo A. wird bereits gearbeitet. Die Unterschiede zwischen der silbernen Sorrel und der cameo A. werden wahrscheinlich sehr gering sein. Letztere wird sich nur

durch ein kräftigeres, leuchtenderes Rot des Tickings auszeichnen.
Die Rückgratlinie (↑ Aalstrich) aller A.varietäten ist in der genetischen Grundfarbe etwas intensiver pigmentiert als der übrige Körper. Eine fast zeichnungsfreie A. wird für Agouti und A. tabby reinerbig sein. Die A. hat eine Semilanghaarschwester, die ↑ Somali. Tafeln 22, 26, 27. Tab.

Genotypen der einzelnen Abessiniervarietäten

wildfarben	A- B- C- D- ii T^a-
sorrel	A- b^lb^l C- D- ii T^a-
fawn-beige	A- b^lb^l C- dd ii T^a-
blau	A- B- C- dd ii T^a-
wildfarben silber	A- B- D- I- T^a-
sorrel silber	A- b^lb^l D- I- T^a-
fawn-beige silber	A- b^lb^l dd I- T^a-
blau silber	A- B- dd I- T^a-
chocolate	A- bb C- D- ii T^a-
lilac	A- bb C- dd ii T^a-
rot	C- D- ii O(O) T^a-
creme	C- dd ii O(O) T^a-
red cameo	C- D- I- O(O) T^a-
creme cameo	C- dd I- O(O) T^a-

Abessinierallel: 1. ↑ Abessiniertabby. – **2.** ↑ Tabbyzeichnung.

Abessiniermuster ↑ Abessiniertabby.

Abessiniertabby, *Abessiniermuster, Aby-ticking* [engl. ticked tabby]: zu dem wahrscheinlich drei Allele ($T^a < T < t^b$) umfassendes Tabbylocus (↑ Genort) gehörende Zeichnungsmuster, wobei T^a über die übrigen Mutantenallele dominiert. A. in homozygoter Form zeigt weniger Streifung als in heterozygoter Form T^aT oder T^at^b. *Robinson* führte 1977 diese phänotypische Manifestation entweder auf ↑ Selektion zur Zeichnungsfreiheit oder auf ↑ unvollständige Dominanz von T^a zurück, wobei das eine das andere nicht unbedingt ausschließen muß.
Die Bezeichnung A. stammt aus der Zucht der ↑ Abessinier mit der das Zeichnungsmuster (↑ Tabbyzeichnung) bekannt wurde. Auf heutigen Ausstellungen zeigen Abessinier jedoch bis auf ein zartes M auf der Stirn keinerlei Streifung.
Das A. wurde inzwischen in anderen Rassen, vorwiegend in ↑ Orientalisch Kurzhaar, eingekreuzt, wo es u. a. bei der roten Varietät (↑ Rot, ↑ Orange) eine fast völlige Zeichnungsfreiheit bewirkt hat.
In Großbritannien haben die Oriental Ticked Tabbies [engl., Orientalisch Kurzhaar mit A.] in ↑ Schwarz A- B- C- D- T^aT^a, in ↑ Blau A- B- C- dd T^aT^a, in ↑ Chocolate A- bb C- D- T^aT^a, in ↑ Lilac A- bb C- dd T^aT^a, in ↑ Cinnamon A- b^lb^l C- D- T^aT^a und in Cinnamon Silver A- b^lb^l C- D- I- T^aT^a die vorläufige Anerkennung erhalten.
Tritt an die Stelle des dominanten Gens C- für die ↑ Vollpigmentierung das homozygot rezessive Allelpaar c^sc^s für den ↑ Maskenfaktor, entstehen die entsprechenden noch nicht anerkannten Varietäten bei den ↑ Siam: Black Ticked Tabby Point, Chocolate Ticked Tabby Point, Blue Ticked Tabby Point, Lilac Ticked Tabby Point und Cinnamon Ticked Tabby Point.

Abführmittel ↑ Verstopfung.

Abhaaren ↑ Haarwechsel.

Abmagerungsdiät ↑ Energiebedarf.

Abnabeln: 1. ↑ Geburt. - **2.** ↑ Welpenaufzucht.

Abort, *Fehlgeburt, Frühgeburt*: Ausstoßen der Frucht vor dem Erreichen der unteren Grenze der physiologischen Trächtigkeitsdauer (↑ Trächtigkeit), bei ↑ Katzen nicht selten vorkommend. Gelegentlich werden nicht alle Früchte ausgestoßen und die verbleibenden entwickeln sich normal weiter und werden zum regulären Termin geboren.
Nach dem Zeitpunkt des A. unterscheidet man zwischen

– *Früh-A.* (embryonaler Fruchttod vor Abschluß der Organogenese), bis etwa dritte Trächtigkeitswoche. Die Frucht wird seltener ausgestoßen, meistens resorbiert. Ein Früh.-A. verläuft daher häufig unbemerkt.

– *Fehlgeburt* (Abortus immaturus), etwa vierte bis siebente Trächtigkeitswoche. Die Früchte sind unreif und nicht lebensfähig. Oft werden sie von der Mutter aufgefressen, und nur einige Blutspuren in der Genitalregion (↑ Geschlechtsorgane) weisen auf einen A. hin.

– *Frühgeburt* (Spät-A., Abortus praematurus), innerhalb der letzten eineinhalb Wochen der Trächtigkeit. Die Früchte sind noch nicht voll ausgereift, aber bereits lebensfähig; die Überlebenschance ist jedoch gering.

In der ersten Graviditätshälfte handelt es sich in der Regel um einen Abortus completus (Frucht und Eihäute in Form kugeliger, kirschgroßer Gebilde mit einer nabelähnlichen Einziehung), in der zweiten dagegen um geburtsähnliche Vorgänge und Produkte (Abortus incompletus: Zurückbleiben von Nachgeburtsteilen und spätere Puerperalstörungen). Die Ursachen sind mannigfaltig, bleiben aber meist unbekannt. Es kann sich sowohl um hormonelle Störungen, Traumen (Verletzungen mit Ablösung der Plazenta), Geschwülste, ↑ Fütterungsfehler, ↑ Vergiftungen, ↑ Mißbildungen, um eine genetische Disposition oder um ↑ Infektionskrankheiten, vor allem Panleukopenie und Katzenschnupfen, aber auch um Mischinfektionen mit ubiquitären (überall vorkommende) Keimen handeln. Ein rötlich-wäßriger, oft übelriechender Ausfluß aus der Scheide ist meist der einzige Anhaltspunkt für einen drohenden oder bereits erfolgten A. Der Tierarzt sollte konsultiert werden, da es in den ersten zehn Tagen nach dem A. zu einer ↑ Gebärmutterentzündung kommen kann.

Abwehrlaut ↑ Lautgebung.

Abwehrverhalten: Teilelement des ↑ agonistischen Verhaltens. Im Gegensatz zum ↑ Angriffsverhalten ziehen Katzen beim A. den Kopf ein, um den Hals vor dem ↑ Nackenbiß des Gegners zu schützen und setzen den ↑ Pfotenhieb (Tatzenhieb) als Verteidigungsmittel ein. Die Ohren werden seitlich herabgebogen, am Hinterrand eingeknickt und können so an den Kopf angelegt werden, daß sie von vorn unsichtbar sind. Die Pupillen erweitern sich stark, und die Haare sträuben sich am ganzen Körper. Physiologisch wird das A. von einer verstärkten Adrenalinausschüttung begleitet. Wird die Distanz vom Angreifer verringert, dreht sich die abwehrende Katze mit Kopf und Vorderkörper beginnend langsam in die Rükkenlage, die die stärkste Abwehrhaltung darstellt. Sie hemmt den Angreifer zumindest bei langsamen Vorgehen und ermöglicht dem Verteidiger einen unverhofften Pfotenhieb auf die Nase des Gegners. Danach dreht sich die abwehrende Katze blitzschnell auf den Rücken, um den nun folgenden Gegenangriff mit den Tatzen abzuwehren. Ein hartnäckiger und heftiger Angriff führt zu einer anderen Taktik des Verteidigers: die Pfoten umklammern mit weitgespreizten Krallen den Gegner und versuchen, ihn an den offenen Rachen heranzuziehen, gleichzeitig treten und kratzen die Hinterpfoten den Bauch des Gegners. Beide Tiere liegen in einem solchen Kampf Bauch an Bauch auf der Seite, wobei vielfältige Laute von sich gegeben werden (↑ Lautgebung). A. tritt nicht nur im Zusammenhang mit dem innerartlichen ↑ Kampfverhalten sondern auch als Element des ↑ Beutefangverhaltens und des ↑ Feindverhaltens auf. Oft ist es in Überlagerung mit dem Angriffsverhalten zu beobachten.

Die letztgenannten Elemente des A. können auch durch Berühren der Bauchseite einer auf dem Rücken liegenden Katze ausgelöst werden, was möglicherweise rein reflektorische Verteidigungsreaktionen sind.

Aby ↑ Abessinier.

Aby-rot ↑ Sorrel.

Aby-ticking ↑ Abessiniertabby.

Abzeichen [engl. points]: auf ↑ Akromelanismus beruhende Färbung des Gesichtes (↑ Maske), der Ohren, des Schwanzes und der Beine. Bei der ↑ Birma, der ↑ Ragdoll und der ↑Snow-Shoe-Cat sind die A. unterschiedlich gescheckt (↑ Scheckung), z. B. die ↑ Handschuhe der Birma. Die A. sollen bei allen ↑ Rassen bzw. ↑ Varietäten gleichmäßig gefärbt sein und sich kontrastreich von der helleren Fellfarbe absetzen (↑ Abzeichenfarbe), was nur durch ↑ Selektion zu erreichen ist.

Abzeichenfarbe: auf partiellem ↑ Albinismus beruhende Pigmentierung der ↑ Abzeichen (vgl. Maskenfaktor), die als Varietäten bei Persern und Exotic Kurzhaar anerkannt und bei Siam und Balinesen wesentliches rassebildendes Merkmal sind. Bei der ↑ Ragdoll, der ↑ Birma und der ↑ Snow-Shoe-Cat wird die A. teilweise durch partiellen ↑ Leuzismus weiter reduziert. Die internationalen Bezeichnungen gehen auf die englischen Begriffsbildungen zurück, z. B. ↑ Seal-Point für die schwarzbraune Färbung, ↑ Red-Point für die rote und ↑ Blue-Point für die blaue A. Die Färbung des Fells ergibt sich aus der A. und der Färbung der übrigen Körperteile. Die bei ↑ Vollpigmentierung zugelassenen Farbkombinationen wurden nahezu vollständig auch als A. übernommen. Der gute Kontrast zwischen A. und Körperfarbe stellt ein wesentliches Qualitätsmerkmal dieser Gruppe dar. Die in der Albinoserie vorhandenen Hauptgene üben ebenfalls einen entscheidenden Einfluß aus, denn weniger deutlich abgesetzt sind die A. der ↑ Tonkanesen und kaum wahrnehmbar die der ↑ Burma.

Adoption: in der ↑ Verhaltensbiologie in einem weiteren Sinne als im täglichen Sprachgebrauch benutzter Begriff, der auf alle Situationen angewandt wird, in denen bestimmte Individuen dauerhaft die Pflege eines Jungtieres übernehmen, für das sie normalerweise nicht „zuständig“ sind (*Immelmann*, 1982). In den meisten Fällen handelt es sich um Mitglieder der sozialen Gruppe, in der auch das Muttertier lebt und zu denen auch ein Verwandtschaftsverhältnis besteht (↑ Sozialverhalten). So kann z. B. bei der ↑ Hauskatze das Eintragen von verlassenen Jungen (↑ Jungentransport) durch andere Mütter beobachtet werden (*Leyhausen*, 1982). Von Züchtern wird diese Verhaltensbeziehung als Kunstgriff bei der ↑ Welpenaufzucht durch Ersatzmütter genutzt, z.B. dann, wenn das Muttertier verstorben oder sein Pflegetrieb

Haushuhnamme (nach einer Fotografie aus *Tinbergen*, 1978)

(↑ Mutterverhalten) nicht voll ausgeprägt ist. Die Ersatzmutter wird dann meist als *Amme* bezeichnet. Auch bei freilebenden Tieren wurden Fälle von A. durch artfremde Mütter beobachtet. So wurden junge Hauskatzen von Hundemüttern betreut oder sogar von einem Haushuhn gewärmt. Abb.

Afrikanische Wildkatze ↑ Falbkatze.

Aggressionsverhalten, *aggressives Verhalten*: nicht klar definierter Begriff, der teilweise als Sammelbezeichnung für alle Elemente des ↑ agonistischen Verhaltens steht, teilweise aber auch als Oberbegriff für Verhaltensweisen gebraucht wird, die die Umweltbeziehungen anderer Tiere bis hin zu deren physischer Vernichtung einschränken. Das ↑ Beutefangverhalten wird dabei meist ausgeklammert. Die Schwierigkeiten einer Definition bestehen zum einen in dem Fehlen eines einheitlichen Grundphänomens und zum anderen in der Begriffsübertragung auf menschliches Verhalten.

Vom A. zu trennen ist der Begriff *Aggressivität*, denn er beschreibt das Ausmaß der Angriffsbereitschaft, das für jede einzelne Art und innerhalb einer Art auch noch jahreszeitlich (↑ Jahresrhythmik) unterschiedlich stark ausgebildet ist. Innerhalb der Artgrenzen wird die Aggressivität durch Umwelteinflüsse und besonders durch frühkindliche Erfahrung (↑ Prägung) beeinflußt. Der Komplex A. wird in innerartliches (intraspezifisches) und zwischenartliches (interspezifisches) A. getrennt.

Stubenkatzen können A. gegenüber dem Besitzer oder anderen Hausgenossen entwickeln, und es wird dann oft zu Unrecht als ↑ Verhaltensstörung klassifiziert. In den meisten Fällen ist es aber Bestandteil von Funktionskreisen (Verhaltensprogrammen) artspezifischen Verhaltens. A. zeigt sich in Schwanzpeitschen, aggressiver ↑ Lautgebung, abwehrendem ↑ Pfotenhieb und im extremsten Fall in wütendem Anspringen bis hin zur Verfolgung der sonst vertrauten Person.

A. von Katzen gegenüber der Bezugsperson kann u. a. folgende Ursachen haben:

– Revierverteidigung (↑ Revierverhalten) ohne klar erkennbaren Anlaß stellt wohl die gefährlichste Form des A. dar. Vor allem Besucher werden fauchend empfangen und teilweise angegriffen. Ein solches A. kann sich aber auch gegen bestimmte Familienmitglieder richten.
– Abwehrverhalten infolge von Duftwahrnehmungen (↑ Chemokommunikation) eines anderen Tieres am sonst vertrauten Besitzer. Es ist meist nach Auseinandersetzungen von gemeinsam gehaltenen Katzen zu beobachten. Nimmt eines der Tiere den Duftstoff des Rivalen an der Hand des Besitzers wahr, ist das der ↑ Auslösemechanismus für das A. Mit der Beseitigung des Duftstoffes (Händewaschen) verschwindet auch wieder das A.
– ausgeprägtes ↑ Spielverhalten bei Umweltarmut (↑ Umwelt), bildet jedoch den häufigsten Grund für das A. Da Spiel gegenseitige Aktion (Interaktion) mit einem die Spielintensität regelnden Informationsaustausch darstellt, führt das Nichteingehen auf das Spielbedürfnis, besonders bei jungen Katzen, dazu, daß die Bezugspersonen angeschlichen und angesprungen werden. Oft wird es nur gegenüber bestimmten Personen und in recht spezifischen Zusammenhängen gezeigt. Eine Rückführung des Spiels auf angemessene Objekte, z. B. ein geworfener Ball oder ein gezogener Bindfaden mit einem angebundenen Papierschnipsel, führt zum schnellen Abreagieren.

Problematisch und unerwünscht ist A. im innerartlichen Zusammenhang bei Haltung mehrerer Katzen. Auch hier ist es fast immer Ausdruck normalen Verhaltens. Bei Auseinandersetzungen von männlichen Tieren um die ↑ Rangordnung kommt es nicht selten zu Verletzungen (*Leyhausen*, 1982), obwohl das ↑ Kampfverhalten der Katze aus formali-

sierten Handlungsketten (↑ Appetenzverhalten, ↑ Endhaltung) besteht. Katerkämpfe können durch ↑ Kastration weitgehend abgebaut werden.
A. im Zusammenhang mit Revierverhalten tritt bei beiden Geschlechtern auf, z. B. dann, wenn eine neue Katze ins Haus kommt oder wenn Verhaltenselemente des A. bei einer Katze altersgerecht ausreifen. Katzen, die bis zu einem Alter von zwei bis drei Jahren friedlich zusammengelebt haben, beginnen plötzlich, sich gegenseitig zu verfolgen, und die Intensität der Auseinandersetzungen nimmt von da an allmählich zu. Dies ist wiederum vom Normalverhalten freilaufender Katzen abzuleiten, die mit zunehmendem Alter territorial werden. Bei Stubenkatzen wird dieses Revierverhalten auf die ↑ Mensch-Tier-Beziehungen übertragen. Oft bleibt in solchen Fällen nur die Trennung von der betreffenden Katze übrig, da die Raumansprüche nicht befriedigt werden können.
In den seltensten Fällen ist A. auf pathologische Ursachen, wie Hirntumore, Nervenzelldegeneration oder auch Darmparasiten (↑ Endoparasiten), zurückzuführen. Gesteigerte Aggressivität ist jedoch stets ein Zeichen für ↑ Stress. Ist sie mit einem besonderen Drang zum Entweichen, einem sinnlosen Umherwandern und grundlosen Anfallen von Mensch und Tier verbunden, muß besonders bei Katzen mit freiem ↑ Auslauf an Tollwut gedacht werden. Da diese Krankheit ohne entsprechende ↑ Schutzimpfung für Mensch und Tier tödlich verläuft, ist unverzüglich der Tierarzt aufzusuchen.

Aggressivität ↑ Aggressionsverhalten.
agonistisches Verhalten: Überbegriff für alle Verhaltensweisen, die im Zusammenhang mit dem Auftreten eines Tieres als Störgröße für ein anderes Tier stehen. Ziel des a. V. ist es, die Störgröße zu beseitigen. Es kann sowohl auf ein Tier derselben (intraspezifisch) als auch auf Tiere einer anderen Art (interspezifisch) gerichtet sein. A. V. tritt nur in Verbindung mit anderen Funktionskreisen des Verhaltens (↑ Revierverhalten, ↑ Sexualverhalten, ↑ Beutefangverhalten) auf, nicht aber losgelöst als eigenständiges ↑ Aggressionsverhalten.
In bezug auf den Konkurrenten kann das a. V. wie folgt gegliedert werden:

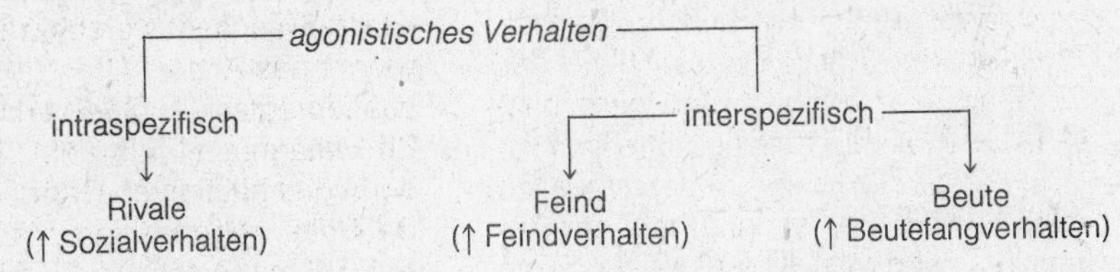

Der Prozeß der Realisierung von a. V. kann jeweils von zwei Seiten betrachtet werden, da die beteiligten Kontrahenten füreinander eine Störgröße bilden. Entsprechend der Verhaltensrolle (aktiv/passiv) und der Form der ↑ Distanzregulation läßt sich die Klassifizierung auf S. 14 vornehmen.
Agouti: Bezeichnung für die Fellfarbe des ↑ Wildtyps vieler Tierarten, z. B. bei Mäusen, Ratten, Meerschweinchen, Hunden, Füchsen, Dachsen, Schweinen. A. stellt auch den Wildtyp bei Katzen dar. Die Bezeichnung stammt von einer Nagerart, die in Brasilien und Ostperu beheimatet ist, dem Goldhasen (*Dasyprocta aguti*). Am Genort befinden sich die Allele A^+ und a, d. h. der Wildtyp dominiert über die Mutante ↑ Nicht-Agouti. Bei Katzen führt A^+ zur Ausbildung einer gelblich-grauen Färbung des Einzelhaares und bei selektiver Begünstigung zu einer schwarz-goldbrau-

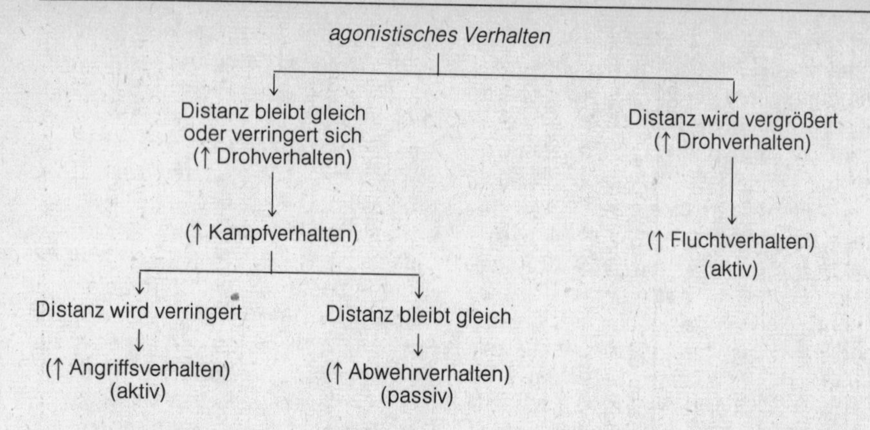

nen Bänderung. Die Bänderung durch Einschieben von Phäomelanin soll mit Zellteilungs- und Wachstumsschüben im Zusammenhang stehen. In der Rassekatzenzucht werden ↑ Varietäten prinzipiell in A. und Nicht-A. unterteilt und erstere als ↑ Agoutikatzen bezeichnet. A. bildet die Voraussetzung, daß die Gene für ↑ Tabbyzeichnung wirksam werden. Während das Gen für A. die Bänderung des einzelnen Haares erzeugt, sind modifizierende Polygene (↑ Modifikation, ↑ Polygenie) für die Anzahl der Bänderungen verantwortlich. Verpaart man z. B. zwei in allen Genorten heterozygot besetzte chocolate getupfte ↑ Orientalisch Kurzhaar miteinander, ihre Genkonstruktion wäre Aa bb^l Cc^s Dd Tt^b, fallen neben Siamesen in den entsprechenden Abzeichenfarben auch vollpigmentierte Tiere (CC, Cc^s). Der Erbgang wäre pentahybrid (↑ Oligogenie). Das nachstehend aufgeführte Kreuzungsdiagramm soll aber auf die Varietäten der Orientalisch Kurzhaar beschränkt bleiben. Die Abzeichenfarben (c^sc^s) werden nicht berücksichtigt. Die Genkonstruktionen bb DD und bb^l Dd sind ↑ Chocolates, da b über das Gen für Hellbraun b^l [engl. light brown] dominiert; b^lb^lDD und b^lb^lDd sind ↑ Cinnamon. Die Kombination der rezessiv homozygoten Allelpaare für Braun (bb) und ↑ Verdünnung (dd) läßt ↑ Lilac entstehen, während bei heterozygot besetztem Braungenort (bb^l) ein heller Farbton erzeugt wird, das Light-Lilac. Die rezessiv homozygote Allelkombination b^lb^ldd ergibt ↑ Caramel. Die genannten Farben sind in Verbindung mit A. (AA oder Aa) ↑ Tabbies. Befindet sich am A. locus das rezessiv homozygote Allelpaar aa, entstehen die entsprechenden einfarbigen Varietäten (↑ einfarbig).

Als A.katze par excellence wird die ↑ Abessinier bezeichnet, deren Semilanghaarpendant die ↑ Somali ist. In Verbindung mit ↑ Abessiniertabby (T^aT^a) würden die Genkonstruktionen b^lb^lDD und b^lb^lDd der ↑ Sorrel und b^lb^ldd der Fawn-Beige-Varietät entsprechen. Ein ↑ Kreuzungsdiagramm für die dominant-epistatische und eine rezessiv-epistatische Genwirkung unter Einbeziehung von A. ist unter dem Stichwort ↑ Epistasie verzeichnet. Tab.

Agoutikatzen: Katzen mit dem Agoutigen im heterozygoten oder homozygoten Zustand (Aa/AA). A. sind alle Katzen mit ↑ Tabbyzeichnung, ob in Kombination mit dem Gen für Vollpigmentierung C, dem ↑ Maskenfaktor c^s (↑ Tabby-Point, ↑ Tortie-Tabby-Point) oder in Kombination mit der Schekkung S (↑ Norwegische Waldkatze,

♂ ♀	A b D	A b d	A b^l D	A b^l d	a b D	a b d	a b^l D	a b^l d
A b D	**AA bb DD** chocolate tabby	AA bb Dd chocolate tabby	AA bb^l DD chocolate tabby	AA bb^l Dd chocolate tabby	Aa bb DD chocolate tabby	Aa bb Dd chocolate tabby	Aa bb^l DD chocolate tabby	Aa bb^l Dd chocolate tabby
A b d	AA bb Dd chocolate tabby	**AA bb dd** lilac tabby	AA bb^l Dd chocolate tabby	AA bb^l dd light lavender tabby	Aa bb Dd chocolate tabby	Aa bb dd lilac tabby	Aa bb^l Dd chocolate tabby	Aa bb^l dd light lavender tabby
A b^l D	AA bb^l DD chocolate tabby	AA bb^l Dd chocolate tabby	**AA b^{l}b^l DD** cinnamon tabby	AA b^{l}b^l Dd cinnamon tabby	Aa bb^l DD chocolate tabby	Aa bb^l Dd light lavender tabby	Aa b^{l}b^l DD cinnamon tabby	Aa b^{l}b^l Dd cinnamon tabby
A b^l d	AA bb^l Dd chocolate tabby	AA bb^l dd light lavender tabby	AA b^{l}b^l Dd cinnamon tabby	**AA b^{l}b^l dd** caramel tabby	Aa bb^l Dd chocolate tabby	Aa bb^l dd light lavender tabby	Aa b^{l}b^l Dd cinnamon tabby	Aa b^{l}b^l dd caramel tabby
a b D	Aa bb DD chocolate tabby	Aa bb Dd chocolate tabby	Aa bb^l DD chocolate tabby	Aa bb^l Dd chocolate tabby	**aa bb DD** chocolate	aa bb Dd chocolate	aa bb^l DD chocolate	aa bb^l Dd chocolate
a b d	Aa bb Dd chocolate tabby	Aa bb dd lilac tabby	Aa bb^l Dd chocolate tabby	Aa bb^l dd light lavender tabby	aa bb Dd chocolate	**aa bb dd** lilac	aa bb^l Dd chocolate	aa bb^l dd light lavender
a b^l D	Aa bb^l DD chocolate tabby	Aa bb^l Dd chocolate tabby	Aa b^{l}b^l DD cinnamon tabby	Aa b^{l}b^l Dd cinnamon tabby	aa bb^l DD chocolate	aa bb^l Dd chocolate	**aa b^{l}b^l DD** cinnamon	aa b^{l}b^l Dd cinnamon
a b^l d	Aa bb^l Dd chocolate tabby	Aa bb^l dd light lavender tabby	Aa b^{l}b^l Dd cinnamon tabby	Aa b^{l}b^l dd caramel tabby	aa bb^l Dd chocolate	aa bb^l dd light lavender	aa b^{l}b^l Dd cinnamon	**aa b^{l}b^l dd** caramel

↑ Maine Coon). Katzen, die am Orangelocus heterozygot sind, können ebenso wie die homozygot besetzten (rote und cremefarbene) A. sein, nur daß bei letzteren phänotypisch nicht erkennbar ist, ob sie tatsächlich Agouti tragen (vgl. Orange). In der ↑ Silberserie sind ↑ Chinchilla, ↑ Shaded Silver und natürlich die ↑ Silver-Tabby ebenfalls A. Die entsprechenden A. bei den ↑ Golden sind die Golden-Shell, -Shaded und -Tabby. Gemeinsames Merkmal aller A. sind eine Umrandung des ↑ Nasenspiegels, der ↑ Wildfleck und die ↑ Sohlenstreifen, wobei die silbernen und goldenen A. aufgrund ihrer Spezifik zum Teil Ausnahmen bilden. Die Einteilung in A. und Nicht-A. erfolgt aus genetischer Sicht über die verschiedenen ↑ Rassegruppen hinweg.

Ahnentafel ↑ Rassekatzen.

Ahnenverlust, *Vorfahrenverlust*, *Vorfahrenreduktion*: Verminderung der Vorfahrenzahl für eine bestimmte Anzahl von Generationen bei Verwandtschaftspaarung, da in der Ahnenreihe eines Zuchttieres bestimmte Vorfahren mehrmals auftreten (↑ Inzucht, ↑ Linienzucht). Jedes Individuum hat im Normalfall zwei Eltern (2^1), vier Großeltern (2^2), acht Urgroßeltern (2^3), in der *n*-ten Vorfahrengeneration 2^n, z.B. in der zehnten $2^{10} = 1024$ Ahnen. Der A. stellt die Differenz zwischen der möglichen Vorfahrenzahl und der Anzahl der Nennungen dar und sagt etwas über die Verwandtschaftsverhältnisse in bestimmten ↑ Populationen oder Stichproben aus, nichts jedoch darüber, welche Erbfaktoren verloren gingen oder fixiert wurden, was von Fall zu Fall unterschiedlich ist. Da es keine Beschränkung der Generationszahl bei der Berechnung gibt, kann der A. höher als der ↑ Inzuchtkoeffizient sein.

Akromelanismus [griech., Spitzenfärbung]: Auftreten von ↑ Melanin an den Körperspitzen, d.h. ↑ Pigmentierung bestimmter Kopfregionen (Gesicht, Ohren), der peripheren Extremitätenteile und der Schwanzspitze. Auf diese Art und Weise werden bei einem hellen Grundton der Körperfarbe ↑ Abzeichen gebildet.
Genetisch handelt es sich um einen *Teilalbinismus*. A. beruht auf der Wirkung eines rezessiven Allels der Albinoserie c^s in homozygoter Form. Die Mutante c^sc^s wurde erstmals bei den ↑ Siam bekannt und analysiert (*Bamber/Herdman*, 1931). Ihre phänotypische Ausprägung steht jedoch unter der Kontrolle von Modifikatorgenen (↑ Modifikation) und von Umweltfaktoren. In Analogie zu den Verhältnissen bei anderen Tierarten ist die Spitzenfärbung bei Katzen temperaturabhängig. Die am schwächsten durchbluteten und damit kühlsten Körperteile zeigen ↑ Pigmentierung, während der Rumpf aufgehellt ist. Die Temperaturwirkung auf die Färbung erklärt sich aus einer partiellen Blockade der Tyrosinase (↑ Albinismus). Wachsen Siamkatzen bei niedrigen Temperaturen auf, wird ihr Fell dunkler als gewöhnlich (*Iljin/Iljin*, 1930). Aufzucht bei hohen Umgebungstemperaturen (über 30°C) ergibt dagegen Exemplare mit hellerer Körperfarbe. Daher ergeben sich bei gleichem Genotyp regionale Unterschiede im Helligkeitsgrad der entsprechenden Katzenpopulationen. Im übrigen ist die Farbabstufung der Abzeichen beim A. vom genotypischen Milieu sowie von Einzelgenwirkungen abhängig. So haben z.B. die Gene für Langhaarigkeit II oder epistatische Wirkungen von Allelen anderer ↑ Genorte einen modifizierenden Einfluß. Die kalten und warmen Farbtöne sowie der Kontrast zwischen Abzeichen- und Körperfarbe werden weitgehend von den züchterischen Bemühungen, d.h. durch ↑ Selektion, bestimmt (*Robinson*, 1977).

Alarmreaktion ↑ Stress.

Albinismus [lat., Weißfärbung]: angeborener vollständiger oder teilweiser Pigmentmangel der Haut, des Haarkleides oder der Augen. Der A. wird durch Blockade der Melaninsynthese infolge Fehlens oder einer Funktionsstörung des Enzyms Tyrosinase in den Melanozyten bewirkt (vgl. Melanin). Im erstgenannten Fall wird die Synthese gar nicht begonnen, im letztgenannten Fall wird Melanin in zu geringer Menge und langsam produziert und durch die Körpertemperatur gleich wieder zerstört (↑ Akromelanismus, ↑ Maskenfaktor, ↑ Abzeichenfarbe).
Die genetische Determination des A. erfolgt durch die ↑ Allele der ↑ Albinoserie c^a und c. Jedoch stellt bereits der Siamfaktor c^s eine Form des A. dar. Der Genotyp c^ac^a ergibt Blue-eyed-Albinos (weißes Haarkleid, blaßblaue Iris), der Genotyp cc Pink-eyed-Albinos (weißes Haarkleid, rosa Augen).
Das Extrem der Variationsreihe ist der homozygote Genotyp cc. Er ist gegenüber allen anderen Genen des C-Locus rezessiv. Das typische Zeichen des „echten" A. ist das „rote Albinoauge", das auf ein Durchschimmern der Blutgefäße des Augenhintergrundes durch die dünne farblose Iris zustande kommt und in reiner Form wahrscheinlich nur beim Kaninchen auffällt. Bei der Katze ist die Iris so dick, daß die Blutgefäße zwar bei direkter Beleuchtung durchschimmern, nicht aber bei indirekter. Als halbdurchlässiges Medium, ähnlich dem wolkenlosen Himmel, erscheint die pigmentlose Iris albinotischer Katzen blau (Tyndall-Effekt). Erst mit Hilfe einer fundusscopischen Untersuchung und der Fotografie ist die Abwesenheit der Retinapigmentierung nachweisbar. Obwohl gelegentlich über das Auftreten echter Albinos (okulokutaner Albinismus) berichtet wurde (*Todd*, 1977), fehlen bisher exakte Beweise, daß es sich um cc-Genotypen gehandelt hat.

Das Haar ist beim A. praktisch farblos. Das Weiß im Fell ist ein Lichteffekt auf dem durchsichtigen Haar, in das Luftblasen eingeschlossen sind. Je nach der Intensität und Richtung des Lichteinfalls ergeben sich durch Reflexion bläulich oder grau schimmernde Farbtöne.
Der A. darf nicht mit anderen Formen der Weißfärbung (↑ Leuzismus) verwechselt werden. Bei der Varietät Europäisch Albino oder dem in den USA gezüchteten Siam-Albino wird die weiße Farbe durch das rezessive Blue-eyed-Albino-Gen c^a und nicht wie bei anderen Katzen vom Gen für das dominante Weiß W bestimmt. Die Augen sind von einem helleren Blau als die anderer blauäugiger Weißlinge, z. B. ↑ Foreign White, und die Pupillen haben eine rosa Reflexion. Ein großer Vorteil ist, daß derartige Tiere nicht an ↑ Taubheit leiden.

Albinismus oculi ↑ Augenalbinismus.

Albinofaktor: 1. ↑ Albinismus. – **2.** ↑ multiple Allelie.

Albinoserie, *Colorationserie:* Bezeichnung der ↑ multiplen Allelie am Colorationlocus, wobei folgende Dominanzreihe gebildet wird: $C>c^b>c^s>c^a>c$. Dabei sind C = ↑ Vollpigmentierung, c^b = ↑ Burma, c^s = ↑ Siam (vgl. Maskenfaktor), c^a = Blue-eyed-Albino (weißes Haarkleid, blaßblaue Iris) und c = Pink-eyed-Albino (weißes Haarkleid, rosa Augen, vgl. Albinismus). Es liegt ↑ unvollständige Dominanz vor. So liefern die Allele c^b und c^s das klassische Beispiel für eine intermediäre Vererbung, denn ihre Kombination ergibt die ↑ Tonkanesen c^bc^s, während die Genkonstruktion c^sc^a Siamesen mit wäßrigblauen Augen erzeugt.

Allele [griech., Pl.]: Die auf homologen Chromosomen identische Genorte einnehmenden unterschiedlichen Konfigurationen (Mutationszustände) eines ↑ Gens bezeichnet man als A., unabhängig davon, ob sie zur Bildung identischer oder verschiedener ↑ Phänotypen führen. Die beiden Genorte können homozygot oder heterozygot mit der Erbanlage des ↑ Wildtyps, mit Wildtyp und Mutante oder mit zwei verschiedenen Mutationen [engl. compound] besetzt sein.

Da unterschiedliche Mutationsschritte innerhalb eines Gens möglich sind, kann in der ↑ Population eine ↑ multiple Allelie auftreten. So ist z. B. das im Gehirn produzierte Neurohormon LH-RH [engl. luteinizing hormone – releasing hormone] ein Dekapeptid, dessen Sequenz aufgeklärt wurde und das synthetisiert werden kann: Glu-His-Tryp-Ser-Tyr-Gly-Leu-Arg-Pro-Gly-NH_2.

Da die Position jeder Aminosäure durch drei Nukleotide bestimmt wird (genetischer Code), gibt es bei zehn Aminosäuren 30 Mutationsorte (*Mutons* nach *Benzer*, 1957, engl. sites).

Selbst bei Vernachlässigung von Mehrfachmutationen und der Synonymcodierung (Festlegung einer Aminosäure durch mehrere Codons) ist die Zahl der möglichen A. bedeutend.

Allelfrequenz ↑ Genfrequenz.

Allelietest: Test zur Zuordnung von Erbunterschieden (Mutanten) zu bestimmten ↑ Genorten. Es wird geprüft, ob bestimmte Gene ↑ Allele oder Gene benachbarter Genorte sind (↑ Genkopplung) bzw. ob ein neuentdecktes Allel zu einem Locus mit ↑ multipler Allelie gehört. Der A. ist bei allen diploiden Organismen anwendbar. Sein Prinzip ist die Kreuzung der verschiedenen zu testenden Mutanten mit anschließender Analyse der F_1- und F_2-Generation (↑ Mendel-Regeln). Es handelt sich um einen Funktions- bzw. Merkmaltest, da untersucht wird, ob zwei unabhängig voneinander entstandene Mutationen dasselbe genetische Material, d. h. die gleiche Funktionseinheit des Gens (Cistron), verändern.

In einem Beispiel soll geprüft werden, ob das Gen für ↑ dominantes Weiß W ein Allel in der ↑ Albinoserie ist. Das Material umfaßt die Mutanten c^s (I), c^a (II) und W (III). Man analysiert die Verpaarung I × II, I × III und II × III. Bei Heterozygotenverpaarung $c^sc^a \times c^sc^a$ entfällt die ↑ genetische Rekombination zum ↑ Wildtyp. Es handelt sich um eine Kombination zweier Mutanten. Die F_1-Generation hat kein Wildtypallel. Bei der Verpaarung I × III und II × III, d. h. $Cc^sWw \times Cc^sWw$, $Cc^aWw \times Cc^aWw$, erhält man ein Spaltungsverhältnis von 12 (Weiß) : 3 (Color) : 1 (blauäugiger Albino bzw. ↑ Siam). Das Spaltungsverhältnis entspricht einem dihybriden dominant-epistatischen Erbgang. Durch die Kreuzung übertrug jeder Elternteil ein mutiertes Gen unterschiedlicher Genorte auf die F_1. Beide Paarungspartner trugen andererseits ein dominantes Wildtypallel. Es fand eine Rekombination zum Standardphänotyp statt. Die Analyse ergab, daß I und II Allele des gleichen Genorts sind, während III zu einem anderen Locus gehört. Tab.

Bildung der F_2-Generation durch Verpaarung der doppelt Heterozygoten $Cc^aWw \times Cc^aWw$

♂ / ♀	c^aW	c^aw	CW	Cw
c^aW	**c^ac^aWW**	c^ac^aWw	Cc^aWW	Cc^aWw
c^aw	c^ac^aWw	**c^ac^aww**	Cc^aWw	Cc^aww
CW	Cc^aWW	KCc^aWw	**CCWW**	CCWw
Cw	Cc^aWw	Cc^aww	CCWw	**CCww**

Allelserie ↑ multiple Allelie.

Allelwechselwirkungen: Zusammenwirken zwischen verschiedenen ↑ Allelen eines Gens. A. bei der Merkmalbildung sind mindestens seit den Vererbungsversuchen von *Mendel* (1866) bekannt. Für die Art des Zusammenwirkens wurden die Begriffe ↑ Dominanz,

↑ Rezessivität und *intermediäre Vererbung* geprägt. Inzwischen hat sich gezeigt, daß es bei der Ausprägung der beiden Allele eines heterozygoten Diplonten viele Übergangsstufen gibt. In zahlreichen Fällen liegt eine ↑ unvollständige Dominanz bzw. Rezessivität vor.
Das Zusammenwirken bestimmter Allele kann auch die sogenannte Überdominanz, Superdominanz oder monogen bedingte ↑ Heterosis ergeben. In diesem Fall ist eine Überlegenheit des heterozygoten Genotyps eines Genorts gegenüber den dominanten und rezessiven Homozygoten infolge supplementärer, alternativer oder optimierender Allelwirkung bzw. Produktion spezieller Hybridsubstanzen, z. B. Hybrid-Enzym-Aggregaten, gegeben. Dabei wird ein positiv wirkendes Allel in Kombination mit einem schwach wirkenden Mutantenallel in einfacher Dosis stärker ausgeprägt, als wenn es homozygot vorliegen würde.
In anderen Fällen treten die beiden unterschiedlichen Allele eines Genorts weitgehend unabhängig voneinander auf. Man spricht von ↑ Kodominanz.

Allometrie ↑ Hirnschädelkapazität.

allopatrische Isolation ↑ Rasse.

Alopezie ↑ Haarausfall.

Alpha-Tier ↑ Rangordnung.

Altersvariation ↑ phänotypische Variation.

AM: Abk. für ↑ Auslösemechanismus.

ambivalentes Verhalten ↑ Konfliktverhalten.

American Bobtail [engl., amerikanische Stummelschwanzkatze]: zur Gruppe der ↑ Semilanghaar zählende Zuchtform, deren rassebildendes Merkmal ein ↑ Kurzschwanz ist.
Die A. B. ist eine untersetzte, kräftig gebaute Katze auf kurzen, stämmigen Beinen und breiten, runden Füßen. Der quastenförmig behaarte Schwanz ist etwa 2,5 bis 7,5 cm lang und oft beweglich. Mit seiner mittellangen geraden Nase und seinem kräftigen Kinn bildet der Kopf einen breiten Keil. Die großen mandelförmigen Augen sind leicht schräg gestellt und blau gefärbt. Die Ohren sind mittelgroß, breit am Ansatz und tief am Kopf angesetzt. Das halblange, zottig wirkende Fell soll dichtes, weiches Unterhaar (vgl. Haar) aufweisen. An der Brust, am Schwanz und an den Hinterbeinen ist die Behaarung etwas länger; im Winter umrahmt eine ↑ Halskrause das Gesicht. Die ↑ Abzeichen sind am Kinn und an den Pfoten weiß abgesetzt; alle ↑ Abzeichenfarben werden akzeptiert. Als fehlerhaft gelten ein zu langer Schwanz, viel ↑ Scheckung in der ↑ Maske sowie ↑ Handschuhe, die sich an den Vorderpfoten über das Handwurzelgelenk und an den Hinterpfoten höher als bis zum Sprunggelenk hinausziehen.
Im Jahre 1972 wurde ein streunendes Katerchen mit einem Kurzschwanz von einem Ehepaar in Arizona (USA) aufgenommen. Es entpuppte sich nach und nach als ein sehr großer, kräftiger, schwarz getupfter Semilanghaarkater, der dann mit den sich im gleichen Haus befindlichen Siamdamen verschiedene Würfe zeugte. Der Nachwuchs war schwarz oder blau und hatte meist den gekrümmten Schwanz und den untersetzten kräftigen Körperbau (vgl. Körperbautyp) des Vaters. Eine Züchterin erhielt aus dem ersten Wurf ein weibliches Tier. *Bobbie* hatte insgesamt 24 Junge, meist waren es zwei je Wurf (vgl. Wurfstärke). Die Hälfte hatte einen Stummelschwanz und trug den ↑ Maskenfaktor. Als *Bobbie* schließlich von einem Colourpoint Red gedeckt wurde, fiel ein niedliches langhaariges Stummelschwanzkätzchen. *Melissa,* eine gescheckte ↑ Seal-Point, wurde die Stammutter der Gründergeneration der A. B.
In den vergangenen Jahren wurde die

A. B. im Körperbautyp vereinheitlicht. Nur zwei Jungtiere von stummelschwänzigen Eltern waren normalschwänzig. Ein Wurf einer langschwänzigen Mutter war ebenfalls stummelschwänzig. Um den ↑ Genpool zu erweitern, werden Kreuzungen mit ↑ Birma oder kräftigen ↑ Balinesen empfohlen. Die Schwanzlosigkeit der ↑ Manx ist bisher noch nicht aufgetreten. Im Gegensatz zur ↑ Japanese Bobtail finden sich auch normalschwänzige Welpen in Würfen stummelschwänziger Eltern. Die Manifestation dieser Stummelschwanzform hängt offensichtlich vom genotypischen Milieu (↑ Genotyp) der betreffenden ↑ Population ab, wobei es sich insgesamt um einen Fall von ↑ multipler Rezessivität zu handeln scheint. Abb.

American Bobtail

American Curl [engl., Amerikanisch Kräuselohr]: neben der ↑ Scottish Fold eine zweite Katzenrasse, deren rassebildendes Merkmal ungewöhnlich geformte Ohren sind. Diese stehen weit auseinander, sind auswärtsgedreht und mit den Spitzen zueinander gebogen. Der Grad der einer Welle oder Kräuselung ähnlichen Biegung kann variabel sein. Die Form des Kopfes entspricht im Prinzip der einer ↑ American Shorthair. Der Körper ist eher langgestreckt mit einem mittellangen, rund oder spitz zulaufenden Schwanz. Im Gegensatz zur Scottish Fold ist die A.C. eine ↑ Semilanghaar ohne dichte Unterwolle. Alle Fellfarben sind erlaubt; die Färbung der Augen ist ebenfalls nicht vorgeschrieben.

Die Stammutter der Curl-Katzen, die im Jahre 1981 einer Familie in Lakewood (Kalifornien) zulief, hatte ein weiches, langes, schwarzes Haarkleid und goldfarbene Augen. Sie wurde *Shulamith* genannt. Auffällig waren ihre aufrecht stehenden Ohren mit gewölbten bzw. gebogenen Rändern. Der Ohrknorpel hatte die normale Festigkeit aufzuweisen. Ob in der nahen Verwandtschaft dieses Tieres bereits Merkmalträger auftraten, konnte nicht ermittelt werden. Nach freier Verpaarung mit einem unbekannten Kater wies die Hälfte der Nachkommenschaft ebenfalls gebogene Ohren auf. Eine verschenkte kurzhaarige Katze mit ↑ Tabbyzeichnung, *Mercedes*, wurde kurze Zeit danach von einer passionierten Katzenzüchterin entdeckt, die sich sofort ein Zuchtpaar bestellte. Inzuchtpaarungen führten zum Auftreten weiterer Merkmalträger. Diese und Paarungen mit normalohrigen Partnern ergaben Exemplare unterschiedlicher Färbung, u. a. ↑ Tabbies und ↑ Schwarze. Ungefähr zur gleichen Zeit, als aus diesen Zuchtversuchen eine schwarz getupfte Langhaarkatze, *Princess Leah*, und ein Kater, *Master Luke*, mit entsprechenden Merkmalbildungen hervorgingen, erschien in der örtlichen Presse ein Artikel über die Scottish Fold. Er gab den Anstoß, eine „echt amerikanische Rasse“ zu etablieren.

Im Oktober 1983 traten *Shulamith*, *Princess Leah* und *Master Luke* zum ersten Mal auf einer Katzenausstellung in Palm Springs auf. Die neue Ohrvariante wurde besonders von Züchtern der Scottish Fold mit Begeisterung aufgenommen. Sie standen dann auch Pate

bei der Erarbeitung eines provisorischen ↑ Standards.
Die Genetik dieser Ohrform wurde bisher nicht mit wissenschaftlicher Präzision untersucht. Die Merkmalträgerverpaarung und die Paarungen zwischen Merkmalträgern und normalohrigen Tieren ergaben aber genügend Hinweise, um den ↑ Erbgang vorläufig als einfach autosomal dominant zu bezeichnen. Nach *Robinson* (1985) liegen am ↑ Genort zwei Allele vor: Cu und cu^+. Bisher ist bekannt, daß cu^+cu^+ normalohrig sind. Bei den Heterozygoten Cu cu^+ tritt „Curl" auf. Welchen Phänotyp die homozygoten Cu Cu haben, ist bisher nicht klar. Die heterozygoten Merkmalträger (↑ Heterozygotie, ↑ Homozygotie) untereinander verpaart, ergaben Nachkommen mit stärkerer Auswärtsdrehung der Ohren als die Paarung von Merkmal- mit Anlageträgern. Die Annahme einer ↑ Modifikation erscheint deshalb nicht falsch. Die Welpen waren im übrigen normal und zeigten keine weiteren Deformationen. Ob die A.C. international anerkannt wird, ist noch nicht sicher. Zu hoffen bleibt nur, daß Katzenausstellungen in einem halben Jahrhundert nicht überwiegend von ↑ Nacktkatzen, ↑ Manx, ↑ Peke face, ↑ Cymric, A. C. u. ä. Defektmutationen bestritten werden. Abb.

American Curl

American Shorthair, [engl., Amerikanisch Kurzhaar]: US-amerikanisches Pendant zur ↑ Britisch Kurzhaar. Im Vergleich zu dieser steht die A. S. auf etwas höheren Beinen, ist nicht ganz so gedrungen und darf etwas größere Ohren haben. Da aber die Unterschiede innerhalb beider Rassen fließend sind, kann die A. S. oft von einer Britisch Kurzhaar nicht unterschieden werden. Bestraft wird auf dem Richtertisch ein zu langes und zu weiches Fell, ein starker ↑ Stop sowie ein gedrungener ↑ Körperbautyp. Die A. S. wird in allen Farbschlägen der Perser gezüchtet. Die Farbe der Augen richtet sich nach der jeweiligen Varietät.
Mit den ersten Einwanderern gelangten auch europäische ↑ Hauskatzen nach Nordamerika. Zuerst als *Domestic Shorthair* bezeichnet [engl., kurzhaarige Hauskatze], begann die Zuchtgeschichte der A. S. anfang dieses Jahrhunderts, als eine rotgestromte Britisch Kurzhaar aus Großbritannien importiert wurde. *Belle of Bradford* war, ungeachtet des weiblichen Vornamens, der erste Kater, der in das Zuchtbuch des ↑ CFA eingetragen wurde. Auch nicht registrierte Hauskatzen, als erster ein 1904 geborener Smokekater mit dem klangvollen Namen *Buster Brown*, wurden in das Zuchtbuch übernommen. Weitere Importe, die dann mit einheimischen Hauskatzen gepaart wurden, folgten. Das allgemeine Interesse galt jedoch exotischeren ↑ Rassen, in erster Linie den Persern. Noch gegen Ende

der 50er Jahre enthielt das Zuchtbuch des CFA gerade 50 Domestic Shorthairs, 1966 wurden sie dann in A. S. umbenannt. Zur Typverbesserung wurden, wie in Europa, Perserkatzen eingekreuzt. Aus einem Teil der Nachzucht entstanden später die ↑ Exotic Kurzhaar. Um die ursprüngliche Robustheit und Vitalität der A. S. zu erhalten, wurde das Zugeständnis, Katzen und Würfe ohne Ahnentafel zu registrieren, lange eingeräumt, schließlich aber dann doch im April 1985 annulliert. A. S. wurden zur Typverbesserung und zur Schaffung einer breiten Zuchtbasis bei den ↑ American Wirehair benutzt, und sie werden noch heute in der Zucht der ↑ Scottish Fold und der ↑ Ocicat eingesetzt. Abb.

American Wirehair [engl., Amerikanisch Drahthaar]: eine mittelgroße bis große Katze mit einem gut gerundeten Rumpf, der an den Schultern und den Hüften gleich breit sein soll. Die muskulösen Beine sind von mittlerer Länge und haben ovale kräftige Pfoten. Der runde Kopf soll in der Größe dem Körper entsprechen. Die Wangenknochen sind besonders kräftig, Kinn und Schnauze gut entwickelt mit einer leichten seitlichen Einbuchtung hinter den Schnurrhaarkissen. Die Nase zeigt einen leichten ↑ Stop. Die mittelgroßen, weit gesetzten Ohren sind an den Spitzen etwas abgerundet und nicht zu weit am Ansatz geöffnet. Die leicht schräg gestellten Augen sind groß und rund mit viel Zwischenbreite. Der Schwanz soll in der Länge zum Körper passen und zu einem stumpfen Ende auslaufen. Die Farbe der Augen entspricht wie bei den ↑ Britisch Kurzhaar der Fellfarbe. Das mittellange Fell steht straff vom Körper ab. Jedes einzelne Haar soll gekräuselt, geknickt bzw. gebogen sein, auch die Haare zwischen den Ohren. Die Dichte des Fells führt mehr oder weniger zu Wirbeln und nicht zur

American Shorthair

Wellung wie bei den ↑ Rexkatzen. Die Schnurrhaare müssen ebenfalls dieses Merkmal aufweisen.

Adam hieß sinnigerweise der erste Drahthaarkater, der 1966 in der Nähe von Vernon im Staate New York geboren wurde und auf den nachweislich alle A. W. zurückgehen. Unter seinen kurzhaarigen Wurfgeschwistern fiel er sofort nach der Geburt durch sein abstehendes, spärlich drahtiges Fellchen auf. Interessierte Züchter kauften *Adam*, nahmen Fellproben und schickten sie britischen Genetikern, die bestätigten, daß es sich bei Adams Haarkleid um eine spontane Mutation handelt, wie sie z. B. bei Hunden, den Drahthaarterriern, auftritt.

Adam war ein rot/weißer Kater und man paarte ihn zuerst mit seiner normalhaarigen Wurfschwester, einer Schildpatt-Tabby (↑ Torbie). Von den vier im Juli 1967 geborenen Jungtieren waren die beiden weiblichen Tiere, von denen das eine bald verstarb, ↑ Drahthaar. *Amy* überlebte und brachte eine Viel-

zahl von Drahthaarwürfen zur Welt, darunter 1969 *Barberry Ellen*, eine Tochter von *Adam*, die erste homozygote Drahthaarkatze. Da *Adam* auch mit nicht verwandten Kurzhaarkatzen gepaart wurde, konnte festgestellt werden, daß Drahthaar, das das Allelsymbol Wh erhielt, über ↑ Normalhaar dominiert.
Bis zur Anerkennung als ↑ Rasse waren *Adam* und *Amy* als ↑ American Shorthair [engl., Amerikanisch Kurzhaar] registriert. Beide entsprachen jedoch nicht dem ↑ Standard, denn sie waren ein wenig zu langgestreckt, zu mager und auch ihre Ohren kamen dem Ideal nicht nahe. Die züchterischen Bemühungen richteten sich folglich auf eine Verbesserung des ↑ Körperbautyps und gleichzeitig auch auf ein dichteres, schützendes drahthaariges Fell. Im Jahre 1977 wurde die A.W. schließlich beim ↑ CFA anerkannt. Abb.

American Wirehair

Amerikanisch Drahthaar ↑ American Wirehair.
Amerikanische Stummelschwanzkatze ↑ American Bobtail.
Amerikanisch Kräuselohr ↑ American Curl.
Amerikanisch Kurzhaar ↑ American Shorthair.
Aminosäuren ↑ Eiweißbedarf.
Amme ↑ Adoption.
Analbeutel: in der Afterregion paarig angeordnete Talgdrüsenlager, die sich aus der Oberhaut (↑ Haut) entwickelt haben. Wenn man den Schwanz der Katze senkrecht nach oben hebt, sieht

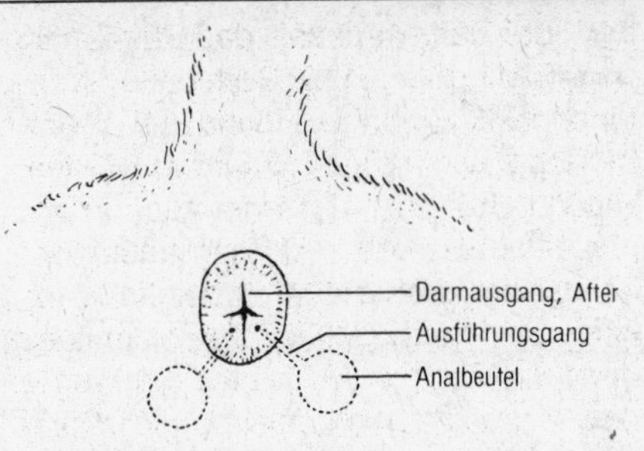

Analbeutel

man zwei kleine Öffnungen in der Afterschleimhaut (Abb.). Über getrennte Ausführungsgänge wird ein mit starken Duftstoffen (↑ Chemokommunikation) vermischtes, fettiges Drüsensekret besonders reichlich in der Brunstzeit abgesondert. Die Ausführungsgänge sind dann besonders stark erweitert. Das Sekret der A. verleiht einer jeden Katze eine individuelle Note, eine Art Paß, die während der ↑ Analkontrolle durch ↑ Flehmen geprüft wird. Bei Katzen kommt es relativ selten vor, daß sich die A. nicht von selber entleeren. Bei Verschluß der Ausführungsgänge und Entzündung der A. versuchen die Tiere mit dem sogenannten ↑ Schlittenfahren den entstandenen Juckreiz zu lindern.
Analkontrolle: Verhaltenselement zur chemischen Verständigung bei Säugetieren (↑ Chemokommunikation). Katzen verwenden die A. sowohl im Rahmen des ↑ Sozialverhaltens als auch speziell im ↑ Sexualverhalten. Begegnen sich zwei fremde Tiere auf einem Terrain, das von beiden nicht als ↑ Revier beansprucht wird, ignorieren sie sich in der Regel zuerst völlig und untersuchen die Umgebung (↑ Übersprungverhalten). Dann erst beginnen sie, sich gegenseitig an der Nase zu beschnuppern (↑ Köpfchengeben). Nach der geruchlichen Kontrolle von Nacken und Flanken, wird schließlich die Analgegend berochen. Dabei sind aber beide Partner sichtlich bestrebt,

das Hinterteil wegzudrehen und so bewegen sie sich schließlich im Kreise. Sind es zwei gleichrangige Tiere (↑ Rangordnung, ↑ Sozialstatus), gestattet schließlich eines die A. und hebt dazu den Schwanz (Abb.). In diesem Kontext ist auch die freundliche Begrüßung der menschlichen Bezugsperson

Eine wichtige Form des Erkennens und der Kontaktaufnahme ist die Analkontrolle

mit erhobenem Schwanz zu verstehen. Durch die Sekretion der ↑ Analbeutel hat jede Katze ihre ganz individuelle Duftnote (vgl. Duftmarkieren), die auf eine spezifische Weise geprüft wird (↑ Flehmen).

Befindet sich die Katze im eigenen Revier, kommt es nicht zur Analkontrolle. Sie versucht dann, den fremden Eindringling zu vertreiben (↑ agonistisches Verhalten). Schon aus diesem Grunde ist es wichtig, eine zweite Katze, die ins Haus kommen soll, in einem Zimmer mit der alteingesessenen zusammenzuführen, in dem sich diese normalerweise nicht aufhält und das sie demzufolge nicht als eigenes Territorium betrachtet. Ist dies nicht möglich, sollte für den Neuankömmling ein hoch gelegener, gut erreichbarer Fluchtplatz geschaffen (↑ Fluchtverhalten, ↑ Kratzbaum) und die Situation bis auf weiteres kontrolliert werden. Leben mehrere Katzen in einem Haushalt, „begrüßen" sie sich mehr oder weniger regelmäßig mit der Nase und/oder vollziehen die A., ohne daß es noch zu Auseinandersetzungen kommt.

Androspermium ↑ Geschlechtschromosomen.

Aneuploidie ↑ Chromosomenaberration.

Angeln: Teilelement des ↑ Beutefangverhaltens. Unter den Haustieren hat sich die ↑ Katze die ausgedehnteste Drehbarkeit der Vorderextremitäten (vgl. Skelett) bewahrt, wodurch es ihr möglich ist, gewisse Sonderleistungen zu vollbringen, die bei Fang- und Spielbewegungen deutlich werden. Befindet sich z.B. das ↑ Beutetier oder Spielobjekt in einem Loch oder einer nicht zugänglichen Stelle, angelt die Katze danach mit weit gespreizter Pfote und ausgefahrenen ↑ Krallen. Fische werden mit viel Geschick aus dem Aquarium herausgeholt, Ziervögel aus Käfigen geangelt, sobald die Gitterstäbe nicht eng genug stehen und das Durchstecken der Pfote erlauben. Kleine Futterbrocken, die auf einer Flüssigkeit schwimmen, werden herausgefischt und direkt von der Pfote gefressen. Manche Katzen angeln mit der Pfote das Futter aus dem Napf und fressen es erst dann ebenfalls direkt von der

Pfote, meist wenn am Futternapf bereits eine andere Katze sitzt. Die zweite Vorderpfote kann bei Festhalten und Verzehr der geangelten Beute, z. B. Insekten, zu Hilfe genommen werden, und die Katze sitzt schließlich wie ein Eichhörnchen auf den Hinterbeinen, wenn sie die Beute verzehrt.

Angora: Bezeichnung für viele langhaarige Haustiere, wie A.kaninchen oder A.meerschweinchen. Sie stammt aus der Region um Angora – heute Ankara (Türkei) –, die wiederum durch die A.ziege, von der die A.wolle „Mohair" kommt, bekannt wurde. Die auch bei ↑ Hauskatzen anzutreffende ↑ Mutation von Kurz- zu ↑ Langhaar hat in dem kleinasiatisch-vorderasiatischen Raum ihren Ausgangspunkt genommen, wie die weltweite Registrierung und Kartierung örtlicher Genhäufigkeiten (↑ Gengeografie, ↑ Populationsgenetik) belegt haben.

A.katzen aus diesem Gebiet bildeten auch den Grundstock der heutigen Zucht von Perserkatzen (↑ Züchtung, ↑ Perser). Nachdem sich diese ↑ Rasse in einem guten Jahrhundert unverwechselbar von ihrem Urbild entfernt hat, haben US-amerikanische Züchter die in Kleinasien noch ursprünglich gebliebene A.katze aufgegriffen und unter der ↑ Rassebezeichnung ↑ Türkisch Angora als ↑ Rassekatze etabliert. Sie zeichnet sich durch normale Körperproportionen aus, besitzt aber eine längere Behaarung mit einem Ansatz zur Bildung einer ↑ Halskrause und einem buschig behaarten ↑ Schwanz. In Großbritannien erhielt eine im ↑ Phänotyp identische Rasse ebenfalls die Bezeichnung A. und wurde 1977 mit einem provisorischen ↑ Standard versehen. Im Gegensatz zur Türkisch A. entstand sie durch ↑ genetische Rekombination unter Einbeziehung von feingliedrigen Kurzhaarkatzen, die rezessiv das ↑ Gen für Langhaar trugen, und ↑ Balinesen. Die britische A. wird heute bereits in der gesamten Farbpalette (↑ Pigmentierung, ↑ Zeichnung), einschließlich ↑ Chocolate und ↑ Lilac, gezüchtet.

Angriffslaut ↑ Lautgebung.

Angriffsverhalten: ein Teilelement des ↑ agonistischen Verhaltens, das bei Katzen besonders im Verlauf des ↑ Kampfverhaltens zu beobachten ist. *Leyhausen* (1982) beschreibt das so: „Als erstes Anzeichen des Angriffs richtet sich der Kater hoch auf den Läufen auf. Der Rücken bleibt dabei gerade gestreckt und bildet, da die hochgestreckten Hinterbeine länger als die Vorderbeine sind, eine nach hinten leicht ansteigende Linie ... Der Schwanz folgt dieser Linie ein kleines Stück, um dann in scharfem Knick fast rechtwinklig nach unten abzubiegen. Die Schwanzhaare werden nur mäßig gesträubt, der Schwanz selbst steif gehalten; nur bei höchster Intensität peitscht die äußerste Schwanzspitze zuckend hin und her ... Die Pupillen erweitern sich nicht, im Gegensatz zum ... Abwehrverhalten ... Besonders kennzeichnend ist die Ohrstellung: Die Ohren ... bleiben steil aufgerichtet und drehen sich soweit auswärts, daß die Ohrrückseite des Gegners als sehr spitzes, auf der Schmalseite stehendes Dreieck erscheint ... In gewissen Abständen, gewöhnlich zwischen zwei Schritten, dreht der Kater dann den Kopf von der einen auf die andere Seite. Je näher beide Tiere einander kommen, desto kürzere Schritte machen sie ... Ein ungefähr gleich starker bzw. kampflustiger Gegner macht alle Bewegungen des Angreifers spiegelbildlich mit. In der zuletzt beschriebenen „Ausgangsstellung" können sich beide Gegner viele Minuten bewegungslos auf wenige Zentimeter gegenüberstehen, wobei der Kampfgesang an- und abschwillt. ... Plötzlich beißt dann einer nach dem Nacken des anderen, der jedoch meist blitzschnell den Angriff pariert, indem er sich auf den Rücken wirft, den Fang des Angreifers mit dem eigenen abwehrt, diesen mit den Tatzen faßt und dabei kräftig mit den Hinterpfoten auskratzt." (vgl. Nackenbiß, Abwehrverhalten, Lautgebung). Nach dem Kampf auf dem Boden kann sich das gesamte Ritual (↑ Ritualisierung) mehrfach wiederholen bis einer der Gegner aufgibt. Er räumt in der Regel nicht das Feld, sondern bleibt in Abwehrstellung regungslos sitzen.

Angst: durch Störeinwirkung hervorgerufener Zustand, der durch verfügbare Verhaltensprogramme nicht beseitigt werden kann, sei es aufgrund mangelnder Identifikation oder Unbekanntheit des Reizes, sei es wegen fehlender Verhaltensprogramme (*Tembrock* et al. 1978; vgl. Furcht).

Leyhausen (1982) spricht bei der jungen Katze vom *Angstspiel* (vgl. Beutespiel), wenn sie nach dem Antippen eines Beutetieres erschreckt zurückfährt und, wenn dieses sich bewegt, sogar einen steifbeinigen Rückwärtssprung folgen läßt. Er führt dieses Verhaltensmuster auf die Unreife des Funktionskreises (Verhaltensprogramm) ↑ Beutefangverhalten zurück.

Angstspiel: 1. ↑ Angst. – **2.** ↑ Beutespiel.

Ankarakatze ↑ Türkisch Angora.

Anlageträger ↑ Heterozygotie.

Annäherungskreuzung ↑ Kombinationskreuzung.

Anodontie ↑ Gebißanomalien.

Anomalien: 1. ↑ Erbfehler. – **2.** ↑ Erbkrankheit. – **3.** ↑ Erbumweltkrankheit. – **4.** ↑ Gebißanomalien. – **5.** ↑ Mißbildungen.

anovulatorischer Zyklus ↑ Rolligkeit.

Anschleichen: 1. ↑ Spielverhalten. – **2.** ↑ Beutefangverhalten.

Ansteckungsgefahr: 1. ↑ Infektion – **2.** ↑ Infektionskrankheiten. – **3.** ↑ Schutzimpfungen. – **4.** ↑ Zoonosen.

Anstrengung ↑ Stress.

Anthropozoonosen ↑ Zoonosen.

Antigene ↑ Schutzimpfungen.

Antikörper: 1. ↑ Infektion. – **2.** ↑ Infektionskrankheiten. – **3.** ↑ Schutzimpfungen.

Anti-Rachitis-Vitamin ↑ Vitaminbedarf.

Anurie: 1. ↑ Schwanzlosigkeit. – **2.** ↑ Manx. – **3.** ↑ Cymric.

Appetenzverhalten: in der Regel anfänglich ungerichtetes (A. I = orientierendes Verhalten) und später gerichtetes (A. II = orientiertes Verhalten) Verhalten und stets zielstrebiges Suchen nach ↑ Auslösemechanismen für eine ↑ Endhandlung. A. kann sich z. B. bei der Streifjagd der Katze über eine längere unbestimmte Phase (A. I) erstrekken und beim Ausrichten auf eine aufgespürte Beute (A. II) schnell zur Endhandlung führen. A. ist kompliziert zusammengesetzt und kann neben komplexen Bewegungsweisen auch Erlerntes und sogar Einsichtshandlungen (↑ Lernen) beinhalten.

Archangel Blue ↑ Russisch Blau.

Archangelkatze ↑ Russisch Blau.

Artgedächtnis ↑ phänotypische Variation.

Artprägung ↑ Prägung.

assortative Paarung ↑ Gleich-zu-Gleich-Verpaarung.

Atmung, *Respiration:* Gesamtheit der an der Sauerstoffaufnahme sowie der damit gekoppelten Kohlendioxidabgabe beteiligten Vorgänge. Es kann in eine *äußere* und *innere A.* unterschieden werden. Bei der äußeren A. wird auf mechanischem Wege die Luft in der Lunge bewegt (↑ Atmungsorgane) und damit der Gasaustausch zwischen dem äußeren Medium Luft und dem Organismus gefördert. Demgegenüber wird bei der inneren A. (Zell-A.) der Sauerstoff durch Atmungsfermente übertragen.

Der Grundrhythmus der A. wird durch das im Gehirn liegende *A.szentrum* gebildet, kann aber durch veränderten Sauerstoff- oder Kohlendioxiddruck im Blut oder durch Informationen der Muskulatur u. a. modifiziert werden. Da das Thermoregulationszentrum (↑ Thermoregulation) dem Atemzentrum übergeordnet ist, hat z. B. eine erhöhte Temperatur des Körperkerns eine Beschleunigung der Atemfrequenz zur Folge.
Je nach Alter können bei der Katze normalerweise 20 bis 40 Atemzüge je Minute (im Durchschnitt 25) gezählt werden. Der Rhythmus ist relativ regelmäßig, wobei der Abstand zwischen zwei Atemzügen willkürlich beeinflußt werden kann. Da außerdem das Einatmen schneller erfolgt als das Ausatmen, ergeben sich hieraus natürliche Rhythmusstörungen.
Bei der A. bewegen sich sowohl der Brustkorb als auch die Bauchdecke (kostoabdominaler Atemtyp). Während der ↑ Trächtigkeit tritt – bedingt durch das größere Bauchvolumen und der damit verbundenen eingeschränkten Beweglichkeit des Zwerchfelles – der kostale Atemtyp (Brustkorbbewegung) in den Vordergrund.
Schnelle Bewegungen und Lauf (↑ Fortbewegung) bedingen einen höheren Sauerstoffbedarf, und die Atemfrequenz erhöht sich, fällt aber nach einiger Zeit wieder in den Normalbereich zurück.
Alle Abweichungen von der Norm, wie Atemnot beim Ein- und/oder Ausatmen, einseitige Brust- oder Bauch-A., flache oder hechelnde A. usw., sind meist krankhaft bedingt, und der Tierarzt sollte unverzüglich konsultiert werden.

Atmungsorgane: dem Gasaustausch dienende Organe. Sie können in einen luftleitenden bzw. -zuführenden und einen respiratorischen Abschnitt unterteilt werden. Im *luftleitenden Abschnitt* wird die Außenluft über die ↑ Nase und deren Höhlen, die Schlundkopfhöhle, den Kehlkopf, die Luftröhre und die beiden Bronchien den paarig angeordneten Lungen zugeführt. In den Lungen zweigen sich die Bronchien wie ein Baum in immer feinere Äste und Zweige auf, an deren Ende feinste Alveolargänge in Alveolarsäckchen münden. In letzterem, dem sogenannten *respiratorischen Abschnitt*, erfolgt der Gasaustausch: die Sauerstoffaufnahme und die Kohlendioxidabgabe.
Der luftleitende Abschnitt der A. hat darüber hinaus weitere Funktionen zu erfüllen:

- Erwärmung, Anfeuchtung und Reinigung der Luft; die Luft wird bis auf die ↑ Körpertemperatur erwärmt und durch ein Flimmerepithel werden Fremdkörper nach außen befördert,
- Regulation der Körpertemperatur durch Wärmeabgabe über die Wasserverdunstung in den A. (↑ Thermoregulation),
- Aufnahme von Riechstoffen und Reizung der Geruchsrezeptoren im Riechepithel der Nase,
- Lauterzeugung über den Kehlkopf (↑ Lautgebung).

Die Funktion der A. ist mit der Tätigkeit der Atemmuskulatur und eng mit der des Herzens und des Kreislaufes (↑ Kreislauf) verbunden.
Beim Fetus erfolgt im Uterus (↑ Geschlechtsorgane) der Gasaustausch über die Plazenta. Bei der ↑ Geburt wird die Nabelschnur durchtrennt, die CO_2-Konzentration im ↑ Blut nimmt zu und der O_2-Druck ab. Dadurch wird das Atemzentrum angeregt und der erste Atemzug ausgelöst. Die A. beginnt ihre Tätigkeit.

Attrappe: nachgebildete Reizkonstellation, die zur Testung von Verhaltensreaktionen verwendet wird, z. B. um ↑ Auslösemechanismen zu prüfen. Gegenüber den natürlichen Reizen können A. stark vereinfacht werden und sowohl optischer als auch akustischer

(Laut-A.) Natur sein, aber auch Düfte darstellen. Wird in Versuchen mit A. eine stärkere Reaktion als bei natürlichen Reizen erreicht, spricht man von übernormalen A. Einfache Beispiele von Beute-A. sind Spielzeugmäuse oder Wollknäuel. *Leyhausen* (1982) verwendete zur Bestimmung der auslösenden Faktoren des Beutefangverhaltens 60 verschiedene A. und stellte dabei fest, daß Zufassen und Töten (↑ Tötungsbiß) von der Kopf-Rumpf-Gliederung gesteuert werden, das Anschneiden der ↑ Beutetiere hingegen durch den ↑ Tastsinn.

atypisches Sexualverhalten: von der allgemeinen Norm abweichendes Sexualverhalten, das bei einzelnen oder in Gemeinschaft lebenden Katzen beobachtet werden kann.

Bisexualität ist potentiell bei beiden Geschlechtern vorhanden. Entsprechend dieser Anlage sind beide Geschlechter in der Lage, gelegentlich die gegengeschlechtliche Rolle bei homosexuellen Paarungen zu übernehmen; vorausgesetzt, die Tiere befinden sich in sexueller Stimmung. Das sollte nicht mit einer Vergewaltigungssituation verwechselt werden, wie sie z. B. dann erfolgt, wenn ein fremder Kater in das Abteil eines dort einwohnenden Katers gesteckt wird. Der fremde Kater wird sich flach und regungslos an die Wand drücken und bietet damit einen der stärksten ↑ Schlüsselreize der paarungswilligen Katze. Er versucht damit, den Revierbesitzer zu beschwichtigen. Ist der „Hausherr" außerdem sexuell gestaut, genügt dieser einzelne Reiz, den Mechanismus des Deckaktes auszulösen.

Männliche Homosexualität wird am häufigsten während der Pubertät und bei älteren Tieren beobachtet, die nur Zugang zu männlichen Tieren haben. Sie verschwindet jedoch meist mit Vollendung der ↑ Geschlechtsreife oder bei Kontakt mit weiblichen Tieren. Sie kann auch durch ↑ Fehlprägung hervorgerufen werden.

Unter *Hypersexualität* wird eine erhöhte sexuelle Erregung männlicher Tiere verstanden, die mit steigender Begattungshäufigkeit, Paarungsversuchen mit männlichen Artgenossen, mit noch nicht geschlechtsreifen Artgenossen beiderlei Geschlechts oder mit anderen Tieren und Objekten verbunden ist. Hypersexualität ist besonders bei Haustieren verbreitet. Diese Erscheinung soll auf Läsionen im Gehirn zurückzuführen sein (*Klug*, 1969), kann aber auch einem gesunden, sexuell aktiven Kater durch Erhöhung der Begattungsbereitschaft antrainiert werden (*Leyhausen*, 1979): Ein Kater, der nur dann in einen bestimmten Raum gebracht wird, wenn sich dort eine rollige Katze befindet, wird dort auch nichtrollige Katzen, Plüschtiere usw. begatten. Die Begattungsbereitschaft wurde stark gesteigert und der Kater „erwartet" eben eine paarungsbereite Katze.

Aufenthaltsgebiet ↑ Streifgebiet.

Aufhellungsfaktor ↑ Verdünnung.

Auge: ↑ Sinnesorgan zur Wahrnehmung elektromagnetischer Wellen bestimmter Länge. Der Bereich des sichtbaren Lichtes liegt für den Menschen und die Mehrzahl der Wirbeltiere im Bereich zwischen 390 und 760 nm. Das Licht gelangt durch die optischen Hilfseinrichtungen – Kornea (Hornhaut), vordere A.nkammer, Linse und Glaskörper – auf den Rezeptorenteil des A., die *Retina (Netzhaut)*. In ihr liegen die lichtempfindlichen Sinneszellen (Stäbchen und Zapfen), die die Lichtreize in elektrische Spannungen umwandeln und über den Sehnerv, der bei der Katze aus 130000 Einzelfasern besteht, in das Zentralnervensystem weiterleiten (Abb. 1). In Abhängigkeit vom Lichteinfall auf die Retina verändert die *Iris (Regenbogenhaut)* die Pupillen von einer

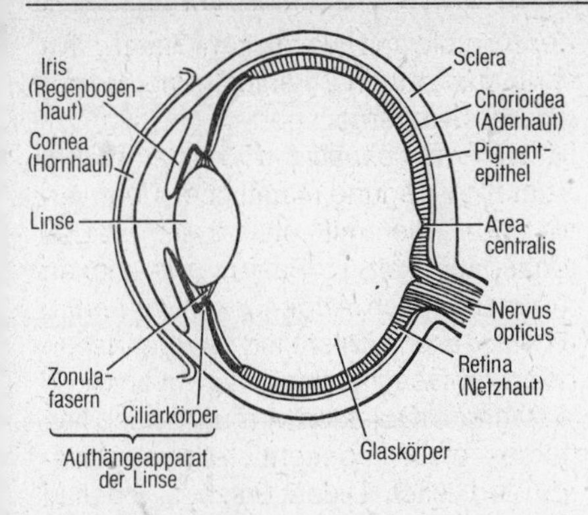

Auge, Abb. 1. Schematische Darstellung des Katzenauges

kreisrunden Öffnung bis zu einem schmalen, senkrecht stehenden Schlitz (↑ Reflex), um so die Beleuchtungsstärke konstant zu halten. Für das Helligkeitsempfinden (*Hell-Dunkel-Sehen*) sind im wesentlichen die *Stäbchen* verantwortlich. Sie enthalten einen roten Farbstoff, den Sehpurpur (Rhodopsin), der bei Belichtung in Sehgelb übergeht und in Anwesenheit von Vitamin A wieder in Sehpurpur zurückverwandelt wird. Bei Vitamin-A-Mangel (↑ Vitaminbedarf) kommt es zur Unfähigkeit der Dunkeladaption, d. h. zur *Nachtblindheit.* Als Dämmerungstier (vgl. Tagesrhythmik) ist die Netzhaut der Katze überwiegend mit *Stäbchen* ausgestattet und nur im zentralen Bereich der Retina, der Area centralis, der Stelle des schärfsten Sehens, sind vermehrt die farbwahrnehmenden *Zapfen* zu finden. Dressurversuche von *Buchholtz* (1953) haben gezeigt, daß ↑ Hauskatzen nur im langwelligen Bereich (rot, orange, gelb, grün) Farben unterscheiden können. Die *Retina* ist von einem Pigmentepithel unterlegt, das sich bis in die *Iris* fortsetzt. Je nach Menge zusätzlicher Pigmenteinlagerungen in der Iris entstehen die unterschiedlichen ↑ Augenfarben der Katze. Fehlt jegliches Pigment, schimmern die unter der Retina liegenden Blutgefäße hindurch und die A.nfarbe erscheint rötlich (↑ Albinismus). Im A.nhintergrund, ab Höhe der Austrittsstelle des Sehnerves, liegt in der Chorioida (Aderhaut) halbmondförmig das *Tapetum lucidum* – eine ausgedehnte Fläche von Zellen, die regelmäßig gruppierte Stäbchenkristalle enthalten. Das Pigmentepithel hat hier keine Farbstoffe. Auftreffendes Licht wird durch das Tapetum lucidum reflektiert und durchläuft die Rezeptoren der Retina ein zweites Mal; der Lichtreiz wird verstärkt, die Fähigkeit des *Dämmerungssehens* nimmt zu. Hieraus resultiert auch das gelbgrüne bis goldgelbe Aufleuchten angestrahlter *Katzen-A.* bei Nacht. Neugeborene Katzen haben noch kein Tapetum lucidum, es entwickelt sich erst zwischen der zweiten und achten Woche nach der Geburt. Die blaue A.nfarbe weißer Katzen (↑ dominantes Weiß) ist mit dem Fehlen des Tapetum lucidum gekoppelt und besonders auffällig bei weißen Katzen mit zweierlei A.: die Pupille des blauen A. ist weiter geöffnet, als die des orangefarbenen. Die fast parallele Stellung der beiden A.nachsen (sie divergieren nur um 20°), die starke Wölbung der Hornhaut (170°) und die weite Ausdehnung der Retina bis fast an den Aufhängeapparat der Linse geben der Katze ein weites *Gesichtsfeld:* es beträgt für das einzelne A. 200° (Mensch: 150°) und für beide A. zusammen 280° (Mensch: 200°). Im Zusammenspiel beider A. wird das binokulare (räumliche) Sehen möglich, das unter den Säugetieren nur bei den Primaten und den Raubtieren hoch entwickelt ist. Das Feld des binokularen Sehens beträgt bei der Katze 120° und entspricht etwa dem des Menschen mit 124° (Abb. 2). Es gestattet Entfernungsschätzen sowie Tiefenwahrnehmungen und hat besondere Bedeutung für das Erkennen und Fixieren von Beutetieren (↑ Beute-

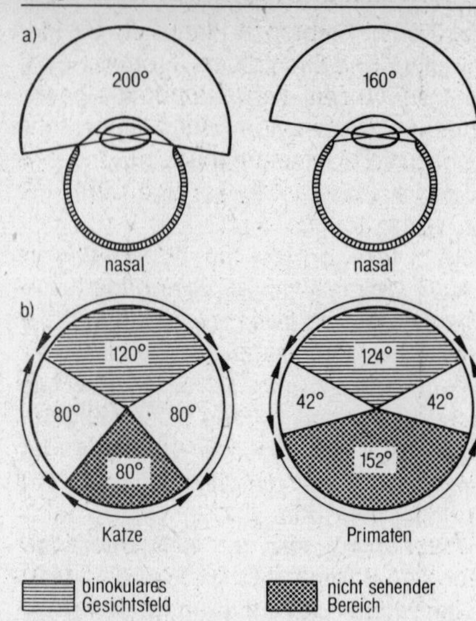

Auge, Abb. 2. Vergleich der Gesichtsfelder von Katzen und Primaten, a) monokulares, b) binokulares Gesichtsfeld

fangverhalten) und beim sicheren Sprung (↑ Fortbewegung). Spezielle Bewegungsdetektoren im Zentralnervensystem unterstützen diese Leistung. Die kompakte Linse und der relativ schwache Aufhängeapparat gestatten nur eine begrenzte *Akkomodation* (scharf sehen in unterschiedlichen Entfernungen). Am schärfsten soll die Katze zwischen 2 und 6 m sehen.
Bei Neugeborenen ist die Entwicklung des A., insbesondere der Retina, noch nicht abgeschlossen und die *A.nlider* sind noch verwachsen. Allerdings konnte der *Pupillenreflex* von *Beaver* (1980) bereits im Alter von zwei bis drei Tagen experimentell nachgewiesen werden. Das A. wird durch die A.nlider geschützt. Das im inneren (nasalen) A.nwinkel liegende dritte A.nlid (↑ Nickhautvorfall) ist kaum erkennbar und tritt erst bei Belastung (↑ Stress) oder z. B. entzündlichen Prozessen in Erscheinung. Die *A.nlider* öffnen sich zwischen dem 6. und 12.Tag, im Mittel am 7. oder 8. Tag (*Foss*, *Flottorp*, 1974; *Beaver* 1980). Werden Jungkatzen bei völliger Dunkelheit aufgezogen, öffnen sich die A. früher als bei normal gehaltenen Katzen. Ebenso öffnen weibliche Jungtiere die A.nlider früher als männliche (*Braastad*, *Heggelund*, 1984). Das binokulare Sehen entwickelt sich im Alter von 10 bis 19 Tagen (*Beaver*, 1980) und mit der vierten Lebenswoche ist das A. voll funktionsfähig (vgl. Jungtierentwicklung).
Die oberhalb des äußeren (dorsolateral) A.nwinkels liegende *Tränendrüse* sorgt durch Absonderung einer serösen Flüssigkeit für eine ständige Befeuchtung der Kornea. Überschüssige Flüssigkeit wird über den *Tränennasengang* in die Nasenhöhle bis direkt zum Nasenloch abgeleitet. Perserkatzen mit einem extremen ↑ Stop leiden oft unter einer Stauung der Tränenflüssigkeit im A. infolge eines verengten oder durch einen zu scharfen Knick verschlossenen Tränennasenganges. Tränende A. und daraus entstehende chronische Bindehautentzündungen (Konjunktivitiden) sind die Folge. Allerdings können tränende A. und eine eventuell feuchte Nase auch auf ↑ Infektionskrankheiten hindeuten.
Langhaarkatzen sollte man bei der täglichen ↑ Fellpflege mit einem feuchten Wattebausch oder mit einem mit A.nwasser befeuchtetem Leinenläppchen die A.nwinkel auswischen. Bei Entzündungen oder Verletzungen des A. muß sofort der Tierarzt konsultiert werden.
Als ↑ Erbkrankheiten spielen der ↑ Nystagmus, der ↑ Augenalbinismus und besonders die ↑ Progressive Retina-Atrophie eine Rolle. Letztere führt ebenso wie das ↑ Schielen zu Sehstörungen.

Augenalbinismus [engl. pink-eyed dilution, lat. Albinismus oculi]: rosa bis rubinrote Augenfärbung. A. verkörpert neben blue-dilution (↑ Verdünnung) einen weiteren Farbaufhellungs-Genort. Der ↑ Erbgang ist einfach autosomal rezessiv. Am ↑ Genort liegen zwei Allele vor: P^+ und p (*Todd*, 1961). Dabei ist p für die Depigmentierung der Augen und des Felles verantwortlich. Dieses ist bläulich oder gelbbräunlich aufgehellt, während es beim echten ↑ Albinismus [engl. pink-eyed albinism] weiß ist.

Augenfarbe: Färbung der Iris (Regenbogenhaut). Die A. ist am besten bei hellem Tageslicht erkennbar. Die Pupille ist dann zu einem schmalen Spalt zusammengezogen und die Iris weitflächig sichtbar. Abends oder bei geringer Lichtintensität ist die Pupille weit geöffnet und die Iris nur ein schmaler Ring.

Die A. ist abhängig von der Struktur des Irisstromas, der Anzahl der im Stroma eingelagerten Pigmentzellen (↑ Melanin) und dem Vorhandensein von Pigmentepithel auf dem Hintergrund der Iris. (Abb.).

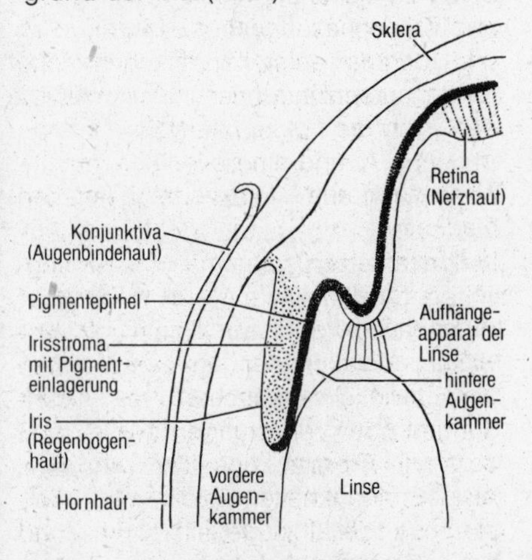

Ausschnitt des Augenquerschnittes

Die blaue A. ist ein optisches Phänomen, das dann auftritt, wenn eine schwarze Fläche, nämlich das Pigmentepithel am Hintergrund der Iris, durch eine milchig trübe Gewebeschicht, dem Irisstroma, betrachtet wird. Der Farbton ändert sich mit der Struktur und Dichte des Stromas sowie mit der Anzahl der im Stroma eingelagerten Melanozyten. Bei Welpen fehlt jegliche Stromapigmentierung und das Stroma selbst ist locker und dünn, die A. somit tiefblau.

Mit etwa vier bis fünf Wochen, teils auch später, wird durch Pigmenteinlagerung die künftige A. erkennbar. Je mehr Pigment eingelagert wird, um so mehr verändert sich die A. in fließenden Übergängen von Grün über Gelb bis zum tiefen Kupfer. Entsprechend den jeweiligen Lichtverhältnissen erscheint die A. heller oder dunkler.

Unabhängig von der Pigmenteinlagerung im Stroma, wird im Alter ein gradueller Pigmentschwund im Epithel beobachtet und das Stroma wird derber und dichter. Bei Katzen, die mehrmals geworfen haben, setzt dieser Prozeß früher ein als bei Katern; eine einheitliche Regel läßt sich jedoch nicht aufstellen. Dunkelblaue Augen werden hellblau, gelbe grünlich, orangefarbene gelblich. Nur bläßlich grüne Augen erscheinen mit zunehmendem Alter intensiver gefärbt.

Die sich frei verpaarenden Hauskatzen sind der greifbare Beweis, daß sich die A. in der Regel unabhängig von der Fellfarbe vererbt. Genetisch gekoppelt sind die blauen Augen von Katzen mit Maskenzeichnung (↑ Maskenfaktor, ↑ Akromelanismus), die blauen Augen der dominant und rezessiv weißen Katzen (↑ Leuzismus, ↑ Albinismus) und die rötlichen Augen der Albinos (↑ Albinoserie). Letzteren fehlt jegliche Pigmentierung; da durch die Iris der Augenhintergrund hindurchschimmert, scheint die Augenfarbe rötlich.

Mit Ausnahme von ↑ Chinchilla, ↑ Shaded Silver, ↑ Silbergestromt und ↑ Golden haben alle übrigen anerkannten Perserfarbschläge tieforange- bis kupferfarbene Augen. Die Standardforderungen zur A. sind bei den ↑ Exotic Kurzhaar und der ↑ Britisch Kurzhaar mit denen der Perser identisch. Eine Besonderheit in der Färbung der Augen sind die Odd-eyes (zweierlei Augenfarbe), bei denen ein Auge blau, das andere orangefarben ist (↑ dominantes Weiß, ↑ Irisheterochromie) und die auf einer besonderen Manifestationsstärke des Gens W- beruht. Zweierlei A. können auch bei den Katzen mit ↑ Vanzeichnung auftreten. Bei einigen Kurzhaarrassen ist die A. nicht festgelegt, jedoch ist auch für sie, die für alle A. vorgeschriebene Einheitlichkeit und Gleichmäßigkeit der A. verbindlich. Eine gute, den jeweiligen Standardforderungen entsprechende A. kann nur durch selektive Zucht erreicht werden. Wichtig ist dabei, Tiere mit „leuchtenden" Augen einzusetzen, d.h. solche, bei denen das Stroma nicht milchig trüb, sondern kristallklar ist. Ein Wechsel von Grün zu einem kräftigen Orange ohne den sich hartnäckig vererbenden grünen Ring ist durchaus möglich.

Augenlider: 1. ↑ Auge. – **2.** ↑ Entropium.

Augenlidvorfall ↑ Nickhautvorfall.

Augenzittern ↑ Nystagmus.

Aujeszkische Krankheit ↑ Infektionskrankheiten.

Ausdruckverhalten: Sammelbezeichnung für Verhaltensweisen, die in irgendeiner Form der Signalisierung oder Informationsübertragung dienen. Meist wird der Begriff A. nur für optisch wirksame Signale verwendet. Das A. ist zum größten Teil angeboren. Zu ihm gehören z. B. Droh- und Beschwichtigungsgebärden oder Verhaltensweisen von Jungtieren. Ausdrucksbewegungen im Bereich des Gesichtes, die bei vielen Säugetieren hoch entwickelt sind, werden als ↑ Mimik, solche des übrigen Körpers als ↑ Gestik bezeichnet.

Ausgestoßener ↑ Sozialstatus.

Ausgleichspaarung: Paarung, bei der sich die Paarungspartner in den entscheidenden Selektionsmerkmalen weniger ähneln als die Individuen der ↑ Population. In der Praxis handelt es sich um den Versuch, unerwünschte und mangelhafte Merkmale durch Vermischung der Erbanlagen eines Tieres mit denen eines besser veranlagten oder erbfehlerfreien Paarungspartners zu korrigieren bzw. die mangelhaften Merkmale beider Partner auszugleichen (Ausgleich der Gegensätze). Die A. wird hauptsächlich dort angewandt, wo sich wegen der Zuchtbuchbestimmungen oder der Züchtererfahrungen eine Merkmalträgerverpaarung verbietet, so z. B. bei Katzen mit leichtem ↑ Vorbiß oder mit einem leichten grünen Ring in orangefarbenen Augen, bei extremer ↑ Brachyzephalie, Faltohren usw. Genetisch können die Bemühungen als Erzeugung der ↑ Heterozygotie und selektive Begünstigung heterozygot besetzter Genorte gedeutet werden. Die unerwünschten Gene werden in die ↑ Rezessivität gedrängt. Die Korrektur [engl. make up] kann nur die direkten Nachkommen der F_1-Generation betreffen.

In ihrer Wirkung ist die A. mit einer Gebrauchskreuzung landwirtschaftlicher Nutztiere zu vergleichen. Die Merkmale spalten in den nachfolgenden Generationen wieder auf. Tiere mit Fehlern sollten selektiert werden. Der Umweg über die ↑ Selektion erst in späteren Generationen wird allerdings in solchen Fällen gemacht, in denen das fehlerhafte Tier als Träger anderer günstiger Erbanlagen die Spitze bildet und für die Zucht unentbehrlich ist.

Auslauf: unkontrollierter Aufenthalt der Katze außerhalb menschlicher Wohnstätten. In Siedlungsgebieten, ländlichen Gegenden und in den Vorstädten wird die ↑ Hauskatze entsprechend ihrer Bestimmung als Mäusefängerin mit freiem A. gehalten und ist nur zum

Füttern und eventuellem Übernachten an das Haus gebunden (vgl. Sozialstatus). In der Stadt, wo die ↑ Rassekatze dem Hund den ersten Platz als ↑ Heimtier streitig macht, sind derartige Haltungsmöglichkeiten nicht gegeben. Der freie A. ist aber keine unabdingbare Voraussetzung für eine optimale Haltung, im Gegenteil, ohne freien A. ist die ↑ Lebenserwartung der Tiere wesentlich höher.

aussieht und zu jedermann zutraulich ist (↑ Prägung); durch den Kontakt mit anderen Tieren erhöht sich das Risiko, von ↑ Infektionskrankheiten; ganz zu schweigen von dem Nachbar, den die Fußstapfen in seinen Beeten stören und der schon deshalb in jedem aus dem Nest gefallenen Jungvogel ein Opfer dieser einen Katze sieht.

Für Rassekatzen, die zur Zucht eingesetzt werden, verbietet sich ein freier A.

Beispiel für einen Fenstervorsatz von etwa 1 m × 4 m außen am Haus. Die Grundfläche besteht aus Bodenplatten, die übrigen Flächen sind mit Maschendraht bespannt

Von den vielfältigen Gefahren, die freier A. in sich birgt, seien nur die größten aufgeführt: beim Überqueren einer Straße wird die Katze von einem Fahrzeug erfaßt; sie frißt vergiftete Nagetiere, Rattengift, nimmt ↑ Giftpflanzen oder über Pflanzen giftige Pflanzenschutzmittel auf; sie wird durch Artgenossen bei Revierstreitigkeiten verletzt (↑ Katerkämpfe); wird von einem Jäger abgeschossen, weil sie weiter als die vorgeschriebenen 200 m vom letzten Gehöft entfernt war (↑ Revierverhalten) oder wird eingefangen und „technisch" verwertet (Pelzindustrie, Tierversuchsanstalten); bestenfalls wird sie von Fremden mitgenommen, weil sie hübsch

ohnehin, da sie sich nicht unkontrolliert verpaaren dürfen. Auf jeden Fall sollten Katzen mit freien A. einer ↑ Kastration unterzogen werden, damit die Populationen streunender Hauskatzen nicht unsinnigerweise vergrößert werden. Die meisten Rassekatzen werden schon wegen ihres finanziellen Wertes wohlbehütet. A. bedeutet für sie Herumtoben auf dem absturzsicheren Balkon, und falls sie frühzeitig daran gewöhnt wurden, ein kleiner Spaziergang an der Leine. Da aber belebte Straßen und auch Ausflüge im Auto für die meisten Katzen ↑ Stress bedeuten und von ihren Besitzern viel Geduld verlangen, finden gute Vorsätze oft ein schnelles

Ende. Es ist einfacher, die Fensterbretter zu verbreitern und Gazefenster einzubauen, oder – wenn möglich – einen mit Maschendraht gesicherten Vorsatz anzubringen. Ideal für Züchter ist der Bau eines ↑ Zwingers oder ein mit einem Elektrozaun gesichertes Grundstück. Der Elektrozaun, nach dem Prinzip der Weidezäune für Rinder, wird mit Niederspannung betrieben und ist für Katzen völlig ungefährlich (↑ Lernverhalten). Schließlich kann das Grundstück auch so eingezäunt werden, daß der Zaundraht Bodenschluß hat und nach oben durch eine etwa 60 cm breite Abwinkelung nach innen für Katzen unüberwindlich wird, da Katzen niemals mit dem Kopf nach unten klettern (↑ Fortbewegung).

Katzen mit freiem A. müssen regelmäßig entwurmt (↑ Endoparasiten) und auf ↑ Ektoparasiten kontrolliert werden. Abb.

Auslese ↑ Selektion.

Auslösemechanismus, Abk. *AM*: selektiver Filtermechanismus, der aus allen aus der Umwelt eintreffenden Reizen nur die für den Organismus relevanten auswählt (↑ Schlüsselreiz). Dadurch führen nur die Reize zu Reaktionen, die eine bestimmte biologische Situation kennzeichnen, in der die ausgelöste Verhaltensweise sinnvoll wirksam werden kann (z. B. von der Beute ausgehende Reize für das Auslösen der Beutefanghandlung). Man unterscheidet drei Formen von A.en:

1. *Angeborener A.* (AAM): richtige Reaktion auf ein Reizmuster, ohne daß das Tier diesem jemals begegnet war, d. h. ohne daß Lernmöglichkeiten vorhanden waren. Katzen haben nach *Leyhausen* einen akustischen AAM, der bei knisternden, kratzenden und mäuselnden Tönen ↑ Erkundungsverhalten auslöst.
2. *Erworbener A.* (EAM): Eigenschaften der auslösenden Reize müssen vollständig erlernt werden. Gänzlich erworbene AM ohne jede angeborene Disposition sind wahrscheinlich nur beim Menschen zu erwarten.
3. *Durch Erfahrung ergänzter angeborener A.* (EAAM): AM, der auf angeborener Grundlage beruht, aber im Verlaufe der ↑ Ontogenese durch ↑ Lernverhalten ergänzt und vervollständigt wird. Das Vorhandensein der angeborenen Grundlage kann als erwiesen gelten, wenn in frühen Entwicklungsstadien die betreffenden Verhaltensreaktionen allein über den AAM ausgelöst werden können. Der EAAM ist für die meisten Verhaltensweisen (↑ Beutefangverhalten, ↑ Sozialverhalten) erwachsener ↑ Katzen typisch.

Auslöser ↑ Schlüsselreiz.

Ausscheidung, *Exkretion:* die Abgabe schädlicher oder unnützer Stoffwechselprodukte (Exkrete) durch den Organismus in die ihn umgebende Umwelt. Zu den Exkreten gehören bestimmte Fettsäuren, Milchsäuren, unterschiedliche stickstoffhaltige Stoffwechselprodukte, Kohlendioxid und Wasser. Landbewohnende Wirbeltiere sind besonders bei der A. von Stickstoffexkreten auf spezifische Exkretionsorgane (↑ Verdauungsorgane) angewiesen. Darüber hinaus können aber auch durch Drüsen, z. B. der Haut, Exkrete abgegeben werden (↑ Körperpflege, ↑ Thermoregulation). Die A. wird oft von artspezifischen Verhaltensweisen, die den Funktionskreisen ↑ Defäkation und ↑ Miktion zuzuordnen sind, begleitet.

Außenschmarotzer ↑ Ektoparasiten.

Austreibungsphase ↑ Geburt.

autosomale Vererbung ↑ Autosomen.

Autosomen: Chromosomen, die beim männlichen und weiblichen Geschlecht in Form und Größe übereinstimmen (Ausnahme: ↑ Chromosomenabberrationen), im diploiden Organismus (↑ Zygote) paarweise auftreten und identische Genorte aufzuweisen haben. Sie werden den ↑ Geschlechtschromosomen gegenübergestellt (↑ Chromosomensatz) und enthalten Erbanlagen (↑ Gen), die jede für sich nach den ↑ Mendel-Regeln vererbt werden.

Autosomale Vererbung liegt vor, wenn die Erbanlagen auf den A. lokalisiert sind. Mit Ausnahme von ↑ Orange trifft das für die Gene der ↑ Pigmentierung zu.

B

Baden ↑ Fellpflege.

Baldrian ↑ Catnip-Verhalten.

Balikatze ↑ Balinese.

Balinese, *Balikatze*: zur Gruppe der Semilanghaarkatzen gehörende Katze mit einem mittelstarken langgestreckten Körper, einer Kombination von feinem Knochenbau und kräftiger Muskulatur. Schultern und Hüften sind gleich breit, die Beine lang und schlank, wobei die Hinterbeine etwas länger als die Vorderbeine sein sollen. Die Pfoten sind klein, zierlich und oval. Der Schwanz ist lang und dünn und läuft in eine feine Spitze aus. Ein langer schlanker Hals verbindet den geschmeidigen Körper mit dem langen keilförmigen Kopf, der in seiner Größe zum Körper passen soll. Die Keilform beginnt an der Nase, setzt sich in einer geraden Linie bis zu den Ohrspitzen fort und bildet ein Dreieck. Der Abstand zwischen den mittelgroßen, mandelförmigen, schräg gestellten Augen soll nicht geringer als eine Augenbreite sein. Sie passen sich harmonisch in die Keil-Ohrlinien ein. Ihre Farbe ist ein tiefes Blau. Die Nase der B. ist lang und gerade, ohne Vertiefung und geht, ein langes gerades Profil bildend, in einen flachen Schädel über. Kinn und Nasenspitze liegen senkrecht untereinander. Der Unterkiefer soll weder fliehend noch ausgesprochen massiv sein. Wird die Wangenbehaarung zurückgestrichen, ist die darunter liegende keilförmige Knochenstruktur des Kopfes zu sehen. B. haben ein langes seidiges Fell, das kein daunenartiges Unterhaar hat. Die ↑ Abzeichen sollen gleichmäßig gefärbt sein. Die B. unterscheidet sich von der ↑ Siam fast ausschließlich durch das längere Haarkleid. Im Gegensatz zu den ↑ Birma und ↑ Colourpoint soll sie nicht durch Einkreuzungen von ↑ Persern entstanden sein, sondern eine mutative Veränderung der Felllänge der Siamesen darstellen. Ob es eine ↑ Mutation ist oder ob eine Langhaarkatze vor der Registrierung der ersten Siamesen im Spiel war, ist nicht mehr genau festzustellen.

B. fielen schon immer in bestimmten Siamlinien, wurden aber als nicht standardgerecht ausgemerzt oder als Liebhabertiere verschenkt. Erst in den 50er Jahren des 20. Jahrhunderts gründeten drei Amerikanerinnen den BBFA (Balinese Breeders and Fanciers of America) und begannen mit der Zucht dieser längerhaarigen Siamkatzen. 1961 wurde zum ersten Mal eine B. in New York ausgestellt. Namen wie *Langhaar Siam* standen zur Diskussion, schließlich entschied man sich für die Bezeichnung B., die in keinem Zusammenhang mit der zu Indonesien gehörenden Insel Bali steht, sondern ein reines Phantasieprodukt ist: eine der Züchterinnen fühlte sich durch die kraftvolle Anmut der B. und durch die schlanken Linien ihres Körpers an einen balinesischen Tänzer erinnert.

Naturgemäß hatten die ersten B. die et-

was kompaktere Gestalt der damaligen Siamesen. ↑ Körperbautyp und Kopfform verbesserten sich mit der Entwicklung der Siamzucht, aus der die besten Vertreter immer wieder eingekreuzt wurden. Durch ihr halblanges Fell wirkt die B. nicht ganz so langgestreckt und feingliedrig wie ihre kurzhaarige Schwester.
B. sind in den USA seit 1970 in den traditionellen Siamfarben Seal-, Blue-, Chocolate- und Lilac-Point innerhalb des ↑ CFA anerkannt. Zehn Jahre später erhielten auch die übrigen ↑ Abzeichenfarben den Champion Status unter der Bezeichnung ↑ Javanese. 1983 entschloß sich dann die ↑ F. I. Fe., die B. unter der Nr. 13BA auch in Red-, Creme-, Seal-Tortie-, Blue-Tortie-, Chocolate-Tortie und Lilac-Tortie-Point sowie in den entsprechenden ↑ Tortie-Tabby-Point-Varietäten analog zu den Siamfarbschlägen anzuerkennen. Kreuzungen zwischen Siam und B. sind, wie beim CFA, auch in der F. I. Fe. erlaubt. Jungtiere aus diesen Verpaarungen erhalten auf dem Stammbaum den Vermerk ↑ Variant. Durch Kreuzungen zwischen B. und ↑ Orientalisch Kurzhaar entstand eine weitere Varietät, die Orientalisch Langhaar (↑ Mandarin). Abb.

Balinese

Ballaststoffe: schwer- oder unverdauliche Nahrungsbestandteile, die unbedingt im Futter enthalten sein müssen. Sie fördern die rhythmische, den Darminhalt vorwärtsbewegende Kontraktion des Darmes, regen damit die ↑ Verdauung an und beugen ↑ Verstopfung vor. Bei reiner Fleischfütterung z. B. werden, abgesehen von anderen Mangelerscheinungen (insbesondere Vitamin-A- und Calciummangel), zu wenig B. zugeführt. Die Folgen sind relativ lange Verweilzeiten der Nahrung im Darmlumen (bis zu drei Tage) und letztlich verzögerter Kotabsatz durch Darmträgheit. Pflanzliche Stärke oder Zellulose, als unverdauliche ↑ Kohlenhydrate dem Fleisch zugemischt, reduzieren die Verdauungszeiten erheblich (normal: 10 bis 18 Stunden). Übergewichtigen Katzen sollte man zur Abmagerung eine ballaststoffreiche Diät verabreichen, denn B. haben auch eine füllende und sättigende Funktion, ohne als Nährstoff wirksam zu werden. B. sind: Zellulosen, nicht aufgeschlossene pflanzliche Stärke, Sehnen, Knochen, größere Gräten (Vorsicht!), zum Teil auch Bindegewebe u. a. Ballaststoffreiche Futtermittel wären also z. B. Lunge, sehnenreiches Fleisch, rohe Haferflocken oder ungegarter Reis.

Bänderung ↑ Ticking.

Bandwurm ↑ Endoparasiten.

Barr'körperchen ↑ Geschlechtschromatin.

Bastardisierung ↑ Hybridisation.

Bauchhoden ↑ Kryptorchismus.

Begattungsbereitschaft: 1. ↑ atypisches Sexualverhalten. – **2.** ↑ Rolligkeit. – **3.** ↑ Sexualverhalten.

Begattungsstellung ↑ Sexualverhalten.

Begattungszeit ↑ Rolligkeit.

Behaviorismus ↑ Verhaltensbiologie.

Beihaare ↑ Haar.

Beißhemmung: ↑ Hemmung des Einsatzes des Gebisses im Kontext von ↑ Sozialverhalten, ↑ Sexualverhalten und ↑ Brutpflegeverhalten durch bestimmte äußere oder innere Reize. Während beim ↑ Jungentransport und bei der Paarung der Nackengriff (↑ Nakkenbiß) der Katze nur vorsichtig in das Fell bzw. in die Haut ausgeführt wird, schlagen beim ↑ Tötungsbiß die Zähne tief in die Muskulatur der Beute oder des Gegners. *Leyhausen* (1982) nimmt an, daß sich die beiden erstgenannten Verhaltensweisen vom Töten durch die B. unterscheiden. Durch Filmanalyse fand er, daß die Katze beim Tragegriff immer mehrfach ansetzt und so den richtigen Griff am Hals der Jungen und die gerade noch zulässige Kraft findet, beim Tötungsbiß hingegen schlagen die Kiefer sofort kräftig zusammen. Sollten jedoch die Erkenntnisse von *Hunsperger* (1983) über die unterschiedliche Steuerung der einzelnen Varianten des Nackenbisses zutreffen, wird der Begriff B. in diesem Zusammenhang nicht mehr zutreffend sein. Denkbar ist jedoch auch, daß den einzelnen Bezirken des Gehirns eine zentrale Hemmungsinstanz übergeordnet ist. Dafür spricht das zuweilen scheinbare Ausfallen der B. bei Transport oder Kopulation. So verletzen Hauskater manchmal bei der Begattung die Katzen im Nacken, in Ausnahmefällen ist es auch schon zur Tötung gekommen.

Belastung ↑ Stress.

Beschädigungskämpfe ↑ Kampfverhalten.

Beschwichtigungslaut ↑ Lautgebung.

Beutefangverhalten: spezielle Verhaltensweisen fleischfressender Tiere, die dem Nahrungserwerb dienen. Bei freilaufenden Tieren besteht das B. gewöhnlich aus einer aktiven Nahrungssuche (↑ Appetenzverhalten) und einer Nahrungswahl. Die eigentliche Nahrungsaufnahme (↑ Endhandlung) ist meist genetisch festgelegt.

Die Katze ist von Natur aus ein typischer Fleischfresser und hat folglich ein komplexes B. entwickelt. Auch im Verlaufe der ↑ Domestikation hat sich dieses Verhalten kaum geändert und der Halter von ↑ Rassekatzen steht ihm mit gemischten Gefühlen gegenüber, da er es vermenschlicht und als „Blutrünstigkeit" eines Raubtiers ansieht. Andererseits spielen besonders in ländlichen Gegenden heute noch ↑ Hauskatzen eine bedeutende Rolle bei der Schadnagertilgung (↑ Beutetier).

Seit mehr als 35 Jahren erforscht der Verhaltensbiologe *Paul Leyhausen* das B. der Haus- und anderen ↑ Katzen. Dank seiner Arbeiten kann dieser Funktionskreis heute als einer der bestuntersuchtesten gelten. Nach *Leyhausen* (1956, 1982) läßt sich der Beutefang in drei Abschnitte unterteilen: 1. Annäherung an die Beute, 2. Ergreifen und Töten der Beute, 3. Behandlung und Verzehr der Beute.

Alle Katzen betreiben Pirsch- und Lauerjagd. Da die Beutetiere der Hauskatze im wesentlichen in kleineren oder größeren Kolonien mosaikartig verteilt vorkommen, muß ein aktiver Ortswechsel vorgenommen werden. Die für den Beuteerwerb notwendige Kraft und Zeit werden auf der Grundlage individueller Lernprozesse (↑ Lernverhalten) optimiert (*Lundberg*, 1980). So wird ein Jagdrevier abgestreift und mehrere mögliche Beuteauftrittsorte (↑ Ortsgedächtnis) nacheinander aufgesucht. Wird ein Beutetier erblickt, beginnt die Annäherung mit dem Schleichlauf, d.h., die Katze läuft geduckt rasch auf das Beutetier zu und verkürzt die Distanz, je nach Geländebeschaffenheit auf 2 bis 5 m. Dann verharrt sie in Lauerstellung: den Körper flach am Boden, die Vorderpfoten stützen den Körper direkt unter dem Schultergelenk, die Hinterbeine liegen mit der ganzen Fußsohle auf, die

Ohren sind aufmerksam zum Beutetier hin gerichtet, die ↑ Schnurrhaare weit gespreizt und nur die Schwanzspitze zuckt leicht. Der Kopf verfolgt jede Bewegung der Beute und unabhängig von vorhandener oder fehlender Deckung wechseln nunmehr Phasen des Anschleichens und des Lauerns. Je geringer der Abstand zur Beute, desto vorsichtiger werden die Bewegungen. Schließlich hebt die Katze jeweils nur noch eine Pfote vom Boden und erst nachdem sie sie aufgesetzt hat, hebt sie die nächste (↑ Fortbewegung). Bei ausreichender Annäherung zur Beute bereitet sich die Katze auf den Absprung vor: die Fersen heben sich vom Boden ab und die Hinterpfoten beginnen wechselnd auf und ab zu zucken bis das ganze Hinterteil in diesem Rhythmus wackelt.

Dieses Wackeln kann bei Jungtieren als spielerische Übertreibung ebenso gut beobachtet werden, wie bei Stubenkatzen. Erst nach dem Wackeln schießt die Katze schnell laufend oder in mehreren Sätzen springend, jedoch stets flach über dem Boden, auf die Beute los. Der letzte Sprung wird so berechnet, daß die Vorderpfoten die Beute erreichen, aber die Hinterpfoten am Boden haften bleiben. Das hat mehrere Vorteile: Erstens wird die Sicherheit des nun folgenden Ablaufes erhöht, denn jeder Ausweichbewegung des Beutetiers kann gefolgt werden, zweitens wird der Schwung abgebremst und drittens kann bei wehrhafter Beute sofort auf Abwehr (↑ Abwehrverhalten) umgeschaltet werden. In der Regel wird die Beute flach angesprungen; lediglich beim Fangen von Vögeln oder Insekten können hohe Sprünge, wie sie vom Fuchs bekannt sind, vollführt werden. Wird ein Beutetier von einem Baum aus oder einer anderen erhöhten Position angesprungen, wird ebenfalls immer zuerst neben der Beute gelandet, um jederzeit in Abwehr gehen zu können. Flieht die Beute oder wird sie verfehlt, kann der Absprung zur weiteren Verfolgung direkt in einen Galopp übergehen.

Insekten und kleine Vögel werden durch das gleichzeitige Zufahren beider Pfoten ergriffen. Die Schnauze spürt dann vorsichtig nach der Beute und erfaßt sie mit den Zähnen. Mäuse u. a. kleine Tiere packt die Katze manchmal unmittelbar mit dem ↑ Gebiß, normalerweise setzt sie aber während des Zupackens wenigstens eine Pfote auf die Beute (↑ Pfotenhieb). Verkriecht sich das Beutetier in einem Loch, wird mit großer Geschicklichkeit mit den Vorderpfoten nach ihm geangelt (↑ Angeln). Auch Fische können von Nahrungsspezialisten auf diese Weise aus dem Wasser geholt werden. Auf Beutetiere ab Rattengröße wird zuerst immer mit der Pfote geschlagen und mit den Zähnen werden sie erst erfaßt, wenn sie sich nicht wehren. Der ↑ Tötungsbiß kann unterschiedlich erfolgen: Im ersten raschen Zufahren auf eine sich bewegende oder gefährlich erscheinende Beute schlägt die Katze eine Tatze möglichst schräg von hinten auf Rükken und Schulter des Beutetieres und beißt unmittelbar davor zu. Bei kurzhalsigen Beutetieren wird daher die Nackengegend getroffen; die Eckzähne dringen im Idealfall in das Nachhirn und/oder Halsmark und töten sofort. Allerdings muß das Beutetier zur Größe des Kiefers der Katze passen, wie die Maus zum Mäulchen eines sechs bis acht Wochen alten Kätzchens. Gerät die Maus an eine erwachsene Katze, kann sie durchaus den Tötungsbiß überleben, da der Hals zu weit umfaßt wird und die Eckzähne nur an seiner Unterseite oder gar nicht in den Hals eindringen.

Bei langhalsigen Beutetieren trifft der erste Biß in den Halsansatz oder die

Schulter. Oft wird die Beute dann nochmals losgelassen und mit einem zweiten optisch gesteuerten Biß an der richtigen Stelle, d.h. unmittelbar hinter dem Kopf, gepackt. Diese optische Orientierung zum Nacken (↑ Nackenbiß) ist erfahrungsabhängig.
Beginnt sich ein Beutetier zu wehren, wird es mit Tatzenhieben bearbeitet. Oft wirft sich die Katze dabei auf die Seite, ist die Gegenwehr sehr heftig, läßt sie die Beute los, um nach einem kurzen Rückzug den Angriff zu wiederholen. Bei unzureichender ↑ Motivation läßt eine Hauskatze aber auch von einer bereits gefangenen Beute ab.
Gewöhnlich legt die Katze nach dem Tötungsbiß den Fang ab, richtet sich auf und geht im Raum umher. Dieser ↑ Spaziergang dient dem Abreagieren noch nicht verbrauchter Energie. Ein nicht tödlich verletztes Tier, das zuvor in ↑ Tragstarre verfallen ist, kann nach dem Ablegen durchaus entkommen. Meist wird der Fluchtversuch jedoch vereitelt. Nach dem Ablegen wird die Beute wieder aufgenommen und umhergetragen; offensichtlich von dem Bedürfnis geleitet, in einem Versteck zu fressen. Der Vorgang des Ablegens, Spazierengehens und Herumtragens der Beute kann mehrfach wiederholt werden. Da dieses Verhalten einer starken ↑ Ritualisation unterworfen ist, wird schließlich die Beute auch in dekkungslosen Räumen verzehrt. Zum Tragen wird die Beute im Nacken ergriffen, kleinere Tiere gelegentlich auch an anderen Körperstellen. Kleinere Beutetiere werden von vorn, mit dem Kopf beginnend nach hinten gefressen, größere auch an Hals, Brust oder am Bauch zuerst angeschnitten. Gefiederte oder langhaarige Beute wird durch ↑ Rupfen zum Verzehr vorbereitet. Für Vögel trifft das für Tiere ab Amselgröße aufwärts zu. Im Maul verbliebene Feder- oder Haarreste werden ausgespuckt oder abgeschleudert (↑ Wegschleudern). Eine bevorzugte Freßstellung der Katze ist das Hocken. Kleinere Beutetiere werden stehend mit geducktem Vorderkörper gefressen. Im allgemeinen wird nicht gekaut, sondern die Beute mit den Reißzähnen in kleine Stücke oder längere Streifen zerteilt und dann im ganzen verschluckt. Regelmäßige Kaubewegungen werden nur zum Zerkleinern der Köpfe größerer Tiere eingesetzt. Kann die Katze ungestört fressen und ist sie nicht zu hungrig, so unterbricht sie die Nahrungsaufnahme und beendet sie nach mehreren Pausen mit einer ausgiebigen Gesichts- und Pfotenwäsche (↑ Körperpflege).
Für den gesamten Ablauf des B. ist nach *Leyhausen* eine Vielzahl von ↑ Schlüsselreizen verantwortlich, die jeweils bestimmte Handlungselemente auslösen. Die Mehrzahl dieser Komponenten basieren auf Auslösemechanismen, die aus einer Kombination von angeborenem und erworbenem Verhalten bestehen. Dies konnte besonders durch die ↑ Ontogenese der Fanghandlung gezeigt werden. Ausführliche Untersuchungen zu dieser Problematik liegen wiederum von *Leyhausen*, *Baerends-van Roon* & *Baerends* (1979) und *Caro* (1979, 1980, 1981 b) vor. Erste Elemente des B. treten im Alter von drei bis vier Wochen auf (↑ Jungtierentwicklung). Sie bestehen in einem tastenden Vorfühlen mit der Pfote (↑ Beutespiel). Lauern, Schleichlauf und Beutesprung entwickeln sich parallel zur Reifung der Koordination von ↑ Muskulatur und Gleichgewichtssinn (↑ Ohr). Wenn die Jungen etwa vier Wochen alt sind, beginnt die Mutter erstmals tote Beute zum Nest zu tragen und dort zu verzehren. In der sechsten Lebenswoche der Jungtiere trägt sie dann lebende Tiere zu (↑ Zutragehypertrophie). Erst im Spiel mit der lebenden Beute stellt sich

die zum Tötungsbiß hinführende Handlungskette in geordneter Reihe ein. *Leyhausen* (1982) nimmt an, daß dieses Verhaltenselement deshalb so spät reift, da die Jungen somit vor Verletzungen während des ↑ Spielverhaltens geschützt sind. Während alle genannten Verhaltensweisen auch bei ↑ Kaspar-Hauser-Tieren, d. h. ohne Erfahrung, auftreten, wird zur Herausbildung des Tötungsbisses eine sogenannte Zusatzerregung benötigt. Die von der Mutter losgelassene Beute löst durch ihre Flucht die Beutefanghandlung der Jungen aus. Das schnelle Wiedereinfangen der Beute durch die Altkatze zwingt die Jungen, noch schneller zu sein. Dieser „Beuteneid" steigert die Jungkatze in die für das erste Töten nötige Erregung. Die höchste Bereitschaft zum Erlernen des Tötungsbisses liegt in der neunten und zehnten Lebenswoche. Jungtiere, die bis zur 20. Lebenswoche keinen Kontakt mit lebender Beute hatten, lernen das Töten später sehr mühsam, andererseits gibt es Jungtiere, die trotz Kontakt mit lebender Beute im genannten Zeitraum den Tötungsbiß nie erlernen.

Über den Zusammenhang zwischen Hunger und Beutefang bei Katzen wird vielfach diskutiert. *Leyhausen* (1982) beobachtete, daß sowohl satte als auch hungrige Katzen bis zu 17 Mäuse hintereinander töten konnten, jedoch war der Anteil der verschiedenen Formen des ↑ Beutespiels unterschiedlich ausgeprägt. Auch fraßen hungrige Katzen während des Versuches acht bis dreizehn Mäuse, satte hingegen nur ein bis drei. Ein in Gang gesetzter Tötungsrhythmus bleibt unabhängig vom Sättigungsgrad des Tieres über gewisse Zeit erhalten. „Blut- oder tötungsrausch"ähnliche Zustände, wie z. B. bei Mardern beschrieben, liegen bei der Katze nicht vor. Die relative Unabhängigkeit von Fangen und Töten und der dadurch auftretende Widerstreit zwischen beiden Motivationen ermöglicht vielmehr eine gegenseitige Dämpfung.
Unter natürlichen Bedingungen wird die

Die das Verhalten zur Beute auslösenden und richtenden Faktoren (nach *Leyhausen*, 1982)

Sinnesgebiet	Schlüsselreize	ausgelöster Handlungsanteil
Gehör (↑ Ohr)	knisternde und kratzende Geräusche, mäuselnde Locktöne	Appetenz zum Beutefang
Gesicht (↑ Auge)	nicht zu großes Objekt in Bewegung seitlich zur Katze oder von ihr weg	Annäherung an die Beute (Schleichlaufen, Anschleichen, Lauern, Ansprung, Packen)
Getast (↑ Schnurrhaare)	fellartige Oberfläche des gepackten Objekts	Tötungsbiß
Gesicht	Kopf-Rumpf-Gliederung des Beuteobjekts	Taxien von Packen, Töten, Aufnehmen zum Umhertragen
vermutlich Geruch (↑ Nase)	unbekannt	Anschneiden
vermutlich Geschmack (↑ Lunge) und/oder Getast	unbekannt	Kauen und Schlucken
Getast	Reizung der Schnurrhaare durch Haarstrich der Beute	Taxien des Anschneidens und Fressens

Effektivität des B. hauptsächlich durch die Dichte der ↑ Beutetiere bestimmt. So beobachtete *Liberg* (1981), daß bei hohem Nagerangebot im Herbst jeweils nach 40 min ein Tier gefangen wurde, hingegen im Frühsommer erst nach 70 min Jagdzeit. Tab.

Beute-Kaspar-Hauser ↑ Kaspar-Hauser-Tier.

Beuteneid ↑ Beutefangverhalten.

Beuteprägung: 1. ↑ sensible Phase. – **2.** ↑ Beutetier.

Beuteschema: 1. ↑ Schlüsselreiz. – **2.** ↑ Beutetier.

Beutespiel: besondere Form des ↑ Spielverhaltens der Katze, die in das ↑ Beutefangverhalten einzuordnen ist. Das B. ist immer auf ein Objekt bezogen und wird auch von erwachsenen Katzen regelmäßig ausgeführt. Als Ersatzobjekte für ↑ Beutetiere können auch ↑ Attrappen von Beutetieren oder Artgenossen dienen. *Leyhausen* (1982) führt die folgenden Unterschiede zum „ernstgemeinten" Ablauf des Beutefangs an:

- ungeordnete Aufeinanderfolge von ansonsten vorprogrammierten Verhaltensabläufen, wie Schleichlauf, Lauern, Anspringen, Zufassen, Umhertragen, ↑ Rupfen usw., oder Abbruch der Handlungskette an beliebiger Stelle;
- Ausführung von Verhaltenselementen mit übertriebenem Krafteinsatz, was dem normalen Bewegungszweck der Verhaltensweise oft abträglich ist;
- Auftreten von drei Formen des B. besonders bei Jungkatzen, wobei die Aufeinanderfolge oft regellos und das Abtrennen schwierig ist.

Als *gehemmtes Spiel* wird eine in der Intensität sehr herabgesetzte, aber spielerische Fanghandlung bezeichnet: Das Beutetier wird zuerst nur vorsichtig mit der Pfote angetippt, reagiert es nicht, werden die Pfotenschläge heftiger, bewegt sich hingegen die Beute, macht die Katze oft einen steifbeinigen Rückwärtssatz (Angstspiel, ↑ Angst). Das gehemmte Spiel ist auch bei übermäßigem Beuteangebot zu beobachten.

Das *Stauungsspiel* kommt in zwei Formen, dem *Haschespiel* und dem *Fangballspiel*, vor. Es wird vor allem mit kleinen Beutetieren, z. B. Mäusen ausgeführt, und besonders von Katzen gezeigt, die längere Zeit keine lebende Beute erhalten haben. Die vom Töten unabhängige Fanghandlung wird übertrieben heftig und lange (↑ Motivation, ↑ Trieb) und oft an Ersatzobjekten abreagiert. Ein Objekt wird beschlichen, in die Tatzen oder ins ↑ Gebiß genommen, wieder weggeschleudert und erst nach geraumer Zeit „totgebissen" (↑ Tötungsbiß).

Das *Erleichterungsspiel* tritt in seiner ausgeprägtesten Form nur nach dem Töten sehr großer oder gefährlicher Beutetiere auf, die erst nach längerem Kampf getötet wurden. In solchen Fällen muß die Katze eine bedeutende ↑ Furcht vor der Beute überwinden; die Beutefangstimmung ist hochgradig aktiviert. Dieser Spannungszustand wird durch „pantomimische Übertreibung" abreagiert. Die Katze springt in hohen Bögen um das tote Beutetier und darüber hinweg und zeigt verschiedene Elemente des ↑ Übersprungverhaltens.

Beutetier: Tier, das der ↑ Katze zur ↑ Ernährung dient oder ergriffen wird, um eine aufgestaute „Jagdstimmung" abzureagieren (vgl. Beutefangverhalten). B. liefern alle zur Aufrechterhaltung des ↑ Energiebedarfes notwendigen Nährstoffe.

Für die Katze gibt es kein einheitliches *Beuteschema*, d. h. keinen einzelnen ↑ Auslösemechanismus, der den Gesamtmechanismus des Beutefangverhaltens in Gang setzt. Schnell sich von der Katze entfernende Objekte, knisternde und kratzende Geräusche

sprechen jedoch einen „Beute-AAM" (↑ Auslösemechanismus) an. Er löst aber nur das entsprechende ↑ Appetenzverhalten aus.
Hauskatzen können grundsätzlich jedes Tier erbeuten, das nicht größer als sie selbst ist. Die obere Grenze bilden Tiere von der Größe eines *Wildkaninchens* oder einer *Möwe*, die untere *Stubenfliegen*. Katzen müssen i. allg. erst lernen, welche Beute für sie in Frage kommt, welche Tiere als Artgenossen und welche als Feinde zu betrachten sind. Durch diesen Lernprozeß wird auf die am leichtesten zu fangende Beute selektiert. Der erwachsenen Katze entsprechen nach *Leyhausen* (1982) am besten *mittelgroße Ratten*, die am schnellsten getötet werden. Für die den ↑ Tötungsbiß erlernende Jungkatze (↑ sensible Phase) hat eine *Maus* die richtige Größe. Stubenkatzen reagieren ihre angestaute „Jagdstimmung" mit dem gleichen Eifer an Fliegen u. a. Insekten sowie an Ersatzobjekten ab, die der betreuende Mensch ihnen zur Verfügung stellt (↑ Langeweile). Solch ein Ersatzobjekt könnte ein Ball oder ein Papierschnipsel sein, der an einem Bindfaden befestigt durch das Zimmer bewegt wird. *Bienen* oder *Wespen*, die in der Sommerzeit durch geöffnete Fenster in die Wohnung dringen, bilden eine große Gefahr, da ein Stich in die Mundhöhle zum Tod durch Ersticken führen kann.
Das Beutespektrum der Katze ist relativ breit und wird überwiegend von den ökologischen Bedingungen der Umwelt bestimmt. Über die Zusammensetzung der Nahrung geben Magenanalysen toter Tiere, aber auch Untersuchungen von Kot und Haarresten Auskunft. Freilaufende ↑ Hauskatzen sind hinsichtlich ihrer Beute gut untersucht. Von der Norm am stärksten abweichende Nahrungsspektren wurden bei Katzen gefunden, die auf ozeanischen Inseln ausgesetzt wurden und sich zu wahren *Beutespezialisten* entwickelt haben. So fanden *Derenne* (1976) und *Pascal* (1980), daß 1951/52 auf den antarktischen Kerguelen-Inseln ausgesetzte Hauskatzen zu 70% höhlenbrütende Vögel und zu 30% Wildkaninchen fressen.
Die auf den vor der Südspitze Afrikas liegenden Dassen-Inseln heimische Hauskatze frißt im Durchschnitt jährlich 24 Mäuse, 134 Wildkaninchen, 37 Brillenpinguine, 25 Kapscharben und 31 Vögel anderer Arten (*Apps*, 1983). Katzen, die unter wüstenähnlichen Bedingungen in Australien leben, ernähren sich vorwiegend von Reptilien und Wirbellosen (*Bayly*, 1976). Eine Übersicht zum Nahrungsspektrum freilaufender Hauskatzen in gemäßigten Breiten verschiedener Kontinente vermittelt die Tab.
Die Untersuchungsergebnisse zeigen, daß streunende Hauskatzen unter normalen Lebensbedingungen keine Gefährdung für den *Singvogelbestand* darstellen. Auch das Argument, daß in Großstädten aufgrund mangelnden Nahrungsangebotes und hoher Katzenpopulationsdichte viele Vogelbruten vernichtet werden, ist nicht allgemeingültig, zumal in Städten eine besondere Situation vorherrscht, die durch das konzentrierte Auftreten weniger Vogelarten, wie Sperling, Amsel, Grünfink und Taube, charakterisiert ist. Die hohe Nahrungskonzentration in Form von Vögeln und das nur geringe Nagetiervorkommen führt natürlich zu einer einseitigen Spezialisierung der Katzen. Gleiches wurde aber auch für die Elster nachgewiesen, die z. B. in Berlin, einhergehend mit einer starken Bestandserhöhung, vermehrt Vogeljunge frißt. Genauere Untersuchungen zum Einfluß streunender Hauskatzen auf den Niederwildbestand (*Jagdfasan* und *Feldhase*) liegen von *Liberg* (1984 c) vor. Er

Tab. 1 Beutespektrum freilaufender Rassekatzen (nach verschiedenen Autoren; *n* = Anzahl der untersuchten Katzen)

Beutetier	Anteil in %	*n*	Land	Autor
Kleinsäugetiere	76,7		USA	*Hubbs*, 1951
Vögel	19,4			
Nagetiere	92,1	60	BRD	*Heidemann* und *Vauk*, 1970
Wühlmäuse	93,8			
Langschwanzmäuse	6,2			
Vögel	2,6			
Säugetiere	93,5	171	BRD	*Heidemann*, 1973
Spitzmäuse (meist nur getötet)	0,6			
Hasenartige (werden nur teilweise gefressen)	3,8			
Nagetiere, davon	89,1			
Wühlmäuse	95,9			
Langschwanzmäuse	4,1			
Vögel	4,4			
Reptilien	0,6			
Insekten (im Sommer häufig Grillen und Heuschrecken)	1,2			
Mollusken	0,3			
Kleinnager	74	500	Polen	*Pielowski*, 1976
Küchenabfälle	19			
Junghasen	3,4			
Vögel u. a.	3,6			
Säugetiere (überwiegend)		67	Neuseeland	*Fitzgerald* und *Karl*, 1979
darunter Ratten, Kaninchen, Oppossum, Mäuse				
Vögel	12			
Insekten (sehr viele) darunter Netzflügler, Zikaden				
Beuteltiere	81	48	Australien	*Triggs* et al., 1984
Ratten	19			
Säugetiere	15…50 (von der Gesamtnahrung) (vgl. Abb.)	996	Schweden	*Liberg*, 1984 c
Wildkaninchen				
Erdmaus				
Vögel	1…3 (von der Gesamtnahrung)			

stellte fest, daß nur 7% der jährlichen Verluste bei Fasanen auf die Katze, jedoch 37 auf den Rotfuchs und 23 auf die Jagd zurückzuführen sind. Für den Feldhasen betragen die Verluste an der Nachkommenschaft jährlich 23, 16 und 8% durch die oben genannten Einflüsse. Stellt man diesen Zahlen den Nutzen, d.h. der Vertilgung von Schadnagern, gegenüber, wird die Wichtigkeit der freilaufenden Hauskatze als Regulator von Schadtieren deutlich. So wurden von etwa 100 freilaufenden Katzen in Südschweden innerhalb von zwei Jahren etwa 31000 *Erdmäuse* und 5000 *Waldmäuse* vertilgt. Das entspricht 18,4 bzw. 24,4% der dort vorkommenden Schadnager. Man kann sich daher den Aussagen von *Leyhausen* (1982) anschließen, daß durch den Abschuß oder das anderweitige Verfolgen von Katzen ein weit höherer volkswirtschaftlicher Schaden angerichtet wird als der, den die Katze unter dem Singvogel- oder Niederwildbestand anrichten könnte.

Über das Verhältnis von *Hauskost* und *Feldbeute* bei freilaufenden hausgebundenden Katzen (↑ Sozialverhalten) geben Untersuchungen von *Heidemann* und *Vauk* (1970), *Heidemann* (1973) und *Liberg* (1984c) Auskunft. Während der Anteil von reiner Feldbeute in den Mägen von insgesamt 231 Katzen in der Bundesrepublik Deutschland bei 50% lag und etwa 30% der Katzen sowohl Feldbeute als auch Hauskost gefressen hatten, betrug der Anteil der reinen Hauskost 10 bis 17%. Die restlichen 7 bis 11% der Katzen hatten einen leeren Magen. *Liberg* konnte zwischen hausgebundenen und ausschließlich streunenden Katzen keinen größeren Unterschied in der Zusammensetzung der Feldbeutetiere nachweisen. Der Anteil der Hauskost liegt bei den hausgebundenen Katzen im Winter bei 85, im Sommer bei 50%

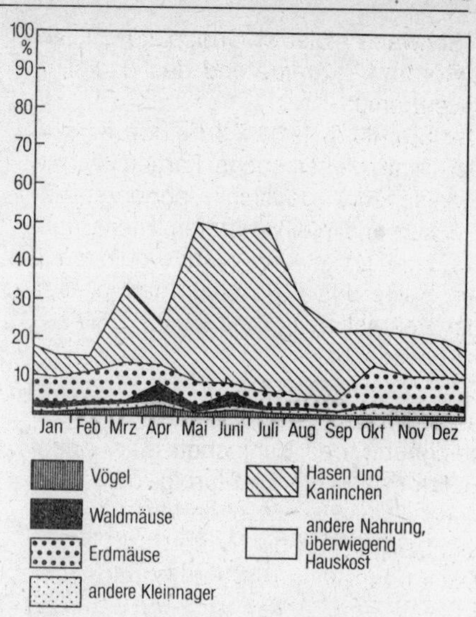

Prozentualer Anteil der einzelnen Nahrungsbestandteile einer freilaufenden Hauskatzenpopulation (↑ Population) in Südschweden (1974 bis 1976) in den zwölf Monaten eines Jahres (nach *Liberg*, 1984c)

an der Gesamtnahrung (Abb.). Die mittlere tägliche Nahrungsaufnahme streunender Hauskatzen liegt zwischen 20 und 500 g, wobei der Bedarf eines Tieres von 4,5 kg Körpermasse mit 250 g eingeschätzt wird (*Liberg*, 1984 c).

Bewegungsapparat: 1. ↑ Skelett. – **2.** ↑ Muskulatur.

Bewegungssehen ↑ Auge.

Bewegungsstereotypien ↑ Stereotypie.

Bi-Colour [engl., zweifarbig]: Gruppe anerkannter Varietäten. Die ↑ Zeichnung beruht auf der Wirkung der ↑ Scheckung (S), die den jeweiligen Weißanteil hervorruft, und den Genkonstruktionen der pigmentierten Flächen des Haarkleides. B. sind am Scheckungslocus heterozygot (↑ Heterozygotie) besetzt, so daß aus Paarungen zwischen B.-Katzen auch nichtgescheckte (ss), d.h. einfarbige Tiere, fallen. B. sind also ein Kombination der Farben

↑ Schwarz, ↑ Blau, ↑ Chocolate, ↑ Lilac, ↑ Rot und ↑ Creme und des partiellen ↑ Leuzismus.

Der Standard der ↑ F. I. Fe. fordert nur, daß eine dieser sechs Farben in harmonischen, deutlich abgegrenzten Flecken und Weiß auftreten. Nicht mehr als zwei Drittel und nicht weniger als die Hälfte des Fells sollen farbig sein, der Rest ist weiß. Eine weiße ↑ Blesse ist erwünscht.

Der DDR-Standard hingegen beschreibt als Idealbild die Holländerzeichnung der Kaninchen. Die obere Hälfte des Kopfes ist farbig, die Unterseite weiß. Ein umgekehrtes V im Gesicht sollte sich bis in die Stirn ziehen. Die Augen liegen im Farbbereich. Der Rücken, die Flanken und der Schwanz sind farbig. Die Unterseite des Körpers sollte weiß sein, wobei sich das Weiß möglichst ohne Farbflecken vom Hals, von der Brust und den Vorderbeinen über den Bauch bis zu den Hinterbeinen hinzieht. Die Farbe des Kopfes und des Rückens werden durch einen deutlich sichtbaren weißen Ring (↑ Halsband) getrennt, der sich von den Vorderbeinen über die Schulterblätter zieht. An den Flanken sollte das Weiß bei einem stehenden Tier sichtbar sein. Jegliche ↑ Tabbyzeichnung, Pigmentflecken auf dem ↑ Nasenspiegel oder schwarze bzw. blaue Schnurrhaare bei rot/weißen bzw. creme/weißen Tieren sind Fehler. Ein weißer Rückenfleck gilt als leichter Fehler. Sind im Weißbereich des Gesichtes Farbflecke vorhanden, sollten sie toleriert werden, wenn ihre Anordnung harmonisch ist. Konkurrieren zwei im übrigen gleichwertige Tiere miteinander, ist das Tier ohne Farbflecke im Weiß vorzuziehen. Bei Flekkung an den Beinen sollte ebenso verfahren werden.

Im Rahmen der Anerkennung der B. bei ↑ Persern und ↑ Britisch Kurzhaar im Jahre 1966 wurde auch vom britischen ↑ GCCF die oben beschriebene Zeichnung verlangt. Die F. I. Fe. erteilte die Anerkennung mit dem Holländerstandard im Jahre 1968, jedoch ohne die Farbkombinationen Chocolate/Weiß (Tafeln 5, 7) und Lilac/Weiß (Tafeln 5, 7), die erst 1982 zugelassen wurden. Bei einer derart präzisen Standardbeschreibung konnten, aufgrund der willkürlichen Vererbungsweise der Scheckung, nur wenige Tiere den Championtitel (↑ CAC, ↑ CACIB) erreichen, und deshalb wurde 1971 der Holländerstandard in den jetzt gültigen elastischen F. I. Fe.-Standard umformuliert. Mit der Anerkennung der ↑ Exotic Kurzhaar im Jahre 1984 sind auch die Kurzhaar-Perser als B. zugelassen. Ein Jahr zuvor wurde für die ↑ Europäisch Kurzhaar ein neuer Standard festgesetzt und auch er sieht für diese ↑ Rasse die B.-Varietäten vor, ausgenommen Chocolate/Weiß und Lilac/Weiß.

Die Zucht der Schildpatt/Weiß (↑ Tri-Colour), in welcher aufgrund der geschlechtschromosomengebundenen Vererbung von ↑ Orange (↑ Schildpatt) stets auch B.-Katzen anfielen, die wiederum in dieser Zucht eingesetzt werden mußten, da es keine ↑ Schildpattkater im Normalfall gibt, machten die Anerkennung dieser aparten Varietätengruppe notwendig.

Genkonstruktionen der anerkannten B.-Varietäten

Schwarz/Weiß	aa B– C–D–	Ss
Blau/Weiß (Tafeln 24, 38, 39)	aa B–C–dd	Ss
Chocolate/Weiß (Tafel 23)	aa bb C–D–	Ss
Lilac/Weiß	aa bb C-dd	Ss
Rot/Weiß	C–D–O(O)	Ss
Creme/Weiß	C–dd O(O)	Ss

Bindehautentzündungen: 1. ↑ Auge. – **2.** ↑ Entropium.

Binnenhodigkeit ↑ Kryptorchismus.

Bioakustik ↑ Lautgebung.

Biokommunikation: Informationsaustausch, Verständigung, Signalübertragung zwischen Organismen. Die B. ist ein Teilgebiet der Verhaltensbiologie, das sich mit dem Prozeß befaßt, in dem ein Organismus als Sender von Signalen das Verhalten eines Empfängerorganismus beeinflußt. Entsprechend den daran beteiligten ↑ Sinnesorganen spricht man von *akustischer B.* (↑ Lautgebung, ↑ Ohr), *optischer B.* (↑ Gestik, ↑Mimik, ↑ Auge), *chemischer B.* (↑ Chemokommunikation, ↑ Nase, ↑ Zunge), *thermischer B.* und *taktiler B.* (↑ Sinneshaar). Die Informationsübertragung erfolgt in der Regel innerhalb einer Art, in Ausnahmefällen können z. B. Warnsignale aber auch Artgrenzen überspringen.

Biotin ↑ Vitaminbedarf.

Birma, *Heilige Birma*: zu den ↑ Semilanghaar gehörende Rasse. Die B. hat einen mittelschweren, leicht gestreckten Körper mit kurzen stämmigen Beinen und runden Pfoten. Der breite kräftige Schädel hat volle runde Wangen und ein gut entwickeltes Kinn. Die schwache Wölbung der Stirn wird durch den Haarwuchs unterstrichen. Die Nase ist mittellang und weist keinen ↑ Stop auf. Die Ohren sollen möglichst klein sein und dürfen weder sehr aufrecht stehen noch an den Spitzen zu sehr gerundet sein. Die tiefblauen Augen haben eine leicht gerundete oder leicht ovale Form. Im Gesicht ist das Fell kurz, wird von den Wangen ausgehend länger und bildet eine volle ↑ Halskrause. Auf dem Rücken und an den Flanken ist es sehr lang, an anderen Körperteilen mittellang. Das Fell hat eine seidige Textur und wenig Unterwolle. Gesicht, Ohren, Pfoten und Schwanz sind in der jeweiligen ↑ Abzeichenfarbe pigmentiert. Die weißen Pfoten, die ↑ Handschuhe, sind das wichtigste rassebildende Merkmal der B. Gleichmäßigkeit und Symmetrie der Handschuhe an den Vorderpfoten einerseits und den Hinterpfoten andererseits sind ein wesentliches Bewertungskriterium. Das Idealbild ist eine völlig gleichmäßige Anordnung des die Handschuhe bildenden Weißanteils. Die Körperfarbe ist sehr hell eierschalenfarben, geht zum Rücken in ein goldenes Beige über und ist am Bauch vollkommen weiß. Der mittellange, fedrig behaarte Schwanz soll am Ansatz dünn sein und eine elegante Form aufweisen. Er ist federbuschartig behaart. Der Kopf der B. darf keine Ähnlichkeit mit dem der ↑ Perser oder der ↑ Siam aufweisen. Weiße Flecken innerhalb der farbigen ↑ Abzeichen und farbige Flecken in den weißen Handschuhen führen zur ↑ Disqualifikation.

Innerhalb der ↑ F. I. Fe. ist die B. seit 1964 in Seal-, Blue-, und seit 1982 auch in Chocolate- und Lilac-Point anerkannt. In der DDR wird sie seit 1979 auch in Seal-Tortie- und Blue-Tortie-Point (↑ Tortie-Point) sowie in Red-Point anerkannt. Der britische ↑ GCCF erteilte darüber hinaus 1984 eine vorläufige Anerkennung der B. in Creme-Point, Chocolate-Tortie-Point, Lilac-Tortie-Point sowie in Seal- und Blue-Tabby-Point (↑ Tabby-Point).

Während der ↑ Nasenspiegel der B. analog zur Abzeichenfarbe pigmentiert ist, sind die ↑ Fußballen durch die gescheckten Pfoten meist rosa oder rosa mit Flecken in der jeweiligen Abzeichenfarbe. Der F. I. Fe.-Standard macht keinen Unterschied in der Körperfarbe, der ↑ Standard des GCCF hingegen schreibt den B.-Blue-Point die gleiche Körperfarbe wie allen Blue-Point-↑ Varietäten vor, nämlich ein kaltes bläuliches Weiß, was nur durch ↑ Selektion zu erreichen ist.

Die B. gehört zu den wenigen Rassen, deren Wiege nicht in Großbritannien stand, dorthin gelangte sie erst Anfang der 60er Jahre des 20. Jahrhunderts aus Frankreich. Es gibt viele Geschichten darüber, wie die B., von der man gerne erzählt, daß sie in Burma [frz. Birmanie, daher der deutsche Name Birma] von buddhistischen Priestern als Tempelkatze geheiligt wurde, nach Frankreich gekommen sein soll. Keine konnte aber jemals bewiesen werden, und es ist wahrscheinlicher, daß die B. von nirgendwo gekommen ist. Die vielen romantischen Legenden wurden nur erfunden, um einen Fehltritt als neue profitable Rasse zu proklamieren. Wie in solchen Fällen üblich, weiß nach Jahren niemand mehr zu sagen, wer, wo und mit wem diesen „peinlichen" Vorfall vollbrachte. Daß die Fehltrittheorie die richtige ist, wurde schon in den 30er Jahren, also zu der Zeit als auch die ersten ↑ Colourpoint entstanden, im Berliner Zwinger „von Frohnau" bewiesen. Dort wurde ein Siam-Seal-Point mit weißen Pfötchen mit einer Angora, so wurden die Perser damals genannt, verpaart. In der F_2-Generation fielen dann langhaarige Tiere mit weißen Pfoten. Bei der ↑ Snow-Shoe Cat wurde dieser Beweis wiederholt, denn sie stammt zu einem großen Teil aus Kreuzungen zwischen gescheckten Hauskatzen und Siamesen.

1916, 1919 und 1925 werden als Jahreszahlen für die „Ankunft der heiligen B." in Frankreich benannt. Der erste französische Standard soll aus dem Jahre 1930 datieren. Lange vor ihrer internationalen Anerkennung waren diese Katzen in Frankreich sehr beliebt. Dem Zweiten Weltkrieg fielen nicht nur viele B., sondern auch das Zuchtbuch zum Opfer, aber „*Orloff*" und „*Xenia de Kaabaa*" sollen die Eltern aller heutigen B. sein. Auch das Berliner Zuchtexperiment, „*Sue von Frohnau*" wird ihren Anteil am heutigen B.bestand gehabt haben, denn sie wurde zusammen mit allen Tieren dieses Versuchs schließlich nach Frankreich verkauft.

1964 kam „*Nadine de Khlaramour*" als erste B.katze in die Bundesrepublik Deutschland. Sie und ihre Nachfahren sind teilweise auch in den Stammbäumen der B. in der DDR vertreten. Bereits im Jahre 1973 setzten im Zwinger „vom Mägdebrunnen" die ersten Versuche ein, neben den traditionellen Seal- und Blue-Point-B. weitere Farben zu etablieren und die Zuchtbasis zu erweitern. Im Augsut 1974 wurde die erste Blue-Tortie-Point B. „*Elfi vom Mägdebrunnen*" geboren. Das Gen für ↑ Orange kam über eine weiße Perserkatze in die B.zucht der DDR; Tortie-Point, Blue-Tortie-Point und Red-Point B. sind heute keine Seltenheit mehr. Tafeln 36, 37.

Bisexualität ↑ atypisches Sexualverhalten.

BKH: gebräuchliche Abkürzung für ↑ Britisch Kurzhaar.

black-and-tan ↑ Mutationszüchtung.

Black-Smoke ↑ Smoke.

Blau: anerkannter Farbschlag mit der Genotypkonstruktion aa B– C– dd, wobei ll für Langhaar und L– für ↑ Kurzhaar hinzugefügt werden könnten. Alle Farbtöne von B. sind erlaubt, jedoch muß die Farbe rein und gleichmäßig sein. Es sollen keine weißen Haare (↑ Stichelhaare) oder Schattierungen auftreten. Ein helleres B. wird bevorzugt. Nasenspiegel und Fußballen aller b.en Varietäten sind b.grau. Die Augenfarbe ist, ausgenommen ↑ Russisch Blau, ↑ Korat und ↑ Orientalisch Kurzhaar, bei denen grüne Augen vorgeschrieben sind, ein dunkles Orange oder Kupfer. Während für die B.färbung des Haarkleides das rezessiv homozygote Allelpaar dd (↑ Verdünnung) in Verbindung mit ↑ Nicht-Braun B– verantwortlich ist, wird die Intensität des Farbtons durch Modifikatoren bestimmt (↑ Modifikation). Hieraus erklärt sich, warum einige der schönsten b.en Katzen von Eltern mit unverdünnten Far-

ben hervorgegangen sind. Das bei den schwarzen Eltern bereits vorhandene Modifikatorensystem ist erst bei homozygoter Rezessivität des Allels d wirksam geworden. Eine Verpaarung von b.en mit schwarzen Katzen ist dann empfehlenswert, wenn erwiesen ist, daß sie die entscheidenden Gene des Modifikatorensystems haben (lightening-polygenes).
Schwierigkeiten bereitet die von der Haarwurzel bis zur Haarspitze geforderte gleichmäßige Färbung, die für alle ↑ Einfarbigen verlangt wird. B.varietäten aller ↑ Rassen, vornehmlich aber die langhaarigen b.en Perser, sind am Haaransatz oft aufgehellt und neigen zu einem dunkleren B.ton auf dem Rükken, besonders während des ↑ Haarwechsels und nach intensiver Sonnenbestrahlung. Die Gleichmäßigkeit der ↑ Pigmentierung kann selektiv beeinflußt werden.
Auch einfarbige Katzen führen die Gene der ↑ Tabbyzeichnung, die infolge der ↑ Epistasie des homozygot rezessiven Allelpaares aa für ↑ Nicht-Agouti nur im jugendlichen Entwicklungsstadium als ↑ Geisterzeichnung sichtbar werden. B. Katzen können rezessiv die beiden Braungene tragen, entweder b für ↑ Chocolate oder b^l für ↑ Cinnamon. Ihr Genotyp wäre dann aa Bb C– dd oder aa Bb^l C–dd. Tritt an die Stelle des dominanten Gens C– für die ↑ Vollpigmentierung das rezessiv homozygote Allelpaar c^bc^b, entsteht die Färbung der ↑ Burma (b), die durch die aufhellende Wirkung von c^bc^b b.grau erscheint. In Kombination von c^b mit dem Maskenfaktor c^s entsteht der intermediäre Farbton der b.en ↑ Tonkanesen. ↑ Blue-Point entsteht durch die homozygote Besetzung des Genortes mit c^sc^s (↑ Akromelanismus).
In Kombination mit der ↑ Scheckung S- kommt es zur Bildung von B./Weißen als ↑ Bi-Colour, ↑ Harlekin oder Vangezeichnete, die alle die Genkonstruktion aa B– C– dd S– tragen. In Verbindung mit dem ↑ Melanininhibitor I– entstehen die b.en ↑ Smokes, in Kombination mit ↑ Agouti die b.en ↑ Tabbies, mit Agouti und Silber die b.en. ↑ Silvertabbies sowie die entsprechenden ↑ Chinchilla und Shaded-Silver-Varietäten. Bei heterozygot besetztem Orangelocus (↑ Orange) entstehen die b.creme bzw. b.schildpatt Varietäten (↑ Schildpatt). Kommt dabei Silber-I- hinzu, hat man B.-Creme-Smoke, -Shaded und -Shell (Tortie Cameo). B. fällt nur, wenn beide Elternteile das rezessive Mutantenallel d und mindestens ein Elternteil das Wildtypallel B- für Nicht-Braun tragen. Diese Möglichkeit ist in folgenden Paarungskombinationen gegeben:

1. zwei Katzen mit Tabbyzeichnung und heterozygot besetztem Genort für Agouti (Aa B– C– Dd × Aa B– C– Dd),
2. zwei Schwarze der Genkombination aa B– C– Dd (↑ Mendel-Regeln, Oligogenie),
3. Chocolate und B. (aa bb C– Dd × aa BB C– dd),
4. der vorgenannten Genotypkonstruktionen mit heterozygot besetztem Genort für Silber oder Scheckung.

Zu beachten ist die reziproke Differenzierung der Paarungsergebnisse, wenn ein geschlechtschromosomengebundener ↑ Erbgang vorliegt. So fallen aus der Verpaarung eines Cremekaters mit einer b.en oder b.creme Katze nur b. männliche Tiere, während aus der Paarung b.er Kater mit b.cremefarbener Katze männliche und weibliche B. fallen können. Das gleiche gilt für die unverdünnten Farben, wenn ↑ Heterozygotie vorliegt, z. B. roter Kater × schwarze Katze oder schildpatt bzw. schwarzer Kater × schildpatt, sowie bei Ergänzung der Genotypkonstruktion mit den Faktoren für Silberung oder Scheckung bei heterozygoter Besetzung der Genorte (Ss bzw. Ii).

Nur in b. gezüchtete Rassen sind die ↑ Chartreuse und die ↑ Korat. Bis vor kurzem gehörte auch die ↑ Russisch Blau dazu, sie wird aber inzwischen in Großbritannien z.B. schon als Russisch Schwarz und Russisch Weiß gezüchtet. Die als ↑ Kartäuser bekannten ↑ Britisch Kurzhaar b. sind hingegen nur eine Varietät der bei dieser Rasse anerkannten Farbpalette (Tafeln 11, 12, 16). B. ist als Farbschlag ebenfalls bei der ↑ Europäisch, ↑ Exotic und ↑ Orientalisch Kurzhaar anerkannt.
Bereits *Buffon* berichtete, daß der italienische Forschungsreisende *Pietro della Valle* in der Provinz Chorazan des ehemaligen Persiens im Jahre 1521 eine b. Angora (↑ Perser) entdeckt und diese nach Europa gebracht hat, wo sie sehr bestaunt wurde. Die eigentliche Geburtsstunde der b.en Perser war jedoch die Kristallpalast-Ausstellung in London von 1889, auf der sie zum ersten Mal eine eigene Ausstellungsklasse bildeten, nämlich „Blue self coloured without white" [engl., einfarbige Blaue ohne Weiß]. Die Klasse wurde so benannt, weil die b.en Perser von den zu jener Zeit überwiegenden b.en ↑ Tabbies abzugrenzen waren. Bis zu dieser Ausstellung mußten sie mit anderen einfarbigen und gestromten Katzen in einer Gruppe konkurrieren. Obwohl b. Perser lange vor diesem Zeitpunkt bekannt waren, standen sie immer im Schatten der weißen Perser (↑ dominantes Weiß). Die seinerzeit geforderte Augenfarbe war orange-gelb, im Gegensatz zu den dunklen kräftig orange- oder kupferfarbenen Augen der heutigen Perser. Zehn Jahre später umfaßte die Anmeldeliste der jährlich durchgeführten Londoner Kristallpalast-Ausstellung über 100 Tiere dieser ↑ Varietät. Als die damalige britische Königin *Victoria* (1837–1901) ihren Hof mit zwei b.en Persern bereicherte und der *Prince of Wales* eine signierte und gerahmte Fotografie für die „Beste blaue Langhaar der Ausstellung ungeachtet ihres Geschlechts oder ihrer Nationalität" als Ehrenpreis stiftete, war dies nicht nur die Geburtsstunde der „Best in Show", unserer heutigen Bestenermittlung, sondern auch der Anfang einer zunächst glanzvollen Karriere dieser Varietät. In der Folge entstand im Jahre 1900 der „Blue Persian Cat Club" und zwei Jahre später wurde die „Blue Cat Society of England" gegründet. Obwohl in den Kindertagen dieser Zucht der Kehlfleck (Medaillon) und grüne Augen überwunden werden mußten, entwickelten sich die b.en Perser rasch zu den typvollsten Vertretern dieser ↑ Rasse. Tafeln 2, 4, 39.
In den USA tauchten die ersten b.en Perser um das Jahr 1880 auf. Mitte der 50er und Anfang der 60er Jahre des 20. Jahrhunderts kamen die schönsten dieser Varietät aus dem britischen Zwinger *„Allington"* und beeinflußten nachhaltig nicht nur die Zucht in Europa, sondern auch in den USA.
Mit steigendem Bekanntheitsgrad und zunehmender Verbreitung ließ schließlich das Interesse der Züchter an diesen herrlichen Tieren nach und ihre Aufmerksamkeit wendete sich neuen Farben zu. Die b.en Perser wurden nun zur Typverbesserung fast aller Varietäten eingesetzt; sie verbesserten rasch und grundlegend die neuen Farben, verschlechterten aber ihren eigenen ↑ Genpool, da sich kaum noch jemand, wie in der Vergangenheit, mit solcher Hingabe dieser Zucht widmet. So zahlreich wie noch vor 25 Jahren werden b. Perser wohl nie wieder unter den Spitzentieren vertreten sein; ein unverdientes Schicksal einer der ältesten Varietäten. Vielleicht wird es der b.en Exotic Kurzhaar gelingen, eines Tages wieder an die ruhmreiche Vergangenheit ihrer langhaarigen Schwester anzuknüpfen.

Blau-Chinchilla ↑ Chinchilla.

Blaucreme ↑ Schildpatt.
Blau-Creme-Smoke ↑ Tortie Cameo.
Blau-Gestromt ↑ Gestromt.
Blau-Getigert ↑ Getigert.
Blau-Getupft ↑ Getupft.
Blau-Schildpatt ↑ Schildpatt.
Blau-Schildpatt-Shaded ↑ Tortie-Cameo.
Blau-Schildpatt-Shell ↑ Tortie-Cameo.
Blau-Schildpatt-Tabby ↑ Torbies.
Blau-Schildpatt-Tabby-Smoke ↑ Schildpatt-Tabby-Smoke.
Blau-Schildpatt-Weiß ↑ Tri-Colour.
Blau-Silber-Gestromt ↑ Silvertabbies.
Blau-Silber-Getigert ↑ Silvertabbies.
Blau-Silber-Getupft ↑ Silvertabbies.
Blau/Weiß ↑ Bi-Colour.

Blendling: Bezeichnung für in freier Wildbahn vorkommende Mischlinge (vgl. Hybridisation) zwischen ↑ Hauskatze und ↑ Waldwildkatze. Da B. voll lebens- und fortpflanzungsfähig sind und zudem angenommen wird, daß auch bei der Herausbildung (↑ Domestikation) der Hauskatze die Waldwildkatze einen gewissen Anteil hatte, wird vielfach vermutet, daß es keine reinrassigen Waldwildkatzen mehr gibt. Vom Erscheinungsbild (Phänotyp) ausgehend ist nur schwer zu entscheiden, ob es sich um eine Waldwildkatze, einen B. oder sogar um eine freilaufende verwilderte Hauskatze handelt. Einzig sicheres Kriterium scheint die ↑ Hirnschädelkapazität zu sein.

Blesse: farblich abgesetzter Nasenrükken in Form eines auf der Stirn beginnenden und bis zum ↑ Nasenspiegel verlaufenden Streifens unterschiedlicher Form, Länge und Breite. Eine B. wird bei den Farbschlägen ↑ Schildpatt, ↑ Bi-Colour, und ↑ Tri-Colour sowie bei der Varietät „mitted" der ↑ Ragdoll erwünscht. Bei den auf der Wirkung des Gens für ↑ Scheckung beruhenden Varietäten ist die B. in Form einer Gardine, d. h. eines umgekehrten V, die bevorzugte Gesichtszeichnung.

Blue-Point: anerkannte ↑ Abzeichenfarbe der Genkonstruktion aa B– c^sc^s dd. B. unterscheiden sich von den einfarbigen blauen Katzen (↑ Blau) nur durch den Wechsel vom dominanten Wildtypallel C– (↑ Wildtyp, ↑ Vollpigmentierung) zum rezessiven Allelpaar c^sc^s (↑ Maskenfaktor). Mit Ausnahme der ↑ Birma, für die der ↑ Standard der ↑ F.I.Fe. ein goldenes Beige als Körperfarbe auch bei der B. vorschreibt, sind die ↑ Abzeichen, der ↑ Nasenspiegel und die ↑ Fußballen aller B. unabhängig davon, ob ↑ Langhaar oder ↑ Kurzhaar, blaugrau, und die Körperfarbe ist ein helles Gletscherweiß. Es geht auf dem Rücken allmählich in ein helleres Blaugrau über, das vom gleichen kalten Ton, nur heller als die Abzeichen ist. Weiße Flecke und Zehen (↑ Medaillon) unterliegen der ↑ Disqualifikation. Bauch- und Flankenflecke, Streifen- und Stichelhaare in den Abzeichen sind fehlerhaft. Alle B. haben blaue Augen (↑ Augenfarbe). Wechselt das rezessive Allelpaar aa für ↑ Nicht-Agouti in das dominante Wildtypallel A– (↑ Agouti), entstehen Blue-Tabby-Points (↑ Tabby-Point). Tragen sie rezessiv die Braungene b oder b^l, können aus Paarungen solcher Tiere untereinander ↑ Lilac-Point und ↑ Caramel-Point fallen.
Aus der Paarung eines B.-Katers mit einer Creme-Point-Katze können nur Creme-Point-Kater und Blue-Tortie-Katzen hervorgehen, während aus einer Verpaarung zwischen einem Creme-Point-Kater und einer Blue-Point-Katze auch nur Blue-Point-Kater und Blue-Tortie-Point-Katzen zu erwarten sind (↑ Orange, ↑ Geschlechtschromosomen, ↑ Schildpatt).
Wahrscheinlich wurde schon 1896 eine ↑ Korat als blaue ↑ Siam vorgestellt, jedoch lehnte es der Richter ab, sie als Siam zu richten. *Rhoda*, eine 1894 in Siam geborene Katze, war als erste

beim Siamese Cat Club als B. registriert worden. Anerkannt wurde die Abzeichenfarbe schließlich 1936 durch den britischen ↑ GCCF und 1932 durch den ↑CFA.
Die ersten Siam-B. sollen auf den ↑ Seal-Point-Kater *Carlisle Lad* zurückgehen, der 1910 ebenfalls in Siam geboren und später nach Großbritannien gebracht wurde. Der Besitzer dieses Tieres wurde seinerzeit bezichtigt, die heiligen Regeln der ↑ Reinzucht mißachtet und eine ↑ Russisch Blau oder ein ↑ Britisch Kurzhaar eingekreuzt zu haben.
Die Colourpoint und die Birma wurden mit ihrer Anerkennung 1955 bzw. 1967 auch als B. zugelassen. Die Balinesen und die Exotic-Kurzhaar Colourpoint erhielten ihre F. I. Fe.-Anerkennung erst 1984. Tafel 37.
Blue-Shaded-Silver ↑ Shaded-Silver.
Blue-Smoke ↑ Smoke.
Blue-Tabby-Point ↑ Tabby-Point.
Blue-Tortie-Point ↑ Tortie-Point.
Blue-Tortie-Tabby-Point ↑ Tortie-Tabby-Point.
Blut: flüssiges Gewebe des Körpers, in dem die Zellen nicht miteinander verbunden sind, sondern im Plasma frei zirkulieren. Etwa 40% des B.volumens der Katze besteht aus zelligen Elementen: den roten B.körperchen (Erythrozyten), den weißen B.körperchen (Leukozyten) und den B.plättchen (Thrombozyten); die restlichen 60% sind das B.plasma. Das Gesamtvolumen beträgt etwa 65 bis 70 ml/kg KM, das entspricht bei einer ausgewachsenen Katze von 3,5 kg KM einem Volumen von nicht mehr als 230 bis 250 ml B.
Die wichtigsten Funktionen des B.es liegen im Transport von Nährstoffen, Stoffwechselprodukten, Salzen, Gasen u. a. Substanzen des Organismus. Eine wichtige Rolle spielt es bei der Regulation des Wasserhaushaltes, des pH-Wertes, des osmotischen Druckes und des Wärmehaushaltes sowie als Abwehrsystem gegenüber ↑ Infektionen und Toxinen (↑ Vergiftungen).
Die *Erythrozyten* bilden den weitaus größten Teil der B.zellen (5,5 bis 9,5 Millionen/mm^3). Sie sind einseitig auf den Gastransport spezialisiert. Das in ihnen enthaltene Hämoglobin (etwa 11 g je 100 ml) färbt das B. rot, wobei das O_2-reiche arterielle B. heller und das O_2-arme venöse B. dunkler ist. Die Lebensdauer der Erythrozyten liegt zwischen 100 und 130 Tagen (vgl. Hämolytisches Syndrom bei Neugeborenen).
Die *Leukozyten* – ein Sammelbegriff für die verschiedenen weißen B.- und Lymphzellen – repräsentieren nur 0.1 bis 0,2% der B.zellen (9000 bis 17000 je mm^3). Sie haben vor allen Dingen Abwehrfunktionen zu erfüllen. Ihre Lebensdauer beträgt je nach Zellart drei bis zehn Tage.
Die *Thrombozyten* sind für die B.gerinnung (↑ Hämophilie) verantwortlich. Bei der Katze werden 300000 bis 700000 je mm^3 gezählt, deren Lebensdauer drei bis fünf Tage betragen.
Alle Zahlenangaben beziehen sich auf eine ausgewachsene Katze, die Werte der Jungtiere liegen in allen Bereichen höher.
Der Abbau der B.zellen erfolgt in der ↑ Milz, der ↑ Leber und im Knochenmark, ihre Neubildung überwiegend im ↑ Knochenmark. Unter Beteiligung zahlreicher Hormone und des ↑ Nervensystems wird unter normalen Bedingungen eine weitgehend gleichmäßige Zusammensetzung des B.es aufrechterhalten. Allerdings reagiert das B. aufgrund seiner zentralen funktionellen Stellung rasch und deutlich auf veränderte Reaktions- und Stoffwechsellagen des Organismus und kann deshalb für bestimmte diagnostische Untersuchungen genutzt werden.
Blutanteillehre: Begriffskomplex aus der vormendelschen Genetik (Kon-

stanzlehre, unveränderliche Rasseneigenschaften), wobei man davon ausging, daß die körperlichen und physiologischen Eigenschaften eines Tieres in ihrer Gesamtheit durch das Blut vererbt werden. Der Begriff „Blut“ (Blutlinie) wurde für Tiere gleicher Abstammung und Rasse gebraucht. Reinrassige (Edelrasse) waren reinblütige Tiere. Die Kreuzungen Edelrasse × Landrasse (Primitivrasse) ergibt Halbblut, Halbblut × Edelrasse Dreiviertelblut. Es folgen 7/8-, 15/16-, 20/32-Blut usw. In der sechsten Generation bestand mit 63/64 nahezu Reinrassigkeit (↑ Verdrängungskreuzung). Die Blutanteile bildeten gleichzeitig die Grundlage der Erbwertermittlung. Diese bestand aus einer Summierung der Ahnen mit einem Wert, der für jede Generation um die Hälfte sank. Bei systematischer Blutlinienzucht kam es zur Erhöhung des Inzuchtgrades. Andererseits konnte der Inzuchtgrad in Form der „Blutanteile“ angegeben werden. Zur Verminderung der ↑ Inzuchtdepression mußte in bestimmten Abständen „blutfremdes“ Material zugeführt werden, was als Blutauffrischung bezeichnet wurde. Die Hypothese hat sich als falsch erwiesen, da die Merkmale nicht durch das Blut und in ihrer Gesamtheit vererbt werden, sondern die Merkmalbildung durch DNA (↑ Gen) und in Form von Faktoren erfolgt. In der züchterischen Umgangssprache haben sich einige Begriffe erhalten, z. B. Blutführung (Blutanteile) für bestimmte Verwandtschaftsverhältnisse oder Blutauffrischung u. a. für die Zufuhr von Allelen zur Erhöhung des Heterozygotiegrades der Tiere in geschlossenen Zuchten. Blutführung bedeutet eigentlich Weitergabe bestimmter Erbanlagenkombinationen. Hierfür wird in der landwirtschaftlichen Tierzucht auch der Begriff ↑ Genotyp in einem gegenüber der Mendelgenetik erweiterten Sinn gebraucht. In anderen Fällen, z. B. *Blutlinie*, läßt man einfach die Bezeichnung Blut weg (↑ Linienzucht). Blutanteil bedeutet lediglich relativer Anteil eines bestimmten Vorfahren an der Gesamtvorfahrenzahl 2^n (vgl. Ahnenverlust). In der Rassezucht wird „Blut“ in den genannten Kombinationen im allgemeinen konkret, d. h. im Zusammenhang mit der Genkonstruktion (↑ Genotyp) eines Zuchttieres gebraucht, das bestimmte Merkmale durchschlagend vererbt. Bei konkretem Bezug ist gegen die Verwendung derartiger Begriffe nichts einzuwenden. Sie sind weder schädlich, noch nützlich. Verallgemeinerungen sind allerdings nicht zulässig.

Blutauffrischung ↑ Blutanteillehre.

Bluterkrankheit ↑ Hämophilie.

Blutgeschwülste ↑ Hämophilie.

Blutgruppenfaktoren ↑ Hämolytisches Syndrom bei Neugeborenen.

Blutharnen ↑ Urolithiasis.

Blutkreislauf ↑ Kreislauf.

Blutlinie ↑ Blutanteillehre.

Blutlinienzucht ↑ Blutanteillehre.

Blutungsneigung ↑ Hämophilie.

Bombay: zur ↑ Rassegruppe der Kurzhaar zählende Katze mit muskulösem, mittelgroßem Körper, der weder zu gedrungen, noch gestreckt wirken darf. Die Länge der Beine und des Schwanzes soll den Körperproportionen entsprechen und weder so kurz wie bei den Persern, noch so lang wie bei den Siamesen sein. Der Kopf ist gerundet, mit vollen, gut entwickelten Wangen, einem kräftigen Kinn und mittelgroßen, weit gesetzten, leicht nach vorn gerichteten Ohren, die breit am Ansatz sind. Die breite Nase zeigt einen deutlichen ↑ Stop, ist jedoch nicht so kurz wie bei den Persern und läßt viel Breite zwischen den runden kupferfarbenen Augen. Der Stop soll die Gesundheit der B. nicht beeinträchtigen.
Die B. wird nur in den USA gezüchtet und ist bisher nur dort anerkannt. 1985

wurden nur etwa 400 B. gezählt. Die B. entstand aus einer Verpaarung zwischen einer schwarzen ↑ American Shorthair und einer ↑ Burma braun, die ja genetisch eine schwarze Katze ist. Von der Burma hat die B. das feine kurze, eng anliegende seidigweiche Fell (↑ Seidenhaar).

Die Zucht dieser Rasse begann Ende der 50er Jahre, aber erst 1976 wurde die B. vom ↑ CFA mit CAC-Status anerkannt.

Bombay

Erster Grand Champion dieses amerikanischen Dachverbandes wurde *Kejo Kyrie*, ein weibliches Tier.

Im Körperbau ist die B. mit der amerikanischen Burma nahezu identisch und deshalb wurden beide Rassen in einem anderen amerikanischen Dachverband bereits zusammengefaßt, nicht zuletzt, um den ↑ Genpool der Burma zu erweitern. Die Genkonstruktion Cc^b wäre dann eine B., aus der Burmesen entstehen könnten, und streng genommen würde aus der ↑ Rasse B. eine Varietät der Burma oder umgekehrt. Züchter von B. sehen in ihren Schöpfungen gerne eine Miniausgabe des schwarzen Panthers, wodurch die Tatsache erklärt wird, daß die Zucht bislang auf Schwarz beschränkt blieb. Der Vergleich mit dem schwarzen Panther führte übrigens auch zur Namensgebung nach der indischen Stadt Bombay. Abb.

Brachygnathia inferior ↑ Unterbiß.

Brachygnathia superior ↑ Vorbiß.

Brachyurie ↑ Kurzschwanz.

Brachyzephalie, *Kurzköpfigkeit*, *Ultrakurznase*: breite und runde Ausformung des Kopfes infolge Verkürzung des Gesichtsschädels und starker Wölbung des Hirnschädels. Es handelt sich um eine polygen determinierte Hemmungsmißbildung (↑ Polygenie). Die kumulativ wirkenden Gene erzeugen zunächst die erwünschten Kurz- und Rundköpfe, wobei allerdings bereits die Entstehung der ↑ Hydrozephalie begünstigt wird (*Blasher/Labie*, 1964). Die weitere Anreicherung derartiger Gene führt dann zur Hemmung der Entwicklung weiterer Kopfregionen. Bei den „Ultrakurznasen" treten eine Verengung (Stenose) der Nasenöffnungen (Ventilnase), eine Verbiegung der Nasenscheidewand, ein relativ verlängertes Gaumensegel infolge Verkürzung des knöchernen Gaumens sowie eine Verdrehung, Verengung und Blockade des Tränenkanals und Tränennasenganges auf, die zu Atemfunktionsstörungen und zum ständigen Tränenfluß führen. Gleichzeitig kommt es zum ↑ Vorbiß. Die ständige selektive Begünstigung der B. schafft ↑ Populationen, die für die beteiligten Gene nahezu homozygot geworden sind. Die Gene werden en bloc auf die Nachkommen übertragen und simulieren in Paarungsversuchen gelegentlich einen einfach autosomal rezessiven oder dominanten Erbgang mit unvollständiger ↑ Penetranz und ↑ Expressivität. Das phänotypische Muster der B. ist jedoch variabel. Mit der B. soll eine Oligodontie [griech., Zahnunterzahl, ↑ Gebißanomalien] verbunden sein. Von passionierten Zoologen wird diese mit evolutionären Veränderungen in Zusammenhang gebracht. Derartige Hypothesen münden dann in der Praxis in

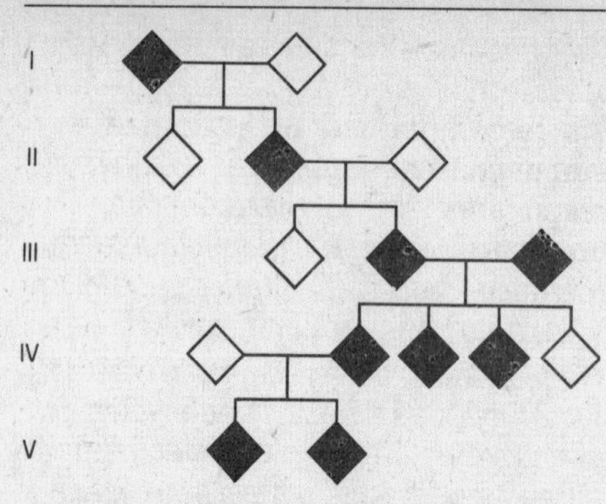

Brachyzephalie, Abb.1. Einfach autosomal dominanter Erbgang der Brachyzephalie (nach *Salisbury*, 1984). Die Symbolisierung der beiden Geschlechter mit auf der Spitze stehendem Quadrat soll andeuten, daß das Merkmal nicht geschlechtsgebunden vererbt wird (↑ Pedigree-Analyse)

eine Klassifizierung der Paarungpartner in „Newlook" (Kurzkopftypen), „moderne" (Heterozygote?) und „traditionelle" Tiere. Nach *Salisbury* (1984) dominiert bei den ↑ Burma der moderne Typ über den traditionellen (Abb. 1), wobei die genetische Basis der „Newlook"-Burmesen ungeklärt bleibt. Ein extremes Beispiel des B.syndroms wurde von *Zook* et al. (1983) beschrieben. In einer in den USA weitverbreiteten Burmesenlinie („a line of show-winning animals"), in der extrem kleine Kurzköpfe (Mopsköpfe) selektiv begünstigt wurden, trat ein erbliches Syndrom auf, das aus Unterentwicklung des Oberkiefers und des Nasenspiegels sowie der Nasenöffnungen, ↑ Gaumenspalten, Hydrozephalie, Kleinäugigkeit, Schädelspalten und Gehirnbrüchen bestand. Auch die Totgeburtenrate war erheblich erhöht. Der Defekt führte in über 90 Burmesenbeständen zu erheblichen Ausfällen. Inzwischen liegen weitere Berichte vor, die die Burmesen der USA zur „aussterbenden Rasse" machen (*Salisbury*, 1984). Ob das „Burmese Cooperation Research Project", ein züchterisch-tierärztliches Kontrollprogramm, diese Entwicklung aufhalten kann, ist nicht sicher.

Abb. 2 zeigt die Entwicklung des Burmakopfes von den Anfängen der Zucht bis in die Gegenwart. Beim extremen Kurzkopftyp werden neben der kurzen Nase der scharfe ↑ Stop und die in flachen Augenhöhlen liegenden kleinen und stärker frontal orientierten Augäpfel auffällig.

Eine Varietät, bei der die B. zum Zuchtkriterium erhoben wurde, ist die ↑ Peke-face.

Brachyzephalie, Abb. 2. Entwicklung des Burma-Kopfes

Braun [engl. brown] ↑ Chocolate.
Braun-Gestromt ↑ Gestromt.
Braun-Schildpatt ↑ Schildpatt.
Brechreiz ↑ Erbrechen.
Brindling ↑ Stichelhaar.
British Blue ↑ Britisch Kurzhaar.
Britisch Kurzhaar: Rassekatze mit einem mittelgroßen bis großen, muskulösen Körper und breiter Brust. Schulter und Rücken sind massiv und gedrungen. Auf einem kurzen, kräftigen Hals sitzt der runde Kopf mit einem breiten Schädel, der einen weiten Abstand zwischen den kurzen, an den Spitzen gerundeten Ohren läßt. Die Nase ist kurz, breit und gerade mit einer leichten Einbuchtung am Ansatz. Ein ↑ Stop ist fehlerhaft. Die weit auseinanderstehenden Augen sind groß, rund und gut geöffnet. Die Beine sind kurz und stämmig, die Pfoten rund und kräftig. Das Ende des kurzen, dicken Schwanzes ist rund. Das kurze dichte Fell hat eine gute Unterwolle (↑ Haar, ↑ Kurzhaar). Die Färbung der Augen ist wie bei den Persern entsprechend den verschiedenen Farbschlägen festgelegt. Seit 1880 sind B. K. auf Ausstellungen in ihrem Heimatland zu bewundern, allerdings wurden sie auch dort mehr und mehr von den langhaarigen Persern verdrängt. Auf dem Kontinent wurden sie bis vor kurzem Europäisch Kurzhaar genannt. Unter ihnen waren die *Kartäuser* bzw. die *British Blue* (↑ Blau) die bekanntesten und beliebtesten Vertreter. Die Kartäuser hatten einen etwas differierenden Standard, während der der Europäisch Kurzhaar mit dem der British Blue absolut identisch war. 1967 einigten sich der ↑ GCCF und die ↑ F.I.Fe dahingehend, daß es sich um dieselben Katzen handelt, und in der Tat entstanden beide einst aus blauen Kurzhaarkatzen (vgl. Russisch Blau), in die Perser eingekreuzt wurden, damit sie das typische dichte Fell, den runden Kopf und die dunkelorangefarbenen Augen (↑ Augenfarbe) erhielten. Auch wurden die ursprünglichen Kartäuser mit importierten British Blue gepaart. 1977 wurde dann aber der alte Kartäuserstandard etwas umgearbeitet wieder aufgenommen. Unter der ↑ Rassebezeichnung ↑ Chartreuse wurden diese Tiere zur eigenständigen ↑ Rasse erhoben. 1982 erfolgte schließlich eine Trennung zwischen dem kompakteren, kräftig gebauten B. K. und dem mittelschweren Typ der ↑ Europäisch Kurzhaar, die nun den durchgezüchteten Vertreter der europäischen ↑ Hauskatze darstellt. Den Züchtern wurde freigestellt, ihre Tiere in B.K. umzuschreiben oder als Europäisch Kurzhaar zu belassen, falls sie den neuen Standardforderungen eher entsprachen.
Die fast in der gesamten Farbpalette der ↑ Perser anerkannten B.K. entstanden durch ↑ genetische Rekombination über Perserkatzen oder schwergebaute Hauskatzen (↑ Körperbautyp), wobei sich eine solche Kreuzungszucht mit den Persern oft nachteilig auswirkte, die durch das lange, füllige Fell den für die Briten geforderten kräftigen Körperbau vielfach nur vortäuschten. B. K., die aufgrund von Persereinkreuzungen (↑ Kreuzungszucht) rezessiv ↑ Langhaar tragen, werden innerhalb der F. I. Fe. durch das Kürzel var. gekennzeichnet, das für ↑ Variant steht. In Großbritannien erteilte der GCCF, im Gegensatz zur F. I. Fe., den B. K. die Anerkennung als ↑ Colourpoint (vgl. Maskenfaktor). Obwohl in den USA mit geringfügigen Abweichungen ein dortiger Vertreter als ↑ American Shorthair gezüchtet wird, ist die B. K. inzwischen auch beim ↑ CFA anerkannt. Wegbereiter ihrer ↑ Züchtung in der DDR waren die in jahrelanger gemeinsamer Zuchtarbeit verbundenen Zwinger „vom Magnoliengarten" und „vom Finkenherd". Tafeln 11, 12, 14, 16.

Brown-Tabby ↑ Gestromt.

Bruderschaft: Bezeichnung der Sozialstruktur von streunenden Katern (vgl. Sozialverhalten). Männliche Hauskatzen sind gegenüber bekannten Eindringlingen in ihr Revier in der Regel duldsam. Kampfverhalten ist nur bei Begegnungen zwischen unbekannten Katern bzw. zwischen erwachsenen und gerade geschlechtsreif werdenden Katern bekannt. Von allen Tieren eines Gebietes werden die gesamten Reviere in einer Art B. verteidigt. Selbst während der Paarungszeit kommt es selten zu ernsthaften Gefechten. Gegen heranwachsende Kater wird meist vereint aufgetreten, was nach neueren Erkenntnissen oft zu deren Vertreibung aus dem Gebiet führt (↑ Inzestvermeidung). B.en sind Ausdruck der relativen ↑ Rangordnung bei Katzen.

Brunst ↑ Rolligkeit.

Brutfürsorge ↑ Mutter-Kind-Bindung.

Brutpflegeverhalten: Verhaltensweise im Dienste der Arterhaltung, die vom Aufsuchen einer Wochenstube über ↑ Geburt, Aufzucht (↑ Welpenaufzucht) bis zum Selbständigwerden der Jungen reichen. Dazu gehören Futterübergabe an die Jungtiere (↑ Jungtierentwicklung, ↑ Zitzenpräferenz), Fellpflege, (↑ Körperpflege), Wärmen der Jungtiere (↑ Thermoregulation), Verstecken der Jungen an einem geschützten Ort (↑ Jungentransport) sowie Bewachung und Verteidigung der Jungen (↑ Revierverhalten). Bei den meisten Wirbeltieren, so auch bei der ↑ Hauskatze, obliegt das B. dem weiblichen Geschlecht (↑ Mutterverhalten). Neben den unmittelbaren Leistungen der Fürsorge gibt das B. bei längerer Zeitdauer (↑ Mutter-Kind-Bindung) der Abhängigkeit die Möglichkeit, von der Mutter zu lernen (↑ Lernverhalten).

Der Aufwand, der für die Brutfürsorge getrieben wird, kann sehr verschieden sein. So gibt es Arten, die zum Ausgleich von Verlusten eine große Anzahl von Jungen „produzieren“. Es sind vor allem solche, die von Raubfeinden stark bedroht sind oder nur kurzfristig zur Verfügung stehende Lebensräume besiedeln; ihr B. ist nur gering ausgebildet. Zu ihnen gehören z. B. viele ↑ Beutetiere der Hauskatze, wie Mäuse und Kaninchen. Große und meist wehrhafte Tierarten, die über lange Zeit feste ↑ Reviere besiedeln, verwirklichen eine andere Strategie, d. h., sie haben eine relativ geringe Jungenzahl und betreiben ein aufwendiges B. Für diese Arten gibt es in bezug auf die Weitergabe des eigenen Erbgutes (Genotyp) eine Situation, die als *Eltern-Nachkommen-Konflikt* bezeichnet wird: Brutpflegeleistungen, die einem Jungtier gegenüber erbracht werden, verringern die Möglichkeiten zur Versorgung der anderen Nachkommen (↑ Soziobiologie). Somit ist entweder die Gesamtzahl der versorgbaren Jungtiere begrenzt oder durch eine andauernde Fürsorge wird der Zeitpunkt der Geburt neuer Nachkommen verschoben.

Burma: zur Rassegruppe der Kurzhaar gehörende Katze von mittlerer Größe und Länge, jedoch kompakter und muskulöser als ihr Aussehen auf den ersten Blick vermuten läßt. Die kräftige Brust ist im Profil gerundet, der Rücken verläuft von der Schulter bis zum Rumpf in einer geraden Linie. Die Beine sind verhältnismäßig schlank, die Pfoten zierlich und oval. Der gerade, zu einer leicht rundlichen Spitze auslaufende Schwanz darf am Ansatz nicht dick sein. Das Fell liegt eng am Körper an, ist fein, glänzend, sehr kurz und fast ohne Unterwolle. Der Kopf bildet die Form eines kurzen stumpfen Keils (vgl. Abb. 2 bei Brachyzephalie); an der Schädeldecke ist er leicht gerundet. Die weit auseinanderstehenden Bakkenknochen bilden mit den Ohren eine Außenlinie, die dem oberen Teil des

Gesichts folgen soll. Die Ohren sind tief angesetzt, breit am Ansatz, mittelgroß und an den Spitzen gerundet. Im Profil gesehen sind sie leicht nach vorn geneigt, die Nase zeigt eine deutliche Einbuchtung am Ansatz, das Kinn einen kräftig entwickelten Unterkiefer. Die Augen stehen weit auseinander. Ihre obere Linie verläuft nach orientalischer Art zur Nase, die untere Augenlinie ist gerundet. Alle Schattierungen von gelb bis bernsteinfarben sind erlaubt; gewünscht wird ein leuchtendes goldenes Gelb. Ein helleres Auge erscheint bei Kunstlicht oft grünlich. Burmesen aller Farbschläge sind am Unterkörper etwas heller als am Rücken und den Beinen. Bei nicht ausgewachsenen Tieren wird eine leichte Tigerung und eine etwas hellere Körperfarbe toleriert. Die ↑ Abzeichen zeigen nur wenig Kontrast und sind gleichmäßig gefärbt. Orientalische, runde oder grüne Augen sowie weiße Flecken werden mit Punktabzug bestraft. Eingefallene Wangen sind ein Fehler.
1930 kam *Wong Mau* aus Rangun (Burma) in die USA. Seitdem ist zuviel Zeit verflossen, um definitiv klären zu können, ob es ihr späterer Besitzer und Begründer der B. zucht war, der sie als Schiffsarzt von einer Reise mitgebracht hat, oder ein Seemann, der sie dann in New Orleans verkauft hat. Geklärt ist auch nicht, ob *Wong Mau* selbst oder eine Tochter von ihr 1932 zum ersten Mal auf einer Katzenausstellung in San Francisco vorgestellt wurde. Diese Einzelheiten sind auch nur von untergeordneter Bedeutung, denn auf jeden Fall begann mit *Wong Mau* die B.zucht, und auf sie gehen fast alle heutigen Burmesen zurück.
Die gleichen Genetiker, die mit Testpaarungen den ↑ Maskenfaktor untersuchten und mit ihren Erkenntnissen den Grundstein der Colourpointzucht legten, mußten wohl beim Anblick von *Wong Mau* geahnt haben, daß es sich bei der Färbung ihres Fells eventuell um eine weitere Mutation am Coloration-Locus (↑ Albinoserie) handeln könnte. In einem genetisch fundierten Zuchtprogramm sollte diese Frage geklärt und gleichzeitig eine geeignete Zuchtbasis geschaffen werden. Da keine weiteren Katzen von *Wong Maus* Äußerem zur Verfügung standen, wurde sie zuerst mit einem ↑ Siam Seal-Point verpaart. Weitere Kreuzungen und Rückkreuzungen folgten, und über mehrere Generationen hinweg fielen immer wieder verschieden aussehende Jungtiere: solche mit dunklen Abzeichen und hellem Körper, also mit der typischen Siamzeichnung, solche mit einem wirklich braunen Körper, jedoch deutlich abgesetzten Abzeichen, wie *Wong Mau*, und schließlich Tiere mit einem völlig dunkelbraunen Körper. Glücklicherweise wurden nur letztere zur Zucht weiterverwendet. Die ↑ Tonkanesen, zu denen, wie man heute weiß, auch *Wong Mau* gehörte, wurden allmählich aus dem B.zuchtprogramm ausgeschlossen.
1936 öffnete der CFA, der größte amerikanische Dachverband den Burmesen sein Zuchtbuch. In den 30er Jahren sollen noch weitere Katzen importiert worden sein, jedoch wurden auch noch Siam Seal-Point eingekreuzt, um eine zu große Inzucht zu vermeiden. Diese Tatsache muß wohl den CFA dazu veranlaßt haben, die Registrierung zwischen 1947 und 1953 auszusetzen. Erst 1957, als der Stand der Zucht eine Trennung von der damals noch rundköpfigen Siam erlaubte, wurde die B. mit vollem Status anerkannt. Der erste 1951 veröffentlichte Standard wurde 1959 ebenfalls grundlegend geändert. Vorbild für diese noch heute in den Vereinigten Staaten von Amerika im Prinzip gültige Rassebeschreibung soll der erste Grand Champion des CFA, der

B.kater *Mizpah Clancy* gewesen sein. Mit ihm und dem neuen amerikanischen Standard entstanden über das Erscheinungsbild einer B. zwei getrennte Auffassungen.

Seit 1949 waren, trotz der strengen britischen Quarantänebestimmungen, einige Burmesen auf die Insel gebracht worden. 1954 wurde der britische „Burmese Cat Club" gegründet, der anhand des ersten amerikanischen Standards einen eigenen erarbeitet hatte, der später dann auch von der F.I.Fe. übernommen wurde. Der britische Dachverband behielt diesen Standard auch nach 1959 bei und versuchte, mit den notwendigen amerikanischen Importen nur die eigene Zucht zu verbessern. Nachdem drei Generationen in Großbritannien durchgezüchtet worden waren, erkannte der GCCF 1952 die braune B. an.

Die *B. braun*, in den USA sable [engl., Zobel] genannt, ist genetisch eine schwarze Katze vom Genotyp aa B– c^bc^b D–.

Die dunkelbraune Färbung entsteht durch die aufhellende Wirkung von c^b, dem sogenannten B.gen. Es ist ein Allel der Albinoserie (vgl. multiple Allelie), das in reinerbiger Form die charakteristische unvollständige Fellausfärbung der B. erzeugt. Der Farbton der B. braun ist ein warmes Sealbraun, das wesentlich dunkler als das Braun der ↑ Havana ist. Nasenspiegel und Fußballen sind gleichfalls sealbraun.

Die *blauen B.*, die alle auf *Casa Gatos Darkee*, einen 1953 aus den USA nach Großbritannien eingeführten Kater zurückgehen sollen (Genotyp aa B– c^bc^b dd), sind von einer warmen blaugrauen Tönung, Nasenspiegel und Fußballen sind blaugrau. Bei der Geburt lassen sie sich kaum von den braunen unterscheiden, denn alle Burmesen werden hell geboren. Das Fell der blauen B. hellt jedoch mit zunehmendem Alter auf, während das der braunen von einem Milchkaffeeton in Seal nachdunkelt. Mit etwa vier Wochen soll dann die spätere blaugraue Färbung mit ihrem charakteristischem Silberschimmer erkennbar sein. Es ist anzunehmen, daß nicht nur das Gen für *Verdünnung* (d) über die Siam-×-B.-Kreuzungen in diese Zucht gelangt ist, sondern auch das Gen für *Chocolate* (b). Gegen Ende der 50er Jahre wurden solche als *champagne* bezeichneten Katzen in den USA registriert. Über Großbritannien kamen sie dann auf den europäischen Kontinent, wo sie B. Chocolate (Genotyp aa bb c^bc^b D–) genannt werden. Nach Züchtermeinung behalten Chocolates, die hell bleiben, auch einen zu starken Kontrast zwischen Abzeichen und Körperfarbe, während diejenigen, die ihre einmal erreichte gleichmäßige Färbung behalten, insgesamt zu dunkel werden. Die B. Chocolate zeigen einen warmen, milchschokoladenfarbenen Ton. Ihr Nasenspiegel ist ebenfalls milchschokoladenfarben, die Fußballen sollen zimtbis schokoladenfarben sein.

Die *Lilac*-Varietät (in den amerikanischen Verbänden platinum genannt) (aa bb c^bc^b dd) ist, wie bei allen anderen Rassen, auch hier eine Kombination der Gene für ↑ Chocolate (b) und ↑ Verdünnung (d). Ihre Körperfarbe ist ein helles zartes, etwas verblichen wirkendes Taubengrau mit einem mattrosa Anflug. Ohren und ↑ Maske können etwas kräftiger gefärbt sein. Nasenspiegel und Fußballen sind lavendelrosa.

Die auf dem Orangegen O basierende Gruppe der B. wurde vor allem in Großbritannien entwickelt und vornehmlich in drei verschiedenen Linien aufgebaut: Über eine Kreuzung zwischen einer hellroten Tabbyhauskatze und einer B.blau, zwischen einer Siam Red-Point und einer B.braun sowie einer Schildpatt auf Weiß Hauskatze und einem braunen B.kater. Die *Seal-Tortie* B. entspricht genetisch der ↑ Schildpatt. Ihr Genotyp ist aa B– c^bc^b D– Oo. Durch das die Intensität der Pigmentierung reduzierende Gen c^b erscheint der Schwarzanteil, analog zur B.braun, als schwarzbraun und die roten Flecken können so aufhellen, daß sie fast cremefarben erscheinen. Der britische Standard erlaubt eine Fleckenbildung und eine Vermischung der Farben, während der F. I. Fe.-Standard eine deutliche Fleckenbildung vorschreibt. Die roten Partien sollen keine Tabbyzeichnung haben; eine ↑ Blesse ist erwünscht. Fußballen und Nasenspiegel sind seal, rosa oder seal gefleckt.

Die ersten *roten* und *cremefarbenen* Jungtiere mit einer maximal reduzierten Zeichnung fielen Mitte der 70er Jahre. Logischerweise sind die roten B. (c^bc^b O(O) D–) blasser als die vollpigmentierten (↑ Vollpigmentierung), ihre Körperfarbe ist ein warmes Orange, Nasenspiegel und Fußballen sind rosa. Die Maske und die Ohren dürfen wiederum etwas intensiver pigmentiert sein. Die cremefarbenen Burmesen (c^bc^bO(O)dd) zeigen ein Pastellcreme, ihre Ohren und die Maske sind nur ein wenig dunkler als die übrige Körperfarbe. Eine ganz zarte Tabbyzeichnung ist akzeptabel. Aufgrund der Linienführungen ist anzunehmen, daß die europäischen roten und cremefarbenen Burmesen kein ↑ Agouti tragen, während in den Vereinigten Staaten von Amerika auch Tortie-Tabby-Varietäten gezüchtet werden, die sogenannten ↑ Torbies. Über sie ist Agouti auch in rotem und cremefarbenem Ton möglich.

Die *Blue-Tortie*, Genotyp aa B– c^bc^bdd Oo, soll in einem hellen Blau und Creme gefleckt sein. Die britischen Züchter hingegen arbeiten auf eine Vermischung der Farben hin. Nasenspiegel und Fußballen sind rosa, blaugrau oder rosa mit blaugrau gefleckt. Die *Chocolate-Tortie* (aa bb c^bc^b D– Oo) sind milchschokoladenfarben und mit creme gefleckt, während die *Lilac-Tortie*, auch Lilac-Creme genannt, ein helles zartes Taubengrau mit pastellcremefarbenen Flecken aufweist. Der Genotyp dieser Varietät ist aa bb c^bc^b dd Oo.

Die amerikanische B. hat sich seit 1959 zu einer stämmigen, gedrungenen Katze hinentwickelt. In der gesamten US-amerikanischen B.zuchtgeschichte wurde auf Rundheit Wert gelegt, um die B. von der damals noch rundköpfigen Siam auf den ersten Blick trennen zu können. Der Kopf der amerikanischen B. nähert sich dem einer Perser mit einer etwas längeren Nase. Ein weiches Kinn, in den amerikanischen Linien weit verbreitet, wird wohl ein weiterer Grund gewesen sein, auf einen kurzen Kopf hin auszulesen, was zur ↑ Brachyzephalie führte. Die Augen der amerikanischen B. sind groß und rund. Ihr Schwanz ist kürzer und dicker als der der frühen europäischen. Aufgrund ihres kompakten Körperbaus wurde sie zur Zucht der ↑ Exotic Kurzhaar und der nur in den USA anerkannten ↑ Bombay herangezogen. Unter der Bezeichnung „Burmese" versteht man jedoch nur die braunen Burmesen. Alle anderen Varietäten werden als „Malayan" bezeichnet.

Burma

Aus Kreuzungen zwischen B. und ↑ Persern entstanden die ↑ Tiffanies, eine längerhaarige B.
Alle B.züchter loben einhellig das sanfte, menschenbezogene, lebhafte und findige Wesen dieser Katzen. Die anfänglich aufgetretenen Probleme mit ↑ Knickschwanz und weißem Medaillon wurden durch ↑ Selektion beseitigt. Abb.

Genotypen der anerkannten B.varietäten

Braun (Seal) (Tafel 30)	aa B– c^bc^b D–
Blau	aa B– c^bc^b dd
Chocolate	aa bb c^bc^b D–
Lilac (Tafel 31)	aa bb c^bc^b dd
Rot	c^bc^b D– O(O)
Seal-Tortie	aa B– c^bc^b D– Oo
Creme	c^bc^b dd O(O)
Blue-Tortie	aa B– c^bc^b dd Oo
Chocolate-Tortie	aa bb c^bc^b D– Oo
Lilac-Tortie	aa bb c^bc^b dd Oo

Burma-Gen: 1. ↑ Burma. – **2.** ↑ multiple Allelie.

C

CAC: Abk. für *C*ertificat d'*A*ptitude au *C*hampionat [frz., Anwartschaft für den Championtitel]. Wurden drei CAC erworben, erhält das betreffende Tier innerhalb der F.I.Fe. den Titel *Champion*, in der DDR wird der Titel *Sieger* vergeben, der in das Zuchtbuch eingetragen und Bestandteil des Namens der Katze wird.
CACIB: Abk. für *C*ertificat d'*A*ptitude au *C*hampionat *I*nternational de *B*eauté [frz. Anwartschaft auf den Titel *Internationaler Champion*]. Der Titel „*Internationaler Champion*" setzt drei CACIB, der Titel „Champion der DDR" drei Sieger in der Siegerklasse voraus.
Calcium-Phosphor-Verhältnis ↑ Mengen- und Spurenelementbedarf.
Calico ↑ Tri-Colour.
Californian Rex: als Zuchtform nicht erhaltene ↑ Rexkatze, deren erster Vertreter *Mystery Lady of Rodell* war, eine schildpatt und weiße Katze (↑ Tri-Colour) mit einem blauen und einem orangefarbenen Auge sowie einem, im Vergleich zur Cornish Rex, etwas längeren, gelockten Fell. *Mystery Lady*, die aufgrund ihres eigenartigen Aussehens von den ersten Besitzern ausgesetzt wurde, wurde 1959 zusammen mit ihrem Sohn, einem rotgestromten Kater mit einem schon recht langen und gelockten Fell, in einem Tierheim entdeckt. Mit einem Cornish-Rex-Kater gepaart, fiel im August 1960 der erste Wurf mit drei Jungtieren, die alle ein kurzes glattes Fell hatten. Wegen der Einkreuzungen von den mit der C. R. wohl nicht identischen Cornish Rex konnte diese amerikanische Rex-Mutation nicht rein erhalten bleiben. Alle Tiere aus dem Rodell-Zwinger in Ojai, Kalifornien, die teilweise bekannte Champions wurden, sind das Ergebnis von Kreuzungen zwischen den englischen Cornish Rex und der amerikanischen C. R. In einem anderen Zwinger ergab später eine Cornish/C. R. mit German-Rex-Verpaarung Katzen mit gelocktem Fell.
Cameo: anerkannte Farbschlaggruppe in der ↑ Silberserie. Ihr gemeinsames Merkmal ist die Verbindung des ↑ Melanininhibitors mit ↑ Orange. Durch die

epistatische Wirkung von Orange ist den C. genausowenig wie den auf dieser Genwirkung beruhenden Farben Rot und Creme anzusehen, ob sie genotypisch ↑ Agouti tragen. Die am Orangelocus heterozygot besetzten ↑ Tortie-Cameo, eine Kombination von ↑ Schildpatt und Silber, sind hingegen ↑ Nicht-Agouti.

Die C. sind in drei Silberstufen anerkannt: Die hellste ist die *Shell*, im Zusammenwirken mit dem Gen für ↑ Nicht-Verdünnung auch *Rote Chinchilla* genannt; etwas intensiver pigmentiert ist die *Shaded*, praktisch eine ↑ Shaded Silver in Rot oder Creme, und die dunkelste C. mit dem höchsten Pigmentanteil ist die *Smoke*. Die drei Silberstufen werden durch polygene ↑ Modifikation erzeugt und die betreffenden Modifikatorengruppen sind mit denen identisch, die die entsprechenden Silberstufen bei den nicht-orangefarbenen Varietäten erzeugen. Aufgrund des geschlechtschromosomengebundenen Erbgangs von Orange ist die Genkonstruktion der *Red-Shell*, *-Shaded* oder *-Smoke C.* für männliche Tiere C– D– I– O und für weibliche Tiere C– D– I– OO und die der *Creme-Shell*, *-Shaded* oder *-Smoke-C.* für männliche Tiere C– dd I– O und für weibliche Tiere C– dd I– OO.

Eine C.-Shell sieht aus der Entfernung wie eine weiße Katze aus. Erst wenn man ganz dicht herangeht, entdeckt man einen roten oder cremefarbenen Farbschleier über dem Rücken, an den Flanken und auf der Schwanzoberseite. Das Gesicht ist fast weiß und hat nur ein ganz zartes ↑ Tipping.

Die Färbung des Rückens kann sich zum Schwanz hin verstärken. Die Beine sind mit zartem Tipping etwas schattiert, während Kinn, ↑ Ohrbüschel, Bauch, Brust und Schwanzunterseite rein weiß sein müssen. Die Halskrause ist leicht getippt wie auch die kürzeren Haare über den Schulterblättern. Eine leichte ↑ Geisterzeichnung an den Beinen wird toleriert, geschlossene Ringe hingegen sind ein schwerer Fehler. Das Tipping sollte so gleichmäßig wie möglich sein und nicht fleckig wirken. C.-Shell sind in Rot und Creme anerkannt.

Red-Shell-C. zeigen bei der Geburt einen deutlichen roten Schimmer und können aus den nachstehend aufgeführten Paarungen fallen:

- Schildpatt-Shell oder -Shaded (↑ Tortie-Cameo) × Red-Shell-C. oder Red-Shaded-C.,
- Red-Shell-C. oder Red-Shaded-C. × Red-Shell oder -Shaded-C.,
- Red-Shell oder Red-Shaded-C. × Chinchilla oder Silver-Shaded.
  Bei dieser Verpaarung bringt die unterschiedliche Augenfarbe (Orange bis Kupfer und Grün) meist Probleme mit sich, hingegen eignen sich die beim ↑ GCCF als ↑ Pewter eingetragenen Tiere, die orange- bis kupferfarbene Augen haben. Darüber hinaus fallen aus dieser Verpaarung nur Red-Shell-C.-Kater, vorausgesetzt das weibliche Tier ist C.

Creme-Shell-C. können aus den zuvor genannten Verpaarungen fallen, wenn beide Elternteile rezessiv das Gen für ↑ Verdünnung tragen, sowie aus

- Blau-Schildpatt-Shell oder -Shaded × Creme-Shell oder -Shaded-C. oder Schildpatt-Shaded mit rezessiver Verdünnung × Creme-Shell oder -Shaded bzw. Blau-Schildpatt-Shell oder -Shaded × Red-Shell oder -Shaded-C. mit rezessiver Verdünnung,
- Creme-Shell oder -Shaded × Creme-Shell oder -Shaded-C.,
- Red-Shell oder -Shaded-C. mit rezessiver Verdünnung × Blau-Chinchilla oder Blue-Shaded-Silver, wobei wiederum Probleme mit der Augenfarbe wahrscheinlich sind.

Creme-Shell-C. sind bei der Geburt fast weiß, lediglich auf den Schultern läßt sich ein zarter Cremeschimmer entdecken. Red- und Creme-Shell-C. können nur fallen, wenn beide Elterntiere das dominante Mutantenallel I tragen und demzufolge phänotypisch eine Silberung aufweisen.

Wenn Dreiachtel bis zur Hälfte der gesamten Haarlänge rot oder creme getippt sind, handelt es sich um eine *Shaded-C.* Auch bei ihr muß das Unterfell weiß sein. Ein Farbmantel zieht sich mit einem intensiveren Tipping auf Rükken, Gesicht, den Flanken und der Schwanzoberseite hin und hellt zu einem reinen Weiß an Kinn, Brust, Schwanzunterseite, Bauch und den Beininnenseiten auf. Der Gesamteindruck ist ein viel kräftigeres Rot- oder Creme-Tipping als bei einer C.-Shell.

Red-Shaded-C. sind bei der Geburt wesentlich intensiver rot getippt als die Red-Shell-C., einige hellen zu einer Shell auf, andere wiederum, die bei der Geburt wie eine Shell aussahen, dunkeln zu einer Shaded nach. Red-Shaded-C. fallen aus folgenden Paarungen:

- Red-Shaded × Red-Shaded oder Red.-Shell-C.,
- Red-Shell oder Red-Shaded-C. × Rot,
- Red-Smoke × Rot-Gestromt (↑ Gestromt)

sowie aus den jeweiligen Verpaarungen mit Pewter, Black-Smoke und Schwarz-Gestromt. Auch hier fallen nur Red-Shaded-C.-Kater, wenn das weibliche Tier rot ist, oder das männliche Tier muß schwarz sein, damit Red-Shaded-C. männlichen Geschlechts fallen.

Creme-Shaded-C. sind bei der Geburt auf dem Rücken pastellcreme und wirken farblich wie eine ideale ↑ Creme. Sie fallen, wenn die Elterntiere aus den genannten Verpaarungen für Red-Shaded-C. rezessiv Verdünnung tragen, sowie aus der Verbindung von

- Creme-Shaded-C. × Creme-Shaded oder -Shell-C.
- Creme-Shell oder Creme-Shaded-C. × Creme,
- Creme-Smoke × Creme-Gestromt.

Eine Red- oder Creme-Smoke, auch *C. Smoke* genannt, hat ein Haarkleid, das mehr als die Hälfte bis zu Zweidrittel in Rot oder Creme getippt ist. Betrachtet man das Tier von oben, sieht es wie eine Rote oder Creme mit hellerer Halskrause aus.

Auch das Unterfell muß weiß sein. Red-Smoke werden mit der für die ↑ Smoke typischen Waschbärenzeichnung geboren. Die farbliche Entwicklung des Felles verläuft wie die ihrer nicht-orangefarbenen Schwestern. Ist man sich nicht sicher, ob es eine Rote, eine Creme, eine Red-Smoke oder eine Creme-Smoke ist, sollte man nach einem silbrigen Haaransatz an der Stirn, den Beinen und hinter den Ohren suchen. Einfarbige Rote oder Creme mit schlecht durchgefärbtem Fell (vgl. einfarbig) werden oft für Red- oder Creme-Smokes gehalten.

Red-Smokes fallen aus Paarungen zwischen

- Red-Smoke × Rot,
- Red-Shaded × Red-Shaded-C.,
- Red-Shaded-C. × Rot.

Rote Kater und Red-Smoke-Kater fallen, wenn das männliche Tier schwarz, Pewter oder Black-Smoke ist.

↑ Nasenspiegel und ↑ Fußballen aller C. sind rosarot, die Augenfarbe ein tiefes Kupfer. Brauntöne, einfarbige Haare und ↑ Tabbyzeichnung sowie geschlossene Ringe an den Beinen sind große Fehler.

Die Zucht der C. begann Mitte der 50er Jahre in den USA aus Verpaarungen zwischen Chinchilla bzw. Shaded-Silver und roten Katzen. Die grüne Augenfarbe ersterer hinterließ jedoch einen sich hartnäckig vererbenden grünen Ring, so daß man sich später für einen Weg über die Smoke bzw. Schildpatt-Smoke entschloß, der dann zur Aner-

kennung der bislang als Zwischenprodukt angesehenen Gruppe der Tortie-C. und in Großbritannien zur Anerkennung der Pewter führte. 1960 wurde zum ersten Mal eine C. auf einer Ausstellung vorgestellt, ein Jahr zuvor wurde der „Cameo Cat Club of America" gegründet, der mit seiner Zeitschrift, dem „Cameo Curier", für diese neue Varietät warb.
1975 erhielten die C. eine eigene Ausstellungsklasse als Shell und Shaded-C., wobei unter C. zu diesem Zeitpunkt nur die rotgetippten verstanden wurden. Der zur gleichen Zeit gestellte Antrag auf Anerkennung der Smoke-C. sowie der Tortie-C. wurde abgelehnt und so waren innerhalb der ↑ F.I.Fe. bis 1982 nur die Red-Shell und die Red-Shaded-C. anerkannt. Durch die fehlende Anerkennung der unteren Silberstufe, d. h. der Smoke-C., wurden viele C. falsch eingestuft und eine Smoke-C. als eine Shaded und eine Shaded als eine Shell ausgegeben.
Im Verband der DDR sind seit 1985 auch die *C. Tabby* in Rot und Creme mit einer vorläufigen Anerkennung versehen worden, sowie die für diese Zucht nützlichen ↑ Schildpatt-Tabby-Smoke. Im Gegensatz zu den C. haben die C.-Tabbies einen dunkelrosa umrandeten Nasenspiegel, die ↑ Tabbyzeichnung ist nur auf die gestromte Variante beschränkt. Tafel 21.

Canini ↑ Zähne.

CAP: Abk. für *C*ertificat d'*A*ptitude au *P*remior [frz., Anwartschaft auf den Championtitel für Kastraten] (↑ Kastration). Es ist die Entsprechung zum „Sieger/Siegerin der Kastratenklasse" in der DDR. Wurden drei CAP erworben, erhält das betreffende Tier innerhalb der ↑ F.I.Fe. den Titel „Premior".

CAPIB: Abk. für *C*ertificat d'*A*ptitude au *P*remior *I*nternational de *B*eauté [frz., Anwartschaft auf den Titel Internationaler Premior]. Der Titel wird innerhalb der ↑ F.I.Fe. vergeben, wenn ein Kastrat drei Anwartschaften errungen hat.

Caramel [engl., hellbraun]: Varietät, die beim britischen ↑ GCCF als Foreign C. (↑ Orientalisch Kurzhaar) anerkannt ist. Die Genkonstruktion der C. ist aa b^lb^l C– dd und stellt die ↑ Verdünnung von ↑ Cinnamon dar. C. ist ein kalter, bläulich beigefarbener Ton. Weiße Haare sind fehlerhaft. Der Nasenspiegel und die ↑ Fußballen sowie die Augenlidränder sind von zartem Hellbraun. In Verbindung mit dem Melanininhibitor I entsteht die C.-Smoke aa b^lb^l C– dd I–, bei heterozygoter Besetzung des Orangelocus entsteht die C.-Tortie aa b^lb^l C– dd Oo, als Silbervarietät gleichfalls anerkannt unter C.-Tortie-Tipped, Genotyp aa b^lb^l C– dd I– Oo. Als Kombination von ↑ Agouti und Silber erhielten die Shaded- und Tipped-Varietäten in C., beide A– b^lb^l C– dd I–, ebenfalls einen vorläufigen Standard.

Caramel-Point [engl., hellbraunes Abzeichen]: nicht anerkannte ↑ Abzeichenfarbe der Genkonstruktion aa b^lb^l c^sc^s dd. Tritt an die Stelle des homozygot rezessiven Allelpaares c^sc^s (↑ Maskenfaktor) das dominante Wildtypallel C– für die ↑ Vollpigmentierung, entsteht die beim ↑ GCCF bei ↑ Orientalisch Kurzhaar bereits anerkannte Varietät ↑ Caramel.

Caramel-Tortie ↑ Caramel.

Caramel-Tortie-Tabby-Point ↑ Tortie-Tabby-Point.

Caramel-Tortie-Tipped ↑ Caramel.

Catnip-Verhalten [engl. catnip-response]: Verhalten, das dem einer paarungswilligen weiblichen Katze gleicht, jedoch allein durch den Geruch bestimmter pflanzlicher Öle, des Schweißes u. ä. ausgelöst wird. Dabei laufen folgende Verhaltenselemente nacheinander ab: Schnüffeln an der Duftquelle, Lecken und Kauen verbunden mit Kopfschütteln, Kinn- und Wangenreiben und Kopf-über-Rollen mit Wälzen. Alle diese Elemente des C. sind auch Bestandteile des ↑ Sexualverhaltens der Hauskatze. Im Catnip-Kontext treten sie jedoch bei männlichen und weiblichen Tieren ab neuntem Lebensmonat etwa gleichermaßen auf. Der gesamte rauschähnliche Zustand kann bis zu 15 min andauern. Die Phase des Wälzens nimmt dabei 3 bis 6 min ein. Tragende Katzen unterlassen manchmal das Reiben. Bei weniger starken Reaktionen können als Elemente des ↑ Übersprungverhaltens auch Krallenschärfen und Putzen (↑ Körperpflege) beobachtet werden (*Todd*, 1962). Neben der ↑ Hauskatze zeigen auch andere Arten von ↑ Katzen das C. (*Hill* et al., 1977).

Erfassungen in den USA ergaben, daß nur etwa 50% aller Hauskatzen gegenüber den Auslösern empfindlich sind (*McLeod*, 1983). *Todd* (1962) stellte durch Kreuzungsexperimente und ↑ Genfrequenzberechnungen fest, daß für die entsprechende Sensibilität ein autosomal dominantes ↑ Gen n^+ (↑ Gennomenklatur) verantwortlich ist.

Als Auslöser für das C. werden die Echte Katzenminze (Nepeta cataria, amerikan. catnip, engl. catmint), der Gemeine Baldrian (Valeriana officinalis), aber auch an Kleidungsstücken haftender menschlicher Körpergeruch und sogar der Geruch eines Plastikschlauches (*Leyhausen*, 1982) genannt. Bereits 1941 konnte durch *McElvian* et al. in der *Katzenminze*, einem in Nordamerika und Europa weit verbreiteten Schmetterlingsblütengewächs, das cis-trans-Nepetalacton (Abb. a) als Auslöser für das C. nachgewiesen werden. Dieses Monoterpen ruft bereits in der Konzentration von 1 Teil in 10^9–10^{11} Luftteilen das C. hervor. Die gleiche Wirkung hat auch das ähnlich strukturierte Actinidin, das in der *Orientalischen Weinrebe* (Actinidia polygama) enthalten ist (*Albone*, 1984). Dieses Monoterpen ist durch eine Pyridingruppe charakterisiert (Abb. b). Im deutschen Sprachraum wird das C. vor allem mit der Wirkung der aus der Wurzel des Echten Baldrians (Valeriana officinalis) gewonnenen *Baldriantinktur* in Verbindung gebracht. Die für den Menschen widerlich riechende Tinktur hat im Humanbereich beruhigende Wirkung. Neben einer Vielzahl von anderen pflanzlichen Wirkstoffen enthält sie auch Verbindungen, deren Grundbaustein ebenfalls die Pyridingruppe bildet (Abb. c) und die somit die anregende Wirkung auf die Hauskatze verständlich macht. Über die Verhaltensrelevanz ist vielfach spekuliert worden. *Palen* und *Goddard* (1966) fanden eine Unabhängigkeit der Reaktion vom Geschlecht und vom Vorhandensein der ↑ Keimdrüsen und eine wachsende Aufmerksamkeit gegenüber in der Nähe befindlichen katzen-

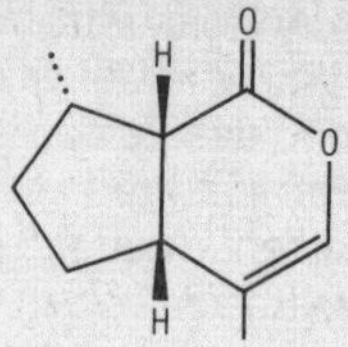

a) cis, trans-Nepetalacton der Katzenminze

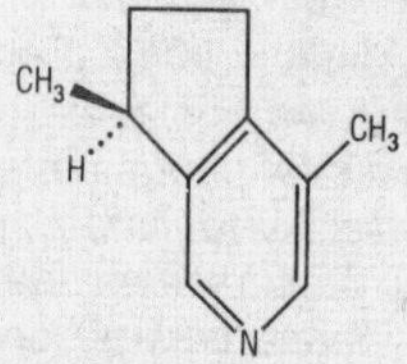

b) Actinidin der Orientalischen Weinrebe

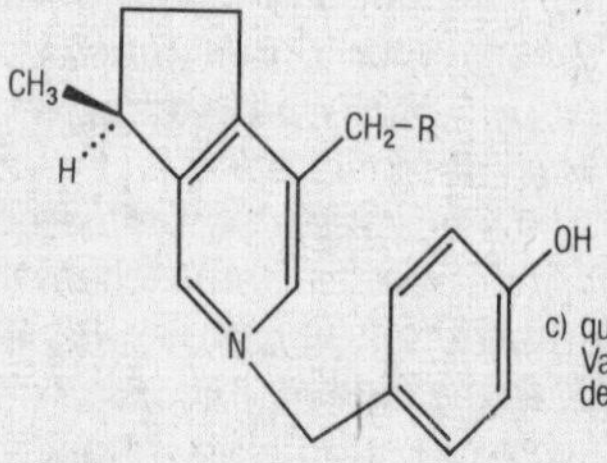

c) quartäres Valerianaalkaloid des Baldrian

Chemische Verbindungen, die das Catnip-Verhalten auslösen

großen Objekten, wie z.B. Plüschtieren. Sie schließen sich der Meinung von *Todd* (1962) an, daß alle Stoffe, die das C. hervorrufen, einen gemeinsamen Faktor haben müssen, der auch im Sexuallockstoff der Katze enthalten ist. *Leyhausen* (1982) nennt ihn einen „übernormalen" Duft (↑ Chemokommunikation, ↑ Duftmarkieren). Der Vergleich der bisher als Auslöser bekannten chemischen Verbindungen macht die Existenz eines solchen Stoffes sehr wahrscheinlich, da ihre Strukturen sehr ähnlich sind (Monoterpene, Pyridingruppe). Folgt man dann der für die ↑ Chemokommunikation angenommenen Schloß (Sinneszelle)-Schlüssel (auslösender Stoff)-Theorie, könnten diese Übereinstimmungen das C. erklären, um so mehr, wenn man in Betracht zieht, daß auch Mikroorganismen, die auch den menschlichen Körpergeruch beeinflussen, die genannten Verbindungen erzeugen. Die bislang vermutete Wahrnehmung des Auslösers mit dem Jacobsonschen Organ (↑ Flehmen), konnte durch Untersuchungen von *Hart* und *Leedy* (1985) nicht bestätigt werden. Das C. tritt auch nach Ausschaltung dieses Rezeptors in vollem Umfang weiterhin auf.

Cervix ↑ Geschlechtsorgane.

CFA: Abk. für *C*at *F*anciers *A*ssociation, größter US-amerikanischer Dachverband der Katzenzüchter und -liebhaber mit über 650 Regional- und Spezialklubs, gegründet 1904. Er übernahm das Zuchtbuch des Beresford Cat-Club, das bereits 1899 eingerichtet worden war.

Chartreuse: eine vorwiegend in Frankreich und Belgien nur in ↑ Blau gezüchtete ↑ Kurzhaar mit einem mittellangen, schweren, muskulösen Körper. Die Brust ist breit und gut entwickelt. Die Beine sind kurz und stämmig mit runden, kräftigen Pfoten. Der Kopf zeigt ein kräftiges Kinn und volle Wangen, die ihm die Form eines umgekehrten Trapezes geben. Die Nase ist breit und gerade, die nicht aufrecht stehenden, jedoch auf dem runden Schädel hoch plazierten Ohren sind mittelgroß. Die großen, runden Augen sollen einheitlich in Kupfer oder dunklem Orange gefärbt sein. Das glänzende, dichte Fell darf nicht eng am Körper anliegen, sondern muß etwas abstehen. Alle Blautöne (↑ Modifikation) sind erlaubt, ein helles Blaugrau wird bevorzugt. Das Fell muß bis zum Haaransatz einheitlich gefärbt und die Farbe des Schwanzes muß mit dem Körperfell identisch sein. Streifen, Schattierungen, Brauntöne und weiße Haare sind Fehler. Der Schwanz ist am Ende leicht gerundet, nicht zu lang und in guter Proportion zum Körper.

C. sollen erstmals in dem in den Westalpen gelegenen Kartäuserkloster [frz. Couvent de Chartreux] gezüchtet worden sein. 1934 erhielten sie einen ↑ Standard, den die ↑ F.I.Fe. 1967 dem der British Blue (↑ Britisch Kurzhaar) anglich. Der allgemeinen Zuchtpraxis folgend, wurden blaue Perser und die als Kartäuser bekannten ↑ Europäisch Kurzhaar mit diesen Tieren gepaart. Zehn Jahre später, nachdem dieser schwere ↑ Typ kaum noch aufzufinden war, setzten vor allem belgische Züchter die Wiederherstellung des ursprünglichen Kartäusertyps und eine erneute ↑ Reinzucht durch. Ein Jahr nach Inkrafttreten des überarbeiteten F.I.Fe.-Standards behielten sich einige deutschsprachige Verbände die deutsche Bezeichnung Kartäuser als Farbschlagbezeichnung für die Britisch Kurzhaar blau vor, während der Name C. eine eigenständige ↑ Rasse repräsentiert. Im Zuchtverband der DDR ist die C. wegen des engen züchterischen Spielraums, den sie zwischen den Europäisch Kurzhaar und Britisch Kurzhaar dieser Farbe läßt, nicht anerkannt.

Chediak-Higashi-Syndrom ↑ lysomale Speicherkrankheiten.

Cheilognathopalatoschisis ↑ Gaumenspalte.

Chemokommunikation: chemische Verständigung, Form der Informationsübertragung auf der Basis von chemischen Substanzen (↑ Pheromon) zwischen Tieren, die in der Regel zur selben Art gehören. Solche chemischen Substanzen sind entweder Stoffwechselprodukte, wie Schweiß, Harn und Kot, oder sie werden mit speziellen Drüsen erzeugt. Zur Wahrnehmung dienen Chemorezeptoren (↑ Zunge, ↑ Nase und Jacobsonsches Organ). Oft sind sowohl das Ausscheiden der Duftstoffe als auch deren Aufnahme mit speziellen Verhaltensweisen gekoppelt. Im Gegensatz zu akustischen Signalen, die nur im Augenblick ihres Empfangs wahrnehmbar sind, und zu den optischen Signalen, deren Wahrnehmung an das Tageslicht gebunden ist, sind chemische Signale über einen längeren Zeitraum und auch bei Abwesenheit des Senders wirksam (↑ Biokommunikation). Säugetiere haben die C. zu einer hohen Perfektion entwickelt. So haben ↑ Katzen Duftdrüsen unter dem Kinn, an der Unterlippe, den Schläfen (Temporaldrüsen), entlang des Rückens, am ↑ Analbeutel und am Schwanz (Suprakaudaldrüsen) sowie an den ↑ Fußballen (*Tudge*, 1981). Spezielle Verhaltensweisen des Duftmarkierens sind z. B. Wangenreiben und Harnspritzen. Beim Spritzen setzen männliche Katzen neben Urin auch etwa 1 bis 2 ml eines stark riechenden Duftstoffes ab. Die Funktion der C. ist sehr vielfältig und reicht von der Reviermarkierung (↑ Markieren) bis hin zur Feststellung des Geschlechts. Untersuchungen von *MacDonnald* (1980) zeigten, daß die Häufigkeit und die Art und Weise des Duftmarkierens vom Geschlecht, vom sozialen und sexuellen Status (vgl. Sozialstatus, Individualität) des Tieres abhängig sind. Verhaltensweisen zur Wahrnehmung chemischer Signale sind Schnuppern, ↑ Flehmen, oft verbunden mit ↑ Analkontrolle, und Köpfchengeben. Die C. ist auch bei Katzen noch wenig untersucht, was vor allem auf die wenig entwickelte Geruchs- und Geschmackswahrnehmung des Experimentators Mensch zurückzuführen ist. Abb.

Das Beschnuppern markierter Objekte und das anschließende Absetzen eigener Duftstoffe durch Wangenreiben sind Verhaltensweisen im Dienste der Chemokommunikation

Chestnut brown [engl., kastanienbraun, rötlichbraun] ↑ Havana.

Chiasma, *Überkreuzung:* **1.** intrachromosomale Kontaktstellen homologer ↑ Chromatiden. Dabei entsteht eine Figur, die dem griechischen Chi bzw. dem lateinischen X entspricht. Sie sind das im Zeitraum späte Prophase bis erste Anaphase der ↑ Meiose zytolo-

gisch nachweisbare Ergebnis eines zuvor abgelaufenen Chromosomenstückaustausches (Crossing over, Chiasmatypiehypothese) oder eines Reparaturprozesses. Früher nahm man an, daß die Überkreuzung dem Crossing over vorausging. Die C.frequenz hängt von der Chromosomenlänge u. a. Faktoren ab. Sie schwankt zwischen 1 und 9, im allgemeinen zwischen 2 und 4.
2. x-förmige Überkreuzung der Sehnerven bei Wirbeltieren.

Chimäre (mythologisches Fabelwesen, vorn Löwe, hinten Drache, in der Mitte Ziege), *Zytochimäre*: Auftreten genetisch unterschiedlicher Zellen und Gewebe der gleichen Spezifität bei einem Individuum, die zwei oder mehreren Individuen zugeordnet werden können. Man unterscheidet die zygotische und die postzygotische C. (↑ Zygote).
Der zygotische Chimärismus tritt nach Verschmelzung zweier Zygoten (Blastozystenfusion) oder Teilnahme mehrerer Spermien (Polyandrie) bzw. weiblicher Vorkerne (Polygenie, ↑ Meiose) an der Zygotenbildung auf. Zum postzygotischen Chimärismus kommt es nach Transplantationen oder Transfusion von Gewebe und Zellen des einen auf einen anderen Organismus sowie nach Austausch von Stammzellen über Plazentagefäßverbindungen (Choriongefäßanastomosen). Die C. ist von einem ↑ Mosaik zu unterscheiden und die wichtigste Form die Katzenzwicke, das XX/XY-Syndrom. Es handelt sich um eine ↑ Chromosomenaberration, die in typischen Fällen zur Unterentwicklung der ↑ Geschlechtsorgane (Hemmungsmißbildung der Müller-Gänge, d. h. von Scheide, Uterus und Eileiter) und zu einer Weiterentwicklung von Teilen des Wolff-Ganges (Klitorishypertrophie, Ausbildung der männlichen akzessorischen Geschlechtsdrüsen, intersexualitätsähnliche Bilder) mit nachfolgender Sterilität führt. In Analogie zur Rinderzwicke wurden u. a. folgende chromosomale Konstitutionen festgestellt: X^oX^o/X^oY (Schwarz, auch gescheckt), X^OX^O/X^OY (↑ Orange, auch gescheckt), X^OX^o/X^OY (↑ Schildpatt bzw. ↑ Tri-Colour).

Chinchilla: Gruppe anerkannter Varietäten, deren gemeinsames Merkmal der Besitz des die Silberung erzeugenden ↑ Melanininhibitors (I) in seiner stärksten ↑ Expressivität ist. Die Bezeichnung C. ist den sehr seltenen und wertvollen, in den Anden Südamerikas lebenden Hasenmäusen entlehnt. Diese 25 bis 38 cm langen Pelztiere haben ein äußerst feines, seidenweiches, glänzendes ↑ Haar von silber- bis lichtgrauer Farbe.
C.katzen hingegen wirken auf den ersten Blick fast weiß, doch liegt wie ein feiner Schleier eine dunklere Tönung über Rücken, Flanken, Kopf, Ohren und Schwanz, die in den Farben ↑ Schwarz, ↑ Blau, ↑ Chocolate und ↑ Lilac leicht getippt sind. Die Unterwolle, das Kinn, die Ohrbüschel, Bauch und Brust müssen weiß sein. Das ↑ Tipping macht ungefähr $\frac{1}{8}$ der Haarlänge aus. Der ↑ Nasenspiegel aller C. ist ziegelrot und in der Tippingfarbe umrandet. Die Fußballen, die Augenlider und die Lippen sind ebenfalls analog zum Tipping gefärbt. Die ↑ Augenfarbe ist Grün oder Blaugrün, wobei Grün bevorzugt wird. Gelbe oder haselnußfarbene Augen, ↑ Sohlenstreifen, Streifung der Beine, Zeichnung am Körper, braune oder cremeartige Fellfärbung und durchgehend gefärbte Haare sind Fehler.
Unter C. werden stets nur Katzen mit schwarzem Tipping verstanden. Die Genkonstruktion ist A– B– C– D– I–, wobei die ↑ Genorte für ↑ Agouti (A) und für ↑ Vollpigmentierung (C) stets homozygot besetzt sein werden und man bis zur Anerkennung der übrigen ↑ Varietäten auch von ↑ Homozygotie an den Genorten für ↑ Nicht-Braun (B)

und ↑ Nicht-Verdünnung (D) in den meisten Fällen ausgehen konnte. Bevor sich die ↑ Züchtung der ↑ Golden durchsetzen konnte, war man der Ansicht, daß C. homozygot auch am Genort der Silberung (II) sind und nahm ↑ Heterozygotie (Ii) für die ↑ Shaded-Silver an. Letztere wurden, bevor sie 1972 eine separate Ausstellungsklasse erhielten, fälschlicherweise auch *Blau-C.* genannt.

Die Genkonstruktionen der seit 1982 anerkannten Varietäten sind für *Blau-C.* A– B– C– dd I–, für *Chocolate-C.* A– bb C– D– I– und für *Lilac-C.* A– bb C– dd I–.

Die Intensität der Pigmentierung bzw. Silberung, d. h. die Länge des Tippings, beruht auf polygener ↑ Modifikation. Eine unidentifizierbare Zahl von Modifikatoren wirkt auf das Hauptgen I (↑ Autosom, ↑ Heterphänie) und bestimmt die Wirkung dieses ↑ Supressorgens, das ↑ vollständige Dominanz zeigt.

Die Art der gleichfalls vorhandenen ↑ Tabbyzeichnung ist bei ausgewachsenen C. nicht mehr zu erkennen. Da nur die Spitzen der Deckhaare pigmentiert sind, löst sich die Tigerung, Tupfung oder Stromung gleich in den ersten Tagen nach der Geburt mit dem einsetzenden Fellwachstum, besonders aber mit der Herausbildung der Unterwolle auf. Sie bestimmt auch das mal hellere und mal dunklere Aussehen dieser Tiere (↑ Haarwechsel). Während der verschiedenen Wachstumsphasen des Felles ist bei Jungtieren das ‚Tipping' oft als deutliches Band in der Mitte des gescheitelten Haarkleides zu erkennen, während die Spitzen reinweiß sind. Die Ausfärbung der C. dauert bei einigen Tieren sehr lange. Katzen z. B., die mit einem dreiviertel Jahr ein für eine C. zu dunkles Fell, starke Pigmentierung unter den Augen und vorbildliche Sohlenstreifen zeigten und als Shaded-Silver eingetragen wurden, haben sich dann in den folgenden beiden Jahren zu einer fehlerfreien C. „gemausert".

C.varietäten können aus nachstehenden Verpaarungen hervorgehen:

- C. × Shaded-Silver
- C. × Golden Shell bzw. -Shaded
- Shaded-Silver × Shaded-Silver
- Shaded-Silver × Golden-Shell bzw. -Shaded.

Auch müssen Paarungen von C. untereinander nicht unbedingt nur C. ergeben, zumal wenn es sich um etwas dunklere Tiere handelt. C. wurden ursprünglich nur bei den ↑ Persern mit schwarzem Tipping gezüchtet und galten lange Zeit als eine eigenständige ↑ Rasse. Der erste C.zuchtkater, *Silver Lambkin*, irgendwann in den 80er Jahren des vorigen Jahrhunderts geboren, ging aus einer Paarung zwischen einem Schwarz-Silber-Gestromten (↑ Silvertabbies) und einer ↑ Smoke hervor. Als er dann 1888 im Londoner Kristall-Palast ausgestellt wurde, war er eine Sensation. *Silver Lambkin* verstarb im stattlichen Alter von 17 Jahren (↑ Lebenserwartung) und erhielt einen Platz im Natural History Museum (Naturkundemuseum) in London. *Silver Lambkin* ist kaum mit den heutigen Perser C. vergleichbar. Abgesehen von der Kopfform (↑ Angora) war er weitaus dunkler und hatte Streifung an den Beinen. Es folgten ein Jahrhundert ↑ Reinzucht und strenge ↑ Selektion. 1900 wurde in Großbritannien ein Spezialclub gegründet, der den Sammelbegriff *Silver* in drei Kategorien unterteilte: C., Shaded-Silver und Silver-Tabbies. Als die Silvers 1902 eine eigene Ausstellungsklasse erhielten, wurden die Shaded-Silver ausgeschlossen, da die Richter zwischen beiden ↑ Varietäten keinen ausreichenden Unterschied feststellen konnten. Noch heute widmet sich ein Club des britischen ↑ GCCF, die „Chinchilla, Silver Tabby & Smoke Cat Society", besonders dieser ↑ Züchtung.

Als ↑ Tipped bezeichnet, sonst jedoch in der Beschreibung des Standards absolut identisch, erteilte die F. I. Fe. Anfang 1983 die Anerkennung der C. bei den ↑ Britisch Kurzhaar, während die im gleichen Jahr ebenfalls anerkannte ↑ Exotic Kurzhaar, als kurzhaarige Perser wiederum C. heißt. Bei der Aufstellung eines ↑ Kreuzungsdiagrammes für Paarungen dieser Varietätengruppe bei Persern und Exotic Kurzhaar müssen in die angegebenen Genkonstruktionen L- für ↑ Kurzhaar und ll für ↑ Langhaar eingefügt werden (↑ Gennomenklatur). Mit der Einführung der ↑ Europäisch Kurzhaar ist diese Rasse im Verband der DDR auch als C. anerkannt. Tafeln 21, 22.

Chlormangel ↑ Erbrechen.

Chocolate [engl., schokoladenfarben]: Farbschlag, der durch die homozygote Anwesenheit der Allele aa für ↑ Nicht-Agouti, bb für C. und in Kombination mit den dominanten Genen C– für ↑ Vollpigmentierung und D– für ↑ Nicht-Verdünnung entsteht. Die Genkonstruktion dieses Farbschlages wäre also aa bb C– D–, wobei L– für Kurzhaar und ll für Langhaar hinzuzufügen sind. Alle Braunnuancen sind erlaubt, nur soll das Haarkleid von der Spitze bis zur Wurzel gleichmäßig gefärbt sein. Der jeweilige Farbton wird durch polygene ↑ Modifikation beeinflußt. C. kann rezessiv ein weiteres Braungen tragen, nämlich b^l (↑ Cinnamon). Mit Ausnahme der ↑ Orientalisch Kurzhaar braun (↑ Havana) und der Burma braun, die genetisch eine schwarze Katze ist (↑ Burma), hat sich in der internationalen Rassekatzenzucht der Begriff C. als Farbbezeichnung für Braun eingebürgert. Erst 1958 erhielt die Havana als erste einfarbige Kurzhaarvarietät die Anerkennung durch den britischen Dachverband GCCF und 1972 durch die F. I. Fe. Die Genkonstruktion wurde zunächst in Verbindung mit dem ↑ Maskenfaktor bei den ↑ Siam registriert, aber lange als ↑ Fehlfarbe angesehen. 1956 wurden in Großbritannien die erste weibliche Langhaarkatze dieser Farbe, *Briarry Pirkins*, und kurze Zeit später der erste Kater, *Briarry Bruno*, geboren. Ein Siam ↑ Chocolate-Point und eine Havana wurden jeweils mit Persern gekreuzt. Nach der ersten Mendel-Regel war die F_1-Generation Schwarz-Kurzhaar, das rezessiv Braun und Langhaar trug (Genkonstruktion aa Bb Cc^s D– Ll). Aus Verpaarungen der F_1-Generation fielen dann die ersten Langhaarkatzen c. Bis zur Anerkennung durch die F. I. Fe. war der Typ durch unzählige Rückkreuzungen auf die besten Perservertreter gefestigt. Das Jahr 1982 wurde dann das Jahr der C., da sie innerhalb der F. I. Fe. bei den Persern (Tafeln 4,7), den ↑ Britisch Kurzhaar und zunächst auch bei den ↑ Europäisch Kurzhaar in nahezu allen möglichen Genkonstruktionen anerkannt wurde. Ein Jahr später erfolgte die Anerkennung der Exotic Kurzhaar, die somit auch in diesem Farbschlag zugelassen ist.

Bei den Europäisch Kurzhaar hingegen wurde diese Entscheidung 1984 wieder revidiert, da diese Rasse ohne Fremdeinkreuzungen gezüchtet werden soll und in der europäischen Hauskatzenpopulation Braun nicht vorkommt.

Der Wechsel von C zu c^s ergibt C.-Point, Genotyp aa bb c^sc^s D–.

Tritt an die Stelle von C– das Burma-Gen c^b in homozygoter Form, entsteht die ↑ Burma c., in Kombination von c^bc^s die Honey Mink der ↑ Tonkanesen. Auf der Genkonstruktion Cc^s beruht überwiegend das grüne Auge der Orientalisch Kurzhaar. Bei allen anderen einfarbigen C. ist die Augenfarbe Kupfer oder ein dunkles Orange. Nasenspiegel und Fußballen sind zimt- und schokoladenfarben.

In Kombination mit ↑ Scheckung entstehen in C.-Weiß die ↑ Bi-Colour,

↑ Harlekin und die Vangezeichneten, die alle den Genotyp aa bb C– D– S– haben (↑ Normalfarballel).
Wird das homozygot rezessive Allelpaar für Nicht-Agouti aa durch das dominante Wildtypallel A– für ↑ Agouti ersetzt, entstehen die C.-Tabbies (A– bb C– D–) in den Varietäten ↑ Getupft, ↑ Getigert, ↑ Gestromt (↑ Tabbyzeichnung). In Verbindung mit dem Melanininhibitor I– und Agouti entstehen die Silver-Tabby-C. (A– bb C– D– I– t^bt^b), die bei den Persern nur als gestromte Variante anerkannt sind, sowie die entsprechenden ↑ Chinchilla und Shaded-Silver. Bei den ↑ Golden ist C. noch nicht anerkannt. Die Genkonstruktion ergibt die C.-Smoke (aa bb C– D– I–), wenn Agouti durch Nicht-Agouti (aa) ersetzt wird. Die entsprechenden ↑ Tortie-Silver entstehen, wenn mit ↑ Orange gepaart wird und die roten oder cremefarbenen Tiere rezessiv C. tragen. Die C.-Schildpatt (↑ Schildpatt) entstehen dann wiederum beim Ausfall von Silber.
Tragen C. rezessiv ↑ Verdünnung, fällt aus ihren Verbindungen ↑ Lilac. C. fällt nur, wenn beide Elternteile das Gen für Braun tragen, z. B. aus einer Verpaarung zwischen Schwarz mit dem Genotyp aa Bb CC DD und Blau mit dem Genotyp aa Bb CC dd. Die Genkonstruktion aa bb CC Dd geht aus solchen Verpaarungen hervor.
Der größte amerikanische Dachverband, der CFA, lehnte es noch 1982 ab, die damals gerade als einfarbig Himalayan (↑ Colourpoint) anerkannte C. und Lilac Langhaar in die Perserfarbschläge einzugliedern und als Perser anzuerkennen. Sie werden in diesem Verband als *Kashmir bezeichnet.*
Chocolate-Cameo ↑ Tortie-Cameo.
Chocolate-Chinchilla ↑ Chinchilla.
Chocolate-Creme ↑ Schildpatt.
Chocolate-Gestromt ↑ Gestromt.
Chocolate-Getigert ↑ Getigert.
Chocolate-Getupft ↑ Getupft.
Chocolate-Point: anerkannte ↑ Abzeichenfarbe. Während die Körperfarbe von einem zarten Elfenbeinton ist, sind die Points [engl., ↑ Abzeichen] milchschokoladenfarben. Zimt- bis schokoladenfarben sind der ↑ Nasenspiegel und die ↑ Fußballen. Die C. hat die Genkonstruktion aa bb c^sc^s D–, wobei noch ll für ↑ Langhaar und L– für Kurzhaar hinzugefügt werden könnten. Der Braun-Genort b kann rezessiv mit dem Gen b^l [engl. light brown, hellbraun] besetzt sein. Außerdem kann rezessiv ↑ Verdünnung (Dd) getragen werden. Das Gen b dominiert über b^l nur unvollständig (↑ multiple Allelie). Man sagt, daß die rezessive Verdünnung der Färbung einen kalten Ton verleihen kann. Bei der Verpaarung von C. des heterozygoten Genotyps bb^l fallen neben C. auch ↑ Lilac-Points sowie ↑ Cinnamon-Points und ↑ Caramel-Points. Tab.

♀ \ ♂	bD	bd	b^lD	b^ld
bD	**bb DD**	bb Dd	bb^lDD	bb^lDd
bd	bb Dd	**bb dd**	bb^lDd	bb^ldd
b^lD	bb^lDD	bb^lDd	**b^lb^lDD**	b^lb^lDd
b^ld	bb^lDd	bb^ldd	b^lb^lDd	**b^lb^ldd**

Die Genkonstruktionen aa bb c^sc^s DD und aa bb c^sc^s Dd sind C., aa bb c^sc^s dd, Lilac-Point und aa $bb^lc^sc^s$ dd die hellere Light-Lavender, aa $b^lb^lc^sc^s$ DD und aa $b^lb^lc^sc^s$ Dd sind Cinnamon-Point und aa $b^lb^lc^sc^s$ dd Caramel-Point (↑ Mendel-Regeln, ↑ Oligogenie). Tritt an die Stelle des homozygot rezessiven Allelpaares c^sc^s (↑ Maskenfaktor) das dominante Wildtypallel C– für ↑ Vollpigmentierung, entstehen aus Verpaarungen zwischen Siam und Orientalisch Kurzhaar z. B. die bereits beim ↑ GCCF anerkannten ↑ Cinnamon und ↑ Caramel und in Kombination mit

↑ Agouti die entsprechenden Tabby-Point-Varietäten.
C. ↑ Siam sind ebenso alt wie die Seal-Point-Siamesen, wurden aber über Jahrzehnte als blasse Vertreter dieses Farbschlages angesehen und wie die ↑ Blue-Point als ↑ Fehlfarbe abgelehnt. Die erste nachweislich im britischen Zuchtbuch registrierte C.-Siam wurde bereits 1931 geboren, anerkannt sind die C.-Siamesen jedoch erst seit 1950 beim GCCF und der ↑ F.I.Fe.
Nur wenige Vertreter dieser Varietät zeigen gut ausgefärbte milchschokoladenfarbene Abzeichen (vgl. Modifikation). Die ↑ Maske umschließt meist nicht die Schnurrhaarkissen und das Kinn. Die Färbung der Abzeichen ist oft zu kalt und zu dunkel, die Ohren sind intensiver pigmentiert als die Maske. Viele C. scheinen eine Brille zu tragen, denn sie haben helle Ringe unter den Augen. Ein leicht hellerer Farbton der Abzeichen an den Beinen wird bei einer sonst gleichmäßigen Färbung der Extremitäten nicht allzu streng bestraft.
Ausgangspunkt der Colourpoint-C.-Zucht war eine Kreuzung zwischen einer Siam-C. mit schlechtem ↑ Typ und einer Colourpoint-Seal. Die Züchtung setzte kurz nach der Anerkennung der Colourpoint in Großbritannien im Jahre 1955 ein und mit den ersten Colourpoint in Chocolate entstanden auch die Perser chocolate. *Mingchiu Ptan* wurde 1968 erster Champion dieses Farbschlages. C. werden auch als ↑ Birma, ↑ Balinesen ↑ Exotic Kurzhaar sowie bei der ↑ Ragdoll gezüchtet.

Chocolate-Schildpatt ↑ Schildpatt.

Chocolate-Schildpatt-Shaded ↑ Tortie-Cameo.

Chocolate-Schildpatt-Shell ↑ Tortie-Cameo.

Chocolate-Schildpatt-Smoke ↑ Tortie-Cameo.

Chocolate-Schildpatt-Weiß ↑ Tri-Colour.

Chocolate-Shaded-Silver ↑ Shaded Silver.

Chocolate-Silber-Gestromt ↑ Silvertabbies.

Chocolate-Silber-Getupft ↑ Silvertabbies.

Chocolate-Silber-Getigert ↑ Silvertabbies.

Chocolate-Smoke ↑ Smoke.

Chocolate-Tabby-Point ↑ Tabby-Point.

Chocolate-Tortie-Point ↑ Tortie-Point.

Chocolate-Tortie-Tabby-Point ↑ Tortie-Tabby-Point.

Chocolate/Weiß ↑ Bi-Colour.

Chromatide, *Halbchromosom:* eine der beiden Spalthälften eines ↑ Chromosoms, die im Zeitraum frühe Prophase bis Metaphase der ↑ Mitose bzw. zwischen Diplotän und zweiter Metaphase der ↑ Meiose sichtbar und von einer einzigen DNA-Doppelhelix (↑ Gen) durchzogen werden. Sie entstehen durch Replikation (Verdoppelung) während der Interphase des Zellzyklus, sind schraubenartig aufgewunden, an einigen Stellen locker umeinander geschlungen und an der Spindelfaseransatzstelle (Zentromer) miteinander verbunden. Während der Anaphase der Mitose und der Anaphase II der Meiose werden sie voneinander getrennt. Die identische Erbanlagen enthaltenden Schwester-C. stammen vom gleichen Chromosom, die ↑ Allele tragenden Nichtschwester-C. von homologen Chromosomen.

Chromosom, *Kernschleife*: nach der C.entheorie der Vererbung (*Sutton*, 1903) im Zellkern der wichtigste Träger der genetischen Information (↑ Gen, ↑ Genort). Es ist komplex aus Desoxyribonukleinsäure (DNA), Ribonukleinsäure (RNA), basischen und sauren Proteinen zusammengesetzt. Die DNA trägt die genetische Information und garantiert die Längenkontinuität des C. Die RNA erfüllt Aufgaben bei der Realisierung der genetischen Informationen.

Die Proteine spielen beim strukturellen Aufbau des C. eine entscheidende Rolle; einige haben regulatorische Funktionen. Mit Hilfe der ↑ Mitose wird das C. von Zelle zu Zelle weitergegeben und mit Hilfe der ↑ Meiose auf die nachfolgenden Generationen übertragen. Die C.entheorie der Vererbung wurde inzwischen durch die Hypothese von den ↑ springenden Genen ergänzt.
Der Zellkern der Katze enthält mehrere verschiedene C.en, die im Verlauf des Zellteilungszyklus einen charakteristischen Formwandel durchmachen. Sie sind während der Zwischenphase (Interphase) aufgelockert, während der Metaphase der Kernteilung dagegen lichtmikroskopisch als längliche, gekrümmte oder gekreuzte Gebilde mit einer primären Einschnürung, der Spindelfaseransatzstelle (Zentromer), nach Färbung sichtbar zu machen.
Die Identifizierung der C.en erfolgt anhand ihrer Gesamtlänge, der Zentromerposition, der Armlängen (Armlängenindex), des Vorhandenseins kleiner Anhänge (Satelliten) oder von Sekundäreinschnürungen sowie anhand ihres färberischen Verhaltens (Bänderung). Nach der Lage des Zentromers unterscheidet man zwischen metazentri-

submetazentrische Chromosomen (Zentromer submedian)

metazentrische Chromosomen (Zentromer median)

akrozentrische Chromosomen (Zentromer subterminal)

telozentrische Chromosomen (Zentromer terminal)

Chromosomenformen

schen, submetazentrischen, akrozentrischen und telozentrischen C.en. (Abb.). Die Katze besitzt einen haploiden ↑ Chromosomensatz von 19 und einen diploiden C.ensatz von 2 $n = 38$ C.en.

Chromosomenaberrationen: Abweichungen von der arttypischen Chromosomenzahl (↑Chromosomensatz) oder -struktur, die lichtmikroskopisch zu erfassen sind. Es handelt sich um Genom- und Chromosomenmutationen (↑ Mutation).

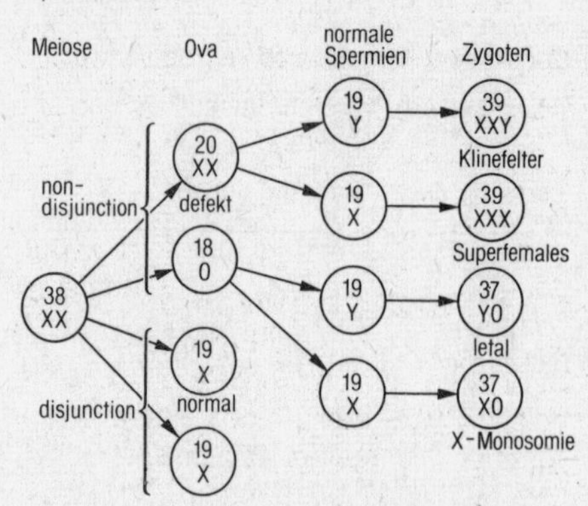

Prinzipschema des non-disjunction bei der Geschlechtschromosomenaberration

Die zahlenmäßigen Abweichungen betreffen ganze Chromosomensätze oder einzelne ↑ Chromosomen. Man unterscheidet verschiedene Formen. Die *Haploidie* [griech., Halbsatz] ist durch das Auftreten eines Chromosomensatzes in den Zellen gekennzeichnet (↑ Gameten). Bei der *Polyploidie* treten mehr als zwei Sätze im Zellkern auf. Hauptursache des Auftretens von C. sind Störungen der ↑ Meiose (Abb.) und Teilnahme zweier Spermien oder zweier weiblicher Vorkerne am Befruchtungsprozeß, d. h. *Polyandrie* und *Polygynie*. Haploidie und Polyploidie führen bei Katzen zu schweren Störungen der Genbalance und zum Tod der Merkmalträger bereits während der Frühembryonalphase. Die Vermehrung oder Verminderung des Chromosomensatzes um einzelne Chromosomen bezeichnet man als *Aneuploidie*. Typische Beispiele sind die ↑ Geschlechts-C., die mit Fertilitätsproblemen im Zusammenhang stehen. Der XXY-Karyotyp

Chromosomale Strukturänderungen und deren phänotypische Auswirkungen

Bezeichnung	Kurzdefinition	Wirkungsprinzip	phänotypische Abweichungen
Deletion	mittelständige Fehlstellen	Fehlen genetischer Informationen	stark, häufig letal
Defizienz	endständige Fehlstellen	Fehlen genetischer Informationen	stark, häufig letal
Duplikation	teilweise Verdopplung	Genbalance gestört	relativ stark
Translokation	interchromosomale Verlagerung	Positionsdefekt	schwach, häufig fehlend
Inversion	Drehung um 180°	Positionsdefekt	schwach, häufig fehlend

z.B. ist der Genotyp der ↑ Schildpattkater. Die Abb. zeigt die Pathogenese der Störungen auf und erklärt auch, weshalb mit den dreifarbigen Katern auch verstärkt nichtgelbe Katzen des Genotyps XO auftreten können (*Robinson*, 1977). Bei ihnen ging das X-Chromosom mit dem Gelballel verloren (vgl. X-Chromosom-Kompensationsmechanismus).

Wegen fehlender Untersuchungsstellen sind die Kenntnisse über autosomale Aneuploidien bei Katzen bisher spärlich. *Benirschke* et al. (1974) berichteten über eine Trisomie des ↑ Autosoms D_2, die mit Fetaltod und Mazeration der Frucht verbunden war. Die wichtigsten Chromosomenstrukturänderungen sind in der Tabelle verzeichnet.

Sie unterscheiden sich hinsichtlich Pathogenese und Stärke der phänotypischen Abweichungen. Hauptauswirkungen der C. sind Unfruchtbarkeit und Frühembryonaltod. Die am stärksten abweichenden Früchte sterben zuerst. Die zu beobachtenden angeborenen Mißbildungen stellen dabei nur die Spitze eines Eisberges dar. Sie sind relativ selten.

Chromosomenmutation: 1. ↑ Mutation. – **2.** ↑ Chromosomenaberration.

Chromosomensatz, *Genom*: für jede Tierart typische Anzahl der ↑ Chromosomen eines Zellkerns. Der haploide C. der Katze umfaßt 19 Chromosomen (primäre Basiszahl, ↑ Gameten), der di-

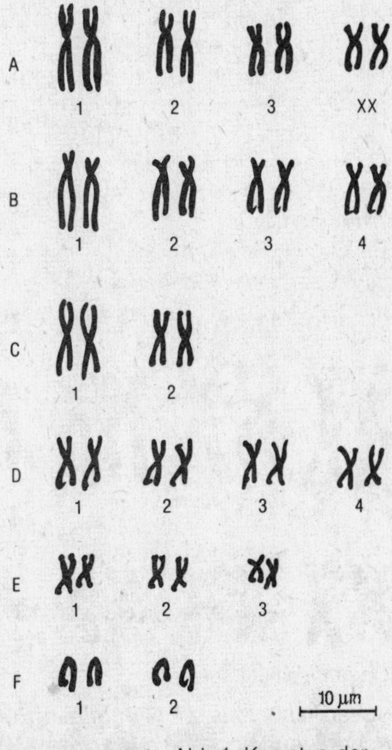

Chromosomensatz, Abb. 1. Karyotyp der Katze nach der San-Juan-Klassifikation der Chromosomen

ploide Satz 38 Chromosomen (sekundäre Basiszahl, ↑ Meiose). Die lichtmikroskopisch zu identifizierenden Chromosomen werden paarweise und der Größe nach in Gruppen geordnet. Die Basis der Klassifizierung wurde in der San-Juan-Konferenz (Puerto Rico) über Mammalian Cytology and Somatic Cell Genetics (1964) erarbeitet. Danach sind im C. der Katze die Gruppen A bis F zu unterscheiden (Abb. 1). Die Gruppe A umfaßt große submetazentrische, B große subtelozentrische, C große metazentrische, D kleine submetazentrische und subtelozentrische, E kleine metazentrische (einschließlich des Paares mit Satellit) und F telozentrische und/oder akrozentrische Chromosomen. Hinzu kommt das XX- bzw. das XY-Paar. Bei monochromatischer Färbung (z.B. mit Orcein) ergeben sich trotzdem Klassifizierungsschwierigkeiten innerhalb der Gruppen. Deshalb werden zunehmend Bänderungstechniken angewandt (Abb. 2). Im Ergebnis derartiger Verfahren erhält man das *Karyogramm*, das einen bestimmten *Karyotyp* charakterisiert.

Ein Genom von 2*n*=38 hat die Mehrzahl der heute lebenden Felidenarten aufzuweisen, z.B. die Nordafrikanische ↑ Falbkatze (*Felis silvestris lybica, Forster*, 1780), die europäische ↑ Waldwildkatze (*F. silvestris silvestris, Schreber*, 1777), der Manul bzw. die Pallaskatze (*Otocolobus manul, Pallas*, 1776), die Rohrkatze (*Felis chaus chaus, Güldenstädt*, 1776) der Karakal bzw. Wüstenluchs (*Caracal caracal, Schreber*, 1776), die afrikanische Goldkatze (*Profelis aurata, Temminck*, 1827), die asiatische Goldkatze (*Profelis temmincki, Vigors* und *Horsfield*, 1827), der Löwe (*Panthera leo, Linné*, 1758), der Tiger (*Panthera tigris, Linné*, 1758), der Leopard oder Panther (*Panthera pardus, Linné*, 1758), die Fischkatze (*Prionailurus viverrinus, Bennett*, 1833), die Bengalkatze (*Prionailurus bengalensis, Kerr*, 1892) und die Wieselkatze bzw. Jaguarundi (*Herpailurus yagouaroundi, Geoffroy*, 1803). Abweichungen mit 2 *n*=36 sind z.B. die Geoffroy- oder Salzkatze (*Oncifelis geoffroyi, D'Orbigny* und *Gervais*, 1843) und die Pampaskatze (*Lynchailurus pajeros, Desmarest*, 1816). Unterschiede zwischen den Katzenarten gehen also vorwiegend auf Punktmutationen und Chromosomenstrukturveränderungen zurück.

Chromosomenzahländerung: 1. ↑ Mutation. – **2.** ↑ Chromosomenaberration.

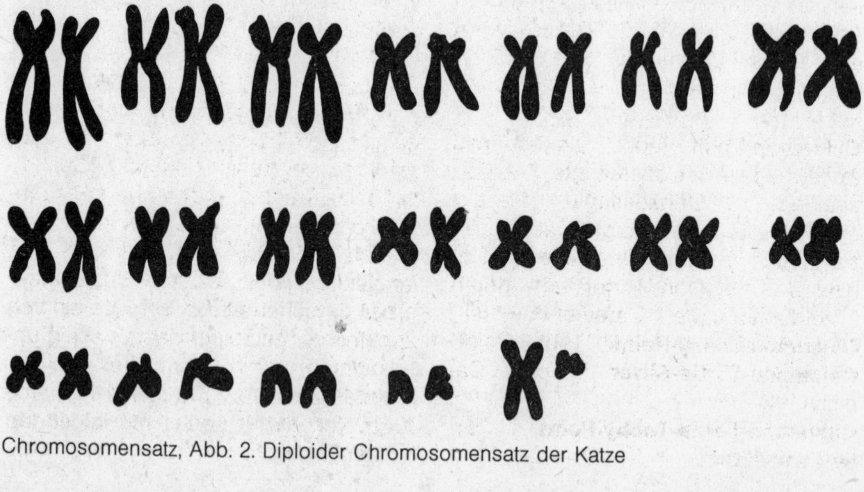

Chromosomensatz, Abb. 2. Diploider Chromosomensatz der Katze

Cinnamon [engl., zimtfarben]: beim britischen ↑ GCCF bereits anerkannte Varietät der ↑ Orientalisch Kurzhaar mit der Genkonstruktion aa b^lb^l C– D–. C. wird als ein warmer zimtbrauner Farbton beschrieben. Der ↑ Nasenspiegel und die Augenlidumrandung sind zimtbraun, die ↑ Fußballen einfarbig braun oder rosa. Bei Jungtieren werden vereinzelte weiße Haare, rostige oder andere Schattierungen toleriert. Ein weißes ↑ Medaillon, weiße Zehen oder ein weißer Bauchfleck sind große Fehler. Die C. ist neben der seit langem anerkannten ↑ Havana die zweite kurzhaarige braune Schlanktypvariante. Als Kombination mit ↑ Agouti und ↑ Abessiniertabby findet die C. bei den ↑ Abessiniern ihre Entsprechung in der ↑ Sorrel.
Eine C.-Point entsteht, wenn an die Stelle des dominanten Wildtypallels C– (↑ Vollpigmentierung) das homozygot rezessive Allelpaar c^sc^s (↑ Maskenfaktor) tritt. In Kombination mit dem ↑ Melanininhibitor I entstehen C.-Smokes aa b^lb^l C– D– I–. Als Schildpatt wurde die C. genauso wie in Kombination von ↑ Orange und Silber als C.-Tortie-Oriental-Tipped (Orientalisch Kurzhaar C. Schildpatt getippt) beim GCCF anerkannt. Wechselt ↑ Nicht-Agouti zu Agouti, entstehen die C.-Tabbies, auch als ↑ Silvertabbies, C.-Shaded und -Tipped seit 1984 provisorisch anerkannt.
Cinnamon-Point [engl., zimtfarbenes Abzeichen]: nicht anerkannte ↑ Abzeichenfarbe der Genkonstruktion aa b^lb^l c^sc^s D–, die ihre vollpigmentierte Entsprechung in der ↑ Orientalisch Kurzhaar ↑ Cinnamon findet und deren ↑ Verdünnung die ↑ Caramel-Point ist.
Cinnamon-Tabby-Point ↑ Tabby-Point.
Cinnamon-Tortie-Silver ↑ Tortie Cameo.
Cinnamon-Tortie-Tabby-Point ↑ Tortie-Tabby-Point.
circadiane Rhythmik ↑ Tagesrhythmik.
circannuale Periodik ↑ Jahresrhythmik.
Colorationserie ↑ Albinoserie.
Colourpoint: bis 1983 ausschließlich Perserkatzen mit Maskenzeichnung. Mit der Anerkennung der Exotic Kurzhaar durch die F. I. Fe. 1984 muß man nun korrekterweise von Perser C. und Exotic Kurzhaar C. sprechen.
Die Perser C. ist das Ergebnis der praktischen Umsetzung von Erkenntnissen schwedischer und amerikanischer Genetiker, die glücklicherweise gleichzeitig Katzenliebhaber waren. 1924 kreuzten schwedische Wissenschaftler eine Siam mit einer Langhaarkatze, sechs Jahre später machten zwei amerikanische Genetiker der Harvard Medical School den gleichen Versuch mit einer Siam und einer Perser Smoke. Beide Zuchtversuche dienten nur der Klärung der Frage, wie sich ↑ Kurzhaar mit ↑ Langhaar sowie ↑ Maskenfaktor und ↑ Vollpigmentierung zueinander verhalten. Mit *Debutante*, die 1935 in den USA geboren wurde, waren diese Fragen beantwortet und hier endete verständlicherweise die züchterische Tätigkeit der Genetiker.
Durch die Geburt von *Debutante* aufmerksam geworden, begann noch im gleichen Jahr ein britischer Experimentalzüchterklub ein Zuchtprogramm, das ähnliche Verpaarungen vorsah. Zielvorstellung war eine Perserkatze, bei der wie bei der Siam nur die ↑ Abzeichen gefärbt sind. Ebenfalls in den 30er Jahren kreuzten Berliner Züchter Siamkatzen mit ↑ Angora, wie die Perser zu jener Zeit genannt wurden. Im Jahre 1947 jedoch begann in Großbritannien eine langjährige, zielgerichtete Zusammenarbeit zwischen einem sehr bekannten Zuchtrichter und einer damals völlig unbekannten, inzwischen aber weltberühmten Züchterin. Sie stellte ihm eine Katze vor, die er später mit folgenden Worten beschrieben haben soll: „Als

ich diese Katze sah, war ich von ihrer Schönheit überrascht. Abgesehen von ihrer Zeichnung besaß sie praktisch keinerlei Merkmale einer ↑ Siam und hatte einen vernünftigen Persertyp.“ Dieses Tier inspirierte das gesamte Zuchtprogramm in Großbritannien. Es basierte im wesentlichen auf wiederholtem Einkreuzen der besten Perservertreter in die C.zucht. Einerseits wurden dadurch der Typ und die Länge des Fells verbessert, andererseits verblaßte die ↑ Augenfarbe der C. im Vergleich zu den Siamesen erheblich. Ein anderes Problem bestand in den Regeln des britischen Dachverbandes GCCF für die Anerkennung neuer Rassen, die eine ↑ Gleich-zu-Gleich-Verpaarung über drei Generationen hinweg forderte. Diese Reinzuchtregel machte einen hohen Grad an ↑ Inzucht notwendig und erforderte eine enorm breite Zuchtbasis. Mit der Anerkennung der C. 1955 durch den GCCF war deshalb noch lange nicht das gesteckte Zuchtziel erreicht, und viele Jahre vergingen noch, bis die Züchter selbst der Ansicht waren, eine Perserkatze mit Siamzeichnung herausgezüchtet zu haben. Die britischen C. zeichnen sich noch heute durch ihren fabelhaften Persertyp, ein langes üppiges Fell und die durch gezielte ↑ Selektion wiedergewonnene tiefblaue Augenfarbe der Siam aus. Unter den Zwingernamen *Briarry* und *Mingchiu* sind britische C. auch auf dem europäischen Kontinent und in den USA in den Stammbäumen vieler Zuchtkatzen vertreten. Beide Zwinger arbeiteten später auch bei der Herauszüchtung der Chocolate-Perser und Lilac-Perser zusammen.

Im deutschsprachigen Raum wurde die C. in den 50er Jahren unter dem Namen *Khmer* bekannt. Ob die Berliner Khmerkatzen der 30er Jahre Anteil an der nun einsetzenden C.zucht hatten, ist nicht bekannt. Das Fell der Khmers war wesentlich kürzer, sie standen mit ihrem eher langgestreckten Körper auf zu hohen, schlanken Beinen. Der Schwanz war recht lang und endete oft wie bei den Siamesen in einer Spitze. Der Kopf war nicht so wohl gerundet wie der der Perser, die Ohren waren zu groß und spitz und hoch angesetzt, die Nase zu lang mit wenig ↑Stop. Zur Qualitätsverbesserung sollen insbesondere Importe aus britischen Linien beigetragen haben. In einigen Verbänden hießen die C. *Siamesisch Langhaar,* bei ihrer Anerkennung durch die F. I. Fe. 1956 Khmer und schließlich C.

In den USA wurde zwar ebenfalls seit 1950 an den C. gearbeitet, da sie aber kaum ausgestellt wurden, blieben sie relativ unbekannt. Erst 1957 wurden sie mit zwei auf einer Ausstellung in San Diego vorgestellten Tieren schlagartig berühmt und von einem der großen amerikanischen Dachverbände anerkannt. Der CFA folgte unverzüglich und bis 1961 hatten alle amerikanischen Verbände diesen Schritt vollzogen. Als offizielle Rassebezeichnung wurde jedoch der in den 30er Jahren von den Genetikern der Harvard Medical School in Anlehnung an die Bezeichnung für eine gleichartige Kaninchenmutation vorgeschlagene Name *Himalayan* übernommen. Im Gegensatz zu den britischen Züchtern wurden diese Linien jedoch nicht so konsequent über Perser geführt und die amerikanischen C. standen den britischen lange Zeit um etliches nach.

Neben der Perser C. gibt es jetzt eine in den USA seit langem gezüchtete Rasse, die ↑ Exotic Kurzhaar, die durch die F. I. Fe. seit 1984 anerkannt ist und bei der auch C.varietäten zugelassen sind (vgl. Abzeichenfarben). Die Exotic Kurzhaar C. hat die gleichen Farbnummern wie die entsprechenden Perservarietäten, nur mit dem zusätzlichen Kürzel „EX“ als Kennzeichnung für Exotic Kurzhaar. Beide C.varietäten haben nicht so kräftig gefärbte Abzeichen wie die vergleichbaren Siamfarbschläge, da die Abzeichenfärbung auf Akromelanismus beruht und somit temperaturabhängig ist. Es staut sich mehr warme Luft im Haar des Maskenbereiches der C. als bei den Siamesen, bei denen es eng anliegt und wesentlich kürzer ist. Aus dem gleichen Grund ist es aber einfacher, eine helle Körperfarbe zu erzielen.

Alle C.varietäten bedürfen einer besonders sorgsamen Fellpflege, da kahle Stellen am Körper dunkel nachwachsen und erst beim folgenden Haarwechsel aufhellen.

Der unerwünschte braune Bauchfleck steht mit der ↑ Fellpflege in keinem ursächlichen Zusammenhang und ist nur durch Auslese zu beseitigen. Alle C.varietäten dunkeln mit zunehmendem Alter nach und zeigen oft unerwünschte Schattierungen am Körper. Tafeln 8, 33–35.

Colorpoint Shorthair ↑ Siam.

Cornish Rex: zur Gruppe der ↑ Kurzhaar gehörende ↑ Rassekatze. Die C.R. hat einen mittelgroßen, schlanken und muskulösen Körper, der auf langen, schlanken Beinen und kleinen, ovalen Füßen steht, so daß das Tier insgesamt hochbeinig wirkt. Der Schwanz ist lang, dünn und spitz endend. Der Kopf soll ungefähr ein Drittel länger als seine breiteste Partie sein und eine mittlere Keilform bilden. Das Kinn ist wie bei allen Rassen kräftig erwünscht. Im Profil ist der Schädel flach und bildet eine gerade Linie von der Stirnmitte bis zur Nasenspitze. Die Ohren sind groß, breit am Ansatz, hoch angesetzt, an den Spitzen gerundet und mit feinsten Härchen besetzt. Die Augen sind von mittlerer Größe, mandelförmig und sollen einheitlich gefärbt sein. Die Augenfarbe ist nicht an die Fellfarbe gebunden. Wie bei allen ↑ Rexkatzen ist das kurze, plüschartige, gelockte oder gewellte Fell der C. R. das rassebildende Merkmal. Die Schnurrhaare und die Augenbrauen sind ebenfalls gekräuselt. Die C. R. ist in allen Farben einschließlich ↑ Bi-Colour und ↑ Tri-Colour zugelassen. Der ↑ Nasenspiegel und die ↑ Fußballen sind analog zur Körperfarbe pigmentiert.

Serena, eine auf einem Bauernhof in Cornwall (Großbritannien) lebende schildpatt-weiße ↑ Hauskatze, brachte im Sommer 1950 fünf Kätzchen zur Welt, von denen *Kallibunker*, ein cremefarbener Kater, ein gelocktes Fell hatte. Da die Besitzerin von *Serena* schon Rexkaninchen gezüchtet hatte, vermutete sie eine ähnliche ↑ Mutation und wandte sich an einen in der Katzenzucht engagierten britischen Genetiker. Er riet ihr, *Kallibunker* auf die Mutter zurückzukreuzen. Nachdem *Serena* mit verschiedenen Katern nur glatthaarigen Nachwuchs gebracht hatte, kamen dann im August 1952 im klassischen Verhältnis der ↑ Mendel-Regeln zwei Rexkatzen und ein normalhaariges Tier zur Welt. Das Normalhaarige wurde gleich nach der ↑ Geburt getötet, von den beiden männlichen Rextieren starb das eine im Alter von acht Monaten an Katzenseuche (↑ Infektionskrankheiten). *Poldhu*, ein blaucremefarbener Kater, fand später als einziger ↑ Schildpattkater in der Geschichte der Rassekatzenzucht seinen Platz. Er war der Vater von *Lamorna Cove*, eine im August 1954 geborene blaue Rexkatze, und er deckte sie nochmals, bevor sie 1957 ihre Reise in die USA antrat und dort die beiden Stammväter der amerikanischen Rexzucht zur Welt brachte. Ein im April 1956 geborenes Geschwisterpärchen aus der gleichen Verpaarung fand glücklicherweise im Zwinger *„Briarry“* ein neues Zuhause, denn im gleichen Jahr gab *Serenas* Entdeckerin ihre Zucht auf und ließ ihren Bestand von

Cornish Rex

40 Tieren, darunter *Serena*, *Kallibunker* und *Poldhu* sowie weitere Rexkatzen töten, da sie nicht den geforderten hohen Preis für ihre Tiere erhalten hatte. Die Geschwisterverpaarung mit den überlebenden C. R. erwies sich als erfolglos, und so wurden ↑ Burma und ↑ Britisch Kurzhaar eingekreuzt. *Kirlee*, ein 1960 entdeckter Rexkater, später Stammvater der ↑ Devon Rex, sollte die Zuchtbasis verbreitern. Er wurde mit den Rexkatzen verschiedene Male gepaart, brachte aber stets nur glatthaarige Nachkommen, da beide Rexmutationen zwar zur gleichen Merkmalbildung geführt hatten, aber an unterschiedlichen ↑ Genorten lokalisiert waren (↑ mimetische Gene). Die aus diesen Verpaarungen gefallenen Welpen hatten eine Genkonstruktion R^+ r Re^+ re und waren nicht gelockt, da r (Cornish Rex) und re (Devon Rex) gegenüber den Allelen des ↑ Normalhaars R^+ und Re^+ rezessiv sind. 1959 wurde der „Colourpoint, Rex Coated and Any Other Variety Club" [engl., Colourpoint, Rexfell und sonstige Varietäten Club] durch den Besitzer des Briarry-Zwingers gegründet, der zur gleichen Zeit in der Zucht der ↑ Colourpoint engagiert war. Dieser Club erarbeitete dann auch einen Standard für die C. R. und die Devon Rex. Einer Gruppe von Züchtern, unter ihnen auch der Zwinger „*Annelida*", dessen Rexkatzen (Cornish und Devon) mit für die internationale Verbreitung beider Rassen sorgten, gelang es bis zur Anerkennung durch den britischen ↑ GCCF im Jahre 1967 nicht nur die vier vorgeschriebenen Generationen in ↑ Reinzucht zu züchten, sondern auch eine Trennung beider Rassen hinsichtlich des ↑ Phänotyps vorzunehmen. Ein Jahr später folgte dann auch die Anerkennung durch die F. I. Fe. Abb.

Coronavirusinfektion ↑ Infektionskrankheiten.

Corti-Organ: 1. ↑ Ohr. – **2.** ↑ Taubheit.

Creme: anerkannter Farbschlag bei fast allen ↑ Rassen. C. wird im Standard der ↑ F. I. Fe. als reine Pastellfarbe ohne jeden Anflug einer ins Rötlich gehenden Tönung beschrieben, während der Standard des ↑ GCCF ein blasses bis mittleres C. vorschreibt. Das Fell c.farbener Tiere sollte ohne weiße Unterwolle, ohne Schattierungen und ↑ Tabbyzeichnung einheitlich bis zur Haarwurzel gefärbt sein. Nasenspiegel und Fußballen sind rosa. In herrlichem Kontrast zur hellen Fellfarbe stehen die tief kupferfarbenen Augen. Pigmentflekken auf dem Nasenspiegel und blaue Schnurrhaare sind fehlerhaft, eine weiße Schwanzspitze schließt ein ↑ CAC aus. C.farbene Katzen werden aufgrund dieser Standardbeschreibung, die das Wunschbild wiedergibt, zu den ↑ Einfarbigen gerechnet, obwohl sie durch die Spezifik von ↑ Orange stets mehr oder weniger deutliche Tabbyzeichnung aufweisen. C. ist die

↑ Verdünnung von ↑ Rot. Von einer Verpaarung beider Farben ist angesichts der unterschiedlichen Modifikatorengruppen (↑ Modifikation) abzuraten. Die Genkonstruktion der C.farbenen wäre für weibliche Tiere C– dd OO, für männliche C– dd O (vgl. Geschlechtschromosomen, Epistasie), wobei O für Orange, dd für Verdünnung und C für ↑ Vollpigmentierung stehen und ll für ↑ Langhaar bzw. L– für Kurzhaar hinzugefügt werden können.
Aufgrund des X-chromosomalen ↑ Erbganges von Orange fallen weibliche C. nur, wenn das väterliche und das mütterliche Elterntier je ein X-Chromosom vererben können, das Orange trägt, d. h., der Vater muß Rot oder C., die Mutter eine ↑ Schildpatt oder eine Blauschildpatt sein. Aus der Verpaarung einer weiblichen C. mit einem blauen Kater fallen Blauschildpatt und männliche C., aus der Verpaarung C.kater mit einer blauen Katze Blau-C. und männliche Blaue. Die männlichen Jungtiere dieser Paarungen tragen also stets die Farbe der Mutter: c., wenn die Mutter c. ist, oder blau, wenn die Mutter ein blaues Haarkleid hat.
C.farbene männliche Tiere können nicht aus der Verpaarung c.farbener Kater mal blaue Katze hervorgehen, da das männliche Tier das geschlechtsbestimmende Y-Chromosom vererbt und die Mutter das X-Chromosom, auf dem, da sie ein blaues Fell hat, kein Orange liegen kann (↑ Epistasie). Weibliche Tiere mit einem heterozygot besetzten ↑ Genort für Orange (Oo) sind Blauschildpatt.
Unter Berücksichtigung der verschiedenen Paarungsergebnisse können c.farbene Katzen mit Blauen, Blue-Smoke (↑ Smoke), Blau/Weißen und C./Weißen (↑ Bi-Colour), C.-Smoke und C.-Cameo-Shaded (↑ Cameo) verpaart werden, c.farbene Kater darüber hinaus mit Blauschildpatt, Blauschildpatt und Weiß (↑ Tri-Colour) und den verdünnten ↑ Tortie-Cameos. Tab.
C.farbene ↑ Angora wurden in Großbritannien zuerst unter der Bezeichung „light fawn“ [engl., hellbeige] erwähnt. Ihre stumpfe, oft ins Rotbraun gehende Färbung hatte kaum Ähnlichkeit mit den heutigen C. Persern. Erste Belege verweisen auf einen Kater namens *Cupid Bassanio* im Jahre 1890. C. gehört zu den ältesten ↑ Varietäten; die ↑ Britisch Kurzhaar und die ↑ Exotic Kurzhaar dieser Färbung gehen auf Persereinkreuzungen zurück. Tafeln 2, 39.

Übersicht der zu erwartenden Nachkommen bei Paarungen mit cremefarbenen Tieren

Verpaarung		Nachkommen	
Kater	Katze	Kater	Katzen
Creme	Blau	Blau	Blauschildpatt
Creme	Blau-Schildpatt	Creme, Blau	Blauschildpatt, Blau
Blau	Creme	Creme	Blauschildpatt

Creme-Cameo-Tabby ↑ Cameo.
Creme-Gestromt ↑ Gestromt.
Creme-Getigert: 1. ↑ Getigert. – **2.** ↑ Orange.
Creme-Getupft: 1. ↑ Getupft. – **2.** ↑ Orange.
Creme-Point: anerkannte ↑ Abzeichenfarbe mit der Genkonstruktion c^sc^s dd O(O). Die ↑ Abzeichen sind pastellcreme gefärbt und von weitem kaum am cremeweißen Körper wahrnehmbar. Der ↑ Nasenspiegel und die ↑ Fußballen sind rosa. Leichte Streifen am Kopf, am Schwanz und/oder an den Beinen sind nicht als schwerwiegende Fehler zu bewerten (vgl. einfarbig). Pigmentflecke an Nase, Lippen, den Augenlidern, Ohren und Fußballen sind fehlerhaft. Die ↑ Augenfarbe aller C. ist blau. C. ist die ↑ Verdünnung von ↑ Red-

Point und entsteht nur, wenn beide Elternteile das auf dem ↑ Geschlechtschromosom X liegende ↑ Gen für ↑ Orange und den ↑ Maskenfaktor tragen. Ob sie im Besitz des dominanten Wildtypallels A– (Agouti, ↑ Epistasie) sind, ist ihnen phänotypisch nicht anzusehen. Eine eindeutige Trennung von den Creme-Tabby-Point (↑ Tabby-Point) ist nur in den seltensten Fällen möglich. Die ↑ Varietät wurde Mitte der 60er Jahre bei den ↑ Siam, ein Jahrzehnt später bei den ↑ Colourpoint anerkannt, ist aber kaum auf Ausstellungen zu sehen. Tafel 42.

Creme-Shaded-Cameo ↑ Cameo.

Creme-Shell-Cameo ↑ Cameo.

Creme-Smoke ↑ Cameo.

Creme-Tabby-Point ↑ Tabby-Point.

Creme/Weiß ↑ Bi-Colour.

Crossing over [engl., Überkreuz-Austausch]: Mechanismus der zur ↑ genetischen Rekombination innerhalb eines

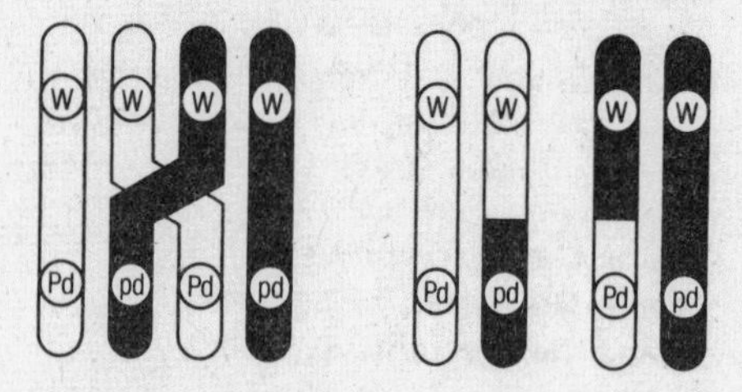

Crossing-over-Hypothese im Zwei-Genort-Rekombinationsversuch von *Todd* (1967) mit den Genorten für dominantes Weiß W und Polydaktylie Pd

homologen Chromosomenpaares, d. h. zur Umverteilung gekoppelter Gene (Genkopplung), führt. C. o. ist in der Keimzellreihe (↑ Gameten, ↑ Meiose) und bei der Teilung von Körperzellen (mitotisches oder somatisches C. o.) möglich. Es handelt sich um einen reziproken Austausch von Chromosomenabschnitten nach Brüchen, die an den Überkreuzungsstellen der ↑ Chromatiden (↑ Chiasma) stattfinden, und eine Wiedervereinigung der Bruchstücke über Kreuz (Abb.). Durch C. o. entstandene Rekombinanten können mit Hilfe der Rückkreuzungsmethode aufgefunden werden (Kopplungsanalyse).

Nach dieser Hypothese müßten bei Mischlingen mit ungleich langen Chromosomen nach C. o. eine lange und eine kurze Chromatide gepaart sein. Derartige Kombinationen wurden jedoch bisher nicht beobachtet, weshalb man heute mehr zur Chiasmatypie-Hypothese neigt, nach der zuerst Bruch und Fusion erfolgen und das Chiasma das Ergebnis eines zuvor abgelaufenen Chromosomenstückaustausches ist.

Cymric, *Kymrische Katze* [engl. cymric = kymrisch, walisisch]: Bezeichnung für eine halblanghaarige Manx. Der Name C. steht in keiner Beziehung zur Herkunft dieser Tiere, sondern stellt eine gedankliche Assoziation zur ↑ Manx dar. Gegen Ende der 60er Jahre tauchten in den USA in einigen Würfen von Manxkatzen längerhaarige Jungtiere (ll Mm) auf. Das Gen für ↑ Langhaar ist wahrscheinlich durch die Kreuzungen mit ↑ Amerikanisch Kurzhaar in diese Zucht gelangt. C. sind ebenso wie die Manx mit Schwanzlosigkeit behaftet. Ihre Zucht beruht auf einem ↑ Letalfehler und stellt eine Perversion züchterischer Ambitionen dar. Abb.

Cymric

D

Dämmerungssehen ↑ Auge.
Darm ↑ Verdauungsorgane.
Dauermodifikation ↑ matrokline Vererbung.
Dauerrolle: 1. ↑ Rolligkeit. **2.** ↑ Gebärmutterentzündung.
Daumenabdruck ↑ Wildfleck.
Daunenhaare ↑ Haar.
DDT ↑ Vergiftungen.
Deckhaare ↑ Haar.
Deckkater: zu Zuchtzwecken gehaltene männliche ↑ Rassekatze. Aufgrund der Geruchsbelästigung (↑ Duftmarkieren, ↑ Unsauberkeit) und nicht zuletzt, um ungezielte Verpaarungen zu vermeiden, sind spezielle Haltungsbedingungen für einen D. erforderlich: ein gesondertes Abteil in einem ↑ Zwinger, ein ↑ Kratzbaum, ↑ Auslauf usw. Ist die D.haltung nur materiell begründet, werden diese Ansprüche an die ↑ Umwelt nur selten erfüllt, ↑ Hygienemaßnahmen nicht beachtet und totale Isolation, Bewegungsarmut (↑ Stereotypien), mangelnde Pflege (↑ Fellpflege, ↑ Körperpflege) sind die Folgen. Wer D. hält, muß dann auch für entsprechende ↑ Mensch-Tier-Beziehungen und Haltungsbedingungen Sorge tragen, um ↑ Verhaltensstörungen vorzubeugen, eine höhere sexuelle Potenz und einen optimalen Deckerfolg zu erreichen. Zu beachten ist ebenfalls eine entsprechende ↑ Ernährung.
Die ↑ Geschlechtsreife des Katers tritt mit acht bis zwölf Monaten ein und die Jungtierentwicklung ist damit abgeschlossen. Hormonell bedingt wird der Funktionskreis des ↑ Sexualverhaltens erschlossen (↑ Sozialstatus). Bevor männliche Tiere jedoch zur Zucht eingesetzt werden, sollten das Körperwachstum abgeschlossen und die ↑ Geschlechtsorgane voll ausgereift sein, damit sie befruchtungsfähige Spermien produzieren. In der Regel kann ein Kater erst mit 18 Monaten bis zwei Jahren erfolgreich und ohne Schaden für die eigene Gesundheit zum Decken eingesetzt werden.
Ein D. sollte mit größter Sorgfalt ausgewählt werden. Die einzelnen Verbände veröffentlichen jährlich ein *D.verzeichnis.* Die darin aufgeführten Tiere müssen einmal erfolgreich gedeckt und als Bewertung ein „Vorzüglich“ erhalten haben. Unabhängig von dem jeweiligen ↑ Phänotyp sollten auch der ↑ Genotyp des D. und der von ihm gezeugte Nachwuchs beachtet werden.
Katzen sollten niemals per Expreßgut verschickt, sondern stets vom Züchter selbst zum D. gebracht werden, denn nur so kann sich der Züchter von den Haltungsbedingungen des D. überzeugen. D.besitzer haben das Recht, die Papiere der betreffenden Katze einzusehen, kranke Tiere abzulehnen und bei der Annahme die Katze auf eventuellen Parasitenbefall (↑ Parasitosen) zu kontrollieren. Sie haben aber auch die Pflicht darüber zu berichten, ob und wie oft die Katze eingedeckt wurde; nicht nur für die korrekte Ausstellung des Deckscheins, sondern auch für die Errechnung des wahrscheinlichen Wurftermins (↑ Trächtigkeit) ist die Kontrolle der Deckakte notwendig.
Die D. sollten nicht nur aus Zweckmäßigkeitsgründen in gesonderten Räumen oder in Zwingerabteilen untergebracht werden. Rangordnungskämpfe (↑ Rangordnung) spielen bei mehreren auf engem Raum gehaltenen D. eine

größere Rolle, als gemeinhin bei gemeinsam gehaltenen weiblichen Tieren (↑ Revierverhalten). Die oft geübte Praxis, nicht mehr für die eigene Zucht nützliche D. an Anfänger weiterzuverkaufen, ist moralisch nicht zu vertreten. Solche Tiere sollten kastriert und an Liebhaber verkauft werden (↑ Kastration). Kater, die aus Altersgründen nicht mehr eingesetzt werden können, sollten ihr Gnadenbrot auch von dem Züchter erhalten, zu dessem guten Ruf sie ein Stück beigetragen haben.

Defäkation, *Koten*: Verhaltensweisen zum Absetzen von Stoffwechselendprodukten mit mehr oder weniger fester Konsistenz aus dem Enddarm (vgl. Verdauung, Verdauungsorgane). Der Kot wird von Katzen in hockender Haltung abgesetzt. Die Körpermasse wird mit eingeknickten Hinterbeinen nach vorn verlagert. Der Rücken ist gewölbt und das Gesäß angehoben. Der Schwanz wird von der Katze steif nach hinten gestreckt oder etwas eingerollt. Die ↑ Hauskatze sucht zur D. einen möglichst lockeren Untergrund auf und scharrt eine flache Grube aus, in die Kot oder auch Harn abgegeben werden. Im Verlaufe der D. ist die Aufmerksamkeit gegenüber der Umwelt stark herabgesetzt. Beobachtungen von *Leyhausen* (1956) zeigten, daß beim Fehlen eines lockeren Substrates zwar das Scharren einer Grube vor dem Koten unterbleibt, jedoch nach dem Koten regelmäßig versucht wird, die Exkremente zu bedecken. Dieser Reiz wird sichtlich durch Beschnuppern der Ausscheidungen ausgelöst. Bemerken Katzen zufällig den Kot anderer Artgenossen, bedecken sie ihn ebenfalls reflexartig. Um ↑ Unsauberkeit vorzubeugen, müssen der Katze sowohl Einstreumaterial zum Ausführen von Scharrbewegungen als auch das Ausführen einer ungestörten D. in einer aufgestellten ‚Katzentoilette‘ eingeräumt werden. Wenn Kot zum ↑ Duftmarkieren verwendet wird, wird er nicht mit Sand bedeckt. Für den Katzenhalter ist es wichtig zu wissen, daß die Farbe, die Konsistenz und der Geruch der Ausscheidungsprodukte zur Feststellung von ↑ Krankheitszeichen genutzt werden können.

Defektmißbildung ↑ Mißbildung.

Defektmutation: 1. ↑ Mutation. – **2.** ↑ Letalfehler. – **3.** ↑ Erbkrankheiten.

Defektzuchten: 1. ↑ Erbfehler. – **2.** ↑ Manx. – **3.** ↑ Nacktkatze.

deplaziertes Verhalten ↑ Übersprungverhalten.

Dermatosparaxie [griech. Hautüberdehnbarkeit und -brüchigkeit]: erbliche Überdehnbarkeit und Brüchigkeit (Rissigkeit) der Haut. Die Haut der Merkmalträger ist sehr dehnbar und läßt sich leicht in Falten ziehen. Bei geringsten Traumen kommt es zu Gewebetrennungen und -rissen. Während sich die lumbosakrale Hautfalte (eine längs der Wirbelsäule beim Aufheben der Tiere entstehende Falte) bei gesunden Katzen nicht mehr als auf 15% der Körperlänge dehnen läßt (Dehnungsindex nach *Patterson*, 1979), läßt sie sich bei Merkmalträgern bis auf 25% der Körperlänge (Schwanzwurzel–Brustbeinvorderkante) ohne Schmerzäußerung ausziehen. Die Krankheit wird im zweiten Lebensmonat anhand der Verletzungen nach Balgereien auffällig. Elektronenmikroskopisch läßt sich eine Störung im Richtungsverlauf und in der Stärke der kollagenen Fasern feststellen [engl. collagen disease]. Der Defekt wird bei der Himalayan (↑ Colourpoint) einfach autosomal rezessiv vererbt. Es handelt sich um die Mutation eines Gens, das die Primärstruktur einer Kollagenpolypeptidkette codiert (*Patterson/Minor*, 1977). Die Krankheit ähnelt dem Ehlers-Danlos-Syndrom, Typ I, des Menschen. Bei der Kurzhaar-Hauskatze wurde ein ähnlicher Defekt als kutane Asthenie mit einem einfach autosomal dominanten Erbgang beschrieben. Als Schutz vor Verletzungen wurde eine Krallenamputation (↑ Krallen) empfohlen, was die Ursache nicht beseitigt und auch aus Gründen des Tierschutzes zu beanstanden ist. Genetisch-metaphylaktische Maßnahmen bleiben erforderlich.

Desinfektion, *Entseuchung*: Behandlung von totem oder lebendem Material, damit es nicht mehr infizierend wirken kann. Mit entsprechenden Mitteln (D.smitteln) oder Verfahren (Kochen u. ä.) werden pathogene (Krankheiten verursachende) Mikroorganismen, wie Viren, Bakterien, Pilze, abgetötet. Eine Infektionsquelle wird so unschädlich gemacht bzw. eine Infektionskette wird unterbrochen und eine weitere Verschleppung von Krankheitserregern ist nicht mehr möglich. Dauerformen von Mikroorganismen, wie Bakterien- und Schimmelpilzsporen, werden durch eine D. allerdings kaum abgetötet.
Eine D. kann staatlich angeordnet werden, z. B. beim Auftreten meldepflichtiger Tierkrankheiten wie der Tollwut (↑ Zoonosen), oder auch für die Durchführung von Ausstellungen oder anderen Veranstaltungen mit Tieren in Form von Käfig-D., D.smatten usw. Im eigenen Haushalt oder im ↑ Zwinger bleibt die D. meist der Initiative des Tierhalters überlassen. Werden mehrere Katzen auf begrenztem Raum gehalten, sollten im Abstand von etwa vier Wochen alle genutzten Gegenstände, wie Futternäpfe, Trinkgefäße, Katzentoiletten, Kratzbrett, Körbe, Lagerstätten usw., desinfiziert werden. Da anhaftender Schmutz, wie Eiweiß- und Fettreste, die Wirkung von D.smitteln einschränkt oder gar unterbindet, sind grundsätzlich vor jeder D. alle Gegenstände und Plätze gründlich zu reinigen. Erst nach dem Abtrocknen kann desinfiziert werden. Textilien sollten ausgekocht werden, da einige D.smittel verfärbend oder zersetzend wirken. Gleichzeitig werden so eventuell vorhandene Eier oder Larven von Parasiten (↑ Parasitosen) mit abgetötet.
Neben diesen regelmäßigen D.smaßnahmen muß bei bestimmten Situationen zum Schutz der anderen Tiere desinfiziert werden:
- während und nach überstandenen ↑ Infektionskrankheiten,
- nach dem Tod einer Katze als Folge einer infektiösen Erkrankung,
- bei unbekannter Todesursache,
- beim Tierwechsel durch Kauf, in Katzenpensionen, bei Deckkaterhaltung.

Derartige D.en schließen den gesamten Raum einschließlich Inventar ein. Bei der Wahl der D.smittel (Tab.) sind zu berücksichtigen:
- die Temperaturverhältnisse, insbesondere bei Anwendung in Zwingeranlagen; die meisten D.smittel wirken am besten bei +20°C und haben bei Temperaturen unter +10°C geringe oder gar keine Wirkung,
- Die Auswirkungen auf das zu desinfizierende Material (korrosiv, ätzend) und auf die Gesundheit der Tiere (ätzend, schleimhautreizend, ↑ Vergiftungen) während einer D.,
- der Anwendungsbereich und die Wirksamkeit. Nicht mit jedem D.smittel lassen sich alle Mikroorganismen abtöten; manche D.smittel sind z. B. nur für die Hände-D., weniger für eine Flächen-D. geeignet,
- die erforderliche Einwirkungszeit, in der Regel sind vier bis sechs Stunden erforderlich.

Auch eine regelmäßige D. kann die täglichen ↑ Hygienemaßnahmen nicht ersetzen, sondern sie nur ergänzen.

Desinfektionsmittel: 1. ↑ Desinfektion. – **2.** ↑ Vergiftungen.

Despot: Bezeichnung für das Spitzentier innerhalb einer ↑ Rangordnung, das oft auch *Alpha-Tier* genannt wird. Die-

Zusammenstellung von Desinfektionsmitteln

Wirkstoff	Handelsname	Anwendung/ Konzentration	Wirkungsspektrum	Nachteile	Bemerkungen
Formaldehyd	Fesia-form, Hydraform	3…5%ig	gegen Bakterien, Viren und Pilze	geringe Tiefenwirkung, Reizung der Schleimhäute, bei niedrigen Temperaturen unwirksam	4…6 Stunden Einwirkungszeit, Katzen reagieren auf die Dämpfe sehr empfindlich
Phenole und Kresole	Wofasept, Fesia-sept, Meleusol	3…5%ig	gegen Bakterien, Pilze und einige Viren sowie einige Parasiteneier und -larven, gute Tiefenwirkung	Phenole wirken korrosiver als Kresole, starker anhaltender Geruch	4…6 Stunden Einwirkungszeit, für Katzen hochgiftig, sie reagieren sehr empfindlich
Säuren (Peressigsäure)	Wofasteril	1…2%ig	gegen Bakterien, Pilze und Viren, relativ temperaturunabhängig	sehr korrosiv, bleicht Textilien, greift Beton u. ä. an. Eiweiß mindert die Wirkung; zersetzt sich schnell in verdünntem Zustand	10…30 min Einwirkungszeit
Laugen (Natriumhydroxid)	Natrolex, Natronlauge technisch	1…2%ig	gegen Bakterien und einige Viren, geringe Wirkung gegen Pilze, gute Tiefen- und Reinigungswirkung	korrosiv, greift Holz, Farbanstriche usw. an	etwa 4 Stunden Einwirkungszeit
Alkohol	Propanol Ethanol	40%ig 70%ig	gegen Bakterien, bestimmte Viren und Pilze		nur zur Hände- und Wunddesinfektion geeignet
Oxidationsmittel (Chlor- und Iodverbindungen, Wasserstoffperoxid, Kaliumpermanganat)		je nach Mittel 0,1…3%ig	gegen Viren, kurze oberflächliche Wirkung	*kein* Desinfektionsmittel	gut geeignet als mildes Antiseptikum bei der Wundbehandlung

ser im übertragenen Sinne gebrauchte Begriff ist für die ↑ Hauskatze wenig zutreffend, da deren Sozialstruktur nur relativen Charakter trägt. *Leyhausen* (1982) gibt an, daß rangniedere Katzen zwar meist freiwillig den Schlafplatz eines Spitzentieres räumen, aber von ihm nur selten vertrieben werden, wenn sie nicht freiwillig gehen.

Deutsche Rexkatze: 1. ↑ German Rex. – **2.** ↑ Rexkatzen.

Deutsch Langhaar: eine von *Schwangart* 1929 publizierte ↑ Rassebezeichnung, die eine langhaarige ↑ Rassekatze konzipiert, deren ↑ Körperbautyp nicht durch ↑ Selektion verändert werden sollte. Der Text des ↑ Standards beschreibt die D. L. wie folgt: „Stirn abgeschrägt, nicht vorgetrieben noch emporgewölbt in den Nasenrücken überfließend oder mit ganz kleiner Stufung in ihn überleitend (vgl. Stop, Schädel). Nasenrücken gestreckt; gerade oder leicht hakig. Die Figur darf etwas weniger gedrungen, die Bewegungsweise flüssiger sein als bei den Persern, der Schweif etwas länger“. *Schwangart* stellte die D. L. bewußt neben die ↑ Perser und schlug vor „in beiden Rassen ... gelten die gleichen Färbungs- und Zeichnungsgruppen.“

Die Schwangartschen Vorstellungen stießen seinerzeit kaum auf Resonanz. Seit Mitte der 70er Jahre jedoch beleben nach und nach Rassen wie die ↑ Maine Coon, die ↑ Türkisch Angora, die ↑ Norwegische Waldkatze und die ↑ Sibirische Waldkatze die Szene, deren Züchtung erklärtermaßen auf die Erhaltung natürlicher Körpermerkmale gerichtet ist. Obwohl die Standardbeschreibungen durch die Uneinheitlichkeit in der Wortwahl und vor allem in den beschriebenen Merkmalen abweichend sind, handelt es sich im Grunde nur um eine geringe ↑ phänotypische Variation einer längerhaarigen freilaufenden ↑ Hauskatze, die geografisch unterschiedlich angesiedelten ↑ Populationen entnommen und zur ↑ Rasse erhoben wurde.

Die Zuchtregeln müßten eigentlich die Zusammenfassung dieser Rassen und die Festlegung einer einheitlichen Rassebezeichnung gebieten (nach dem Prinzip des Erstentdeckers wäre sie dann D. L.), da die früher oder später betriebene ↑ Inzucht das gesteckte Zuchtziel (Urwüchsigkeit, Robustheit usw.) infolge ↑ Inzuchtdepression ad absurdum führen muß. „International Longhair“, könnte als wohlklingende Rassebezeichnung eine Kompromißlösung darstellen.

Devon Rex: zur Gruppe der ↑ Kurzhaar gehörende ↑ Rassekatze. Die D. R. hat einen sehr festen, muskulösen Körper von mittlerer Größe. Die langen, schlanken Beine sind am Körperansatz leicht gebogen und haben kleine, ovale Füße. Die Brust ist breit, der Hals lang und schlank. Der Kopf hat die Form eines kurzen stumpfen Keils und weist hervorstehende Backenknochen, volle Wangen, eine kurze Schnauze mit einem kräftigen Kinn auf. Die Nase hat einen ausgeprägten ↑ Stop, die Stirn ist zu einem flachen Schädel zurückgebogen. Die Ohren wirken im Verhältnis zum Kopf extrem groß, sind sehr breit am Ansatz und äußerst tief angesetzt. Die Augen sind groß, mandelförmig, weit auseinanderstehend und sollen in der Färbung rein, einheitlich und leuchtend sein. Das rassebildende Merkmal der D. R. ist neben ihrem spezifischen Körperbautyp das Fell. Es ist sehr kurz, fein, wellig und weich. Die Schnurrhaare und die Augenbrauen sollen ziemlich kräftig, gekräuselt und von mittlerer Länge sein. Der lange, dünne und zugespitzte Schwanz ist mit kurzem Haar dicht besetzt. Alle Fellfarben sind erlaubt. Ein nicht gewelltes oder struppiges Fell, kleine oder hoch angesetzte Ohren, ein kurzer, nackter oder buschiger Schwanz, ein länglicher oder runder Kopf und ein gedrungener Körperbau sind Fehler. Unbehaarte Körperstellen werden bei Jungtieren toleriert, bei Erwachsenen jedoch als schwerer Fehler gewertet. Viele D. R. weisen an den unteren Körperteilen nur eine flaumige Behaarung auf. Tiere mit einer vollen Behaarung werden bevorzugt.

In dem kleinen Ort Buckfastleigh (Devonshire, Großbritannien), hatte sich eine Einwohnerin einer streunenden schildpatt-weißen Katze angenommen und sich 1960 aus einem ihrer Würfe ein auffällig gelocktes, blaues Katerchen als Stubenkatze (vgl. Sozialstatus) zurückbehalten, genau in dem Jahr, als nach einer Londoner Ausstellung die ersten Bilder von ↑ Rexkatzen durch die britische Presse gingen. Sie wandte sich also an den betreffenden Züchter, der sie schließlich überzeugen konnte, das Katerchen, genannt *Kirlee*, abzutreten. *Kirlee* sollte die Zuchtbasis der Rexzucht erweitern und eine Blutauffrischung bringen (↑ Blutanteillehre). Er wurde also mehrmals mit den verschiedenen Rexkatzen des *Briarry-Zwingers* gepaart, aber die Nachzucht war stets glatthaarig. Somit war erwiesen, daß es sich zwar um eine gleiche Merkmalbildung, aber um verschiedene Gene handeln mußte (↑ mimetische Gene). Als *Kirlee* aber dann mit seinen glatthaarigen Töchtern gepaart wurde, fielen gelockte Katzen, die ihrerseits nur noch durch Rückpaarungen auf das vermutete Gen (zuerst Gen 1 und Gen 2, später Cornish- und Devon-Gen genannt) voneinander zu trennen waren. *Kirlee*, der Stammvater der D. R., unterschied sich in seinem Äußeren beträchtlich von *Kallibunker*, dem Stammvater der ↑ Cornish Rex. Durch die Devon-Cornish-Rex-Paarungen waren beide Typen äußerlich bei den Nachkommen kaum voneinander zu trennen. Nach dem Vorbild von *Kirlee* und *Kallibunker* wurde

Devon Rex

1959 ein Standard für beide Rassen erstellt und als der ↑ GCCF 1967 die D. R. und die Cornish Rex mit dem ausdrücklichen Verbot, beide Rassen zu kreuzen, anerkannte, waren nicht nur die vier geforderten Reinzuchtgenerationen, sondern auch die vom ↑ Standard festgelegten phänotypischen Merkmale herausgezüchtet worden.

Wie auch in der Cornish-Rex-Zucht wurde nach züchterischer Trennung beider Rassen *Kirlee* mit ↑ Burma und ↑ Britisch Kurzhaar gekreuzt, und neben der notwendigen breiten Zuchtbasis entstanden D. R. in den verschiedensten Farben.

In den USA, wo die D. R. mit ↑ Oregon, Cornish und ↑ German Rex vermischt wurden, erhielt sie die Anerkennung als eigenständige ↑ Rasse erst im Jahre 1979. Bis dahin kannte man nur einen genotypischen Mischling als ↑ Rexkatze.

Die Zucht der D. R. ist nicht erbfehlerfrei. Eine besondere Rolle spielen das ↑ spastische Syndrom, die ↑ Osteogenesis imperfecta (flatchested Devons), die Patellaluxation, die ↑ Hämophilie und die Hüftgelenkdysplasie (*Dowling*, 1985). Tafel 13. Abb.

Diallelie ↑ multiple Allelie.
Diarrhoe ↑ Durchfall.
dihybrider Erbgang: 1. ↑ Oligogenie. – **2.** genetische Rekombination.
Dilute-Calico ↑ Tri-Colour.
Dilution-Faktor ↑ Verdünnung.
Dilution-Modifikator: ↑ Modifikation des Gens für ↑ Verdünnung d durch ein von *Turner* (1974) mit M^d bezeichnetes Gen eines eigenen Genortes, das dominant epistatisch gegenüber d (↑ Epistasie), aber hypostatisch gegenüber D (Schwarz und Chocolate) ist:

BB (M^d) DD Schwarz	bb (M^d) DD Chocolate
BB (M^d) Dd Schwarz	bb (M^d) Dd Chocolate
BB (M^d) dd Fawn	bb (M^d) dd Fawn

Es erzeugt neben ↑ Chocolate und Cinnamon einen dritten Braunton, der als Milchkaffeeton beschrieben wird.
Die Wirkung eines dominanten Modifikators ist am Auftreten unterschiedlicher Paarungstypen in der Population zu erkennen. Fehlt der Modifikator überhaupt, treten bei einem einfach autosomal rezessiven Erbgang Familien mit einem genotypischen Spaltungsverhältnis von 1:2:1 und einem phänotypischen von 3:1 auf. Ist ein Elternteil heterozygot, ändert es sich in 7:1 (Abb.), sind beide heterozygot, in 15:1.
diploid ↑ Chromosomensatz.
disassortative Paarung ↑ Ausgleichspaarung.
Disqualifikation: der Ausschluß einer Katze von einem Schönheitswettbewerb, d. h., auf Ausstellungen wird ein Richterurteil abgelehnt. Auf dem Bewertungsbogen werden die Tatsache der D. und der Grund aufgeführt. Zur D. führen prinzipiell: ↑ Taubheit, ↑ Zwergwuchs, ↑ Polydaktylie, ↑ Trächtigkeit nach der vierten Woche, Amputation der ↑ Krallen, Manipulation (gefärbtes, beschnittenes, rasiertes Fell), Flecken die größer als 1 cm im Durchmesser sind und für die betreffende ↑ Rasse durch den ↑ Standard nicht gefordert werden und alle weißen Flecken bei nichtgescheckten Tieren (vgl. Scheckung). Disqualifiziert werden ebenfalls stark gepuderte (↑ Fellpflege), aggressive (↑ Aggressionsverhalten), gedopte, blinde (↑ Progressive Retina-Atrophie) und schielende Katzen (↑ Schielen).
Distanzregulation: Mechanismus zur Gewährleistung der räumlichen Umweltansprüche (↑ Umwelt) einer Tierart. Die D. wird durch Prozesse der ↑ Biokommunikation realisiert und wesentlich durch die ↑ Individualdistanz (innerartlich) und die Fluchtdistanz (zwischenartlich, ↑ Fluchtverhalten) bestimmt. Generell lassen sich zwei Mechanismen der D. unterscheiden (*Tembrock* et al., 1978): distanzvermindernde (affine) Systeme und distanzvergrößernde (diffuge) Systeme. Die Distanzen zwischen den Individuen ändern sich je nach Verhaltenssituation (↑ Sexualverhalten, ↑ Mutter-Kind-Bindung, ↑ agonistisches Verhalten).
Distanztypen ↑ Individualdistanz.
DNA ↑ Gen.
Domestic Shorthair ↑ American Shorthair.
Domestikation, *Haustierwerdung*: aktive, bewußte und zielgerichtete Züchtung von Tieren in Menschenobhut durch künstliche Zuchtwahl und somit herabgesetzter Wirkung der natürlichen ↑ Selektion (↑ Populationsgenetik). Die Zielstellung der Selektionsprinzipien kann wirtschaftlichen Leistungskriterien (schnelles Wachstum, hohe Milch- oder Eiproduktion, gute „Spürnase" u. a.) oder ästhetisch-kulturellen Gesichtspunkten (↑ Mensch-Tier-Beziehungen, Kindchenschema, religiöse Verehrung) untergeordnet sein. Dabei gewinnt der Mensch einen immer größer werdenden Nutzen, führt jedoch das domestizierte Tier in eine immer größere Abhängigkeit. Das domestizierte Tier unterscheidet sich in einer Vielzahl von

anatomischen, physiologischen und Verhaltensmerkmalen von seiner wildlebenden Stammform (↑ Individualdistanz, ↑ Hirnschädelkapazität). Die D. ist eine bewußte Leistung des Menschen und kann in diesem Sinne als ein großartiges biologisches Experiment betrachtet werden, das in der Periode der Jungsteinzeit seinen Anfang nahm (*Herre/Röhrs*, 1977). Nach *Pethes* (1985) kann man heute wenigstens drei Kategorien von Haustieren unterscheiden:

- in landwirtschaftlichen Großanlagen gehaltene Nutztiere (Massenzuchttiere, wie Legehennen und Milchkühe),
- Nutztiere, zu denen der Halter eine persönliche Beziehung besitzt (Reitpferde und Tiere in bäuerlicher Einzelhaltung),
- ↑ Heimtiere (Hund, Katze, Ziervögel und -fische).

Über die Herkunft und D. der ↑ Hauskatze ist in der Vergangenheit viel spekuliert worden (*Petzsch*, 1968). Katzen wurden schon im späten 6. und frühen 5. Jahrtausend v. u. Z. in Jordanien, bereits im 3. Jahrtausend v. u. Z. im Südirak und zwischen 2500 und 2000 v. u. Z. in Ägypten unter menschlicher Obhut gehalten (*Brentjes*, 1975). Dabei hat es sich mit großer Sicherheit nur um gezähmte ↑ Falbkatzen gehandelt, die durch einen Abbau der ↑ Fluchtdistanz in der Nähe des Menschen lebten (↑ Zahmheit). Die Stammart der Hauskatze besaß eine Reihe von Verhaltensmerkmalen, die es ihr ermöglichten, die ökologische Nische erfolgreich zu nutzen, die durch den Übergang des Menschen zur seßhaften Lebensweise verbunden mit einem intensiven Getreideanbau und der daraus resultierenden Schadnagerkonzentration entstanden war. Die Falbkatze zeigt, wie auch heute lebende Hauskatzen, eine hohe individuelle Plastizität (↑ Individualität) im Verhalten und konnte sich, wie auch andere Kulturfolger (↑ Erkundungsverhalten) schnell den neuen Bedingungen anpassen. Sie war in der Lage, ihr ↑ Sozialverhalten so zu modifizieren, daß sie bei entsprechendem Nahrungsangebot auch als Gruppentier leben konnte. Der Mensch wurde in diesem Prozeß nicht im Sinne des Domestizierenden wirksam, sondern schuf nur die Voraussetzungen für den Übergang der Katze zu einer neuen Lebensform und für ihre Ausbreitung. Bereits *Charles Darwin* bemerkte in seinem 1859 erstmals erschienenen epochemachenden Werk „Die Entstehung der Arten durch natürliche Zuchtwahl“: „Katzen lassen sich dagegen wegen ihrer nächtlichen Streifereien nur schwer paaren; man sieht daher auch, so beliebt sie bei Frauen und Kindern sind, selten eine neue Rasse aufkommen, ... Obgleich ich nicht bezweifle, daß einige Haustiere weniger variieren als andere, glaube ich doch die Seltenheit oder das Fehlen unterschiedlicher Rassen bei Katzen, ... usw. hauptsächlich darauf zurückführen zu dürfen, daß bei ihnen keine Zuchtwahl zur Anwendung kam ...“ (*Darwin*, 1984, S. 52/53). Diese Bemerkung und auch die heute noch für die überwiegende Zahl der Hauskatzenindividuen zutreffende freie Wahl des Geschlechtspartners (↑ Sexualverhalten, ↑ Sozialstatus) sowie das Fehlen limitierender Feinde in vielen Verbreitungsgebieten der Hauskatze, läßt berechtigte Zweifel an einer D. der Katze aufkommen. Von echter D. kann erst seit Beginn der planmäßigen Rassekatzenzucht vor etwa 150 Jahren für einen Teil der Individuen gesprochen werden. Es scheint vielmehr angebracht, bei der Katze den Vorstellungen von *Leyhausen* (1984, 1985) zu folgen und von ↑ Selbstdomestikation zu sprechen.

dominantes Weiß: anerkannter Farbschlag bei vielen ↑ Rassen. Das Haarkleid der reinweißen Katzen soll ohne jegliche Farbschattierung sein. Das d. W. ist bei ↑ Persern, ↑ Exotic Kurzhaar, ↑ Britisch Kurzhaar und ↑ Europäisch Kurzhaar in drei ↑ Varietäten anerkannt, die auf unterschiedlicher Augenfärbung beruhen: blaue oder orange- bis kupferfarbene Augen sowie zweifarbige Augen, d.h. ein Auge ist blau, das andere orangefarben [engl. odd eyes] (↑ Irisheterochromie). Vorgeschrieben sind einheitlich dunkelblaue, dunkelorange bis kupferfarbene Augen oder ein Auge einheitlich dunkelorange bis kupferfarben und das andere dunkelblau. Bei Jungtieren werden die gelegentlich auf dem Kopf auftretenden Farbflecke nicht bestraft, da diese mit steigendem Lebensalter verschwinden.

Das d.W. ist streng von dem rezessiven Weiß, dem albinotischen Weiß (↑ Albinismus), zu unterscheiden. Es beruht auf Pigmentmangel (↑ Leuzismus) des Haarkleides. Die Störung geht auf eine Fehlentwicklung von Strukturen der frühembryonalen Neuralleiste, Entwicklungsstörungen der sich differenzierenden Zellreihen oder auf Störungen der Migration (Wanderung) der Neuroblasten und Melanoblasten zurück (↑ Melanin).

Withing (1918) nahm zunächst an, daß das ↑ Gen für das d. W. ein ↑ Allel am ↑ Genort für Scheckung ist. *Searle* (1968) dagegen differenzierte zwei Genorte, den für ↑ Scheckung und den für das d.W., der die Allele W und w^+ aufzuweisen hat. *Bergsma/Brown* (1973) stellten W wiederum an die Spitze einer Allelserie (↑ multiple Allelie): $W^T > w^h > w^i > w^+$. Das d. W. (W^T, W-Total) wäre nach dieser Hypothese eine extreme Scheckung und dominant über w-high, w-low und den ↑ Wildtyp w^+, d.h. über starke und schwache Scheckung sowie über Nichtweiß. Nach einer anderen Hypothese liegen d.W. und Scheckung auf dem gleichen Gen gekoppelt vor (↑ Genkopplung).

Infolge pleiotroper Genwirkung (↑ Genwechselwirkungen) führt das d. W. im Zusammenhang mit den Migrationsstörungen vor allem bei homozygoter Besetzung des Genortes, d. h. Katzen mit blauen Augen, zur ↑ Taubheit. Katzen mit zweierlei Augenfarbe oder orangeäugige Tiere können ebenfalls taub sein, nur kommt das nicht ganz so häufig vor.

Das d. W. zeigt ↑ Epistasie gegenüber pigmenterzeugenden Erbanlagen, wobei die Augenpigmentierung erhalten bleibt. Es wurde als Modell zur Erforschung des Klein-Waardenburg-Syndroms des Menschen empfohlen.

Hinsichtlich der Merkmalbildung sollte beachtet werden, daß nicht alle blauäugigen Weißen taub sind, nicht alle Weißen mit orangefarbenen Augen hören und hörende blauäugige Elterntiere taube Jungen haben können. Nach *Robinson* (1977) handelt es sich beim Auftreten der blauäugigen und heterochromatischen weißen Tiere um unterschiedliche Manifestationsstärken des Gens W (↑ Expressivität).

Weiße mit blauen Augen kommen häufiger vor als solche mit zweierlei Augenfarbe. Die überwiegende Mehrheit der weißen Katzen mit blauen Augen wird homozygot (WW) sein. Aus Verpaarungen zweier Weißer mit blauen Augen können aber auch weiße Welpen mit orangefarbenen oder heterochromatischen Augen fallen. Eine ↑ Reinzucht von weißen Katzen mit blauen Augen ist schon aus diesem Grund kaum möglich und durch das vermehrte Auftreten von Taubheit überdies problematisch. Deshalb sollte man nach dem Vorbild der ↑ Foreign White eine Kombination von W– mit dem ↑ Maskenfaktor c^sc^s vornehmen und eine ↑ Verdrängungskreuzung betreiben. Das Endziel wäre die Genkonstruktion WWc^sc^s, wo-

bei Tiere mit eingeschränktem Hörvermögen unbedingt aus der Zucht genommen werden müssen.
Neben der Foreign White, deren blaue Augenfarbe auf der depigmentierenden Wirkung des Maskenfaktors beruht (↑ Akromelanismus), existiert als Neuschöpfung einer Zuchtrasse in d. W., die Russian White [engl., Russisch Weiß], eine ↑ Russisch Blau in weißem Haarkleid und natürlich mit grünen Augen. In einigen unabhängigen Zuchtverbänden sind weiße Perser mit blauen Augen und ↑ Chinchilla verpaart worden, was die Anerkennung von weißen Persern mit grünen Augen zur Folge hatte, ihr Genotyp ist (A–B–C–D–I–)W–. Eine Heterozygotenverpaarung (Ww) ergibt neben weißen auch nicht-weiße (ww) Katzen (↑ Pigmentierung). Alle Katzen mit d. W., die ein Züchtungsprogramm mitbestimmen sollen, müssen deshalb anhand ihrer Vorfahren (↑ Pedigree-Analyse, ↑ Kreuzungsdiagramm) auf Genotypzugehörigkeit (↑ Genkonstruktion) untersucht werden. Im Anpaarungsversuch mit pigmentierten Tieren liefern die heterozygoten 50% farbige Nachkommen (Tab.).

Anpaarung eines heterozygoten Katers an eine nicht-weiße Katze

♀ \ ♂	W	w
w	Ww	ww
w	Ww	ww

Es ist anzunehmen, daß die von Züchtern vertretene Auffassung, Jungtiere mit Kopfflecken haben den Genotyp Ww und solche, die während der juvenilen Entwicklungsphase niemals einen Kopffleck gezeigt haben, sind reinerbig WW, zutrifft. Ein Kriterium der Taubheit ist das Fehlen des Kopffleckes nicht. Die Taubheit gilt in einer geschützten Umwelt als erträgliches Handicap. Die Züchter sollten jedoch die potentiellen Käufer auf die anstehenden Probleme, insbesondere beim Zusammenleben mit anderen Katzen, hinweisen. Der soziale Kontakt wird durch die Taubheit häufig gestört, da. z. B. Drohlaute (↑ Lautgebung) bei allzu vertraulicher Annäherung oft zu spät wahrgenommen werden. Durch Lernen (↑ Lernverhalten) kann die Gehörschädigung teilweise kompensiert werden. Die Züchter sollten die Welpen über mehrere Wochen laufend auf Gehörentwicklung und Hörschäden untersuchen. Taube Katzen sind in der Regel auch schlechte Mütter, da sie das Fiepen der Welpen nicht wahrnehmen können (↑ Jungtierentwicklung, ↑ Mutterverhalten). In der Eingewöhnungsphase sollten taube Tiere vom neuen Besitzer durch besonders aufmerksame Zuwendung unterstützt werden. ↑ Auslauf bedeutet für solche Tiere meist den Tod. Andererseits sind sie an der Leine oder im Auto weniger schreckhaft. In der organisierten Rassekatzenzucht werden taube Katzen durch die Zuchtbestimmungen vieler Verbände von der Zucht ausgeschlossen.
Die in Europa schon seit mehreren Jahrhunderten bekannten weißen Perser, früher *Angora* genannt, sind für viele Menschen der Urbegriff der ↑ Rassekatze. Sie werden in ihrem ursprünglichen ↑ Phänotyp noch heute im Zoologischen Garten von Ankara gezüchtet, in den USA haben sie als ↑ Türkisch Angora einen eigenen Standard.
Katzen mit weißem Fell bedürfen einer besonders gründlichen ↑ Fellpflege. Vor Ausstellungen sind sie auf jeden Fall zu baden, denn jeglicher Gelbanflug wird als Fehler gewertet und ergibt Punktabzüge wegen mangelhafter Kondition.

Dominanz: 1. Wechselwirkung homologer Gene, d. h. der ↑ Allele eines Genor-

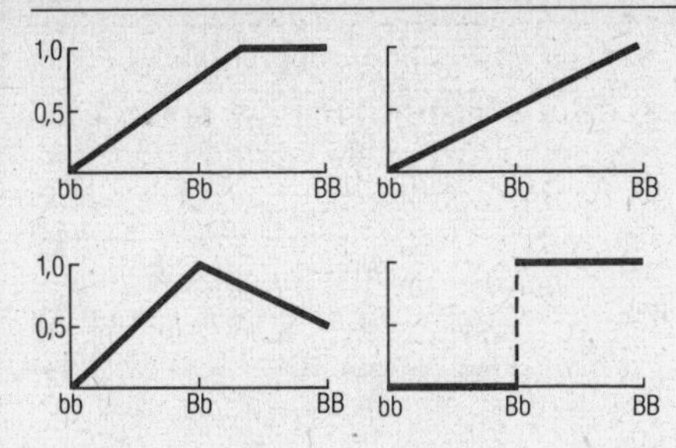

Genwirkung bei den Grundformen der Dominanz (Abszisse: Genotyp, Ordinate: Grad der phänotypischen Ausprägung)

tes (↑ Mendel-Regeln). Die Wirkung des herrschenden, sich ausprägenden Gens wird als dominant und die des teilweise oder völlig unterdrückten als rezessiv bezeichnet. Grundmuster der D. sind ↑ vollständige D. oder regelmäßige D. (Abb., oben rechts), unvollständige D. (oben links, im Beispiel als Semi-D. ausgewiesen), Über–D. (unten rechts) und Ko–D. (unten links).
2. ↑ Rangordnung.
Doppelbildung ↑ Mißbildung.
doppelhybrider Erbgang: 1. ↑ Oligogenie. – **2.** ↑ Mendel-Regeln.
Doppelnase, *doppeltes Schnurrhaarkissen:* Spaltung des Schnurrhaarkissens durch eine mediane Lippen-Kiefer-Gaumenspalte, von aktueller Bedeutung in der US-amerikanischen Burmazucht (↑ Burma, ↑ Brachyzephalie).
Doppelohren, *Mehrohrigkeit, vier Ohren* [engl. duplicated pinnae]: Auftreten eines kleinen Extrapaares von „Ohren" d. h. vier Ohrmuscheln, die unabhängig voneinander bewegt werden können. Die Störung ist erblich, der Erbgang einfach autosomal rezessiv. Am Genort liegen die beiden Allele Dp^+ und dp vor (*Little*, 1957). Neben der Ohrmuschelanomalie tritt eine geringgradige Unterkieferverkürzung auf. Der Kopf der kurzhaarigen Hauskatze zeigt eine „besondere Form". Wachstum und Größe der Tiere sind regulär. Sie sind jedoch relativ inaktiv (Lethargie). Möglicherweise liegen Gehirnfunktionsstörungen vor. Entsprechende Untersuchungen stehen noch aus. Auch der Basisdefekt ist unbekannt. Ein Nachkommenmangel zum Zeitpunkt der Geburt macht die Störung zum Semiletalfehler (↑ Letalfehler).
Dosenfutter: 1. ↑ Fertigfutter. – **2.** ↑ Ernährung.
Drahthaar [engl. wirehair]: dürftiges und brüchiges, drahtiges Haarkleid, grob im Griff. Das Fell macht einen rauhen und struppigen Eindruck. Alle drei Haararten sind von Veränderungen betroffen. Das Leithaar ist dünner als Normal und mehr gebogen. Das Grannenhaar ist ebenfalls verdünnt, hat aber noch die typische subapikale Schwellung und zeigt eine verstärkte Kräuselung. Es ist oft hirtenstabähnlich gebogen (Abb.). Die Kräuselung des Wollhaares ist ebenfalls verstärkt, aber sehr unregelmäßig (vgl. Haar).
D. ist eine Mutation des ↑ Normalhaares und wurde 1966 zum ersten Mal bei einer ↑ Hauskatze in den USA entdeckt. Das betreffende Tier bildete den Ausgangspunkt einer neuen Rasse, der

Drahthaar

↑ Amerikanisch Drahthaar. Der ↑ Erbgang dieser Defektmutation ist einfach autosomal dominant (↑ vollständige Dominanz). Am Genort sind zwei Allele anzutreffen: Wh und wh^+ (*Robinson*, 1972).

Drang ↑ Motivation.

Dressur: Sammelbezeichnung für die vom Menschen gesteuerten Lernvorgänge (↑ Lernverhalten), in deren Verlauf das Tier Verhaltensweisen vom Menschen übernimmt oder unter seiner Anleitung aufbaut. Dadurch wird der Zustand der Dressiertheit erreicht. Bei der Zirkus-D. und der Abrichtung domestizierter Tiere spielen die ↑ Mensch-Tier-Beziehungen eine ausschlaggebende Rolle. Diese Form der D., auch als *Dressage* bezeichnet, hat die persönliche Handlungsaufforderung durch die Bezugsperson zur Grundlage und enthält somit oft emotionelle Komponenten. *Hediger* (1979) unterscheidet drei Phasen der D.:

1. die Erzielung des Verständnisses für die verlangte Aufgabe,
2. die Überwindung der Hemmungen und Widerstände,
3. die Erzielung der körperlichen Anpassung an die Aufgabe.

Während bei der Zirkus-D. oft auf den Mechanismus der Distanzregulation zurückgegriffen wird (Auslösen von ↑ Fluchtverhalten oder ↑ Angriffsverhalten durch Ausnutzen der kritischen Distanz) rückt im Umgang mit ↑ Heimtieren der Kontakt zwischen Tier und Bezugsperson in den Mittelpunkt.

Katzen können durchaus leichter lernen als Hunde. *Brunner* (1976) vermerkt, daß Katzen manchmal geradezu „stolz" sind, erlernte Fähigkeiten vorzuführen. Doch zeigt die ↑ Hauskatze dieses Sich-Präsentieren z. B. auch im Zusammenhang des Beutezutragens, wobei es sichtlich zu einer Kopplung von ↑ Spielverhalten und ↑ Lernverhalten kommt. *Brunner* warnt bei der D. vor Überforderung und empfiehlt für tägliche Übungen eine Dauer von 10 bis 15 min. Für die Katzenhaltung ist die D. von nebensächlicher Bedeutung, sie kann jedoch bei der Aneignung von bestimmten täglichen Gewohnheiten (↑ Fellpflege) eine Rolle spielen; ebenso wenn es gilt, bestimmte Untugenden (↑ Unsauberkeit) zu überwinden.

Drohgesang ↑ Lautgebung.

Drohknurren ↑ Lautgebung.

Drohverhalten: Verhaltensweisen, mit denen die Rivalen, meist Artgenossen, eingeschüchtert bzw. vertrieben werden sollen und die dem ↑ agonistischen Verhalten zugeordnet werden. Je nach Reaktion des Gegners schließt sich an das D. ↑ Kampfverhalten oder ↑ Fluchtverhalten an.

D. ist zum überwiegenden Teil ↑ Ausdrucksverhalten, d. h. es werden optische Signale verwandt; bei intensivem D. können auch entsprechende akustische Signale (↑ Lautgebung) eingesetzt werden. Typischer Ausdruck des D. der Hauskatze ist der *Katzenbuckel*. Er ist die Folge einer Überlagerung der Verhaltenstendenzen Flucht, Abwehr und Angriff. Eine mit entsprechender ↑ Gestik und Mimik vorgehende Katze macht auch auf den menschlichen Beobachter eine bedrohlichen Eindruck. Läßt sich der Rivale oder auch ein Feind (z. B. Hund) nicht zur Flucht veranlassen und unterschreitet möglicherweise sogar die Fluchtdistanz der Katze, kann diese entweder schnell zum ↑ Angriffsverhalten übergehen oder flüchten. Unerfahrene Katzen versuchen meist zu fliehen. Nur wenige erfahrene Kater probieren einen Blitzangriff auf einen Hund, um ihn zu überrumpeln. Meist wagen sie dies jedoch nur dann, wenn sie selbst eine geeignete Fluchtmöglichkeit (Baum, Mauer) in der Nähe haben. D. kann eine ähnliche Aufgabe erfüllen, wie das ↑ Kampfverhalten, bedeutet aber für die Rivalen einen geringeren Energieaufwand und eine weniger große Gefährdung.

Duftmarkieren: Verhaltensweisen im Dienste der ↑ Chemokommunikation, die zum ↑ Markieren des eigenen und des Körpers von Sozialpartnern sowie zum Markieren des ↑ Reviers ausgeführt werden.

Bei ↑ Katzen wird mit Drüsensekreten (↑ Pheromon), Harn und Kot (↑ Defäkation, ↑ Miktion) markiert. Drüsensekrete werden z. B. beim *Wangenreiben*, für den Menschen geruchlich nicht wahrnehmbar, auch an den Beinen der Bezugsperson abgesetzt (*Corbett*, 1979). Harn wird in zweierlei Weise abgegeben (*De Boer*, 1977a; *Corbett*, 1979):

Beim einfachen Urinieren in Hockposition als sogenannter Exkretionsharn und beim *Spritzen* oder Harnspritzen als Spritzharn. Die zweite Form wird als ausgesprochenes Markierungsverhalten angesehen und wird von typischen, besonders häufig bei Katern zu beobachtenden Verhaltensweisen begleitet: Sie schieben sich rückwärts an einen senkrechten Gegenstand (Bäume, Zäune, Wände, Möbel) und besprühen diesen unter heftigem Zittern der Analgegend und des steil erhobenen Schwanzes mit einem dünnen Strahl (Abb.). Zuweilen wird anschließend auch der Kopf an der betroffenen Stelle gerieben und somit einparfümiert. Neue Untersuchungen von *Natoli* (1985a) bestärken die Vermutung, daß Spritzharn mit Pheromonen angereichert wird. Er wird sowohl von männlichen als auch von weiblichen Tieren länger beschnuppert und löst häufiger das ↑ Flehmen aus. Grundsätzlich spritzen jedoch bei freilaufenden Katzen die männlichen öfter als ihre weiblichen Artgenossen (*Liberg*, 1980). Der Spritzharn hat scheinbar auch einen individualspezifischen Duft. So wird auf den Harn unbekannter Katzen (besonders von männlichen Tieren) stärker reagiert, als auf den von Mitgliedern der eigenen Gruppe.

Das D. hat viele Funktionen im Rahmen des ↑ Revierverhaltens und ↑ Sozialverhaltens bei der Regelung von Raum-Zeit-Bezügen (↑ Zeitplan-Revier) zwischen den einzelnen Tieren. Auch eine völlig saubere Katze kann während der ↑ Rolligkeit Harn versprühen, bei Katern ist das D. in der Regel erstes äußeres

Harnspritzen und Wangenreiben sind wichtige Bestandteile der Chemokommunikation der Katze

Anzeichen der ↑ Geschlechtsreife (vgl. auch Unsauberkeit). Durch ↑ Kastration wird das Harnspritzen nicht bei allen Tieren unterbunden. Bei Auslaufhaltung oder kombinierter Wohnungs-Zwinger-Haltung unterlassen geschlechtsreife Kater häufig das Spritzen in der Wohnung.

Ebenso wird von Katern berichtet, die nur in Gegenwart einer rolligen Katze markieren oder erst nach dem ersten Zusammentreffen mit einer rolligen Katze damit beginnen. Streunende Hauskatzen bedecken den Kot nicht immer mit Sand und lassen ihn an besonders auffälligen Stellen offen liegen. Ähnliches wird auch von einigen Stubenkatzen berichtet. Solche Verhaltensweisen werden ebenfalls mit dem D. in Verbindung gebracht.

Durchfall, *Diarrhoe:* ↑ Krankheitszeichen mit unterschiedlichen Ursachen:
- ↑ Infektionskrankheiten, insbesondere Panleukopenie,
- Darminfektionen, z. B. durch Kolibakterien oder Salmonellen,
- Magen-Darm-Parasiten (↑ Endoparasiten),
- ↑ Fütterungsfehler,
- ↑ Vergiftungen,
- Neubildungen im Darmbereich.

Darmentzündungen (Enteritiden) sind nicht immer mit D. verbunden, insbesondere, wenn es sich um Entzündungen im Dünndarmbereich handelt (↑ Verdauungsorgane).

Bei länger anhaltendem D. verlieren die Tiere erhebliche Wasser- und Elektrolytmengen (Dehydration), die zu einer Bluteindickung und schließlich zum Tod durch Kreislaufversagen führen (Wasserbedarf). Jungtiere reagieren besonders empfindlich und der Tierarzt muß rechtzeitig aufgesucht werden.

Ist der D. nur vorübergehend und nicht mit weiteren ↑ Krankheitszeichen verbunden, genügt oft ein Hungertag mit anschließender Diät: leicht gesalzene Schleimsuppe mit magerer Fleischbrühe, Geflügelfleisch, magerer Fisch und ähnliches mehr. Besonders wichtig ist eine ständige und ausreichende Flüssigkeitsversorgung, um das Wasserdefizit des Organismus wieder auszugleichen: zimmerwarmes Wasser oder dünner ungesüßter schwarzer Tee mit je einer Prise Salz, auch zwangsweise verabreicht (↑ Zwangsernährung). Abführend wirkende Futtermittel, wie beispielsweise Milch oder Milchprodukte, fettes Futter, rohe Leber, Milz, Gehirn, dürfen in dieser Zeit nicht gegeben werden.

Durchschnittsalter ↑ Lebenserwartung.

Dystokie ↑ Geburtsstörungen.

E

EAAM, EAM ↑ Auslösemechanismus.

Ebony [engl., Ebenholz]: Farbschlagbezeichnung innerhalb der ↑ Orientalisch Kurzhaar. Die E. wurde wegen ihres lackschwarzen, Fells unter diesem Namen bekannt. In Großbritannien heißt die E. analog zu den üblichen Bezeichnungen, die nur Trennung zwischen British Shorthair [engl., Britisch Kurzhaar] und Foreign Shorthair [engl., Ausländisch Kurzhaar] kennen, Foreign Black. Sie fiel als Nebenprodukt in dem ↑ Foreign White Zuchtprogramm und fand zunächst keinerlei Beachtung, erhielt aber dann 1968 in Großbritannien einen vorläufigen Standard. Auf dem Kontinent entstanden die ersten Ebonies vielmehr durch Einkreuzen von schlanken schwarzen Hauskatzen in die ↑ Havana, oder sie fielen aus Paarungen zwischen Havana und ↑ Siam ↑ Seal-Point, da die ↑ Vollpigmentierung über den ↑ Maskenfaktor und ↑ Schwarz über ↑ Chocolate dominiert. Um den typischen Kopf und den langgestreckten feingliedrigen Körperbau der modernen Siam herauszuzüchten, wurden stets die besten Siamvertreter eingekreuzt. Die zur Anerkennung notwendige ↑ Reinzucht zeigte aber, daß bei Paarungen von Ebonies untereinander häufig eine gelbliche, nicht standardgerechte Augenfarbe auftritt. Heute ist man der Auffassung, daß eine E. vorzugsweise mit einer Siam Seal-Point gepaart werden sollte, um die für eine grüne Augenfarbe vorteilhafte ↑ Heterozygotie am C-Locus (Cc^s) zu erhalten, wobei gleichzeitig auf Homozygotie der übrigen, die ↑ Pigmentierung bestimmenden ↑ Genorte hingearbeitet werden sollte (aa BB Cc^s DD). Die farbliche Entwicklung verläuft wie die anderer schwarzer Varietäten. Durch das kurze, eng am Körper anliegende Fell erscheinen Ebonies jedoch intensiver gefärbt als z. B. ↑ Perser der gleichen Farbe. Tragen Ebonies rezessiv ↑ Verdünnung und Chocolate, soll es bis zu zwei Jahren dauern, bis sich das ebenholzschwarze Fell ausgefärbt hat. Als Beispiel für einen trihybriden Erbgang ist eine ↑ Gleich-zu-Gleich-Verpaarung mit der Genkonstruktion aa Bb Cc^s Dd als Kreuzungsdiagramm unter dem Stichwort Oligogenie dargestellt. Tafel 46.

Ectopia testium: Lagerung der Hoden außerhalb des Skrotums. Normalerweise ist bei der ↑ Geburt der Abstieg der Hoden (Descensus testiculorum) aus der Bauchhöhle in den Hodensack abgeschlossen. Bei unterbliebenem Descensus liegt der Hoden noch in der Bauchhöhle (Bauchhoden, ↑ Kryptorchismus) bzw. bleibt im Leistenkanal stecken (Leistenhoden). E. t. kann sowohl einen Hoden als auch beide betreffen. Im erstgenannten Fall überwiegt die linksseitige Form. Merkmaltragende Kater haben eine normale geschlechtsspezifische Körperentwicklung aufzuweisen und zeigen ein normales Sexualverhalten (↑ Paarungverhalten, ↑ Markieren). Der Penis ist voll entwickelt, und die Penisstacheln sind regelmäßig ausgebildet. Die ↑ Geschlechtsreife verzögert sich häufig. Der verlagerte Hoden bleibt unterentwickelt klein, da die normale Körpertemperatur zu hoch ist, und weist ausgeprägte Störungen in der tubulärspermiogenetischen Funktion auf. Spermien werden im Gegensatz zum einseitig kryptorchiden Kater nicht entwickelt, so daß beidseitig betroffene Tiere unfruchtbar sind. In sehr seltenen Fällen weicht der Ho-

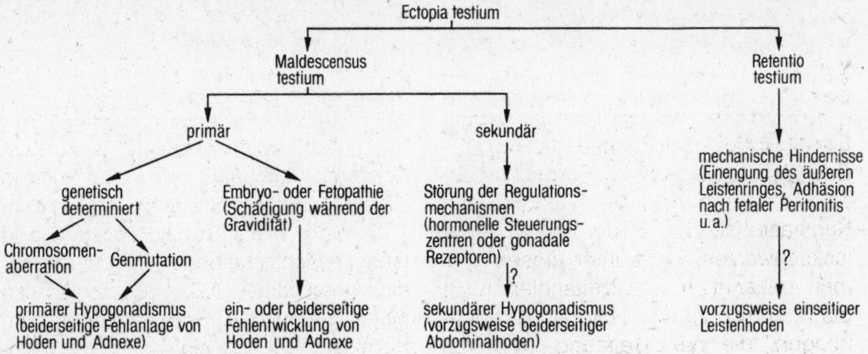

Ectopia testium

den von der präformierten Descensusbahn ab und liegt dann außerhalb der Bauchhöhle bzw. des Hodensacks, z.B. im Schenkelspalt.
Die E.t. ist ein heterogener Defekt, der nach topografischen, formal- und kausalgenetischen Aspekten klassifiziert werden kann (vgl. Schema).
Neben dem primären und sekundären Maldescensus testium (Störung des Descensus) kommt hauptsächlich eine Retentio testium in Frage, die auf anatomisch-mechanische Regelwidrigkeiten zurückgeht. Auf die Differenzierung und Wanderung der Hoden wirkt eine Vielzahl von Erbfaktoren ein. Störfaktoren (mutagene Agenzien) können deshalb an vielen Positionen eingreifen (morphologische Fehlanlage bis Versagen der Steuerungszentren). Im Gegensatz zur polygen determinierten Normalentwicklung (↑ Polygenie) kann bei Störungen häufig ein mendelnder Erbgang festgestellt werden, da die ↑ Mutation Einzelgene betrifft (↑ Oligogenie). Diese sind relativ leicht selektiv zu beherrschen. Kater mit E.t. sollte man von vornherein von der organisierten Zucht ausschließen.

Edelkatze ↑ Rassekatze.

Egyptian Mau [engl., Ägyptisch Mau]: mittellange und elegant getupfte Katze, bei der der harmonische Gesamteindruck höher als die Körpergröße bewertet wird. Die Extremitätenlänge muß dem ↑ Körperbautyp entsprechen, aber die Hinterbeine sollen etwas länger als die Vorderbeine sein. Hierdurch wird der Eindruck hervorgerufen, als stünde das Tier bei normaler Körperhaltung auf den Vorderzehenspitzen. Der Kopf bildet einen leicht abgerundeten Keil von mittlerer Länge. Ein ↑ Pinch ist unerwünscht. Die Nase zeigt einen deutlichen Ansatz zur Stirn, ist aber insgesamt gerade. Die Ohren sind von mittlerer Größe bis groß, leicht spitz zulaufend, breit im Ansatz und weit gesetzt. Das Innenohr soll fast transparent und hellrosa sein; an den Innenseiten sind Haarbüschel erlaubt. Die Augen sind leicht mandelförmig, dürfen aber weder orientalisch noch rund wirken. In der Form stimmen sie mit der der ↑ Burma überein. Bis zum Alter von 18 Monaten wird ein bernsteinfarbener Ton toleriert, dann soll das Auge ausgefärbt und hellgrün, „stachelbeergrün", sein. Der Schwanz ist dick am Ansatz, von mittlerer Länge und spitz zulaufend. Das seidige Fell ist von feiner Textur und so lang, daß zwischen helleren Bändern zwei oder drei farbige möglich sind. Neben dem ↑ Körperbautyp, der dem der ↑ Abessinier recht ähnlich ist, ist die Tupfung das Kennzeichen der E.M. Es ist wissenschaftlich noch nicht geklärt worden, ob die Tupfung der E.M., wie vermutet wird, ein viertes Allel für ↑ Tabbyzeichnung darstellt, oder ob sie, wie bei anderen getupften Katzen, eine aufgebrochene Tigerung ist. Züchter der E.M. betonen, daß die Tupfung (↑ Getupft) ihrer Tiere zwar unterschiedlich groß und klar gezeichnet sein kann, daß aber niemals getigerte oder gestromte Tiere fallen, was der Fall ist, wenn Tupfung eine aufgebrochene Tigerung ist. Die Größe und Form der Tupfung der E.M. wurde durch Selektion begünstigt.
Folgende Varietäten sind im ↑ Standard des CFA anerkannt;
Silver: ein blasser silbriger Grundton an Kopf, Schultern, Extremitäten-Außenseiten und am Schwanz, der auf der Bauchseite in ein leuchtendes blasses Silber übergeht. Alle Markierungen sind holzkohlenfarbig im guten Kontrast zur helleren Grundfarbe. Oberhals, Kinn und Umgebung der Nase sind in einem blassen klaren Silber fast weiß gefärbt. Der ↑ Nasenspiegel ist ziegelrot und schwarz umrandet, der Fußballen schwarz mit ↑ Sohlenstreifen.
Bronze: ein heller Bronzegrundton am

Perser, weiß mit orangefarbenen Augen

oben links Perser, weiß mit zweierlei Augen, *oben rechts* Perser, blau, *unten links* Perser, lilac, *unten rechts* Perser, creme

oben Perser, schwarz-gestromt, *unten links* Perser, rot-gestromt,
unten rechts Perser, blau-gestromt

oben Perser, chocolate, *unten links* Perser, blau, *unten rechts* Perser, schwarz

oben Perser, Bi-Colour, lilac-weiß, *unten* Perser, Bi-Colour, chocolate-weiß

oben Perser, schwarz-silber-gestromt, *unten* Perser, schwarz-gestromt

oben links Perser, Bi-Colour lilac-weiß, *oben rechts* Perser, chocolate, *unten* Perser, Bi-Colour, chocolate-weiß

oben Perser, Colourpoint red, *unten* Perser, Colourpoint seal

Kopf, Schultern, den Außenseiten der Beine und am Schwanz, am dunkelsten am Rücken, in eine hellere Farbe zum Unterbauch hingehend. Die Bauchseitenfläche trägt ein cremefarbenes Elfenbein. Obere Halsgegend, Kinn und Umgebung der Nase tragen ein blasses Creme-Weiß. Alle Markierungen sind dunkelbraun im guten Kontrast zur helleren Grundfarbe. Der Nasenspiegel ist ziegelrot und dunkelbraun umrandet, die Fußballen schwarz oder dunkelbraun mit Sohlenstreifen in gleicher Farbe.
Smoke: Holzkohlengrau mit silbernem Unterfell am Kopf, an den Schultern, Beinen und am Schwanz sowie am Unterbauch. Alle Markierungen sind kohlenschwarz mit gutem Kontrast zur Unterfarbe. Nasenspiegel und Fußballen sind schwarz.
Die E. M. ist nur in den Vereinigten Staaten von Amerika anerkannt und wird dort zu den „natural breed" gezählt [engl., natürliche Rasse], was u. a. bedeutet, daß der Zuchtbestand einer natürlichen Population entstammt und Fremdeinkreuzungen untersagt sind. In der Tat stammt die E. M. aus Ägypten, von wo aus 1953 das erste Zuchtpaar *Gepa* und *Ludol* in die USA importiert wurde. Züchter zählen ihre E. M. zu den wenigen Rassen, die sich direkt auf die ↑ Falbkatze zurückführen lassen. Für ihre Anhänger ist sie die Verkörperung der im alten Ägypten als heilig verehrten Katzen, die auf Papyruszeichnungen und auf alten in Theben gefundenen Grabmalereien tatsächlich gesprenkelt dargestellt sind.
Fünfzehn Jahre nach den ersten Importen erteilte der ↑ CFA 1968 die offizielle Anerkennung und alle übrigen amerikanischen Dachverbände folgten. Zur selben Zeit existierte in Großbritannien eine Zucht unter dem gleichen Namen, die aber, um Verwechslungen auszuschließen, später offiziell als das bezeichnet wurde, was sie auch tatsächlich war, nämlich eine ↑ Orientalisch Kurzhaar getupft.
E. M sind auch heute noch selten auf Ausstellungen in den USA zu sehen. 1981 waren gerade 51 Tiere beim CFA registriert. Erster Grand Champion wurde *Jonathan Dot Dot*. Trotz der hochgradigen ↑ Inzucht sollen E. M. nicht unter ↑ Inzuchtdepressionen leiden. Die durchschnittliche Wurfgröße soll bei vier liegen, während sich die Dauer der ↑ Trächtigkeit zwischen 63 und 73 Tagen belaufen soll, d. h. mit 73 Tagen acht Tage länger als der mit 65 Tagen errechnete Mittelwert bei Rassekatzen. E. M. werden als lebhaft, intelligent und menschenbezogen beschrieben, also so wie jede gut gehaltene Katze. Abb.

Egyptian Mau

Eierstöcke ↑ Geschlechtsorgane.
Eigenumwelt ↑ Umwelt.
Eileiter ↑ Geschlechtsorgane.
einfachhybrider Erbgang: 1. ↑ Oligogenie. – **2.** ↑ Mendel-Regeln.
einfarbig: Bezeichnung für Katzen aufgrund ihres optischen Eindrucks. E. im eigentlichen Sinne sind hingegen nur schwarze, blaue, chocolate- und lilacfarbene, cinnamon- und caramelfarbene Katzen ohne ↑ Scheckung und

↑ Tabbyzeichnung und ohne Silber, die eine volle Ausfärbung des Fells (↑ Vollpigmentierung) zeigen. Da diese genetisch und optisch e.en Tiere im Grunde ↑ Tabbies sind, die durch den Wechsel von ↑ Agouti zu ↑ Nicht-Agouti e. werden (aa färbt die gelbe Bänderung des Agoutihaares in den hellen Flächen zwischen der ↑ Tabbyzeichnung in Schwarz um) haben sie als Jungtiere eine ↑ Geisterzeichnung, die im Verlaufe der Entwicklung verschwindet.
Der Wechsel von C– zu c^bc^b (↑ Albinoserie) ergibt die entsprechenden Burmavarietäten (Cinnamon und Caramel ausgenommen), die gleichfalls als e. bezeichnet werden, obwohl sie am Unterkörper etwas heller als am Rücken und an den Beinen sind.
Optisch e. ist auch die weiße Katze vom Genotyp W–. Da das ↑ dominante Weiß epistatisch über alle Pigmentierungsgene (↑ Pigmentierung) wirkt, kann sie ebensowenig wie ihre weiße Albinoschwester vom Genotyp c^ac^a, c^ac oder cc genetisch zu den e.en. gerechnet werden.
Die dritte Gruppe von Katzen, bei denen man von Einfarbigkeit spricht, sind die roten und cremefarbenen. Sie sind weder optisch noch genetisch e., werden aber als solche bezeichnet, weil sie vom ↑ Standard e. oder fast e. gefordert werden. Da aa bei ↑ Orange (Rot und dessen ↑ Verdünnung Creme) nicht wirksam ist und O nur die graue Bänderung des Agoutihaares in Rot oder Creme umwandelt, sind diese Tiere stets mit Tabbyzeichnung behaftet, die sich auch bei strengster Selektion nicht völlig eliminieren lassen dürfte. Tab.

Genotypen optisch einfarbiger Katzen

Schwarz	aa B- C- D-
Blau	aa B- C- dd
Chocolate	aa bb C- D-
Weiß	W-, c^ac^a, c^ac, cc
Rot	C- D- O(O)
Creme	C-dd O(O)
Lilac	aa bb C- dd
Cinnamon	aa b^lb^l C- D-
Caramel	aa b^lb^l C- dd
Burma Braun (Seal)	aa B- c^bc^b D-
Burma Blau	aa B- c^bc^b dd
Burma Chocolate	aa bb c^bc^b D-
Burma Lilac	aa bb c^bc^b dd
Burma Rot	c^bc^b D- O(O)
Burma Creme	c^bc^b dd O(O)

Einfrüchtigkeit: 1. ↑ Geburt. – **2.** ↑ Geburtsstörungen.

Eingeweideschmarotzer ↑ Endoparasiten.

Einhodigkeit ↑ Kryptorchismus.

Einschläfern [griech. Euthanasie]: medikamentöses, schmerzloses Töten durch einen Tierarzt. Jede andere tierschutzrelevante Form des Tötens von Tieren ist durch den Gesetzgeber verboten und auch ethisch-moralisch nicht zu rechtfertigen. Nur in begründeten Fällen darf ein Tier eingeschläfert werden. Bis auf wenige Ausnahmen (z. B. bei meldepflichtigen Krankheiten, wie Tollwut, Aujeszkische Krankheit) entscheidet aber stets der Besitzer der Katze über die Notwendigkeit des E. Der Tierarzt wird aufgrund seines Wissens und seiner praktischen Erfahrungen nur Empfehlungen geben.
Es gibt eine ganze Reihe von Gründen, die das E. rechtfertigen: Altersschwäche und damit verbundene Qualen für das Tier, Krankheit und Unfälle mit negativen Heilungsaussichten, mehr Jungtiere als milchgebende Zitzen, Erhaltung des Lebens der Mutterkatze, um nur einige zu nennen. Vorgeschobene Gründe, wie der Unterhalt ist zu teuer, die Behandlung zu langwierig und kostspielig, die Katze ist überflüssig geworden und somit lästig, ausbleibende Zuchtleistung usw. sind moralisch nicht akzeptabel und werden in der Regel vom Tierarzt erkannt und abgelehnt.

Einstreu ↑ Unsauberkeit.

Einzelgänger ↑ Individualdistanz.

Einzeltierselektion ↑ Individualselektion.

Eisen ↑ Mengen- und Spurenelementebedarf.

Eiweißbedarf: zur Lebenserhaltung täglich benötigte Menge an Proteinen (Eiweiße). Sie sind unentbehrlich für die Bildung und Erhaltung der Körpersubstanz und müssen täglich neu zugeführt werden. Im Gegensatz zu allen anderen Haustierarten hat die Katze einen ungewöhnlich hohen E. Der folgende Vergleich des Mindestproteinbedarfes, bezogen auf die Energiezufuhr, macht das deutlich. Tab.

Das Eiweiß muß außerdem von hoher biologischer Wertigkeit sein; also ausreichend essentielle (lebensnotwendige), vom Körper nicht selbst gebildetete Aminosäuren enthalten. Muskelfleisch, Fisch, Eier, Innereien, Milch und Milchprodukte enthalten das gesamte, für die Katze essentielle Aminosäurespektrum. Proteine aus Bindegewebe oder pflanzliche Proteine sind in dieser Hinsicht unvollständig und damit unzureichend für die ↑ Ernährung der Katze.

Die Tabellen zeigen, daß in den eingangs genannten Futtermitteln die es-

Mindestproteinbedarf in % kcal
(nach *Rogers/Morris*, 1978)

	Tiere in der Wachstumsphase	ausgewachsene Tiere
Katze	29	19
Hund	12	4
Mensch	8	4

Essentielle Aminosäuren der Katze
(nach *Rogers/Morris*, 1978)

keine Synthese (essentiell)	unzureichende Synthese	ausreichende Synthese (nicht essentiell)
Arginin	Asparagin	Alanin
Histidin	Cystin	Asparaginsäure
Isoleucin	Glycin oder Serin	Glutaminsäure
Methionin	Taurin	Glutamin
Leucin		
Lysin		
Phenylalanin		
Threonin		
Tryptophan		
Valin		

Bedarf essentieller Aminosäuren der Katze im Vergleich mit dem Gehalt in verschiedenen Futtermitteln in %
(nach *Rogers/Morris*, 1978, *Brever*, 1982)

Aminosäure	Aminosäurebedarf	Aminosäuregehalt in Rindfleisch	in Fisch
Arginin[1]	0,83	1,74	1,56
Histidin	0,30	0,94	0,97
Isoleucin	0,30	1,32	1,32
Methionin,	0,90	0,74	0,79
Cystin[2]		0,35	0,32
Leucin	1,20	2,23	2,11
Lysin	0,72	2,45	2,50
Phenylalanin	0,50	1,21	1,08
Threonin	0,70	1,26	1,26
Tryptophan	0,15	0,28	0,33
Valin	0,60	1,38	1,68
Taurin[3]	5...10 mg je kg Futter		

[1] Argininmangel unter 0,8% führt sofort zu einem Überangebot von Ammoniak im Blut. Die Folgen sind Erbrechen und abrupte Gewichtsverluste.

[2] Cystin kann nicht entbehrt und auch durch Methionin nicht völlig ersetzt werden. Allerdings sollen 0,9% Methionin den Bedarf wachsender Katzen decken.

[3] Taurin wird zwar ausreichend in der Leber produziert, aber offensichtlich in ungenügenden Mengen in den Blutkreislauf gebracht. Es muß deshalb zugeführt werden, da sonst die Gefahr einer zentralen Retinadegeneration besteht.

sentiellen Aminosäuren ausreichend enthalten sind. Der Proteinbedarf der Katze wird mit durchschnittlich 6,3 g/kg KM angegeben. Das entspricht einem Anteil von etwa 14% an der Gesamtfuttermenge. Bei wachsenden Katzen erhöht sich dieser Anteil sogar auf etwa 20%. Der hohe Eiweißbedarf der Katze wird damit begründet, daß die eiweißabbauenden Fermente ständig darauf eingestellt sind, eine hohe Proteinmenge zu verarbeiten und die Leber der Katze nicht die Fähigkeit besitzt, die Aktivitäten dieser Fermente einem wechselnden Proteinangebot anzupassen. Damit entstehen beim Eiweißabbau hohe Stickstoffverluste, die nur durch ein hohes Eiweißangebot kompensiert werden können (*Rogers/Morris,* 1978).

Ektoparasiten, *Außenschmarotzer*: auf der ↑ Haut sowie in den natürlichen Körperöffnungen der Katze (Augen, Ohren, Nase usw.) lebende Parasiten (↑Parasitosen). Die für die Katze bedeutsamen E. sind den Arthropoden (Gliederfüßler) zuzuordnen.
Sie können temporär (zeitweise) oder permanent (ständig) auf dem Wirt leben. *Temporäre E.* suchen den Wirt nur zur Nahrungsaufnahme auf (Flöhe, Zekken), während *permanente E.* dauernd oder nur mit kurzen Unterbrechungen auf dem Wirt leben (Milben, Haarlinge). E. sind entweder Blutsauger, oder sie ernähren sich von Sekreten, Haaren oder Hautzellen und rufen hierdurch charakteristische Hautveränderungen hervor. Einige E. spielen zusätzlich die Rolle des Übertragers anderer Erkrankungen. Beispielsweise sind der *Katzenfloh* und der *Katzenhaarling* Zwi-

Die wichtigsten Ektoparasiten der Katze

Art und Größe	Entwicklung	Übertragung	Kankheitsbild
Notoedris cati (Kopfräudemilbe der Katze) 0,2...0,3 mm	alle Entwicklungsstadien, vom Ei bis zur Milbe, auf dem Wirt Entwicklungszyklus: 3 Wochen	direkt durch Kontakt von Tier zu Tier oder über infiziertes Material	die Räude beginnt an der Außenseite der Ohren bzw. Ohrränder und geht rasch auf Kopf, Hals und gesamten Tierkörper über; an den befallenen Stellen kleieartige Schuppen, Bläschen, Haarausfall, später Borkenbildung, oft blutig-eitriges Sekret zwischen den Krusten, starker Juckreiz
Sarcoptes spec. (Grabmilbearten) 0,2...0,4 mm	alle Entwicklungsstadien auf dem Wirt	direkt durch Kontakt von Tier zu Tier oder über infiziertes Material	beginnt meist am Kopf und breitet sich über den ganzen Körper aus; starker Juckreiz, Haarausfall, Hautverdickungen und Faltenbildungen; selten bei der Katze; auf den Menschen übertragbar (Pseudoskabies)
Otodectis cynotis (Ohrräudemilbe der Katze) 0,3...0,5 mm	alle Entwicklungsstadien auf dem Wirt Entwicklungszyklus: etwa 3 Wochen	direkt durch Kontakt von Tier zu Tier	Sitz im äußeren Gehörgang, anfangs verstärkte Cerumenabsonderung, später Krusten- und Borkenbildung, häufiges Kopfschütteln, Juckreiz und Kratzen am Ohr; Komplikation: Durchbruch zum Mittel- und Innenohr, Taubheit, unkoordinierte Bewegungen usw.; weit verbreitet; bei älteren Tieren oft symptomlos und auf Welpen übertragbar

Neotrombicula autumnalis (Herbstgras-, Stachelbeer- oder Erntemilbe) Larve 0,2...0,5 mm	nur die Larve lebt parasitär, die anderen Entwicklungsstadien leben im Boden	im Herbst starke Vermehrung, die Larve sitzt auf Gräsern und Büschen und befällt vorbeistreichende Warmblüter	gelbe bis rote Pünktchen auf der Haut, bei stärkerem Befall größere rötliche Flecken und räudeähnliche Erscheinungen; überwiegend an dünnhäutigen Stellen (Unterbauch, Schenkelinnenfläche, Fesselbeuge, Gesicht, Schwanzspitze), besonders im Herbst und Spätsommer
Felicula subrostratus (Katzenhaarling) 1,2...1,3 mm	alle Entwicklungsstadien auf dem Wirt Entwicklungszyklus: etwa 3 Wochen	direkt durch Kontakt von Tier zu Tier	Beunruhigung und Juckreiz durch die lebhafte Bewegung der Haarlinge, bei starkem Befall Haarausfall und krustöses Ekzem; insbesondere bei schlechten Haltungs- und Pflegebedingungen! Zwischenwirt des Bandwurms Dipylidium caninum!
Ctenocephalides felis (Katzenfloh) u. a. Arten 2...3 mm	nur der Floh lebt parasitär, die Flohlarven leben außerhalb vom Wirt von organischen Abfällen (insbesondere unverdautes Blut = Flohkot) Entwicklungszyklus: in warmer Umgebung 11 Tage, in kalter Umgebung mehrere Monate	Kontakt Tier zu Tier bzw. Mensch zu Tier, Aufspringen an verflohten Stellen	Flohstiche mit stark anhaltendem Juckreiz, eventuell Entwicklung einer Flohallergie, Ekzeme durch Kratzwunden, auch den Menschen zeitweise befallend; Zwischenwirt des Gurkenkernbandwurmes Dipylidium caninum!
Ixodes ricinus (Gemeiner Holzbock, Zecke) nüchtern 2...4 mm, vollgesogen bis 12 mm	Larve, Nymphe und erwachsene Zecke leben zeitweise (zum Blutsaugen) parasitär	Zecken lassen sich von Gräsern und Sträuchern auf Warmblüter fallen	einfacher Befall ohne weitere Belästigung; Saugakt bei erwachsenen Zekken 5...14 Tage, bei den anderen 2...7 Tage

schenwirte des Gurkenkernbandwurmes (Dipylidium caninum, ↑ Endoparasiten), der sich nach oraler Aufnahme beim Zerbeißen dieser beiden E. in der Katze zum geschlechtsreifen Bandwurm entwickelt. Darüber hinaus kann auch der Mensch zeitweise Wirt von E. sein (z. B. Floh, Zecke, Sarkoptesmilbe).

Bei der *Ohrräude* kann zwischen Katze und Milbe ein biologisches Gleichgewicht entstehen. Insbesondere ältere Tiere beherbergen dann symptomlos die Ohrräudemilbe und stellen für den eigenen Nachwuchs eine latente Infektionsgefahr dar.

Katzen mit freiem ↑ Auslauf, ↑ Deckkater sowie Katzen auf Ausstellungen sind einer ↑ Infektion mit E. besonders ausgesetzt. Bei der Bekämpfung von E. sind stets die gleichen Grundsätze zu beachten:

– Behandlung der erkrankten Tiere einschließlich aller anderen Tiere des Bestandes. Hierzu muß der Tierarzt konsultiert werden, da nicht alle Insektizide für die Katze verträglich sind. Vorsicht bei lindanhaltigen Präparaten!
– Aussprühen oder Auswaschen der Liege- und Schlafplätze mit Insektiziden, Auskochen der Textilien und wiederholte gründliche Reinigung des Zwingers bzw. der Wohnung. ↑ Flohhalsbänder haben nur eine begrenzte Wirkung.

Zecken lassen sich relativ einfach entfernen, indem ein Tropfen Öl auf die Stelle getropft wird, auf der die Zecke sitzt. Die Atmung der Zecke wird dadurch unterbunden und sie löst den festen Biß, so daß sie nach einigen Minuten leicht herausgedreht werden kann. Abb. Tab.

Elternaufwand ↑ Soziobiologie.

Embryo ↑ Trächtigkeit.

Endhandlung: letztes Glied einer Verhaltenskette und eigentlicher Handlungsvollzug, der sich an das ↑ Appetenzverhalten anschließt. Damit wird die Motivation für ein bestimmtes ↑ Verhalten beseitigt. Während ein Räuber beim Aufsuchen der Beute sehr variabel vorgehen und erlernte Elemente einbauen kann, ist er im Vollzug der E. (↑ Pfotenschlag, ↑ Tötungsbiß) weitgehend genetisch fixiert.

Endometritis ↑ Gebärmutterentzündung.

Endoparasiten, *Innenschmarotzer*: in einzelnen Organen oder Organsystemen, in tief gelegenen Höhlen (Magen, Darm, ↑ Verdauungsorgane) sowie interzellulär (zwischen den Zellen) oder intrazellulär (in den Zellen) in den Körpergeweben oder im Blutgefäßsystem lebende Parasiten. E. der Katze können Würmer (Helminthen) oder Einzeller (Protozoen) sein.

Die Entwicklung der *Helminthen* von der Eizelle bis zum adulten (erwachsenen, damit geschlechtsreifen und fortpflanzungsfähigen) Parasiten erfolgt über mehrere Larvenstadien.

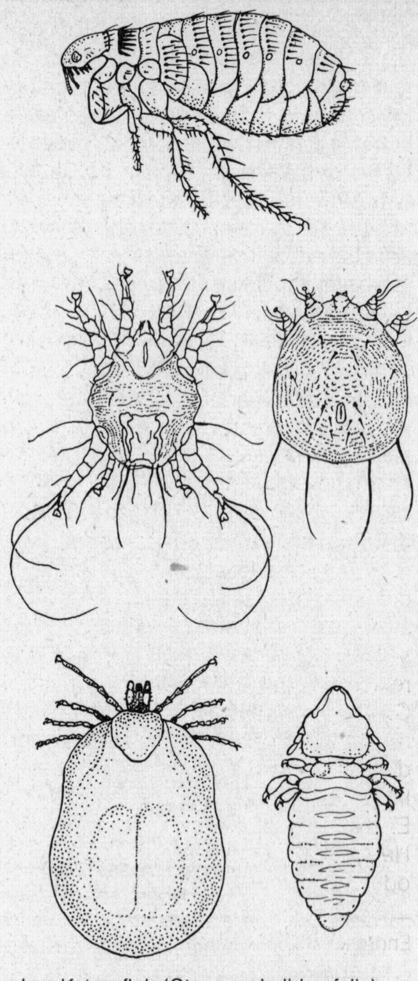

oben Katzenfloh (Ctenocephalides felis), *Mitte links* Ohrräudemilbe der Katze (Otodectes cynotis), *Mitte rechts* Kopfräudemilbe der Katze (Notoedres cati), *unten links* Zecke (Ixodes ricinus) vollgesogen, *unten rechts* Katzenhaarling (Felicola subrostratus)

Die Larven sind entweder direkt (fast alle Nematoden), oder indirekt (Cestoden) infektionsfähig. Letztere benötigen zur Entwicklung einer für die Katze infektionsfähigen Form einen bestimmten Zwischenwirt (z.B. Nager, Flöhe), wobei außerdem ein Transportwirt eingeschaltet werden kann (z.B. beim Katzenlungenwurm ist die Schnecke der Zwischenwirt und ein schneckenfressender Nager der Transportwirt). Oft gelangen infektionsfähige Nematodenlarven auf einen falschen Wirt; die Entwicklung zum adulten Parasiten (↑ Parasitosen) wird erst abgeschlossen, wenn dieser Wirt (paratenischer Wirt, wie Mäuse u. a. Nager) vom Endwirt Katze aufgenommen wird.

Protozoen – bei der Katze sind im Prinzip nur Kokzidieninfektionen von Bedeutung – durchlaufen ebenfalls mehrere Entwicklungsstadien. Die Infektion des Endwirtes Katze verläuft oft gleichzeitig auf direktem (durch Aufnahme sporulierter Oozysten) oder/und indirektem Wege (über Sporozoiten oder Cysten in paratenischen Wirten). Seltener ist ein obligater Zwischenwirt erforderlich (Sarkocystis-Infektion).

Im allgemeinen erfolgt die Infektion mit E. oral. Eine perkutane (aktiv durch die Haut eindringend, wie der Hakenwurm) oder galaktogene (über die Muttermilch, wie bei Spulwürmern) Infektion kann aber ebenfalls beobachtet werden.

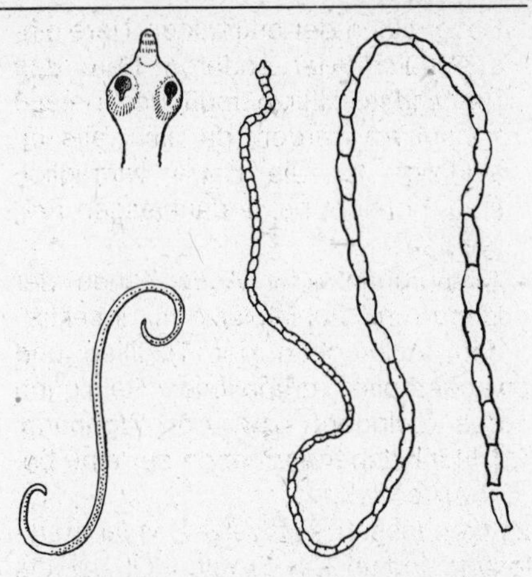

links Spulwurm (Toxacara spec.), *rechts* Gurkenkernbandwurm (Dipylidium caninum), *oben links* Kopf des Bandwurmes

Erst ein stärkerer Parasitenbefall ruft klinische Symptome hervor: Abmagerung, Inappetenz, glanzloses, struppiges Fell, abgebrochene ↑ Schnurrhaare sowie häufiger ↑ Durchfall.

Unhygienische Haltung, hohe Populationsdichte auf engem Raum, freier Auslauf sowie die Aufnahme von Mäusen u. a. Nagern als Infektionsträger för-

Endoparasiten der Katze

Parasit	Name der Parasitose	Infektionsweg und -quelle	Präpatenzzeit	Größe des adulten Parasiten	Symptome, Besonderheiten
1. Cestoden (Bandwürmer)					
Hydatigera taeniformis (Katzenbandwurm)		indirekt: oral über Zwischenwirte wie Nager und Mäuse	42 Tage	20...60 cm	Abmagerung, Durchfall, struppiges Fell; Bandwurmglieder: 8 mm×5 mm, weiß, wandern aktiv rektal aus; häufigster Bandwurm der Katze, besonders in mäusereichen Jahren

Parasit	Name der Parasitose	Infektionsweg und -quelle	Präpatenzzeit	Größe des adulten Parasiten	Symptome, Besonderheiten
Dipylidium caninum (Gurkenkern-Bandwurm)		indirekt: oral über den Zwischenwirt Floh durch Zerbeißen und Verschlucken	16–21 Tage	bis 50 cm	Entzündungen des Darmes, bei starkem Befall Abmagerung; Bandwurmglieder: etwa 10 mm×3 mm, hellrosa, wandern aktiv rektal aus; vor einer Wurmkur ist unbedingt eine Flohbehandlung erforderlich
Echinococcus multilocularis (fünfgliedriger Bandwurm des Fuchses)		indirekt: oral über Zwischenwirte, vorwiegend die Feldmaus	60 Tage	1,5…3,5 cm	über Symptome ist bisher wenig bekannt, in Süddeutschland in Katzen nachgewiesen; Bandwurmglieder: 1…2 cm, selten nachweisbar; von großer hygienischer Bedeutung, da der Mensch nach Infektion schwer erkranken kann
2. Nematoden (Rundwürmer)					
Toxocara mystax (syn.: T. cati, Katzenspulwurm)	Toxocariasis, Spulwurmbefall, -krankheit	direkt: die Larven werden oral aufgenommen, am häufigsten galaktogen; indirekt: über paratenische Wirte (Mäuse usw.)	56 Tage	6…10 cm	nach der Infektion in der Regel Körperwanderung und dann erst in das Darmlumen zurück; besonders bei Jungtieren, im Alter gewisse Resistenz, Jungtiere neigen zum Kümmern und zu ↑ Rachitis, glanzloses Fell, Darmkatarrh; kann auf den Menschen übertragen werden
Ancylostoma tubaeformis (Hakenwurm der Katze)	Ancylostomiasis	direkt: perkutan; indirekt: über paratenische Wirte (Mäuse usw.)	19…22 Tage	10…15 mm	Abmagerung, blutiger Durchfall mit Anämie, eventuell bakterielle Sekundärinfektion des Darmes; nicht selten bei Jungtieren nachweisbar

Parasit	Name der Parasitose	Infektionsweg und -quelle	Präpatenzzeit	Größe des adulten Parasiten	Symptome, Besonderheiten
Aelurostrongylus abstrusus (Katzenlungenwurm)	Aelurostrongylose	indirekt: oral über Zwischenwirt Schnecke und Transportwirt (schneckenfressende Nager und Reptilien)	35…63 Tage	5…12 mm	chronischer Husten, Nasen- und Augenausfluß, wechselnde Inappetenz, Abmagerung, Kurzatmigkeit, gestörtes Allgemeinbefinden; Parasit lebt in den Luftwegen (Bronchien, Alveolen)
3. Protozoen (Einzeller)					
Toxoplasma gondei	Toxoplasmose	direkt: oral aufgenommen oder praenatal (vor der Geburt) auf den Fetus übertragen; indirekt: oral über Beutetiere oder rohes Schweinefleisch	2…34 Tage	4…7 µm	intestinale (Darm-) Form meist unerkannt; extraintestinale Form: a) akut: Pneumonie oft verbunden mit nervösen Symptomen, Inappetenz, eventuell Fieber, Durchfall; b) chronisch: Inappetenz, Aborte, Sterilität, zeitweise Fieber, Leber-, Herzmuskelschäden, Störungen des ZNS; häufig latente Infektion nach überstandener Krankheit; Oocysten sind auf den Menschen übertragbar
Isospora felis	Kokzidiose	direkt: oral durch Aufnahme der Oocysten; indirekt: oral über Beutetiere	6…10 Tage	30…40 µm	Darminfektion; besonders Jungtiere in konzentrierter und unhygienischer Haltung: Durchfall, Inappetenz und Abmagerung
Sarcocystis bovifelis bzw. ovifelis	Sarkozystis-Infektion, Sarkosporidiose	indirekt: oral über Fleisch vom Zwischenwirt Rind bzw. Schaf	7…14 Tage	10…15 µm	Darminfektion; Erreger ist für die Katze wenig pathogen (krankmachend), der Kot kann breiiger werden

dern die Verbreitung und Entwicklung solcher Parasitosen. Jungtiere sind, besonders durch Helminthen, stark betroffen. Allein strenge ↑ Hygienemaßnahmen und regelmäßige Wurmbehandlung nach tierärztlichen Anweisungen können den Parasitenbefall bei Katzen mit freiem ↑ Auslauf mindern und vor ↑ Infektionen schützen. Da einige E. auch auf den Menschen übertragbar sind (↑ Zoonosen) ist das für Mensch und Tier gleichermaßen wichtig. In der Tabelle sind die bei der Katze am häufigsten auftretenden E. verzeichnet. Abb.

Energiebedarf: täglich benötigte Energiemenge einer Katze. Der E. ist vom Alter, der Größe, den Leistungsanforderungen, der Rasse, dem Temperament sowie den jeweiligen Umwelt- und Haltungsbedingungen u.a. mehr abhängig. Erst 1975 wurden von einer englischen Wissenschaftlerin (*Scott*) erstmalig Bedarfsnormen für die Katze aufgestellt, auf die sich alle weiteren Arbeiten weitestgehend stützen. Der E. wird zur besseren Übersicht in einen Erhaltungsbedarf und in einen Leistungsbedarf unterteilt. Der *Erhaltungsbedarf* kennzeichnet diejenige Menge an Energie, die für die Aufrechterhaltung aller normalen Lebensfunktionen notwendig ist, ohne daß jedoch irgendwelche Leistungsanforderungen in Betracht gezogen werden. Besonders deutliche Unterschiede im Energieerhaltungsbedarf findet man im Verhältnis zwischen Alter und Gewicht (↑ Körpermasse). Die Jungtiere brauchen während der Wachstumsphase besonders viel Energie. Mit zunehmender Körpermasse verringert sich der Bedarf und ist bei schwergewichtigen sowie älteren Katzen am geringsten. Der *Leistungsbedarf* bezeichnet die Energiemenge, die bei den verschiedenen Belastungen der Katze über dem normalen Erhaltungsbedarf liegt. Hierzu sind z. B. die Trächtigkeit und die Säugeleistung der Katze zu zählen und die Deckleistung eines Katers. Ausgehend vom Erhaltungsbedarf wurden Richtwerte ermittelt, die den unterschiedlichsten Belastungen gerecht werden. Bei der Berechnung des gesamten Energiebedarfes sind diese Richtwerte mit dem Erhaltungsbedarf zu multiplizieren. Tab.

Richtwerte für den Energieleistungsbedarf

Leistung/Belastung	Richtwert (zu multiplizieren mit Erhaltungsbedarf)
Deckleistung	1,2…2,0
Trächtigkeit dritte bis sechste Woche	1,5…2,0
Trächtigkeit ab siebenter Woche	1,2…1,5
Säugeleistung erste bis fünfte Woche	3 …4
Kälte	1,5…2
Fieber	1,1…1,6

Beide Tabellen enthalten nur Durchschnittswerte. Das gilt besonders für den Leistungsbedarf, da die Intensität der Belastung, z. B. unterschiedliche Anzahl der auszutragenden und zu säugenden Welpen, Unterschiede in der Dauer der Säugeperiode oder in der Anzahl der Deckakte bzw. im körperlichen Zustand der Tiere, ein höheres oder niedrigeres Energieangebot erfordert. Zur Erläuterung zwei Beispiele:

– Eine tragende Katze frißt von Woche zu Woche mehr. Die im Mutterleib wachsenden Embryonen verbrauchen diese zusätzlich aufgenommene Energie. Etwa ab der vierten Woche setzt das Größenwachstum ein und der E. beginnt sich zu erhöhen. Wiegt nun eine Katze 3,5 kg, so beträgt ihr Erhaltungsbedarf 1 172 kJ (3,5 kg Körpermasse × 335 kJ); in der vierten Woche der Trächtigkeit ist

Täglicher Energieerhaltungsbedarf

Alter	Durchschnittsgewicht ausgehend von einem Geburtsgewicht von 90 g	kJ/kg Körpermasse	kcal/kg Körpermasse
erste Woche	155 g	1590	380
zweite Woche	260 g	1410	335
dritte Woche	365 g	1230	290
1,0...2,5 Monate	460...1150 g	1050...670	250...160
2,5...3,5 Monate	1150...1350 g	670...590	160...140
3,5...5,0 Monate	1350...1900 g	590...500	140...120
5,0...7,5 Monate	1900...2450 g	500...420	120...100
7,5...9,0 Monate	2450...2600 g	420...335	100...80
9,0...13,0 Monate	2600...3000 g	335	80
erwachsene Katze	bis 4 kg	335	80
erwachsene Katze	4,5...5,5 kg	290	69
erwachsene Katze	über 6 kg	250	60

Die genannten Energiewerte für Welpen bis zur vierten Lebenswoche erlangen nur bei der künstlichen Aufzucht praktische Bedeutung.

dieser Wert mit dem Richtwert 2,0 zu multiplizieren: der gesamte Energiebedarf ist 2344 kJ.
- Der Erhaltungsbedarf eines 4,5 kg schweren Deckkaters liegt bei dem Wert 1305 kJ (4,5 kg Körpermasse × 290 kJ). Deckt dieser Kater nur jede zweite bis dritte Woche eine Katze, würde der niedrigere Richtwert 1,2 ausreichen. Der gesamte Energiebedarf beläuft sich also auf 1566 kJ (1305 kJ × 1,2). Wird dieser Kater allerdings zweimal je Woche zum Dekken zugelassen, muß der Höchstwert 2,0 verwendet werden und der Gesamtwert erhöht sich auf 2610 kJ.

Die genaue Berechnung des E. ist jedoch nur bei extremen Anforderungen notwendig. Katzen sind an sich sehr gut in der Lage, ihren E. selbstregulierend zu decken. Sie fressen gerade so viel, wie sie benötigen. Der erhöhte E. kann also nur durch eine andere Zusammensetzung der Nährstoffe gedeckt werden, die gehaltvoller als normal sein müssen. Bei einer Reduktionsdiät sollte der für den Energieerhaltungsbedarf errechnete Wert um ein Drittel bzw. sogar um die Hälfte reduziert werden. Bei der Devise „Friß die Hälfte" sollte bei der Futterzusammenstellung zuerst auf Kohlenhydrate und Fette und zuletzt auf Eiweiße verzichtet werden. Die fehlende Masse ist durch Füll- bzw. ↑ Ballaststoffe auszugleichen.

Ein völliger Energieentzug, also Nulldiät, kann für Katzen sehr gefährlich werden (Gelbsucht, spätere Nahrungsverweigerung). Bei allen Unterschieden im E., sowohl bei extremen Leistungsanforderungen als auch bei Abmagerungsdiäten, muß stets darauf geachtet werden, daß der Vitaminbedarf und der Mineralstoffbedarf voll gedeckt bleiben.

Entropium, *Rollid:* ein Einstülpen der Augenlider nach innen zum Augapfel (Bulbus). Die gleichzeitig einwärtsgedrehten Haare reizen die Augenbindehaut und die Hornhaut des Auges (Konjuntiva und Kornea) und dadurch entstehen Entzündungen unterschiedlichen Schweregrades. Auffallendste klinische Zeichen sind krampfhafter Lid-

verschluß, Tränenfluß und Lichtscheu. Meist ist zuerst der äußere (laterale) Teil des unteren Augenlides betroffen; später setzt sich das E. nach innen in Richtung Nase fort. Es kann ein- oder beidseitig auftreten, insbesondere bei ↑ Rassen und Varietäten mit „faltenreicher" Nase, also bei Gesichtsschädelverkürzung (↑ Brachyzephalie). *Bedford* (1982) stellte eine familiäre Häufung bei Persern fest.
Es kann aber auch ↑ Exogenie vorliegen, z. B. eine extreme Abmagerung (Schwund des retrobulbären Fettpolsters), oder Narbengewebe in den Augenlidern bzw. -bindehäuten nach Verletzungen oder Infektionen. Ebenso können Kleinäugigkeit (Mikrophthalmie) oder ein herabhängendes Augenlid (Ptosis) durch ungünstige anatomische Verhältnisse ein E. hervorrufen.

Entseuchung ↑ Desinfektion.

Entwurmen: 1. ↑ Auslauf. – **2.** ↑ Endoparasiten.

Epidermis ↑ Haut.

Epigenotyp ↑ Genotyp.

Epistasie, *Genmaskierung*: nicht lineare Wechselwirkung von Genen verschiedener Genorte. Das „herrschende" Gen wird dabei als epistatisch und das „weichende" bzw. unterdrückte als hypostatisch bezeichnet (↑ Hypostasie). Die E. führt zu veränderten Mendel-Spaltungsverhältnissen (↑ Mendel-Regeln). Sowohl dominante als auch

♀ \ ♂	AW	aW	Aw	aw
AW	AAWW	AaWW	AAWw	AaWw
aW	AaWW	aaWW	AaWw	aaWw
Aw	AAWw	AaWw	AAww	Aaww
aw	AaWw	aaWw	Aaww	aaww

weiß; tabby (Genort mit T^+ oder t^b besetzt); schwarz

Epistasie, Abb. 1. Dominant-epistatische Genwirkung (AaWw × AaWw)

♀ \ ♂	AT	aT	At^b	at^b
AT	AATT	AaTT	$AATt^b$	$AaTt^b$
aT	AaTT	aaTT	$AaTt^b$	$aaTt^b$
At^b	$AATt^b$	$AaTt^b$	AAt^bt^b	Aat^bt^b
at^b	$AaTt^b$	$aaTt^b$	Aat^bt^b	aat^bt^b

T^+ mackerel tabby; t^b blotched tabby; schwarz

Epistasie, Abb. 2. Rezessiv-epistatische Genwirkung ($AaTt^b \times AaTt^b$)

rezessive ↑ Allele können die Wirkung von Genen anderer Genorte beeinflussen. Abb. 1 enthält das Beispiel einer *dominant-epistatischen Genwirkung.* Bei der Paarung doppelt-heterozygoter AaWw-Katzen untereinander (↑ Agouti, dominantes Weiß) ergibt sich ein Spaltungsverhältnis für Weiß, ↑ Tabbyzeichnung und ↑ Schwarz von 12:3:1, da W über w^+ dominiert und sich die Gene des T-Locus (T^+ und t^b) nur bei homozygot ausgefärbten Tieren w^+w^+ sowie bei Vorhandensein von Agouti auswirken können. Homozygotes Fehlen von Agouti, d.h. ↑ Nicht-Agouti, führt zur Unterdrückung der Gene der Tabbyzeichnung. Da W sowohl über aa als auch über A– epistatisch ist, sind aa Ww und Aa Ww weiße Katzen. Die *rezessiv-epistatische Genwirkung* tritt z. B. bei der Paarung doppelt heterozygoter Aa T^+t^b ↑ Tabbies in Erscheinung (Abb.2). Da bei Nicht-Agouti aa die Wirkung der Tabby-Gene von Schwarz überschwemmt wird, zeigen sich die Wirkungen von T^+ [engl. mackerel tabby = ↑ Getigert] und t^b [engl. blotched tabby = ↑ Gestromt] nur bei Anwesenheit von Agouti (A–) in Form einer schwarzen Tigerung oder Stromung auf den getickten Agoutiflächen (↑ Ticking). Das Orange-Gen O ist neben W und aa das dritte Beispiel für epistatische Wirkungen bei den Pigmentierungsabläufen. Bei Homozygotie

(OO) formt es alles Eumelaninpigment in Phäomelanin um (↑ Melanin, Pigmentierung). In heterozygoter Form erzeugt es die ↑ Schildpatt bzw. Schildpatt-Tabbies (↑ Torbies). Epistatische Gene nehmen in der Hierarchie funktioneller Abläufe bzw. in Stoffwechselketten einen vorderen Platz ein.

Erbänderung ↑ Mutation.

Erbanlage ↑ Gen.

Erbbild ↑ Genotyp.

Erbfaktoren ↑ Gen.

Erbfehler, *genetische Defekte:* erblich unerwünschte Abweichungen vom Standardphänotyp, die entweder die Lebensfähigkeit der Tiere herabsetzen oder deren Fähigkeit beeinträchtigen, mit anderen Individuen der gleichen Art und ↑ Rasse in der natürlichen oder künstlichen Umwelt, für die sie gezüchtet wurden, zu konkurrieren. Die Gruppe der E. beinhaltet Krankheiten (↑ Erbkrankheiten, ↑ Erbumweltkrankheiten), bei denen die Anpassung der Tiere an die bestehenden und sich verändernden Umweltverhältnisse gestört ist, und Erbmängel sowie Rasse- oder Zuchtfehler, die im allgemeinen keine gesundheitlichen Probleme aufwerfen und deren Wertung durch den Inhalt der Standards und teilweise auch von deren Auslegung (Modeströmungen) bestimmt wird.

Erbkrankheiten, Erbumweltkrankheiten und Erbmängel sind hauptsächlich von veterinärmedizinischer, Rasse- und Zuchtfehler von tierzüchterischer Bedeutung. Über eine Gruppe von Mißbildungskrankheiten (↑ Mißbildung) gibt es jedoch subjektive Auffassungen, da die Grenze zwischen dem „Normalen" und „Abnormen" bzw. „Pathologischen" manchmal nicht eindeutig zu ziehen ist. Hierzu gehören u. a. die Haarlosigkeit der ↑ Nacktkatzen, die ↑ Irisheterochromie, der ↑ Kurzschwanz, die Kurzhaarigkeit der ↑ Rexkatzen oder die ↑ Schwanzlosigkeit der ↑ Manx. Im Prinzip kann man jede erbliche Mißbildung zum Zuchtziel erklären, wenn die Merkmalträger zuchtreif werden (↑ Letalfehler).

Der Phantasie sind hier keine Grenzen gesetzt. Die künstliche Umwelt derartiger Tiere muß den neuen Anforderungen entsprechend (z. B. klimatische Adaption der Nacktkatzen) stabil gestaltet werden. Im allgemeinen zählt man derartige Defektzuchten erst dann zur Gruppe der „Gesundheitsstörungen", wenn sie ein Tier davon abhalten, ein „normales" Leben zu führen. Was normal ist, entscheidet der für die Defektzucht Verantwortliche selbst. Selektiv begünstigte Merkmale mit pathologischer Nebenwirkung oder rein pathologische Merkmale beschäftigen daher ebenfalls den Tierarzt, der hierzu Stellung beziehen muß, um nicht in den Verdacht zu geraten, sich durch Erhaltung derartiger Bestände und deren laufende Betreuung einen Teil seines Einkommens zu sichern. Teilweise gehören die Störungen bereits zu den tierschutzrelevanten Erbmängeln, worunter *Wegener* (1979) Minderung der Erbgesundheit versteht, die der Laie nicht erkennt oder die er dem Tier durch abwegige Zuchtziele bewußt aufbürdet. Defekttragende Sondermutanten sind als „genetisches experimentum naturae" höchstens von wissenschaftlichem Interesse.

Die Bedeutung von E. liegt darin, daß sie

- den Wert der betroffenen Tiere herabsetzen und auch den ihrer Verwandten mindern,
- durch Ausfall der erwarteten Leistungen und Tod der Merkmalträger zu direkten ökonomischen Verlusten führen,
- Indikatoren noch höherer Verluste sein können, wenn sie nur die partielle Auswirkung eines Syndroms sind, zu dem noch weitere Krank-

heitserscheinungen, z. B. embryonale Mortalität, gehören oder Spätschäden einschließen,
- ihre Schadwirkung erst in späteren Generationen entfalten,
- die Produktivität der Mütter herabsetzen (größere Wurfabstände, Schwergeburt, Unfruchtbarkeit),
- den Selektionserfolg ungünstig beeinflussen, da Selektionsmaterial ausfällt und man auf Tiere geringerer Qualität zurückgreifen muß,
- eine Quelle von diagnostischen Schwierigkeiten sein können,
- besondere Anforderungen an die Umweltgestaltung stellen,
- juristische Fragen aufwerfen können (Entschädigung u.a.) Abb.

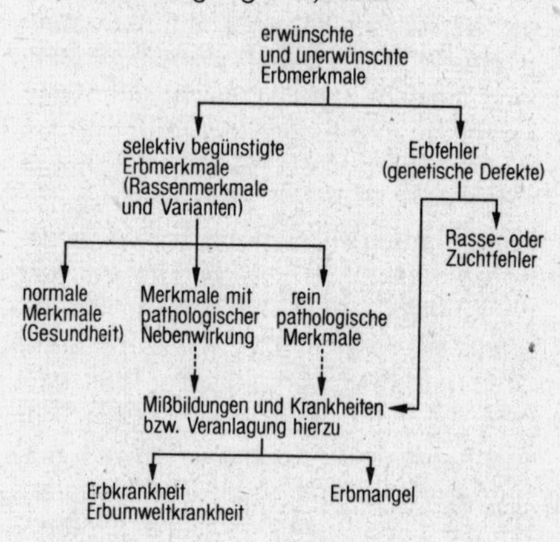

Erbfehler

Erbfestigkeit: ursprünglich im Rahmen der Konstanzlehre der ↑ Vererbung verwendeter Begriff für die sichere Vererbung eines Merkmals in bestimmten Rassen oder Varietäten. Die Konstanzlehre geht von der Hypothese aus, daß die Natur Rassen von untilgbarer Vererbungskraft geschaffen hat, die niemals wechseln und sich ewig gleich bleiben. Sie setzt also die Bindung eines Merkmals an eine bestimmte ↑ Rasse oder Varietät voraus. Individuelle Abweichungen gelten als negativ. Das Einzeltier hat nur als Träger von Rassemerkmalen Bedeutung und wird danach bemessen, wieviel „reinerbige" Vorfahren es hatte. Je mehr Glieder einer Ahnentafel ausgewiesen werden können, desto höher wird die E. eingeschätzt (↑ Blutanteillehre). Vom modernen genetischen Standpunkt aus muß man sagen, die E. ist umso höher, je geringer Mutations- und Rekombinationsrate sind (↑ Mutation, ↑ genetische Rekombination). Im wesentlichen beruht die E. auf ↑ Homozygotie mendelnder Gene (↑ Mendel-Regeln) oder auf der Bildung eines ↑ genetischen Plateaus, auch auf ↑ Polygenie nach gerichteter ↑ Selektion.

Erbformel: 1. ↑ Gennomenklatur. – **2.** ↑ Genotyp. – **3.** ↑ Kreuzungsdiagramm.

Erbgang: Art der Vererbung von Merkmalen, d.h. der Übertragung von Erbanlagen von der Eltern- auf die Nachkommengeneration. Der E. wird anhand der Lokalisation der Gene in bestimmten ↑ Chromosomen (autosomale Vererbung, geschlechtschromosomengebundene Vererbung), anhand ihrer extrachromosomalen Position oder ihrer Lokalisation in Transposons (↑ springende Gene), anhand der Zahl der an der Wirkung beteiligten Gene (↑ Polygenie, ↑ Monogenie) und auf der Basis von Genwechselwirkungen (↑ Dominanz, ↑ Rezessivität, Überdominanz, Kodominanz, unvollständige Dominanz, intermediäre Vererbung) klassifiziert.

Erbgitter ↑ Vererbungsgitter.

Erbgut ↑ Genotyp.

Erbkrankheit: die typische Anpassungsfähigkeit des Organismus an die herrschenden und sich verändernden Umweltverhältnisse wird durch den Genotyp nicht mehr garantiert. Existenz und Entwicklung des Individuums vollziehen sich nicht mehr in typischer Weise, und krankheitserzeugende Wirkungen können nicht mehr kompensiert werden, so daß das Gesamtverhalten des Organismus zu seiner Umwelt beeinträchtigt ist (*Löther,* 1967). Genetische Basis der E. sind Einzelgenwirkungen (↑ Genwechselwirkung). E.en spielen sich vor einem Hintergrund von Mangelkrankheiten, bakteriellen und Viruskrankheiten, Parasitosen und Verletzungen ab. Sie werden bei Vernachlässigung der Tiere und in Beständen mit schlechten Haltungsverhältnissen, inadäquater Fütterung, mangelhafter Hygiene usw. wenig auffällig und erst unter einwandfreien Verhältnissen als Störfaktor beachtet. Verantwortungsbewußte Züchter sind daher die Quelle für Informationen.

Die Gruppe der bereits bekannten E.en der Katze ist umfangreich. Sie umfaßt u. a. ↑ Hämophilie, ↑ Hydrozephalie, ↑ Kryptorchismus, Netzhautatrophie, ↑ neuronale Dystrophie, ↑ Dermatosparaxie, ↑ Doppelohr, ↑ Chromosomenaberrationen, ↑ Geschlechtschromosomen-Aberrationen, ↑ Gaumenspalte, ↑ Knickschwanz, ↑ Nabelbruch, ↑ Polydaktylie, ↑ Tremor, ↑ Zwergwuchs, ↑ Taubheit, ↑ Spalthand, ↑ Porphyrie, ↑ lysomale Speicherkrankheiten und neuronale Lipodystrophien. Ein Erbmangel ist z.B. das ↑ Drahthaar. Andere rein pathologische Merkmale oder Merkmale mit pathologischer Nebenwirkung werden selektiv begünstigt (↑ Erbfehler), andere sind umweltbeeinflußt (↑ Erbumweltkrankheiten).

E.en zeigen in der Population eine diskontinuierliche Variation. Es treten mehrere Phänotypen auf (mendelnde Alles-oder-Nichts-Merkmale). Sie werden nach den ↑ Mendel-Regeln vererbt.

erbliche Dispositionskrankheiten ↑ Erbumweltkrankheiten.

erbliche Gehirnfunktionsstörungen ↑ lysomale Speicherkrankheiten.

Erblichkeitsnachweis ↑ Vererbung.

Erblichkeitsverdacht ↑ Vererbung.

Erbmängel: 1. ↑ Erbfehler. – **2.** ↑ Erbkrankheit.

Erbrechen: komplizierter Schutzmechanismus, bei dem der Mageninhalt über die Speiseröhre und Mundhöhle nach außen befördert wird. Das E. wird entweder durch Erregung des Brechzentrums oder reflektorisch infolge Reizung des autonomen ↑ Nervensystems ausgelöst. Vor dem E. zeigt die Katze Unruhe, Kau- und Würgebewegungen sowie starke Speichelsekretion. In Hockstellung wird mit Hilfe der Bauchpresse der Mageninhalt erbrochen. Danach verkriecht sie sich meist erschöpft in eine Ecke, um sich kurze Zeit darauf wieder völlig normal zu bewegen.

Das bei Katzen häufig zu beobachtende E. ist dem reflektorischen Ursachenkomplex zuzuordenen. Überflüssige, unverdauliche Ballaststoffe, z. B. ↑ Haarballen, die sich im Magen angesammelt haben, nicht mehr ganz frisches oder zu kaltes Futter und in sehr seltenen Fällen auch eine Überladung des Magens nach gierigem Fressen führen zum E. Durch ↑ Grasfressen wird das E. regelrecht provoziert. Durch mehrmaliges E. hintereinander tritt infolge des Verlustes an Chlorionen ein Chlormangel im ↑ Blut ein, der wiederum durch Reizung des Brechzentrums ein unstillbares E. erzeugt. Ein Tierarzt sollte konsultiert werden.

Neben diesem ganz normalen Schutzreflex kann E. auch ein ↑ Krankheitszeichen sein, ist dann jedoch meist mit anderen Symptomen gekoppelt.

Erbumweltkrankheit, *erbliche Dispositionskrankheit:* Erkrankung, an deren Enstehung und Verlauf mehrere bis viele Gene und Umweltfaktoren (↑ Polygenie) beteiligt sind. Die krankheitsbestimmenden Umweltfaktoren werden im allgemeinen in prädisponierende (gesamtes inneres Milieu, genotypisches Milieu, Alter, Geschlecht, Organkrankheiten u. ä.) und determinierende (physikalische oder chemische Reize u. a.) eingeteilt. Die ↑ phänotypische Varia-

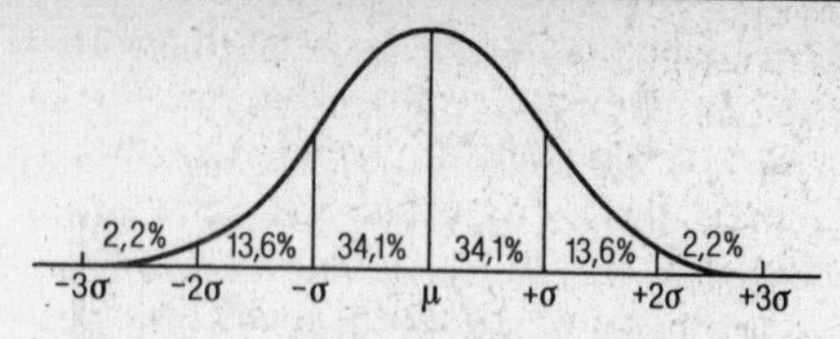

Erbumweltkrankheiten, Abb. 1. Anteile von Einzelwerten um den arithmetischen Mittelwert (μ) unter der Gaußkurve (β = Standardabweichung)

tion der E.en ist unterschiedlich. Auf der einen Seite stehen die quantitativen, polygen determinierten Merkmale, die eine kontinuierliche Phänotypvariation zeigen (Gaußkurve, Abb. 1), auf der anderen Seite diejenigen, bei denen nur die Veranlagung (Disposition) kontinuierlich verteilt ist, während die phänotypische Ausprägung Schwellen auf der Skala der kontinuierlichen Disposition bildet (Abb. 2). Man spricht daher auch von den auf polygener Grundlage mit einem Schwelleneffekt beruhenden „nichtmendelnden Alles-oder-Nichts-Merkmalen". Im Extrem lassen sich die Tiere einer Population in zwei Gruppen einteilen, in die Gruppe der resistenten und überlebenden sowie die Gruppe der erkrankten (disponierten) und gestorbenen Tiere. Da man im Einzelfall nicht weiß, wieviele Gene und Umweltfaktoren am Zustandekommen der Wirkung beteiligt sind, können in beiden Fällen Erbanalyse und -prognostik nicht auf der Basis der Mendel-Regeln ablaufen, wenn auch die Schwelle eine mendelnde Genwirkung vortäuschen kann. Hauptmethode der Vererbungsuntersuchung ist die Varianzanalyse (↑ Heritabilitätskoeffizient). Erbumweltkrankheiten der Katze sind u. a. ↑ Vorbiß, Ösophagusachalasie, ↑ Osteogenesis imperfecta, ↑ Urolithiasis, Augenzittern (↑ Nystagmus) und ↑ Schielen sowie die Leukämie. Es ist im allgemeinen üblich, die E. in drei Gruppen zu unterteilen, in überwiegend erblich (z. B. Zwergwuchs), gleichermaßen erb- und umweltbedingt (z. B. Ösophagusachalasie), überwiegend umweltbedingt (↑ Infektionskrankheiten).

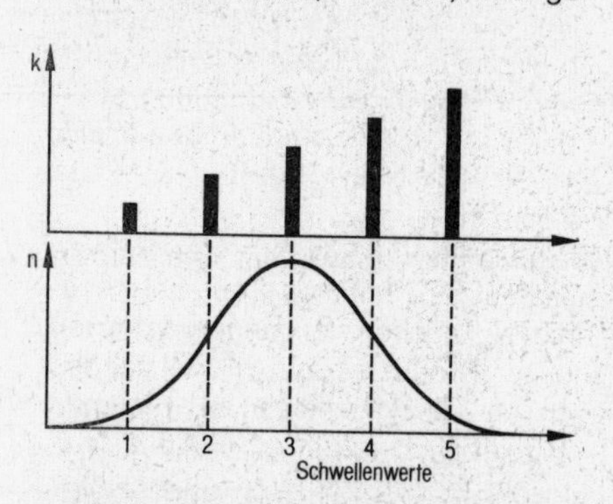

Erbumweltkrankheiten, Abb. 2. Zusammenhänge zwischen der Stärke des krankheitsauslösenden Reizes (k) und der Zahl der Tiere (n) mit einem bestimmten Schwellenwert (Dispositionsgrad) in der Population

Erbunterschiede ↑ Allelie-Test.

Erbwert: Wert des ↑ Genotyps eines Individuums (im Rahmen eines Vergleichs innerhalb einer Population relativer E.), der anhand der Eigen-, Vorfahren- und/oder Seitenverwandtenqualität geschätzt wird. Der mittlere Erwartungswert der genotypischen Werte der unmittelbaren Nachkommen eines Zuchttieres wird als ↑ Zuchtwert bezeichnet [engl. breeding value; beim Zeitgefährten- bzw. Populationsvergleich relative breeding value].

Erfahrung ↑ Lernverhalten.

Erhaltungsbedarf ↑ Energiebedarf.

Erkundungsverhalten, *Explorationsverhalten, Neugierverhalten:* aktives Untersuchen neuer Reizsituationen, das besonders bei höheren Wirbeltieren, z. B. Säugetiere oder Vögel, ausgeprägt ist. Es zeigt Übereinstimmungen mit dem ↑ Spielverhalten und ist daher bei vielen Arten besonders in der Jugendphase zu beobachten. Im Rahmen des E. werden Erfahrungen im Umgang mit der ↑ Umwelt, z. B. bestimmten Objekten und Räumlichkeiten, gesammelt, über Lernprozesse im ↑ Gedächtnis gespeichert und bei Bedarf abgerufen. Jungtiere sind oft von Natur aus neugierig, d. h. sie beginnen ohne äußerlich erkennbare Reize auf der Basis einer inneren ↑ Motivation nach Gegenständen zu suchen, die sie erkunden können (↑ Appetenzverhalten). So laufen Jungkatzen oft scheinbar ziellos umher, um plötzlich einer vom Winde bewegten Feder zu folgen und den Versuch zu machen, diese einzufangen. In diesem Falle spricht man vom *freiwilligen E.* Dabei besitzt das Tier immer eine Rückzugsmöglichkeit und wendet auch eine entsprechende Strategie an. Anders sieht das E. im Falle eines *erzwungenen E.* aus, wenn z. B. eine Katze in einen ihr unbekannten Raum gebracht wird. Da eine Rückzugsmöglichkeit fehlt, beginnt das Tier meist erst nach einer Phase der Unbeweglichkeit den Raum zu untersuchen. Es ist dabei bemüht, freie, scheinbar gefährliche Flächen zu meiden und bewegt sich vorwiegend an den Wänden entlang. Das Verhalten wird von ↑ Angst bestimmt, die mit zunehmender Bekanntheit der Umweltstrukturen im Verlaufe des E. abgebaut wird. Im Gegensatz zu vielen kulturfolgenden Tierarten, ist die Neugier bei erwachsenen streunenden Hauskatzen wenig ausgebildet (↑ Prägung). Die ↑ Fluchtdistanz gegenüber dem Menschen ist relativ groß. Durch Eingehen auf den individuellen Charakter der Katze durch den Menschen (vorsichtige Annäherung, beruhigendes Ansprechen usw.) kann die Tendenz zur Flucht relativ schnell in Neugier umschlagen.

Erleichterungsspiel ↑ Beutespiel.

Ernährung: Sicherstellung der gesamten materiellen und funktionellen Bedürfnisse des Körpers, um sein Wachstum (↑ Masseentwicklung), seine Erhaltung, seine Funktionstüchtigkeit und seine Leistungsfähigkeit (↑ Energiebedarf) zu gewährleisten. Die E.sforschung ist eine Wissenschaftsdisziplin, die sich mit der Frage des Bedarfes der verschiedenen Arten von Lebewesen an Energie und an essentiellen Nahrungsfaktoren sowie mit der Verwertung dieser Verbindungen und Elemente beschäftigt.

Bei der E. der Tiere besteht eine Aufgliederung der Forschung nach Tiergruppen, wie Wiederkäuer, Einhufer, Hund, Katze.

Von allen Haustierarten haben Katzen den größten Eiweißbedarf. Er ist z. B. doppelt so groß wie der des Hundes. Natürlich dürfen auch Fette, Vitamine und Mineralstoffe nicht fehlen. Über den Bedarf an Kohlenhydraten ist man sich nicht so recht einig. Sicher ist, daß er bei der Wildkatze gering ist und im Gefolge der Haustierwerdung (vgl. Domestikation) etwas anstieg.

Betrachtet man die Zusammensetzung der Beutetiere wilder Verwandter der Hauskatze, werden die Nährstoffanteile deutlich: durchschnittlich 14% Protein (Eiweiß), 10% Fett, 1 bis 2% Kohlenhydrate und 70% Wasser. Da ↑ Beutetiere mit Haut und Haaren verzehrt werden, fehlen auch nicht die lebensnotwendigen Vitamine und Mineralstoffe sowie die für eine geregelte Verdauung erforderlichen ↑ Ballaststoffe. Das heißt also, daß mehr als 50% der Nährstoffe Proteine sind.

Der gesamte Organismus der ↑ Katze ist darauf ausgerichtet, Beutetiere ausfindig zu machen, zu fangen, zu töten und zu verdauen. Das trifft letztendes auch auf die Hauskatze zu. Sie muß sich zwar nicht selbst um Futter bemühen, hat jedoch immer noch die gleichen Nahrungsbedürfnisse und muß demzufolge *eiweißreich* ernährt werden. Es wäre falsch, wollte man hieraus ableiten, Katzen brauchen nur mageres Fleisch oder nur Fisch. Die anderen

Komponenten sind genauso wichtig und da sie nicht in ausreichender Menge im Fleisch enthalten sind, müssen sie anteilmäßig dem Futter beigefügt werden. Ausgehend von den Nährstoffanteilen im Beutetier sollte eine optimale Katzennahrung folgendermaßen zuammengesetzt sein: 14 bis 20% Eiweiß, 5 bis 10% Fett, 5 bis 7% Kohlenhydrate, 1 bis 2% Mineralstoffe und Vitamine. Folgende Faustregel gilt: zwei Drittel bestehen aus hochwertigen Eiweißfuttermitteln, ein Drittel aus Beifutter. Mineralstoffe und Vitamine sind hinzuzufügen. Wasser muß stets frisch und ausreichend zur Verfügung stehen.

Geeignete Eiweißfuttermittel

Fleisch

rohes, mageres bis mittelfettes Fleisch aller Haustiere; kleine Sehnen und Knorpel können enthalten sein, auch Fett; *Fleisch vom Schwein oder Wild nur gekocht*, da Erreger parasitärer u. a. Erkrankungen sonst übertragen werden können (↑ Parasitosen).

Innereien

Herz, Milz, Nieren, Lunge, Hirn, Kutteln und Leber. *Rohe Leber wirkt abführend, gekochte verstopft.* Wegen des hohen Vitamin-A-Gehaltes sollte je Woche nicht mehr als 100 bis 150 g Leber verfüttert werden (zuviel Vitamin A ist gesundheitsschädigend).

Eintagsküken

entsprechen dem Beutetier am meisten und sind deshalb besonders wertvoll.

Fisch

jeder Magerfisch, *stets gekocht*, da in vielen Fischen ein Enzym (Thiaminase) enthalten ist, das Vitamin B_1 zerstört. Das Enzym wird durch Kochen inaktiviert. Große Gräten müssen entfernt werden, kleinere werden komplikationslos vertragen.

Eier

Eiklar nur gekocht; einerseits wird somit die Verdaulichkeit fast verdoppelt, andererseits wird das Enzym Avidin, das Vitamin H (Biotin) abbindet und für die Katze unwirksam macht, zerstört. Das *Eidotter* ist vitaminreich (besonders Vitamin A) und kann *roh* ein- bis zweimal wöchentlich gegeben werden.

Milch und Milchprodukte

Milch ist ein Nährstoff und kein Getränk. Sie enthält, wie auch die Milchprodukte, wichtige Vitamine und Mineralstoffe. Von Jungtieren einmal abgesehen, wird Milch von allen Katzen nicht gut vertragen. Der Milchzucker kann nicht abgebaut werden, hemmt die Wasseraufnahme im Darm und führt zu ↑ Durchfall. *Magerquark* hingegen ist eine ausgezeichnete Ergänzung zu Fleisch und Fisch.

Tierkörper- und Fischmehle

sind dem ↑ Fertigfutter meist beigefügt und eine notwendige Ergänzung zum tierischen Eiweiß.

Beifutter

Getreideprodukte

Reis, Haferflocken, Weizenflocken, Gersten-, Roggen-, Haferschrot und -mehl sowie Teigwaren (z. B. Nudeln), Brot, Zwieback u. a.; außer den beiden letzten sind alle Getreideprodukte *nur gebacken oder gekocht* zu verabreichen, da die enthaltene Stärke so gut wie gar nicht verdaut werden kann und durch Erhitzen aufgeschlossen werden muß.

Gemüse und Obst

als Vitaminspender Petersilie, Spinat, Kresse, Schnittlauch, Mohrrüben, Sellerie. Sie werden roh, fein zerkleinert, gerieben oder gemust in kleinen Mengen gegeben (Vitamin A befindet sich in der Mohrrübe nur in seiner Vorstufe, dem Karotin, das von den Katzen nicht umgewandelt werden kann). Knoblauch soll vorbeugend gegen Würmer wirken.

Fett

wird bis zu einem Anteil von 30% im Futter problemlos vertragen, sollte aber in dieser Menge nicht über einen längeren Zeitraum gegeben werden; in der Regel höchstens bis zu 10%.

Vitamine, Mengen- und Spurenelemente (Mineralstoffe)

Vitamine
zum Teil in den rohen Futtermitteln enthalten. Um den ↑ Vitaminbedarf abzudecken, sind entsprechende Präparate dem Futter gut unterzumischen.

Mengen- und Spurenelemente
sind ebenfalls in allen Futtermitteln enthalten, häufig jedoch in einer für den ↑ Mengen- und Spurenelementebedarf der Katze ungünstigen Zusammensetzung. Durch Zusatz von Fertigpräparaten muß besonders Calcium ausgeglichen werden.

Ungeeignete Futtermittel
verdorbenes (auch nur leicht angegangenes) Fleisch (gilt auch für Fisch).

Roher Fisch
über den eventuell auftretenden Vitamin-B_1-Mangel hinaus wegen möglicher Fischparasiten.

Bearbeitete Lebensmittel
Schinken, Wurst, Speck, Wurstpellen, da die darin enthaltenen Gewürze und Pökelzusätze nicht gut verträglich sind.

Geräucherte Fischwaren
nur gelegentlich als kleine Leckerbissen, ansonsten nicht gut verträglich.

Konservierte Lebensmittel,
z. B. Fleisch im eigenen Saft, Fischmarinaden, ↑ *Vergiftung* durch das *Konservierungsmittel* Benzoesäure, das in den meisten Konserven in Mengen enthalten ist, die die Katze gerade noch toleriert. Da diese Säure aber nur langsam ausgeschieden wird, summiert sich die aufgenommene Menge, und Vergiftungen sind möglich (kumulativ toxisch wirkend).

Hülsenfrüchte, Kohl, Sauerkohl u. ä.
sind unverdaulich für die Katze, verursachen außerdem *Blähungen.*

Süßwaren
Kuchen, Torte, Schlagsahne und Schokolade sollten nur kleine Leckerbissen sein, da sie im allgemeinen ungeeignet und oft unverträglich sind.

Essenreste
die enthaltenen Gewürze sind unverträglich, der Kohlenhydratanteil ist absolut zu hoch bzw. die Kohlenhydrate sind unverdaulich. Sie enthalten *zu wenig* lebensnotwendiges *hochwertiges Eiweiß.*

gefangene Ratten und Mäuse
sind oft Träger von Infektionskrankheiten oder Giften (↑ Vergiftungen).

Katzen können und sollen vielseitig und abwechslungsreich ernährt werden. Eine einseitige und eintönige E. kann zu Mangelkrankheiten führen. Werden Jungtiere schon in der ↑ sensiblen Phase vielseitig ernährt, gibt man ihnen keine Gelegenheit sich an ein bestimmtes Futter zu gewöhnen, z. B. nur Schabefleisch, gekochten Fisch usw., werden sie später auch eventuelle ↑ Futterumstellungen leichter akzeptieren.

Eine ausgewachsene Katze wiegt zwischen 2,5 bis 3,5 kg, Kater 1 kg mehr (↑ Masseentwicklung). Die tägliche Futtermenge liegt bei 125 bis 250 g. Besondere Leistungen, wie Deckleistung, ↑ Trächtigkeit, Säugeleistung, sind hierbei nicht berücksichtigt; sie erfordern mehr und gehaltvolleres Futter. Bereits beim täglichen Futterbedarf (↑ Energiebedarf) gibt es erhebliche Unterschiede wie nachfolgende Aufstellung zeigt.

Unterschiede im Futterbedarf

höher	niedriger
wachsende Katze bis 11 Monate	ausgewachsene Katze
leichte Katzen, bis 4 kg	schwere Katzen, über 4 kg
Kurzhaarigkeit	Langhaarigkeit
Zwingerhaltung	Wohnungshaltung
geringes Futterverwertungsvermögen	hohes Futterverwertungsvermögen
lebhafte Katzen	ruhige Katzen

Schwergewichte und alternde Katzen haben einen gesteigerten ↑ Mengen- und Spurenelementebedarf und ↑ Vitaminbedarf, aber einen verringerten Nährstoffbedarf.
Im Gegensatz zum Hund fressen Katzen bedächtig und können so gut wie gar nicht kauen. Sie machen beim Fressen mehrere Pausen, fressen nur soviel, wie sie brauchen und haben nach ½ bis 1½ Stunden ihre Mahlzeit beendet. Danach sollten die Reste entfernt werden. Katzen sind keine Aasfresser und lehnen jedes Futter ab, was nicht einwandfrei ist. Das Futter muß also für jede Mahlzeit neu zubereitet werden. Am besten vertragen und verdaut wird körperwarmes Futter (39°C), zimmerwarm sollte es aber in jedem Fall sein. Direkt aus dem Kühlschrank ist das Futter zu kalt (Magen-Darm-Störungen) und kann bei Welpen sogar zum Tode führen.
Erwachsene Katzen erhalten täglich eine Hauptmahlzeit mit etwa zwei Drittel der Futtermenge und eine weitere Mahlzeit mit dem restlichen Drittel etwa 12 Stunden später. Wird nicht alles aufgefressen, so sollte die folgende Mahlzeit um die übriggelassene Menge gekürzt werden. Reicht die Mahlzeit dann nicht mehr aus und die Katze hat Hunger, meldet sie sich nachdrücklich. Die Futterration sollte dann wieder erhöht werden. Katzen wollen jeden Tag zur gleichen Zeit gefüttert werden, wann, hängt im wesentlichen vom Tagesablauf des Besitzers ab (vgl. Tagesrhythmik).
Jungtiere haben einen wesentlich höheren Energie- und Nährstoffbedarf, aber einen kleineren Magen als erwachsene Tiere. Sie müssen deshalb mehrmals am Tag gefüttert werden. Ihr Energiebedarf beträgt in den ersten Lebenswochen das Fünffache und in der vierten Lebenswoche immer noch das Vierfache einer erwachsenen Katze. Ab vierte bis fünfte Woche sollte mit der Zufütterung der Welpen begonnen werden. Wenn man bedenkt, daß Welpen in den ersten zwölf Lebenswochen täglich 10 bis 20 g zunehmen sollen, so ist das Zufüttern zu diesem Zeitpunkt eine große Entlastung der Mutterkatze. Besonders wichtig für das Wachstum der Jungtiere ist ein hoher Eiweißanteil, der mindestens 20% betragen soll. Geeignet sind gehaltvolle Breizubereitungen, geschabtes oder fein zerkleinertes Fleisch, mit Vitamin- und Mineralstoffzusätzen. Fressen die Jungtiere selbständig, ist die Futterration der Mutterkatze zu kürzen (↑ Welpenaufzucht). Eine gleichbleibende Milchleistung ist nur gesichert, wenn täglich das Drei- bis Vierfache (je nach Welpenzahl) der normalen Ration gefressen wird. Für diese große Futtermenge muß die Anzahl der Mahlzeiten verdoppelt werden, wobei in regelmäßigen Abständen gefüttert werden sollte. Gleiches gilt für die tragende Katze: Sie hat bis zur siebten Trächtigkeitswoche einen steigenden Futterbedarf. Im letzten Drittel der

Anzahl der täglichen Mahlzeiten

Lebensalter	durchschnittliche Körpermasse	tägliche Mahlzeiten
1. bis 3. Woche	Säugen	
4. bis 5. Woche	Säugen und Beginn der Zufütterung	
6. bis 8. Woche	700…1000 g	6
9. bis 12. Woche	1000…1450 g	5
ab 4. Monat	1800 g	4
ab 5. Monat	2100 g	3
ab 7. Monat	2700 g	2
erwachsene Katze/Kater	2,5…5 kg	2
trächtige Katze		
4. bis 7. Woche		3 bis 4
7. bis 9. Woche		4 bis 5
säugende Katze		4 bis 5

↑ Trächtigkeit beanspruchen die heranwachsenden Welpen viel Raum und schränken das Bauchvolumen ein. Es wird zwar weniger, dafür aber häufiger gefressen. Tab.

Erntemilbe ↑ Ektoparasiten.

Eröffnungswehen ↑ Geburt.

Ersatzmilch ↑ mutterlose Aufzucht.

Ersatzmutter: 1. ↑ Mutter-Kind-Bindung. – **2.** ↑ Adoption. – **3.** ↑ mutterlose Aufzucht.

Erscheinungsbild ↑ Phänotyp.

Erstgeburten: 1. ↑ Geburt. – **2.** ↑ Geburtsstörungen.

Erstlingswürfe ↑ Trächtigkeit.

Erythrozyten ↑ Blut.

Ethologie ↑ Verhaltensbiologie.

Ethopathien ↑ Verhaltensstörungen.

Eumelanin ↑ Melanin.

Europäisch Albino ↑ Albinismus.

Europäische Wildkatze ↑ Waldwildkatze.

Europäisch Kurzhaar: Rassekatze mit einem mittelgroßen bis großen, kräftigen, muskulösen Körper, der einen runden, gut entwickelten Brustkorb zeigt. Die kräftigen, mittellangen Beine werden zu den runden Pfoten hin gleichmäßig schmaler. Der mittellange Schwanz ist am Ansatz breit gewünscht und soll – etwas dünner werdend – in eine gerundete Spitze auslaufen. Der Kopf ist etwas länger als breit. Die Wangen sind gut entwickelt und das Kinn ist kräftig. Stirn und Schädel sind leicht gerundet. Die mittellange Nase ist gerade, gleich breit auf der gesamten Länge mit einem deutlich erkennbaren Ansatz an der Stirn. Die Ohren stehen ziemlich aufrecht und sind ansprechend gesetzt. Ihre Spitzen sind leicht gerundet und dürfen ↑ Ohrbüschel aufweisen. Die Höhe der Ohren entspricht ihrer Breite am Ansatz. Die Augen sind rund, leicht schräg gestellt und weit auseinander gesetzt. Laut F. I. Fe.-Standard kann die Augenfarbe grün, gelb oder orange sein, bei den weißen, silbergetigerten, -getupften und -gestromten sowie bei den Chinchilla- und Shaded-Silver-Varietäten wird ein grünes Auge bevorzugt. Das Fell der E. K. ist kurz, dicht, fest und glänzend. Fehler sind ein deutlicher ↑ Stop, langes oder wolliges Fell, ein gedrungener oder schlanker Körperbau, Hängewangen, eine extreme Größe sowie alle erkennbaren Anzeichen von Einkreuzungen anderer ↑ Rassen.

Mit dieser Rassebeschreibung erlebte die E. K. 1982 eine Wiedergeburt. Die bis zu diesem Zeitpunkt unter dem Namen E. K. bekannte Rasse wurde durch Einkreuzungen von ↑ Persern zu einem ↑ Phänotyp hinentwickelt, der nur noch wenig mit der uns vertrauten ↑ Hauskatze gemein hat. Sie behielt in großen Zügen ihren alten Standard, wurde aber mit der Erarbeitung des Standards für E. K. in ↑ Britisch Kurzhaar umbenannt, da sie dem kompakteren Typ entspricht, den die britischen Züchter von Beginn dieser Zucht an angestrebt hatten.

Die E. K. dagegen soll einer durchschnittlichen europäischen Hauskatze entsprechen, die Zucht soll auf die Festigung des Körperbautyps, d. h. auf die Schaffung des entsprechenden ↑ genetischen Plateaus, gerichtet sein. Da sich der Zuchtbestand für E. K. auch aus Hauskatzen rekrutieren kann, wird eine Genreserve (↑ Genreservezüchtung) geschaffen, mit der gegebenenfalls ↑ Inzuchtdepressionen entgegengewirkt werden kann. E. K. tragen die Farbnummern der ↑ Britisch Kurzhaar mit dem zusätzlichen Buchstaben E, der für E. K. steht. Im Verband der DDR ist die Augenfarbe der E. K. analog zur Fellfarbe festgelegt und mit der Britisch Kurzhaar identisch. Innerhalb der F. I. Fe. sind E. K. in ↑ Chocolate und ↑ Lilac sowie in den respektiven Kombinationen, wie z. B. Chocolate-Schildpatt (↑ Schildpatt) oder Chocolate-Weiß

(↑ Bi-Colour) nicht anerkannt, da das Braungen b in der natürlichen Katzenpopulation Europas nicht vorkommt. Tafeln 9, 10.

Exkretion ↑ Ausscheidung.

Exogenie, *Umweltbedingtheit*: den endogenen (genetischen) Ursachen der Merkmalbildung und -variation gegenübergestellte Ursachengruppe (nicht genetische Ursachen), zu der primär physikalische (ionisierende Strahlen, Lärm, mechanische Einflüsse, Temperatur), chemisch-toxische (Industrieemission, Drogen, diverse Chemikalien), infektiös-toxische Faktoren (Virus- und bakterielle Krankheiten), Mangelkrankheiten und Stoffwechselstörungen (Vitamine, Mengen- und Spurenelemente) und sonstige (Alter der Mütter, Gametenalter, emotionaler Stress) sowie bisher unbekannte Faktoren gehören. Exogen bedingt sind z. B. bestimmte Formen der ↑ zerebellaren Ataxie, die Milchzahnpersistenz oder die ↑ Rachitis der Katze. Letztere bildet bereits einen Übergang, denn rein exogen bedingte Krankheiten oder Mißbildungen treten nur nach Wirkung zufälliger Umweltfaktoren auf (z. B. Verbrennung, Verletzung, Infektionserreger, Neumutationen). Die Mehrzahl der Umweltfaktoren wirkt systematisch über einen längeren Zeitraum bzw. gehört zur natürlichen Umwelt der Katze (Klima, ↑ Ernährung, biotische Umwelt), so daß sich diese im Verlauf der Evolution genetisch anpassen konnte. Exogene Faktoren beeinflussen daher die Gesundheit der Tiere oder die Entwicklung der Keimlinge nur, wenn deren Erbanlagen die Voraussetzungen dazu bieten, d. h., wenn die Tiere von sich aus nicht mehr in der Lage sind, dank ihres erblich verankerten Regulationsvermögens pathogene (krankheitserregende) Einflüsse zu kompensieren und die gestörte Ordnung des Entwicklungsablaufes wieder herzustellen.

Hinweise auf Umweltbedingtheit einer Merkmalvariation sind u. a.:

- Vorhergehende repräsentative Untersuchungen haben die E. einer gleichartigen oder ähnlichen Störung bei der gleichen Tierart oder bei anderen Tierarten ergeben.
- Das Merkmal trat auf, nachdem die Mutter an einer Infektionskrankheit oder an einer Mangelkrankheit litt bzw. unter dem Einfluß anderer Stressoren stand.
- Nach Heilung der Krankheit bzw. nach Futterwechsel oder -supplementierung und nach Beseitigung anderer schädigender Umweltfaktoren trat das Merkmal nicht wieder auf.
- Es trat bei nichtverwandten Tieren unter den gleichen Umweltbedingungen auf.

Exotic Kurzhaar: Perserkatze mit kurzem Fell. Sie hat wie diese einen runden Kopf mit einem breiten Schädel, einen gut entwickelten kräftigen Unterkiefer und ein rundes Gesicht mit vollen Wangen. Der Hals ist kurz und dick. Die Ohren sind klein und gerundet, tief angesetzt und zum harmonischen Gesamtbild des Kopfes passend, die Augen groß, rund und weit auseinander gesetzt. Die kurze, breite Nase zeigt einen Stop. Der gedrungene, kompakte Körper steht auf niedrigen, stämmigen Beinen. Schultern und Brust sind breit; der kurze Schwanz entspricht den Körperproportionen. Das Fell ist dicht und plüschartig, vom Körper abstehend und etwas länger als das der ↑ Britisch Kurzhaar, jedoch nicht so lang, daß es fliegt.

Anfang der 60er Jahre begannen in den USA Züchter von ↑ Amerikanisch Kurzhaar heimlich ↑ Perser in ihre Linie einzukreuzen. Da ↑ Kurzhaar über ↑ Langhaar dominant ist, konnten solche Tiere zuerst erfolgreich auf Ausstellungen konkurrieren, denn Züchter und Richter übersahen gleichermaßen, daß die

Köpfe der Amerikanisch Kurzhaar immer runder und breiter, ihre Nasen immer kürzer wurden und einen ↑ Stop bekamen. 1966 beschloß der ↑ CFA, die Kreuzungen zwischen Kurzhaar und Persern als E. K. zu registrieren und bereits ein Jahr später erhielt sie dann von diesem größten der amerikanischen Dachverbände die volle Anerkennung. Andere amerikanische Verbände folgten diesem Schritt nicht sofort. Auf ihren Ausstellungen wurden die neu kreierten E. K. nach wie vor als Amerikanisch Kurzhaar gerichtet und erhielten überdies höchste Bewertungen. Zehn Jahre lang durften dann in den Stammbäumen der E. K. auch andere Kurzhaarrassen und Perser verzeichnet sein; seit 1988 ist eine Reinverpaarung über vier Generationen Eintragungsbedingung. Neben der Amerikanisch Kurzhaar wurde vornehmlich die gedrungene amerikanische ↑ Burma in der E.-K.-Zucht verwendet, und nebenbei entstand als weitere Rasse die ↑ Tiffany.

Exotic Kurzhaar

Bei der Anerkennung der E. K. im Jahre 1977 wurde festgelegt, daß alle Kurzhaarkatzen, die aus Kreuzungen mit Persern gefallen waren, als E. K. einzutragen und auszustellen sind.
Aufgrund der eingangs beschriebenen Zuchtpraxis erwartete man einen großen Zustrom. Tatsächlich wurden aber nur 20% der Amerikanisch Kurzhaar in E. K. umgeschrieben, und die zahlenmäßige Entwicklung dieser Varietät verlief eher schleppend. Dennoch konnte sich schon fünf Jahre nach der Anerkennung durch den CFA ein Black-Smoke E. K. namens *Docia Dao's Tribly* in der Ausstellungssaison 1972/73 unter den 20 besten Katzen der USA plazieren. Es waren in erster Linie Perserkatzenzüchter, die der aufwendigen ↑ Fellpflege dieser extrem langhaarigen Tiere überdrüssig wurden und sich nun der E. K. zuwandten.
Innerhalb der F. I. Fe. ist die E. K. seit 1983 in allen Perserfarbschlägen anerkannt. Sie trägt die gleiche Farbnummer, nur mit dem zusätzlichen Kürzel EX. Eine schwarze E. K. wäre also 1 EX. E. K. und Perser gelten als eine ↑ Rasse. Verpaarungen sind untereinander erlaubt, jedoch werden E. K., die rezessiv Langhaar tragen, mit dem Kürzel VAR. für ↑ Variant im Stammbaum gekennzeichnet.
In den verschiedenen Dachverbänden ist man sich zwar darüber einig, daß die E. K. eine kurzhaarige Perser sein soll; unterschiedliche Auffassungen bestehen jedoch über die Länge des Haarkleides. Nur einer der amerikanischen Dachverbände hat sie auf etwa 1 inch, das sind 25,4 mm festgelegt. Ob als rassebildendes Merkmal der Stop und ein etwas gedrungenerer Körperbau als die Britisch Kurzhaar auf die Dauer ausreichend sein werden, ist mehr als fraglich. Schwerpunktmäßig sollte außer auf Persertyp auf die Besonderheiten des Fells Wert gelegt werden. Beide Merkmale sind polygen determiniert (vgl. Polygenie) und nur auf dem langen Weg der ↑ Selektion auf das gewünschte und notwendige ↑ genetische Plateau zu bringen. In einigen Jahrzehnten wird sich zeigen, ob die E. K. und die Britisch Kurzhaar zu einer einzigen Rasse

zusammengeflossen sind, ober ob genügend züchterische Ausdauer der E. K. zu jener großen Zukunft verholfen hat, die ihr vorausgesagt wird. Tafel 24. Abb.

Explorationsverhalten ↑ Erkundungsverhalten.

Expressivität, *Manifestationsstärke*: Stärke der phänotypischen Ausprägung eines Erbfaktors (↑ Gen), basierend auf der Beobachtung, daß Träger der gleichen Allele eines Genorts, d. h. Tiere gleichen ↑ Genotyps, phänotypische Unterschiede zeigen können. So erhält man z. B. am Scheckungslocus mit der Genkonstruktion Ss die unterschiedlichsten Scheckungsmuster. Die Ursachen beruhen auf Einwirkung der übrigen Gene eines Genotyps (des genotypischen Milieus) oder einer bestimmten Gruppe polygener Modifikatoren (↑ Modifikation) auf das Wirkungsmuster des untersuchten, in diesem Fall des Gens für die ↑ Scheckung. Gemessen wird die E. anhand des Grades der Abweichung vom ↑ Wildtyp (bzw. gesunden Organismus), d. h., starke E. bedeutet starke Abweichung. Wertet man die Befunde einer Population häufigkeitsstatistisch aus, erhält man eine Kurve, das „E.sprofil" einer Erbanlage. Für genetisch-statistische Auswertungen (Erbanalysen) ist die E.sstufe Null zu beachten (↑ Penetranz).

Exkretionsharn: 1. ↑ Duftmarkieren. – **2.** ↑ Miktion.

Exzeßmißbildung ↑ Mißbildung.

F

Fadenwürmer, *Nematoden* ↑ Endoparasiten.

Fading kitten syndrome [engl., Welpensterblichkeitssyndrom]: Komplex von ↑ Infektionskrankheiten und exogenen Belastungen, der in bestimmten Würfen oder ganzen Zwingern zur Welpensterblichkeit in den ersten Lebenstagen führt. Die gesund geborenen, gut entwickelten Welpen zeigen plötzlich allgemeine ↑ Krankheitszeichen. Der Krankheitsverlauf ist in der Regel akut bis perakut. Die Welpen sterben häufig bereits nach wenigen Stunden. Nur kräftige Welpen aus älteren Würfen überleben. Die ätiologischen Komplexe sind unterschiedlich konfiguriert. Mögliche Ursachen für das F. k. s. sind u. a.:

- ↑ hämolytisches Syndrom bei Neugeborenen,
- ein hoher Inzuchtkoeffizient (↑ Inzuchtdepression),
- Kopfverletzungen beim ↑ Jungentransport durch die Mutterkatze; Herausspringen aus der ↑ Wurfkiste,
- Entzündungen der Nabelschnur (↑ Geburt, Jungtierentwicklung),
- angeborene innere ↑ Mißbildungen; die Tiere sind bis zu einem gewissen Alter lebensfähig, und plötzlich tritt ohne ersichtlichen Grund der Tod ein,
- ↑ Erbkrankheiten bzw. ↑ Erbumweltkrankheiten,
- falsche ↑ Ernährung der Mutterkatze während der Trächtigkeit und/oder der Säugeperiode,
- Die ↑ Welpenaufzucht wurde dem Selbstlauf überlassen und eventuelle Krankheitsanzeichen nicht erkannt.

Faktor-VIII-Mangel ↑ Hämophilie.

Faktor-XI-Mangel ↑ Hämophilie.

Falbkatze, *Afrikanische Wildkatze, Felis silvestris lybica* (*Forster*, 1780): zur gleichen Großart wie die ↑ Hauskatze zählende wilde Katzenform (↑ Katzen), die heute als Ausgangsform für die Herausbildung der Hauskatze angesehen wird (vgl. Domestikation, Selbstdomestikation). Die F. kommt heute fast auf dem gesamten afrikanischen Kontinent und der arabischen Halbinsel bis zum Iran hin vor. Es werden eine Reihe von Formen unterschieden, die sowohl in Körpergröße als auch in der Färbung je nach Herkunftsort stark differieren. So liegt die Gesamtlänge zwischen 65 und 120 cm, davon entfallen etwa ⅜ auf den langen dünnen Schwanz. Die Grundfärbung reicht von hellcreme und sandgelb bis fahlgrau und graubraun, wobei die Unterseite stets heller ist. Es gibt wie bei der ↑ Steppenkatze gefleckte aber auch gestreifte Exemplare wie bei der ↑ Waldwildkatze. Beim ersten Hinsehen erscheinen F. mehr oder weniger einfarbig. Abb.

Falbkatze

F. sind Kulturfolger und kommen oft halbzahm in der Nähe menschlicher Siedlungen vor. Daher waren sie bei entsprechendem Nahrungsangebot von vornherein für ein Zusammenleben mit dem Menschen geeignet. Die Skala der ↑ Beutetiere reicht von Kleinsäugern, über Schlangen, Skorpione bis hin zu Insekten, die in großen Mengen gefressen werden. Bis zu 20% der Nahrung kann pflanzlicher Herkunft sein (*Stuart*, 1977). In ihrem Lebensraum besitzen sie eine Reihe natürlicher Feinde, wie Haus- und Hyänenhunde, größere Greifvögel, aber auch Giftschlangen können insbesondere Jungtieren gefährlich werden. Im Verhalten soll die F. im wesentlichen ihren nächsten Verwandten gleichen; genauere Freiland- oder Gefangenschaftsbeobachtungen liegen jedoch nicht vor.

Fallen ↑ Reflex.

Faltohren, *Kippohren* [engl. folded ears]: Gruppe von Ohrmuscheldeformationen, die vom Abkippen der Ohrspitzen bis zum Hängeohr, d.h. Abknikken der Ohren an der Ohrbasis, gehen. F. sind erblich und das rassebildende Merkmal der ↑ Scottish Fold, könnten aber auch bei ↑ Persern, ↑ Siam, ↑ American Wirehair, praktisch in jede andere ↑ Rasse hineingezüchtet werden. Der Erbgang ist autosomal dominant. Am ↑ Genort befinden sich die Allele Fd und fd^+ (↑ Normalohr). Der Dominanzgrad (vollständige oder ↑ unvollständige Dominanz) hängt jedoch vom genotypischen Milieu, d.h. von der Natur der übrigen Gene des Organismus ab. Paarungen zwischen heterozygoten Katzen Fd fd und Katzen mit Normalohren fd fd ergeben theoretisch 50% Nachkommen, die ebenfalls Merkmalträger sind:

♀ \ ♂	fd	fd
Fd	Fd fd	Fd fd
fd	fd fd	fd fd

Aber selbst bei Verpaarungen zwischen zwei Tieren mit F. treten auch in dem Fall, daß ein Elternteil homozygot ist (Fd Fd × Fd fd), einige normalohrige Jungtiere auf.

Ein aus derartigen Verpaarungen hervorgehendes normalohriges Jungtier bezeugt den unvollständig dominanten Erbgang. Scottish Fold sind überwiegend heterozygot Fd fd, und die Ohren sind bei diesen Tieren das einzige abnorme Merkmal. Der Übergang zur ↑ Homozygotie führt zu chondrodystrophischen Störungen, die insbesondere die Extremitäten und den Schwanz betreffen. Merkmalträger zeigen eine Epiphysendysplasie, d. h., die die Gelenkflächen tragenden Enden der langen Röhrenknochen (besonders der Hinterextremitäten) und die Schwanzwirbel sind pathologisch verändert. Es treten geschwollene Füße und Gelenke sowie Bewegungsstörungen auf. Gelegentlich werden auch eine veränderte Augenhöhle und kleine Augen beobachtet.

Die Verfechter der Scottish Fold führen diese Mißbildungen auf eine starke Inzucht und auf eine falsche Selektion zu Beginn der Zucht zurück. Die heutigen Katzen mit F. haben mehr als 20 Generationen Rassegeschichte hinter sich, und trotz stabilisierender Selektion fallen immer wieder Katzen mit derartigen Störungen. Sie sind der lebendige Beweis für mangelnde Selektion und fehlende Einsicht einiger Züchter. Verbände, die die Zucht der Scottish Fold als „experimentum naturae" betrachten und genehmigen, sollten konsequent sein und entsprechende restriktive Bestimmungen erlassen. Merkmalträgerverpaarungen sind auf alle Fälle zu vermeiden. Die Rückpaarung der Faltohren auf normalohrige Katzen, die einen Elternteil mit F. hatten, ist empfehlenswert. Korrekterweise sei hinzugefügt, daß auch aus Merkmalträgerpaarungen gesunde F.katzen gefallen sind. Es könnte sich um ein Aufspalten modifizierender und kumulativ wirkender Polygene (↑ Polygenie, ↑ Modifikation) oder um Akkumulation von ↑ Suppressorgenen im Verlauf der stabilisierenden Selektion handeln. Zur Zeit bildet das aber noch die Ausnahme. Von der Zielstrebigkeit und Disziplin der Züchter hängt es ab, ob eines Tages die fatalen Folgen der Defektzucht nicht mehr zu beobachten sind. Neben den F. sind weitere Ohrdeformationen bekannt geworden, die ↑ Fledermausohren und das Kräuselohr der ↑ American Curl.

Faltohrkatze ↑ Scottish Fold.

Familienselektion, *interfamiliäre Selektion*: Selektion ganzer Familien als Einheit, d. h. die Auswahl der Zuchttiere erfolgt aufgrund der durchschnittlichen Qualität der Familienmitglieder. Selektionskriterium ist der mittlere phänotypische Wert der Familie. Die Familien können Halb- oder Vollgeschwistergruppen sein. Weiter entfernte Verwandte sind von geringer praktischer Bedeutung. Vorteil der F. ist die Erhaltung günstiger Genkombinationen (des genotypischen Milieus). Ein Nachteil ist, daß unter Umständen hervorragende Tiere aus schlechten Familien nicht zur Zucht herangezogen werden. Die Methode empfiehlt sich für Merkmale mit einem geringen Erblichkeitsgrad. Die Halbgeschwisterfamilienselektion (Kater-Nachkommenschaft) ist der ↑ Individualselektion bereits ab $h^2 = 0{,}2$ unterlegen (↑ Heritabilitätskoeffizient). Die Abb. enthält einen Effektivitätsvergleich der drei wichtigsten Se-

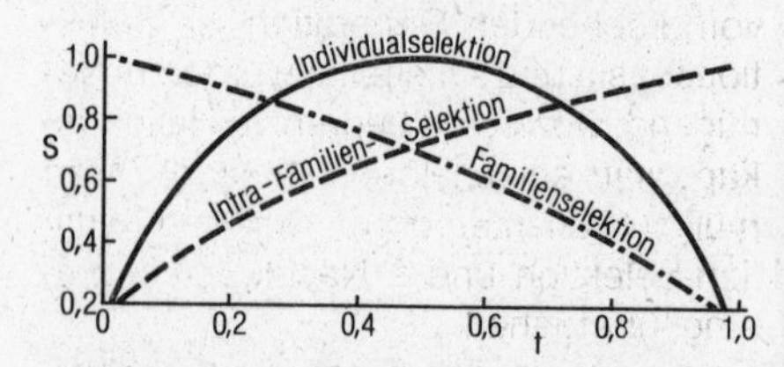

Relativer Wert verschiedener Selektionsmethoden (nach *Falconer*, 1984). S = relativer Selektionserfolg bei unendlicher Familiengröße, t = phänotypische Intraclasskorrelation

lektionsmethoden bei unterschiedlichen Erblichkeitsgraden unter idealisierten Bedingungen. Bei unterschiedlichen Familiengrößen verschieben sich die Kurven, wobei die Relationen erhalten bleiben. Die Wirksamkeit der F. beruht auf der Tatsache, daß die Umwelteinflüsse auf die einzelnen Familienmitglieder im Familienmittelwert im wesentlichen ausgeglichen werden. Je größer der Umweltanteil an der ↑ phänotypischen Variation ist und je größer die Familien sind, desto stärker nähert sich unter gleichartigen Umweltverhältnissen der familiäre Mittelwert des Phänotyps dem des ↑ Genotyps. Andererseits verschleiert die gemeinsame Umweltkomponente die Unterschiede zwischen verschiedenen Familien, so daß als Indikation für eine F. ein niedriger Heritabilitätskoeffizient, eine geringe gemeinsame Umweltvariation und ein großer Familienumfang erscheinen.

Einen niedrigen Heritabilitätskoeffizienten besitzen z. B. Fruchtbarkeitsmerkmale und bestimmte subjektive Qualitätsmerkmale (Richterurteile auf der Basis von Punktskalen, d.h. durchschnittliche Punktzahl der Familienmitglieder, Anzahl der Champion, Anzahl von „V"-Tieren). Bei ↑ Zucht in geschlossenen Zuchtgruppen bzw. ↑ Inzucht sowie einer zu geringen Familienzahl ergeben sich allerdings bei F. praktische Schwierigkeiten, da unter Umständen jede Familie nur ein Elternpaar aus der vorhergehenden Generation ist. Selektionsbasis und -intensität werden ungenügend, wozu eine begrenzte Haltungskapazität entscheidend beiträgt. Man muß zu Varianten der F., zur Intra-Familien-Selektion und ↑ Nachkommenprüfung, übergehen.

Eine Variante der F. ist die Geschwisterselektion, die angewandt wird, wenn die Merkmale am Prüfling selbst nicht gemessen werden können. Das selektierte Individuum trägt nicht zum Schätzwert des Familienmittels bei. Bei großem Familienumfang werden F. und Geschwisterselektion äquivalent.

Fangzahn ↑ Zähne.

Farbschlag ↑ Varietät.

Farbsehen ↑ Auge.

Fauchen ↑ Lautgebung.

Fawn-Beige [engl. fawn = Beige]: anerkannte ↑ Varietät bei ↑ Abessiniern und ↑ Somali. Die Körperfarbe ist ein mattes stumpfes Beige, das mit einem dunklen warmen Creme getickt (↑ Ticking) ist. Der Haaransatz ist ein helles Creme. Der ↑ Nasenspiegel ist rosa mit einer altrosa Umrandung, die ↑ Fußballen sind rosa. F. hat die Genkonstruktion A– b^lb^lC– dd T^aT^a und ist die ↑ Verdünnung von ↑ Sorrel. Es soll nur schwer von den bisher nicht anerkannten lilacfarbenen Abessiniern der Genkonstruktion A– bb C– dd T^aT^a und den cremefarbenen Abessiniern C– dd O(O) T^aT^a zu unterscheiden sein (*Robinson*, 1977). Tritt an die Stelle des dominanten Wildtypallels A–, das für ↑ Agouti steht, das homozygot rezessive Allelpaar aa für ↑ Nicht-Agouti, entsteht ↑ Caramel.

Fehlfarben: an sich unzutreffender Begriff, der Farben bzw. Zeichnungsmuster beschreibt, für die in dem jeweiligen Verband keine Anerkennungen erteilt wurden und die somit auch keinem ↑ Standard zugeordnet werden können. F. können auch Farben sein, die auf nicht erkannten ↑ Mutationen beruhen. Die Geschichte der Rassekatzenzucht ist zum Teil eine Geschichte der F. Jüngstes Beispiel sind die ↑ Golden, aber auch die heute klassischen Siamfarben Blue- und ↑ Chocolate-Point galten zu Beginn dieser Zucht als F. Da die Farbvererbung bei ↑ Rassekatzen recht gut erforscht ist und die Züchter deshalb auch über die entsprechenden Kenntnisse verfügen sollten, ist der Begriff F. hoffentlich zum Aussterben verurteilt.

Fehlprägung: durch falsche Erfahrung während der ↑ sensiblen Phase erfolgte Festlegung bestimmter Verhaltensweisen (↑ Prägung) auf ein anderes als das naturgemäße Objekt. Unter Naturbedingungen sind F.en äußerst selten, da die Jungtiere während ihrer Entwicklung in der Regel nur mit Artgenossen Kontakt haben. F. werden besonders im Bereich des ↑ Sexualverhaltens sichtbar, wenn Jungtiere durch Ammen anderer Tierarten (vgl. Adoption), den menschlichen Pfleger eingeschlossen (↑ mutterlose Aufzucht), aufgezogen werden.

Fehlgeburten ↑ Abort.

Feindmeideverhalten ↑ Fluchtverhalten.

Feindschema ↑ Feindverhalten

Feindverhalten: dem ↑ agonistischen Verhalten zuzuordnende Verhaltensweisen, die im innerartlichen Zusammenhang dem Bereich des ↑ Kampfverhaltens und ↑ Drohverhaltens angehören und im zwischenartlichen Kontext meist als eigentliches F. bezeichnet werden. Jungkatzen, die erfahrungslos sind, sehen jedes Wirbeltier als „Mitkatze" an, wenn es nicht durch sein Verhalten dem ↑ Auslösemechanismus für Beute entspricht (vgl. Beutefangverhalten). Die ↑ Prägung der Jungtiere auf bestimmte Feinde geschieht durch das ↑ Warnverhalten des Muttertieres. Dabei scheint es sich nach *Leyhausen* (1982) aber nicht um einen unumkehrbaren Prozeß zu handeln. Auch Katzen, die als Jungtiere von ihren Müttern zur ↑ Furcht vor Hunden oder Menschen erzogen wurden oder mit diesen schlechte Erfahrung gemacht haben, können später lernen, sich mit diesen zu „befreunden". Ein angeborenes *Feindschema* scheint jedoch gegenüber sich schnell von oben nähernden Objekten (in der Natur Greifvögel) zu bestehen, was auch für die ↑ Waldwildkatze belegt ist.

Feldbeute ↑ Beutetier.

Felidae ↑ Katzen.

Feline Coronarvirusinfektion ↑ Infektionskrankheiten.

Feline Infektiöse Peritonitis ↑ Infektionskrankheiten.

Feline Leukämie ↑ Infektionskrankheiten.

Feline Leukose ↑ Infektionskrankheiten.

Felines Klinefelter-Syndrom ↑ Geschlechtschromosomenaberration.

Felines Urologisches Syndrom ↑ Urolithiasis.

Felis silvestris lybica ↑ Falbkatze.

Felis silvestris ornata ↑ Steppenwildkatze.

Felis silvestris silvestris ↑ Waldwildkatze.

Fellhaare: 1. ↑ Haar. – **2.** ↑ Langhaar. – **3.** ↑ Kurzhaar. – **4.** ↑ Rexkatzen.

Fellpflege: Putzen des Fells durch Kämmen, Pudern, Bürsten und ein gelegentliches Bad. Die F. sollte bereits in spielerischer Form während der ↑ sensiblen Phase der Jungtiere einsetzen, damit sie für sie zu einem angenehmen Erlebnis wird. Trotzdem werden nicht alle Tiere eines Wurfes diese Prozedur auf gleiche Weise hinnehmen. Die einen werden allein freudig angelaufen kommen, wenn sie den Kamm in der Hand sehen, andere werden sie stets nur widerwillig ertragen. Die F. richtet sich nach der Art des Haarkleides der Katzen, ist aber nur dann erfolgreich, wenn das Tier auch sonst liebevoll umsorgt wird, es sich wohl fühlt und richtig ernährt wird (↑ Ernährung). Bei *Kurzhaarkatzen*, die kaum Unterwolle haben und sich deshalb selbst sehr gut pflegen können (z. B. ↑ Siam, ↑ Orientalisch Kurzhaar, ↑ Burma), ist die F. wenig aufwendig. Sie werden wöchentlich, bei ↑ Haarwechsel, eventuell auch öfter, mit einer Gumminoppenbürste in Strichrichtung des Haares gebürstet, meist genügt eine feuchte Hand oder ein feuchter Lederlappen, um die

Fellpflege bei Kurzhaarkatzen: 1. Kämmen, 2. Bürsten, 3. Abreiben (stets mit dem Strich)

losen Haare zu entfernen. Danach sollte mit einem Staubkamm (Abb.) das bereits gelockerte, tote Haar ausgekämmt und schließlich mit einer trockenen Bürste die Haut massiert werden. So behält das feine ↑ Seidenhaar seinen lackartigen Glanz.

Für Kurzhaarkatzen mit dichtem Unterhaar (z. B. ↑ Exotic Kurzhaar, ↑ Britisch Kurzhaar, ↑ Europäisch Kurzhaar) besteht die F. in einem täglichen, sehr sanften Bürsten und einem gründlichen Kämmen mit einem nicht zu feinen Kamm, da die Unterwolle geschont werden muß. Eine ähnlich vorsichtige F. ist für das zarte Fell der ↑ Rexkatze angebracht, das vorwiegend aus gelockter Unterwolle besteht. Da sie kaum haaren, reicht es, wenn sie ein- bis zweimal wöchentlich mit einer weichen Babybürste massiert werden.

Für *Langhaarkatzen*, die ein sehr dichtes, üppiges Unterfell haben (↑Langhaar), ist die F. am aufwendigsten. Das künstlich herausgezüchtete lange Haarkleid kann von diesen Tieren nicht mehr allein gepflegt werden. Die ↑ Zunge hat nur noch Oberflächenwirkung, tiefergehende Verschmutzungen, insbesondere aber abgestoßene, tote Haare können sie nicht mehr in dem erforderlichen Maße beseitigen. In der Phase des jährlichen ↑ Haarwechsels verknoten und verklumpen die Wollhaare besonders rasch auf Bauch und Brust. Es entstehen filzartige Platten, die die Haut schmerzhaft zusammenziehen, die Hautatmung unterbinden, Hautekzeme verursachen können und ein idealer Ort für ↑ Ektoparasiten sind. Außerdem werden bei der Körperpflege übermäßig viele Haare geschluckt, die sich im Magen sammeln und von Zeit zu Zeit als ↑ Haarbezoare erbrochen werden. Einmal tägliches Kämmen und Bürsten ist das obligate Minimum, während des Fellwechsels und vor Ausstellungen sind zweimal tägliches Kämmen und Bürsten angebracht. Bei seidiger Textur des Felles ist die F., abgesehen vom Zeitaufwand, relativ unproblematisch; ist die Textur leicht fettend, können sich ständig kleinere Verknotungen bilden, die besonders häufig hinter den Ohren und an der oberen Innenseite

Fellpflege bei Langhaarkatzen: Kämmen und Bürsten gegen den Strich

der Beine auftreten. Mit Daumen und Zeigefinger werden sie zunächst vorsichtig gelöst und auseinandergezupft. Dabei muß jedes starke Ziehen, das die Haut hebt und Schmerzen verursacht, vermieden werden. Nachdem die Knoten gelockert sind, kann mit einem breitzinkigen Kamm (Abb.) durchgekämmt werden. Die Kämme müssen abgerundete Spitzen und keine scharfen Kanten haben, damit ↑ Haare und Haut nicht verletzt werden. Das gesamte Haar wird gegen den Strich hochgekämmt (Abb.) und dann mit einer Naturborstenbürste (Abb.) in gleicher Richtung gebürstet. Das Haarkleid von Katzen, deren Zeichnung zur Geltung kommen soll (↑ Tabbyzeichnung, ↑ Bi-Colour und ↑ Schildpatt), wird zuerst gegen und dann leicht mit dem Strich zurückgekämmt. Kräftiges Bürsten fördert die Durchblutung der Haut, somit die Ernährung des Haares und ist besonders bei schwergewichtigen Katzen notwendig. Um eine Verfilzung der Haare zu vermeiden, kann zur täglichen Pflege etwas Puder benutzt werden. Wird das Tier zur Ausstellung vorbereitet, sollte darauf geachtet werden, daß weißer Puder nur bei blauen, lilac- und cremefarbenen, weißen und silbernen Katzen ohne ↑ Zeichnung gut verwendet werden kann. Bei den unverdünnten Farben (↑ Nichtverdünnung), hellt er auf, bei Tabbyzeichnung schwächt er den gewünschten Kontrast zwischen dem Zeichnungsmuster und der Grundfarbe ab. Etwas Puder wird auf die Handfläche geschüttet und auf der Bauchseite, den Flanken, der ↑ Halskrause und hinter den Ohren verteilt. Gerät der Puder dabei in die Augen, kann das besonders bei Persern durch den ↑ Stop zu tränenden Augen führen. Übermäßiger Puder im Haarkleid führt auf dem Richtertisch zur ↑ Disqualifikation.

Die F. der ↑ Semilanghaar richtet sich wiederum nach der Fülle der Unter-

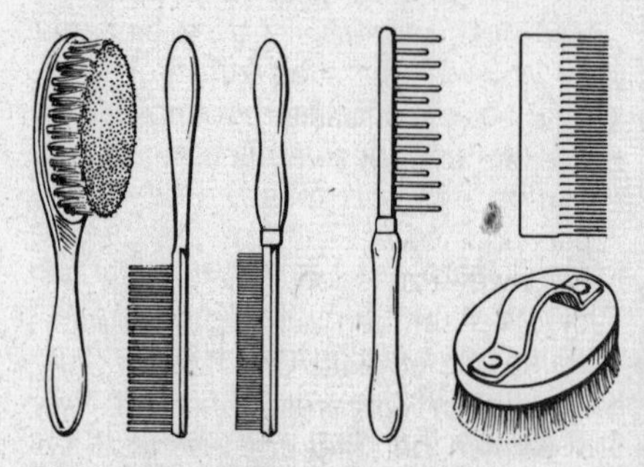

Bürsten sowie weit- und engzinkige Kämme zur Fellpflege

wolle. Bei Rassen, bei denen auf wenig Unterwolle selektiert wurde (z. B. Türkisch Van), genügt regelmäßiges Kämmen und Bürsten; ↑ Maine Coon und ↑ Norwegische Waldkatze hingegen können beim Abhaaren auch einmal verknoten.

Ob Kurzhaar, Semilanghaar oder Langhaar, die F. sollte, wenn auch unterschiedlich oft, auf jeden Fall regelmäßig erfolgen und in den Tagesablauf eingeplant werden.

Zur Ausstellungsvorbereitung gehört das *Baden*. Die Kurzhaarkatzen werden oft nur bei starker Verschmutzung, ↑ Durchfall oder auf Anordnung des Tierarztes gebadet (Parasitenbefall, Pilzerkrankungen o. a. Hauterkrankungen). Jungtiere sollten an ein Bad gewöhnt werden, wenn sie sich bei ihrem neuen Besitzer eingelebt haben. Zwar wird kaum eine Katze sich freiwillig baden lassen, Ausnahmen sollen auch hier die Regel bestätigen, aber Katzen können lernen, ein Bad zu ertragen. Folgende Punkte sollten beachtet werden:

- die ↑ Festhaltegriffe,
- zum Baden wird eine zweite Person benötigt, die der Katze möglichst vertraut sein soll,
- ein Holzrost sollte auf der Badewanne angebracht werden; die Tiere finden den notwendigen Halt, und das Wasser kann abfließen,
- die Temperatur des Badezimmers und des Raumes, in dem sich die Katze nach dem Bad aufhalten wird, ist auf etwa 30 °C zu erhöhen,
- ein großes, angewärmtes Handtuch, Kamm, Fön, ein mildes Babyshampoo und weitere Handtücher sind in Reichweite zu legen,
- den Wasserhahn auf mittlere Duschstärke und etwa 30 °C einstellen.

Nach diesen Vorbereitungen wird das Tier gerufen, beruhigt und auf den Holzrost gestellt. Die Person, die das Tier halten soll, legt die Daumen auf den Schultergürtel kopfwärts, während die Finger unten den Bauch umklammern. Die zweite Person näßt das Fell bis auf die Haut (Wasser und Shampoo niemals in die Augen oder die Ohren kommen lassen), seift erst die vordere Hälfte des Körpers, dann die hintere und zum Schluß jede Pfote einzeln ein. Nach gründlichem Ausspülen des Shampoos wird die ganze Prozedur nochmals wiederholt. Einige Katzen können sich überhaupt nicht an das Rauschen der Dusche gewöhnen; für sie sollten Wassereimer zum Nässen und Spülen des Fells bereitgestellt werden. Baden bedeutet für Katzen eine Gewaltanwendung und hat oft heftige Gegenreaktionen zur Folge. Auch bei einem blutenden und schmerzenden Kratzer sollte niemals geschrieen oder geschlagen werden. Die eigene Nervosität und Gereiztheit überträgt sich sofort auf das Tier!

Nach dem Waschen wird das Tier in das große, zuvor angewärmte Tuch gewickelt und abgetupft. Unnötiges Rubbeln sollte man vermeiden, da nasses Fell bei Langhaarkatzen schnell verknotet. Die Katze wird in das aufgewärmte Zimmer gebracht; Zugluft muß vermieden werden. Zum Fönen wird das Tier seitwärts gelegt und von einer Person festgehalten, während die andere das Haarkleid trocknet. Der Fön sollte auf eine geräuscharme Stufe gestellt werden und darf niemals die Haut berühren oder in Richtung von Gesicht und Ohren blasen. Das Trocknen mit dem Fön kann ruhig unterbrochen werden, damit sich die Katze zwischendurch im Raum bewegen und somit beruhigen kann. Eventuelle Schlupfwinkel sollten aber vorher verstellt werden. Tiere, die sich absolut nicht fönen lassen, müssen solange in einem warmen Raum bleiben, bis das Fell völlig trocken ist. Dann erst kann die Zimmertemperatur langsam gesenkt werden.

Die Frage, wann ein Bad als Ausstellungsvorbereitung erfolgen soll, ist nicht eindeutig zu beantworten. Nur Erfahrungswerte bestimmen, wieviel Tage vergehen müssen, damit das Haar seine natürliche Elastizität und seinen Glanz zurückgewinnt. Ist auch ein Bad aus medizinischer Indikation unvermeidlich, sollte im Hinblick auf Ausstellungen jedoch stets daran gedacht werden, daß Baden für alle Beteiligten ↑ Stress bedeutet und es einer Katze absolut egal ist, ob sie Champion wird oder nicht.

Fellwechsel ↑ Haarwechsel.

Fertigfutter: auf der Grundlage von genormten Rezepturen industriell hergestelltes Futter. Die Rezepturen sind den Bedarfsnormen der jeweiligen Tierart angepaßt und werden im Herstellungsprozeß ständig technologisch und qualitativ überprüft. F. kann als Feuchtfutter in Konserven oder als *Trockenfutter* in pelletierter oder anders geformter Art hergestellt werden. Je nach Konserve (Glas- oder Blechkonserve) und Herstellungsart ist das F. mehr oder weniger begrenzt haltbar, da wegen der langfristig toxischen Wirkung die üblichen chemischen Konservierungsmittel nicht eingesetzt werden können. Demgegenüber hat das Trockenfutter größere Haltbarkeitsgrenzen und unterliegt bei sachgemäßer Lagerung nur den natürlichen Zersetzungsprozessen der Nährstoffe, wie Fettoxidation und Vitaminabbau.

Ein ausgewogenes F. in Form von *Feuchtfutter* kann gut als Grundfutter verwendet werden. Herstellungsbedingte Mängel müssen entsprechend dem Leistungsbedarf (↑ Energiebedarf) ausgeglichen werden, besonders die Vitamine A und B-Komplex. Vorteilhaft ist die stets gleichbleibende Qualität, die eine ausgeglichene Energiebilanz garantiert. Problematisch aber bleibt der Einsatz des Trockenfutters. Die Katze kann einen Wassermangel im Nährstoffträger (Trockenfutter 10%, Feuchtfutter 70% Wassergehalt) nicht durch zusätzliche Wasseraufnahme ausgleichen. Die negative Wasserbilanz (↑ Wasserbedarf) führt zu mangelhafter Verbrennung der Nährstoffe und zu hohen Harnkonzentrationen (↑ Urolithiasis). Trockenfutter sollte deshalb nur zeitweise, z. B. bei Reisen, auf Ausstellungen, verabreicht werden. Erwachsene Katzen auf F. umzustellen (↑ Futterumstellung), kann unter Umständen sehr schwierig sein. Bei vielseitig gefütterten Welpen (↑ Welpenaufzucht), die u. a. auch F. erhielten, gibt es später keine oder nur geringe Probleme.

Festhaltegriffe: Zwangsmaßnahmen zum Festhalten der Katze, um ein plötzliches Entweichen, Beißen oder Kratzen zu vermeiden und um gleichzeitig für die Sicherheit des Tieres zu sorgen. F. sind z. B. bei tierärztlichen Behandlungen, bei der ↑ Fellpflege, dem Messen der ↑ Körpertemperatur oder auf Ausstellungen erforderlich.

Ruhige Tiere werden mit dem *Schultergriff* festgehalten (Abb.): beide Hände umfassen seitlich den Brustkorb. Der Oberarm des Tieres liegt zwischen Mittel- und Zeigefinger und streckt das Ellenbogengelenk. Die Daumen liegen auf dem Rücken der Katze, die Zeigefinger umschließen den Hals und berühren sich wieder.

Mit dem *Brustgriff* läßt sich eine Katze ebenso „harmlos“ fixieren und tragen: Eine Hand umfaßt die Unterbrust direkt hinter den Vordergliedmaßen. Die zweite Hand unterstützt das hintere Körperteil. In dieser Haltung sollte jede Katze auf Ausstellungen zum Richtertisch getragen werden. Der Griff wird von den meisten Katzen gutmütig hingenommen, das mühevoll hergerichtete Fell der ↑ Langhaar wird geschont und der Steward ist recht sicher vor Verletzungen geschützt.

Festhaltegriffe: von oben nach unten, Schultergriff, Brustgriff, Genickgriff

Für kleinere Behandlungen oder ↑ Impfungen genügt in der Regel der *Genickgriff*, bei dem man, falls erforderlich, noch zusätzlich die Hintergliedmaßen fixieren kann: Eine Hand ergreift im Genick das Fell und drückt das Tier leicht gegen den Tisch. Die zweite Hand kann dann die Hinterextremitäten ergreifen, wobei der Zeigefinger zwischen die Extremitäten geschoben wird. Jeder dieser F. bedeutet für die Katze eine Einschränkung ihrer Bewegungsfreiheit und kann folglich mit Abwehrreaktionen verbunden sein. Die Stärke des Griffes ist der Stärke der Abwehrreaktion anzupassen und ist bei ruhigen Tieren gerade noch so fest, daß ein Entweichen verhindert wird.

Fettbedarf: zur Lebenserhaltung täglich benötigte Menge an Fetten. Fett spielt in der ↑ Ernährung der Katze eine vielfältige Rolle. Es verbessert z. B. den Geschmack des Futters, ist zur Aufnahme fettlöslicher Vitamine notwendig und zugleich Energielieferant, wenn auch nur von untergeordneter Bedeutung. Der normale F. richtet sich jedoch nach dem Gehalt an essentiellen (lebensnotwendigen) Fettsäuren. In ausreichender Menge sind sie nur in tierischen Fetten oder Fischölen zu finden. Sind eine oder mehrere dieser Fettsäuren in unzureichender Menge oder gar nicht im Futter enthalten, kommt es über kurz oder lang zu einem Krankheitskomplex, der sich in schlechtem Fellzustand, herabgesetzter Fortpflanzungsfähigkeit, schlechter Wundheilung sowie in erhöhter Anfälligkeit gegenüber Infektionen äußert.

Der F. der Katze wird mit 7 bis 12% Fett im Futter angegeben. Berücksichtigt man, daß z. B. im mageren Rindfleisch oder im Schabefleisch bis zu 5% sogenannte unsichtbare Fette enthalten sind, braucht man eigentlich nur noch 5 bis 8 g Fett oder Fischöl (= ein voller Teelöffel) unter 100 g Futter zu mischen. Auch ein hoher Fettgehalt von etwa 30%, z. B. Rinderhack mit 25% oder Hackepeter mit 30 bis 35% Fett, wird über einen längeren Zeitraum komplikationslos vertragen. Ein derartig hoher Fettgehalt löst aber ein schnelles Sättigungsgefühl aus, d. h., die Nahrungsaufnahme wird vorzeitig beendet und der ↑ Eiweißbedarf ist noch nicht abgedeckt. Die Folgen sind ein mangelhaftes Wachstum und herabgesetzte Leistungsbereitschaft. Der Fettgehalt im Futter kann also nur erhöht werden, wenn gleichzeitig der Eiweißgehalt gesteigert wird. Im Gegensatz z. B. zum Hund kann die Katze ihren Bedarf an essentiellen Fettsäuren nicht aus Pflanzenölen decken. Deshalb dürfen Pflanzenöle nur in Kombination mit tierischen Fetten oder Fischölen verwendet werden. Anschließend sei noch auf den hohen Fettgehalt der Muttermilch bei Katzen (etwa 6%) hingewiesen. Bei der künstlichen Welpenaufzucht sind Milch- bzw. Breizubereitungen auf diesen Mindestfettgehalt durch Zusätze, z. B. von Kaffeesahne, zu erhöhen.

Fettgewebe ↑ Haut.

Fettschwanz: Talgdrüsenkomplex an der Schwanzwurzel (Abb.), der ein fettigtalgiges, gelbbraunes Sekret ausscheidet. Eine starke Talgsekretion steht offensichtlich im Zusammenhang mit der Geschlechtsaktivität. Bei Kastraten ist ein F. kaum festzustellen.

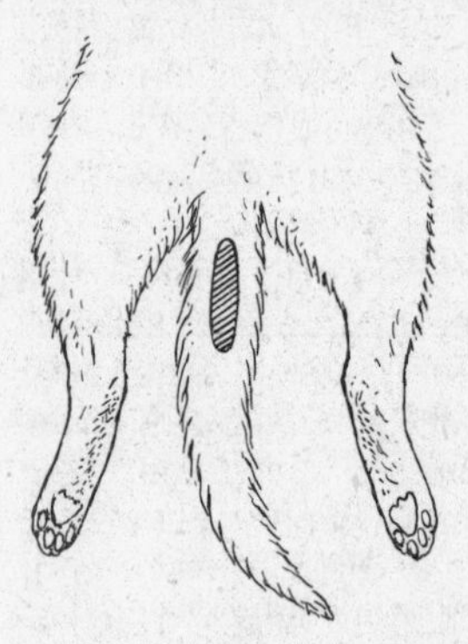

Fettschwanz

Einen starken F. sollte man täglich mit einem alkalifreien Mittel auswaschen und anschließend gut ausspülen. Da das ausgeschiedene Sekret die umliegenden Haare bräunlich gelblich einfärbt, ist eine regelmäßige Behandlung des F. besonders bei Ausstellungstieren wichtig. Da ein F. stets mit Punktabzug bestraft wird, kann er in der Konkurrenz ausschlaggebend sein. Ist die Sekretproduktion nicht sehr stark, kann der F. durch einfaches Pudern beseitigt werden.

Feuchtfutter: 1. ↑ Fertigfutter. – **2.** ↑ Ernährung.

Fieber: erhöhte ↑ Körpertemperatur über 39,5 °C. Das F. ist das Hauptsymptom der meisten ↑ Infektionskrankheiten. Stoffwechselprodukte von Bakterien und Parasiten, zerfallene Körperzellen, körperfremdes Eiweiß u. ä. bewirken Funktionsstörungen des Wärmeregulationszentrums (↑ Thermoregulation) im Gehirn. Gleichzeitig mit dem F. gehen einher: beschleunigte Atem- und Herztätigkeit, erhöhter Puls, Abgeschlagenheit, Verweigern der Nahrungsaufnahme, mitunter ↑ Erbrechen und ↑ Durchfall, herabgesetzte Darmtätigkeit, ungleiche Temperatur der Körperoberfläche, z. B. eine heiße, trockene Nase, kalte Ohren und Extremitäten. Da nicht jede erhöhte Körpertemperatur mit F. gleichgesetzt werden kann, ist die Katze in ihrem allgemeinen Verhalten zu beobachten. Weicht dieses auffällig von der Norm ab und tritt gleichzeitig F. auf, muß der Tierarzt aufgesucht werden.

Fiebermessen ↑ Körpertemperatur.

Fiepen ↑ Lautgebung.

F. I. Fe.: Abkürzung für frz. *F*édération *I*nternationale *Fé*line, Internationaler Verband der Katzenfreunde. Die F. I. Fe. wurde 1943 mit drei Mitgliedsländern gegründet. Damals nannte sich der Verband Fédération Internationale Féline d'Europe, wurde aber 1973 mit dem Beitritt Australiens und weiterer nichteuropäischer Länder in F. I. Fe. umbenannt.

Die F. I. Fe. führt jährlich eine Generalversammlung durch, auf der alle Mitgliedsländer durch ihre Delegierten mit einer Stimme vertreten sind. Entscheidungen werden jeweils durch Mehrheitsbeschluß getroffen. Vertreter des ↑ GCCF und des ↑ CFA werden zu diesen Generalversammlungen als Beobachter eingeladen. Als Dachorganisation koordiniert die F. I. Fe. die Ausstellungen der verschiedenen Verbände ihrer Mitgliedsländer sowie den damit verbundenen Richtereinsatz, garantiert den Schutz der Zwingernamen (↑ Zwinger) und trifft Entscheidungen zur Anerkennung neuer ↑ Rassen bzw. Veränderungen des ↑ Standards. Die offiziellen F.I.Fe.-Sprachen sind Französisch, Deutsch und Englisch.

Filialgeneration ↑ Mendel-Regeln.

F. I. P. ↑ Infektionskrankheiten.

Flaumhaare ↑ Haar.

Fledermausohren: überlange, spitze Ohren, die deshalb aufrecht stehen, weil sie den Schwimmflossen eines Delphins ähnliche knorplige Querrippen besitzen. Im Jahre 1983 wurden F. bei einer ↑ Si-Rex in Großbritannien beobachtet (Abb.). Sie werden polygen determiniert. F. treten bei zahlreichen Tierarten auf, z. B. beim Wüstenfuchs (Canis zerdus). Unter den Katzenarten sind sie für den Serval (Leptailurus serval) typisch. Die F. übertreffen in ihrer Länge aber bei weitem die ↑ Rassen, bei denen der ↑ Standard ein großes Ohr verlangt. Es ist unklar, ob bei den ↑ Hauskatzen die Anlagen nicht verloren gegangen sind und verdeckt übertragen werden (rezessiv, hypostatisch) oder ob das Auftreten von Merkmalträgern nicht auf Neumutation zurückgeht. Im erstgenannten Fall würde es sich um eine interessante ↑ genetische Rekombination handeln, im zweiten Fall um ein „experimentum naturae". Eine Überprüfung kann durch Verwandtschaftszucht, d. h. Rückkreuzung auf den Anlageträger (die Eltern), erfolgen. F. sind kein ästhetischer Anblick, und merkmaltragende Katzen sollten nicht zur Zucht eingesetzt oder gar zur Rasse erhoben werden.

Fledermausohren

Flehmen: Wahrnehmungsform von chemischen Signalen innerhalb der ↑ Chemokommunikation; vor allem bei Huftieren und Raubtieren vorkommende Verhaltensweise, die ursprünglich *Rümpfgebärde* genannt wurde. Das F. ist durch Hochziehen der Oberlippe, leichtes Öffnen des Maules und Verschließen der Nasenöffnung gekennzeichnet.

Verberne (1970) beschreibt folgende Phasen: 1. betontes Beschnuppern oder Beriechen von Duftträgern, 2. das F. selbst, 3. Leckbewegungen über Nase und Lippen, 4. Kopfschütteln, 5. Veränderung der Atemfrequenz und der -amplitude und 6. Schmatz- und Schluckbewegungen. Im Verlaufe dieses Verhaltens, das etwa 2 bis 35 s andauern kann, werden die Schnurrhaare zurückgelegt und die Ohren meist nach hinten auswärts gewendet, der ganze Körper des Tieres erstarrt scheinbar. Durch entsprechende Zungen- und Lippenbewegungen werden die eingesaugten Geruchsstoffe zum Jacobson'schen Organ transportiert, das im Dach der Mundhöhle liegt und mit dieser durch den Ductus vomero-nasalis verbunden ist. Es spricht wahrscheinlich nur auf gelöste Geruchsstoffe an. Während des F. werden die Eingangsöffnungen geweitet und die unter Druck eingepreßten Duftstoffe bis an die Sinneszellen geleitet.

Während bei Ziegen ein Verschluß des Eingangs keine Auswirkungen auf das F. hat (*Hart*, 1983), führt es bei ↑ Katzen zu einer drastischen Abnahme (*Verberne*, 1976, ↑ Catnip-Verhalten).

Bei der ↑ Hauskatze ist das F. wenig auffällig, obwohl alle obengenannten Verhaltenselemente auftreten. Es wird sowohl von männlichen als auch von weiblichen Tieren ausgeführt, überwiegend kommt es jedoch bei Katern im Funktionskreis des ↑ Sexualverhaltens vor. Urinmarken werden zuerst beschnüffelt, dann wird intensiv geflehmt. Frischere Marken werden bevorzugt kontrolliert, meist folgen Versuche, den Verursacher optisch zu lokalisieren (*De Boer*, 1977). *Leyhausen* (1982) vermutet die Existenz eines dem Lockduft der weiblichen Katze ähnlichen universellen Geruchsfaktors (↑ Pheromone), der als ↑ Schlüsselreiz für das F. wirkt. Zu ähnlichen Ergebnissen kamen auch *Beauchamp* et al. (1983) am Meerschweinchen und *Hart* (1983) an Schafen und Ziegen, die Zusammenhänge zwischen dem F. und Bestimmen des Sexualstatus aufzeigten. Abb.

Leicht geöffnetes Maul und nach hinten auswärts gewendete Ohren sind typische Kennzeichen des Flehmens

Flohbefall ↑ Ektoparasiten.

Flohhalsband: Plastikhalsbänder, die mit einem wirksamen Insektizid (Dichlorvos, organische Phosphorsäureester) imprägniert sind. Der Wirkstoff dringt über die ↑ Haut in den Organismus, wird von den Flöhen mit dem Blut aufgenommen und ist damit nur gegen adulte Flöhe wirksam.

Das F. darf nur stundenweise getragen werden, da es zu Hautreizungen und einem Abbrechen der Haare an den Kontaktstellen kommen kann. Die Reaktionen der Haut reichen von einer leichten Rötung bis zu ausgeprägten Ekzemen. Bei Jungtieren sind andere Behandlungsformen empfehlenswerter (↑ Ektoparasiten).

Fluchtbereitschaft: **1.** ↑ Furcht. – **2.** ↑ Zahmheit.

Fluchtdistanz ↑ Fluchtverhalten.

Fluchtverhalten, *Feindmeideverhalten*: spezielle Form der Feindvermeidung aus dem Funktionskreis von Schutz und Verteidigung (↑ agonistisches Verhalten), die weitgehend erblich festgelegt ist. Das F. kann in Abhängigkeit von der ↑ Motivation und der ↑ Zahmheit des Tieres Schwankungen unterliegen, was sich insbesondere in der Ausprägung der Fluchtdistanz ausdrückt. Sie stellt einen artspezifischen, festliegenden, räumlichen Abstand (*kritische Distanz*) dar, dessen Unterschreitung durch einen Rivalen oder Raubfeind mit F. beantwortet wird.

Das F. dient der ↑ Distanzregulation sowohl im innerartlichen Kontext als auch zwischen Mensch und Tier. Ein fremdes ↑ Revier hemmt die Angriffsbereitschaft (↑ Rangordnung) und steigert die Fluchttendenz. Verteidigt eine Mutterkatze ihre Jungen, kann die Fluchtdistanz aufgehoben werden. Wenn sich ein Feind einer ↑ Hauskatze nur langsam nähert und genügend Zeit zum Ausweichen bleibt, ist die Fluchtdistanz geringer. Auch die Art des Rivalen und die Nähe einer Ausweichmöglichkeit (Baum, Mauer usw.) tragen zur Verringerung der Fluchtmotivation bei. Nähert sich jedoch der Gegner schnell, ergreift die Katze meist auch schnell die Flucht.

Die Bezugsperson kann mit ihrer Katze vieles tun, ohne daß Widerstand geleistet wird. Von mitwohnenden Kindern läßt sich dasselbe Tier oft nur dann anfassen und streicheln, wenn es dafür in Stimmung ist. Gegenüber fremden Personen kann sich eine Katze gleichgültig (falls sie das häufige Erscheinen Fremder gewöhnt ist) oder auch aggressiv (↑ Aggressionsverhalten) oder aber fluchtbereit zeigen. Gegenüber bestimmten Personen wird nach schlechten Erfahrungen auch von handzahmen Katzen eine Fluchtdistanz aufgebaut (vgl. Feindverhalten).

Follikelsprung ↑ Rolligkeit.

Foreign Blue: **1.** ↑ Orientalisch Kurzhaar. – **2.** ↑ Russisch Blau.

Foreign White [engl., ausländisch, fremdländisch weiß]: eingebürgerte

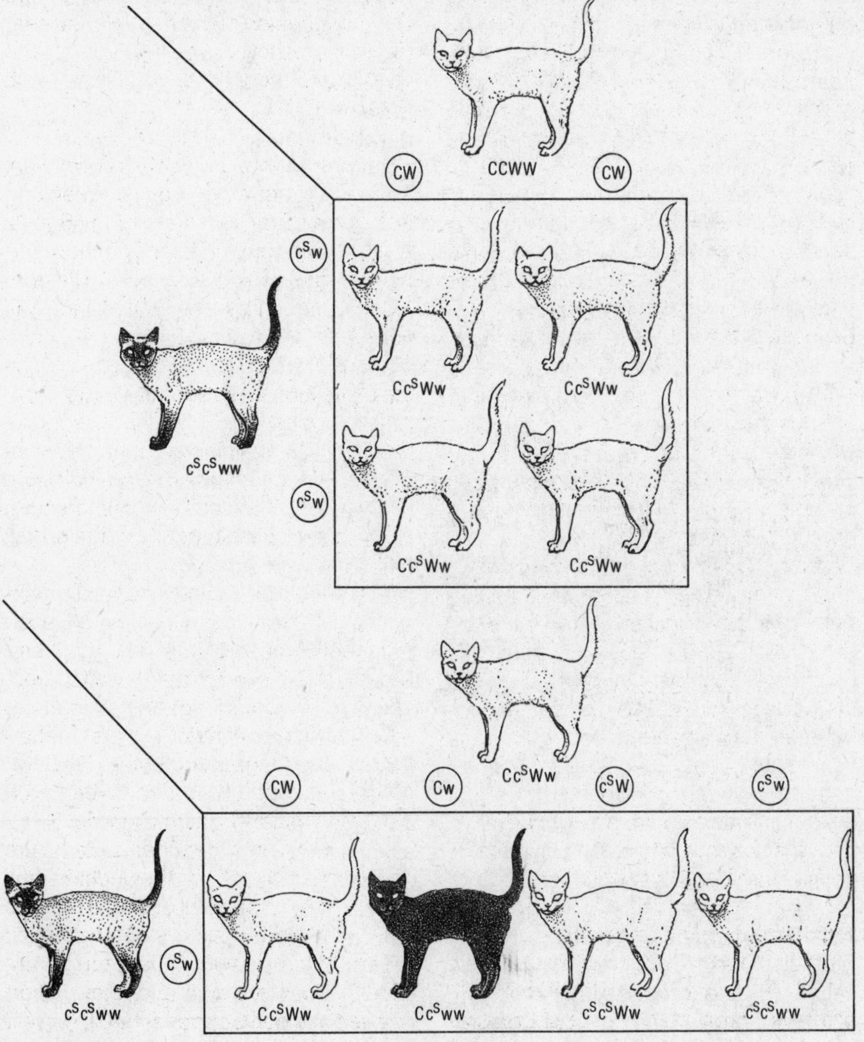

Foreign White

englischsprachige Bezeichnung für ↑ Orientalisch Kurzhaar weiß; vielleicht, um keine gedankliche Assoziation zum Problem der ↑ Taubheit bei weißen Persern mit blauen Augen aufkommen zu lassen (vgl. dominantes Weiß).
Es war die Natur selbst, die den Anstoß zu dieser Zucht gab. Auf einem irischen Bauernhof lebte ein weißer Kater, nicht weit von ihm eine Siamkatze. 1962 passierte es, und das Ergebnis war ein bunter Wurf, darunter auch eine weiße Katze mit blauen Augen. Als diese später dann mit einem Siamkater verpaart wurde, waren in dem gemischten Wurf auch weiße Welpen mit blauen und orangefarbenen Augen.
Züchter, die davon hörten, schlossen sich 1964 zusammen, um auf ähnliche Weise eine reinerbige weiße Katze mit blauen Augen, eine Siamkatze im weißen Kleid, zu züchten. Eine bekannte britische Züchterin und Genetikerin erstellte ein Zuchtprogramm. Zuerst wurde wiederum eine Siam mit einer ↑ Britisch Kurzhaar weiß verpaart. Sie war homozygot für Weiß (WW) und so fielen nur Weiße mit orangefarbenen und blauen Augen. Diese Tiere wurden erneut auf Siam zurückgekreuzt. Der Nachwuchs, heterozygot für Weiß (Ww), bestand aus einer Vielzahl anderer Farben sowie auch weißen Tieren mit orangefarbenen und blauen Augen. Zur Zucht weiterverwendet wurden stets nur weiße Tiere, deren blaue Augenfarbe an den ↑ Maskenfaktor gekoppelt sein mußte, was anhand des Stammbaumes und der ↑ Augenfarbe selbst festgestellt werden konnte. Um den Typ der Siam und deren kurzes dichtanliegendes Fell herauszuzüchten, waren unzählige Rückkreuzungen auf die besten Siam-Vertreter notwendig. Neben ↑ Havana und ↑ Ebony entstanden aus solchen Verpaarungen auch rote und schwarz getupfte Orientalisch Kurzhaar, die den Grundstock der britischen OKH-Zucht bildeten. Beim heutigen Stand der Zucht kann man davon ausgehen, daß eine F. W. heterozygot nur noch für Weiß ist (c^sc^s Ww). Das Gen für die Vollpigmentierung C– dürfte in dieser Zucht nicht mehr vorhanden sein. F. W. haben tiefblaue Augen, die die Schönheit dieses Farbschlages ausdrucksvoll unterstreichen. Abb.

Fortbewegung, *Lokomotion*: Ortsveränderung freibeweglicher Organismen aus eigener Kraft. Voraussetzung für die F. sind entsprechende Organe (↑ Skelett, ↑ Muskulatur und deren zentralnervale Steuerung). F. umfaßt bei der Katze, ähnlich wie bei anderen Säugetieren, die drei Gangarten Schritt, Trab und Galopp (*Leyhausen*, 1956) sowie das hochentwickelte Schleichen.
Der *Schritt* (Bewegungsfolge der Extremitäten *r*echts *h*inten – *r*echts *v*orn – *l*inks *h*inten – *l*inks *v*orn – *rh* – *rv* ...) wechselt ziemlich regellos vom reinen *Paßgang* (der Körper ruht jeweils gleichzeitig auf den Extremitäten einer Körperseite) bis zum reinen *Kreuzgang* (der Körper ruht jeweils auf den zwei diagonal gegenüberliegenden Extremitäten.
Der *Trab* ist fast immer ein reiner Kreuztrab (Bewegungsfolge:
rh + lv – lh + rv – rh + lv ..., d.h., es werden abwechselnd gleichzeitig ein Vorderfuß und der diagonal dazu liegende Hinterfuß aufgesetzt). Ein ungestörtes Tier bewegt sich in der Regel im Schritt oder Trab.
Der *Galopp* (Bewegungsfolge: rh – rv, lh – lv, rh – rv, lh – lv ...) ist eine Folge sprunghafter Einzelbewegungen in asymmetrischer Ausführung, bei der je nach Vorgreifen der rechten oder linken Beine zwischen Rechts- und Linksgalopp unterschieden wird. Beim Galopp werden auf kurzen Strecken beträchtliche Geschwindigkeiten erreicht, wobei die Katze, wie der Gepard, als Sprintertyp gilt. Sie kann schnell beschleuni-

Fortbewegungsweisen der Katze

gen, ermüdet aber bereits nach kurzer Zeit. Zur Verfolgung der Beute werden daher vorwiegend Schleichen und Springen genutzt.
Beim *Schleichen* beugen die Katzen Ellbogen- und Fersengelenke. Halbgeduckt können sie noch rasch traben. Beim langsamen Schleichen im Angesicht der Beute (↑ Beutefangverhalten) wird jeder Fuß einzeln vorgesetzt, der nächste verläßt den Boden erst, wenn der vorausgegangene schon fest aufruht. Bei dieser F. wird besonders deutlich, daß die Katze ein *Zehengänger* ist, d. h., der Mittelfuß berührt nicht wie beim Sohlengänger Mensch den Boden (↑ Fußballen).
Katzen *springen* gut und erreichen ohne Schwierigkeiten das Fünffache der eigenen Körperhöhe. Den verschiedenen Verhaltensweisen zugeordnet kann man den vertikalen (senkrechten) Sprung, den Spontansprung im Verlaufe der Flucht, den Beute- oder Jagdsprung, oft auch als Element des ↑ Spielverhaltens, und den Überraschungssprung bei Konfrontation mit unbekannten Objekten, bei dem mit allen vier Beinen gleichzeitig meist rückwärts gesprungen wird, unterscheiden. Senkrechte Hindernisse werden oft mit einem Zwischenabstoß mit den Hinterläufen genommen. Beim Herabspringen zeigen die Katzen ein gutes Abschätzungsvermögen der zu bewältigenden Höhe. Nach längerem Erkunden tasten sich die Vorderbeine bei zunehmender Gewichtsverlagerung auf die Hinterhand, vorsichtig voraus, dann werden die Hinterbeine gleichzeitig nachgezogen und ein kräftiger Abstoß vollführt. Nach der Landung sind oft Pfotenschütteln oder -lecken als ↑ Übersprungverhalten zu beobachten. Die Landung erfolgt zuerst mit den Vorderbeinen und dann mit den Hinterbeinen. Beim Springen aus größerer Höhe sind Verletzungen des Kopfes durch Aufschlagen der Maul- und Nasenpartie aufgrund des relativen Übergewichts des Kopfes möglich. Wird eine Beute von oben angesprungen, landet die Katze grundsätzlich dicht neben dem ↑ Beutetier, um dann die weiteren Elemente des ↑ Beutefangverhaltens auszuführen. Der letzte Sprung zum Ergreifen der Beute ist stets so kurz bemessen, daß beim Packen der Beute die Hinterbeine noch Bodenberührung haben, um eventuelle Korrekturen oder sogar Flucht zu ermöglichen.
An geeigneten senkrechten Objekten, besonders an Bäumen, führen Katzen das *Klettern* aus. Es beginnt meist mit einem Sprung. Die Vorderextremitäten dienen zur Führung und zum Fixieren des Körpers, von den Hinterextremitäten geht der Antrieb aus. Sie krallen sich in Beugehaltung fest in die Unterlage und schieben durch Strecken den Körper nach oben. Viele Hauskatzen klettern meist nur während der Flucht vor Bodenfeinden (Hunde und Menschen). Sie sind immer bestrebt, auf dem Baum einen sicheren Sitzplatz aufzusuchen. Oft wird beobachtet, daß insbesondere unerfahrene Katzen zu weit hinaufklettern und ↑ Angst vor dem Zurückklettern zeigen. An senkrechten Flächen kann nicht kopfwärts geklettert werden. Die Katze kann nur rückwärts hinab; das ist sicherlich auf die Stellung der ↑ Krallen zurückzuführen. Aus akzeptabler Höhe wird stets gesprungen. Einige Tiere springen fast ausnahmslos aus größerer Höhe, wobei der Umdrehungsreflex (↑ Reflex) eine wichtige Rolle spielt.
Schwimmen können alle Katzen recht gut, die Koordination ist die gleiche wie bei Hunden. Mit Ausnahme der ↑ Türkisch Van wird Haus- und ↑ Rassekatzen im allgemeinen Wasserscheu nachgesagt. Abb.

Fortpflanzung: **1.** ↑ Brutpflegeverhalten. – **2.** ↑ Geburt. – **3.** ↑ Kastration. –

4. ↑ Rolligkeit. – **5.** ↑ Sexualverhalten. – **6.** ↑ Trächtigkeit.
Fortpflanzungsvitamin ↑ Vitaminbedarf.
Fremdumwelt ↑ Umwelt.
Frost-Point ↑ Lilac-Point.
Frostschutzmittel ↑ Vergiftungen.
Fruchtbarkeitsstörungen: **1.** ↑ Vitaminbedarf. – **2.** ↑ Gebärmutterentzündung.
Fruchttod ↑ Abort.
Fruchtwasser: 1. ↑ Geburt. – **2.** ↑ Geburtsstörungen. – **3.** ↑ Trächtigkeit.
Frühgeburt ↑ Abort.
Frühreife ↑ Geschlechtsreife.
F. U. S.: Abk. für Felines Urologisches Syndrom (↑ Urolithiasis).
Fußballen: Gewebsanhäufungen, die aus derbem Bindegewebe und zahlreichen elastischen Fasern bestehen, in deren Lücken Zusammenballungen von prall gefüllten Fettzellen zu finden sind. Funktionell spielen die F. die Rolle eines Kugellagers und dienen beim Laufen und Springen (↑ Fortbewegung) zur Stoßminderung. In die F. sind zahlreiche sensible Nervenenden sowie, vom ↑ Nasenspiegel abgesehen, die einzigen Schweißdrüsen des Körpers eingebaut (↑ Thermoregulation). Alle Gliedmaßenteile, die ständig den Boden berühren, sind mit F. ausgestattet. Die einzige Ausnahme bildet der sogenannte Karpalballen der Vordergliedmaßen. Je nach Lokalisation lassen sich drei verschiedene F.arten unterscheiden (Abb):

- Der Fußwurzelballen, der sich als Karpalballen an der Vordergliedmaße befindet. Der sogenannte Tarsalballen der Hintergliedmaße ist in der Evolution der Katze verlorengegangen.
- Der Sohlenballen, der zu einem herzförmigen Gebilde verschmolzen ist und unter den Gelenken zwischen dem ersten und zweiten Zehenglied liegt.
- Die Zehenballen, die an jeder Zehe einzeln unter derem dritten Zehenglied (Krallenglied) liegen. An der Vordergliedmaße sind fünf und an der Hintergliedmaße vier Zehenballen.

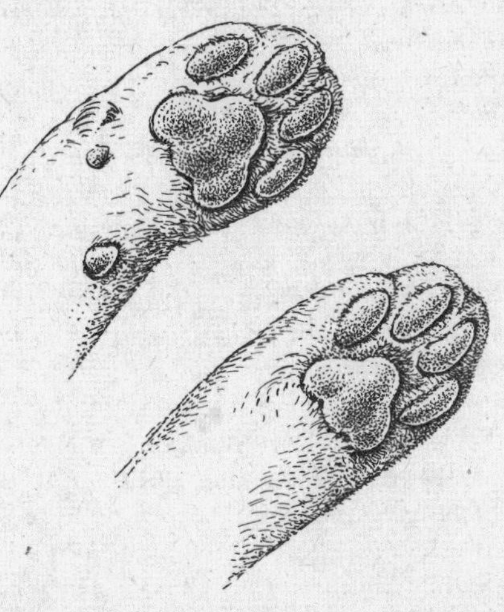

Fußballen, oben Vorder-, unten Hinterpfote

Bei ↑ Rassekatzen ist die Färbung der F. durch den ↑ Standard festgelegt. Sie unterscheidet sich von der Färbung des Nasenspiegels oft nur durch Nuancen im Farbton, ↑ Schildpatt und gescheckte Tiere einmal ausgenommen. ↑ Perser, ↑ Semilanghaar und ↑ Kurzhaar mit dichter Unterwolle haben zwischen den Zehenballen dichte Haarbüschel, die die sensiblen F. vor extremen Temperaturen und Verletzungen schützen. Hinkt eine Katze, müssen zuerst ihre F. auf eingetretene Dornen, Splitter o. a. Verletzungen kontrolliert und gegebenenfalls der Tierarzt aufgesucht werden.
Fußwurzelballen ↑ Fußballen.
Futtermittel ↑ Ernährung.
Futterumstellung: notwendiger Wechsel bei ernährungsbedingten Mangelerscheinungen (↑ Ernährung), Übergewicht (↑ Gewichtsentwicklung), ↑ Durchfall, ↑ Verstopfung und aus anderen diätetischen Gründen. Ist eine F. aufgrund

einer Krankheit notwendig, sollte stets der betreuende Tierarzt zu Rate gezogen werden. Da die Nahrungsprägung (↑ Prägung) bereits in den ersten Wochen nach dem Absetzen der Welpen (↑ Welpenaufzucht) erfolgt, lehnt eine erwachsene Katze unbekannte Futtermittel häufig grundsätzlich ab. Völlig falsch wäre es, das Tier ‚so lange hungern zu lassen, bis es frißt', denn es würde schließlich jede Nahrungsaufnahme verweigern (↑ Zwangsernährung). Die Umstellung von einem ↑ Fertigfutter zum anderen, oder auf eine andersartige Zusammensetzung des Futters bei einseitigem oder unzureichendem Nährstoffangebot kann nur schrittweise erfolgen. Die unbekannten Nährstoffe werden in kleinsten, für die Katze geschmacklich kaum wahrzunehmenden Mengen dem gewohnten Futter beigemischt und ihr Anteil von Mahlzeit zu Mahlzeit erhöht. Bei einzeln gehaltenen Katzen kann der Umstellungsprozeß bis zu zwei Monaten anhalten. Wechseln ältere Tiere den Besitzer, sollte sich der Käufer vor Übernahme der Katze genauestens nach den Freßgewohnheiten und Fütterungszeiten erkundigen und überlegen, ob das Nahrungsaufnahmeverhalten des neuen Heimgenossen nicht unliebsame Überraschungen oder unlösbare Probleme bereithalten wird.

Fütterungsfehler: Abweichungen von einer optimalen ↑ Ernährung, die über kurz oder lang die Gesundheit beeinträchtigen und unter Umständen irreparable Schäden verursachen. Wachstum und Entwicklung werden gestört, die Leistungsfähigkeit wird vermindert und die Katzen werden anfälliger gegenüber ↑ Infektionskrankheiten, da die allgemeine Widerstandskraft gemindert ist. F. ergeben sich aus mangelhafter Fütterungshygiene, fehlerhafter Futterzusammensetzung, Vergiftungen und Infektionen durch Futtermittel. Nachstehend werden die wesentlichsten F. zusammengefaßt.

Reine Fleischfütterung: Fleisch enthält zu wenig Vitamin A und Calcium. Eiweiß (↑ Eiweißbedarf) ist der einzige Energielieferant; im Stoffwechsel entsteht vermehrt Harnstoff, der die Nieren zusätzlich belastet. Langfristig entwikkeln sich Augen-, Haut- und Schleimhauterkrankungen, Nachtblindheit, Knochenveränderungen, vermehrte Harnsteinbildung, Nierenerkrankungen, Fortpflanzungs- und Entwicklungsstörungen.

Qualitativ minderwertiges Fleisch (sehnen- und fettreich): biologisch minderwertig, führt zu einem Unterangebot oder einem Mangel an essentiellen Aminosäuren. Wachstumsverzögerungen, Teilnahmslosigkeit, Appetitlosigkeit bis zur Futterverweigerung. Ein glanzloses und struppiges Fell sind die Folgen.

Überangebot an Leber (mehr als 150 g je Woche): Leber enthält zu viel Vitamin A. Leberdegeneration, Knochenneubildung, Versteifung der Halswirbelsäule können auftreten.

Überangebot an Milch: Laktose wird durch die erwachsene Katze nicht abgebaut und hält Wasser im Darmlumen zurück. Durchfall und eventuell Komplikationen durch bakterielle Infektionen treten auf.

Verfütterung von Essenresten: Als Folgen von Vitamin- und Eiweißmangel sowie unverträglichen Gewürzen muß mit Appetitlosigkeit, Gelenkstarre, gestörtem Sehvermögen, Wachstumsstörungen und Durchfall gerechnet werden.

Konservenfleisch oder -fisch, Marinaden u. ä.: Das Konservierungsmittel (Benzoesäure) wirkt giftig. Muskelzittern, Blindheit, unkoordinierte Bewegungen treten als Vergiftungsfolgen auf.

Einseitige Fütterung von Jungtieren: Die Welpen werden auf ein bestimmtes

Futter geprägt. Eine ↑ Futterumstellung der erwachsenen Katze ist langwierig und außerdem problematisch, da das ungewohnte Futter meist nicht angenommen wird.
Zu kaltes oder gefrorenes Futter: ruft Darmentzündungen hervor und führt zu hohen Energieverlusten. Magen- und Darmkrämpfe sowie Durchfall können auftreten und bei Jungtieren tödlich sein.
Unsaubere Futternäpfe: Futterreste werden nicht beseitigt und Bakterien können sich vermehren, die dann zu mehr oder weniger langanhaltenden Durchfällen als Folge von Magen-Darminfektionen führen.
Fütterungszeiten ↑ Ernährung.

G

Gähnen ↑ Komfortverhalten.
Galopp ↑ Fortbewegung.
Gameten, *Keimzellen, Geschlechtszellen*: im Verlauf der Samen- (Spermiogenese) und Eizellentwicklung (Oogenese) herausgebildete haploide Spermien und Ova (19 Chromosomen), die sich zur diploiden ↑ Zygote (38 Chromosomen) vereinigen. Aus der Zygote entwickelt sich der Körper [griech., Soma] einschließlich der reproduzierenden Organe (Hoden und Eierstock), in denen die G. der nächsten Generation gebildet werden. Die G. enthalten die Erbanlagen, die auf diese Art und Weise von Generation zu Generation weitergegeben werden. *Weismann* (1834–1914) bezeichnete die ununterbrochene Abfolge von Keimzellen in den aufeinanderfolgenden Generationen der Individualentwicklung (Ontogenese) als Keimbahn [engl. germ-cell lineage], wobei die Individuen jeder Generation durch Abspaltung einer Ursomazelle von einer Urkeimzelle entstehen. Die stoffliche Kontinuität des „Keimplasmas" ist daher gesichert, während die Somazellen mit dem Tod des jeweiligen Individuums zugrunde gehen. Das gilt auch für ↑ Mutationen, die ausschließlich die Körperzellen betreffen.
Die Körperzellen der Katze enthalten mit Ausnahme des X-Chromosoms (↑ X-Chromosom-Kompensationsmechanismus) jeweils zwei identische Chromosomen; eins stammt vom Vater, das andere von der Mutter. Daher sind auch die ↑ Genorte doppelt besetzt. Eine vollständige Angabe des Genotyps eines Organismus umfaßt daher immer zwei ↑ Allele. Eine Ausnahme bilden ↑ Chromosomenaberrationen.
Man nutzt diese Zusammenhänge bei der Aufstellung des ↑ Kreuzungsdiagramms, das in der Kopfzeile die Allele des Vaters und in der Kopfspalte die der Mutter enthält.
Gangliosidose ↑ Lysomale Speicherkrankheit.
„Gardinenkatzen" ↑ Mutationszüchtung.
Gaumenspalte [griech. Palatoschisis]: Hemmungsmißbildung des harten und weichen Gaumens, die häufig in Kombination mit Lippen-Kiefer-Spalten auftritt [griech. Cheilognathopalatoschisis].
Es liegt eine Beeinträchtigung der Nahrungsaufnahme vor, da kein Unterdruck zum Saugen erzeugt werden kann.
Die G. tritt relativ selten bei Katzen aller Rassen und Varietäten auf. Eine Ausnahme bilden die ↑ Burma in den USA, bei denen die Störung in jüngster Zeit allgemein im Zusammenhang mit extremer ↑ Brachyzephalie beobachtet wurde. Insgesamt liegt ↑ Heterogenie

vor. So kann die G. experimentell durch Applikation von Chemikalien und Drogen verschiedenster Art (u. a. Cortison) ausgelöst werden. Bereits *Schwangart* und *Grau* (1931) ermittelten Vererbung der kombinierten Krankheitsform bei Kurzhaarkatzen. Später wurde die G. familiär gehäuft bei ↑ Siam festgestellt (*Loevy*, 1968). Ein autosomal rezessiver oder dominanter Erbgang konnte aber nicht gesichert werden. Bei der zytogenetischen Untersuchung waren keine ↑ Chromosomenaberrationen nachweisbar. Die Burma-Variante der Mißbildung wird polygen vererbt (↑ Polygenie).

Gaußkurve: 1. ↑ Erbumweltkrankheit. – **2.** ↑ Polygenie.

GCCF: Abkürzung für *G*overning *C*ouncil of the *C*at *F*ancy, eine 1910 gegründete Dachorganisation, der alle britischen Rassekatzenzüchter angehören und die über 90 Spezial- oder Regionalklubs umfaßt. Der GCCF führt ein einheitliches britisches Zuchtbuch, erstellt die Stammbäume und entscheidet über die Anerkennung neuer ↑ Rassen und ↑ Varietäten. Innerhalb des GCCF ist der 1887 gegründete National Cat Club der älteste Rassekatzenzüchterverband.

Gebärmutterentzündung: Bei Katzen seltener im Anschluß an eine ↑ Geburt (Puerperalstörungen) auftretend, sondern häufiger im Zusammenhang mit Störungen der Trächtigkeit (↑ Abort mit nachfolgender Entzündung der Gebärmutterschleimhaut u. a., bei ↑ Inzucht und ↑ Letalfehlern) sowie bei nicht gedeckten Tieren und im fortgeschrittenen Alter im Anschluß an eine ↑ Rolligkeit. Ursächlich ausgehend von den Ovarien (↑ Geschlechtsorgane) spielen hormonelle Fehlsteuerungen die Hauptrolle, d. h. verminderte Östrogensynthese bei normaler Progesteronbildung; Östrogene bereiten u. a. den Follikel zur Ovulation und den Uterus (Gebärmutter) zur Aufnahme des befruchteten Eies (↑ Zygote) vor. Erst durch den Deckakt wird die Ovulation provoziert. Bleibt sie aus, wirkt das Östrogen weiter auf das Endometrium (die Gebärmutterschleimhaut) und dessen Sekretproduktion. Je nach Bildung von wäßrigen, blutigen und schleimigen Sekreten wird die entstehende *Endometritis* (Entzündung der Gebärmutterschleimhaut) in Hydro-, Hämo- bzw. Mukometra unterteilt. Erst sekundär wandern Keime über das sich bildende Sekret in den Uterus und die eitrige G., die *Pyometra*, entsteht.

Besonders sind Katzen mit anovulatorischem Zyklus betroffen:

- unkastrierte, nicht gedeckte, isoliert gehaltene weibliche Katzen, bei denen die Ovulation ausbleibt und es häufig zum Daueröstrus (Dauerrolle) kommt,
- ältere Katzen mit beginnender Ovarinsuffizienz (Unterfunktion der Eierstöcke) und unzureichender Follikelentwicklung,
- durch medikamentelle Brunstunterbrechung (Östrogen- oder Progesterongaben).

Das Krankheitsbild ist variabel. Allgemeinerscheinungen setzen relativ spät ein und umfassen Mattigkeit, Appetitlosigkeit, glanzloses und struppiges Fell und erst in akuten Fällen Erbrechen, Fieber, Durst, Gewichtsverlust, Exsikkose (Austrocknung des Körpers durch Flüssigkeitsverlust). Der Vaginaausfluß ist mehr oder weniger deutlich und von rötlicher, gelbgrüner bis graubrauner Farbe. Der Bauchumfang ist insbesondere bei Hydrometra vergrößert. Die Tiere sind umgehend dem Tierarzt vorzustellen, der über das Entfernen von Eierstock und Uterus (↑ Kastration) entscheiden wird.

Gebärmutterverlagerung ↑ Geburtsstörungen.

Gebärunfähigkeit ↑ Geburtsstörungen.

Gebiß: Gesamtheit aller ↑ Zähne eines

Individuums. Das G. ist ein wichtiges morphologisches Artmerkmal, da die Zähne in der Anzahl sowie in Form und Anordnung tierartspezifisch variieren (Tab.). Alle zur Familie der Felidae gehörenden ↑ Katzen haben im bleibenden Gebiß 30 Zähne in identischer Anordnung. Eine Ausnahme bildet lediglich der Gepard, der im Verlauf der Evolution den zweiten Prämolar im Oberkiefer verloren hat und deshalb nur noch 28 Zähne besitzt.

–/– bedeutet fehlende Zähne in den Ober- bzw. Unterkieferhälften. Bei der Katze stehen im normalen G. die Schneidezähne (Incisivi) senkrecht aufeinander (Zangenbiß), während die Fangzähne (Canini) aneinander vorbeigleiten und die Backenzähne (Prämolaren und Molaren, Mahlzähne) scherenartig ineinandergreifen (Scherengebiß; Abb.). Diese besondere Zahnform gestattet das An- bzw. Abschneiden von ↑ Beutetieren. In gemeimsamer Funktion mit dem Ober- und Unterkiefer, der Kaumuskulatur, der Zunge und den Lippen dient das G. dem Ergreifen und Zerkleinern der Nahrung, dem Beutefang und Töten der ↑ Beutetiere, in geringem Maße auch dem Zerkleinern der Nahrung sowie als wirksame Verteidigungswaffe. ↑ Gebißanomalien führen zu einer Beeinträchtigung der Funktionen des Gebisses.

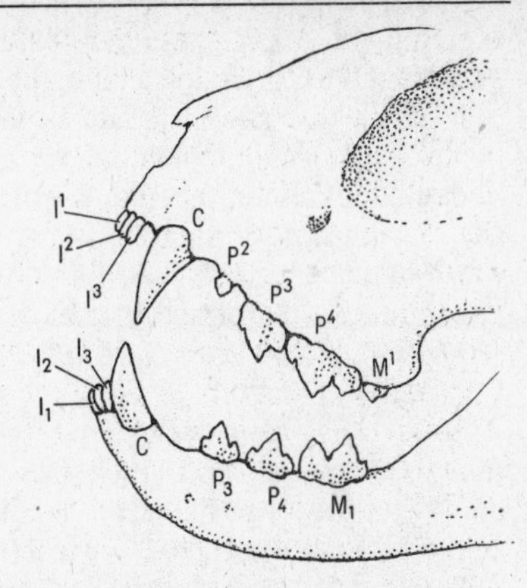

Normales bleibendes Gebiß der Katze. Bei Zähnen im Oberkiefer wird die Zahl hochgestellt (I^1, P^2 usw.), bei Zähnen im Unterkiefer steht die Zahl unten (I_1, P_3 usw.). Die Zähne des Milchgebisses werden mit kleinen Buchstaben benannt, die des bleibenden Gebisses mit großen. I = Incisivus – Schneidezahn, C = Caninus – Fangzahn, P = Praemolar – Vor-Backenzahn, M = Molar – Backenzahn, M_1 und P^4 = Reißzähne

Gebißanomalien, *Zahnfehler*: angeborene *Stellungsanomalien* ganzer Zahnreihen, die auf Entwicklungsstörungen der Kiefer oder Alveolarfortsätze zurückgehen. Hierzu gehören der ↑ Vorbiß und der ↑ Unterbiß bzw. Stellungsanomalien einzelner Zähne, wie Drehungen um die Längsachse (Torsion, Rotation) oder um die Querachse (Deviation) sowie die Verdrängung nach der labialen (zu den Lippen gerichteten) oder lingualen (zur Zunge gerichteten) Seite (Dislokation). Eine Rotation betrifft als seltenes Ereignis vor allem die Prä-

Zahnformel und Anzahl der Zähne einiger Haustierarten

Tierart	Incisivi (I)	Canini (C)	Praemolares (P)	Molares (M)	Summe
Katze	3/3	1/1	3/2	1/1	30
Schaf/Rind	–/3	–/1	3/3	3/3	32
Pferd	3/3	1/1	3/3	3/3	40
Hund	3/3	1/1	4/4	2/3	42
Schwein	3/3	1/1	4/4	3/3	44

molaren und die Molaren, die Deviation vor allem die Canini (↑ Zähne), die z. B. statt nach ventral (bauchwärts) nach ventrokranial (bauch-schädelwärts) gerichtet sein können (*Kratochvil*, 1971).
Die *Zahnlosigkeit* [griech. Anodontie] tritt äußerst selten auf. Primär werden keine Zahnkeime angelegt (*Elzay/Hughes*, 1969). Eine *Zahnunterzahl* [griech. Oligodontie] kommt häufiger vor. Der Zahnkeim ist zwar angelegt, kommt aber nicht zum Durchbruch und verkümmert bzw. wird durch Krankheit zerstört. *Kratochvil (1971)* stellte bei ↑ Hauskatzen fest, daß überwiegend die Schneidezähne und die rechte Oberkieferseite betroffen waren. Eine erworbene Oligodontie entsteht durch Zahnausfall oder traumatische Einwirkungen. Anodontie und Oligodontie können im allgemeinen durch Röntgenuntersuchungen voneinander unterschieden werden. *Ueberberg* (1965) ermittelte jedoch eine Form extremer Oligodontie, die bei negativem Röntgenbild erst durch eine histologische Untersuchung abgeklärt werden konnte (verkümmerte Zahnanlage in der Höhe des Foramen mentale des rechten Unterkiefers). Die phylogenetische Reduktion des Gebisses, die bei Hunden eine besondere Rolle spielt und erblich ist, betrifft bei Katzen den Prämolaren- und Molarenbereich. Dieser Zahnverlust wird im Rahmen eines stammesgeschichtlichen Spezialisierungsprozesses gesehen, in dem die vorderen Prämolaren und hinteren Molaren im Zusammenhang mit der Entwicklung der Feliden zu reinen Fleischfressern eingespart wurden.
Den Caninus vom Reißzahn (Reißen unter Einsatz der Körperkraft) zum Festhalte- und Hebelzahn zu qualifizieren (*Lüps*, 1980), um die ↑ Brachyzephalie zu rehabilitieren, erscheint fraglich. Immerhin wird die numerische Reduktion des ursprünglichen Carnivorengebisses von 44 auf 30 bei der Hauskatze als typisches Beispiel für eine phylogenetische Reduktion angesehen. Bei einigen anderen Felidenarten ist die Reduktion sogar noch weiter fortgeschritten. Beim Manul (Otocolobus manul), Luchs und Rotluchs (Lynx lynx und L. rufus) sowie bei der Leopardkatze (Felis bengalensis) fehlt der P_2 bei einem größeren Teil der Tiere. Die Reduktion der Zahnzahl läßt sich auch bei der Hauskatze nachweisen, wobei sich geografische und ökologische Unterschiede ergeben. *Lüps* (1980) stellte beim P_2-Mangel ein Nord-Süd-Gefälle fest, das nach *Wetzel* (1981–1983) von neutralem Charakter, d. h. zufällig, sein soll. Teilpopulationsunterschiede, z. B. die Besonderheiten der Katzenpopulation auf den Kerguelen (gehäufter M_1-Mangel) werden auf ↑ Inzucht u. a. populationsdynamische Faktoren zurückgeführt (↑ Populationsgenetik). Bei den Kerguelenkatzen zeigten sich auch Mängel der Zahnform und -stellung, die im Zusammenhang mit Raumenge im Kiefer diskutiert wurden. In anderen Fällen ist eine ↑ genetische Rekombination von Mutanten im Rahmen der Inzucht nachweisbar.
Die *Zahnüberzahl* [griech. Polyodontie] wurde als typische oder atavistische Polyodontie im vorderen Abschnitt der Prämolarenreihe bisher nur bei ↑ Waldwildkatzen festgestellt (*Kratochvil*, 1971). Eine Pseudopolyodontie entsteht infolge *Milchzahnpersistenz*, d. h. beim ausbleibenden Zahnwechsel. Dieser kann einzelne Zähne und Zahngruppen betreffen. Im Extrem kommt es zur Ausbildung doppelter Zahnreihen. Da die Zahnkeime der Milch- und Dauerzähne nicht über-, sondern nebeneinander liegen, unterbleibt die Resorption der Milchzahnwurzeln, die permanenten Zähne werden abgedrängt und nehmen eine falsche Position im Kieferbogen ein. Häufig liegt eine Engstellung

der benachbarten Milch- und Dauerzähne vor. Im engen Zwischenzahnraum sammeln sich Futterreste und Fremdkörper, die Blutungen verursachen und die Ansiedlung pathogener Mikroorganismen begünstigen. Klinisch findet man Papillarkörper- und Zahnfleischentzündungen.
Weitere Zahnanomalien sind Formanomalien, z. B. nur eine statt zwei Wurzeln bei den Prämolaren, und die primäre Alveolen-Atrophie, die als juvenile Atrophie bei Inzucht auftritt.
Insgesamt ist festzustellen, daß die Angaben über das Auftreten von G. hauptsächlich die Häufigkeit betreffen und Untersuchungen über die Erblichkeit bei der Katze noch weitgehend ausstehen.

Gebrauchskreuzung ↑ Zuchtmethoden.

Geburt [lat. partus]: Ausstoßen der Frucht nach Überschreiten der unteren Grenze der physiologischen Tragezeitdauer. G.en sind zu allen Jahreszeiten möglich, häufen sich jedoch aufgrund des saisonal polyöstrischen Paarungsverhaltens (↑ Jahresrhythmik) in den Monaten von April bis September und verringern sich beträchtlich in den späten Herbst- und Wintermonaten.
Der G.enablauf vollzieht sich in drei Phasen: der Vorbereitungsphase, der Eröffnungsphase und der Austreibungsphase. Ihr schließt sich die Nachgeburtsperiode (*Puerperium*) an.
Gegen Ende der durchschnittlich 63tägigen Trächtigkeit beginnt die *Vorbereitungsphase*. Äußere Anzeichen kündigen die bevorstehende G. an. Die tragende Katze wird anschmiegsamer und duldsamer. Fremde Jungtiere, denen gegenüber sie sich bisher vielleicht aggressiv verhalten hat, werden nun toleriert, manchmal sogar gepflegt und geputzt. Durch eigentümliche Lockrufe können sie aufgefordert werden, an den Zitzen zu saugen. Harn und Kot werden häufiger abgesetzt, die Vulva (↑ Geschlechtsorgane) wird vermehrt beleckt und die ↑ Wurfkiste bzw. das Nest wiederholt aufgesucht. Die Geburtswege werden stärker durchblutet und die damit verbundene Durchsaftung lockert die Gewebe auf und macht sie dehnbarer. Der äußere Muttermund erweitert sich, die Vulva schwillt an und klafft ein wenig auseinander, die Flanken fallen ein, die Verbindung der Schwanzwirbel lockert sich, die Bekkenbänder (sehnige Verbindungen zwischen Becken und Kreuzbein) werden elastischer. In den letzten beiden Tagen vor der G. kann bereits die Milch einschießen. Die Feten stellen sich auf die G. ein: d.h., sie passen sich den gewundenen Schleifenlagen der Uterushörner an und liegen nunmehr längs der Gebärmutterachse in unterer Stellung (Rücken in Bauchrichtung der Mutter) und gebeugter Haltung. Dieser Vorgang kann von Vorwehen begleitet sein, die aber nicht zur Eröffnung des inneren Muttermundes (Cervix) führen bzw. die G. einleiten.
Die G. kündigt sich bei vielen Katzen etwa 12 bis 14 Stunden vorher durch Abfall der ↑ Körpertemperatur um 1 °C an. Wenige Stunden vor der G. nimmt die Unruhe der tragenden Katze zu. Die Futteraufnahme wird verweigert, sie verlangt nach der Nähe des Besitzers und wartet häufig mit der G. bis zu seinem Erscheinen. Die *Eröffnungsphase* beginnt mit den ersten Wehen (Eröffnungswehen). Im weiteren Verlauf nehmen sie an Intensität zu und die Wehenpausen werden immer kürzer. Diese ersten Wehen lösen auch die gesteigerte Unruhe, das Hin- und Hertreten, oftmaliges Hinlegen und Versuche, Kot und Harn abzusetzen, aus. Die Vulva wird jetzt intensiv beleckt. Gleichzeitig mit den Wehen wird der erste Fetus samt Fruchtblase zum Ausgang der G.swege gepreßt. Da hierbei die G.swege (Gebärmutterkörper, Cervix, Vagina) erst geweitet werden müssen,

dauert diese Phase am längsten. Die Wehentätigkeit beginnt mit dem jeweils stärker gefüllten Uterushorn in der Umgebung des dem Uteruskörper am nächsten liegenden Fetus. Die sogenannte Hornmündungssperre wird einseitig weitgestellt und damit die andere Seite eingeengt. Eine gleichzeitige Austreibung zweier Feten aus beiden Hörnern ist nicht möglich. Erst wenn der Fetus im weiteren G.sweg liegt, also die Fruchtblase bereits äußerlich sichtbar wird, beginnt die Wehentätigkeit im anderen Uterushorn. Es wird somit wechselseitig aus beiden Uterushörnern geboren. Ist ein Fetus aus dem Horn ausgetrieben, verkürzt sich der freigewordene Platz durch Kontraktion der Längsmuskulatur und die nachfolgende Frucht wird an den Uteruskörper herangebracht. Mit Eintritt von Fruchtblase und Frucht in die Cervix vermischt sich die Eröffnungsphase mit der Austreibungsphase. In den meisten Fällen wird die Eröffnungsphase erst an ihrem Ende erkannt, d. h., wenn die Fruchtblase sichtbar ist.

Die *Austreibungsphase* ist durch das Einsetzen der Preßwehen charakterisiert. Diese Wehen sind viel kräftiger als die Eröffnungswehen und beschleunigen zusammen mit der Bauchpresse die Austreibung des Fetus. Die Bauchpresse dauert nur wenige Sekunden, verstärkt aber den Wehendruck um das Drei- bis Fünffache. Die meisten Katzen gebären liegend, da diese Stellung die stärkste Kraftentfaltung ermöglicht. Einige Katzen aber stehen oder nehmen eine hundesitzige Stellung ein. Die Austreibung dauert im Durchschnitt 3 min, scheint aber viel Kraft zu erfordern und mit heftigen Schmerzen verbunden zu sein, denn viele Katzen schreien dabei erheblich. Meist wurde bereits vor der Austreibung durch intensives Lecken (↑ Zunge) der Vulva die Fruchtblase geöffnet. Noch an der Nabelschnur hängend wird in der Regel zusammen mit den Neugeborenen die Nach-G. (Placenta fetalis) ausgestoßen. Reißt die Nabelschnur während der G., wird die Nach-G. mit den nächsten Wehen herausgepreßt. Das Neugeborene wird sofort geputzt. Dieser Vorgang ist wichtig, da nicht nur eventuell vorhandene Eihäute durchtrennt, die Atmung stimuliert und das Fell getrocknet werden, sondern auch die Identität der Jungen aufgenommen wird (↑ Mutterverhalten). Unerfahrene oder nervöse Katzen unterlassen meist das Putzen, und es muß nachgeholfen werden. Der Welpe wird fest in die Hand genommen und das Fruchtwasser aus Nase und Maul geschüttelt, und anschließend wird er trockengerieben (Abb. 1). Die Nachgeburt wird meist bis zur Nabelschnur aufgefressen und der Welpe so abgenabelt. Durch Übereifer kann die Nabelschnur zu weit abgefressen werden und es ist deshalb ratsam, sofort einzugreifen und die Nabelschnur stumpf zu durchtrennen. Der etwa 2–3 cm lange Stumpf wird mit Iod desinfiziert und abgebunden, um Blutungen vorzubeugen. Da der einsetzende Lungenblutkreislauf das Restblut aus dem Nabel entzieht, die Blutgefäße sich nach innen einrollen und ein Blutpfropf das Gefäß verschließt, ist das Abbinden der Nabelschnur nicht unbedingt erforderlich.

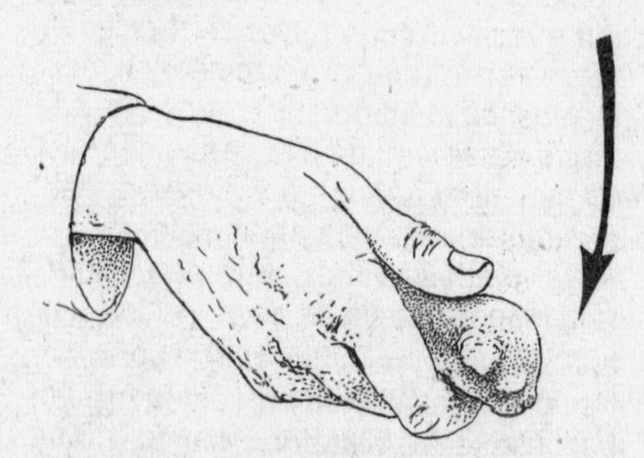

Geburt, Abb. 1. Herausschütteln des Fruchtwassers aus Nase und Maul

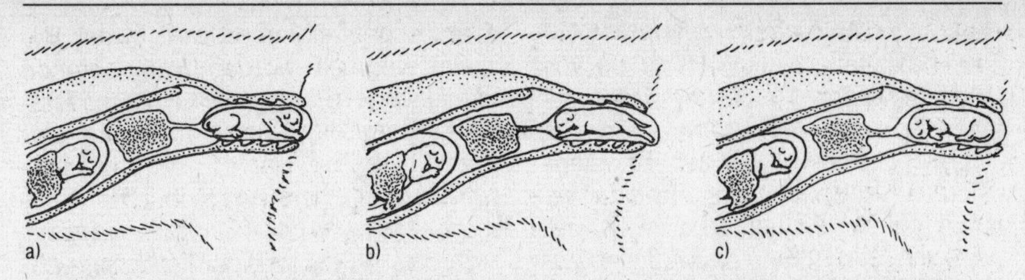

Geburt, Abb. 2. a) Vorderendlage, Gliedmaßenstellung normal, leichte Austreibung des Fetus, der wie ein Keil die Geburtswege auseinandertreibt; b) Hinterendlage, Gliedmaßenstellung normal, leichte Austreibung des Fetus wie bei a); c) Hinterendlage, eine oder beide Gliedmaße dem Körper angelegt, die Austreibung ist erschwert, da die optimale Keilform fehlt und der Fetus in diesem Bereich wesentlich umfangreicher ist

Die im Vergleich zu anderen Haustieren recht kurze Austreibungszeit sowie die relativ geringe ↑ Geburtsmasse gestatten eine G. sowohl in Vorder- als auch in Hinterendlage. Beide Lagen kommen im Prinzip im Verhätltnis 1 : 1 vor, wobei die Vorderendlagen leicht überwiegen (bis etwa 60%) (Abb. 2).
Die G. des ersten Welpen kann wenige Minuten bis eineinhalb Stunden in Anspruch nehmen. Bei Erstgebärenden kann sie bis zu vier Stunden dauern. Gelegentlich kann nach Austreibung des ersten Fetus die G. 24 Stunden ruhen, um dann völlig normal abzulaufen. Im Regelfall folgen die nächsten Welpen in durchschnittlich 30-minütigen Abständen. Bei ↑ Geburtsstörungen wird der G.svorgang unterbrochen oder behindert und der Tierarzt muß aufgesucht werden. Normalerweise braucht die Katze während des G.sverlaufes keine Hilfe. Jede unnötige Hektik und Nervosität überträgt sich auf das Tier und kann durchaus den G.sverlauf verzögern oder sogar unterbrechen. Besonders vor der Austreibung sind die Tiere sehr unruhig, durch eine leichte Bauchmassage kann man beruhigend auf sie einwirken. Ist der Welpe zur Hälfte ausgetrieben und verzögert sich trotz starker Wehen der G.sablauf, kann mit viel Vorsicht manuell nachgeholfen werden. Ist der Kopf geboren, wird am Hals mit Daumen und Zeigefinger eine Hautfalte erfaßt und durch abwechselnden Zug nach unten im Rhythmus der Wehen die Frucht extrahiert. Bei Hinterendlagen wird der Welpe an den beiden Kniefalten ergriffen. Niemals an den zarten Gliedmaßen oder am Kopf ziehen. Dauert die G. eines Welpen zu lange, werden häufig fast leblose Welpen geboren, um die sich die Mutter nicht kümmert. In solchen Fällen muß helfend eingegriffen werden. Der Welpe wird von den Fruchthüllen befreit und abgenabelt. Aus dem Maul und der Nase werden Schleim und Fruchtwasser entfernt. Mit einem Tuch wird der Körper solange kräftig abgerieben, bis die Atmung einsetzt und die ersten kräftigen Schreie ertönen. Dann erst sollte der Welpe an die Zitzen gelegt werden. Bis maximal eine halbe Stunde sind derartige Massagen sinnvoll, jedoch sollten sie dann unter einer Rotlichtlampe gemacht werden, damit der Welpe nicht unterkühlt.
Gesunde kräftige Welpen beginnen sofort, nachdem sie von den verbliebenen Eihüllen befreit sind, laut und kräftig zu schreien und die Zitzen der Mutter zu suchen. (↑ Jungtierentwicklung, ↑ Welpenaufzucht). Die Schreie wirken auslösend auf das Mutterverhalten.
Frühgeburten, lebensschwache Welpen oder Totgeburten werden bei feh-

lender Lautäußerung von der Mutter nicht beachtet. Häufig kommt es vor, daß totgeborene Welpen an- oder aufgefressen werden (↑ Abort, Infantizid). Der normal und voll ausgereifte Welpe ist, außer am Bauch, kurz und dicht behaart, die Augenlider sind noch verwachsen und die Gehörgänge geschlossen. Die ↑ Zähne sind noch nicht durchgebrochen, aber in der Anlage gut erkennbar. Die nadelspitzen ↑ Krallen sind mit Hüllen überzogen, damit die G.swege nicht verletzt werden. Bei Früh-G.en lassen sich besonders an der Behaarung deutliche Zeichen der Unreife erkennen.
Schließlich sei noch darauf hingewiesen, daß die gebärende Katze zwischen zwei Austreibungen oft etwas Trinkbares verlangt. Die Zitzen sind mit einer Wachsschicht überzogen, die vor G.sbeginn entfernt werden sollte. Die langen Bauchhaare bei ↑ Persern sollten um die Zitzen herum etwas gekürzt werden, da sie während der Säugeperiode sonst verkleben und verfilzen.

Geburtsgewicht ↑ Geburtsmasse.

Geburtsmasse, *Geburtsgewicht*: Körpermasse des Neugeborenen, die bei normaler Graviditätsdauer von 63 bis 65 Tagen (↑ Trächtigkeit) zwischen 80 und 120 g liegt, das sind ungefähr 2,5 bis 3,5% der Körpermasse einer ausgewachsenen Katze. Die Welpen passen kurz nach der ↑ Geburt in die Handfläche eines Erwachsenen. Rasse- oder geschlechtsbedingte Unterschiede in der G. können nicht festgestellt werden. Die G. ist abhängig von der Versorgung der wachsenden Frucht durch die Mutter. Inwieweit erbliche und/oder nichterbliche Faktoren wirken, ist oft schwer zu erkennen. Sicher ist, daß bei mangelhafter ↑ Ernährung der trächtigen Katze, mit steigendem Inzuchtkoeffizienten (↑ Inzuchtdepression) sowie mit wachsenden Wurfgrößen (über fünf Welpen/Wurf) die G. sinkt. Insbesondere in den ersten beiden Fällen ist gleichzeitig die Vitalität beeinträchtigt. Häufig liegt die G. der Welpen zwischen 60 und 80 g; sinkt sie unter 80 g, sind die Welpen in der Regel lebensschwach und problematisch in der Aufzucht (↑ Masseentwicklung, ↑ Welpenaufzucht). Spätfolgen in Form verminderter Körperentwicklung und Störungen im Fortpflanzungsgeschehen sind nicht ausgeschlossen. Die Vitalität der Neugeborenen sollte zur Entscheidungsgrundlage für eine weitere Aufzucht gemacht werden.
Liegt die G. allerdings unter 60 g, sollten die Welpen eingeschläfert werden, da sie in der Regel nach wenigen Tagen wegen mangelnder Vitalität sterben und die wenigen Überlebenden stets Kümmerer bleiben (↑ Einschläfern).
Dagegen haben Würfe mit einem oder zwei Welpen meist eine erhöhte G. bis zu 200 g. Die Trächtigkeitsdauer und die Zahl der Schwergeburten (↑ Geburtsstörungen) nimmt zu. Die Welpen werden absolut zu groß, d. h., die normal entwickelten Geburtswege sind für solche Welpen zu eng. Eine Geburt kann oft nur durch Kaiserschnitt erfolgen.
Allerdings kommt es auch nicht selten vor, daß die G. gleichbleibend ist, unabhängig davon, ob zwei oder fünf Welpen geboren werden.

Geburtsstörungen, *Schwergeburt, pathologische Geburt*: Unterbrechung des normalen Ablaufes der ↑ Geburt trotz deutlicher Geburtszeichen der Katze. Die Geburt kann von der Katze nicht mehr aus eigener Kraft zu Ende gebracht werden, es kommt kein Welpe zur Welt. In allen Fällen, in denen erkennbar wird, daß trotz erheblichen Anstrengungen der Katze keine Welpen geboren werden, die Geburt nach mehr als vier Stunden nach Geburtsbeginn noch nicht abgeschlossen ist oder Zweifel bestehen, ob bereits alle Welpen geboren wurden, muß der Tierarzt konsultiert werden. G. können aus verschiedenen Gründen eintreten. Die primären Ursachen können von der Mutter, von den Früchten oder von beiden ausgehen. Von der Mutter ausgehende G. sind:

- Gebärunfähigkeit infolge von Einengungen der Geburtswege, hauptsächlich von Beckenenge. Die Weite der knöchernen Geburtswege (Bekkengürtel und Kreuzbein) sind der limitierende Faktor für die Größenentwicklung der Feten. Angeborene oder im späteren Leben erworbene Einengungen, z. B. durch fehlerhafte Verwachsungen oder Knochenzubildungen nach Beckenbrüchen (Verkehrsunfälle!), be- oder verhindern den Durchtritt der Frucht. Trotz genügend starker Wehentätigkeit und ausreichender Eröffnung der weichen Geburtswege kann der Fetus nicht ausgetrieben werden. Als weitere Ursachen kommen angeborene Verengungen der weichen Geburtswege, wie Zervikalkanalenge, Enge und Elastizitätsmangel der hinteren Scheidenabschnitte, ein enger und straffer Hymenalring, Scheidenspangen, -zysten, -hämatome oder -neubildungen, Narbenstrikturen von vorausgegangenen Schwergeburten oder zu starke Schwellungen und Ödembildungen in Frage.
- Gebärunfähigkeit infolge Gebärmutterverlagerung und -verdrehung o. a. krankhafter Veränderungen (Uterusruptur, vorzeitiger Blasensprung und Trockenheit der Geburtswege).
- *Primäre* oder *sekundäre Wehenschwäche* [griech. Dystokie]. Bei der primären Wehenschwäche sind die Wehen von Anfang an schwach, unkoordiniert oder unterbleiben völlig. Sie treten bei hormonellen Störungen, Überladung der Gebärmutter durch eine zu hohe Welpenzahl, bei Einfrüchtigkeit (ungenügender hormoneller Geburtsimpuls von Seiten der Frucht), Geburten nach Allgemeinerkrankungen, Schäden der Gebärmuskulatur infolge vorangegangener Entzündungen (↑ Gebärmutterentzündungen) oder auch bei genetischer Disposition für Wehenschwäche bzw. nach ↑ Inzucht auf.
  Die sekundäre Wehenschwäche äußert sich darin, daß die Geburt zunächst normal verläuft, aber im weiteren Verlauf die Wehen immer schwächer werden und schließlich verlöschen. Ungefähr 85% aller G. sind auf vorzeitige Ermüdung der Muskulatur der Gebärmutter zurückzuführen. Zu lange dauernde Geburten, Erstgeburten oder konstitutionelle Mängel der Mutter sind hierfür die Hauptursache.

Vom Fetus ausgehende G. sind:

- absolut zu große Frucht, die durch *Einfrüchtigkeit* oder bei verlängerter Trächtigkeitsdauer (70 Tage und mehr) zustande kommt. Die übergroßen Früchte passen nicht mehr durch die knöchernen Geburtswege.
- Anomalien der Feten (↑ Mißbildung), z. B. Doppelmißbildungen des Gesamtkörpers oder einzelner Körperteile (siamesische Zwillinge oder Verdopplung der vorderen oder hinteren Körperhälfte [lat. Duplicitas anterior oder posterior]). Die Verdopplungen können gleichgroß oder von verschiedener Größe sein (parasitäre Defekte). Von den Einzelmißbildungen (autositäre Defekte) spielen Großwüchsigkeit (Riesenwuchs, Gigantismus) oder Wassersucht (Hydrops universalis) sowie die Überdimensionierung einzelner Körperteile, z.B. der Wasserkopf (Hydrozephalie), eine Rolle. Des weiteren werden G. von Defekten verursacht, die die Beweglichkeit der Feten einschränken, wie der Schiefhals [lat. Torticollis], die Versteifung der Wirbelsäule oder

der Gliedmaßen [griech. Arthrogrypose].
- Lage-, Stellungs- und Haltungsanomalien. Bei fehlerhaften Lagen stimmt die Längsachse der Frucht nicht mehr mit der der Mutter überein und es liegt eine Bauch- und Rückenquerlage bzw. eine Schieflage vor. Sie führen zu ernsthaften G. Regelwidrige Kopfhaltungen (Kopfseiten- oder -rückenhaltung) oder Gliedmaßenhaltungen (Beuge-, Spreizhaltungen, z. B. nur eine Extremität im Geburtsweg, die andere am Körper der Frucht nach hinten gerichtet) stellen demgegenüber nur selten Hindernisse dar. Von der Frucht ausgehende G. sind auch der gleichzeitige Eintritt zweier Früchte in das Bekken. Die untere oder seitliche Stellung (Lage des Rückens der Frucht zum Rücken der Mutter) kommt ebenfalls selten als Ursache von G. in Frage.

Klinisch zeigen sich die Störungen in Form der verzögerten oder verschleppten Geburt. Für diese kommen als weitere Ursachen auch Umweltstressoren, wie ständiges Auftreiben oder anderweitige Beunruhigung oder Störung von Verhaltensabläufen in Frage. Kriterium des Grades der G. sind Anzahl lebender, Anzahl totgeborener oder lebensschwacher Welpen. Im allgemeinen hat man bei G. mit einer Welpensterblichkeitsrate von etwa 33% zu rechnen (*Peltz,* 1975). Die kräftige Perserkatze soll sich durch eine besonders hohe Totgeburtenrate auszeichnen. Der Rasseneinfluß wird aber von anderen Faktoren, wie Früchtezahl oder Inzuchtgrad, überlagert.

Geburtstermin ↑ Trächtigkeit.

Gedächtnis: Fähigkeit des Zentralen ↑ Nervensystems (ZNS), Informationen in wiederabrufbarer Form zu speichern. Die physiologischen Grundlagen der Speicherung sind noch ungenügend geklärt. Man unterscheidet zwei Formen des G.es:
- das *Kurzzeit-G.*, das wahrscheinlich auf der Basis elektrischer Veränderungen in den Nervenzellen funktioniert und Informationen für die Dauer von mehreren Sekunden bis zu mehreren Stunden aufbewahrt,
- das *Langzeit-G.*, das auf einer chemischen Verankerung von G.inhalten beruht und zeitlich unbegrenzt ist.

Oft wird bei Katzen über ein besonders ausgeprägtes G. gegenüber schreckhaften Ereignissen berichtet, die gerade in der Phase des leichten ↑ Schlafes besonders fest gespeichert werden. Das G. stellt eine wichtige Voraussetzung für das ↑ Lernverhalten und die ↑ Dressur dar. Hervorragend ausgebildet ist nach Untersuchungen von *Leyhausen* (1982) das ↑ Ortsgedächtnis bei Katzen.

„gehemmtes Spiel" ↑ Beutespiel.

Gehirngröße ↑ Hirnschädelkapazität.

Gehör ↑ Ohr.

Geisterzeichnung [engl. ghost marking]: andeutungsweise wahrnehmbare ↑ Tabbyzeichnung im Fell einfarbiger schwarzer (aa B– C– D–), blauer (aa, B– C– dd), chocolate– (aa bb C– D–) und lilacfarbener (aa bb C– dd) Katzen vornehmlich jugendlichen Alters. Unter Sonnenlicht ist die G. besonders gut sichtbar, manchmal auch noch bei erwachsenen Tieren (vgl. einfarbig, Epistasie). Nur wenige Katzen der genannten ↑ Varietäten sind frei von G. Sie sind dann entweder getupft, tragen das Gen für ↑ Abessiniertabby T^a-, oder die Tabbyzeichnung wurde durch ↑ Selektion weitestgehend eliminiert. G. tritt auch in den jugendlichen Entwicklungsstadien der Black Smoke auf und ist oft auf der nachgedunkelten Körperfarbe der ↑ Colourpoint Seal anzutreffen.

Gelbrotfaktor ↑ Orange.

Gen, *Erbanlage*, *Erbfaktor*: von *Mendel*

1865 als Funktions- bzw. Merkmalbildungs- oder Recheneinheit eingeführte und von *Johannsen* 1909 geprägte Bezeichnung für die „Einheit der Vererbung". Ein G. ist durch drei Eigenschaften charakterisiert:

- Ausübung einer bestimmten Funktion (Ausbildung eines Merkmals oder Merkmalkomplexes),
- Mutabilität (Erzeugung neuer Allele, die zur veränderten Merkmalausprägung führen),
- Fähigkeit zur ↑ genetischen Rekombination (Trennung der ↑ Allele während der ↑ Meiose und Wiedervereinigung bei der Befruchtung).

G. konnten in den ↑ Chromosomen lokalisiert werden und sollen dort wie Perlen zu einer Kette aufgereiht sein. Mehrere Jahrzehnte konnte diese Vorstellung aufrecht erhalten werden, bis genauere Untersuchungen Widersprüche ergaben. Die Einheiten der Funktion, Mutation und Rekombination erwiesen sich als nicht identisch. Als *Funktionseinheit* wird der Abschnitt einer genetischen Struktur definiert, der ein spezifisches Produkt der G.wirkung bildet (z. B. ein Strukturprotein). Bei ↑ multipler Allelie findet man eine Reihe unterschiedlicher Veränderungen des gleichen Merkmals. Kreuzungen zeigen, daß die Mutationen ungefähr am gleichen Ort der Merkmalgruppe liegen. Es könnte sich um Allele des gleichen G. oder um eng benachbarte, d.h. gekoppelte ↑ Genorte handeln. Die Frage kann mit Hilfe des Allelie- und des Cis-Trans-Tests eindeutig beantwortet werden. Beim ↑ Allelie-Test kreuzt man die verschiedenen gegeneinander zu testenden Mutanten und analysiert die Merkmalbildung in der F_1- und F_2-Generation (↑ Mendel-Regeln). Im Prinzip wird geprüft, ob zwei unabhängig voneinander entstandene Mutationen dieselbe genetische Funktion in einem Organismus oder zwei verschiedene Funktionen verändern. Mit Hilfe des Cis-Trans-Tests kann nachgewiesen werden, ob innerhalb eines G. mehrere Mutationsorte vorliegen, die durch ↑ Crossing over voneinander trennbar und analysierbar sind (↑ Genkopplung). Von *Benzer* (1955) wurde deshalb für die Funktionseinheit der Begriff *Cistron* eingeführt (synonym mit dem Begriff G.)

Die *Mutationseinheit* (Mutationsort, *Muton* nach *Benzer*, 1955, engl. site) ist das kleinste Element eines Chromosoms, das Erbinformationen besitzt und unabhängig von einem anderen verändert werden kann. Sein Austausch oder sein Verlust führt zu einem deutlich veränderten ↑ Phänotyp. Diese

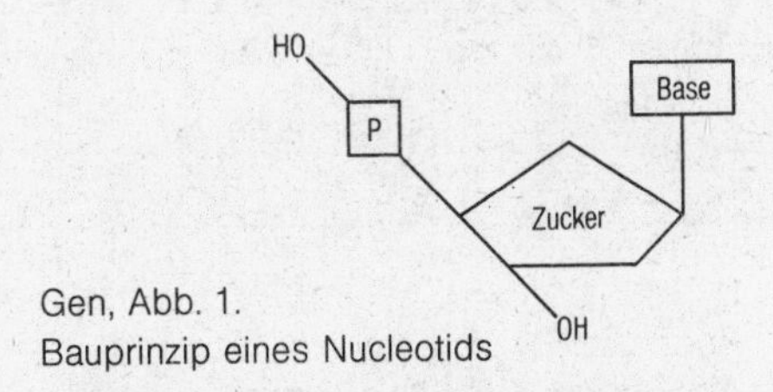

Gen, Abb. 1.
Bauprinzip eines Nucleotids

Einheit ist das Nucleotid der Desoxyribonukleinsäure (DNA) bzw. der Ribonukleinsäure (RNA). Die DNA ist ein hochpolymeres Aggregat aus vielen Bausteinen, den Nucleotiden (Abb. 1). In

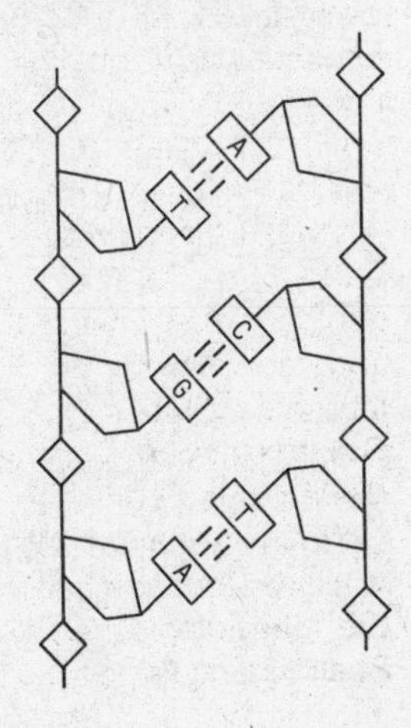

Gen, Abb. 2.
Ausschnitt aus einem DNA-Strang

der DNA der Katze werden vier verschiedene Nucleotide angetroffen (Verbindung einer Base, eines Zuckers und einer Phosphatgruppe). Der Unterschied zwischen ihnen besteht lediglich in den Basen, den Pyrimidinbasen Cytosin (C) und Thymin (T) sowie den Purinbasen Adenin (A) und Guanin (G).

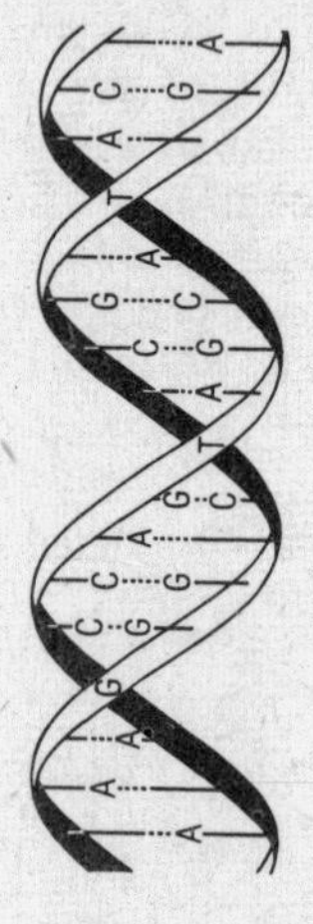

Gen, Abb. 3. Ausschnitt aus der DNA-Spirale (Watson-Crick-Modell)

Auch die RNA besteht aus vier Bausteinen, wobei statt des Desoxyribosezukkers Ribose und statt der Pyrimidinbase Thymin die Base Urazil (U) auftritt. Die Nucleotide werden über die Phosphatgruppe kettenartig verbunden (Abb.2) und spiralig gewunden (Abb.3). Der genetische Code besteht aus einer Dreierkombination dieser Verbindun-

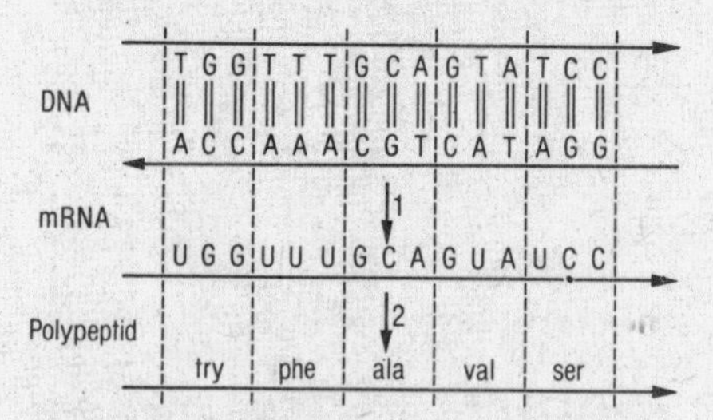

Gen, Abb. 4. Übersetzung (1 = Transkription) und Übertragung (2 = Translation) des genetischen Codes in die Funktionseinheit

gen, die die Position einer Aminosäure in einem Protein bestimmt (Abb. 4). Dabei wird die in der DNA enthaltene genetische Information auf ein Vermittlermolekül, die Boten-Ribonukleinsäure (Messenger-RNA, mRNA) übertragen (Transkription), und der mRNA-Code bestimmt den Einbau der Aminosäure (try = Tryptophan, phe = Phenylalanin, ala = Alanin, val = Valin, ser = Serin) in einen Polypeptidstrang (Translation), der zum Bestandteil der Funktionseinheit Strukturprotein oder regulatorisches Protein (Enzym) wird. Man kann jedoch nicht jedes Mutationsereignis auf ein Nucleotid beziehen. Eine ↑ Mutation kann ganz verschiedene Ausmaße haben und ein Nucleotid, mehrere Nucleotide, größere G.bereiche, ganze G. oder Chromosomen betreffen. Dessen ungeachtet bleibt das Nucleotid das kleinste veränderbare Element. Während die G. bei den meisten Bakterien aus einem zusammenhängenden Informationstext bestehen, sind sie bei höheren Organismen mosaikartig aufgebaut. Sie umfassen kodierende Einheiten (Exons), die in eine Aminosäurekette umgesetzt werden, und aus dazwischenliegenden Abschnitten (Introns), die als Überreste von Einschiebungen (↑ springendes Gen) als nutzloser Ballast („egoistisches" Erbmaterial, das nach dem Autostoppverfahren mitgeschleppt wird) oder als „Scharnier" angesehen werden, an dem ein Exon aus seinem G.verband herausgehoben werden kann. Es scheint mehrere Typen von Introns zu geben, von denen einige nur funktionelle Verbindungsstücke, andere jedoch echte genetische Informationsträger (z. B. regulatorische bzw. Steuerungselemente) sind.
Die ↑ Rekombinationseinheit (Recon nach *Benzer*, 1955) ist nicht mit der Funktionseinheit identisch, sondern das kleinste Element eines Chromosoms, das durch Crossing over aus-

tauschbar ist. Im Extrem kann ein Nucleotid betroffen sein (intragenetische Rekombination). Die Größe der Rekombinationseinheit ist bei Katzen bisher nicht geklärt. Sie ist bei den einzelnen Merkmalen unterschiedlich groß und umfaßt Chromosomenabschnitte innerhalb einer Funktionseinheit oder mehrere Funktionseinheiten (Cistrons).
In der Züchtungsgenetik der Rassekatze wird der G.begriff hauptsächlich mit der Funktionseinheit identifiziert. Bei genetischen Analysen spielen auch die Mutations- und die Rekombinationseinheit eine Rolle (↑ Mutationszüchtung).
Zu berücksichtigen ist, daß sich die Verhältnisse weit komplizierter gestalten und viele Fragen bisher unbeantwortet blieben.
So wird z. B. nur etwa ein Zehntel der DNA zur Informationsweitergabe bis auf die Proteinebene genutzt. Ein Großteil der DNA-Abschnitte liegt in mehrfacher Wiederholung hintereinander angeordnet und wird weder abgelesen, noch in Endprodukte übersetzt. Viele, wenn nicht die meisten G. werden durch nicht übertragende Sequenzen unterbrochen (springende Gene).
Längere Nukleotidfolgen mit unbekannter Funktion flankieren die meisten G. Diese und viele andere Erkenntnisse der Molekulargenetik lassen sich bisher nicht direkt in Fortschritte der Züchtungsgenetik von Rassekatzen umsetzen.

Genetik: Wissenschaftsbereich der Biologie, der sich mit der Vererbung (Konstanz der Erbanlagen, Übertragung von Generation zu Generation) sowie Veränderlichkeit von Erbanlagen und Merkmalen (↑ Genotyp, ↑ Phänotyp) bei Lebewesen beschäftigt. Als experimentelle Naturwissenschaft hat sich die G. erst um die Wende des 19. zum 20. Jahrhundert entwickelt. Nachdem *Mendel* 1865 die entscheidende Entdeckung der konstanten Zahlenverhältnisse im Erbgang der einzelnen Merkmale gemacht (↑ Mendel-Regeln) und *Correns*, *Tschermak* und *de Vries* (1901) die Mendel-Regeln wiederentdeckt und ihre Bedeutung erkannt hatten, lieferten *Sutton* und *Boveri* (1902–1904) mit ihrer Chromosomentheorie der Vererbung die Erklärung für die Konstanz der Zahlenverhältnisse. Seitdem wurde die G. als Grundlagendisziplin intensiv weiterentwickelt, wobei eine Aufteilung in zahlreiche Spezialisierungen erfolgte (Molekular-G., Bakterien- und Phagen-G., Pharmako- und Chemo-G., Züchtungs-G., mathematische und Populations-G., veterinärmedizinisch-klinische G., Chromosomenpathologie usw.).
Meilensteine der Wissenschaftsentwicklung waren u. a. die Entdeckungen von *Morgan* (1866–1947) zur Natur der Gene, der ↑ Genkopplung (*Morgan*, 1910) oder der ↑ multiplen Allelie (*Morgan*, 1914), die Entdeckung der Erbstrukturen von *Avery* und Mitarb. 1944, der Struktur und Funktion der DNA von *Watson* und *Crick* 1953, der Beziehung zwischen ↑ Chromosomenaberration und Mißbildungen von *Jacob* und *Strong* 1959) oder von *Jacob* und *Monod* (1959) der einfachen Genregulationsmechanismen.
Heute, im Zeitalter des „genetic engineering", wird das zusammengetragene Wissen immer umfangreicher und komplizierter. Die Berücksichtigung moderner genetischer Erkenntnisse bringt aber auch der Rassekatzenzucht einen Gewinn.

genetische Defekte ↑ Erbfehler

genetische Drift, *zufällige Drift* [engl. random drift]: ungerichtete Zufallsschwankungen der ↑ Genfrequenz. Sie können in kleinen ↑ Populationen stärkere Genfrequenzänderungen als in großen verursachen und können bei der Aufspaltung einer großen Population in kleine, in sich geschlossene Zuchtgruppen (Isolatbildung) zur zufallsmäßigen Fixierung [engl. random fixation] oder Eliminierung [engl. random elimination] von ↑ Allelen führen.

Die g. D. wirkt in der Rassekatzenzucht in jeder Zuchtpopulation, die eine zu kleine Basis hat, d. h. über zu wenige männliche und/oder weibliche Zuchttiere verfügt, und in der Verwandtschaftszucht besteht. Der ↑ Genpool umfaßt nur die eingebrachten Gene, deren Häufigkeiten u. a. in Abhängigkeit vom ↑ Genotyp der eingesetzten Zuchtfavoriten schwanken.

In einer Population mit den beiden Allelen D und d eines ↑ Genorts, deren Genfrequenz p und q jeweils bei 0,5 liegen sollen, besteht unter Gleichgewichtsbedingungen (↑ genetisches Gleichgewicht) ein Genotypverhältnis von $p^2 : 2\,pq : q^2 = \frac{1}{4} : \frac{1}{2} : \frac{1}{4}$, d. h., es gibt je ein homozygotes Tier DD und dd auf zwei heterozygote Genotypen Dd.

Paarungskombination in der Elterngeneration (p = Anzahl der D-Allele am Gesamtbestand von vier Allelen)

♀ \ ♂	DD	Dd	Dd	dd
DD	$p = 1$	$p = \frac{3}{4}$	$p = \frac{3}{4}$	$p = \frac{1}{2}$
Dd	$p = \frac{3}{4}$	$p = \frac{1}{2}$	$p = \frac{1}{2}$	$p = \frac{1}{4}$
Dd	$p = \frac{3}{4}$	$p = \frac{1}{2}$	$p = \frac{1}{2}$	$p = \frac{1}{4}$
dd	$p = \frac{1}{2}$	$p = \frac{1}{4}$	$p = \frac{1}{4}$	$p = 0$

Wenn in der Elterngeneration (P-Generation) jedes Pärchen eine isolierte Subpopulation bilden darf, gibt es die in der Tabelle dargestellten Kombinationsmöglichkeiten. Dabei ist auch der Fall einer Bildung zweier Subpopulationen möglich, in denen das dominante und das rezessive Allel homozygot geworden sind [engl. random fixation]. Der Anteil homozygoter Genotypen nimmt dann je Generation jeweils um $\frac{1}{16}$ zu, d. h., das Gleichgewicht liegt bei $p^2 + \frac{1}{16} : 2\,pq - \frac{2}{16} : q^2 + \frac{1}{16} = \frac{1}{4} + \frac{1}{16} : \frac{1}{2} - \frac{2}{16} : \frac{1}{4} + \frac{1}{16}$.

Die Abbildung verzeichnet den Zustand der Ausgangspopulation (Zufallspaarung), die Genfrequenzen in der ersten Nachkommengeneration bei g. D. und den Endzustand der Frequenzen bei Drift und bei Zufallspaarung.

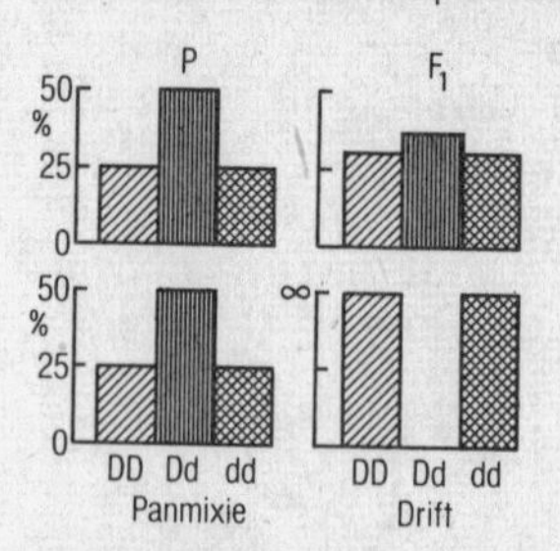

Genfrequenzänderung bei Zufallspaarung und bei genetischer Drift

Die g. D. tritt unabhängig von der Wirkung weiterer populationsdynamischer Faktoren auf. Die Aufspaltung von Populationen in kleine Zuchtgruppen erfolgt durch reproduktive (↑ Zucht in geschlossenen Zuchtgruppen) oder geografische Isolationsmechanismen. Sie spielt in natürlichen Populationen, in der Katzenzucht, auch in kleineren regionalen, z. B. Insel- oder städtischen Populationen, eine besondere Rolle. Hierfür gibt es eine Vielzahl von dokumentierten Beispielen. So sollen die Katzen auf den Kerguelen fast alle schwarz oder schwarz/weiß sein, da sie auf die Isolation einer ausgesetzten graviden Katze zurückgehen (*Dreux*, 1969). Auf den Shetland- und Orkney-Inseln werden extreme Genfrequenzen für 0 mit 0,35 und W mit 0,07 festgestellt (*Todd* et al., 1974).

genetische Rekombination: jede Neukombination von Genen in einer Zelle. Bei der interchromosomalen Rekombination werden die beiden homologen ↑ Chromosomen und damit die auch ihnen lokalisierten ↑ Allele während der Metaphase der Kernteilung (↑ Meiose) unabhängig voneinander auf die Kernpole verteilt. Sie bildet die Basis der ↑ Mendel-Regeln. Die Abb. auf dem hinteren Vorsatz enthält ein Beispiel für einen dihybriden (zweimerkmaligen) ↑ Erbgang. Die heterozygoten Paarungspartner besitzen die Allele C und c^s (↑ Maskenfaktor) des Coloration-Locus und die Allele D und d des Genortes für ↑ Nicht-Verdünnung [engl. dense pigmentation]. Da C über c^s und D über d dominiert, erhält man ein Spaltungsverhältnis von 9:3:3:1, das die freie Rekombinierbarkeit der beiden Merkmale bzw. das Fehlen einer ↑ Genkopplung anzeigt. Abweichungen treten bei bestimmten Chromosomenaberrationen auf (↑ Schildpatt).

Bei der klassischen (legitimen, homologen) intrachromosomalen Rekombination (*Morgan*, 1910) kommt es zum Austausch von Bruchstücken mit übereinstimmenden Nukleotidsequenzen (↑ Gen) zwischen homologen Chromosomen mittels eines als ↑ Crossing over bezeichneten Prozesses. Derartige Gene können während der Meiose nicht frei rekombiniert werden, sondern treten überdurchschnittlich häufig in Kombination oder getrennt auf. Eine dritte Form der Rekombination ist der Austausch inhomologer, häufig unterschiedlich langer Nukleotidsequenzen zwischen homologen Chromosomen (illegitime Rekombination). Sie ist für Transposons (↑ springende Gene) typisch und von evolutionärer Bedeutung.

Die g. R. hat den Vorteil, daß günstige Gene zwischen Individuen der gleichen Art ausgetauscht und bei den Nachkommen akkumuliert werden können. Die illegitime Rekombination soll bei den Urgenen die Regel gewesen sein, während sich die klassische Rekombination erst später entwickelte. Ähnlichkeit mit der g. R. haben bestimmte Formen struktureller ↑ Chromosomenaberrationen (Verlagerung von Nukleotidsequenzen auf nichthomologe Chromosomen).

genetische Variation, *genetische Variabilität*: Dynamik der genetischen Populationsstruktur, d. h. Auftreten unterschiedlicher ↑ Genotypen in einer ↑ Population mit diskontinuierlicher phänotypischer Wirkung. Sie wird im wesentlichen durch die durchschnittliche ↑ Heterozygotie der beteiligten ↑ Genorte, das Auftreten einer ↑ multiplen Allelie, die Wirkung der Heterochromosomen (z. B. Sexualdimorphismus, geschlechtschromosomengebundene Vererbung, ↑ Geschlechtschromosomen), die Mutations- und Migrationsrate (↑ Immigration, Import von Genen), den Dominanzgrad der Mutanten, die Art der ↑ Genwechselwirkung, Umwelteinflüsse (↑ Exogenie), Selektionsmethoden und das Paarungssystem (↑ Inzucht, ↑ Kreuzungszucht), durch stochastische (zufällige) Prozesse in kleinen Populationen (↑ genetische Drift) sowie Wirkung und Wechselwirkung weiterer Faktoren bestimmt (↑ Modifikation) und in Einheiten der *genetischen Varianz* angegeben. Diese wird als zahlenmäßige Bestimmung der Streuung der Einzelwerte um den Mittelwert einer Population definiert (Symbol s^2) und kann mit Hilfe einer Varianzanalyse in Komponenten (↑ Varietät) zerlegt werden. Die genetische Varianz ist der Anteil an der Totalvarianz eines Merkmals (gesamte phänotypische Varianz), der durch Unterschiede im Genotyp der Individuen (genotypische Varianz) in einer Population verursacht wird. Man unterscheidet.

- $V(A)$, additive genetische Varianz,
- $V(D)$, Dominanzvarianz (↑ Dominanz),
- $V(E)$, epistatische Varianz (↑ Epistasie).

Zusammen mit der Umweltvarianz $V(U)$

bilden die Varianzen die Totalvarianz $V(P) = V(A) + V(D) + V(E) + V(U)$.
Mit Hilfe der Varianzkomponenten kann die Vererbungsfähigkeit eines polygen determinierten Merkmals (↑ Polygenie) berechnet werden (↑ Heritabilitätskoeffizient).
Quellen der g. V. sind die unter ↑ Populationsgenetik aufgeführten populationsdynamischen Faktoren. Von Bedeutung ist, daß auch durch ↑ Reinzucht niemals die g. V. völlig beseitigt werden kann. Der Angriffspunkt der natürlichen und künstlichen Selektion ist der ↑ Phänotyp. Gegen Elimination und Selektion wird die g. V. durch vollständige Rezessivität des betreffenden Merkmals, Wirkung von Modifikatoren, Überlegenheit der Heterozygoten (↑ Heterosis) und Verhinderung der freien ↑ genetischen Rekombination durch gerichtete Anpaarung geschützt, wobei bestimmte Anlagen verborgen bleiben. Weiterhin wirken die natürliche Selektion unter speziellen Umweltverhältnissen, geografische Faktoren, Migration (Ex- und Import) oder die selektive Begünstigung seltener Gene variationskonservierend. Auch bei streng kontrollierter Zucht (↑ Züchtung) hat man daher immer mit dem Auftreten unerwarteter Spielarten (Varianten) zu rechnen.

genetisches Gleichgewicht: gleichbleibende Häufigkeit der ↑ Gene einer Katzenpopulation von Generation zu Generation. Unter Gleichgewichtsbedingungen gilt für die Allele eines ↑ Genortes die Hardy-Weinberg-Regel. Diese im Jahre 1908 in Großbritannien von *Hardy* und in Deutschland von *Weinberg* entdeckte Regel geht davon aus, daß die Genotypen eines Genortes binomial verteilt sind. In Populationen mit Zufallspaarungen [griech. Panmixie = gleiche Wahrscheinlichkeit jeder Partnerkombination, gleiches Geschlechterverhältnis] verhalten sich die

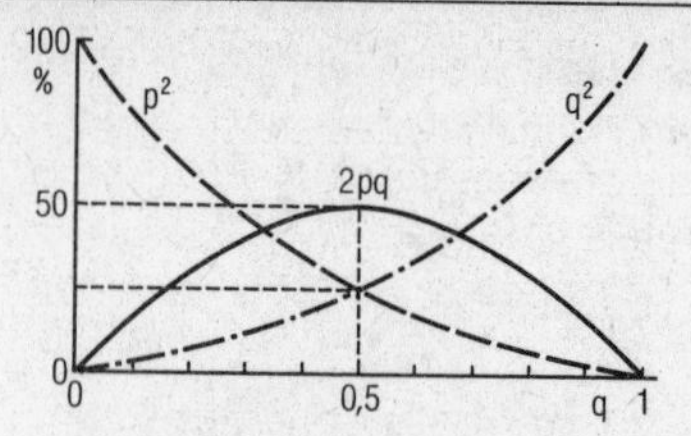

Binomialverteilung der Genotypenhäufigkeit an einem autosomalen Genort mit zwei Allelen unter Gleichgewichtsbedingungen

Häufigkeiten der Genotypen AA, Aa und aa eines autosomalen Locus mit zwei Allelen (A und a) sowie deren Frequenz p und q unabhängig von den Genhäufigkeiten in der Elterngeneration wie $(p+q)^2 = p^2 + 2\,pq + q^2$ (Abb.). Ohne Einflußnahme populationsgenetischer Faktoren (Neumutation, natürliche und künstliche Selektion u. a.) bleiben die Relationen auch in den nachfolgenden Generationen erhalten.
Ein entsprechendes Beispiel ist für einen autosomalen Locus beim Stichwort ↑ Genfrequenz abgeleitet worden. Tab. 1 enthält an dieser Stelle das Beispiel eines Zwei-Allele-Systems an einem X-chromosomalen Genort (↑ Geschlechtschromosomen). Die Häufigkeit von O ergibt sich durch Addition aus 54 + 14 + 42 = 110 (10,7% von 1029 oder $q = 0,107$), die von o (↑ Wildtyp) aus 100%–10,7% oder $p = 0,893$. Hieraus ergibt sich eine Hardy-Weinberg-Verteilung von
$0,893^2 : 2\,(0,893 \times 0,107) : 0,107^2 = 270 : 64 : 4$.

Tab. 1 Genotypfrequenzen am O-Locus in einer Stichprobe von 691 Londoner Katzen (nach *Searle*, 1949)

Geschlecht	Nicht-orange o(o)	Schildpatt Oo	Orange O(O)	Summe
Katzen	277	54	7	338
Kater	311	–	42	353

Tab. 2 Faktoren einer Genfrequenzänderung in einer Population

Gene der Elterngeneration

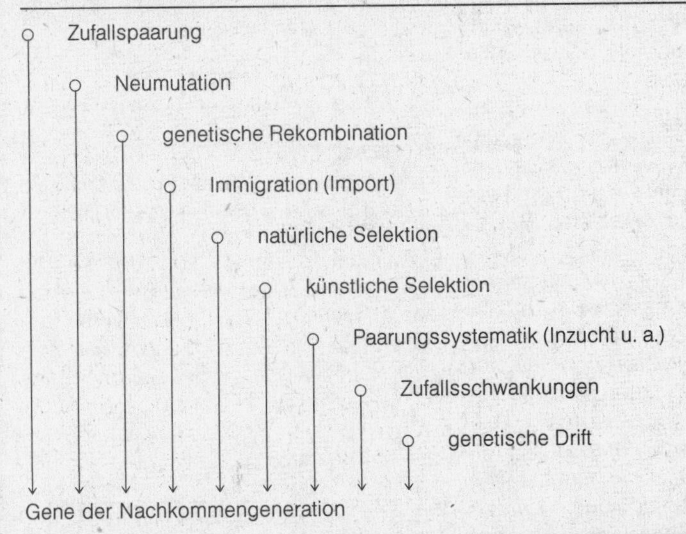

Aus diesem Ergebnis kann u. a. abgeleitet werden, daß die reproduktive Fitness der drei Genotypen (Wurfgröße, Gesamtzahl der Würfe und Überlebensrate der Nachkommen bis zur eigenen Vermehrung) gleich ist. Bei Abweichungen ist nach den Ursachen und deren Bedeutung zu forschen. Insgesamt wirken auf die Dynamik der Erbanlagen in einer ↑ Population die in Tab. 2. aufgeführten Faktoren ein.

genetisches Plateau: durch ständige ↑ Selektion bei Zucht in geschlossenen Zuchtgruppen (Zuchtbuch- oder natürliche Barriere) erreichte Homozygotie für alle Plusgene eines Merkmals, wodurch eine weitere Selektion in der gleichen Richtung sinnlos geworden ist.

Die Abb. zeigt als Beispiel die Zunahme an Erbanlagen des Katers B gegenüber A, wenn B mit einer zweifach höheren Nachkommenzahl als Kater A an der Erzeugung der Nachkommengeneration beteiligt war. Unter derartigen Bedingungen wird die additiv bedingte Varianz Null, d. h., auch der ↑ Heritabilitätskoeffizient nimmt einen Wert um Null an, obwohl der Erblichkeitsgrad im Extrem nahezu 100% sein kann. Die phänotypische Varianz (↑ Phänotyp, ↑ phänotypische Variation) ist in der Regel erhöht, da die homozygoten Tiere auf Umweltwirkungen empfindlicher reagieren. Da das g. P. niemals 100%ig ist, bleibt die Möglichkeit einer Rückselektion erhalten, so daß man auch in den für bestimmte Merkmale

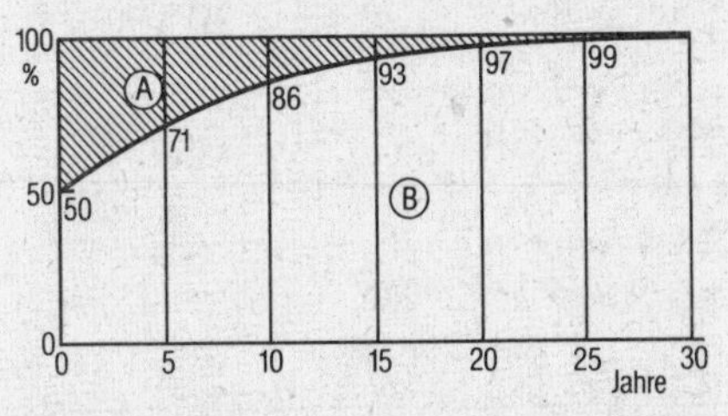

Zunehmender Anteil der Nachkommen des Katers B gegenüber Kater A bei einem Nachkommenverhältnis in der Zuchtgruppe von 2:1

nahezu homozygoten Populationen mit gelegentlichen Aufspaltungen rechnen kann. Ein Beispiel aus der Rassekatzenzucht sind die ↑ Körperbautypen, die Schlankrasse und die Plumprasse nach *Schwangart* (1954).
Die Plateaubildung ist besonders zu beachten, wenn Verbandsvorschriften eine Reinzuchtregel beinhalten. Bei bestehendem g.P. ist mit ↑ Reinzucht kein Zuchtfortschritt mehr zu erzielen. Bestehende Reinzuchtregeln beim ↑ GCCF verhinderten z.B. lange Zeit eine grundlegende Verbesserung des Körperbautyps der Perser ↑ Colourpoint.

Genfrequenz, *Allelfrequenz*: wichtigster Parameter der genetischen Gesamtkonstruktion einer ↑ Population oder Teilpopulation bei Betrachtung individueller ↑ Allele (↑ Populationsgenetik). Die Ermittlung der G. erfolgt durch direkte Beobachtung und Auszählung der ↑ Phänotypen (↑ Gengeografie) mit anschließender Berechnung der Allel-Häufigkeiten. Wird ein Merkmal z. B. durch ein Paar alleler Gene (B und b) bestimmt, treten bei einem unvollständig dominanten Erbgang drei verschiedene Phänotypen (BB, Bb und bb) mit den Frequenzen *r*, *s* und *t* auf (Tab. 1). Die G.berechnung erfolgt bei autosomaler Vererbung folgendermaßen:
$p = r + s/2$, $q = t + s/2$.
Bei vollständiger Dominanz errechnet sich die G. aus der Binomialgleichung für das ↑ genetische Gleichgewicht aus der Gruppe der Merkmalträger heraus (Tab. 2).
$q^2 = 0{,}0025$
$q = 0{,}05$
$p = 1 - q = 0{,}95$
Der Anteil der heterozygoten Bb-Typen liegt in diesem Fall bei $2pq = 0{,}095$ und der Anteil der homozygoten BB bei 0,9025 (↑ Genotypfrequenz). Die Standardabweichung der Häufigkeit des rezessiven Allels ergibt sich aus
$q = \sqrt{\frac{1 - q^2}{4N}}$ und die des dominan-

Tab. 1 Beziehungen zwischen Gen- und Genotypfrequenzen

1. autosomale Vererbung

	Gene		Genotypen		
	B	b	BB	Bb	bb
Frequenzen	*p*	*q*	*r*	*s*	*t*

2. geschlechtschromosomengebundene Vererbung

	Gene		Genotypen				
			weibliche			männliche	
	B	b	BB	Bb	bb	B	b
Frequenzen	*p*	*q*	*r*	*s*	*t*	*k*	*l*

Tab. 2 Berechnung der Genfrequenz bei autosomaler Vererbung

Genotyp	Frequenz
BB schwarz homozygot	p^2
Bb schwarz heterozygot	$2pq$
bb braun	$q^2 = 0{,}25$

Tab. 3 Genfrequenzberechnung für „Orange" in einer Stichprobe Londoner Katzen (nach *Searle*, 1949)

Anzahl Individuen je Genotyp						
weiblich				männlich		
o^+o^+	Oo^+	OO	Summe	o^+	O	Summe
beobachtet						
277	54	7	338	311	42	353
erwartet						
273,4	61,2	3,4	338			
($X^2 = 4{,}6$; $\alpha \leqq 0{,}05$)						

Anzahl Gene			Genfrequenz
o^+	O	Summe	*q*
Katzen			
608	68	676	0,101
Kater			
311	42	353	0,119

Tab. 4 Katzen-Genfrequenzen in verschiedenen europäischen Ländern (nach *Kerr*, 1983)

Region	Allele						
	W	O	a	d	t^b	l	S
Schweiz							
Bern	0,010	0,15	0,75	0,40	0,36	0,10	0,43
Vaud u. a.	0,008	0,19	0,71	0,43	0,52	0,33	0,23
Frankreich							
Chamonix	0,014	0,10	0,75	0,40	0,60	0,32	0,22
Cher	0,02	0,12	0,70	0,37	0,61	0,20	0,25
Nizza	0	0,06	0,76	0,43	0,57	0,23	—
Paris	0,011	0,06	0,71	0,33	0,78	0,24	0,24
Marseille	0,003	0,08	0,72	0,34	0,68	0,27	0,25
Tours	0,01	0,06	0,61	0,37	0,68	0,26	0,22
Mayenne	0,006	0,15	0,64	0,29	0,61	0,17	0,39
Italien							
Venedig	?	0,06	0,58	?	0,48	—	0,27
Österreich							
Wien	0,001	0,10	0,56	0,21	0,29	0	0,17
Ungarn							
Budapest	0,01	0,08	0,60	0,27	0	0,09	0,33
Jugoslawien							
Dalmatien	0,009	0,18	0,75	0,23	0,32	—	0,40
UdSSR							
Leningrad	—	0,25	0,57	0,42	0,44	0,64	0,31
Kuibyshev	—	0,22	0,45	0,12	0	0,56	0,41
Niederlande							
Den Haag	0,02	0,21	0,65	0,26	0,66	0,16	0,36
Spanien							
Madrid	0,007	0,19	0,68	0,22	0,49	0,16	0,56
England							
London	0,004	0,11	0,76	0,14	0,81	0,33	0,37
York	0,01	0,20	0,81	0,27	0,78	—	0,33
Südengland	0,014	0,19	0,79	0,26	0,84	0,32	0,32
Griechenland							
Athen	0,009	0,13	0,72	0,34	0,25	0,13	0,27
Argolis	0	0,18	0,74	0,21	0,19	0	0,22
Island							
Reykjavik	0,015	0,14	0,60	0,44	0,53	0,17	0,49

ten Allels aus

$$p = \sqrt{\frac{(2 - p)\,p}{4\,N}}.$$

Dabei ist N die Anzahl der Individuen in der Population.

Bei ↑ geschlechtschromosomengebundener Vererbung (↑ Orange) sind die Verhältnisse komplexer als bei autosomaler. Die Beziehung zwischen den Gen- und Genotypfrequenzen enthält Tab. 1.

Beim weiblichen (homogametischen) Geschlecht entsprechen sie den Verhältnissen bei autosomaler Vererbung.

Beim männlichen (heterogametischen) Geschlecht trägt ein Individuum nur eines statt zwei Gene. Aus diesem Grunde trägt das homogametische Geschlecht zwei Drittel der geschlechtsgebundenen Gene und das heterogametische Geschlecht nur ein Drittel.

Die Frequenz des dominanten Allels B ist dann beim weiblichen Geschlecht $p_f = r + s/2$ und beim männlichen Geschlecht $p_m = k$. Für die Gesamtpopulation ergibt sich

$p = 2/3\,p_f + 1/3\,p_m$,

$p = 1/3\,(2\,p_f + p_m)$, $p = 1/3\,(2\,r + s + k)$.

Tab. 3 enthält als Beispiel die von *Searle* (1949) in einer Stichprobe Londoner Katzen ermittelten Ergebnisse.

Die statistische Überprüfung der Katzen ergab Übereinstimmung mit der Hardy-Weinberg-Regel (genetisches Gleichgewicht). Trotz der Abweichung der männlichen Genfrequenzen hat man keinen Anlaß anzunehmen, die Population befände sich nicht im genetischen Gleichgewicht.

Die Ermittlung von Genfrequenzunterschieden ist für die Populationskontrolle (Wirkung selektiver Maßnahmen, von Import, Inzucht, systematischer und zufälliger Umweltfaktoren usw.) sowie für die Katzen-Gengeografie (Evolutionsforschung, Ermittlung von Entwicklungstendenzen, Marktanalysen usw.) von Bedeutung. Hierfür liegen zahlreiche Berichte vor. Tab. 4.

Gengeografie: weltweite Registrierung und Kartierung der örtlichen Genhäufigkeiten, um Gen- oder Mannigfaltigkeitszentren, Genreserven und Neumutationen, die züchterisch genutzt werden können, zu erfassen. Weiterhin wird die G. für die Evolutionsforschung, die Ermittlung von Entwicklungstendenzen und Marktanalysen genutzt. Von *Searle* (1949) eingeleitet, liegt inzwischen ein außerordentlich umfangreiches Material über die Verteilung von Pigmentierungsgenen vor. Die Arbeiten wurden jedoch selten systematisch, sondern mehr als Urlaubsbeschäftigung betrieben, weshalb Urlaubszentren, wie Chamonix, die Balearen, Venedig, Zypern u. a., recht häufig vertreten sind. Die Angaben betreffen die ↑ Genfrequenz und das ↑ genetische Gleichgewicht (Hardy-Weinberg-Regel), das durch menschliche Einwirkung und andere populationsdynamische Faktoren in Richtung bestimmter Faktoren verschoben sein kann. Einige Beispiele für die Genfrequenzen in europäischen Katzenpopulationen sind beim Stichwort Genfrequenz verzeichnet. In der Regel standen die untersuchten Katzenpopulationen im genetischen Gleichgewicht, und extreme Selektionsvorteile bestimmter Farben oder eine unterschiedliche Fruchtbarkeit der Farbvarianten waren nicht zu verzeichnen. Es zeigte sich jedoch, daß im fernöstlichen Bereich Orange- und Schildpattkatzen bevorzugt werden (*Searle*, 1968) und sich deutlich Unterschiede zu europäischen Verhältnissen zeigen, während der amerikanische Kontinent eine intermediäre Position einnimmt, wo möglicherweise die Chinesenviertel der Großstädte an der Verbreitung dieses Gens maßgeblich beteiligt sind. Aber das bedeutet keineswegs, daß fernöst-

Beispiele für Genfrequenzen in drei verschiedenen Weltregionen (nach Angaben von *Searle* [1949, 1968], *Saliternik* [1977], *Todd* und Mitarb. [1974, 1976])

Gene	London	Orte Fernost	Mitte des amerikanischen Kontinents
W	0,004	0,014	0,013
O	0,11	0,31	0,18
a	0,76	0,76	0,73
d	0,14	0,12	0,17
t^b	0,81	0,06	0,31
S	0,37	0,12	0,33

liche Kater „Blondinen" bevorzugen, sondern es ergibt sich aus human-psychologischen Gegebenheiten, z. B. aus der Tatsache, daß in Japan Torties (↑ Schildpatt) als „Glücksbringer" bevorzugt und hoch bezahlt werden. In einem anderen Fall, bei der Stromung [engl. blotched tabby, t^b] zeigt sich ein deutliches Gefälle von Europa über Amerika nach Südost- und Ostasien, was vermutlich damit zusammenhängt, daß t^b ursprünglich durch Mutation in Großbritannien entstanden ist und von dort aus verbreitet wurde. Tab.

Genitalorgane, Genitaltrakt ↑ Geschlechtsorgane.

Genkopplung: benachbarte Position von ↑ Genorten auf dem gleichen ↑ Chromosom. Nach *Morgan* (1910) können die im gleichen Chromosom angeordneten Gene im Verlauf der ↑ Meiose nicht frei rekombiniert werden (↑ Mendel-Regeln, ↑ genetische Rekombination), sondern bestimmte Gen- und Merkmalkombinationen treten überdurchschnittlich häufig (Kopplungsfall) oder selten (Repulsionsfall) auf (Abb.).

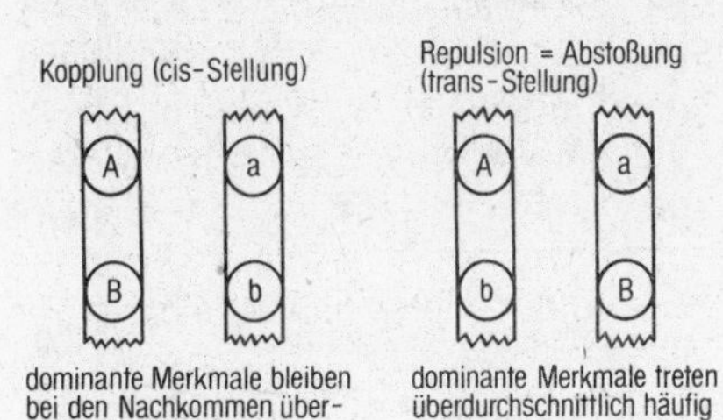

Kopplungs- und Repulsionsphase

Die Lösung der G. erfolgt durch ↑ Crossing over, ihr Nachweis mit Hilfe von Rückpaarungsversuchen (↑ Kopplungsanalyse), in denen neben den Eltern-Genotypen (z.B. AB und ab) Neukombinationen (Ab und aB) auftreten. Die Enge der Kopplung wird mit dem Rekombinationswert (Austauschwert) angegeben (RW):

$$RW = \frac{\text{Zahl der Neukombinationen} \times 100}{\text{Gesamtzahl der Kombinationen}}.$$

Ein RW von 1% wird als Morgan-Einheit (Zenti-Morgan, Crossing-over-Wert) bezeichnet. Das Zenti-Morgan ist die Maßeinheit (Karteneinheit [engl. map unit]) der Chromosomenkarte.

Der RW zweier Genorte ist eine konstante Größe und liegt zwischen 0 und 50% (absolute Kopplung und freie Rekombinierbarkeit).

Wird nämlich ein doppelt-heterozygoter Genotyp Aa Bb mit seinem doppelt-rezessiven, andersgeschlechtlichen Elternteil aa bb rückgekreuzt, entstehen, wenn keine G. vorliegt, die vier Genotypen Aa Bb, Aa bb, aa Bb und aa bb im Verhältnis 25%:25%:25%:25%. Liefert die Rückkreuzung lediglich die Genotypen Aa Bb und aa bb im Verhältnis 50%:50%, so herrscht absolute Kopplung. Zwischen diesen beiden Extremen können alle Übergänge vorkommen. Die Gesamtzahl der Genotypen Aa bb und aa Bb (Austausch-Rekombination) spiegelt die Entfernung der beiden Genorte voneinander wider. Ein interessantes Beispiel einer G. wurde von *Hollander* (1978) beschrieben. Die Anpaarung normaler Kater an eine schwarz gescheckte polydactyle Katze ($pd^+s^+ \times Pd\ S$) ergab 10 gescheckte polydactyle (Pd S), 19 polydactyle (Pd s^+), 20 gescheckte (pd S) und 11 normale Nachkommen (pd^+s^+). Für diesen Repulsionsfall wurde ein Rekombinationswert von 35% errechnet (↑ Kopplungsanalyse).

Genlocus ↑ Genort.

Genmaskierung ↑ Epistasie.

Gennomenklatur, *Gensymbole*: Übereinkunft zur Schreibweise von Gensymbolen mit folgenden Regeln:

1. *Merkmalbezeichnung*: Die Bezeichnung eines neuentdeckten Erbmerk-

mals (↑ Genort) erfolgt anhand der phänotypischen Abweichung vom ↑ Wildtyp bzw. Standardtyp in der Landessprache des Entdeckers oder mit lateinischen oder griechischen Fachausdrücken, z. B. Weißfärbung, duplicated pinnae [engl., ↑ Doppelohrigkeit] oder ↑ Polydaktylie [griech., Mehrgliedrigkeit].

2. *Genortbezeichnung* (Locussymbol): Das Locussymbol besteht aus den Anfangsbuchstaben der ersten entdeckten oder beschriebenen Mutante oder des ↑ Wildtyps, z.B. stehen W für Weißfärbung, dp für duplicated pinnae oder Pd für Polydaktylie, wobei so viele Buchstaben verwendet werden, bis es keine Verwechslung mit ähnlichen Symbolen mehr gibt (Prinzip der Minimalzahl). Das zuerst gewählte Symbol gilt, wenn es den Bestimmungen entspricht. Stellen sich später Identitäten heraus, wird die Bezeichnung der später beschriebenen Mutante kassiert. Als Synonyme sind Abweichungen (Transliterationen) zulässig. Die biochemischen Genortbezeichnungen leiten sich von den offiziellen Namen der Substanzen ab, die von der Nomenklaturkommission der „International Union of Biochemistry" festgelegt wurden.

3. *Genbezeichnung* (Allel-Symbol): Sie besteht aus der (indizierten) Genortbezeichnung, wobei dominante Allele mit großen Anfangsbuchstaben (vollständige Dominanz) und rezessive mit kleinen versehen werden, z. B. stehen Pd für Polydaktylie, l für ↑ Langhaarigkeit, wobei im letztgenannten Fall zu beachten ist, daß die phänotypische Ausprägung erst im homozygot rezessiven Zustand ll eintritt. Eine unvollständige Dominanz (intermediäre Vererbung) und eine fragliche monofaktorielle Vererbung werden durch Einklammerung der Symbole angezeigt, z. B. (At, at^+) bei der ↑ zerebellaren Ataxie.

4. *Bezeichnung des Wildtyps* (Wildtypallels): Das Genortsymbol wird mit + indiziert. Dieses Zeichen kann auch für sich allein stehen oder weggelassen werden, wenn keine Möglichkeiten von Irrtümern bzw. Verwechslungen bestehen. Ist das Wildtypallel unbekannt oder fraglich, erfolgt eine Festlegung des Standardallels (Normalallel), das ebenfalls (bis zur Abklärung) mit + indiziert wird.

5. *Multiple Allelie*: Bei ↑ multipler Allelie wird die Serie nach dem zuerst entdeckten bzw. eingeführten Locussymbol benannt, z. B. C für Coloration. Die Locussymbole werden mit den Kürzeln der identifizierten Allele indiziert, z. B. b für burmese, s für siamese und a für blue-eyed albino. Die Coloration-Serie (↑ Vollpigmentierung) besteht z. B. aus $C > c^b > (c^s > c^a) > c$ (↑ Albinismus). Alle gegenüber dem Wildtyp- oder Standardallel rezessiven Allele erhalten als Genortbezeichnung Kleinbuchstaben, dominante Allele dagegen Großbuchstaben, z. B. $T^a > T > t^b$. Das Zeichen > steht für „dominiert über". Bei mehreren Allelen erhält nur das am stärksten dominierende Allel den Großbuchstaben.

6. *Genotypen* werden (meist in Kursivschrift) durch Aneinanderreihung der Allelsymbole, z. B. C^+C^+ oder CC für Vollpigmentierung (↑ Albinismus), bzw. durch eine Kombination aus Locussymbol, Bindestrich und Allelsymbol sowie Diagonalstrich dargestellt, z. B. Hb-A/Hb-A für homozygoten Hämoglobin-A-Genotyp. Der Diagonalstrich kann auch zur Bezeichnung von Alternativen dienen, z. B. $T\text{-}/t^bt^b$, wenn es in einer Genkonstruktion unerheblich ist, ob die Allele T- oder t^bt^b der ↑ Tabbyzeichnung vorliegen.

Europäisch Kurzhaar, schwarz-gestromt

oben Hauskatzen, *unten links* Europäisch Kurzhaar, schildpatt und weiß, *unten rechts* Europäisch Kurzhaar, schwarz-silber-getigert

Britisch Kurzhaar, blau (Kartäuser)

Britisch Kurzhaar, blau (Kartäuser)

oben links Devon Rex, smoke, *oben rechts* German Rex, smoke, *unten links* German Rex, weiß, *unten rechts* German Rex, rotgetupft

oben Britisch Kurzhaar, shaded silver, *unten links* Britisch Kurzhaar, schildpatt tabby, *unten rechts* Britisch Kurzhaar, tipped

Russisch Blau

Britisch Kurzhaar, blau (Kartäuser)

7. Kann ein Locus in einem 2-Allelen-System alternativ mit dem dominanten oder rezessiven Allel besetzt sein, ist die Verwendung des Kommandostriches – zulässig.
8. *Polymere Gene* (Genorte) werden mit Locussymbolen versehen und durchnumeriert, z. B. a–1, a–2 ... a–n, wenn keine gesonderten Genortsymbole vergeben wurden. Bei bestehender multipler Allelie werden die Genortsymbole indiziert, z.B. $a\text{–}7^R$.
9. Mutanten mit ähnlicher phänotypischer Auswirkung (mimetische Gene), aber unterschiedlicher Genortzugehörigkeit, erhalten verschiedene Gensymbole, z. B. sind rex^1, rex^2 und rex^3 unzulässig. Dafür stehen r (↑ Cornish Rex), re (↑ Devon Rex) bzw. ro (↑ Oregon Rex).

Genom ↑ Chromosomensatz.

Genokopie: **1.** ↑ mimetische Gene. – **2.** ↑ Genwechselwirkungen.

Genommutation ↑ Mutation.

Genort, *Genlocus*, *Locus*: Position eines ↑ Gens auf den chromosomalen oder extrachromosomalen DNA-Strängen. Die Identifizierung eines G. erfolgt anhand seiner Mutanten mit Hilfe zytologischer, genetischer und statistischer Methoden. Sie führt nach ↑ Kopplungsanalysen zur Aufstellung von Genkarten [engl. maps], auf denen die Gene in linearer Folge verzeichnet sind. Die beiden identischen G. homologer Chromosomen können mit identischen Informationen (↑ Homozygotie) oder mit der Information des Wildtyps und einer Mutante bzw. mit der Information zweier Mutanten besetzt sein (↑ Allel, ↑ Heterozygotie). Abb.

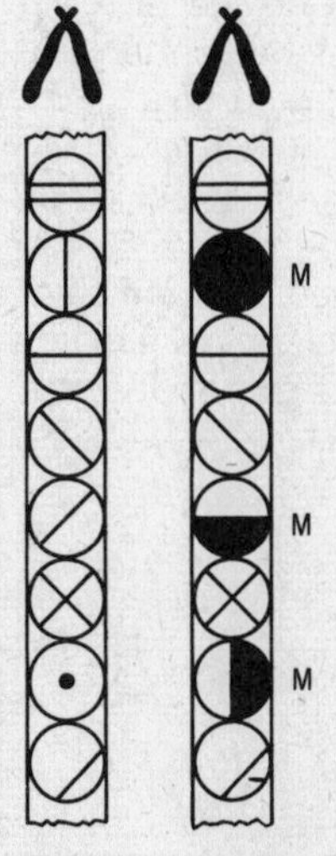

Schematische Darstellung identischer Abschnitte eines homologen Chromosomenpaares mit identischen Paarlingen (Allelen), d. h. homozygot, oder mit Wildtyp- und Mutantenallel (M), d. h. heterozygot besetzt

Genotyp, *Erbbild*: Gesamtheit aller im Zellkern (↑ Chromosomen) lokalisierten Erbanlagen (↑ Gen) und deren Wechselwirkungen (↑ Allel-Wechselwirkung, ↑ Genwechselwirkung), die im Zusammenwirken mit Umweltfaktoren eine Rangfolge phänotypischer Realisierungsmöglichkeiten eröffnet, aber nicht starr zur Bildung eines bestimmten ↑ Phänotyps führt. Die Gesamtheit aller Erbanlagen eines Individuums wird als Idiotyp bezeichnet. Neben den Erbanlagen des Zellkerns (G.) sind dabei die extranuklear verankerten genetischen Informationen inbegriffen (Plasmotyp, ↑ Transposon). In der Katzenzucht wird unter dem Begriff G. allgemein das Vorhandensein bestimmter ↑ Allele eines mendelnden ↑ Genortes (↑ Mendel-Regeln) verstanden, der unter züchterischer Kontrolle steht (↑ Reinzucht). Hierbei wird eine spezielle Merkmalbildung untersucht und beurteilt (↑ Pedigree-Analyse). Die übrigen Erbanlagen des Organismus stellen den Rest- oder Hintergrund-G. dar. (Epigenotyp, genotypisches Milieu). Züchter sollten stets beachten, daß der G. mehr ist als die Besetzung eines oder weniger Genorte mit bestimmten Allelen. ↑ Erbkrankheiten sind zum Teil schon genotypisch lokalisiert und sollten stets in die Betrachtungen mit einbezogen werden. Die bekannteren Gensymbole, die zur Bestimmung eines G. verwendet werden (↑ Kreuzungsdiagramm), sind diejenige, die unterschiedliche Formen der ↑ Pigmentierung bewirken. Der G. aa B– C– D– L– tritt sowohl bei ↑ Exotic Kurzhaar schwarz als auch bei ↑ Ebony auf. Zwischen beiden Rassen bestehen jedoch extreme Unterschiede. Ein System von Polygenen bewirkt bei der Ebony eine Verlängerung der Röhrenknochen, eine Abflachung des Profils, eine Vergrößerung der Ohren, eine Verminderung der Unterhaare sowie eine schwache Verkürzung des Haares insgesamt. Ein anderes System von Polygenen bewirkt den gedrungenen ↑ Körperbautyp, die gewünschte Kurzköpfigkeit und das dichte, verlängerte Unterhaar (↑ Modifikation) der Exotic Kurzhaar. Diese Systeme sind inbegriffen, wenn man von einem Ebony- oder einem Exotic-Kurzhaar-G. spricht.

Genotypfrequenz, *Genotypenhäufigkeit*: relative Häufigkeit bestimmter ↑ Genotypen in der ↑ Population. Die G. ist durch Auszählung der ↑ Phänotypen zu bestimmen oder muß über einen ↑ Heterozygotietest und mit Hilfe mathematischer Methoden ermittelt werden. An einem ↑ Genort mit zwei ↑ Allelen liegt z. B. die G. von $r^2 + 2\,rs + 2\,rt + s^2 + 2\,st + t^2$ vor, wenn r für den homozygot-dominanten, s für den heterozygoten und t für den homozygot-rezessiven Genotyp steht (Tab. 1). Die Summierung der G.en der einzelnen Paarungskombinationen ergibt die Binomialverteilung $p^2 + 2\,pq + q^2 = (p+q)^2$, d. h. das ein ↑ genetisches Gleichgewicht bezeugende Binom (Tab. 2). Aus der G. läßt sich der Populationsparameter ↑ Genfrequenz (Allelfrequenz) bestimmen.

Tab. 1 Genotypfrequenz in einem Zwei-Allele-System mit den Genen B und b

♀ \ ♂	r BB	s Bb	t bb
r BB	r^2	rs	rt
s Bb	rs	s^2	st
t bb	rt	st	t^2

genotypisches Milieu ↑ Genotyp.

Genpool: Gesamtheit der genetischen Informationen in einer begrenzten Population (territoriale Begrenzung, Zuchtgruppenisolation, Zuchtbuchschranken usw.) zu einem bestimmten Zeitpunkt, die aus einer Summe von ↑ Genen (↑ Allelen) besteht, die hieran mit einer bestimmten Häufigkeit (↑ Genfrequenz) beteiligt sind (↑ Reinzucht). Die in den

Tab. 2 Genotyp und Frequenz der Nachkommen

Paarungstyp	Frequenz	Genotyp BB	Bb	bb
BB × BB	r^2	r^2	—	—
BB × Bb	$2\,rs$	rs	rs	—
BB × bb	$2\,rt$	—	$2\,rt$	—
Bb × Bb	s^2	$\frac{1}{4}\,s^2$	$\frac{1}{2}\,s^2$	$\frac{1}{4}\,s^2$
Bb × bb	$2\,st$	—	st	st
bb × bb	t^2	—	—	t^2
Summen		$(r + \frac{1}{2}\,s)^2$	$2\,(r + \frac{1}{2}\,s)(t + \frac{1}{2}\,s)$	$(t + \frac{1}{2}\,s)^2$

↑ Gameten verankerten Erbanlagen bestimmen die Zusammensetzung des G. der nächsten Generation (Selektion). Derartige Populationen befinden sich im ↑ genetischen Gleichgewicht. Zur Veränderung tragen hauptsächlich die ↑ genetische Drift, ↑ Mutation, selektive Begünstigung bestimmter ↑ Genotypen und die ↑ Immigration von Genen bei. Das G.problem ist eines der kompliziertesten der Rassekatzenzucht überhaupt. Einerseits sind zur Stabilisierung des Erbtyps ↑ Inzucht und gezielte Selektion erforderlich, was für eine bestimmte Zeit ↑ Zucht in geschlossenen Zuchtgruppen erforderlich macht, andererseits wird durch die Erfassung und Weiterzüchtung von Neumutationen sowie die Arbeit mit der ↑ genetischen Rekombination unter Umständen unter Zuhilfenahme der Immigration von Genen, die Rassekatzenzucht erst attraktiv (↑ Balinese, ↑ Javanese, ↑ Colourpoint). Je nachdem, ob man sich abgrenzen möchte (augenblicklicher Zuchtvorteil) oder an Neuzüchtungen interessiert ist, bestehen hierzu konträre Auffassungen. Man muß sich allerdings darüber im klaren sein, daß ein augenblicklicher Zuchtvorteil keine ewige Geltung hat. Das Streben nach höherer Qualität ist dagegen ein notwendiger und kontinuierlicher Prozeß.

Genreservezüchtung: züchterische Verarbeitung von Genreserven. Als Genreserven gelten alle Rassen, Varietäten, Phänotypen und Genotypen, Mutanten, u. a., die rein gezüchtet werden und deren Genbestand für Neu- und Umzüchtungen zur Verfügung steht. Durch systematische Reduzierung von „Primitivformen“ der Katzenrassen und

Genwechselwirkung

Bezeichnung	Gen Merkmal	Wesen
Monogenie (Monomerie)		ein Gen – ein Merkmal
Polymerie (Polygenie)	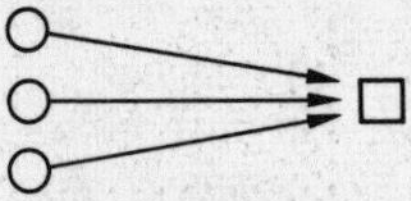	mehrere additive Gene – ein Merkmal
Polygenie (im engeren Sinne)		komplementäre Wirkung mehrerer Gene
Heterophänie (Polygenie im weiteren Sinne)	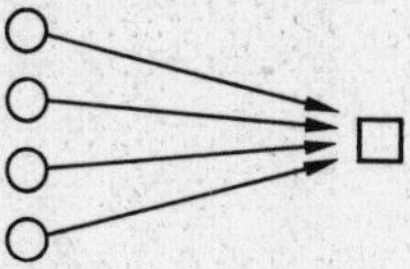	modifizierende Gene beeinflussen die Wirkung eines Hauptgens
Pleiotropie (Polyphänie)	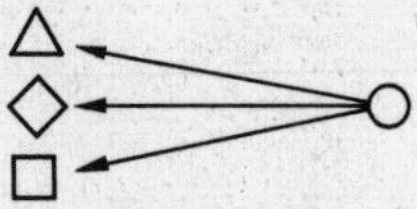	ein Gen – mehrere Merkmale (ein Syndrom)
Heterogenie		mehrere Gene haben die gleiche Wirkung
Genokopie (Mimetik)		die später ermittelten Gene kopieren die Wirkung des zuerst entdeckten Hauptgens

-varietäten und Begünstigung der Hochzuchten (↑ Rassekatzen) verschwinden viele ↑ Gene aus dem ursprünglichen ↑ Genpool.
Die G. beschäftigt sich mit der Erhaltung der Formen- und Farbmannigfaltigkeit der Katzenrassen, auch von Lokalformen, um einer Genverarmung vorzubeugen. Grundlage der G. ist eine präzise ↑ Gengeografie.

Gensymbole ↑ Gennomenklatur.

Genverlust: **1.** ↑ Ahnenverlust. – **2.** ↑ Selektion. – **3.**↑ Genreservezüchtung. – **4.** ↑ genetische Drift.

Genwechselwirkung [engl. gene interaction]: Wechselwirkung zwischen den Genen unterschiedlicher ↑ Genorte bei der Realisierung der genetischen Information (Tab.).

Gerinnungsdefekt ↑ Hämophilie.

German Rex [engl., Deutsche Rexkatze]: Rassekatze mit einem Körper von mittlerer Größe und Länge, der kräftig und muskulös ist, jedoch nicht massiv und plump wirken darf. Die im Profil gerundete Brust ist kräftig, der Rücken von der Schulter bis zum Rumpf gerade. Die verhältnismäßig feinen Beine sind von mittlerer Länge mit gut geformten, leicht ovalen Füßen. Der gerundete Kopf zeigt ein kräftiges Kinn, gut entwickelte Wangen. Die großen Ohren sind an der Spitze leicht gerundet, am Ansatz breit, an den Innenseiten leicht behaart und an den Außenseiten mit feinem Haar ebenfalls dicht besetzt. Die Nase weist am Ansatz eine leichte Einbuchtung auf. Die Augen sind von mittlerer Größe, gut geöffnet und von leuchtender Farbe. Die ↑ Augenfarbe soll zur Fellfarbe harmonieren. Der mittellange gut behaarte Schwanz ist kräftig am Ansatz und läuft zu einer rundlichen Spitze aus. Wie bei allen ↑ Rexkatzen ist das Fell das rassebildende Merkmal. Es wirkt kurz, ist plüschartig leicht gewellt oder gelockt, und faßt sich samtig wie ein Maulwurfspelz an. Die Felldichte variiert von einer dünnen, weichen Decke bis zu einer dicken gleichmäßig gewellten Behaarung. Tiere mit gleichmäßig dichter Welligkeit oder Lockung des Haarkleides erhalten den Vorzug vor Tieren mit besserem Typ und schlechterer Fellqualität. Die Schnurrhaare sind kürzer als normal und gekrümmt. Alle Fellfarben und Zeichnungsmuster sind erlaubt. Nackte Stellen am Körper, nicht gleichzusetzen mit einer spärlichen Behaarung, sind Fehler. G. R. mit extrem kurzem Fell entwickeln kaum Welligkeit oder Lockung, sollten aber nicht aus der Zucht ausgeschlossen werden, wenn die typischen Merkmale der Rexmutation vorhanden sind, da sie bei entsprechender Verpaarung guten Nachwuchs bringen können.
Die Welpen werden mit gelocktem Fell geboren. Nach einer Woche aber beginnt das Haar sich zu glätten, was mit der schnellen Zunahme des Körpervolumens in Zusammenhang stehen könnte: Die sich stark dehnende Hautoberfläche zieht eine Straffung und Glättung des Haarkleides nach sich. Welpen, die mit einem glatten Fell geboren werden, werden niemals gelocktes Fell bekommen. Mit Beginn des Zahnwechsels (↑ Jungtierentwicklung) wird das zwischenzeitlich glatte Fell wieder lockig an den etwas länger behaarten Flanken und gewellt auf dem Rücken sein. Die Form der Lockung oder Wellung sieht nach jedem, sich fast unmerklich vollziehendem ↑ Haarwechsel anders aus. Schwanzansatz und -oberseite sind durch das Sitzen die am stärksten belasteten Körperteile und neigen durch das fehlende Deckhaar schnell dazu abzubrechen.
Lämmchen, die Stammutter der G. R., wurde 1951 im Klinikum Berlin-Buch entdeckt, wo sie sich seit gut vier Jahren von den Krankenschwestern und Patienten füttern ließ. Durch ihr merk-

würdiges Fell erregte sie das Interesse einer Züchterin und fand bei ihr, zusammen mit *Blackie*, einem Kater, ein Zuhause. Beider Nachwuchs hatte wie *Blackie* einen kleinen weißen Fleck auf der Brust oder wie *Lämmchen* zwischen den Hinterbeinen und ein glattes kurzes Fell. Als *Blackie* im Januar 1957 starb, ließ *Lämmchen* sich endlich von einem ihrer Söhne decken. Mit *Fridolin* brachte sie den ersten homozygoten Rexnachwuchs zur Welt, denn der Wurf bestand aus zwei männlichen gelockten und zwei weiblichen glatthaarigen Welpen. Im gleichen Jahr paarte sie sich dann mit einem gelb-weißen Kater aus der Nachbarschaft. Aus diesem Wurf, der aus 3,0 glatthaarigen Welpen bestand, wurde *Blackie II* zurückbehalten, da er rezessiv die Anlagen für das Rexfell tragen mußte.

Blackie II und *Lämmchen* waren dann die Eltern von *Curlie* , *Christopher Columbus* und *Marko Polo*. Da zu jener Zeit kaum Interesse für Rexkatzen vorhanden war, wurden *Christopher Columbus* in die USA und *Marko Polo* nach Frankreich geschickt. *Curlie* verblieb als einzige in der DDR. 1967 verstarb *Lämmchen* fast zwanzigjährig. Ein Jahr später begann die Zucht der G. R. im „Zwinger vom Grund", der die letzten noch in der DDR verbliebenen Rexkatzen aufnahm: 1965 *Beatrice* und drei Jahre später *Brutus*. Wurde zuerst angenommen, daß es sich um Geschwister handelt, ergaben später Nachforschungen, daß *Beatrice* elf Monate später, im Juli 1963 nach *Curlie* und *Schnurzel* geboren wurde, während ihr Halbbruder, dessen genaues Geburtsdatum nicht mehr zu ermitteln war, aus einer Verpaarung zwischen *Curlie* und *Blackie II* stammte. *Bonifacius*, rotgestromt, ebenfalls ein Sohn von *Blakkie II* und einer blaucremefarbenen Perserkatze, sollte die Zuchtbasis vergrößern und die Erwartung, er möge von seinem Vater die Rexanlagen geerbt haben, in späteren Würfen erfüllen. *Jeanett vom Grund*, geboren 1966, wurde nicht nur die erste G. R., die 1970 auf einer internationalen Ausstellung in Prag ein ↑ CAC erhielt, sondern sie stellte als erste Rexkatze aus diesem Zwinger gleich eine genetische Besonderheit dar, da sie als schwarze Katze aus einer Verpaarung zwischen dem rotgestromten *Bonifacius* und der schwarzen *Beatrice* gefallen war und eigentlich eine ↑ Schildpatt sein müßte. Ihr Nachwuchs mit *Brutus*, *Hasse Plys af Wessel* u. a. Rexkatern bestätigte eine somatische Mutation, die nur die Hautzellreihe betraf (↑ Schildpatt).

1970 wurden aus Dänemark zwei Rexkatzen importiert, die genetisch ↑ Devon Rex waren, aber einen Stammbaum als ↑ Cornish Rex in die DDR mitbrachten: *Hetty* (weiß) und *Hasse Plys af Wessel* (schwarz). Etwa zur gleichen Zeit, als eine geplante Cornish-G.-R.-Verpaarung in den USA durch den gelockten Nachwuchs bestätigte, daß beide Rexmutationen auf identischen Genen beruhten, fielen die ersten Würfe nach den dänischen Importtieren. Diese Nachzucht erregte internationales Aufsehen, da sie als Devon-Rexkatzen mit G. R. eigentlich normalhaarigen Nachwuchs zu bringen hätten. Der zu erwartende Genotyp solcher Verpaarungen wäre nämlich R^+r Re^+re und r (Cornish Rex) und re (Devon Rex) sind gegenüber R^+ und Re^+ rezessiv. *Hasse* hatte aber in der vierten und *Hetty* in der siebten Vorfahrengeneration einen Cornish-Rex-Elternteil und trotz einer Wahrscheinlichkeit von nur 7% war ihr Genotyp R^+r re re. Im Juni 1970 fiel aus der Verpaarung *Hasse* × *Beatrice* der erste Wurf mit 2,1 schwarzen G.-R.-Katzen. Im gleichen Monat wurden *Hetty* und *Brutus* die Eltern der ersten weißen G.R. *Osvine vom Grund*.

Durch Kreuzungen mit den typvollsten Hauskatzen und anschließenden Rückkreuzungen auf die Rexkatzen wurden G. R. in einer breiten Farbpalette gezüchtet. *Prima Donna vom Grund*, die erste schildpatt G. R., wurde im April 1971 geboren. Zur DDR-Siegerausstellung 1971 erreicht mit dem weißen G.-R.-Kater *Roland vom Grund* zum ersten Mal eine G. R. die Bewertung „Bestes Kurzhaar" der Ausstellung. Mit dem schwarzen *Moritz vom Grund* wurde 1974 die erste G. R. Sieger und erhielt ein Jahr später zur Internationalen Ausstellung in Prag ein erstes ↑ CACIB und 1980 als erste Rexkatze Champion der DDR. *Toni vom Grund*, 1972 geboren, ist der erste blaue G.-R.-Kater. Mit *Dolde* (schwarz), *Freya* (smoke), *Billy* (schwarz) und *Gina* (smoke) wurden G. R. aus dem Zwinger *vom Grund* Internationale Champion. Mit Exporten in die Bundesrepublik Deutschland wurde im dortigen „Zwinger von Zeitz" ein weiterer Eckpfeiler für die Verbreitung dieser Rasse in Westeuropa und für die schließlich 1982 erfolgte Anerkennung durch die ↑ F. I. Fe. geschaffen. Auch der im „Zwinger vom Grund" erarbeitete ↑ Standard, der mit den ausgeführten G. R. in die Bundesrepublik Deutschland weitergegeben wurde, wurde von der F. I. Fe. übernommen. Die G. R. ist auch heute in der DDR eine begehrte Seltenheit und nur auf großen Ausstellungen zu bewundern. Durch die beharrliche und erfolgreiche Zuchtarbeit im „Zwinger vom Grund" wurde diese ↑ Rasse nicht nur erhalten und in zahlreichen Farbschlägen verbreitet, sondern auch zu einem international bekannten Beispiel für die recht erfolgreiche Zuchtarbeit in der DDR. Tafel 13. Abb.

Geruchssinn: **1.** ↑ Nase. – **2.** ↑ Flehmen.

Geschlechterverhältnis: 1. ↑ Trächtigkeit. – **2.** ↑ Geschlechtschromosomen.

geschlechtsbegrenzte Vererbung: Vererbung, bei der sich das typische Wirkungsmuster eines autosomalen Gens (↑ Chromosom) infolge modifizierender Wirkung der übrigen Gene des Organismus (genotypisches Milieu) oder einer bestimmten Gengruppe (Modifikatoren) nur bei einem Geschlecht manifestiert, obwohl die Erbanlagen von beiden Geschlechtern übertragen werden. So führen z. B. Mutationen im Bereich der autosomalen Geschlechtsrealisatoren zur Binnenhodigkeit (↑ Kryptorchismus) beim Kater, obwohl die Katze die Mutantengene überträgt. Qualität und Quantität der Gesäugebildung und Milchergiebigkeit oder Verhaltensweisen, wie Mütterlichkeit, Aufzuchtvermögen (↑ Mutterverhalten), werden ebenfalls von den männlichen und weiblichen Erbanlagen bestimmt, wirken sich aber nur beim weiblichen Geschlecht aus.

German Rex

Geschlechtsbestimmung, auch *Geschlechtsnachweis*: Nachweis der Geschlechtszugehörigkeit. Dazu können die Beschaffenheit der äußeren ↑ Geschlechtsorgane, Merkmale des ↑ Körperbaus, das Wesen, das Vorhandensein oder Fehlen von ↑ Geschlechtschromatin sowie die Natur der ↑ Geschlechtschromosomen herangezogen werden. Während für die beiden letztgenannten Möglichkeiten Speziallabors erforderlich sind und ihre Anwendung nur in Zweifelsfällen gerechtfertigt ist, erlauben die morphologischen Merkmale des ↑ Phänotyps und Verhaltensweisen eine Ermittlung der Geschlechtszugehörigkeit ohne technische Hilfsmittel. Allerdings ist das oft nur bei ausgereiften Tieren mit Sicherheit möglich. Kater sind an dem deutlich ausgeprägten Hodensack und den darin liegenden Hoden sowie am Penis zu erkennen. Katzen sind anhand der in der Nähe des Afters liegenden Vulva zu differieren. Für den Laien mit erheblichen Schwierigkeiten behaftet ist dagegen die G. beim Neugeborenen.

Die Unterschiede stellen sich am besten noch im Vergleich der Neugeborenen untereinander dar. Man stellt dabei die Tiere mit dem Hinterteil nebeneinander und hebt die Schwänze. Beim weiblichen Tier steht die Vulva als senkrechter Schlitz direkt unter dem After. Das Ganze sieht dann wie ein „i" mit einem großen Punkt aus.

Beim männlichen Welpen dagegen liegt der Penis als kleine runde Öffnung mindestens 1 cm unter dem After, dazwischen als haarärmeres und aufgehelltes Gebiet die Andeutung des Hodensackes (Abb.).

Die bereits im Hodensack befindlichen Hoden sind aufgrund ihrer geringen Größe nicht palpierbar. Der After der weiblichen Welpen liegt insgesamt näher am Schwanzansatz als der der männlichen Tiere. Weniger deutlich sind die Unterschiede im Körperbautyp bzw. in der Kopfform, besonders in der Entwicklungsphase. Auch Unterschiede im Wesen (u. a. in der Toleranz gegenüber anderen Katzen) sind zunächst wenig typisch. Die G. aufgrund des Sexualverhaltens wird in der Regel erst zur Zeit sexueller Aktivitäten eindeutig (↑ Sexualverhalten, ↑ Rolligkeit). Beim ↑ atypischen Sexualverhalten entstehen aber auch hier Probleme. Das geschlechtsspezifische Erscheinungsbild wird zudem durch die Haltungsbedingungen, Dysregulation der Sexualhormone und ↑ Inzuchtdepression verwischt.

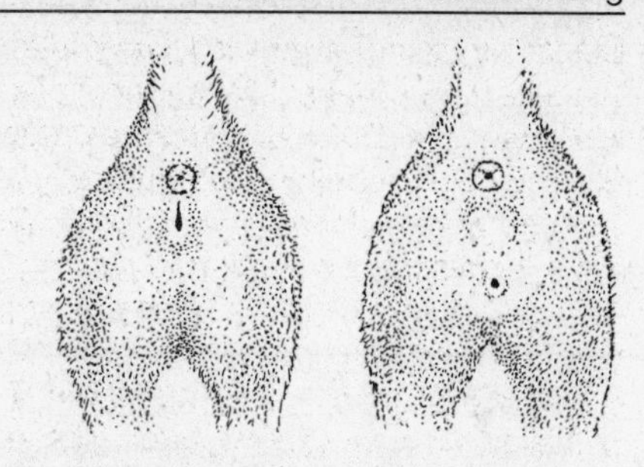

Geschlechtsbestimmung bei Neugeborenen, *links* Katze, *rechts* Kater

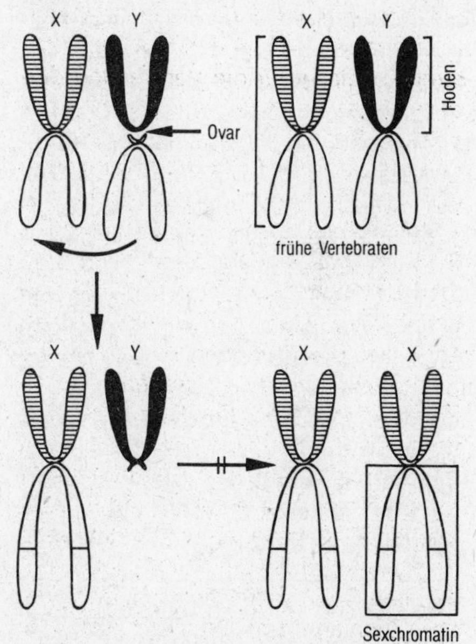

Wahrscheinliche evolutionäre Schritte (Tandem-Translokation) und relativer Anteil des Geschlechtschromatins am gesamten genetischen Material beider X-Chromosomen (nach *Lyon*, 1974)

Geschlechtschromatin, *Barr'körperchen, Sexchromatin*: Reste des aus den Körperzellen weiblicher Säugetiere eliminierten zweiten X-Chromosoms (↑ X-Chromosom-Kompensationsmechanismus). Sie treten als ein etwa 1 μm großes rundliches oder unregelmäßig gestaltetes, im Inneren der Zelle, der Kernmembran anliegendes Gebilde (nach *Barr*, 1949, benannt) oder als Zellkernanhänge (Satellit, Drumsticks [engl., Trommelschlägel] der neutrophilen Granulozyten) auf. Nach der Auflage der Lyonhypothese von 1974, die evolutionäre Aspekte berücksichtigt, handelt es sich nicht um das eliminierte Chromosom in seiner Gesamtheit. Y-chromosomale Determinanten bleiben erhalten. Abb. auf S. 167.

Geschlechtschromosomen, *Gonosomen*: ↑ Chromosomen, die das genotypische Geschlecht bestimmen, und im Gegensatz zu den ↑ Autosomen eine ungleiche Form und zum überwiegenden Teil unterschiedliche ↑ Genorte aufzuweisen haben.

Man unterscheidet das männliche Y- und das weibliche X-Chromosom. Bei der Befruchtung vereinigen sich die X-chromosomale Eizelle und ein Spermium, das entweder ein X- (Gynäkospermium oder ein Y-Chromosom (Androspermium) enthält, zur diploiden ↑ Zygote des Genotyps XY (Kater) oder XX (Katze). Der Kater bestimmt also, ob männliche oder weibliche Nachkommen gezeugt werden. Da es sich um ein Zwei-Allele-System handelt, liegt das primäre Geschlechterverhältnis bei 1:1 (Tab.). Der XX/XY-Typ der

XX/XY-Typ der Geschlechtsbestimmung

♀ \ ♂	X	Y
X	XX	XY
X	XX	XY

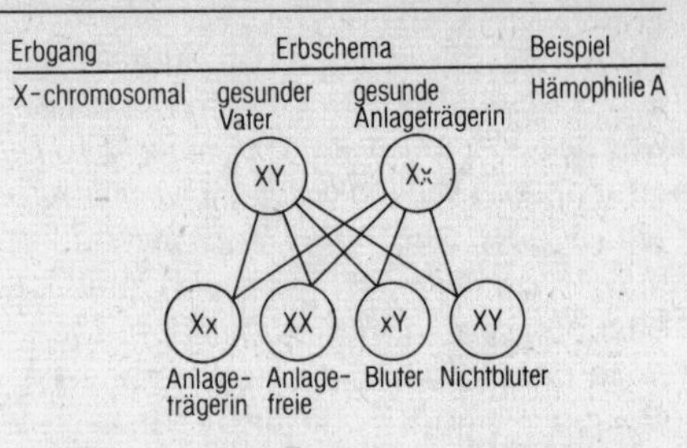

Spaltungsverhältnisse bei X-chromosomal-rezessiver Vererbung

Geschlechtsbestimmung wurde ursprünglich bei der Wanzengattung Lygaeus (Ritterwanze) entdeckt. Deshalb wird er auch Lygaeus-Typ genannt. Abweichungen vom genotypischen Geschlechterverhältnis treten im Zusammenhang mit ↑ Geschlechtschromosomenaberrationen oder bei Wirkung phänotypvariierender autosomaler Geschlechtsrealisatoren auf (Intersexualität). Differenzierte Pränataltodraten führen zu einem veränderten phänotypischen bzw. sekundären Geschlechterverhältnis (↑ Letalfehler).

Von geschlechtschromosomengebundener (gonosomaler) Vererbung spricht man, wenn die Erbanlagen entweder auf dem X- oder auf dem Y-Chromosom lokalisiert sind. Eine Y-chromosomale Determination von Einzelgenwirkungen wurde bei der Katze bisher nicht nachgewiesen. Das Y-Chromo-

Spaltungsverhältnisse bei X-chromosomal rezessiver Vererbung

Paarungs-typ-Nr.	Geno-typen		Nachkommengeno-typen in %				
			XY	xY	XX	Xx	xx
1	XY	XX	50	—	50	—	—
2	xY	XX	50	—	—	50	—
3	XY	Xx	25	25	25	25	—
4	xY	Xx	25	25	—	25	25
5	XY	xx	—	50	—	50	—
6	xY	xx	—	50	—	—	50

som enthält wahrscheinlich nur polygene Geschlechtsdeterminanten. Die geschlechtschromosomale Vererbung z. B. trifft für ↑ Orange und u. a. für die Bluterkrankheit (Hämophilie) zu. Die zu erwartenden Spaltungsverhältnisse sind in der Tab. verzeichnet. Abb.

Geschlechtschromosomenaberration: ↑ Chromosomenaberration der ↑ Geschlechtschromosomen. Bei Katzen wurden bisher zahlreiche Abweichungen vom normalen ↑ Chromosomensatz festgestellt. Die drei wichtigsten Formen sind das XXY-, das XXX- und das XO-Syndrom. Die XXY-Trisomie (Karyotyp 39, XXY), das feline Klinefelter-Syndrom, besteht in typischen Fällen aus Kleinhodigkeit (Hodenhypoplasie) und Unterentwicklung der sekundären Geschlechtsmerkmale (Eunuchoidismus) sowie häufig aus einer allgemeinen Entwicklungsverzögerung. Merkmaltragende Kater sind zwar steril, zeigen aber überwiegend dennoch Interesse für Katzen und sind sexuell aktiv. Bereits *Renhardt/Vaeth* (1931) vermuteten eine geschlechtsgebundene Vererbung. Warum so selten und dann sterile Kater beobachtet wurden, blieb lange unklar. *Thuline/Nordby* (1961) entdeckten dann die XXY-Konstitution, d. h. das überzählige X-Chromosom bei den original männlichen Tieren (XY). Der häufigste Genotyp kann mit X^OX^oY (↑ Schildpattkater bzw. unter Einschluß der ↑ Scheckung Tri-Colourkater) symbolisiert werden. Das feline Klinefelter-Syndrom kann auch bei orange- (X^oX^oY) oder nichtorangefarbenen (↑ Schwarz) „Katern" (X^oX^oY) vorkommen.

Die bei Katzen aller ↑ Rassen als seltenes Ereignis auftretende X-Trisomie (Karyotyp 39, XXX) führt nicht zu Superfemales, sondern bringt in der Regel wegen der gestörten Gendosiswirkung Tiere mit gestörter Sexualentwicklung und Brunstlosigkeit hervor. Der XO-Genotyp (Karyotyp 37,XO), das Turner-Syndrom, tritt bei Katzen verschiedener Rassen auf und führt in typischen Fällen zu einem Mißbildungssyndrom, das aus Brunstlosigkeit (Anöstrie), Ovarhypoplasie und -strukturveränderungen mit sexueller Unterentwicklung (Infantilismus) sowie allgemeiner körperlicher Unterentwicklung (Zwergwuchs) bereits zum Zeitpunkt der Geburt besteht. Die Ovarien reagieren auf eine Hormontherapie nicht.

Tiere mit G. sind zum überwiegenden Teil steril. Fruchtbarkeit liegt vor, wenn bei der Bildung von ↑ Chimären oder ↑ Mosaiken normale Zellreihen auftreten, die die Sexualentwicklung und -funktion garantieren. Sind bei einer Mosaikbildung z. B. nur regionale epidermale Zellreihen mutiert, bleiben die Geschlechtsfunktionen ungestört, wie einige Schildpattkater bewiesen. Beim XO-Syndrom kann es zur Follikelentwicklung und Bildung von Ova kommen, wenn ein 37,XO/38,XX-Karyotyp vorliegt und der Anteil der Zellen mit regelmäßigem Chromosomensatz genügend hoch ist. Beim XXX-Karyotyp besteht die Möglichkeit, daß mit Hilfe des ↑ X-Chromosom-Kompensationsmechanismus zwei X-Chromosomen eliminiert werden.

Allen drei aufgeführten G. liegt eine gestörte Verteilung der Geschlechtschromosomen im Verlauf der ↑ Meiose zugrunde. Sie sind nur mit Hilfe einer lichtmikroskopischen Chromosomenuntersuchung zu diagnostizieren und im allgemeinen selten. Sie gewannen im Zusammenhang mit Sterilitätsproblemen und bei Zuchtversuchen mit Schildpattkatern an Bedeutung.

geschlechtschromosomengebundene Vererbung ↑ Geschlechtschromosom.

Geschlechtsnachweis ↑ Geschlechtsbestimmung.

Geschlechtsorgane, *Genitalorgane, Genitaltrakt*: geschlechtspezifische Organe des Körpers, die der Fortpflanzung dienen. Mit Eintritt der ↑ Geschlechtsreife sind die G. weitestgehend entwickelt und funktionsfähig.

Zu den *männlichen G.* gehören Hodensack, Hoden und Nebenhoden, Samenleiter, die akzessorischen Geschlechtsdrüsen und der Penis. Der Hodensack liegt dicht unter dem After und besteht aus zwei voneinander getrennten Kammern, die von der Haut, der Unterhaut und einer muskulös-elastischen Schicht bedeckt sind. In jeder Kammer liegt ein Hoden. Die Hoden sind kugelförmig und teilweise mit dem Nebenhodenkörper verwachsen. Bereits bei der ↑ Geburt steigen die Hoden aus der Bauchhöhle in den Hodensack. Erfolgt der Abstieg nicht oder unvollständig, spricht man von ↑ Kryptorchismus (vgl. Ectopia testium). Im Hodensack angelangt, ist der Hoden etwa stecknadelkopfgroß und wiegt 20 mg. Erst im Alter von acht bis zehn Monaten, also zur Geschlechtsreife, erreicht er 1 g. Beide Hoden ausgewachsener Kater mit etwa 5 kg Körpermasse haben eine Masse von 4 g. Durch den Nebenhoden zieht in starken Windungen ein etwa 1,5 bis 2 cm langer Kanal, der die im Hoden gebildeten Spermien speichert. Der Samenleiter geht aus diesem Kanal hervor und mündet schließlich in Höhe der Prostata (Vorsteherdrüse) im Beckenstück der Harnröhre. Unweit der Prostata liegt die zweite akzessorische Geschlechtsdrüse, die Bulbourethraldrüse (Harnröhrenzwiebeldrüse). Ihre Sekrete werden bei der Ejakulation mit den Spermien vermischt und sind für deren Ernährung und offensichtlich auch deren Motilität (Bewegungsfähigkeit) wichtig. Der *Penis* des Katers weist gegenüber dem anderer Haussäugetiere einige Besonderheiten auf: Er verläuft schräg nach hinten und unten (caudaldistal), hat einen etwa 3,5 bis 4,5 mm großen Penisknochen und die Penisspitze ist mit 100 bis 200 etwa 0,75 bis 1,0 mm großen verhornten Papillen besetzt. Der Penisknochen ist bei den Neugeborenen noch nicht ausgebildet. Erst später entsteht ein fibrös-sehniges Gewebe, das dann verknöchert. Er soll die Rigidität des Penis steigern, seine Einführung in die Vagina erleichtern und die sensible Reizaufnahme erhöhen. Die Ausbildung der Penisstachel ist vom Androgenspiegel abhängig. Sie entwickeln sich im Alter von etwa zwei Monaten und erreichen mit sechs bis sieben Monaten ihre endgültige Größe. Nach der ↑ Kastration verschwinden diese Stacheln wieder. Bei Kastration vor Erreichen der Geschlechtsreife sollen weder diese Stacheln erscheinen, noch das Peniswachstum weitergehen. Die Stacheln wirken darüber hinaus als Halteorgan und bewirken eine effektvolle Vaginastimulation im Hinblick auf die zu provozierende Ovulation (↑ Rolligkeit). Ebenfalls läßt sich hieraus auch die typische Verhaltensweise der Katze nach der Paarung erklären (↑ Sexualverhalten). Bei Erektion erreicht der Penis die eineinhalbfache Länge und den doppelten Durchmesser. Gleichzeitig ändert sich die Stellung mit einer nach unten und vorn zeigenden Penisspitze.

Die *weiblichen G.* bestehen aus den paarig angeordneten Eierstöcken, Eileitern und Uterushörnern, dem unpaarigen Uteruskörper, der Cervix, der Vagina und der Vulva. Die *Eierstöcke* sind länglich abgeplattete Organe, etwa 8 mm × 7 mm × 4 mm groß und liegen in Höhe der vierten bis fünften Lendenwirbel. In den Eierstöcken liegen die Eizellen in Follikeln unterschiedlicher Reifestufen. Zum Zeitpunkt der Rolligkeit sind mehrere Follikel ausgereift, die durch den Paarungsreiz platzen und die Eizelle freisetzen. Die Eierstöcke sind von Eierstocktaschen umhüllt. Diese fangen die freiwerdenden Eizellen auf und leiten sie wie in einem

Trichter in den *Eileiter* weiter. Im Normalfall kann somit keine Eizelle in die Bauchhöhle fallen. Bereits im ersten Drittel des Eileiters wird die Eizelle befruchtet, es entsteht die ↑ Zygote. Die etwa 4 bis 5 cm langen Eileiter münden in die Spitze der *Uterushörner*. Diese sind etwa 3 bis 4 mm dick und 8 bis 10 cm lang. Etwa sieben bis neun Tage nach der Befruchtung nistet sich der Keimling in die Schleimhaut der Uterushörner ein und verbleibt hier bis zum

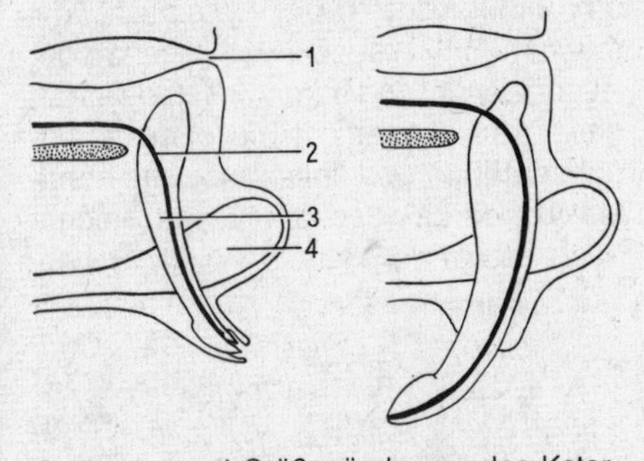

Stellungs- und Größenänderung des Katerpenis (nach *Klug*, 1967)
links Ruhestellung, *rechts* maximale Erregung, 1 After, 2 Harnröhre, 3 Peniskörper, 4 Hoden, 5 Beckenknochen

Abschluß der embryonalen Entwicklung (↑ Trächtigkeit). Beide Uterushörner vereinigen sich in dem nicht wesentlich dickeren und höchstens 2 cm langen *Uteruskörper*. Ihm schließt sich die *Cervix* (Uterushals) an. In der Zeit zwischen zwei Rolligkeiten ist sie gegenüber der *Vagina* (Scheide) verschlossen. Die Scheide liegt in der Beckenhöhle und geht nach 3 bis 4 cm an der Mündungsstelle der Harnröhre in den Scheidenvorhof (Vestibulum) über. Hier befindet sich die etwa 1 cm lange *Clitoris* (Kitzler), die, in einer Schleimhautgrube liegend, in der rudimentären *Glans* (Eichel) endet. Bei einzelnen Katzen kann sie, unabhängig vom Alter und der ↑ Geschlechtsreife, einen Knochen oder Knorpel enthalten (*Strauss*, 1974). Den äußeren sichtbaren Abschluß des weiblichen Genitaltraktes bildet die dicht behaarte *Vulva* (Scham). Abb. ↑ Kastration.

Geschlechtsreife: Entwicklungsstand eines Tieres, in dem die ↑ Geschlechtsorgane voll funktionsfähig sind und Keimzellen ausstoßen. Die G. der weiblichen Tiere ist erreicht, wenn in regelmäßigen Abständen Eizellen von den Eierstöcken produziert werden. Bei den männlichen Tieren ist die G. durch den Eintritt des Geschlechtstriebes und die Ausbildung reifer Samenzellen gekennzeichnet (↑ Gameten). Gesteuert durch die nun produzierten Geschlechtshormone werden Handlungen des Sexualfunktionskreises sichtbar: das ↑ Duftmarkieren durch den Kater, die erste ↑ Rolligkeit der Katze, Paarungsversuche (↑ Sexualverhalten) usw. Der geschlechtsspezifische Phänotyp entwikkelt sich, z. B. die Katerbacken. Bei weiblichen Tieren tritt die G. im Alter von 6 bis 12 Monaten ein, bei männlichen etwas später mit 8 bis 12 Monaten. Den ↑ Siamesen wird Frühreife zugesprochen, den ↑ Persern eine etwas verzögerte Entwicklung und die ↑ Singapura soll erst mit 15 bis 18 Monaten die G. erreichen.

Mit der G. ist im allgemeinen die ↑ Jungtierentwicklung abgeschlossen. Die Tiere sind jedoch zu diesem Zeitpunkt körperlich noch nicht so weit entwickelt, daß ein züchterischer Einsatz in Betracht gezogen werden sollte. Werden Katzen gleich mit Beginn der G. eingedeckt, bleibt die noch nicht abgeschlossene körperliche Entwicklung zugunsten des Wachstums der Embryonen zurück (↑ Trächtigkeit) und wird später gar nicht oder nur langsam aufgeholt. Die G. ist also nicht mit der ↑ Zuchtreife identisch. Kater, die nicht in die Zucht gehen, sollten auf jeden Fall erst nach Eintritt der G. einer ↑ Kastration unterzogen werden.

Geschlechtszellen ↑ Gameten.
Geschlechtszyklus ↑ Rolligkeit.
geschlossene Zucht ↑ Zucht in geschlossenen Zuchtgruppen.
Geschmackspapillen ↑ Zunge.
Geschmackssinn ↑ Zunge.
Geschwisterpaarung: **1.** ↑ Inzucht. – **2.** ↑ Inzuchtdepression. – **3.** ↑ Heterozygotietest.
Geschwisterselektion ↑ Familienselektion.
Gesichtsfeld ↑ Auge.
Gesichtsschädel ↑ Schädel.
Gesichtsschädelverkürzung ↑ Brachyzephalie.
Gesichtssinn: **1.** ↑ Sinnesorgan. – **2.** ↑ Auge.
Gestation ↑ Trächtigkeit.

Gestik: ↑ Ausdrucksverhalten in Form von Bewegungen und Haltungen des Rumpfes, der Extremitäten, des Kopfes und des Schwanzes, das bei vielen Tieren verbreitet ist. Zur G. der Katze zählen eine Vielzahl von oft im übertragenen Sinne gebrauchten Körperhaltungen und -bewegungen, wie Katzenbukkel, ↑ Köpfchengeben u. a.
Ähnlich wie die ↑ Mimik ist die G. für den Verhaltenskreis des ↑ Angriffsverhaltens und ↑ Abwehrverhaltens am besten untersucht. In der Abb. nach *Leyhausen* (1982) ist oben links eine vom Ausdruck her indifferente Katze dargestellt, rechts oben ist die stärkste Angriffsdrohung und links unten die höchste Abwehrbereitschaft gezeigt. Rechts

Darstellung der Überlagerung von Angriffs- und Abwehrverhalten (nach *Leyhausen*, 1982)

unten sieht man das Resultat der Überlagerung beider Verhaltensmotivationen, dazwischen sind die entsprechenden Übergangsformen zu sehen.

gestörte Sexualentwicklung ↑ Geschlechtschromosomenaberration.

Gestromt [engl. *blotched tabby, classic tabby*]: Form der ↑ Tabbyzeichnung. Die ältesten G.en sind die sogenannten Braung.en [engl. brown tabbies], die ihren Namen dem warmen, goldbraun gefärbten Agoutibereich verdanken, auf dem die Tabbyzeichnung liegt. Die Geschichte der Browntabbies, wie sie noch heute oft genannt werden, beginnt mit der organisierten Rassekatzenzucht in Großbritannien in der zweiten Hälfte des vorigen Jahrhunderts. Der ↑ Genotyp der Browntabbies ist A– B– C– D– t^bt^b, wobei ll für ↑ Langhaar oder L– für Kurzhaar hinzugefügt werden könnte. Da es sich genetisch nicht um eine braune, d. h. eine ↑ Chocolate, sondern um eine schwarze Katze handelt, wurde die Varietät folgerichtig in *Schwarz-g.* umbenannt. Gelegentlich lassen sich direkt die Wege einer ↑ Immigration rekonstruieren und so ermittelte *Todd* (1977), daß das Gen t^b von Großbritannien nach Kontinentaleuropa auf dem Schiffsweg über das Rhône- und Seine-Tal kam und von dort aus linear verbreitet wurde (vgl. Populationsgenetik).

Die Grundfarbe der Schwarz-g.en ist ein warmes Goldbraun, das bis zum Haargrund schwarz getickt (↑Ticking) ist. Die schwarze Zeichnung muß klar und deutlich sein. Auf der Stirn ist ein M zu sehen. Die Wangen werden von zwei bis drei Spiralen durchlaufen; auf der Brust dürfen die beiden halsbandartigen Streifen, ↑ Halsbänder oder -ketten genannt, nicht durchbrochen sein. Auf den Schultern befinden sich breite, schwarz pigmentierte Flächen oder Linien in Schmetterlingsform. Sie sind vom ↑ Aalstrich durchzogen. Parallel zu dieser Rückenmittellinie befindet sich auf jeder Seite eine weitere Linie. Zwischen diesen drei Linien soll der warme, goldbraune Grundton sichtbar sein. An den Flanken sind deutlich abgegrenzte Flecke zu erkennen, die in ihrer Form variieren und *Räder-* oder *Marmormuster* bilden. Auf der unteren Brust- bzw. Bauchseite zieht sich eine Doppelreihe schwarzer Punkte hin. Der ↑ Nasenspiegel ist ziegelrot mit schwarzer Umrandung. Die ↑ Fußballen sind schwarz oder schwarzbraun, die ↑ Sohlenstreifen schwarz. Ein helles oder weißes Kinn, eine helle Schwanzspitze, graues Unterfell und Stichelhaare in den schwarzen Partien sind Fehler. Tafeln 3, 6, 9.

Chronisten der britischen Rassekatzenzucht berichten, daß *Rajah* gegen Ende des vorigen Jahrhunderts der bekannteste Deckkater seiner Zeit war, und *Rajah* war ein schwarz-g.er Langhaarkater. *Birkdale Ruffie*, zuerst mit niedrigen Ausstellungsbewertungen bedacht, errang 1896 auf der Kristallpalastausstellung in London alle Preise und gilt als erster registrierter schwarz-g.er Kater. Ihn soll schon die goldbraune Grundfarbe, die nur durch ↑ Selektion zu erreichen ist, geschmückt haben. Bereits 15 Jahre zuvor wurde *Lord Hubert* als erster „Brown-Tabby" von Großbritannien in die USA importiert, wo er großes Aufsehen erregte und Höchstpreise errang. Die ↑ Maine Coon, heute in schwarz-g. wohl beliebteste Varietät dieser Rasse, galt damals noch als „gewöhnliche" Hauskatze. Bei ihr darf die Stromung auch mit ↑ Scheckung kombiniert sein. Nach dem Ersten Weltkrieg kam die Zucht der Braung.en zum Erliegen und auch heute sind sie auf internationalen Ausstellungen eine vergleichsweise kleine Klasse.

Zu einer Zeit, als über die Farbvererbung bei uns kaum Kenntnisse vorhanden waren, wurde im Zwinger *„von*

Brandenburg" ein schwarz-g.er Hauskater, der rezessiv Langhaar trug, mit einer cremefarbenen Perserkatze verpaart. Aus diesem Wurf wurde eine Schildpatt-Tabby (↑ Torbies) zur Verpaarung mit einem schwarzen Perser zurückbehalten. 1972 wurden dann als erste schwarz-g. Perser der DDR *Hanno* und *Heidi von Brandenburg* geboren. Drei Jahre später folgten *Siri* und *Sandra von Brandenburg* als erste blau-g. Während die beiden weiblichen Tiere noch nicht die bei Persern gewünschte Rundköpfigkeit aufwiesen, wurde der schon recht typvolle *Hanno von Brandenburg* der erste schwarz-g. Champion der DDR.

Die Zucht der Schwarz-g.en hatte lange Zeit mit einem weißen Kinn zu kämpfen, das immer wieder bei den G.en auftrat. Durch selektive Zucht ist es aber inzwischen gelungen, den sich teilweise bis auf die Brust hinunterziehenden Fleck auf das Kinn zu beschränken und die Färbung der der Grundfarbe anzunähern. Oft zeigen auch heute Jungtiere das helle Kinn; ist es nicht reinweiß, kann es im Alter von zwei bis drei Lebensjahren ungefähr die Tönung der Grundfarbe erreicht haben. Auch die als Zobel- oder Lohfarbe beschriebene Grundfarbe des Agoutibereichs hat sich erst im Alter von ein bis zwei Jahren voll ausgefärbt. Zur Typverbesserung sollte nur mit schwarzen Tieren mit ausgezeichneter Augenfarbe gepaart werden, die möglichst g. Ahnen und somit ein ähnliches genotypisches Milieu aufweisen (↑ Genotyp).

Tritt an die Stelle des dominanten Wildtypallels D– das homozygot rezessive Allelpaar dd für die ↑ Verdünnung, entstehen die *Blaug.en* A– B– C– dd t^bt^b. Ihre Grundfarbe ist ein blaugeticktes Elfenbein, durchzogen von deutlicher, kontrastreicher dunkelblauer Stromung. Zu graue oder zu blaue Unterwolle sowie Stichelhaar in den blauen Partien sind Fehler. Der Nasenspiegel ist altrosa, dunkelblau umrandet, die Sohlenstreifen sind dunkelblau und die Fußballen sind blaugrau. In den USA erhielten blau-g. Perser schon 1962 einen eigenen ↑ Standard, seit 1977 sind sie innerhalb der F.I.Fe., seit 1979 auch in der DDR anerkannt, während der britische GCCF sich erst Ende 1983 zu einer vorläufigen Anerkennung durchrang. Tafel 3.

Aus den Blautabbies wurden Anfang dieses Jahrhunderts in Großbritannien die ersten einfarbigen Blauen herausgezüchtet. Da die Stromung dieser Varietät ein dunkles Blau sein soll, sind Paarungen mit schwarz-g.en denen mit einfarbigen Blauen vorzuziehen. Muß zur Verbesserung des Typs oder der Augenfarbe einmal ein einfarbiges blaues Tier eingekreuzt werden, sollte es ein möglichst dunkles sein. Hellblaue vererben ihre aufhellenden Modifikatoren (↑ Modifikation), und bei den Nachkommen wird der Kontrast zwischen Zeichnung und Grundfarbe nicht mehr zufriedenstellend sein.

Die *Chocolate-g.en* haben einen bronzefarbenen Grundton, auf dem die dunkelbraune Stromung liegt. Der altrosafarbene Nasenspiegel ist dunkelbraun umrandet, die Fußballen sind zimt- bis schokoladenfarben, die Sohlenstreifen wiederum dunkelbraun. Ihr Genotyp ist A– bb C– D– t^bt^b.

Die verdünnte Form der Chocolate-g.en sind die *Lilac-g.en.* Ihre Körperfarbe ist ein lilac getícktes Beige, durchzogen von einer dunkleren lilacfarbenen Stromung. Der Nasenspiegel ist rosa mit einer altrosa Umrandung, die Fußballen sind lavenderrosa, die Sohlenstreifen lilacfarben. Beide Varietäten sind innerhalb der F.I.Fe. seit 1982 anerkannt.

Die jüngsten Zuchtergebnisse sind die ↑ Cinnamon in G. Sie erhielten durch den GCCF bereits eine vorläufige Anerkennung bei den ↑ Orientalisch Kurz-

haar. Die Tiere zeigen einen warmen orangefarbenen Agoutigrund mit einer zimtbraunen Stromung. Der Nasenspiegel ist lohfarben oder rosa mit lohfarbener Umrandung.
Bei der Zucht aller g.en Varietäten sollte auf ↑ Homozygotie am Agoutilocus hingearbeitet werden und unter Selektion nur in ↑ Gleich-zu-Gleich-Verpaarungen gezüchtet werden. Einige Züchter sind der Ansicht, daß nach mehreren Generationen dann wieder ein einfarbiges Tier eingekreuzt werden sollte, das aus einer Verpaarung zwischen zwei g.en Katzen gefallen ist. Bei homozygot besetztem Agoutilocus (AA) fallen auch bei Paarungen mit einfarbigen Tieren stets nur Katzen mit Tabbyzeichnung. Tragen beide Elterntiere rezessiv das Gen für ↑ Nicht-Agouti, entstehen Einfarbige in ↑ Schwarz, ↑ Blau, ↑ Chocolate und Lilac, die für eventuelle Rückkreuzungen nützlich sind. G. können auch aus Verpaarungen zwischen zwei ↑ Getigerten fallen, was bei den Kurzhaarrassen durchaus keine Seltenheit ist, während bei den Persern ja nur die g. Form anerkannt ist. Der Kontrast zwischen Stromung und Grundfarbe ist bei Kurzhaar deutlicher als bei Langhaar, zumal wenn letztere eine gut entwickelte Unterwolle aufweisen. Die Stromung verändert sich besonders während des ↑ Haarwechsels. Alle bisher genannten Varietäten sind ↑ Agoutikatzen, ebenso wie die Golden-g.en (↑ Golden) und die ↑ Silvertabbies.
Streng von diesen zu trennen sind die *rot-* (Tafel 3) und *creme-g.en* Katzen. Ihre Färbung beruht auf dem X-chromosomengebundenen Erbgang von ↑ Orange, Gensymbol O. Rot- und creme-g.en Katzen ist phänotypisch nicht anzusehen, ob sie Agouti tragen. Erst Paarungen mit Eumelaninpigmentierten (↑ Melanin) geben darüber Aufschluß. Entstehen Schildpatt-Tabbies, muß der rot- oder cremegefärbte Elternteil Agouti tragen. Die Stromung der roten Variante wird bei Paarungen von Nicht-Agouti-Roten untereinander zu undeutlich und die Rot-g.en sind schließlich kaum noch von den einfarbigen Roten zu trennen. Um kontrastreich gezeichnete rot-g. Katzen zu züchten, sollten nur Tiere mit einer intensiven Rotfärbung oder Schildpattkatzen eingesetzt werden. Paarungen zwischen einer rot-g.en Katze und einem schwarz-g.en Kater können für diese Zucht sehr wertvoll sein, obwohl nur Schildpatt-Tabbies und rot-g.e Kater hervorgehen. Die Schildpatt-Tabby wird bei einer Verpaarung mit einem rot-g.en Kater auch weibliche rot-g. Welpen bringen, der Kater könnte auf die Mutter zurückgekreuzt werden. Rot-g. Tiere werden auch in der Zucht der in der DDR seit 1985 anerkannten Red Cameo Tabby (↑ Cameo) verwendet.
Im Jahre 1900 wurde *Torrington Sunnysides* als erste rot-g. Perserkatze in London ausgestellt. Etwa zur gleichen Zeit wurde auch der erste ↑ Standard erarbeitet. Bis 1916 hießen sie dann noch Orange-Tabby. In selektiver Zucht gingen aus ihnen die ↑ Roten und Cremefarbenen sowie die G.en hervor. In den USA waren Orange-Tabbies schon vor Beginn dieses Jahrhunderts bekannt. Bei den ↑ Pekeface sind die Rot-g.en eine der beiden zugelassenen Varietäten. Die Creme-g.en sind wie die Chocolate- und Lilac-G.en erst seit 1982 innerhalb der F.I.Fe. anerkannt. Ihr Grundton ist ein helles blasses Creme, die Stromungszeichnung ein dunklerer Cremeton.
Creme-g. Tiere können fallen, wenn beide Elterntiere rezessiv das Gen für Verdünnung und für Orange O tragen. Im Gegensatz zu den einfarbigen ↑ Creme sollten nicht zu helle Tiere zur Zucht der Creme-g.en eingesetzt werden, da auch bei ihnen der Kontrast

zwischen Stromung und Körperfarbe zu schwach wird. G. Varietäten sind außer bei Persern auch bei ↑ Exotic Kurzhaar, ↑ Britisch Kurzhaar, ↑ Europäisch Kurzhaar und Orientalisch Kurzhaar anerkannt. Ausgenommen die Orientalisch Kurzhaar sowie die Golden- und Silberg.en, die grüne Augen haben sollen, ist für alle angeführten Varietäten in ↑ Kurzhaar und ↑ Langhaar ein dunkles Orange oder Kupfer als Augenfarbe vorgeschrieben.

Gesundheit ↑ Erbkrankheit.

Getigert [engl. mackerel tabby]: Form der ↑ Tabbyzeichnung, die aus zwei bis drei Spiralen auf den Wangen, zwei halsbandartigen Streifen auf der Brust sowie aus zahlreichen vertikal vom Rückgrat zum Bauch verlaufenden Streifen besteht. Die Streifen auf der Brust, auch Halsbänder genannt [engl. neckless], dürfen nicht durchbrochen und die vertikal verlaufenden sollen deutlich voneinander abgegrenzt sein. Die Beine sind ebenfalls regelmäßig gestreift, der Schwanz ist gleichmäßig beringt. Von der Brust abwärts verläuft über dem Bauch eine Doppelreihe von Punkten. Eine ununterbrochene Linie (↑ Aalstrich) zieht sich vom Kopf über den Rücken bis zum Schwanz.

Ein sehr helles oder gar weißes Kinn schließen die Vergabe eines ↑ CAC aus. Stichelhaare in den Zeichnungspartien sowie eine nicht bis zur Haarwurzel durchgefärbte Tigerung sind fehlerhaft.

Bei der Festlegung der ↑ Gennomenklatur wurden g. ↑ Hauskatzen als Standardtyp (↑ Wildtyp) angesehen. Als Zuchtform sind sie, mit Ausnahme des ↑ CFA, der sie auch bei den ↑ Persern zuläßt, allgemein nur bei ↑ Kurzhaar anerkannt. Die ↑ Augenfarbe richtet sich nach den Festlegungen für die jeweilige ↑ Rasse.

Schwarz-g. Katzen (A– B– C– D– T–) zeigen eine deutliche schwarze Tigerzeichnung auf einem warmen goldbraunen Grund, der bis zur Haarwurzel schwarz getickt ist (↑ Ticking); der Nasenspiegel ist ziegelrot mit einer schwarzen Umrandung, die Fußballen sind schwarz oder schwarzbraun. *Blau-g.* Tiere (A– B– C– dd T–) haben eine dunkelblaue Tigerung auf einem elfenbeinfarbenen bis zur Haarwurzel blau getickten Grund. Der Nasenspiegel ist altrosa mit dunkelblauer Umrandung, die Fußballen sind blaugrau. *Chocolate-g.* Katzen (A– bb C– D– T–) haben eine warmbraune Zeichnung auf einem sandbraunen Körper, einen zimtrosafarbenen Nasenspiegel mit einer braunen Umrandung sowie rosa Fußballen, während die Körperfarbe der lilac-g. (A– bb C– dd T–) magnolienfarben ist, d. h. ein durchbrochenes Weiß lilac getickt, das von deutlichen, kontrastreichen, lilacfarbenen Streifen durchzogen ist. Der rosafarbene Nasenspiegel ist dunkelrosa umrandet, die Fußballen sind lavenderrosa.

Rot- und *creme-g.* Katzen (vgl. Orange) haben einen roten bzw. cremefarbenen Körper mit einer deutlichen tiefroten oder dunkelcremefarbenen Tigerung. Der Nasenspiegel der Tiere ist ziegelrot mit einer dunkelroten Umrandung bzw. rosa mit einer dunkelrosa Umrandung, die Fußballen sind bei beiden ↑ Varietäten rosa. Pigmentflecken auf dem Nasenspiegel sowie schwarze und blaue Schnurrhaare sind fehlerhaft.

Bei der ↑ Züchtung g.er Katzen sollte auf ↑ Homozygotie an den Genorten für ↑ Agouti (AA) und für die Tigerung (TT) hingearbeitet und unter ↑ Gleich-zu-Gleich-Verpaarung selektiert werden.

Getupft, *Tüpfelung, Tupfung* [engl. spotted]: Form der ↑ Tabbyzeichnung, die aus leichten Wirbeln auf den Wangen, einem M auf der Stirnvorderseite, einer leichten Linie über dem Rücken (↑ Aalstrich erlaubt) besteht, wobei der Körper mit zahlreichen runden oder

ovalen, klar abgesetzten Tupfen bedeckt und die Beine gleichmäßig gestreift sein müssen. Die Tupfen dürfen nicht ineinander überlaufen und ihre Form muß einheitlich sein; je zahlreicher die Tupfen, umso besser.
Innerhalb der F. I. Fe. und in der DDR sind G.-Varietäten nur bei ↑ Kurzhaar in Schwarz, Blau, Chocolate, Lilac, Rot und Creme anerkannt. Der britische ↑ GCCF hat für die ↑ Orientalisch Kurzhaar *cinnamon-g.* eine vorläufige Anerkennung erteilt. Ihre Tupfen sind von einem kräftigen, warmen, zimtbraunen Ton auf einem orangefarbenen Agoutigrund (vgl. Cinnamon). Der Nasenspiegel ist hellbraun oder altrosa mit einer hellbraunen Umrandung. Auf der Rückseite der Ohren ist ein ↑ Wildfleck erwünscht, ein sehr helles oder weißes Kinn sowie eine helle oder weiße Schwanzspitze sind Fehler.
Schwarz-g. Tiere zeigen deutliche schwarze Tupfen auf einem warmen goldbraunen Grund, der bis zur Haarwurzel schwarz getickt ist (↑ Ticking), der Nasenspigel ist ziegelrot mit schwarzer Umrandung, die Fußballen sind schwarz oder schwarzbraun. *Blau-g.* Katzen haben dunkelblaue Tupfen auf elfenbeinfarbenem Grund, der ebenfalls bis zur Haarwurzel mit Blau getickt ist. Der Nasenspiegel ist altrosa mit dunkelblauer Umrandung, die Fußballen sind blaugrau. Die *Chocolate-g.en* haben eine sandbraune Körperfarbe mit warmen braunen Tupfen, einen zimtrosafarbenen Nasenspiegel mit brauner Umrandung und rosa Fußballen, während die Körperfarbe der *lilac-g.en* Tiere ein bis zur Haarwurzel durchgefärbtes gebrochenes Weiß mit deutlichen lilacfarbenen Tupfen ist. Der Nasenspiegel und die Fußballen sind lavenderrosa.
Rot- (Tafel 13) und creme-g. Tiere (↑ Orange) haben einen roten bzw. cremefarbenen Körper mit deutlichen tiefroten oder dunkelcremefarbenen Tupfen. Der ↑ Nasenspiegel ist ziegelrot mit einer dunkelroten bzw. dunkelcremefarbenen Umrandung, die ↑ Fußballen sind rosa. Stichelhaar in den roten bzw. cremefarbenen Partien, Pigmentflecken auf dem Nasenspiegel sowie schwarze oder blaue Schnurrhaare sind Fehler.
Die Tupfung ist eine aufgebrochene Tigerung, für die bisher kein verbindliches Gensymbol (↑ Gennomenklatur) festgelegt wurde.
Nach *Robinson* (1977) handelt es sich um ein Allel der ↑ Tigerung (vgl. Tabbyzeichnung), das durch Modifikatoren beeinflußt wird. Die Schwierigkeiten, eine durchgehende klare Tigerung zu erhalten, sind bekannt. Zwei getigerte Katzen können auch gestromten Nachwuchs bringen, was für ↑ Heterozygotie spricht. Oft sind aber heterozygote Tiere g. (Tt^b), d. h., die Tigerung ist zur Tupfung aufgebrochen. Eine gleiche Wirkung zeigt die Genkombination T^a mit einem weiteren Allel der Tabbyserie. Alle diese Beispiele sprechen für ↑ unvollständige Dominanz und polygene ↑ Modifikation. Demgegenüber steht eine andere Hypothese, die die Tupfung als eigenständiges Allel der Tabbyserie ausgibt und es gleich hinter das ↑ Abessiniertabby reiht $T^a > t^s > t^+ > t^b$. Für diese Hypothese spricht die Zucht der ↑ Egyptian Mau, deren rassetypisches Merkmal eine klare Tupfung ist. Untereinander gepaart fallen fast ausschließlich Tiere mit dieser Zeichnung. Ebenso wird von Siamesen berichtet, die ↑ Geisterzeichnung in Form einer Tupfung zeigen und untereinander gepaart nie eine Stromung oder Tigerung als Geisterzeichnung hervorbringen, gleiches ist von einigen Orientalisch-Kurzhaar-Linien zu hören. Weitere Erhebungen werden notwendig sein, die eine oder die andere Erbhypothese zu bestätigen, und es ist nicht auszuschließen, daß beide zutreffend sind.

Gewichtsentwicklung ↑ Masseentwicklung.

Gewöhnung ↑ Lernverhalten.

Giftpflanzen: Vielzahl von Pflanzen, bei denen Blüten, Samen, Wurzeln oder alle Bestandteile giftig sind. Eine Auswahl treffen, hieße Fehlinterpretationen zulassen, denn die Tatsache, daß bestimmte Pflanzen nicht erwähnt werden, hieße nicht, daß sie bedenkenlos wären und die aufgeführten könnten überdies von Unkundigen verwechselt werden. Obwohl immer noch die Feststellung *Paracelsus'* gilt: „Alle Dinge sind Gift, und nichts ist ohne Gift, allein die Dosis macht's, daß ein Ding kein Gift ist", sollten Katzen prinzipiell von Pflanzen ferngehalten und Pflanzen vor Katzen geschützt werden. Interessierte seien auf einschlägige Fachliteratur verwiesen. Freilaufende Hauskatzen und auch Katzen mit freiem ↑ Auslauf lernen wahrscheinlich schon von der Mutter und/oder durch eigene Erfahrung giftige Pflanzen von ungiftigen zu unterscheiden, und in der Tat sind ↑ Vergiftungen durch Pflanzengifte bei Katzen recht selten. Schwieriger ist es mit den in menschlicher Obhut aufgezogenen und nur in der Wohnung gehaltenen Tieren. Ihnen fehlt jegliche Erfahrung sowie die Möglichkeit, dem natürlichen Bedürfnis Gras zu fressen, nachzukommen. Duftende Blumen z.B. üben in einer ansonsten recht reizarmen Umgebung (vgl. Umwelt) eine geradezu magische Anziehungskraft aus: Sie werden aus der Vase geangelt, beschnuppert, gekaut ..., oft wird sogar das Blumenwasser getrunken, das bereits giftige Substanzen aufgenommen haben kann. Abhilfe kann zum Teil mit einem Topf Gras, gekeimtem Hafer oder Zypergras geschaffen werden. Dennoch bleiben Zimmerpflanzen aller Art begehrte Objekte und sollten stets so aufgestellt werden, daß Katzen nicht heran können: z. B. auf einem Fensterbrett, eng gestellt, so daß kein Platz zum Aufsprung bleibt, in einer Hängeampel, zwischen den Fenstern usw. Wird doch einmal eine Zimmerpflanze benagt, und es treten Vergiftungserscheinungen auf: Erbrechen, Durchfall, Krämpfe, unkoordinierte Muskelbewegungen, Pupillenerweiterung, Bewußtlosigkeit, veränderte Atem- und/oder Herzfrequenz, muß sofort der Tierarzt aufgesucht werden. Das zuerst Erbrochene sollte auf Pflanzenreste untersucht werden, um dem Tierarzt Hinweise auf die Art der Vergiftung geben zu können. Die fragliche Pflanze kann im Zweifelsfall mitgenommen werden. Zu den G. gehört auch Tabak. Raucher sollten Zigarettenstummel stets entfernen.

Glasknochen ↑ Osteogenesis imperfecta.

Glaskörper ↑ Auge.

Gleichgewichtsorgan ↑ Ohr.

Gleichgewichtssinn: **1.** ↑ Ohr. – **2.** ↑ Reflex.

Gleich-zu-Gleich-Verpaarung, *assortative Paarung* [engl. mating like to like]: Paarungsprinzip, bei dem die Paarungspartner häufiger den gleichen ↑ Phänotyp haben, als bei Zufallspaarung in der ↑ Population zu erwarten ist. In dem Maße wie der Phänotyp mit dem ↑ Genotyp korreliert, kommt es zu Veränderungen der ↑ Genotypfrequenzen und ↑ Genfrequenzen. Dieser Paarungstyp spielt nicht nur im menschlichen Bereich (Partnerwahl nach Intelligenzgrad u.a.), sondern auch in der unter dem Einfluß des Menschen stehenden Rassekatzenzucht eine besondere Rolle.

Die G. wirkt sich sowohl auf Mendel-Faktoren (↑ Mendel-Regeln), als auch in polygenen Systemen aus (↑ Polygenie). Die Konsequenzen der G. mit einem ↑ Genort lassen sich bei dem im Stichwort Genotypfrequenz aufgeführten Beispiel ableiten, wenn man die Paarungstypen so modifiziert, daß gleiche

Phänotypen häufiger gepaart werden. Dann erhöht sich die Zahl der homozygoten Genotypen, während die Zahl der Heterozygoten abnimmt (↑ genetisches Plateau). Die Population zerfällt in zwei Gruppen (im Beispiel in schwarze und braune Tiere). Wird die G. über Generationen fortgeführt und wirken keine selektiven Kräfte, bildet sich in der Population ein Gleichgewicht heraus, bei dem die Genotypfrequenzen konstant gehalten werden. Mit ↑ Selektion kann man das Bild modifizieren. In polygenen Systemen ist das Ereignis der G. von der Höhe des ↑ Heritabilitätskoeffizienten abhängig. Das Gegenstück der G. ist die disassortative Paarung, die in der Rassekatzenzucht u. a. in Form der ↑ Ausgleichspaarung angewandt wird.

Gliedmaße ↑ Skelett.

Globoidzellenleukodystrophie ↑ Lysosomale Speicherkrankheiten.

Glykogenese ↑ Lysomale Speicherkrankheiten.

Golden: anerkannte Farbschlaggruppe, die in G.-Shell, G.-Shaded und G.-Tabby unterteilt und bei den ↑ Persern und ↑ Exotic Kurzhaar zugelassen ist. Seitdem die ↑ Britisch Kurzhaar auch als ↑ Tipped und ↑ Shaded Silver anerkannt ist, ist ihre Anerkennung als G. wahrscheinlich nur eine Frage der Zeit. Die ideale Farbe der *G.-Shell* ist ein warmer Cremeton, jedoch kann die Farbe von einem strahlenden Kupferbraun bis zu einem hellen Apricot variieren. Das schwarze oder schwarzbraune ↑ Tipping macht ungefähr ⅛ der Haarlänge aus. Der Kopf, der Rücken, die Flanken und die Schwanzoberseite sind ebenso zart getippt wie das Gesicht und die Beine. Das Kinn, die Ohrbüschel, die Brust und der Bauch, die Innenseiten der Beine und die Unterseite des Schwanzes müssen einen einheitlichen Farbton aufweisen. ↑ Tabbyzeichnung am Körper, Streifen an den Beinen, eine in Grautönen gefärbte Unterwolle, ein weißes oder fast weißes Kinn, das in eine ebenso gefärbte Brust übergeht, sowie durchgehende schwarze oder schwarzbraun gefärbte ↑ Haare sind schwere Fehler. Der ↑ Nasenspiegel ist dunkelrosa mit einer schwarzbraunen Umrandung. Schwarzbraun sind auch die Augenlider, die Lippen und die Fußballen. Die ↑ Augenfarbe aller G. ist grün oder blaugrün, wobei grün bevorzugt wird. Bei fast gleicher Beschreibung macht das Tipping der *G.-Shaded* (Tafeln 38, 39) ungefähr ⅓ der Haarlänge aus und läßt einen dunkleren Gesamteindruck entstehen. Die bei einer G.-Shell fehlerhaften ↑ Sohlenstreifen sind bei einer G.-Shaded erwünscht. Eine ganz leichte Streifung der Beine wird toleriert.

In der DDR sind seit 1984 bei den Persern auch die G.-Tabby anerkannt. Ihre ideale Grundfarbe ist wiederum ein warmer Cremeton oder die eingangs beschriebenen Variationen. Die schwarze oder schwarzbraune Stromung (↑ Gestromt) hebt sich kontrastreich ab. Graue Unterwolle, ein weißes Kinn, das in eine weiße Brust übergeht, weiße Ohrbüschel, gelbe Augen sind schwere Fehler. Die Sohlenstreifen sind analog zur Stromung gefärbt, Fußballen, Augenlider, Lippen und Nasenspiegelumrandung sind schwarzbraun.

G. wird als Ausfall von Silber (↑ Melanininhibitor) bei gleichem genotypischen Milieu (↑ Genotyp) definiert, d. h. es wirken die gleichen Modifikatorengruppen (↑ Modifikation). Die durch den Melanininhibitor I hervorgerufene silberweiße Fellfarbe wird durch die beschriebene ersetzt, die durch die Gruppe der Rufuspolygene (↑ Rufismus) erzeugt wird. In seiner geringsten ↑ Expressivität zeigt sich der Melanininhibitor I– bei den ↑ Silvertabbies. Er unterdrückt die Wirkung der Rufuspolygene (↑ Suppressorgen), und die gelbliche Bänderung (↑ Ticking) des Haares fällt aus, während die schwarze z. B. erhalten bleibt. Die stärkste Expressivitätsstufe des Melanininhibitors zeigen die ↑ Chinchilla, die in einem guten Jahrhundert strenger Selektion auf Zeichnungsfreiheit und ein gleichmäßig zartes Tipping herausgezüchtet wurden. Mit ihnen entstand die Modifikatorengruppe, die sich wie ein ↑ Autosom zu vererben scheint und die die Länge des Tippings bestimmt. Bei Ausfall von I treten die Rufuspolygene des ↑ Wildtyps i wieder auf und die gleichen Modifikatorengruppen bestimmen nun die Länge des Tippings der G. Aus diesem Grunde wird häufig von einem *G.gen* oder einem *Goldfaktor* gesprochen, obwohl es sich in Wahrheit um das Zusammenwirken unzähliger Polygene (↑ Polygenie) handelt. Die Art des Goldtones wird hingegen von einer weiteren Modifikatorengruppe beeinflußt, weswegen die G. bei fortlaufender ↑ Gleich-zu-Gleich-Verpaarung im allgemeinen zu dunkel werden. Da aber der Melanininhibitor I ↑ vollständige Dominanz über die Rufuspolygene zeigt, bleiben Paarungen zwischen Chinchilla und G.-Shell ohne irgendwelche negativen Einflüsse auf die Chinchillajungtiere. Bei heterozygot besetztem Genort (Ii) können sich sowohl G.-Shell oder -Shaded als auch Chinchilla oder Shaded-Silver in einem Wurf befinden. Ohne die Wirkung des Melanininhibitors (ii) ist das Tipping bei den G. generell etwas länger.

Bracken war nachweislich die erste weibliche G., die als ‚sable chinchilla' [engl. sable = zobelfarben] 1925 in das Zuchtbuch des ↑ GCCF eingetragen wurde. G. tauchten schon immer in einigen Chinchillalinien (↑ Linienzucht) auf, wurden aber als ↑ Fehlfarbe oder gar als schwarzer Fleck auf der weißen Reinzuchtweste elitärer Chinchillazüchter (↑ Reinzucht) angesehen und entweder gleich nach der Geburt getötet oder bestenfalls ohne Stammbaum verschenkt.

In den US-amerikanischen Verbänden wurden frühzeitig in die importierten britischen Chinchilla einfarbige schwarze oder blaue Tiere eingekreuzt, und es entstanden nicht nur die Shaded-Silver, sondern auch die G., die 1967 einen ↑ Standard erhielten. Die volle Anerkennung erteilte der ↑ CFA 1977, die ↑ F.I.Fe. folgte erst 1983. Inzwischen erhielten sie auch beim GCCF einen vorläufigen Standard.

G. werden wie ↑ Tabbies geboren, also tiefschwarz mit mehr oder weniger deutlichen Streifen an den Beinen. Innerhalb weniger Tage nach der Geburt wird dann die Art der ↑ Tabbyzeichnung deutlicher, um sich dann allmählich wieder aufzulösen. Es kann bis zu zwei Jahren nach dem ersten ↑ Haarwechsel dauern, bis das Fell der G. voll ausgefärbt ist und man eine Trennung zwischen Shell und Shaded vornehmen kann. Während der einzelnen Wachstumsphasen ändern die G. ihr Aussehen und während des Haarwechsels können die Haare einen grauen oder unansehnlichen blassen Ton erhalten.

Anerkannt sind bisher nur die genetisch Schwarzen, eine Kombination mit ↑ Chocolate und ↑ Verdünnung ist möglich, wobei die verdünnten G. generell heller als die Tiere sein werden, die ↑ Nichtverdünnung tragen.

Golden Siam ↑ Tonkanese.

Goldfaktor ↑ Golden.

Gonaden ↑ Keimdrüsen.

Gonosom ↑ Geschlechtschromosomen.

gonosomale Vererbung ↑ Geschlechtschromosomen.

Grabmilbe ↑ Ektoparasiten.

Grannenhaar ↑ Haar.

Grasfressen: Verhalten von Katzen, für das die ↑ Motivation noch nicht hinreichend bekannt ist. Wie die meisten

Carnivoren (Raubtiere, Beutegreifer) fressen ↑ Katzen regelmäßig Gras, soweit sie Gelegenheit dazu haben. Sie bevorzugen harte Grassorten und nehmen immer nur einige wenige Hälmchen auf. Nährstoffe können aus dem Gras nicht gewonnen werden. Man vermutet dagegen, daß die ↑ Verdauung insgesamt angeregt und der Magen durch das G. gereinigt werden soll.
Bei langhaarigen Katzen kann man in der Periode des ↑ Haarwechsels beobachten, daß sie nach dem G. verfilzte Haarballen ↑ erbrechen. Wohnungskatzen sollte ständig Gras oder Grasersatz (Zypergras, Hafer u. a.) angeboten werden, so daß nach Bedarf daran geknabbert werden kann, da viele Zimmerpflanzen den ↑ Giftpflanzen zugeordnet werden müssen.

Gravidität ↑ Trächtigkeit.

Graviditätsdiagnostik ↑ Trächtigkeitsnachweis.

Grollen ↑ Lautgebung.

Größenwachstum ↑ Energiebedarf.

Gründereffekt ↑ Immigration.

Grundimmunität ↑ Schutzimpfungen.

Gruppen-Kaspar-Hauser ↑ Kaspar-Hauser-Tier.

Gruppenvariation ↑ phänotypische Variation.

Gurkenkernbandwurm ↑ Endoparasiten.

Gurren ↑ Lautgebung.

Gynäkospermium ↑ Geschlechtschromosomen.

H

Haar: fadenförmiges Horngebilde, das von der Epidermis (↑ Haut) gebildet wird. Das H. ragt mit dem H.schaft aus der Haut heraus und ist mit der H.wurzel in einer Hautausstülpung, der Wurzelscheide, verankert. Die H.wurzel endet in der H.zwiebel. Das H.wachstum geht von der auf dem Grund der Wurzelscheide liegenden H.papille aus (Abb.). Das H. besteht aus drei Schichten, dem Oberhäutchen bzw. der Kutikula, der Rinden- und der Markschicht. Die sich dachziegelartig überlappenden Zellen der Kutikula umgeben das H. wie die Schuppen eines Tannenzapfens und bewirken eine feste Verankerung durch Verzahnen mit der Wurzelscheide. Die darunter liegende Rindenschicht ist der am stärksten pigmentierte Teil des H.es und bestimmt die H.farbe (↑ Pigmentierung). Sie ist darüber hinaus für die Elastizität der H. verantwortlich. In der zentral liegenden zylinderförmigen Markschicht sind Pigmentgranula in unterschiedlichen Mengen eingelagert.
Die Wurzelscheiden liegen stets schräg

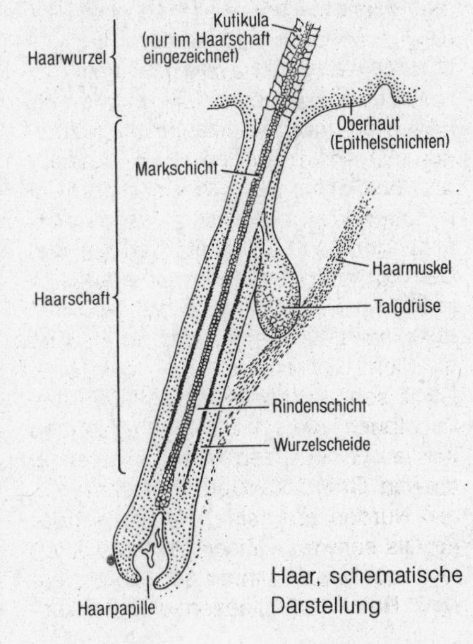

Haar, schematische Darstellung

zur Hautoberfläche, so daß die H. ebenfalls schräg heraustreten und die H.spitzen sich zur Hautoberfläche neigen. Bei Kontraktion des H.muskels infolge von Kälte oder einer Ausdrucksbewegung wird die Wurzelscheide steil gestellt, und die H. richten sich auf. Durch das Sträuben des Felles gewinnt die Katze beim Drohimponieren optisch an Größe und „Gewicht".

Nach der Form des H.schaftes werden die H. in Leit-, Grannen- und Woll-H. eingeteilt. Die *Leit-H.* (Mittel-H.) sind die längsten und kräftigsten, bilden aber die zahlenmäßig kleinste Gruppe. Sie verlaufen in schwacher Bogenform. Die untere Hälfte ist leicht gewellt, die obere andeutungsweise verdickt. Sie läuft in eine fein ausgezogene, lange Spitze aus. Die *Grannen-H.* (Stamm-H., Neben-H.) treten häufiger als die Leit-H. auf, sind aber kürzer und weniger steif. Sie zeichnen sich im oberen Drittel durch eine deutlich abgesetzte Verdikkung, die Granne, aus. Die Spitze ist kurz und stumpf. Die unteren zwei Drittel sind gewellt oder gebogen. Am zahlreichsten sind die *Woll-H.* (Daunen-H., Bei-H., Flaumen-H.) vertreten. Sie sind kürzer als die Grannen-H., sehr fein und weich und im gesamten Verlauf gewellt. Daneben gibt es zahlreiche Übergangsformen zwischen Leit-, Grannen- und Woll-H.en. Die zahlenmäßigen Unterschiede ergeben sich aus der büschelförmigen Anordnung der H. in der Haut. Um ein Leit-H. gruppieren sich kreisförmig drei Grannen-H. und um diese wiederum ein Kranz von sechs bis zwölf Woll-H.en.

Nach *Zietzschmann/Krölling* (1955) haben die unterschiedlichen H.formen mechanische Ursachen: Widerstand der verhornten Hülle der Wurzelscheide und seitlicher Druck der Zellen der Wurzelscheide. Diese Drücke wirken nur so lange, bis die H.spitze die Haut durchbrochen hat. Bis zu diesem Zeitpunkt wirkt der Druck auf die der Spitze folgenden H.abschnitte. Durch Wachstumsverzögerung entsteht die Granne. Da Leit-H. kräftiger gebaut sind, reicht der Widerstand nicht für eine Wachstumsverzögerung aus. Woll-H. entwikkeln sich in Abhängigkeit von den anderen H.en, die diese Widerstände bereits überwunden haben.

Entsprechend ihrer Funktion kann zwischen *Fell-H.en* (Deck-H. und Unter-H.) und ↑ Sinneshaaren, unterschieden werden. Die Sinnes-H. haben spezifische sensorische Aufgaben zu erfüllen. Die Deck-H. (Schutz-H.) bestehen aus den Leit- und Grannen-H.en. Diese schützen die Haut vor Feuchtigkeit und Verletzungen und geben der Katze das charakteristische Aussehen. Die Unter-H. (Unterwolle) werden durch die Woll-H. repräsentiert und haben vor allen Dingen wärmeregulatorische Funktion.

Das erste H.kleid wird bereits embryonal entwickelt. Zuerst erscheinen die Sinnes-H. Erst später, oft von einigen bestimmten Stellen ausgehend wachsen die Fell-H. Diese sind sowohl bei Neugeborenen als auch bei Jungtieren zart und wollig. Das H.kleid entspricht den natürlichen Erfordernissen. Durch den relativ langen Aufenthalt im Nest fehlt eine mechanische Beanspruchung und der Schutz vor Kälte steht im Vordergrund. Bemerkenswert ist die besondere Länge der Leit-H., die bei Langhaarigen etwa ab vierte bis sechste Lebenswoche, oft erheblich die anderen H. überragen.

Im Gegensatz zu den Sinnes-H.en haben die Fell-H. nur eine kurze Lebensdauer. Sie unterliegen einem zyklischen, jahreszeitlich bedingten, und einem ständigen, jahreszeitlich unabhängigen ↑ Haarwechsel. Hieraus ergibt sich auch die saisonal unterschiedliche H.länge und -dichte. Neben der genetischen Bedingtheit (↑ Langhaar, ↑ Kurzhaar, ↑ Normalhaar) haben die ↑ Ernährung, der Gesundheitszustand (↑ Infektionskrankheiten, ↑ Krankheitsanzeichen, ↑ Haarausfall) und das Alter einen entscheidenden Einfluß auf die H.länge und vor allen Dingen auf die H.qualität. Mit Ausnahme einiger ↑ Rassen kommen alle drei H.formen bei den Katzen vor. Diese unterscheiden sich nur durch Länge und/oder Dichte. Die verschiedensten Varianten der Fell-H. einzelner Rassen entstanden entweder durch spontane Mutation (↑ Drahthaar, ↑ Rexkatzen) oder durch spontane Mutation und selektive Zucht (Langhaar, ↑ Semilanghaar) bzw. nur durch Selektion (↑ Seidenhaar).

Haarausfall: lokaler oder generalisierter Ausfall der Körperhaare. Der natürliche H. ist vom krankhaften H. zu unterscheiden. Der periodische und auch ständige ↑ Haarwechsel entspricht den jahreszeitlichen Gegebenheiten bzw. der Lebensdauer des einzelnen Haares und wird als *natürlicher* oder *physiologischer H.* bezeichnet (↑ Jahresrhythmik).

Demgegenüber steht der *krankhafte H.*, der durch verschiedenste Ursachen bedingt wird:

- Hauterkrankungen, z.B. Ekzeme,
- Ektoparasitenbefall, insbesondere Räudemilben (↑ Ektoparasiten),
- Hautpilzerkrankungen (Dermatomykosen, wie Mikrosporie und Trichophytie),
- Alopezie, d. h. ein H., dem nicht die oben genannten Ursachen zugrundeliegen und der, abgesehen von der angeborenen Haarlosigkeit (↑ Nacktkatze), stets im Laufe des Lebens erworben wird. Die Alopezie tritt im Anschluß an schwere Allgemein- und Infektionserkrankungen auf – die ↑ Haut und damit auch die Haarpapillen sind von Ernährungsstörungen betroffen – oder kann auch hormonell bedingt sein. Insbesondere Störungen der Schilddrüsen- und Sexualhormonproduktion bei männlichen und weiblichen Kastraten bzw. das Auftreten dieser Dysfunktionen im hohen Alter werden hierfür verantwortlich gemacht. Von totaler oder teilweiser Haarlosigkeit sind besonders die Unterbrust, der Bauch, die Innenseite der Gliedmaßen, die Flanken und der Schwanzansatz betroffen.
  Meist werden die haarlosen Stellen symmetrisch auf beiden Körperhälften verteilt vorgefunden.
- fehlerhafte ↑ Ernährung.

Haarbezoare, *Haarballen*: bei der ↑ Körperpflege aufgenommene ↑ Haare, die abgeschluckt werden, in den Magen gelangen und verfilzen. Im allgemeinen wird der Magen von H. durch ↑ Erbrechen befreit. Verweilen die H. jedoch länger im Magen, können sie so groß werden, daß sie die ↑ Verdauung behindern, Magenentzündungen verursachen und letztlich nur noch operativ entfernt werden können.

Bei streunenden Katzen und Katzen mit freiem ↑ Auslauf wird die Bildung von H. durch Aufnahme von harten, grobfaserigen Grasarten verhindert. Der Wohnungskatze sollten ersatzweise für das ↑ Grasfressen Rasenstücke, Zypergras oder die Grünlilie vorgesetzt werden (↑ Giftpflanzen, ↑ Pflanzengifte).

Haarlinge ↑ Ektoparasiten.

Haarlosigkeit ↑ Nacktkatzen.

Haarwechsel: ein sich auf der Grundlage unterschiedlicher Nährstoffversorgung regelmäßig wiederholender Prozeß, der einerseits zum Absterben von Haaren und andererseits zum Wachstum neuer Haare führt. Fellhaare haben im Gegensatz zu den ↑ Sinneshaaren nur eine kurze Lebensdauer. Das Wachstum erstreckt sich durchschnittlich über ein bis drei Monate, dann wird die Nährstoffversorgung an der Haarpapille unterbrochen, das Zellwachstum

endet und das ↑ Haar stirbt ab. Anschließend bleibt das sogenannte Kolbenhaar monatelang in der Wurzelscheide stecken, wird dann aber allmählich nach oben gedrängt und fällt aus. Gleichzeitig wächst aus der Papille ein neues Haar heran (Abb.).
Im Prinzip kann zwischen einem periodischen, jahreszeitlich bedingten, und einem ständigen, jahreszeitlich unabhängigen H. unterschieden werden. Für die periodischen Veränderungen des Haarkleides ist die im Jahresverlauf schwankende Tageslichtmenge (Fotoperiodizität) der wichtigste Reiz, der den H. auslöst. In der Regel erfolgt er im Frühjahr und im Herbst (↑ Jahresrhythmik). Im Freien lebende oder nur in Außenzwingern (↑ Zwinger) gehaltene Katzen zeigen deutlich diesen Rhythmus. Im Hause gehaltene Katzen

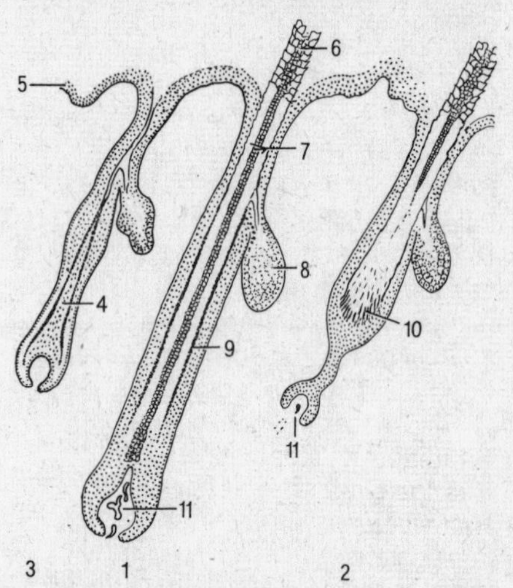

Halbschematische Darstellung des Haarwechsels. 1 ausgebildetes, aber noch wachsendes Haar, 2 ausgewachsenes, von der Papille abgedrängtes Haar (Kolbenhaar), 3 heranwachsendes Haar, erst die Haarspitze ist gebildet, 4 Haarspitze, 5 Oberhaut, 6 Haarschaft, 7 Haarwurzel, 8 Talgdrüse, 9 Wurzelscheide, 10 Kolbenwurzel, 11 Haarpapille

hingegen wechseln ständig die Haare, besonders stark jedoch auch wiederum im Frühjahr und mit gewissen Einschränkungen auch im Herbst. Am augenfälligsten ist der H. bei den ↑ Langhaar. Im Frühjahr fallen die Wollhaare zuerst aus, danach erst die stärkeren und etwas längeren Deckhaare. Im Herbst äußert sich der H. überwiegend durch deutliche Vermehrung der Wollhaare. Die Deckhaare werden länger und nehmen ebenfalls anteilmäßig zu. Sie werden aber durch die dicht stehenden Wollhaare weit verteilt (auf- und abhaaren). Weniger auffällig vollzieht sich der H. bei den meisten Kurzhaarrassen.
Im allgemeinen wird im Februar der Beginn des H. einsetzen, einige Katzen leiten ihn bereits Mitte bis Ende Januar oder Februar ein, andere erst im März/April. Ein Temperatursturz unterbricht einen begonnenen H. nicht. Der H. vollzieht sich nicht gleichzeitig an allen Körperregionen, beim Abhaaren sind meist zuerst die ↑ Halskrause und dann die Flanken bis hin zu den übrigen Körperregionen betroffen, aufgehaart wird in umgekehrter Reihenfolge; eine feste Regel läßt sich auch hier nicht aufstellen.
Welpen kommen mit dem bereits embryonal angelegten ersten Haarkleid zur Welt. Das zweite Babyfell entwickelt sich bald, ohne daß die ersten Haare abgestoßen werden. Unabhängig von der Jahreszeit wird meist im Alter von knapp einem Jahr dieses Fell gegen das Erwachsenenfell ausgetauscht. Bei Katzen, die in den Monaten März bis Mai geboren wurden, fällt dieser H. fast zeitgleich mit dem Erwachsenenzyklus zusammen. Später Geborene passen sich erst im darauffolgenden Jahr dem jahreszeitlichen Rhythmus an.
Ein H. bei ↑ Colourpoint, der mit einem vollständigen ↑ Haarausfall einhergeht und kahle Stellen verursacht (Kahlsche-

ren nach Verfilzungen, bei Operationen oder zur Ektoparasitenbekämpfung) läßt eine unerwünschte dunkle Fleckung entstehen (↑ Akromelanismus), die aber mit dem darauffolgenden H. verschwindet.
Bei schlecht gepflegten Tieren vollzieht sich der H. besonders auffällig. Die feinen Wollhaare der ↑ Perser z.B. begünstigen die Bildung von Knoten, die im Extremfall besonders auf dem Bauch, der Brust und den Innenseiten der Beine als filzartige zusammenhängende Platten abgestoßen werden. Dieser Vorgang ist für die Katzen nicht nur schmerzhaft, sondern begünstigt auch das Entstehen von Hautentzündungen verbunden mit örtlichen Infektionen und ↑ Ektoparasiten. Nur eine regelmäßige ↑ Fellpflege zur Zeit des Abhaarens verhindert Verknotungen und verkürzt gleichzeitig die Dauer des H. auf vier bis sechs Wochen. Der natürliche H. ist grundsätzlich von einem krankhaften ↑ Haarausfall zu trennen, bei dem sofort der Tierarzt konsultiert werden muß.

Habituation ↑ Lernverhalten.

Hakenwurm ↑ Endoparasiten.

Halbblut ↑ Blutanteillehre.

Halbchromosom ↑ Chromatide.

Halblanghaar ↑ Semilanghaar.

Halsband: Teil zweier, auf unterschiedlichen Genkombinationen beruhenden ↑ Zeichnungen:

1. Alle getigerten und gestromten Katzen sollen zwei halsbandartige Streifen auf der Brust aufweisen. Nicht geschlossene Halsbänder sind fehlerhaft. Bei Langhaarkatzen sollte das Brustfell glatt gekämmt werden, damit die Halsbänder deutlicher zu sehen sind.
2. Bei Katzen in ↑ Bi-Colour verläuft das H. über dem Schultergürtel. Ist es geschlossen und genügend breit, ist meist auch ein optimales Verhältnis zwischen dem Farb- und Weißanteil vorhanden. Da Bi-Colour auf ↑ Scheckung beruht und nicht im gewünschten Maße züchterisch zu beeinflussen ist, ist diese Art H. zwar erwünscht und findet lobende Erwähnung im Richterurteil, wird aber vom ↑ Standard der F. I. Fe. nicht ausdrücklich gefordert.

Bei Tieren mit ↑ Abessiniertabby sind Halsbänder ein schwerer Fehler.

Halskrause: lange, möglichst üppige Behaarung der Schulter und Brust, die bei allen Perser- und Perser-Colourpoint-Varietäten ein rassebildendes Merkmal ist. Die H. soll wie ein Stehkragen nach vorne gekämmt werden und läßt somit den Kopf runder und die Ohren kleiner erscheinen. Die Üppigkeit der H. beruht auf jenen modifizierenden Polygenen (↑ Modifikation), die auch das dichte Wachstum des Unterhaares dieser ↑ Rasse bedingen. Bei jenen Semilanghaarrassen, bei denen auf geringes Unterhaar selektiert wird, z. B. ↑ Türkisch Van oder ↑ Balinese, beschränkt sich die H. oft nur auf den Brustbereich. Die Länge der H. hingegen wird von dem rezessiven homozygoten Allelpaar ll für ↑ Langhaarigkeit determiniert. Tiere mit voller H. haben auch gut entwickelte ↑ Hosen.
Die H. ist die zuerst betroffene Partie beim Abhaaren, und sie entwickelt sich wiederum in ihrer ganzen Fülle erst, wenn das Aufhaaren völlig abgeschlossen ist. In der Zucht von ↑ Langhaar und ↑ Semilanghaar wird auf die H. ein besonderes Augenmerk gelegt, da sie die Attraktivität dieser Tiere unterstreicht.

Hämolytisches Syndrom bei Neugeborenen [griech., lat., Isoerythrolysis neonatorum], *maternal-fetale Inkompatibilität*: Unverträglichkeitsreaktion (Antigen-Antikörper-Reaktion, Blutgruppenunverträglichkeit) zwischen mütterlichen Immunglobulinen (Isoantikörpern) und Erythrozytenantigenen der Frucht (Blutgruppenfaktoren). Die betreffenden

Isoantigene hat die Frucht vom Vater geerbt; die Mutter führt sie nicht. Die Immunisierung der Mutter erfolgte durch vorhergehende Bluttransfusionen oder Impfungen mit homologes Blut oder Gewebe enthaltenden Vakzinen (Impfstoffe) bzw. auch nach Traumatisierungen im Eihaut-Uterus-Bereich, wobei die Eihaut-Uteruswand-Schranke durchbrochen wurde (vgl. Trächtigkeit). *Ditchfield* (1968) beobachtete die Störung nach Impfung der Katzen mit einer Panleukopenie-Vakzine, die homologes Gewebe (Identischer Antigenbestand) enthielt. Das Krankheitsbild besteht aus intravaskulärer Hämolyse (Lysis, Erythrozytenauflösung), Gelbsucht [griech. Ikterus] und Anämie sowie aus Allgemeinstörungen (Apathie, Appetitlosigkeit, Kümmern, Dahinwelken). Der Erythrozytenzerfall führt zur verstärkten Bilirubinfreisetzung, die Gelbsucht entsteht dann durch ein erhöhtes Bilirubinangebot bei normaler Bilirubinverarbeitung durch die Leber, die Anämie (Fehlen roter Blutkörperchen) durch überstürzten Abbau von Erythrozyten, die nicht so schnell wieder nachgebildet werden können. Es kommt zur Mortalität einzelner Welpen oder ganzer Würfe innerhalb der beiden ersten Lebenstage.

Die Störung tritt wegen der besonderen Plazentationsverhältnisse beim Menschen bereits während der pränatalen Entwicklungsphase der Frucht auf (Erythroblastosis, vgl. Isoerythrolysis fetalis). Bei der Katze entsteht sie erst nach Aufnahme der Kolostralmilch durch die Welpen (↑ Welpenaufzucht, ↑ Infektion). Die in Frage kommenden Blutgruppenfaktoren sind bei der Spezies Felis catus L. (↑ Katzen) noch nicht voll erfaßt worden. Einen Rhesusfaktor wie beim Menschen gibt es nicht. *Cain/Suzuki* (1985) konnten Anti-A als Ursache ermitteln. In weniger schweren Fällen führen ein Absetzen der Neugeborenen, künstliche ↑ Ernährung (vgl. mutterlose Aufzucht) und anderweitige Immunglobulinzufuhr (γ-Globulinpräparate) in Kombination mit einer antibakteriellen Behandlung zur Heilung oder Besserung. In schweren Fällen sind Bluttransfusionen (Austauschtransfusion) die Methode der Wahl, wobei das „Spenderblut" im allgemeinen die mehrmals gewaschenen Erythrozyten der Mutter umfaßt. Die Maßnahmen haben unter tierärztlicher Kontrolle zu stehen.

Wegen der relativen Seltenheit der Störung gegenüber Infektionen, ↑ Vergiftungen oder Ernährungsschäden besteht u. a. auch aus ökonomischen Gründen keine Veranlassung für prophylaktische Blutgruppenuntersuchungen im Sinne einer Populationskontrolle (↑ Population). Die Prognose ist vom Grad der Störungen abhängig. Im allgemeinen kommt bei den seltenen Fällen jede Hilfe zu spät, da die Krankheit nicht rechtzeitig diagnostiziert werden kann. Grundsätzlich müssen andere Krankheiten, insbesondere des Fading-Kitten-Komplexes (↑ Fading-kitten-syndrom), differentialdiagnostisch ausgeschlossen werden.

Hämometra ↑ Gebärmutterentzündung.

Hämophilie [griech., Bluterkrankheit]: Blutungsneigung infolge eines Gefäßwand-, Blutplättchen- (Thrombozyten) oder Gerinnungsdefektes mit unterschiedlicher genetischer Basis. Die H. ist ein komplexer Prozeß. Sie umfaßt Blutgefäß- und Plättchenreaktion (hauptsächlich Verengung der geschädigten Gefäßregionen und Anheften der Plättchen an die Gefäßwände) sowie Gerinnungsfaktorenmängel. Die Auslösung der Gerinnung erfolgt durch Kontakt des Blutes mit dem Gewebethromboplastin, das aus den verletzten Zellen freigesetzt wird. Unter Einbeziehung des Blutthromboplastins endet die Blutgerinnung mit Bildung des Fibrin-

gerinnsels (Blutpfropfen) an der Verletzungsstelle. An diesem Prozeß sind zahlreiche Faktoren beteiligt, die jeder für sich mendelnd vererbt werden und kaskaden- bzw. wasserfallartig zur Gerinnung des Blutes beitragen.
Die Erforschung der Gerinnungsfaktorenmangelzustände bei der Katze steht noch am Anfang. Bisher wurden die H. A, B und C nachgewiesen. Das Krankheitsbild besteht aus einer verstärkten Blutungsneigung, die sich bereits in der Aufzuchtphase bemerkbar macht. Besonders nach Anstrengungen (Verletzungen) treten Schleimhautblutungen, Blutungen aus den natürlichen Körperöffnungen (Nasenbluten) und in die Körperhöhlen und Gelenke auf. In der Unterhaut (↑ Haut) und ↑ Muskulatur zeigen sich Hämatome (Blutgeschwülste). Selbst nach geringfügigen Verletzungen oder Operationen kann es zur Verblutung kommen. Parallel hierzu sind je nach Art des geschädigten Gewebes Sekundärsymptome nachweisbar, wie Gelenkschwellungen, Fehlstellungen, Lahmheit usw. Die ↑ Lebenserwartung der Merkmalträger ist deutlich herabgesetzt. Der Nachweis der Natur des Gerinnungsdefektes kann nur in speziell ausgerüsteten Labors erfolgen. Der Erbgang der H. A (*Cotter* et al., 1978) und B (*Dodds*, 1984) ist X-chromosomal rezessiv, der

Übersicht über die verschiedenen Blutgerinnungsfaktoren

internationale Ziffer	Bezeichnung	Kürzel	Aufgaben	bekannte Erbdefekte bei der Katze
I	Fibrinogen	Fi	Protein, Muttersubstanz des Fibrins	—
II	Prothrombin	P	Protein, Muttersubstanz des Thrombins	—
III	Thromboplastin, Thrombokinase	TP	Protease (Prothrombin-Thrombin)	—
IV	Ca^{++}-Ionen	Ca^{++}	Koenzym in mehreren Stufen der Thrombinbildung	—
V	Akzelerator-Globulin, Akzelerin, Proakzelerin	AcG	labiler Beschleuniger (Prothrombin-Thrombin)	—
VI	gestrichen	—	Mischung aus V und VII	—
VII	Prokonvertin	PVC	labiler Beschleuniger (Prothrombin-Thrombin)	—
VIII	antihämophiles Globulin	AHG	essentiell für Bildung des Thromboplastins	Hämophilie A
IX	Plasma-Thromboplastin-Komponente, Christmasfaktor	PTK	Protease, essentiell für Bildung des Blutthromboplastins	Hämophilie B
X	Stuart-Prower-Faktor	StP	Prothromboplastin	—
XI	Plasmathromboplastin-antezedent	PTPA	Protease, aktiviert IX aus Vorstufe	Hämophilie C
XII	Hagemann-Faktor	HF	Protease, Kontaktaktivierung der Thromboplastinwirkung	—
XIII	fibrinstabilisierender Faktor	FSF	Transpeptidase, Fibrinstabilisierung durch kovalente Bindung	—

der H. C autosomal rezessiv (*Feldmann* et al., 1983). Die Störung kann nur durch ↑ Selektion bekämpft werden. In Einzelfällen kann man durch eine besondere Fürsorge (Umweltgestaltung, Bewegungseinschränkung) das Leben der Merkmalträger verlängern. Tab.

Handlungsbereitschaft ↑ Motivation.

Handschuhe: Bezeichnung für die weißen Pfoten der ↑ Birma. Das völlig saubere Weiß der H. endet entweder an der Zehenwurzel oder am Gelenk und darf sich nicht auf das ganze Bein erstrecken. An den Hinterpfoten dürfen die H., die zu einer Spitze, den *Sporen* auslaufen, etwas länger sein. H. und Sporen sollen möglichst gleichmäßig und symmetrisch auf alle vier Pfoten verteilt sein. Sie werden durch ↑ Scheckung mit verminderter ↑ Penetranz erzeugt und verhalten sich zur Nicht-Scheckung (ss) rezessiv. Die F_1-Generation aus einer Kreuzung zwischen Birma und ↑ Colourpoint zeigt demnach nicht gescheckte ↑ Abzeichen an den Beinen. Erst bei einer Rückkreuzung auf den Birmaelternteil treten H. und Sporen wieder zutage. Abb.

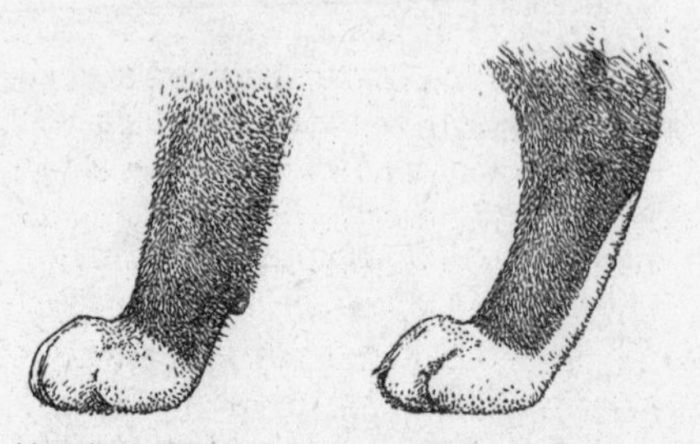

Handschuhe, links Vorder-, rechts Hinterpfote

Hängeohren: 1. ↑ Scottish Fold. – **2.** ↑ Faltohren.

Hängeohrkatze ↑ Scottisch Fold.

haploid ↑ Chromosomensatz.

Haploidie ↑ Chromosomenaberration.

Hardy-Weinberg-Regel ↑ genetisches Gleichgewicht.

Harlekinzeichnung: Spielart der ↑ Scheckung mit homozygot oder heterozygot besetztem ↑ Genort. Der Name wurde von dem typischen Kostüm des Arlecchino [ital., Harlekin] der Commedia dell'Arte abgeleitet, einem weißen, puffärmeligen und pluderhosigen Gewand mit farbigen Kellerfalten und buntem Fleckenbesatz. In der DDR werden als harlekin-gezeichnet alle ↑ Perser eingetragen, die weder dem Standard der ↑ Bi-Colour bzw. ↑ Tri-Colour noch dem der van-gezeichneten (↑ Vanzeichnung) entsprechen. In einer eigenen Ausstellungsklasse können sie seit 1985 um die höchste Punktzahl konkurrieren, Titel bzw. Auszeichnungen werden nicht vergeben. Innerhalb der ↑ F. I. Fe. sind Perser mit H. seit dem 1. 1. 1986 anerkannt. Die Farbaufteilung sollte etwa fünf Sechstel weiß und ein Sechstel farbig sein. Der Bauch muß weiß sein. Als Augenfarben sind blau (vgl. Taubheit), orange oder odd-eyed zugelassen. Fußballen und Nasenspiegel sind rosa oder passend zur Farbe. Schwarze Schnurrhaare (ausgenommen bei den ↑ Schildpatts) und Pigmentflecken sind Fehler. Weiße Haare in den Farbflecken und am Schwanz (↑ Stichelhaar) sowie pigmentierte Haare im Weißanteil sind ebenfalls fehlerhaft. Je nach Länge des Haarkleides sind die Flecke mehr oder weniger deutlich abgesetzt.

Harndrang ↑ Urolithiasis.

Harnen ↑ Miktion.

Harngries ↑ Urolithiasis.

Harnorgane: harnbereitendes und -abführendes Organsystem. Der Harn wird in der Niere abgesondert, gelangt über den Harnleiter (Ureter) in die Harnblase, wird dort gesammelt und aufgrund des Dehnungsreizes der Blasenwand reflektorisch über die Harnröhre (Urethra) entleert.

Die Nieren sind paarig angelegt und liegen in der Bauchhöhle beiderseits der

Wirbelsäule unter den Lendenwirbeln. Die funktionelle Grundeinheit der Niere ist das *Nephron*, das aus den in der Nierenrinde liegenden Nierenkörperchen und den sowohl in Rinde und Mark liegenden Nierenkanälchen besteht. In den Nierenkörperchen wird das gesamte Blutplasma (↑ Blut) ultrafiltriert. Es entsteht der Primärharn, der in den Nierenkanälchen bis auf die harnpflichtigen Abbauprodukte des Körperstoffwechsels rückresorbiert wird: *Wasser* bis zu 99,5%, *Elektrolyte* in unterschiedlichen Mengen in Abhängigkeit von der Sauerstoffversorgung der Niere und der Futterzusammensetzung, *Glukose* in der Regel vollständig; bei der Katze aber durchaus normal im Harn, wenn der Zuckeranteil (↑ Kohlenhydrate) im Futter zu hoch ist.

Endprodukte des Stickstoff-Stoffwechsels spielen bei der Harnbildung eine besondere Rolle: in erster Linie Harnstoff, der bei reicher ↑ Ernährung mit Fleisch vermehrt ausgeschieden wird, aber auch Harnsäure und Allantoin, die stets nachweisbar sind. Die Nieren der Katze zeichnen sich durch ein hohes Konzentrationsvermögen des Harns aus. Das erklärt sich aus der Wüstenabstammung der ↑ Hauskatze und eines somit lebensnotwendigen ökonomischen Wasserhaushaltes (↑ Domestikation). Der Umfang der Harnbildung ist von der Menge aufgenommenen Wassers (↑ Wasserbedarf), der Umgebungstemperatur und der Luftfeuchtigkeit sowie von der Leistung abhängig. Bei mangelnder Wasserversorgung z. B. kann bereits in den harnableitenden Wegen eine Auskristallisation des Harns erfolgen. Die damit verbundene Harnsteinbildung führt zur Verstopfung der Harnwege (↑ Urolithiasis). Der ausgeschiedene Harn ist meist von hellgelber Farbe, stechend scharf im Geruch und kristallisiert rasch aus.

Harnröhrenverschluß ↑ Urolithiasis.

Harnspritzen: **1.** ↑ Chemokommunikation. – **2.** ↑ Duftmarkieren.

Harnsteinkrankheit ↑ Urolithiasis.

Harnverhalten ↑ Urolithiasis.

„Haschespiel" ↑ Beutespiel.

Hauptaktivitätszeiten ↑ Tagesrhythmik.

Hauptgen ↑ Modifikation.

Hauskatze: Sammelbezeichnung für eine Vielfalt von Katzenformen, die in mehr oder weniger engem Kontakt zum Menschen leben. Die Bezeichnung Haustier darf bei genauer Betrachtung nur für einen Teil der Hauskatzenpopulation verwendet werden (↑ Domestikation, ↑ Selbstdomestikation). Erste Belege für die Haltung von Katzen stammen aus dem 6. und 5. Jahrtausend v. u. Z. (Jordanien) und zwischen 2500 und 2000 v. u. Z. (Ägypten). Ihre wirtschaftliche Bedeutung lag überwiegend in der Bekämpfung von Schädlingen (Nagetiere, Schlangen u.a.) und war damit an die Seßhaftigkeit des Menschen gebunden (*Brentjes*, 1965, 1975). Als Mäusevertilger wurden sie kultisch verehrt. Ein Höhepunkt kultischer Verehrung wurde mit der Anfertigung von Katzenstatuen und -mumien im Mittleren Ägyptischen Reich erreicht. Die mumifizierten Katzen unterscheiden sich in Anatomie und Fellfärbung nicht von der ↑ Falbkatze. Man kann somit von einer mehrfach wiederholten Zähmung von wildlebenden Vertretern der Stammart ausgehen. Zeitweise war man der Meinung, daß die Katze als Miniaturausgabe des mächtigen Löwen in Gestalt der katzenköpfigen Göttin Bast die löwenköpfige Göttin Sekhet abgelöst habe. Löwen wurden im alten Ägypten als Jagdhelfer gehalten. Neuere Erkenntnisse belegen jedoch die gleichzeitige Existenz beider Göttinnen nebeneinander. Die Tötung von Katzen wurde zu dieser Zeit mit der Todesstrafe geahndet.

Nach Griechenland und Rom und damit

nach Europa kam die Katze zu Beginn unserer Zeitrechnung. In England wurde sie vor etwa 1000 Jahren eingeführt. Etwa zur gleichen Zeit soll sie durch die Wikinger nach Nordamerika gebracht worden sein. Zu dieser Hypothese kam *Adalsteinsson* (1983) durch einen Vergleich der Färbung von Hauskatzen (↑ Populationsgenetik) aus unterschiedlichen Gebieten der USA. Korrekte Nachweise aus Deutschland liegen erst aus dem 14. Jahrhundert vor, allerdings können auch schon früher heimische ↑ Waldwildkatzen gezähmt worden sein, wie es eine Bronzeplastik aus der Bronzezeit vermuten läßt (*Petzsch*, 1968). Nach *Herre* und *Röhrs* (1973) und *Hemmer* (1983) sind die Abstammungsverhältnisse der H. eindeutig geklärt. Sie ist monophyletischer Herkunft und als einzige Stammart ist die Großart Felis silvestris anzusehen (*Haltenorth*, 1953). Ursprünglich wurde nur die Falbkatze (Felis silvestris lybica) in den Hausstand übernommen. Eine Einkreuzung der anderen beiden Unterarten (F. silvestris silvestris = Waldwildkatze, F. s. ornata = ↑ Steppenkatze) im Verlaufe der weiteren Entwicklung dürfte des öfteren vorgekommen sein und findet auch noch heute statt (↑ Blendling). Zwischen freilaufenden H. und Falbkatzen gibt es nur wenige Unterscheidungsmerkmale. Selbst die 24% geringere ↑ Hirnschädelkapazität der H. gegenüber Wildformen konnte beim Vergleich mit abessinischen Falbkatzen (*Hemmer*, 1972) nicht bestätigt werden. Bei der Falbkatze lassen sich sogar solch typische H.nmerkmale wie Vielfalt des Fellmusters, ursprüngliche Kurzhaarigkeit und rasche Entwicklung in den ersten beiden Lebenswochen nachweisen (*Hemmer*, 1983).

Polyphyletische Vorstellungen, d. h. die Existenz mehrerer Stammformen, werden heute nicht mehr anerkannt. *Kratochvil* (1976) nimmt drei Entwicklungslinien der H. an (H., ↑ Perser und Siam) und führt sie auf jeweils eine Form der Felis silvestris lybica zurück. Umstritten sind Anschauungen von *Petzsch* (1972), daß Langhaarkatzen auf Felis margarita zurückgehen. Noch extremer sind Ansichten über die Beteiligung des Manuls (Octolobus manul) bei der Herausbildung von Perserkatzen. Die wissenschaftliche Kennzeichnung der H. ist wegen der Vernachlässigung ihrer zoologischen Bearbeitung noch unzureichend. Nach dem Prioritätsprinzip wäre die von *Linné* 1758 eingeführte Bezeichnung Felis catus geltend. Da die Stammform nach heutigen Erkenntnissen Felis silvestris ist, wird heute meist Felis silvestris f. (= forma) catus gebraucht.

Als wirklich domestiziert sind unter den H. nur die ↑ Rassekatzen anzusehen (↑ Domestikation), da nur sie die wissenschaftlichen Kriterien eines Haustieres erfüllen.

Die H. ist heute auch auf Ausstellungen vertreten und hat seit 1982 innerhalb der ↑ F. I. Fe. und seit 1983 auch in der DDR eine eigene Ausstellungsklasse. Beurteilt wird die H. in erster Linie nach ihrer körperlichen Verfassung, denn ein bestimmter ↑ Körperbautyp oder eine definierte ↑ Kopfform wird schon deshalb nicht verlangt, weil sie ihren durchgezüchteten Vertreter in der ↑ Europäisch Kurzhaar gefunden hat. Körperliche Mängel (↑ Erbkrankheiten und ↑ Erbumweltkrankheiten), z. B. der ↑ Knickschwanz oder das ↑ Schielen, führen auch bei der H. zur Disqualifikation. Der ↑ Körperbautyp einer H. soll harmonisch wirken, d. h. die Größe des Kopfes mit der des Körpers übereinstimmen. Die Form und die Größe der Augen soll zum Kopf passen. Bei H. mit ↑ Zeichnung sollen die Farben gut verteilt, scharf abgegrenzt und harmonisch kombiniert sein. Wesentliches Kriterium für eine gute Beurteilung ist jedoch ein hervorragender Pflegezustand sowie ein ruhiges, freundliches Wesen, das die Prozedur des Richtens mit Gelassenheit erträgt. Besitzer von H. schließen sich nicht zuletzt wegen dieser Möglichkeiten den Zuchtverbänden an. Auf Ausstellungen haben sie darüber hinaus Gelegenheit zu einem Erfahrungsaustausch über ↑ Ernährung, ↑ Verhaltensstörungen, ↑ Infektionskrankheiten, ↑ Impfungen u.a. Tafeln 10, 32.

Haustierwerdung ↑ Domestikation.

Haut: eines der größten Organe des Körpers mit einer Vielzahl von Funktionen:

- Schutz des Körpers vor Austrocknung, mechanischen, thermischen und chemischen Einwirkungen und dem Eindringen von Mikroorganismen,
- ↑ Sinnesorgan, da die H. eine Vielzahl von Nervenenden mit spezifischen Funktionen enthält.,
- Speicherorgan für das Blut; bis zu 10% des Blutes können aufgenommen werden,
- Ausscheidungsorgan, bei dem über verschiedene Drüsen Sekrete (↑ Pheromone) nach außen abgegeben werden, insbesondere der Talg der Talgdrüsen mit wasserabweisender Wirkung,
- Wärmeregulation, (↑ Thermoregulation), bei der die ständige Wärmeabgabe durch das jahreszeitlich unterschiedlich dichte Fell (↑ Haarwechsel) gebremst wird, wobei hier stets das ↑ Normalhaar der Katze zu verstehen ist.

Die H. steht in enger Beziehung zu allen anderen Organen, so daß H.erkrankungen auch im Gefolge von Organerkrankungen auftreten können. Die H. ist ein Spiegel des Gesundheitszustandes des gesamten Körpers.

Die H. besteht aus der außen liegenden Ober-H., der Epidermis, der darunter liegenden Leder-H., dem Korium, und der Unter-H., der Subkutis. Die H.dicke nimmt im allgemeinen vom Rücken zum Bauch bzw. zu den Gliedmaßen hin ab. Die dicksten H.partien befinden sich in der Nacken-, Lenden- und Kreuzbeingegend, die dünnsten am inneren Oberschenkel, dem Hand/Fußwurzel- und Zehenbereich.

Die *Epidermis* besteht aus mehreren Zellschichten, deren unterste am meisten pigmentiert ist. Je nach mechanischer Beanspruchung nimmt die oberste Schicht an Dicke zu, z. B. an den ↑ Fußballen. Die ↑ Haare entstehen aus einer Einstülpung der Epidermis, wobei die Haarpapille bereits in der Subkutis liegt. Die H.drüsen entwickeln sich in erster Linie aus den Haaranlagen oder dem Haarbalg. Nur die Analbeuteldrüsen (↑ Analbeutel) entspringen bei der Katze direkt aus der Epidermis. Schweißdrüsen werden nur im Sohlenbereich und dem Nasenspiegel gefunden. Talgdrüsen liegen kranzartig um einzelne Haarbüschel. Modifizierte Talgdrüsenlager, die vor allem eine an den Geschlechtsrhythmus gebundene Sekretionstätigkeit haben, befinden sich bei der Katze als sogenanntes Submentalorgan am Kehlgang.

Die *Leder-H.* besteht aus elastischem und kollagenem Gewebe und gewährleistet die Verschiebbarkeit, Elastizität und Geschmeidigkeit der H. In die Leder-H. münden die Blutgefäße sowie die Nervenendigungen mit den spezifischen Nervenendapparaten, die für den Tast-, Temperatur- und Schmerzsinn verantwortlich sind.

Die *Subkutis*, ebenfalls aus elastischem und kollagenem Gewebe bestehend, dient vor allem als Fettspeicher. Durch die Einlagerung von überflüssigem Fett verliert die H. an Elastizität, die Nährstoffversorgung der Ober-H. und der Haarpapillen verschlechtert sich, und das Haarkleid wird stumpf und unansehnlich.

Die Muskulatur der H. besteht aus glatten und quergestreiften Fasern. Die glatten Muskelfasern haften an den Haarbälgen an und bewirken bei Kontraktion das Aufrichten der Fellhaare. Sinneshaare (↑ Schnurrhaare) sind dagegen mit quergestreiften Muskelfasern ausgestattet und können somit aktiv in verschiedene Richtungen bewegt werden. Die bis in die Leder-H. strahlende H.muskulatur schließlich bewirkt die reflektorischen Bewegungen kleinerer und größerer Bezirke der H.

Hautbrüchigkeit ↑ Dermatosparaxie.

Hautüberdehnbarkeit ↑ Dermatosparaxie.

Havana: Bezeichnung für die Orientalisch Kurzhaar braun. Die H. ist im Gegensatz zur ↑ Siam vollpigmentiert, einfarbig braun, und hat grüne statt blaue Augen. In allen anderen Merkmalen ist sie mit der Siam identisch.

Schon 1888 war eine braune Katze auf einer Londoner Ausstellung zu sehen, und es ist belegt, daß braune Katzen mit den ersten Siam nach England gelangt sind. Aus den hinterlassenen Beschreibungen kann man jedoch nicht genau schließen, ob es sich bei der damals ausgestellten Katze um eine einfarbig braune (aa bb C– D–), eine ↑ Burma (aa B– c^bc^b D–) oder einen ↑ Tonkanesen (aa B– c^bc^s D–) gehandelt hat.

Anfang der 50er Jahre faßten einige Züchter in Großbritannien den Entschluß, einfarbige braune Katzen zu züchten, die den langgestreckten, feingliedrigen eleganten Körperbau der Siam haben sollten. Das erste 1953 ausgestellte Tier *Elmtower Bronze Idol* entstammte einer Verpaarung aus Siam Seal-Point, die Braun trug (Genotyp aa Bb c^sc^s D–), und einer schwarzen kurzhaarigen Katze, die ihrerseits ebenfalls aus Siam Seal-Point und Russisch Blau kam und wahrscheinlich von ihrem Seal-Point-Elternteil das andere Braungen geerbt haben wird (Genotyp aa Bb Cc^s Dd). Rückkreuzungen auf Siam Blue-Point führten naturgemäß zur Orientalisch Kurzhaar lilac (↑ Lavender), H. fielen aber auch in dem 1962 einsetzenden Zuchtprogramm der ↑ Foreign White.

Durch ihre anfängliche Ähnlichkeit mit der Burma blieb der H. zunächst die Anerkennung versagt, als aber 1958 der angestrebte Siamtyp erreicht war, erfolgte die Anerkennung unter der Bezeichnung Chestnut-Brown Foreign [engl., kastanienbraun] in England, während die F. I. Fe. sich bei der Anerkennung im Jahre 1972 zuerst für den Namen H. entschied, sie zehn Jahre später in Orientalisch Kurzhaar braun H. umbenannte.

Die H. ist übrigens die einzige braune ↑ Varietät, die auch als Braun bezeichnet wird (ausgenommen die Burma braun, die genetisch ja eine schwarze ist), während alle übrigen Varietäten in oder in Kombination mit braun als ↑ Chocolate geführt werden.

Neben der H. existieren zwei weitere noch nicht anerkannte Orientalisch Kurzhaar-Farbschläge in der Braunserie: die ↑ Cinnamon und deren ↑ Verdünnung, die ↑ Caramel.

Der Name H. soll auf die gleichnamige Kaninchenzüchtung zurückgehen, deren mattglänzendes braunes Fell an eine H.zigarre erinnert.

Gegen Ende der 50er Jahre ging ein H.pärchen nach Nordamerika und begründete dort die Zucht der ↑ Havana-Brown, die aber durch ihre eigenständige Entwicklung nicht mehr mit der H. vergleichbar ist und eher der ↑ Russisch Blau äußerlich nahekommt.

Die Orientalisch Kurzhaarzucht setzte in Nordamerika erst in den siebziger Jahren ein und das amerikanische Gegenstück der H. ist die „Oriental Self Brown“ [engl., Orientalisch einfarbig braun]. Tafeln 46, 47.

Havana-Brown: ein nur in Nordamerika gezüchteter mittelschwerer Typ einfarbiger brauner Kurzhaarkatzen. Ausgangstiere waren ein Havanapärchen, das Ende der 50er Jahre aus England eingeführt wurde. Während die ↑ Havana in den folgenden Jahren vollkommen dem Siamtyp (↑ Siam) angeglichen wurde, behielt die H. den etwas schwereren ↑ Körperbautyp bei, der bei den ersten Siam/Kurzhaarverpaarungen fiel. Der Standard folgt in seiner Beschreibung dem der ↑ Russisch Blau, die Fellfarbe natürlich ausgenommen. Russisch Blau sind nachweislich in die H. eingekreuzt worden, und es waren ihre grünen, nicht an den ↑ Maskenfaktor gekoppelten Augen, die eine ↑ Reinzucht ermöglichten. Im Gegensatz zur Havana, die überwiegend einen Genotyp aa bb Cc^s D– LL aufweist, müßte die H. aa bb CC DD LL sein (↑ Vollpigmentierung). Neben der H. existierte die Lavender Foreign Shorthair, die in den Anfängen der Zucht logischerweise gefallen ist (Foreign Shorthair [engl., fremdländisch, ausländisch Kurzhaar]). Durch die ↑ Reinzucht der H. und die später einsetzende Zucht der Oriental Shorthair [engl., ↑ Orientalisch Kurzhaar], die der europäischen feingliedrigen Orientalisch Kurzhaar entspricht, ist sie jedoch nie so recht populär geworden und heute fast ausgestorben.

Hecheln ↑ Thermoregulation.

Heilige Birma ↑ Birma.

Heim: von *Hediger* (1979) geprägter Begriff, der den „Ort maximaler Geborgenheit“ im Territorium (↑ Revierverhalten) eines Tieres beschreibt. Das H. wird nicht nur durch quantitative Merkmale (Größe), sondern vorwiegend durch die qualitativen Ansprüche der Art bestimmt. Man kann unterscheiden in:

- engste H.zone (H. I. Ordnung): Ruhe- und Schlafplätze,
- engere H.zone (H. II. Ordnung), auch Schonzone, in der keine Nahrungssuche stattfindet, z.B. in der nächsten Umgebung der Wurfkiste,
- weitere H.zone (H. III. Ordnung): Beutezone, für die meisten Arten identisch mit dem ↑ Streifgebiet.

Bei der Stubenkatze ist das H. meist auf die engste und engere H.zone eingeschränkt. Freilaufende Hauskatzen haben nach Untersuchungen von *Leyhausen* und *Wolff* (1959) ein H. I. Ordnung, meist ein Zimmer oder sogar nur eine Ecke in einem Raum eines Hauses, an das sie gebunden sind, und ein Streifgebiet, das aus einer verschiedenen Anzahl mehr oder weniger regelmäßig besuchter Örtlichkeiten besteht, die durch ein engmaschiges Wegenetz miteinander verbunden sind. *Rosenblatt* et al. (1969) konnte zeigen, daß Jungkatzen ihre ↑ Wurfkiste schon in den ersten Lebenstagen, noch ehe die Augen geöffnet sind (↑ Jungtierentwicklung) aus geringer Entfernung mit dem Geruch wieder auffinden können. Erwachsene Katze erschließen das H. durch ↑ Erkundungsverhalten und können es anschließend ↑ markieren (vgl. Revierverhalten).

Heimfindevermögen, *Heimkehrverhalten*: Fähigkeit eines Tieres, zu einem bestimmten Ort (z. B. dem Geburtsort) nach Wanderungen oder zwangsweiser Verbringung zurückzufinden. Das H. ist besonders gut bei Fischen (Aal, Lachs) und vielen Vogelarten (Zugvögel) entwickelt. Eine wichtige Voraussetzung sind Orientierungsmechanismen auf der Basis von Leistungen der ↑ Sinnesorgane, eines ↑ Ortsgedächtnisses und des ↑ Zeitsinns. Trotz vielfältiger Berichte über erstaunliche Leistungen des H. bei der ↑ Hauskatze, die von jahrelangen Wanderungen über mehrere hundert Kilometer sprechen, gibt es bisher keinen wissenschaftlich exakt belegten Nachweis für dieses Verhalten. Untersuchungen von *Precht* und *Lindenlaub* (1954) zeigten, daß verfrachtete ↑ Hauskatzen nur bis zu einer Entfernung von 5 km vom Heimatort zu mehr als 50% die richtige Heimkehrrichtung wählten. Die relativ seßhafte Lebensweise der Katze (↑ Heim, ↑ Revierverhalten) weist auch nicht auf die biologische Notwendigkeit einer solchen Orientierungsleistung hin.

Heimkehrverhalten ↑ Heimfindevermögen.

Heimtier: durch *Schwangart* (1937) geprägter Begriff, der einige domestizierte Tierarten (↑ Domestikation) aus der Gesamtheit der Haustiere als „Heimgenossen" des Menschen, d. h. als unmittelbarer Mitbewohner der menschlichen Wohnung heraushebt. Der Begriff H. wird heute besonders auf Stubenkatzen, Stubenhunde, verschiedene Vogelarten (Wellensittich, Zebrafink) und Kleinsäugetiere, wie Hamster und Meerschweinchen, angewendet. Diese Tiere erlangen überwiegend in den Großstädten zunehmende Beliebtheit. Sie besitzen für den Menschen keine ökonomische Bedeutung als Fleischlieferant, Jagdhelfer, Schädlingsvertilger o. ä., sondern werden vorwiegend aus Tierliebe gehalten.

Hell-Dunkel-Sehen ↑ Auge.

Hemmungsgene ↑ Suppressorgene.

Hemmungsmißbildung: **1.** ↑ Vorbiß. – **2.** ↑ Unterbiß. – **3.** Gaumenspalte.

Herausforderer ↑ Sozialstatus.

Heritabilitätskoeffizient (Symbol h^2): Maß der ↑ genetischen Variation polygen determinierter Merkmale (↑ Polygenie), gemessen als Quotient aus der gesamten genetischen Variation eines Merkmals in einer Population (additive, Dominanz- und Epistasievarianz) und der Totalvarianz (gesamte phänotypische Varianz) als h^2 im weiteren Sinne (h^2_w) oder als Quotient aus additiv bedingter genetischer Varianz und Totalvarianz als h^2 im engeren Sinne (h^2_e).

Zur Berechnung des H.en wurden mehrere Methoden entwickelt. Sie beruhen hauptsächlich auf Vergleichen von Linien mit weitgehend gleichen Genen (isogene Linien, z. B. ein- und zweieiige Zwillinge), auf der phänotypischen Ähnlichkeit verwandter Tiere gegenüber anderen Tieren der allgemeinen Population (z. B. Töchter-Mütter-Vergleich oder väterliche Halbgeschwister-Ähnlichkeit) oder auf Ergebnissen von Selektionsversuchen (↑ realisierte Heritabilität).

Bei der Zwillingsmethode haben einige Zwillinge die gleichen Dominanz- und Epistasieabweichungen. Außerdem sind für alle Zwillingspaare die mütterlichen vorgeburtlichen (pränatalen) und zum Teil auch die postnatalen Einflüsse identisch. Es wird daher eher ein Wert für h^2_w als für h^2_e erhalten. Beim Töchter-Mütter-Vergleich und der väterlichen Halbgeschwister-Methode werden nur die Meß- und Beobachtungswerte einer oder zweier Generationen zur h^2-Berechnung herangezogen. Hohe und züchterisch nutzbare h^2-Werte erhält man nur, wenn in diesen beiden Generationen starke additiv bedingte genetische Unterschiede vorliegen, d. h. gleichzeitig, daß der fragliche Tierstamm nur über eine kurze Zuchtgeschichte verfügt. Wurde ein Merkmal durch Selektion über viele Generationen herausgebildet, ist die Population für Plusgene nahezu homozygot geworden, und die additiv bedingte genetische Varianz und damit auch der h^2-Wert werden klein, obwohl eine nahezu 100%ige Erblichkeit (Heredität) vorliegt (↑ Erbfestigkeit, ↑ genetisches Plateau). H. ist deshalb durchaus kein Hereditätskoeffizient oder mit „Erblichkeitsgrad" gleichzusetzen. Er gibt lediglich an, ob man die betreffende Population durch Selektion in der gleichen Richtung (Massenselektion) noch weiter verbessern kann (↑ Selektionserfolg), ober ob man zu anderen Zuchtmethoden (z. B. Kreuzungszucht) übergehen muß. Die Arbeit mit der ↑ realisierten Heritabilität ist ein auch in der Katzenzucht relativ leicht anwendbares Verfahren.

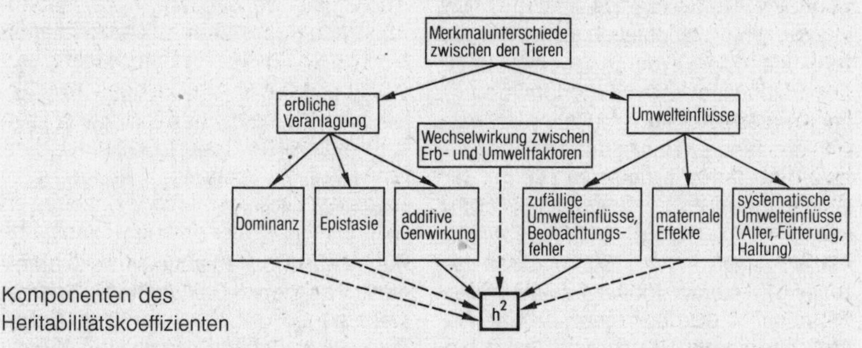

Komponenten des Heritabilitätskoeffizienten

Die H.en der polygenen Merkmale bei Katzen sind weitgehend unbekannt, da der Einzelzüchter nicht über die für genaue Berechnungen erforderliche relativ große Zahl von Eltern- und Nachkommengruppen verfügt. Eine h^2-Ermittlung scheint für relevante Merkmale höchstens auf der Ebene der Zuchtverbände möglich zu sein. Auf dieser Ebene sind sie auch erforderlich, da sie die Natur des anzuwendenden Zuchtverfahrens bestimmt. Abb.

Hernia umbilicalis ↑ Nabelbruch.

Herpesvirusinfektion ↑ Infektionskrankheiten.

Herz: zentrales, muskulöses Hohlorgan des ↑ Kreislaufes, das als Druck- und Saugpumpe funktioniert. Die dabei entstehende Druckdifferenz bestimmt den Blutkreislauf. Das H. liegt in der Brusthöhle im Bereich der dritten bis sechsten Rippe überwiegend links der Medianebene, eingeschlossen in einen H.beutel, der einer übermäßigen Dehnung entgegenwirkt. Die H.hauptkammer ist von der Vorkammer durch Segelklappen getrennt und gegenüber den großen Blutgefäßen durch Taschenklappen. Damit sind die Voraussetzungen für einen geordneten Blutstrom gegeben. Die durch die H.tätigkeit verursachten Druckänderungen pflanzen sich in Form von Druckwellen im arteriellen Gefäßsystem fort. An oberflächlich gelegenen Arterien sind sie als *Puls* fühlbar. Bei der Katze eignet sich zum Pulsfühlen die an den Innenseiten des Oberschenkels gelegene Arteria femoralis. Die Pulsfrequenz ist identisch mit der H.frequenz und beträgt 110 bis 130 Schläge je Minute. Der systolische Blutdruck liegt bei durchschnittlich 150 mm Hg. Im Vergleich zu anderen Haustieren hat die Katze ein recht kleines H. Die H.masse beträgt nur 0,4 bis 0,5% der Gesamtkörpermasse, während es z. B. 0,7 bis 1,0% beim Hund sind.

Heterophänie: Spezialform der polygenetischen Variation, d. h. ein ↑ Erbgang, bei dem Polygene [engl. minor genes] die Wirkung eines Hauptgens [engl. major gene] modifizieren (↑ Modifikation). Es kommt zur Phänotypvariation. Bei der Pigmentierung z. B. werden infolge von H. die verschiedenen Schattierungen gebildet. In der Population erhält man eine Variationskurve, die von helleren bis zu dunkleren Phänotypen führt, im Extrem eine Gaußkurve (↑ Polygenie).

Heterosis, *Hybrideffekt* [engl. hybrid vigour]: Überlegenheit des heterozygoten ↑ Genotyps gegenüber den korre-

spondierenden homozygoten Genotypen, d.h., die durch ↑ Inzucht verloren gegangene Fitness wird durch ↑ Kreuzungszucht wiederhergestellt. Es handelt sich um das Gegenteil der ↑ Inzuchtdepression. Daher ist der zu erwartende H.zuwachs gleich der Depression bei Inzüchtung. In der Praxis zeigt sich die H. durch Überlegenheit der ersten Nachkommengeneration (F_1) gegenüber den Eltern.
Die genetische Basis der H. ist komplex und umfaßt mehrere Arten der Genwirkung, d. h. ↑ Dominanz (Zunahme der ↑ Genorte mit dominanten Allelen, Überwindung der bei den rezessiven Homozygoten auftretenden Engpässe), Überdominanz (Kombination alternativer Syntheseabläufe bei den Heterozygoten, Einstellung der optimalen Aktivität oder Menge, Bildung spezieller Hybridsubstanzen) sowie nicht-allele ↑ Genwechselwirkungen. Das Ausmaß der H. ist für jede bestimmte Kreuzung spezifisch. Bei Einfachkreuzungen errechnet sich nach *Falconer* (1984) die Stärke der H. aus der Gleichung $H_{F_1} = dy^2$. Dabei sind d = Dominanzgrad und y^2 = Quadrat der Genfrequenzdifferenz zwischen den Elternpopulationen.
Die Tab. enthält als Beispiel die Genausprägungsgrade in der F_1-, F_2- und

Dominanzmodell der Heterosis.
Genausprägung bei der Kombination dominanter additiver (Wachstums-) Faktoren (A_A und A_B) der Rassen A und B (nach *Kinghorn*, 1982)

Paarungstyp	additive Faktoren A_A	A_B	Dominanzwirkung d_{AB}
Rasse A	1	0	0
Rasse B	0	1	0
F_1 A×B	½	½	1
F_2 A×B	½	½	½
Rückkreuzung A×BA	¾	¼	½

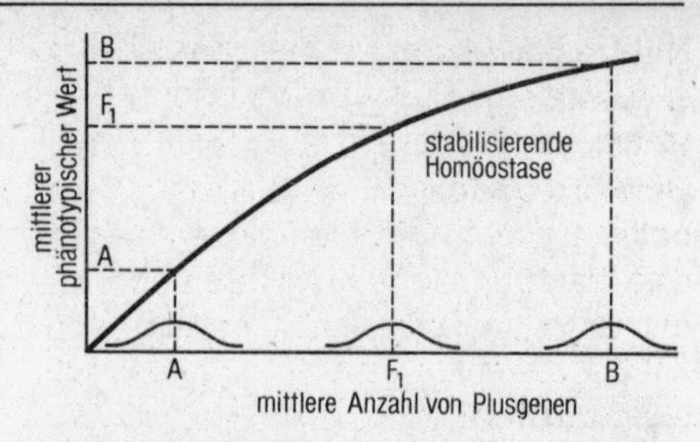

Verpaarung zweier Populationen, von denen B über Individuen mit vorwiegend positiver und A mit vorwiegend negativer Wirkung auf die adaptive Norm (Entwicklungshomöostasie) verfügt

Rückkreuzungsgeneration bei dominanzbedingter H. Die Überlegenheit besteht nur in der F_1-Generation. Dominanz allein genügt nicht zur Erklärung der auftretenden Wirkungen. Der Hybrideffekt wird in der H.züchtung genutzt (Zuchtmethoden).
Mit dem Begriff H. sind nicht alle günstigen Wirkungen der ↑ Kreuzungszüchtung umrissen. So können z.B. vorhandene Regulationsmechanismen zu einer Überlegenheit der Kreuzungsprodukte führen. Nach dem Modell von *Waddington* (1957) puffern ↑ Supressorgene ungünstige Umweltwirkungen und Mutationen ab, so daß die Entwicklung „kanalisiert" wird (Kanalisierung oder Entwicklungshomöostasie). Populationen, in denen die Entwicklung der genetisch unterschiedlichen Individuen kanalisiert wird, verfügen über den optimalen Phänotyp bzw. entsprechen der adaptiven Norm. Die Verpaarung zweier Populationen, von denen die eine vorwiegend über Polygene mit positiver (B) und die andere (A) mit vorwiegend negativer Wirkung auf die adaptive Norm verfügt, ergibt eine überlegene Mischpopulation (Abb.). Die Zahl der Plusallele erhöhte sich stetig. Es kommt nicht wie bei der Dominanz zu einer Rückentwicklung auf die einzelnen genotypischen Werte.

Heterosiswirkung: **1.** ↑ Heterosis. – **2.** ↑ Zuchtmethoden.

Heterosiszüchtung ↑ Zuchtmethoden.

Heterozygotie, *Spalterbigkeit*: Genotyp bei dem die identischen ↑ Genorte der homologen ↑ Chromosomen mit ungleichen ↑ Allelen besetzt sind, z. B. ↑ Genotyp Bb. Es können sich auch mehrere Genorte im gleichen Zustand befinden, z. B. Aa Bb (↑ Gennomenklatur). Heterozygote Tiere bezeichnet man auch als Anlageträger, weil sie das rezessive Allel eines Locus tragen. Wegen der Aufspaltung der beiden Allele im Verlauf der ↑ Meiose liefern Heterozygote in Quantität und Qualität differierende ↑ Gameten (↑ Homozygotie, ↑ Mendel-Regeln, ↑ Kreuzungsdiagramm).

Heterozygotietest: Testpaarung, die im Zusammenhang mit Problemen der rezessiven Erblichkeit steht, im Prinzip Nachweis rezessiver und im heterozygoten Zustand verborgener Allele (↑ Heterozygotie), wenn sich die heterozygoten und die homozygot-dominanten Individuen (*Rr* und *RR*) phänotypisch nicht voneinander unterscheiden lassen.

Die klassische Prüfung basiert auf Inzucht und Rückpaarung (Abb. 1). Hinzu kommt die Anpaarung an Populationen mit unbekannter genetischer Struktur. Die vier wichtigsten Methoden und die Wahrscheinlichkeit W^n, daß ein Tier die Prüfung durchläuft, ohne als Anlageträger (*Rr*) erkannt zu werden, sind in Tab. 1 verzeichnet. In dieser Tabelle bedeuten R = dominantes Allel, r = rezessives Allel, ? = unbekanntes Allel, n = Anzahl Würfe, m = Wurfgröße, p = Frequenz des erwünschten und q des unerwünschten Alleles.

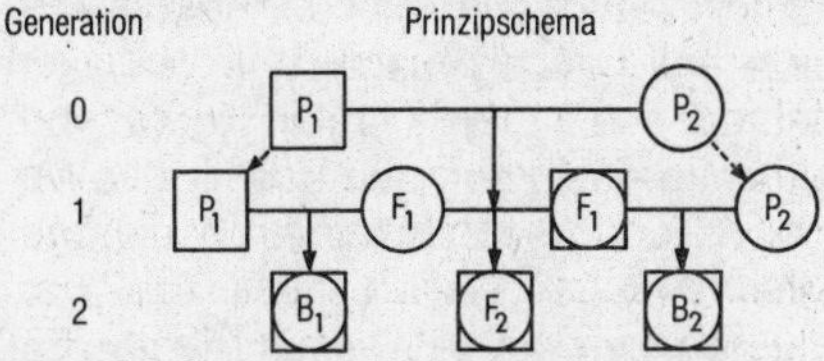

Heterozygotietest, Abb. 1. Klassische Prüfung auf der Basis von Inzucht und Rückpaarung

Tab. 1 Wahrscheinlichkeit W^n, daß aufgrund der beobachteten 100% normaler Nachkommen ein Vatertier mit Genotyp *Rr* (Anlageträger) nicht erkannt wird

Anpaarung des Katers an	Term zur Berechnung von W^n
Merkmalträgerinnen ($R? \times rr$)	$0{,}5^{m \cdot n}$
bekannte heterozygote Katzen ($R? \times Rr$)	$(0{,}5 + 0{,}5^{m+1})^n$
eigene Töchter oder Töchter bekannter Anlageträger $\left(R? \times \begin{bmatrix} RR \\ R? \end{bmatrix}\right)$	$\left[\frac{1}{2+q} + \frac{1+q}{2+q}\left(\frac{3}{4}\right)^m\right]^n$
weibliche Tiere der allgemeinen Population ($R? \times R?$)	$\left[\frac{p}{1+q} + \frac{2q}{1+q}\left(\frac{3}{4}\right)^m\right]^n$

Die wichtigsten Kriterien des H. sind die durch die ↑ Mendel-Regeln bestimmten Spaltungsverhältnisse und die ↑ Genfrequenz, da diese die für eine bestimmte Prüfgenauigkeit erforderliche Größe der Nachkommengruppe eines Prüflings bestimmt.

Die beiden erstgenannten Verfahren der Tab. 1 setzen entsprechende Prüfgruppen, d. h. die Verfügbarkeit von Merkmal- und Anlageträgern voraus. Sie erlauben die Prüfung auf Heterozygotie an einem bestimmten Genort, weshalb sie auch für ein allgemeines Prüfungssystem von geringem Wert sind. Für die Ermittlung ganz bestimmter Erbanlagen sind sie dagegen unentbehrlich. Bei der Anpaarung des Prüflings an merkmaltragende Katzen (Ver-

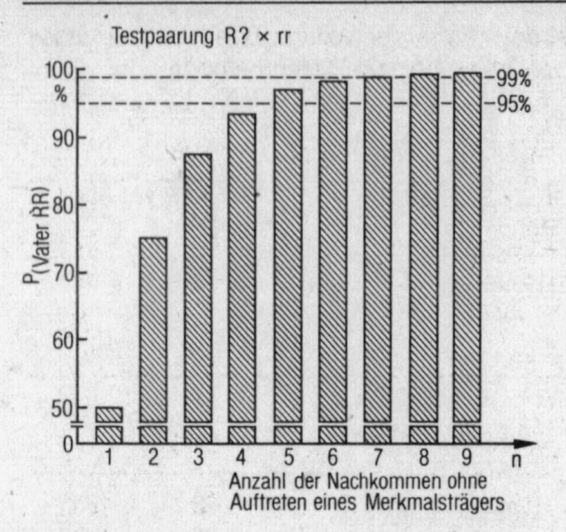

Heterozygotietest, Abb. 2. Anzahl Nachkommen (*n*) ohne Auftreten eines homozygoten Merkmalträgers (*rr*)

fahren 1) wird bei fünf Nachkommen eine Prüfsicherheit von 95% und bei sieben Nachkommen von 99% erreicht (Abb. 2). Da man bei derartigen biologischen Tests im allgemeinen mit einer Prüfgenauigkeit von 95% arbeitet, genügt unter Umständen ein Wurf, um den Genotyp des Prüflings zu identifzieren. Bei der Anwendung von Verfahren 2 werden mehr Nachkommen benötigt als bei Verfahren 1, z.B. für eine Genauigkeit von 95% elf Welpen und von 99% 17 Welpen. Bekannte Heterozygote sind z. B. Katzen, die in vorhergehenden Würfen bereits Nachkommen des gesuchten Phänotyps geliefert haben, obwohl bei ihnen selbst die Erbanlagen nicht zu erkennen sind. Verfahren 3 wird hauptsächlich als Inzuchttest, z. B. Anpaarung des Katers an seine eigenen Töchter, durchgeführt. Die Prüfgenauigkeit von 95 und 99% erforderlichen Nachkommenzahlen können Abb. 3 entnommen werden. Es besteht ein nichtlinearer Zusammenhang zwischen der Wurfgröße und der Anzahl der für eine bestimmte Prüfgenauigkeit erforderlichen Anzahl von Würfen. Begnügt man sich mit nur einer Anpaarung, liegt die Prüfgenauigkeit bei 50%, d. h., der Prüfling ist praktisch ungeprüft, da er mit der gleichen Wahrscheinlichkeit Anlageträger oder anlagefrei sein kann. Ebenso wichtig wie die Prüfgenauigkeit ist die Beachtung der Aussagekraft eines Inzuchttestes. Die Inzuchtprüfungen berücksichtigen weniger die Bedingungen in der allgemeinen Population als vielmehr spezielle Gegebenheiten. Nach Berechnungen auf der Basis neuerer molekulargenetischer Befunde ist es unwahrscheinlich, daß sich eine Mutation im Verlauf der Evolution wiederholt, d. h., daß die genetischen Strukturen in der gleichen Position und in der gleichen Weise verändert werden. Populationsdynamische Faktoren (Selektion, Immigration, genetische Drift, Inzucht u. a.) verstärken die diskontinuierliche Verteilung der Anlagen. Daher haben nicht nur Familien, sondern auch Individuen neben vielen Gemeinsamkeiten (durch genetische Rekombination erworbene Anlagen) ihre eigenen Mutationen. Diese rufen ganz bestimmte qualitative und quantitative Unterschiede hervor. Bei einer entsprechend großen Anzahl von Inzuchtpaarungen wird es daher kaum ein Prüftier geben, das nicht irgend eine Art von der allgemeinen Population abweichende Nachkommen liefern würde.

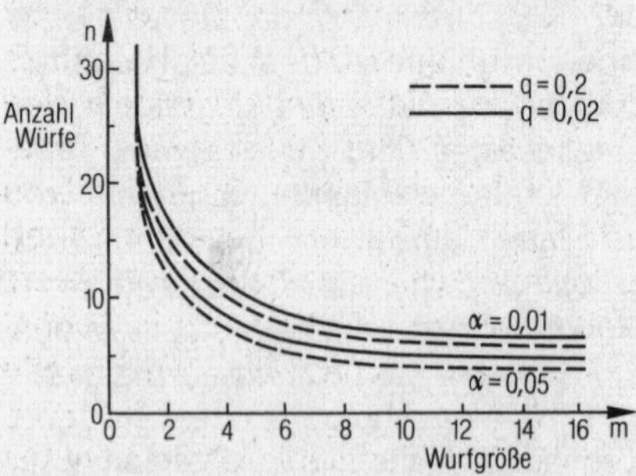

Heterozygotietest, Abb. 3. Beziehung zwischen Wurfgröße und Anzahl der für eine bestimmte Prüfgenauigkeit erforderlichen Anzahl von Würfen bei Inzuchtpaarung multiparer Tiere

Tab. 2 Anzahl erforderlicher Würfe (*n*) für gegebene Werte der Wurfgröße (*m*), der Prüfgenauigkeit (α) und der Genfrequenz des rezessiven Allels bei der Praxismethode

q in der Population	*n*:	2		3		4		5	
	α:	0,05	0,01	0,05	0,01	0,05	0,01	0,05	0,01
0,02		174	267	131	201	111	170	99	152
0,05		71	109	53	82	45	69	40	62
0,1		37	56	27	42	23	35	21	32
0,2		20	30	14	22	12	18	11	16
0,3		14	21	10	15	8	13	7	11

q in der Population	*n*:	6		7		8		9	
	α:	0,05	0,01	0,05	0,01	0,05	0,01	0,05	0,01
0,02		92	141	87	134	84	129	82	125
0,05		37	57	35	54	34	52	33	50
0,1		19	21	18	27	17	26	17	52
0,2		10	15	9	14	9	13	9	13
0,3		7	10	6	10	6	9	6	9

Der Inzuchttest ist daher von Bedeutung für das Auffinden derartiger spezieller Erbanlagen, die unter Umständen einen züchterischen Wert erhalten können. Für eine allgemeine Populationsprüfung, z. B. als Methode der Erbgesundheitskontrolle, ist er ungeeignet. Von Nachteil ist er auch wegen der zu erwartenden ↑ Inzuchtdepression.
Verfahren 4, die Anpaarung der Prüflinge an weibliche Tiere der allgemeinen Population (Praxismethode), führt zur Erfassung von Erbanlagen, die bereits mit einer höheren Frequenz in der Population vorhanden sind. Die erforderliche Zahl der Würfe enthält Tab. 2. Durch selektive Maßnahmen können die ermittelten Allele in relativ kurzer Zeit in der Population angereichert oder praktisch bis auf ein unbedeutendes Maß reduziert werden (↑ Selektionserfolg), denn es handelt sich um eine ↑ Nachkommenprüfung.

Hexachlorophen ↑ Vergiftungen.

Hierarchie ↑ Rangordnung.

Himalayen ↑ Colourpoint.

Himalayanzeichnung: 1. ↑ Maskenfaktor. – **2.** ↑ Abzeichen. – **3.** ↑ Akromelanismus.

Hinterbiß ↑ Unterbiß.

Hirngrößenvariation ↑ Hirnschädelkapazität.

Hirnschädel ↑ Schädel.

Hirnschädelkapazität: Volumen der Schädelhöhle, des Neurokraniums. Bereits *Klatt* (1912) hatte festgestellt, daß das Gehirn von Felis silvestris (38,5 bis 47,7 g) schwerer als das von F. catus (21,1 bis 27,5 g) ist. Der Masseverlust geht mit einer Volumenabnahme einher, die über die H. berechnet wird. Schädel mit einer H. über 35 cm^3 wurden der ↑ Wildkatze und solche mit einer H. unter 32 cm^3 der ↑ Hauskatze zugeordnet. *Schauenberg* bildete den Quotienten größte Schädellänge/Kapazität und legte einen Grenzwert von 2,75 fest. Hauskatzen überschritten und Wildkatzen unterschritten diesen Wert, wobei bei der ↑ Rassekatze in Abhängigkeit vom Schädeltyp eine große Streubreite auftritt.
Die Variation der Gehirngröße steht mit Veränderungen der Körpergröße im Zusammenhang (*Zephalisationsgrad*). Gehirn- und Körpergröße sind korreliert, weil die ↑ genetische Variation der Wachstumsdeterminanten beide Merk-

male während der Fetal- und frühen Postnatalperiode gleichzeitig betrifft (*Riska* und *Atchley*, 1985; *Röhrs*, 1985). Im späteren Leben nimmt der genetische Korrelationskoeffizient infolge zunehmender Wirkung modifizierender Umweltfaktoren ab (von ungefähr 0,6 bei Neugeborenen bis auf 0,15 bei Erwachsenen). Der quantitative Zusammenhang wird durch die Allometrieformel nach *Bertalanffy* (1942) bestimmt: $HM = a \cdot KM^b$.

Die Umformung in log ($HM = \log(a) + b \cdot \log(KM)$ ermöglicht die Darstellung als Allometriegerade mit HM = Hirnmasse, KM = Körpermasse, *b* kennzeichnet die von der Körpergröße abhängigen Hirngrößenunterschiede, *a* enthält die Faktoren, welche außer der Körpergröße die Hirngröße bestimmen und ist außerordentlich wichtig für die Beurteilung der Zephalisation. Der Allometriekoeffizient *b* bestimmt also den Neigungswinkel der Geraden und gibt Aufschluß darüber, ob die Gehirnmasse stärker als die Körpermasse zunimmt ($b > 1$ = positive Allometrie, $b < 1$ = negative Allometrie, $b = 1$ = Isometrie).

Die im Verlauf der Evolution eingetretene Differenzierung soll die primären Stammhirnregionen (Vitalfunktionen) weniger stark als die evolutionär übergeordneten Zentren (Vorder- und Zwischenhirn) betreffen, die genetisch verankerte Verhaltensweisen und die Adaption an bestimmte Umweltverhältnisse kontrollieren. Die Hauskatze hat nach Meinung mehrerer Autoren (u. a. *Herre* und *Röhrs*, 1971) im Verlauf der ↑ Domestikation einen entscheidenden Größenverlust (ungefähr 25%) erlitten. Andererseits bestehen bereits in den Wildpopulationen (↑ Population) erhebliche innerartliche Gehirngrößenunterschiede, die von evolutionärer Bedeutung sind (phylogenetische Zephalisationsvariation). So reicht z. B. die Variationsweite der H. bei der Hauskatze nach *Kratochvil* (1973) bis 36 cm^3. Man kann auch nicht behaupten, daß die Leistungsfähigkeit des Gehirns der Hauskatze absolut abnimmt. Es besteht ein semiquantitativer Zusammenhang, d. h., infolge Fehlens bestimmter Umweltreize (↑ Lernverhalten) werden in der Großhirnrinde bei Felis catus original angelegte Potenzen nicht weiterentwickelt. Nach *Herre* und *Röhrs* (1971) nimmt die Gehirngröße bei freilaufenden, nichtgebundenen Hauskatzen um ungefähr 10% zu.

Bei Größenvergleichen ist jedoch die Annahme zu berücksichtigen, daß es in Europa möglicherweise keine Original-Waldwildkatzen mehr gibt, sondern es sich bei den beobachteten Exemplaren um eine ↑ genetische Rekombination oder um eine Kreuzung zwischen F. silvestris und F. catus handelt (*Suminski*, 1977).

Die evolutionären Aspekte wurden insbesondere in den Untersuchungen zur Hirngrößenvariation von *Hemmer* (1972) berücksichtigt. Er untersuchte ↑ Falbkatzen aus verschiedenen afrikanischen Verbreitungsgebieten, pakistanische ↑ Steppenwildkatzen, europäische ↑ Waldwildkatzen und Hauskatzen. Nach Auftragung der $\sqrt[3]{\text{Kapazität}}$ gegenüber der größten Schädellänge im doppelt logarithmischen System zeigte sich, daß die Allometriegeraden der europäischen Wild- und der Hauskatze parallel verlaufen und bei Allometrieexponenten von 0,28 (Wildkatze) bzw. 0,29 (Hauskatze) eine ungefähr 24% geringere Kapazität des Hauskatzenschädels besteht. Die Falbkatzenwerte streuten in intermediärer Position. Die Allometriegerade war steiler (Allometrieexponent 0,50). Die Werte der Steppenkatzen näherten sich dem Hauskatzenbereich (0,33). Nach dem Längenkapazitätsindex eingestuft (Längenkapazitätsindex = $\sqrt[3]{\text{Kapazität}}$ [cm^3]

je größte Länge [mm]), war ein Teil der Falbkatzen (Wüstenfalbkatzen aus Nubien, dem Sudan und aus Tunesien) als Hauskatzen einzustufen (Index 2,97 bis 3,03), während die Falbkatzen aus Algerien, Ost- und Südafrika sich der unteren Grenze des Waldwildkatzenbereichs näherten (Index 2,51 bis 2,74). Eine gesonderte Wertung der erstgenannten Gruppe ergab einen Allometrieexponenten von 0,30 und Parallelität der Allometrieachse mit der bei der Waldwild- und Hauskatze.
Im Gesamtverbreitungsgebiet von F. silvestris ergab sich nicht nur die von der europäischen Waldwildkatze vertretene Gehirngrößenstufe (24% mehr Kapazität als die Hauskatze), sondern eine zweite mit einer um ungefähr 16% größeren Kapazität, die bereits im Variationsbereich der domestizierten Katzen lag. Die Domestikation ging wahrscheinlich von Exemplaren mit einer niedrigeren Zephalisationsstufe aus. Den höheren Zephalisationsformen käme nur eine sekundäre Bedeutung zu. Die fehlenden 10% beim Vergleich mit der europäischen Waldwildkatze könnten auf ↑ Modifikationen zurückgehen. Im Verlaufe der Entwicklung der Feliden (↑ Katzen) ist es nach *Röhrs* (1985) zu einer Verdreifachung der Hirngröße gekommen.
Bei Nutzung der H. für Differenzierungen ist daher mindestens die Variationsbreite des Merkmals bei der speziellen Stammform oder in relevanten Wildkatzenpopulationen aus dem Verbreitungsgebiet der fraglichen Hauskatzenform zu berücksichtigen. Verallgemeinerungen sind unzulässig.

Hitze ↑ Rolligkeit.

Hitzschlag ↑ Thermoregulation.

Hoden: 1. ↑ Geschlechtsorgane. – **2.** ↑ Ectopia testium. – **3.** ↑ Kryptorchismus.

Hodenhypoplasie ↑ Geschlechtschromosomenaberration.

Holländerzeichnung ↑ Bi-Colour.

Holozygote ↑ Zygote.

Homosexualität ↑ atypisches Sexualverhalten.

Homozygotie, *Reinerbigkeit*: Vorhandensein identischer ↑ Allele an den übereinstimmenden ↑ Genorten homologer ↑ Chromosomen der diploiden Katze, z. B. BB oder bb.
Die Identität betrifft dann auch die gelieferten Gameten (↑ Heterozygotie). Die H. kann Einzelgene oder viele Genorte betreffen. Die absolute H. eines Organismus ist wegen der Vielzahl der Gene und wegen ungünstiger Genwirkungen (mangelhafte Anpassungsfähigkeit des homozygoten Organismus an sich verändernde Umweltfaktoren) unmöglich. Ein hoher H.grad kann durch fortlaufende Inzestpaarungen (↑ Inzucht) erreicht werden (isogene Linien).

Hörbereich ↑ Ohr.

Hörunfähigkeit ↑ Taubheit.

Hosen: Behaarung der Hinterbeine von ↑ Semilanghaarkatzen und ↑ Langhaarkatzen. Bei Semilanghaar teilweise auch *Knickerbocker* genannt.

Hummerkralle ↑ Spalthand.

Hybrideffekt ↑ Heterosis.

Hybridisation: im weiteren Sinne Kreuzung zweier genetisch unterschiedlicher Individuen, die zur Bildung einer Hybrid-Nachkommenschaft, d. h. von Nachkommen mit ↑ Heterozygotie führt, im engeren Sinne Kreuzung zweier Individuen, die verschiedenen Arten, ↑ Rassen oder Varietäten angehören und durch Isolationsmechanismen voneinander getrennt sind (geografische Isolation oder reproduktive Isolation durch Einflußnahme des Menschen, z. B. Zuchtbuchschranken).
Der Gebrauch des Begriffes H. ist in der Rassekatzenzucht eine Frage von Konventionen. Streng genommen dürfte der Begriff H. nur auf die Erzeugung von Arthybriden bezogen werden. Es ist bereits falsch, bei der Verpaarung zweier Rassen (z. B. Siam und Per-

ser) oder Varietäten (z. B. Colourpoint und Perser) von H. zu sprechen. Wenn es dennoch getan wird, ist der Begriff H. bzw. Hybride im Zusammenhang mit der ↑ Reinzucht und der Befürchtung zu sehen, daß der einmal geschaffene ↑ Genpool für eine bestimmte Rasse oder Varietät sich verschlechtern könnte. Die meisten Rassekatzen waren mit dieser Begriffsbestimmung am Anfang ihrer Zuchtgeschichte Hybriden, d. h., sie entstanden durch Kreuzungen zweier bislang getrennt gezüchteter Rassen. Klassische Beispiele sind die ↑ Colourpoint oder alle auf ↑ Orange beruhenden Farben der Siamesen und Burmesen, oder die ↑ Orientalisch Kurzhaar, um nur einige zu nennen. Auch unter diesem Gesichtspunkt ist H. dennoch immer dann notwendig, wenn durch ↑ Inzucht und ↑ Selektion kein weiterer Fortschritt zu erreichen ist.
In der weitesten Version wird der Begriff H. auf einzelne Allelpaare bezogen, und man spricht vom monohybriden, di-, trihybriden Erbgang (↑ Oligogenie).

Hydrometra ↑ Gebärmutterentzündung.

Hydrozephalie [griech., lat. Hydrocephalia congenita interna, Wasserkopf]: angeborene übermäßige Ansammlung von Flüssigkeit (Liquor cerebrospinalis) in den Gehirnventrikeln mit Ventrikelausdehnung, Gehirnsubstanzverlust infolge Druckatrophie und in der Regel mit Schädelvergrößerungen.
Die Störung wurde als seltenes Ereignis bei vielen ↑ Rassen beobachtet. Familiär gehäuft und erblich wurde sie bei Siamesen registriert. Der ↑ Erbgang ist einfach autosomal rezzesiv. Am ↑ Genort befinden sich zwei Allele: Hy^+ und hy (*Silson/Robinson*, 1969). Es handelt sich um einen ↑ Letalfehler. Als Begleitdefekt wurden ↑ Gaumenspalten und Extremitätenödeme nachgewiesen, wobei diese Mißbildungen zufällige Begleiterscheinungen sein könnten. Die hydrozephalischen Welpen waren bedeutend schwerer (170 g) als ihre Wurfgeschwister (↑ Geburtsmasse). Der Defekt wurde durch ↑ Inzucht zutage gefördert und ist von ähnlichen, aber umweltbedingten (Infektionen) abzugrenzen (*Krum* et al., 1975).

Hygienemaßnahmen: alle Maßnahmen, die durch die Gestaltung der ↑ Umwelt den Tieren optimale Lebensbedingungen schaffen und damit ihre Gesundheit und Leistungsfähigkeit sichern. Da die in menschlicher Obhut gehaltenen Katzen in der Regel in zugewiesenen Räumlichkeiten leben, muß der Besitzer für Umweltbedingungen sorgen, die ein gesundes Leben ohne außergewöhnliche Belastungen ermöglichen. Oberflächlichkeiten bei der Durchsetzung von H. erhöhen die Anfälligkeit auf ↑ Infektionskrankheiten und verringern Leistungen, wie Fruchtbarkeit, Fellwachstum, ↑ Mutterverhalten.
Geordnet nach Schwerpunkten umfassen H.:

1. Fütterung
- die Zusammensetzung der Nährstoffe, Vitamine und Mineralstoffe muß dem spezifischen Bedarf angepaßt werden (↑ Ernährung),
- die Fütterung muß regelmäßig und pünktlich erfolgen,
- ↑ Fütterungsfehler müssen vermieden werden.

2. Haltung und Pflege
- werden mehrere Katzen in der Wohnung oder im ↑ Zwinger gehalten, muß ausreichend Platz vorhanden sein, damit die Tiere komplikationslos voreinander ausweichen können (↑ Fluchtverhalten), Überbelegung führt zu ↑ Stress und ↑ Aggressionsverhalten,
- ausreichende, attraktive und bequeme Liegeplätze müssen ebenso vorhanden sein (↑ Schlaf) wie ein ↑ Kratzbaum zum Schärfen der ↑ Krallen (↑ Komfortverhalten),
- jedes Tier muß einen Futternapf und

mindestens eine „Toilette" zu Verfügung haben (↑ Unsauberkeit),
- ↑ Deckkater müssen von den geschlechtsreifen Katzen (↑ Geschlechtsreife) getrennt gehalten werden (↑ Kampfverhalten, ↑ Sozialverhalten, ↑ Züchtung),
- tägliche ↑ Fellpflege und Kontrolle der Körperöffnungen (Maulhöhle, ↑ Ohren, After) auf Verunreinigungen oder Veränderungen (↑ Zahn- und Zahnhalteapparaterkrankungen).

3. Reinigung und ↑ Desinfektion
- tägliches Reinigen des ständigen Aufenthaltsortes der Katzen einschließlich der bevorzugten Liegeplätze (↑ Ektoparasiten),
- regelmäßige Säuberung der Katzentoiletten,
- Desinfektion der gesamten Zwingeranlage in zwei- bis vierwöchigem Abstand. Tägliche Desinfektion beim Auftreten von Infektionskrankheiten. Ist ein Tier plötzlich verstorben, sollte auch desinfiziert werden.

4. Infektionsschutz
- regelmäßige ↑ Schutzimpfungen des gesamten Tierbestandes, insbesondere gegen Panleukopenie,
- Deckkaterbesitzer lassen nur klinisch gesunde Katzen (↑ Krankheitszeichen) zum Decken zu und führen vor Übernahme der Tiere eine Kontrolle auf Ektoparasiten durch,
- erkrankte Tiere müssen von den gesunden getrennt gehalten werden (das schließt auch eine je nach Erkrankung unterschiedliche Karenzzeit ein, die der Tierarzt festlegt),
- bei der ↑ Welpenaufzucht sollte darauf geachtet werden, daß Besucher sich die Hände waschen, bevor sie in die ↑ Wurfkiste greifen oder Jungtiere anfassen (↑ Jungtierentwicklung).

Hyperdaktylie ↑ Polydaktylie.

Hyperplasia glandularis cystica endometrii ↑ Gebärmutterentzündung.

Hyperplasie-Pyometra-Komplex ↑ Gebärmutterentzündung.

Hypersexualität ↑ atypisches Sexualverhalten.

Hypostasie: nichtlineare Wechselwirkung von Genen verschiedener ↑ Genorte. Das in seiner Wirkung beeinträchtigte (unterdrückte) Gen wird als hypostatisch bezeichnet (↑ Epistasie).

Hypotrichosis congenita ↑ Nacktkatzen.

I

Idiotyp ↑ Genotyp.

Immigration [lat., Einwanderung], Import: Verbesserung des eigenen Zuchtbestandes durch Zukauf oder anderweitige Zufuhr wertvoller Zuchttiere, im Extrem Einkreuzen fremder Rassen nach Import. Die Änderung der Häufigkeit eines bestimmten Allels Δ hängt von der ↑ Genfrequenz in der Ausgangspopulation (p_o), von der Genfrequenz der I. (p_i) und vom relativen Anteil der immigrierten Tiere (i) ab. Sie errechnet sich aus der Gleichung $\Delta = i\,(p_o - p_i)$. Durch selektive Begünstigung der Immigranten, Inzucht auf die Importtiere u. a. kann man neue verbesserte Zuchttierbestände aufbauen [engl. founder effect = Gründereffekt].
Voraussetzung ist, daß die Qualität dieser Tiere höher als die Qualität der Angehörigen der einheimischen Population ist. Im Extrem kann man eine ↑ Verdrängungskreuzung durchführen. Klassische Beispiele für die I. einer Rasse sind die britischen ↑ Colourpoints oder die amerikanischen ↑ Chinchilla und

Shaded Silvers, die den Rassekatzenbestand auf dem europäischen Kontinent nachhaltig und positiv beeinflußten.
Die I. einzelner Gene erfolgt in der Regel über bestimmte I.pforten und -wege (↑ Populationsgenetik). Die Katze ist heute zu einer ausgesprochenen Kosmopolitin geworden. Im Gefolge des Menschen, zum Teil als zur Mäuse- und Rattenbekämpfung eingesetzte Schiffskatze, später als ungebundene Haus- oder ↑ Rassekatze, kam sie auch dorthin, wo es in freier Wildbahn vordem keine einheimischen Felidenvertreter als Faunenbestandteil gegeben hatte, wie auf Madagaskar, den Großen Antillen und deren umliegenden Inselgruppen, den Sundainseln, auf Neuguinea, Tasmanien, Australien, Neuseeland und den verstreuten Südseeinseln bis hinüber zu den Galapagosinseln oder in die begrenzten Siedlerregionen der Arktis und Antarktis. Durch die I. wurde in manchem bisher katzenlosen Gebiet das biologische Faunengleichgewicht empfindlich gestört, da viele der einheimischen Tiere dem neuen und sehr gewandten Beutejäger biologisch nicht gewachsen waren.

Immunität ↑ Schutzimpfungen.

Impfungen ↑ Schutzimpfungen.

Imponierkrallenschärfen: 1. ↑ Übersprungverhalten. – **2.** ↑ Krallen.

Incisivi ↑ Zähne.

Indexselektion [engl. total scores]: Methode der ↑ Selektion, bei der nach vom Züchter festzulegenden Selektionsmerkmalen ↑ Rassekatzen miteinander verglichen werden, um mit dem Tier, das dem Zuchtziel am nächsten kommt, weiterzuzüchten.
Die einzelnen Selektionsmerkmale werden mit einem Wertfaktor gekennzeichnet (Punktzahl) und je nach ihrer Bedeutung mit einem bestimmten Wichtungsfaktor multipliziert. Die Gesamtpunktzahl stellt das Selektionskriterium dar. Die I. erfordert jedoch von jedem Züchter:
– die Fähigkeit, die für das Zuchtziel entscheidenden Merkmale konkret zu definieren,
– ein sicheres und gleichbleibendes Urteilsvermögen,
– eine Ausgewogenheit der Merkmale und der entsprechenden Wichtungsfaktoren.

Die Merkmale können beliebig festgelegt werden. Auf der Grundlage einer einheitlichen Punktskala wird dann jedes Merkmal eingestuft. Schon eine relativ einfache Punktvergabe von „sehr schlecht" (1 Punkt), „schlecht" (2 Punkte), „durchschnittlich" (3 Punkte), „gut" (4 Punkte) bis „sehr gut" (5 Punkte) ergibt eine Fünfpunkteskala. Eine Zehnpunkteskala hingegen erlaubt eine nuancierte Beurteilung, wobei auch hier ein Punkt für die schlechteste Einschätzung und zehn Punkte für die erstrebte Qualität des Merkmals vergeben werden. Je nach Grad seiner Bedeutung wird dann jedes einzelne Merkmal mit einem bestimmten Wichtungsfaktor multipliziert und somit eine noch größere Differenziertheit des Merkmals erreicht, die sich selbst bei einer Zehnpunkteskala nicht ausdrücken lassen würde.
An einem Beispiel soll das I.sverfahren deutlich gemacht werden. Zuchtziel ist eine ↑ Exotic Kurzhaar, die zu bewertenden Merkmale: G = Gesundheit, T = Textur des Fells, L = Länge des Fells, KB = Körperbau, KF = Kopfform, O = Ohrengröße und Ansatz, B = Stämmigkeit und Länge der Beine, S = Schwanzansatz und Länge, A = Plazierung, Größe, Form und Farbe der Augen.
Zur Anwendung gelangt das Zehnpunkteskala-System. Bei der Zucht der Exotic Kurzhaar geht es in erster Linie darum, eine stämmige Kurzhaar-Perser zu züchten. Bei der Festlegung der

Größe der Wichtungsfaktoren sind die Merkmale entsprechend ihrer Bedeutung einzuordnen:

- Die Gesundheit (G) ist wesentlichste Voraussetzung für eine erfolgreiche Zucht und wird folglich mit dem höchsten Faktor belegt: 6.
- Die Länge (L) und die Textur (T) des Fells sind typische Merkmale der Exotic, weder bei den Persern noch bei den Britisch Kurzhaar (als mögliche Ausgangstiere geeignet) vorhanden und am schwersten genetisch zu fixieren. Sie erhalten jeweils den Faktor 5.
- Die Stämmigkeit der Beine (B) und der ↑ Körperbautyp (KB) müssen besonders beachtet werden und erhalten deshalb die Faktoren 4 für B und 3 für KB.
- Die Ohren (O) können durch ein langes Fell nicht verdeckt werden und spielen für die harmonische Kopfform der Exotic eine fast ausschlaggebende Rolle. Sie werden ebenfalls mit dem Faktor 5 gewichtet.
- Schwanzansatz und Länge (S) sowie die Kopfform (KF) sind zwar sehr wichtig, können aber bei geeigneter Partnerwahl rasch erzielt werden. Beide erhalten den Faktor 2.
- Die Augen können fast vernachlässigt werden, da sie für beide Rassen identisch im Standard festgelegt sind, exzellente Ausgangstiere müssen auch hier vorausgesetzt werden, sie erhalten den Faktor 1.

Angenommen aus der Ausgangsverpaarung Britisch Kurzhaar × Perser fallen drei Jungtiere und nur das beste soll weiter in der Zucht verbleiben, so kann auf der Grundlage des Idealbildes jedes Tier nach der Zehnpunkteskala eingeschätzt werden (Tab. 1). Unter Berücksichtigung der festgelegten Wichtungsfaktoren ergeben sich die Punktzahlen der Tab. 2.

Tab. 1 Merkmalbeurteilung von drei Tieren mit einer Punktvergabe von 1 bis 10

Tier Nr.	G	L	T	O	B	KB	S	KF	A	Gesamtpunktzahl
I	10	8	7	8	6	7	6	5	5	62
II	10	5	5	6	7	7	6	8	4	58
III	5	7	9	6	4	4	8	9	9	61

Wesentliche Selektionsmerkmale werden erst durch den Wichtungsfaktor hervorgehoben: Tier I ist eindeutig das beste und in den wichtigsten Merkmalen am ausgeglichensten. Tier III ist an sich auch sehr schön, in einigen Positionen weit besser als Tier I, fällt aber infolge mangelhaften Gesundheitsstatus aus der Zucht. Tier II bringt insgesamt nicht den erwarteten Zuchtfortschritt und wird deshalb auch aus der Zucht ausgeschlossen.
Im weiteren Verlauf der Zuchtarbeit bleiben die Wichtungsfaktoren stets die gleichen, es sei denn, ein Merkmal be-

Tab. 2 Wichtung der vergebenen Punkte je Merkmal aus Tab. 1

Wichtungsfaktor/ Tier Nr.	G	L	T	O	B	KB	S	KF	A	Gesamtpunktzahl
	6	5	5	5	4	3	2	2	1	
I	60	40	35	40	24	21	12	10	5	247
II	60	25	25	30	28	21	12	16	4	221
III	30	35	45	30	16	12	16	18	9	211
Idealpunktzahl										280

darf besonderer züchterischer Aufmerksamkeit. Der Wichtungsfaktor wird dann erhöht.

Individualdistanz: spezifischer Mindestabstand zwischen zwei artgleichen Individuen. *Hediger* (1979) unterscheidet *Kontakt-* und *Distanztypen*. In der Regel führt das Unterschreiten der I. zu ↑ agonistischem Verhalten. Unter bestimmten Bedingungen des ↑ Sozialverhaltens kann die I. doch ohne weiteres unterschritten werden (↑ Distanzregulation), da der Körperkontakt eine Voraussetzung zur Realisierung einiger Verhaltensweisen (↑ Sexualverhalten, ↑ Mutterverhalten) bildet.

Die ↑ Waldwildkatze ist ein ausgesprochenes Distanztier, die Falbkatze (↑ Katzen) und die weitgehend auf südostasiatische Hauskatzenpopulationen zurückgehenden Rassen (↑ Populationsgenetik, ↑ Siam, ↑ Orientalisch Kurzhaar) hingegen Kontakttiere. Die europäische Kurzhaarkatze (↑ Europäisch Kurzhaar, ↑ Hauskatze), für die Waldwildkatzeneinkreuzungen anzunehmen sind, ordnen sich dazwischen ein (*Hemmer* 1983).

Während man lange Zeit annahm, daß freilaufende Hauskatzen (↑ Sozialstatus) ausgesprochene *Einzelgänger* sind (*Leyhausen* 1982), haben neuere Untersuchungen ergeben, daß es bei ihnen durchaus Sozialstrukturen gibt, die vergleichbar mit denen der „unnatürlich" gehaltenen Stubenkatze sind. Diese Formen des Sozialverhaltens beinhalten auch typische Verhaltensweisen von Kontakttieren, z. B. Schlafgesellschaften (↑ Schlaf) und ↑ Katzenversammlungen (vgl. Individualität).

Individualgedächtnis: 1. ↑ phänotypische Variation. – **2.** ↑ Gedächtnis.

Individualität: Bezeichnung für die Besonderheit, Einmaligkeit und Originalität eines Organismus. Moderne evolutionsbiologische Konzepte stützen sich in ihren Überlegungen bevorzugt auf den Zusammenhang zwischen Population und Individuum (↑ Populationsgenetik, ↑ Soziobiologie). Unabhängig davon, ob die ↑ Selektion an einem Einzeltier, einer Gruppe verwandter Tiere, einer Population ansetzt oder sogar zwischenartliche (interspezifische) Konkurrenz wirksam wird, bildet das verhaltensfähige Individuum die Basiseinheit des Evolutionsprozesses.

Nach *Tembrock* (1982, 1986) lassen sich drei bestimmende Faktorengefüge für die I. unterscheiden:

- konstitutionelle, stofflich-energetische Eigenschaften auf der Grundlage des jeweiligen Konstitutionstyps, Nerventyps, Temperaments usw.; der geschlechtlichen Determination sowie der mit der ↑ Ontogenese verbundenen Veränderungen.
- Verhaltensinteraktionen mit der ↑ Umwelt (Informationswechsel) auf der Grundlage von Gebrauchshandlungen (↑ Verhaltensbiologie), die den stofflich-energetischen Zusammenhang mit dem Lebensraum gewährleisten. Hier sind z. B. bestimmte Strategien des ↑ Beutefangverhaltens einzuordnen.
- Verhaltensinteraktionen mit der Artpopulation, die ihren Ausdruck im ↑ Sozialverhalten finden.

Alle Merkmale der I. sind eng mit Anpassungs- und Lernprozessen verknüpft. Diese können die Verteilung genetisch fixierter Individualeigenschaften in der Population beeinflussen und werden damit schneller wirksam als Änderungen im Genom: So können bestimmte Verhaltenselemente tradiert werden und somit sogar die Partnerwahl bis hin zum Aufbau von Fortpflanzungsschranken beeinflussen.

Während Auswirkungen der I. in freilebenden Populationen nur selten für den menschlichen Beobachter sichtbar werden (vgl. Sozialverhalten), spielen sie im Prozeß der ↑ Domestikation eine herausragende Rolle. Die intensiven ↑ Mensch-Tier-Beziehungen bei der Herausformung von Haustieren und ihrer vielfältigen Rassen basiert oft auf individualtypischen Merkmalen, die, wenn genetisch manifestiert, züchterisch bearbeitet werden. Neben bereits gut bekannten konstitutionellen und Färbungsmerkmalen (↑ genotypische Variation, ↑ phänotypische Variation) kann mit der Entwicklung der Verhaltensgenetik zunehmend auch mit Fortschritten bei der Herausbildung bestimmter Verhaltensqualitäten gerechnet werden.

Nicht zu übersehen ist der Fakt, daß jedes Tier und damit auch die Katze in Abhängigkeit von der Stufe ihres Sozialverhaltens ihre individualspezifischen Merkmale besitzt. Es ist jedoch nicht angebracht, für Tiere den Begriff der Persönlichkeit anzuwenden, da dieser durch vielfältige gesellschaftliche Beziehungen des Menschen und besonders den Aspekt des Selbstbewußtseins charakterisiert wird.

Von besonderer Bedeutung ist die I. bei der Herausbildung der ↑ Mensch-Tier-Beziehungen zwischen Halter und Katze. Das gefühlvolle Eingehen auf bestimmte Besonderheiten des Verhaltens ist die Grundlage für den Aufbau artgerechter Haltungsbedingungen. Voraussetzung sind die ständige Beobachtung der Verhaltensreaktionen der Katze gegenüber dem Menschen und Artgenossen, das Verändern von störenden Umweltbedingungen (↑ Verhaltensstörung) und damit die Schaffung von adäquaten Voraussetzungen für eine verantwortungsbewußte Tierhaltung. Die schillernde Vielfalt von Körperform, Fellfärbung und oft unverstandenem Verhalten der Katze sind der beste Beweis, daß allenfalls „nachts alle Katzen grau“ sind.

Individualselektion, *Einzeltierselektion:* Auswahl der besten Tiere aus allen Würfen mit nachfolgender individueller Anpaarung. Die Familiendurchschnittsleistung wird nicht berücksichtigt (↑ Familienselektion). Gewöhnlich ist diese Methode am einfachsten anwendbar und führt unter vielen Verhältnissen auch zum Erfolg. Sie wird immer dann eingesetzt, wenn keine guten Gründe für eine andere Selektionsmethode sprechen. Die I. ist vorteilhaft, wenn es sich um mendelnde Merkmale oder um Merkmale mit einem hohen ↑ Heritabilitätskoeffizienten handelt. Ab h^2-Werten von 0,2 ist sie der Familienselektion überlegen. Werden die Tiere zwar individuell ausgelesen, die Verpaarung in der allgemeinen Population erfolgt jedoch zufallsmäßig, spricht man von „Massenselektion“, was primär nichts mit großen Tierzahlen zu tun hat. In der Rassekatzenzucht ist die I. die am häufigsten angewandte ↑ Selektionsmethode. Die effektiven Zuchtpopulationen sind in der Regel klein. Die Anwendung weiterer Methoden ist von der Bildung von Interessengemeinschaften für die einzelnen ↑ Rassen oder ↑ Varietäten abhängig, aber durchaus möglich.

Infantizid, *Kindestötung*: abnorme Verhaltensweise, die unter natürlichen Bedingungen in zwei unterschiedlichen Situationen auftreten kann:

- durch die eigenen Eltern bei schlechten Umweltbedingungen, z. B. Nahrungsmangel. Durch das Fressen der verhungerten oder getöteten Jungtiere (Kronismus) wird das Überleben der Eltern gesichert.
- durch ein fremdes Männchen bei der Übernahme einer Weibchengruppe mit Jungtieren (↑ Sozialverhalten). Das Männchen tötet dabei die noch unselbständigen Nachkommen seines „Vorgängers“ und versetzt dadurch die Weibchen, die während der Laktation nicht rollig werden (↑ Rolligkeit), in Empfängnisbereitschaft.

Diese Verhaltensweise wurde bisher

bei Löwen nachgewiesen, die im sogenannten Ein-Mann-Harem (Gruppe aus mehreren Weibchen und einem fortpflanzungsberechtigten Männchen) leben (↑ Inzestvermeidung). Da die sozialen Verhältnisse freilaufender Hauskatzen diesem Modell zumindest zur Paarungszeit ähneln (↑ Sexualverhalten), wurden von *Liberg* (1981) speziell Beobachtungen zum I. durchgeführt, um eventuell neuere Vorstellungen der ↑ Soziobiologie auch an Hauskatzen zu bestätigen. Trotz mehrjähriger Untersuchungen konnte lediglich festgestellt werden, daß weibliche Katzen mit Jungtieren bestrebt sind, sowohl junge Kater aus der eigenen Gruppe, als auch fremde Kater vom Nestort fernzuhalten. Dies könnte als Vorbeugung gegenüber dem I. gedeutet werden.

Bei ↑ Heimtieren wird I. vor allem bei Störungen (↑ Stress) und bei mangelnden Bedingungen zur Entfaltung der ↑ Mutter-Kind-Bindung beobachtet. So beschreibt *Brunner* (1976) auch Fälle von I. bei der ↑ Hauskatze, ohne jedoch konkrete Ursachen nennen zu können. Züchter müssen wissen, daß Muttertiere ihre Jungen erst nach dem ersten Säugen gegenüber Artgenossen verteidigen. Eine entsprechend aufgestellte ↑ Wurfkiste ist die beste Vorsorge.

Infektion, *Ansteckung:* Vorgang des Eindringens von Krankheitserregern in einen Wirtsorganismus, z. B. die Katze. I.en können örtlich begrenzt sein (*lokale L.*) und nur z. B. den Darm oder einen Teil der Haut erfassen oder den ganzen Organismus betreffen (*allgemeine I.*). Krankheitserreger sind Viren oder Bakterien (↑ Infektionskrankheiten), Parasiten (↑ Parasitosen) oder Pilze (↑ Mykosen). Sie können tierartspezifisch sein, z.B. die infektiöse feline Panleukopenie, auf mehrere Tierarten übertragbar sein, z.B. Pseudowut, oder vom Tier auf den Menschen (↑ Zoonosen) übergehen. Eine Krankheit entsteht aber erst dann, wenn die Erreger haften bleiben und sich vermehren. Bei einem stabilen Abwehrsystem des Organismus können eingedrungene Erreger eliminiert werden, bevor sie zum Haften kommen (*subklinische I.*), oder sie existieren weiter im Organismus und leben mit diesem in einem bestimmten Gleichgewicht (*latente I.*). Solche I.en bleiben unerkannt und da latent infizierte Tiere immer Dauerausscheider sind, stellen sie für andere Tiere ein ständiges I.risiko dar. Viele Erreger aktivieren nach dem Eindringen in den Organismus das immunologische Abwehrsystem. Nach einer unspezifischen (Interferon, Immunglobuline) setzt eine spezifische Abwehr ein: Antikörper werden gebildet, die den Erreger inaktivieren. Das trifft insbesondere für viele virale I.en zu, weniger für bakterielle und nur in einigen Fällen für parasitäre. Antikörper bleiben längere Zeit im Organismus und schützen ihn vor neuen I.en. Hiervon ausgenommen ist die F. I. P. Dieser Vorgang wird bei der Durchführung von ↑ Schutzimpfungen ausgenutzt.

Welpen erhalten während der intrauterinen Entwicklung über die Plazenta (↑ Trächtigkeit) und nach der Geburt mit der ersten Kolostralmilch (↑ Welpenaufzucht) eine Vielzahl von Antikörpern (maternale Antikörper), die sie vor I.en schützen.

Infektionsanfälligkeit: 1. ↑ Vitaminbedarf. – **2.** ↑ Infektion.

Infektionskrankheiten: Erkrankungen, die durch die Entwicklung von Krankheitserregern sowie deren Stoffwechsel- und Zerfallsprodukte entstehen. Die bekanntesten viralen I. der Katze sind in der Tabelle aufgeführt.

Wegen der hohen Morbiditätsrate (Erkrankungsrate, etwa 90% bei Erstausbrüchen) und des problematischen Verlaufs steht die *infektiöse feline Pan-*

leukopenie derzeitig noch an erster Stelle. Durch jährliche ↑ Schutzimpfungen (nach *Kraft*, 1984, alle zwei Jahre bei Verwendung von Lebendimpfstoff) werden die Katzen erfolgreich gegen eine ↑ Infektion geschützt. Besonders exponiert sind Katzen auf Ausstellungen, in Tierheimen oder mit freiem ↑ Auslauf. Das gilt allerdings auch für die meisten der folgenden I.

Der *Katzenschnupfen*, ein Erkrankungskomplex mit gleicher oder ähnlicher Symptomatik, obwohl von verschiedenen Erregern verursacht, verläuft in der Regel bei rechtzeitiger tierärztlicher Behandlung problemlos. Allerdings können infolge bakterieller Sekundärinfektionen auch schwere und langwierige Erkrankungen mit nicht immer günstigem Verlauf auftreten. Schutzimpfungen sind wegen der Vielfalt und Variabilität der Erreger nur begrenzt wirksam. Ständige ↑ Hygienemaßnahmen stehen vorbeugend an erster Stelle.

Die Feline Infektiöse Peritonitis (FIP) und die Infektion mit Felinem Leukämie-Virus (FeLV) sind in den letzten Jahren mehr und mehr in den Vordergrund gerückt. Beide I. sind weltweit verbreitet. Nach einer Infektion mit dem *FIP-Virus* erkranken nur die wenigsten Katzen ernsthaft. Das ist abhängig von der Virusmenge, dessen unterschiedlicher Pathogenität (krankmachende Eigenschaft) und den individuellen Eigenschaften des Wirtes (allgemeiner Gesundheitszustand, ↑ Erbumweltkrankheiten, ↑ Stress, ↑ Inzucht). Eine entscheidende Rolle für die Pathogenese (Krankheitsentstehung) der FIP spielt aber das Immunsystem der Katze. Da es sich hierbei offensichtlich um eine immmunbedingte (durch das Immunsystem hervorgerufene) Krankheit handelt, rufen aktive Schutzimpfungen das genaue Gegenteil hervor: die Krankheitssymptome treten schneller auf (*Lutz* et al., 1985).

Infektionen mit *FeLV* und deren Auswirkungen auf den Organismus sind direkt abhängig von der Dauer und der Häufigkeit des Kontaktes mit Virusträgern sowie von der Infektionsdosis. Nach *Pauli* et al. (1983) nimmt die Erkrankungshäufigkeit von der freilebenden Landkatze (nur 5% sind Antikörperträger, haben sich also irgendwann mit dem Erreger auseinandergesetzt, ohne krank zu werden) über die streunende Stadtkatze (50% sind Antikörperträger, davon 5% Virusträger, also kranke Tiere) zur Wohnungs-/Zwingerhaltung mit mehreren Katzen (40% sind Antikörperträger, 30% Virusträger in infizierten Haushalten) zu. Die ↑ Lebenserwartung FeLV-infizierter Katzen ist herabgesetzt, da die Empfänglichkeit gegenüber Sekundärinfektionen ansteigt (immunsuppressive Wirkung des Virus), insbesondere gegenüber der FIP, dem Katzenschnupfen, der infektiösen Panleukopenie und chronischen Respirationserkrankungen (Erkrankungen der Atmungsorgane) u. a.

Die *Tollwut* ist eine absolut tödlich verlaufende I. und wegen der Übertragbarkeit auf den Menschen (↑ Zoonosen) in allen europäischen Ländern meldepflichtig.

Erkrankungen, die primär durch *Bakterien* hervorgerufen werden, spielen bei der Katze eine geringe Rolle. Dagegen können bakterielle Sekundärinfektionen im Gefolge einer viralen Infektion zu schwerwiegenden Komplikationen führen. Die durch Viren hervorgerufene Beeinträchtigung der körpereigenen Abwehr, z. B. Schleimhautschäden des Respirations- bzw. Digestionstraktes (↑ Verdauungsorgane) oder Schwächung der zellulären Abwehr, gestatten ein Eindringen und eine übermäßige Vermehrung von Bakterien. Ansonsten ubiquitäre (überall vorkommende) und apathogene (nicht krankmachende) Keime wirken nunmehr pathogen und

Virale Infektionskrankheiten der Katze

Krankheitsname	Synonyme	Erreger	Inkubationszeit	Pathogenese
infektiöse feline Panleukopenie	feline Parvovirusinfektion, infektiöse Agranulozytose, infektiöse Gastroenteritis, Katzenseuche, Katzenstaupe, Katzentyphus, Katzenpest	felines Parvovirus	4...6 Tage	Infektion über Verdauungs- und Atmungsapparat; nach überstandener Infektion noch längere Zeit Virusausscheider über alle Se- und Exkrete; ebenso Katzen, die klinisch nicht erkannt, kurzzeitig erkrankt waren
Katzenschnupfenkomplex	Herpesvirusinfektion, Katzenschnupfen, Katzenrhinitis, Katzenpneumonitis, Virusschnupfen der Katze, Katarrhe der Schleimhäute des Kopfes und des oberen Respirationstraktes	Herpesviren, Caliciviren, Reoviren, Chlamydien und bakterielle Sekundärinfektion	Herpesviren 2...5 Tage Caliciviren 1...2 Tage	Infektion über Schleimhäute von Auge und Nase, im wesentlichen Erkrankung des Respirationstraktes, nach überstandener Krankheit in der Regel Dauerausscheider des Virus
feline infektiöse Peritonitis (FIP)	feline Coronavirusinfektion	Coronavirus	unklar, etwa 1...4 Monate	bisher unklar, wahrscheinlich Infektion über die Schleimhäute, meist symptomlos, nur ein kleiner Teil mit primärer Phase: Nasen- und Augenausfluß, schnell heilend, bei geringem Prozentsatz nach Wochen oder Monaten sekundäre Phase: der eigentlichen FIP, wahrscheinlich immunbedingte Krankheit
feline Leukose	feline Leukämie	felines Leukosevirus (FeLV)	4...28 Wochen oder länger	Hauptinfektionsweg durch direkten Kontakt über den Speichel von Virusträgern, nach Bildung von Antikörpern entweder Eliminierung des Virus oder ständiger Virusträger; bei letzteren entstehen Geschwulsterkrankungen des lymphatischen oder blutbildenden Gewebes

Symptome	Prognose	Prophylaxe
gestörtes Allgemeinbefinden, hohes Fieber, Erbrechen, blutiger Durchfall, Exsikkose, allgemeine Schwäche; Laborbefund: hochgradige Leukozytendepression (Leukopenie), bei Infektion im letzten Drittel der Trächtigkeit Totgeburten	bei perakutem Verlauf sterben Jungtiere innerhalb weniger Stunden, bei Neuausbrüchen ohne Behandlung sterben 80...100% der Erkrankten	Schutzimpfung: 1. Impfung etwa in der 12. Lebenswoche, jährliche Wiederholungsimpfung, ständige Hygienemaßnahmen
leichter Verlauf: Niesen, Schnupfen, Augen- und Nasenausfluß; schwerer Verlauf, insbesondere bei Streßsituationen, wie Kauf, Ausstellung, Tierheim, schlechte Hygiene und Sekundärinfektion: Bronchitis, Rhinitis, schwere Konjunktivitis, Fieber, Fruchttod, lebensschwache Welpen, Futter- und Wasserverweigerung	leichte Fälle nach Behandlung schnell heilend, in schweren Fällen langwierig mit ungewissem Ausgang, bis 20% Todesfälle; kranke Katze braucht viel persönliche Zuwendung in möglichst unveränderter Umgebung	Schutzimpfungen sind wegen des breiten Erregerspektrums ungewiß, ständige Hygienemaßnahmen
nasse Form: Peritonitis und/oder Pleuritis mit Flüssigkeitsansammlung (Aszites), Augenveränderungen, Atemnot, Störungen des ZNS; trockene Form: Entzündungen verschiedener Organe, Störungen des ZNS, Lähmungen, Kopf schief halten, Verhaltensstörungen, wenig fressend, Abmagerung, struppiges Fell	vor allem bei Katzen bis zwei Jahre auftretend, in der Regel Tod der erkrankten Tiere, eine Behandlung ist problematisch	Schutzimpfung ist unbekannt, hauptsächlich hygienische Maßnahmen und streßfreie Tierhaltung
Fieber, gestörtes Allgemeinbefinden mit Müdigkeit, Leistungsschwäche, Abmagerung, Inappetenz, gesträubtes glanzloses Fell und lokale Symptome je nach Sitz der Geschwulst	ungünstig, niedrige Lebenserwartung, infizierte Katzen sind erhöht anfällig gegenüber anderen Infektionen, zeitweise Erholung nach Behandlung möglich, die Katze bleibt aber stets Virusträger	Trennen infizierter von nicht infizierten Tieren durch serologischen Antikörpernachweis

Krankheitsname	Synonyme	Erreger	Inkubationszeit	Pathogenese
Tollwut	Lyssa, Rabies	Rhabdovirus	14 Tage bis 2 Monate oder länger	infizierter Speichel gelangt über Hautverletzungen (Biß, Wunde usw.) in den Organismus; Virus wandert entlang der Nervenbahnen zum ZNS, die Folge sind zentral-nervale Störungen
Pseudowut	Aujeszkische Krankheit, Pseudorabies, Juckseuche, infektiöse Bulbärparalyse	Herpesvirus	2...9 Tage	Infektion durch rohes Schweinefleisch, nach Vermehrung des Virus im lymphatischen Gewebe des Magen-Darm-Traktes nervale Verbreitung bis zum ZNS

lassen aus einer relativ leichten viralen I. eine langwierige, manchmal tödlich verlaufende Erkrankung entstehen, wie es bei der infektiösen Panleukopenie oder beim Katzenschnupfen der Fall sein kann.

Informationsaufnahme ↑ Sinnesorgan.

Innenohrschwerhörigkeit ↑ Taubheit.

Innenschmarotzer ↑ Endoparasiten.

»innere Uhr« ↑ Zeitsinn.

Instinkt: umstrittener Begriff in der Verhaltensforschung (↑ Verhaltensbiologie). Er wurde und wird von verschiedenen Wissenschaftlern sehr unterschiedlich benutzt. Daher sieht man heute immer mehr davon ab, ihn zu verwenden, um Mißverständnisse zu vermeiden. Am häufigsten versteht man unter I. einen angeborenen Verhaltensmechanismus, der sich in geordneten Bewegungsabläufen äußert und durch bestimmte Reize über einen ↑ Auslösemechanismus in Gang gesetzt werden kann. Unter I.handlung versteht man dann eine geordnete Folge von Einzelbewegungen. Im Gegensatz zu niederen Wirbeltieren ist die Abfolge einzelner Handlungen bei der Katze nicht starr vorprogrammiert, was besonders im ↑ Spielverhalten zu beobachten ist. Diese in gewissen Grenzen vorhandene Willkürlichkeit des Verhaltens macht höher entwickelte Säugetiere (darunter auch ↑ Katzen) nicht zu reinen „I.wesen".

interfamiliäre Selektion ↑ Familienselektion.

intermediäre Vererbung: 1. ↑ Allelwechselwirkung. – **2.** ↑ Albinoserie. – **3.** ↑ Tonkanese. – **4.** ↑ Erbgang.

Intoxikation ↑ Vergiftungen.

Intra-Familien-Selektion: Zuchtmethode, deren Selektionskriterium die Abweichung jedes Individuums von seinem Familienmittel ist. Im allgemeinen werden die am weitesten über dem Mittelwert liegenden Tiere ausgewählt (Auswahl der „Besten"). Die Sicherheit dieser Methode hängt von einer großen gemeinsamen Umweltkomponente für

Symptome	Prognose	Prophylaxe
Verlauf in drei Stadien (heute aber nur noch selten abgegrenzt): 1. Stadium: wenige Stunden bis vier Tage dauernd, Verhaltensänderung: scheu, verkriechen, speicheln, Schluckbeschwerden, unmotivierte Flucht oder besondere Anhänglichkeit; 2. Stadium: bis vier Tage dauernd, rasende Wut, Aggressivität, Unruhe, Erregung; 3. Stadium: 3...4 Tage dauernd, allgemeine Lähmung (Paralyse), Stimme heiser bis tonlos – Tod	Tod nach 1...8 Tagen, *Behandlung verboten!* jede gestorbene tollwutverdächtige Katze muß zur diagnostischen Untersuchung, da Lebensgefahr für diejenigen besteht, die Kontakt mit dem Tier hatten; in allen europäischen Ländern meldepflichtig!	Schutzimpfung: 1. Impfung ab 12. Lebenswoche, jährliche Wiederholungsimpfung
Mattigkeit, Lähmungen, speicheln, schwerer, nicht zu unterdrückender Juckreiz	nach 1...2 Tagen Tod, die Krankheit ist meldepflichtig, da schwer von der Tollwut zu unterscheiden, stets Untersuchung veranlassen	kein rohes Schweinefleisch verfüttern

alle Familienmitglieder ab, wie sie z. B. bei den postnatalen ↑ maternalen Effekten auftritt (z. B. Körpermassezunahme der Welpen in der Säugeperiode). Genetische Unterschiede werden deutlicher. Diese Methode wird insbesondere auch aus Gründen der Platzeinsparung bevorzugt. Im allgemeinen werden zwei Mitglieder der Familie zum Ersatz der Eltern selektiert. Unter diesen Bedingungen trägt jede Familie gleichmäßig zur Bildung der nächsten Generation bei. Mischformen mit der ↑ Familienselektion sind jedoch üblich (↑ Zucht in geschlossenen Zuchtgruppen).

Intragene Mutation: 1. ↑ multiple Allelie. – **2.** ↑ Gen.

Inzestvermeidung: Sammelbezeichnung für biologische Mechanismen, die unter natürlichen Bedingungen eine Verpaarung nahe verwandter Individuen verhindern und damit die negativen Folgen der ↑ Inzucht vermeiden. Neue Untersuchungen zum ↑ Sozialverhalten freilaufender Hauskatzen (*Liberg*, 1981) zeigten einen möglichen Mechanismus der I. Die bei entsprechendem Nahrungsangebot sich bildenden Weibchengruppen (bis zu sieben Tieren) bestehen meist aus verwandten Tieren. Männchen werden nur bis zum Erreichen der ↑ Geschlechtsreife geduldet und müssen sich dann weiter entfernt liegende Gebiete zur Beutesuche wählen, da die nähere Umgebung bereits durch sexuell aktive Kater besetzt ist. So kommt es nur in Ausnahmefällen zur Verpaarung eng verwandter Individuen, was auch im Rahmen der ↑ Populationsgenetik durch Analysen der Fellfärbung (↑ Pigmentierung) belegt wurde.

Inzestzucht ↑ Inzucht.

Inzucht: im weiteren Sinne Paarung verwandter Tiere, im engeren Sinne die Paarung von Tieren, die innerhalb der letzten sechs Generationen gemeinsame Vorfahren haben. Dabei unterscheidet man zwischen

– Inzestzucht (erster und zweiter Grad, Eltern × Nachkommen, Geschwister untereinander, Großeltern × Enkel),
– enge I. (dritter und vierter Grad, Onkel × Nichte, Vetter × Base),
– mäßige I. (fünfter und sechster Grad, entfernte Verwandte).

Die Anwendung der I. als Züchtungsmethode erfolgt mit unterschiedlichen Zielvorstellungen:

1. Erwünschte Gene der Eltern sollen bei den Nachkommen fixiert, d. h. homozygot werden.
2. Es wird eine Erhöhung der genetischen und phänotypischen Variabilität in der Population angestrebt, d. h., die bei den Eltern heterozygot besetzten Genorte sollen aufspalten, um Neukombinationen (↑ genetische Rekombination) für die Selektionsarbeit zu gewinnen.
3. Es sollen Träger unerwünschter rezessiver Erbanlagen entdeckt werden (↑ Heterozygotietest).

I. als Zuchtmethode erfordert daher ein genetisch exakt definiertes Material. In Ramschzuchten hat man mit unerwarteten Ergebnissen zu rechnen. Nicht umsonst besagt eine alte Bauernregel: „Inzucht in der Hand des Durcnschnittszüchters ist wie das Rasiermesser in der Hand des Affen".

I. bedeutet ↑ Ahnenverlust, d. h. Abweichungen von der maximalen Vorfahrenszahl 2^n. Das heute am häufigsten verwendete Kriterium ist der I.koeffizient F., der die Hälfte des Verwandtschaftskoeffizienten der Eltern entspricht, und sich nach *Wright* (1932) für das Individuum *X* aus der Gleichung

$$F_X = \sum (1/2)^{n_1+n_2+1} \cdot (1+F_A)$$

errechnet. Dabei sind n_1 die Zahl der Generationen vom Vater zum gemeinsamen Vorfahren A und n_2 die Zahl der Generationen von der Mutter zum gemeinsamen Vorfahren A. Bei Halbgeschwisterpaarungen, d. h. bei einem gemeinsamen Großvater, ergeben sich für den Probanden 0,125 bzw. 12,5%, da $F_X = (1/2)^{1+1+1} = 1/8$ ist. In der oben aufgeführten Gleichung sind weiterhin F_A der Inzuchtkoeffizient des Vorfahren A und $\sum$ das Zeichen zur Summierung der Beiträge aller gemeinsamen Vorfahren. Auf diese Art und Weise ergeben sich für Vater × Tochter-, Sohn × Mutter- und Vollgeschwisterpaarungen ein *F*-Wert von 0,25 bei Großeltern × Enkel- und Halbgeschwisterpaarungen von 0,125 und bei Urgroßeltern × Urenkel- sowie Vetter × Base-Paarungen von 0,0625.

Abb. 1 enthält die Ahnentafel einer Katze A, die als Produkt der I. gezüchtet wurde. Die Berechnung des I.koeffizienten F_X läßt sich tabellarisch einfach durchführen (Tab. 1):

Tab. 1 Berechnung des Inzuchtkoeffizienten F_X

gemeinsamer Vorfahr	*n*	*n'*	F_A	Anteil des gemeinsamen Vorfahren
D (für B und F)	1	2	–	$0{,}5^{1+2+1} = 0{,}0625$
D (für B und G)	1	2	–	$0{,}5^{1+2+1} = 0{,}0625$
E (für B und F)	1	2	–	$0{,}5^{1+2+1} = 0{,}0625$
Summe				0,1875

Der I.koeffizient der Katze A liegt bei $F_X = 0{,}1875$ bzw. 18,75%. Man drückt den I.grad im allgemeinen in Prozenten aus. In der DDR sind Paarungen zwischen Halbgeschwistern, Eltern und Kinder erlaubt, wenn sich in der Ahnentafel der zu erwartenden Jungtiere innerhalb der drei letzten Generationen zehn verschiedene Tiere befinden. Der im Beispiel erreichte I.grad ist also zulässig.

Wichtiger als der I.koeffizient selbst ist für den praktischen Züchter die Höhe der zu erwartenden I.steigerung (ΔF) je Generation bei der Durchführung bestimmter Verpaarungen. Dieser ergibt

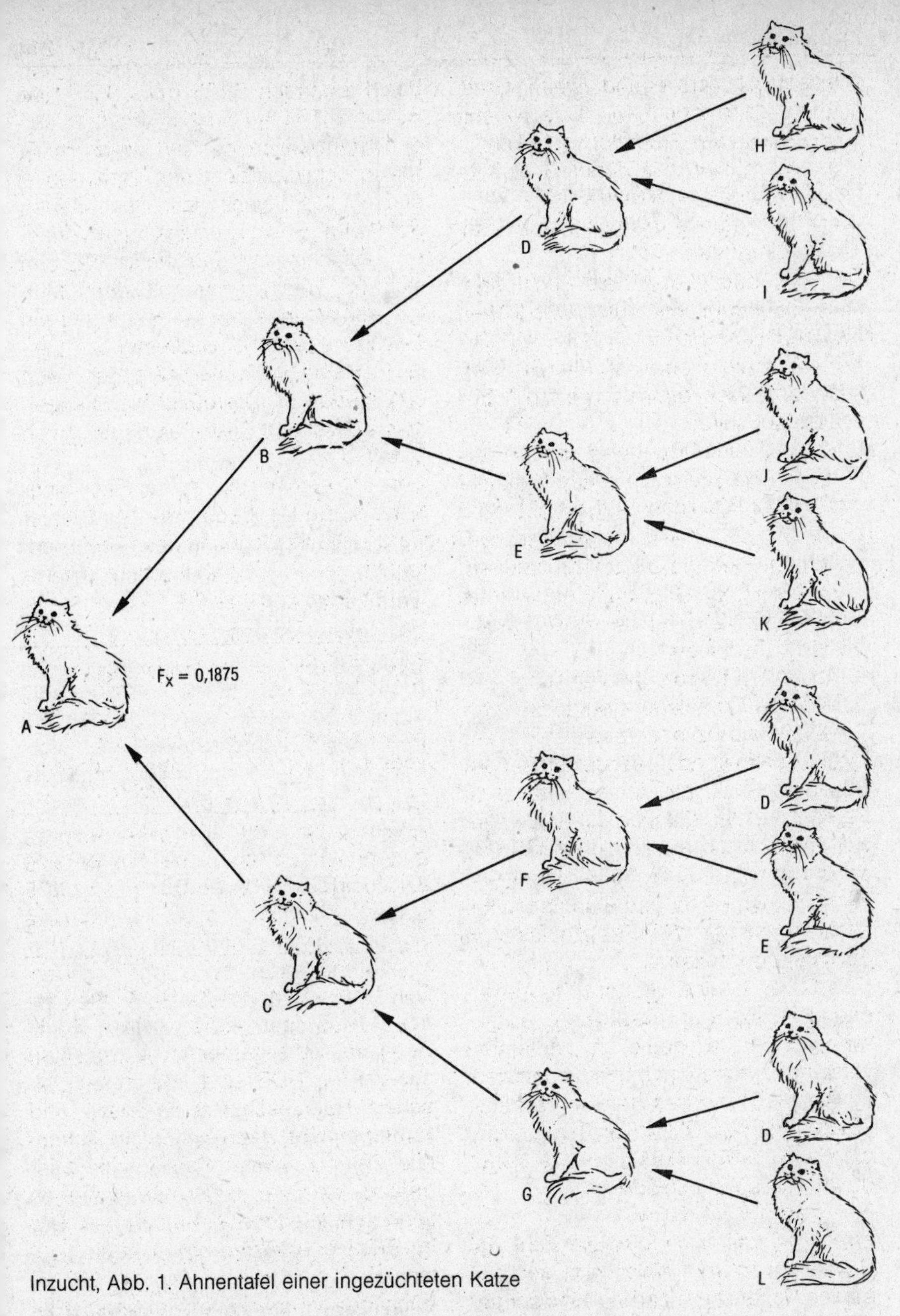

Inzucht, Abb. 1. Ahnentafel einer ingezüchteten Katze

sich nach *Pirschner* (1964) aus $\Delta F=(F_n-F_{n-1})/(1-F_{n-1})$. Hierbei bedeuten ΔF die Zunahme der I. je Generation, F_n= I. koeffizient in der Generation n und F_{n-1} = I.koeffizient in der Generation $n-1$.

Bei der ↑ Zucht in geschlossenen Zuchtgruppen ergibt sich nach *Wright*

(1931) folgender Näherungswert:

$$F \approx \frac{1}{8\,N♂} + \frac{1}{8\,N♀} \approx \frac{N♂ + N♀}{8N♂ \cdot N♀}.$$

Dabei sind N ♂ die Zahl der männlichen und N ♀ die Zahl der weiblichen Tiere.

Über Generationen fortgesetzte I. führt zur fortlaufenden Abnahme der ↑ Heterozygotie. Die ↑ Homozygotie, d. h. die Wahrscheinlichkeit, daß die gleichen Gene von den Vorfahren übernommen werden, erhöht sich. Die Nachkommenschaft innerhalb eines unter stabilen Umweltverhältnissen lebenden Zuchtstamms wird sich in Erscheinung (↑ Phänotyp) und im allgemeinen Verhalten immer ähnlicher (Abb. 2, Tab. 2). Aus Abb. 2 ist ersichtlich, daß die Zunahme des I.koeffizienten bei fortlaufender I. nicht linear ist, sondern bei Voll- und Halbgeschwisterpaarung sich asymptotisch dem Grenzwert $F=1$ nähert. Bei Rückpaarung auf einen Elternteil wird ein Grenzwert von $F=0{,}5$ angestrebt.

Das oben Gesagte gilt streng genommen nur bei Betrachtung der Wirkung einzelner Genorte. I. betrifft dagegen

Tab. 2 Abnahme der Heterozygotie bei Inzucht

Generation bei Zufallspaarung	Genotypen BB	Bb	*bb*
	p^2	$2pq$	q^2
F_1	0,25	0,5	0,25
F_2	0,25	0,5	0,25
	(usw., ↑ genetisches Gleichgewicht)		
bei Inzucht	$p^2 + pqF$	$2pq(1-F)$	$q^2 + pqF$
I_0	0,25	0,5	0,25
I_1	0,375	0,25	0,375
I_2	0,4375	0,125	0,4375

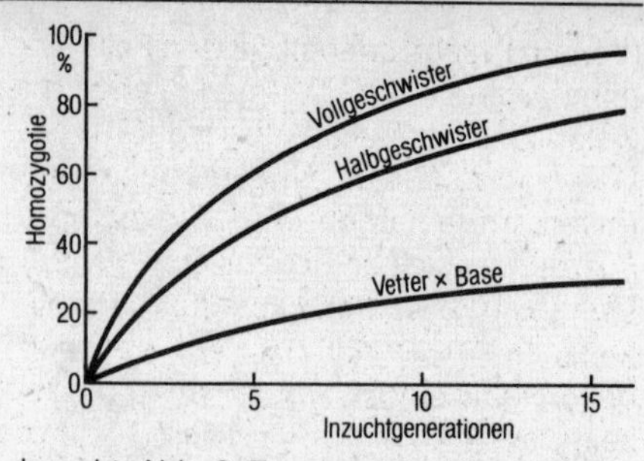

Inzucht, Abb. 2. Zunahme der Homozygotie nach mehreren Generationen Inzucht bei Vollgeschwister-, Halbgeschwister- und Vetter × Base-Paarungen

gleichzeitig viele Genorte. Daher können zahlreiche I.linien entstehen, die sich untereinander immer unähnlicher werden.

Inzuchtdepression: Abnahme der Fitness und der Lebenskraft infolge ↑ Inzucht, bei der es zur Abnahme der Zahl der Heterozygoten kommt. In den betreffenden Zuchtgruppen liegt nicht mehr ein ↑ genetisches Gleichgewicht $(p+q)^2 = p^2 + 2pq + q^2$ an einem ↑ Genort mit zwei Allelen B und b vor, sondern im Extrem die Abweichung $(p^2 + pqF) + (2pq - 2pqF) + (q^2 + pqF)$. Dabei sind p und q die Häufigkeiten der beiden Allele und F ist der Inzuchtkoeffizient. Der Betrag $-2pqF$ bzw. dessen Summierung über alle Genorte $\sum -pqF$ entspricht unter diesen vereinfachten Bedingungen der I. Voraussetzung hierbei ist, daß die überwiegende Wirkung der Genorte in eine Richtung geht, d.h., daß additive ↑ Polygenie vorliegt. Die Depression kann aber auch andere ↑ Genwechselwirkungen betreffen. Daher tritt sie bei den verschiedenen Merkmalen eines Organismus in Abhängigkeit von dessen ↑ Genotyp unterschiedlich stark in Erscheinung.

Während die genotypische Ähnlichkeit innerhalb einer Inzuchtlinie zunimmt, ist das bei der phänotypischen Ähnlichkeit

(Varianz) nicht unbedingt der Fall. Die homozygoten Tiere reagieren auf Umweltreize stärker als heterozygote Tiere. Das durch Heterozygotie gegebene Pufferungsvermögen für Störfaktoren aus der Umwelt ist geschwächt. Es besteht ein breiter Spielraum für ↑ Modifikationen. Im Verlauf der Herausbildung der ↑ Homozygotie werden auch die rezessiven Homozygoten der im ↑ Chromosomenansatz vorhandenen Erbfehlergene bzw. ↑ Letalfehler zutage gefördert. Ein Defekt, der in der allgemeinen ↑ Population mit einer Häufigkeit von 1% vorkommt (↑ Genfrequenz), tritt in einer Zuchtgruppe mit Vollgeschwisterpaarung (F=0,25) mit einer dreimal erhöhten Häufigkeit in Erscheinung ($q^2 + pqF = 3{,}25\%$). Die Inzucht ist dabei nicht für die Entstehung der ↑ Mutation verantwortlich, sondern nur der Detektiv, der sie entlarvt hat.
Ein bekanntes Beispiel ist das Auftreten des Erbfehlers ↑ Knickschwanz nach Inzucht mit Katzen verschiedener ↑ Rassen. Die Aufhebung der dominanten Genwirkungen sowie der dominantepistatischen (↑ Epistasie) u. a. Wechselwirkungen führt zur Minderung quantitativer Merkmalwerte, wie Fruchtbarkeit, d. h. Merkmale der reproduktiven Fitness, die sich letztlich in Wurfgröße, Gesamtzahl der Würfe, Überlebensrate der Nachkommen bis zur eigenen Vermehrung usw. auswirken, Wachstumsgeschwindigkeit, spätere Körpermasse, Krankheitsresistenz u. a. In Beagle-Versuchszuchten hat man z. B. festgestellt, daß es bei einem Inzuchtkoeffizienten von 0,08 bis zu 0,186 zu Fruchtverlusten bis zum zehnten Tag nach der Geburt von 25% kommt, bei F-Werten über 0,673 jedoch von 75%. Aus der Katzenhaltung ist das ↑ Fading Kitten Syndrom, das Welpensterben-Syndrom, bekannt. Der I. kann man nur durch geeignete Einkreuzungen begegnen, wobei es häufig zu Heterosiswirkungen kommt, d. h., die Kreuzungsnachkommen übertreffen beide Elterntiere an Qualität. Für praktische Zwecke wurden Zuchtverfahren empfohlen, in denen die extremen Auswirkungen einer engen Inzucht vermieden werden. Das Problem besteht darin, in einer kleinen Zuchtgruppe den Verlust an Heterozygotie minimal zu halten, wenn der Züchter den „Aufbruch", das Öffnen, der Blutlinie aus verbandsrechtlichen, praktischen oder emotionalen Gründen nicht wünscht. Dabei ist eine strenge Selektion erforderlich. Die Abb. enthält ein von *Robinson* (1977) angegebenes Beispiel. Ausgangspunkt sind vier Kater und vier Katzen, die miteinander verpaart werden und jeweils den besten männlichen und weiblichen Nachkommen als Beitrag zur nächsten züchtenden Generation liefern. Die Anpaarungen werden entsprechend wiederholt und sind mit den Ergebnissen einer Vetter × Base-Paarung (↑ Linienzucht) identisch. Bei einer derartigen Anpaarung sind 18,9 Generationen erforderlich, um den Anteil der Heterozygoten auf die Hälfte zu reduzieren, was bei der Geschwisterpaarung bereits nach drei Generationen gelingt. Nach einer bestimmten Folge von Generationen werden allerdings auch bei einem solchen Verfahren Blutauffrischungen erforderlich (↑ Blutanteillehre).

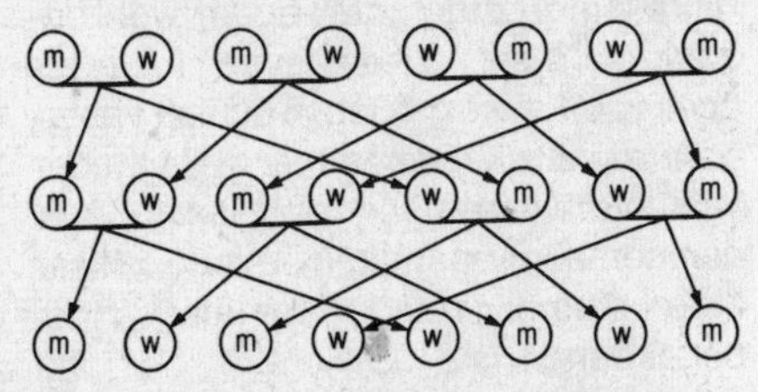

Paarungsdiagramm einer geschlossenen Zucht mit Vetter × Base-Paarungen (m = männlich, w = weiblich)

Inzuchtlinie: 1. ↑ Inzucht. – **2.** ↑ Inzuchtdepression. – **3.** ↑ Linienzucht. –

4. ↑ Zucht in geschlossenen Zuchtgruppen.

Inzuchttest ↑ Heterozygotietest.

Iris: 1. ↑ Augenfarbe. – **2.** ↑ Auge.

Irisheterochromie [griech. Heterochromia iridum], *heterochromatische Augen, ungleiche Augenfarbe, zweierlei Augen* [engl. odd-eyed]: im Zusammenhang mit bestimmten Pigmentmangelsyndromen auftretende ungleiche Irisdepigmentierung, die im Extrem zu einem blauen und einem orangefarbenen Auge führt. Odd-eyed sind als eigenständige Varietät bei ↑ Persern (Tafel 2), ↑ Britisch Kurzhaar, ↑ Europäisch Kurzhaar und ↑ Exotic Kurzhaar zugelassen sowie bei den ↑ Türkisch Van. Zur Depigmentierung tragen unterschiedliche ↑ Genorte bei. Es liegt also eine Heterogenie vor (↑ Genwechselwirkungen). Hauptgenwirkungen üben die Mutantenallele für ↑ dominantes Weiß (W-) und ↑ Scheckung (S-) aus. Der Ausprägungsgrad der Depigmentierung ist unterschiedlich, denn in der gleichen ↑ Population tritt I. neben blauen und orangefarbenen Augen auf. Der Erbgang ist in den genannten Fällen autosomal dominant mit unvollständiger ↑ Penetranz, da Gene anderer Loci zur ↑ Modifikation der Hauptgenwirkung führen. Die Pathogenese (der Entstehungsmechanismus) ist die gleiche wie z. B. beim dominanten Weiß, d. h., es liegen im wesentlichen Migrationsstörungen der Neuro- und Melanoblasten vor. Die Annahme einer komplementären Wirkung der Gene W und S ist unnötig, Genkopplung wahrscheinlicher. Die Abweichung ist von vergleichend-medizinischer Bedeutung.

Bei Katzen mit I. treten kaum Begleitdefekte, wie Sehstörungen, Fotophobie (Lichtscheu) und Entzündungen, auf, so daß sie vor allem im Hinblick auf die Zucht von weißen Katzen mit blauen Augen zugelassen wurden. ↑ Taubheit kann auch bei diesen Merkmalträgern auftreten, wobei es eine irrige Annahme ist, die Tiere seien stets auf der Seite taub, auf der das blaue ↑ Auge liegt. Äußerlich durch eine im Verhältnis zum orangefarbenen Auge weiter geöffneten Pupille deutlich erkennbar ist das Fehlen des Tapetum lucidum im blauen Auge.

Isabellismus ↑ Rufismus.

Isoerythrolysis neonatorum ↑ Hämolytisches Syndrom bei Neugeborenen.

Isometrie ↑ Hirnschädelkapazität.

J

Jacobson'sches Organ: 1. ↑ Nase. – **2.** ↑ Flehmen. – **3.** ↑ Catnip-Verhalten. – **4.** ↑ Chemokommunikation.

Jagdzeit ↑ Tagesrhythmik.

Jahresrhythmik, *Jahresperiodik, circannuale Periodik:* ein jahreszeitlicher Wechsel im Verhalten sowie verschiedener physiologischer Funktionen. Besonders auffallend sind jahreszeitliche Rhythmen von Fortpflanzung, Wanderungen (Vogelzug), Winterschlaf sowie ↑ Haarwechsel bzw. Federwechsel. Auch der J. kann eine innere Uhr (↑ Zeitsinn) zugrunde liegen, wohl jedoch nicht so häufig wie der ↑ Tagesrhythmik. Einen größeren Einfluß haben äußere jahresperiodische ↑ Zeitgeber (z. B. Veränderungen der Taglänge in den gemäßigten Breiten), aber auch andere Faktoren, wie das Nahrungsangebot, können die J. steuern. So fand *Cooper* (1977), daß auf der südafrikanischen Insel Dassen die Wurfzeit der freilebenden Katzen mit dem massen-

Prozentuale Verteilung der Östrusperiodik von 252 Hauskatzen in Schweden (zusammengestellt nach *Liberg*, 1981)

Monat	Jan.	Febr.	März	Apr.	Mai	Juni	Juli	Aug.	Sept.	Okt.	Nov.	Dez.
% der Tiere im Östrus	3,1	19,2	28,2	11,7	14,9	11,7	7,0	3,1	0,4	0,8	—	—

weisen Auftreten von Jungkaninchen, dem wichtigsten ↑ Beutetier, zusammenfällt.
Während die Wurfzeit der ja ursprünglich auf der Nordhalbkugel beheimateten Katze in den Frühjahrs- und Sommermonaten liegt, ist sie auf der Südhalbkugel entsprechend um sechs Monate verschoben, was die Bedeutung der Zeitgeber sichtbar macht.
Liberg (1981) stellte Untersuchungsergebnisse der Östrusperiodik von Hauskatzen aus den Jahren 1974 bis 1980 vor. Die prozentuale Verteilung (Tab.) zeigt zwei Maxima in den Monaten Februar/März und Mai, was mit der Anzahl der Aufzuchten je Jahr in Schweden übereinstimmt.

Japanese Bobtail [engl. bobtail = gestutzter Schwanz]: japanische Stummelschwanzkatze (Kurzhaar) von mittlerer Größe, muskulös, mit langen Beinen und ovalen Pfoten. Die Hinterbeine sollen höher als die Vorderbeine und bei entspannter Haltung tief angewinkelt sein, so daß der Körper auf gleich hohen Beinen zu stehen scheint. Der Kopf der J. B. bildet ein gleichschenkliges Dreieck, mit einer leichten Einbuchtung hinter den Schnurrhaarkissen. Die Nase ist lang und mit zwei parallelen Linien, die in Augenhöhe eine leichte Kurve bilden, von der Nasenspitze bis zum Ansatz deutlich abgegrenzt. Die kräftigen Wangen sind gerundet, die Ohren groß und weit auseinandergesetzt. Die ovalen Augen sind groß und schräg gestellt. Der Schwanz ist das wichtigste rassebildende Merkmal. Seine Länge variiert zwischen 3 und 8 cm. Zu seiner vollen Länge ausgedehnt, darf er maximal 15 cm lang sein (Abb.). Oft ist der Schwanz jedoch unbeweglich gekrümmt. Die entspannte J. B. trägt den Schwanz hoch. Die Schwanzhaare sollen etwas länger und dicker als die übrige Körperbehaarung sein und in alle Richtungen wachsen. Durch seine besondere Form wirkt der Schwanz wie eine Fortsetzung des Rückgrats. Das Fell der J. B. ist mittellang, weich, seidig und ohne Unterwolle.
Beliebteste Varietät ist die *Mi-Ke*, was auf japanisch so viel wie »drei Felle« bedeutet und sich auf die Farben Schwarz, Rot und Weiß bezieht. Die Mi-Ke ist eine Schildpattkatze mit ↑ Scheckung; ihr Genotyp ist aa B- C- D- Oo S-. Die Verteilung der Farben auf

Japanese Bobtail

dem überwiegend weißen Körper entspricht der der ↑ Harlekinzeichnung. Da Mi-Ke stets weiblich sind (↑ Schildpatt), sind auch die Farbschläge schwarz/weiß und rot/weiß anerkannt. Daneben gelten ↑ Weiß (W-), ↑ Schwarz (aa B- C- D- ss), ↑ Rot (D- O(O) ss) und Schildpatt (aa B- C- D- Oo ss) ebenfalls als J.-B.-Farben. Katzen, die andere Farbkombinationen aufweisen, ↑ Siamzeichnung und ↑ Abessiniertabby ausgenommen, werden als Other Japanese Bobtail Colors [engl., andere J.-B.-Farben] registriert.
J. B. gelten in ihrer Heimat Japan als „gewöhnliche" ↑ Hauskatzen, die Mi-Ke-Form wird allerdings als Glücksbringer angesehen. Die J. B. erlebte, wie die europäische Hauskatze, Zeiten respektvoller Huldigung, abergläubischer Verfolgung und schließlich geduldeten Daseins, bis eine amerikanische Züchterin sie als potentielle Rassekatze entdeckte. 1968 traten *Butterfly* und *Richard*, eine Mi-Ke und ein rot/weißer Kater, die Reise in die USA an. Ein Jahr später wurden weitere Tiere eingeführt und wiederum zwei Jahre später wurde die J. B. erstmalig beim ↑ CFA registriert. 1970 wurde die „International Japanese Bobtail Fanciers Association" gegründet. 1976 wurden die J. B. durch den CFA voll anerkannt.
Der Stummelschwanz der J. B. ist eine Form des ↑ Kurzschwanzes. Eine wissenschaftliche Untersuchung seines Vererbungsmechanismus steht noch aus. Im Gegensatz zur ↑ Schwanzlosigkeit der ↑ Manx soll er an keine weiteren Mißbildungen gekoppelt sein. Züchter von J. B. rühmen überdies die Vitalität und Widerstandskraft ihrer Katzen und behaupten sogar, daß der Stummelschwanz die Fähigkeit der Tiere zu balancieren, nicht beeinträchtigt, was bei Tieren mit gebogenen, versteiften, unflexiblen Schwänzen zu bezweifeln ist. ↑ Gleich-zu-Gleich-Verpaarungen bringen zwar unterschiedliche Formen und Längen des Stummelschwanzes, aber nie schwanzlosen oder normalschwänzigen Nachwuchs. Neben der J. B. entstand inzwischen als weitere Kurzschwanzrasse die ↑ American Bobtail.

Jaulen ↑ Lautgebung.

Javanese: ↑ Balinesen, die nicht den traditionellen Siamfarben Seal-, Blue-, Chocolate- und Lilac-Point entsprechen. Sie sind seit 1980 beim amerikanischen CFA unter der Bezeichnung J. zu Ausstellungen zugelassen.
J. entstanden überwiegend durch Einkreuzungen von ↑ Amerikanisch Kurzhaar in Balinesenlinien. Da J. somit nicht nur Siamesen und Balinesen als Vorfahren haben, werden sie von den Balinesenzüchtern als nicht „reine Balinesen" abgelehnt und mit der Benennung J. abgesondert. Balinesen und J. sollen in der Form des Kopfes und im ↑ Körperbau einer Siam entsprechen, nur tragen sie ein halblanges Haarkleid.

Jungentransport: Transport des oder der Jungen durch die Eltern, bei Katzen nur durch die Mutter. Diese bei ↑ Nesthockern verbreitete Verhaltensweise aus dem Funktionskreis des ↑ Mutterverhaltens wird durch verschiedene ↑ Auslösemechanismen in Gang gesetzt. Befindet sich ein Jungtier außerhalb des Nestes, kann es durch ↑ Lautgebung die Mutter zum Eintragen auffordern. J. tritt auch bei Störungen im Nestbereich auf und führt zur Verlagerung des Neststandortes. Wildkatzen z. B. wechseln im Verlaufe des Sommers mehrfach die Höhle, um sich vor Parasiten, insbesondere vor Flöhen, zu schützen (*Schauenberg*, 1981).
Beim J. werden die Welpen vorsichtig mit dem Tragegriff (↑ Nackenbiß) zwischen die Zähne genommen und am Nacken getragen. Zur Erleichterung des Transports verfallen sie in die ↑ Tragstarre. Katzen ermüden beim Ein-

tragen niemals und so wird sichergestellt, daß auch beim Nestwechsel über große Entfernungen alle Welpen an den neuen Standort gelangen.
Jeder Züchter konnte Mutterkatzen beobachten, die plötzlich anfangen, ihre Welpen zu „verschleppen“. Ursache dafür kann eine ↑ Wurfkiste sein, die das Muttertier nicht akzeptiert (Standort, Störungen usw.). Der J. erfolgt in Wäscheschränke, unter Sitzmöbel, in dunkle Ecken. Da die ↑ Thermoregulation der Welpen noch nicht voll funktionsfähig ist, können sie unterkühlen. Die ↑ Wurfkiste sollte in solchen Fällen an den neu gewählten Ort gebracht oder dort ein geeignetes Lager hergerichtet werden.
Katzen, die ihre Welpen oft verschleppen, müssen keineswegs übersensibel oder bei ↑ Umweltarmut aufgezogen sein. Diese extreme Form des J. wird auch bei völlig verhaltensnormalen Muttertieren beobachtet. Es gilt in der Regel nur, die Auslöser zu finden. Vgl. Abb. bei Tragstarre.

Jungtierentwicklung: Entwicklung von der ↑ Geburt bis zur ↑ Geschlechtsreife. Die Neugeborenen sind blind und taub (↑ Auge, ↑ Ohr); sie können noch nicht stehen, sondern kriechen herum, um mit seitwärts schwingenden Kopfbewegungen die Zitzen der Mutter zu suchen. Die hinteren Zitzen werden bevorzugt. Der Geruchssinn (↑ Nase) und der Geschmackssinn (↑ Zunge) sind noch nicht voll funktionstüchtig. Die Welpen können nur Schwankungen von mehr als 10 °C fühlen (↑ Thermoregulation). Der Tastsinn (↑ Sinnesorgan) dient als einzige Orientierungsmöglichkeit, um die Zitzen zu finden.
In den *ersten zwei Wochen* besteht der Lebensrhythmus der Welpen aus Saugen und Schlafen (↑ Schlaf). Nach zwei bis drei Tagen haben die Zitzenkämpfe aufgehört, jetzt saugt jedes Jungtier an der gleichen Zitze (↑ Zitzenpräferenz). Die Mutterkatze verläßt kaum das Nest; entfernt sie sich, liegen die Welpen eng zusammen und wärmen sich gegenseitig. Verliert ein Welpe einmal den Körperkontakt, findet er den Weg zu den Geschwistern mit dem Kopf pendelnd, in halbkreisförmigen Suchbewegungen. Hungert oder friert er, stößt er fiepende Klagelaute aus (↑ Lautgebung). Auf dieses akustische Signal kehrt die Mutterkatze sofort ins Nest zurück und legt sich, einige Male um sich selbst drehend, nieder.
Etwa 24 Stunden nach der ↑ Geburt sind die Krallenhüllen ausgetrocknet und springen ab (↑ Krallen). Die Nabelschnur trocknet ebenfalls ein und fällt etwa am fünften Tag ab. Frühestens am fünften oder sechsten Tag kann der sogenannte *Milchtritt*, d.h. Massage der Milchdrüse durch wechselndes Strekken der Vorderbeine bei gespreizter Pfote und ausgefahrenen Krallen, beobachtet werden. Der Milchtritt wird auch im späteren Leben als Ausdruck äußersten Wohlbefindens beibehalten (↑ Komfortverhalten). Zwischen dem sechsten und zwölften Tag öffnen sich die Augen der Welpen; zuerst am inneren Augenwinkel, nach weiteren zwei Tagen sind sie dann vollständig geöffnet. Ebenso öffnen sich die Ohrgänge am Ende der ersten Woche. Auf akustische Signale wird allerdings noch nicht reagiert.
Gegen *Ende der zweiten Woche* reagieren die Augen und der Kopf auf Lichtreize; starke Geräusche werden wahrgenommen. Die Welpen machen die ersten wackeligen Steh- und Gehversuche. Beim Versuch zu sitzen, fallen sie noch um, jedoch ruhen sie schon in typischer Haltung, d.h. mit untergeschlagenen Vorderpfoten. Erste Andeutungen von Schwanzpeitschen (↑ Ausdrucksverhalten) sind zu sehen.
In der *dritten Woche* kann eine schnelle Entwicklung beobachtet werden: die

Beine sind nun kräftig genug, den Körper zu stützen. Die Lauf- und Sitzübungen werden von Tag zu Tag sicherer. Zusätzlich zu den horizontalen Pendelbewegungen werden vertikale Bewegungen möglich, so daß gegen *Ende der dritten Woche* nicht nur das Gleichgewicht gehalten wird, sondern auch andere selbständige Beinbewegungen, wie Kratzen (↑ Körperpflege) oder Manipulation von Objekten der Umgebung gemacht werden. Nicht allzu schnelle Bewegungen in Augenhöhe werden aufmerksam verfolgt. Die Ohren richten sich auf. Da sich das Gehör am schnellsten entwickelt, erfolgt zuerst die akustische ↑ Prägung auf die Mutter. Etwa am 15. Tag erfolgt der Durchbruch der Schneide- und der vorderen Backenzähne (↑ Zähne).

In der *vierten Lebenswoche* sind alle ↑ Sinnesorgane und die Motorik (↑ Fortbewegung) voll funktionsfähig und können untereinander koordiniert werden. Der Welpe ist nun fähig, mit der weiteren Umgebung in Kontakt zu treten. Die optische und wahrscheinlich geruchliche Prägung auf die Mutter und die Geschwister ergänzen die akustische. Konnten bisher nur geringe Differenzen im Verhaltensmuster festgestellt werden, entwickeln sich jetzt individuelle Variationen (↑ Individualität). Erstmalig treten angeborene Verhaltenselemente in Erscheinung: Kratzen hinter dem Ohr in arttypischer Weise; zum vermeintlichen Kotabsatz (↑ Defäkation) wird mit den Vorderpfoten eine Grube gegraben und wenige Tage später auch das Zuscharren beherrscht; in Spielversuchen (↑ Spielverhalten) mit den Geschwistern, der Mutter oder auch interessanten Objekten werden Verstecken, Belauern, Anschleichen, gezieltes Anspringen u. a. Bewegungsabläufe des ↑ Beutefangverhaltens geübt. Die spielerische Übertreibung des Absprunges auf die Beute, das Wakkeln des Hinterteils durch eine rhythmisch wechselnde Belastung der Hinterbeine, kann erstmals beobachtet werden. Die auf den Menschen geprägte Stubenkatze (↑ Sozialstatus) behält dieses Wackeln Zeit ihres Lebens in unverminderter Stärke bei, während es bei der freilebenden ↑ Hauskatze nicht mehr oder nur noch andeutungsweise zu erkennen sein wird. Auch unbewegte Objekte werden nun mit weit ausgestreckter Pfote bei eingezogenen Krallen betastet. Ist ein ↑ Kratzbaum bezwungen, sind sichtliche Hemmungen, herabzublicken oder herunterzuspringen (visuelle Tiefenfurcht), erkennbar. Schwanzpeitschen, Fauchen, Ohrenzurücklegen, abwehrender ↑ Pfotenhieb, der Katzenbuckel u. a. Ausdrucksformen des Unmutes bzw. der Erregung werden gezeigt. Das Muttertier oder die menschliche Bezugspersonen werden mit Gurrlauten und hocherhobenem Schwänzchen (↑ Analkontrolle) begrüßt. Auch ist ein „Miau" in seinen verschiedenen Variationen zu hören. Das inzwischen vollständig durchgebrochene Milchgebiß bereitet beim Saugen Schmerzen und die Mutterkatze beginnt mit immer stärker werdenden Abwehrbewegungen die Welpen abzusetzen – je nach Welpenzahl zieht sich das aber bis zur sechsten oder gar achten Woche hin. Bislang konnten die Welpen Kot und Harn nicht selbständig absetzen. Durch Bauch und Aftermassage provozierte das Muttertier mit der Zunge die Absonderung und nahm sie gleichzeitig auf (↑ Mutterverhalten). Mit der Aufnahme festen Futters (↑ Ernährung) müssen nun Kot und Harn selbsttätig abgesetzt werden. Den ersten Versuch begleitet ein klägliches Schreien. Diese Tage sind entscheidend für die spätere Stubenreinheit der Katze (↑ Welpenaufzucht). Ende der *vierten* bis in die *fünfte Woche* hinein fressen die Welpen bereits selbständig aus dem Napf.

Entwicklung einer Siamkatze

Sie schütteln zum erstenmal die Pfoten, wenn sie versehentlich ins Nasse getreten sind. Das Treteln auf dem Schoß der Bezugsperson oder der Bettdecke – der zweckentfremdete Milchtritt –, sind nun Zeichen des Wohlbefindens. Freilaufende Hauskatzen unternehmen in dieser Zeit mit ihren Jungen die ersten Ausflüge und achten dabei streng darauf, daß sich keines allzuweit entfernt. Im ↑ Revier werden durch mütterliche Unterweisungen (↑ Lernverhalten) künftige Verhaltensformen gegenüber anderen Tieren erlernt (↑ Feindverhalten). Katzen haben ein gutes ↑ Gedächtnis und sind zu rascher Erfahrungsbildung fähig. Die in dieser Zeit gemachten Erfahrungen, ob angenehm oder unangenehm, sind ausschlaggebend für das künftige Verhalten (↑ sensible Phase).

In der *sechsten bis achten Woche* beginnen sich die Augen umzufärben. Das für alle Welpen charakteristische tiefe Blau der Augen beginnt in den folgenden zwei bis sechs Wochen, sich in die rassespezifische bzw. spätere ↑ Augenfarbe umzufärben.

Mit *zehn Wochen* sind, mit Ausnahme des ↑ Sexualverhaltens, alle angeborenen Verhaltensweisen sichtbar.

Im Alter von sechs bis acht Monaten, mit Eintritt der ↑ Geschlechtsreife, kann die J. als abgeschlossen betrachtet werden. Abb.

Jungtierruflaut ↑ Lautgebung.

K

Kalkablagerungen ↑ Vitaminbedarf.

Kalorienbedarf: 1. ↑ Energiebedarf. – **2.** ↑ Ernährung.

Kälterezeptoren: 1. ↑ Sinnesorgan. – **2.** ↑ Thermoregulation.

Kälteschwärzung ↑ Akromelanismus.

Kältezittern ↑ Thermoregulation.

Kampfverhalten: Bestandteil des ↑ Sozialverhaltens von Tieren, das zwischenartlich zur Verteidigung und innerartlich zum Festlegen der ↑ Rangordnung, zur Verteidigung des Territoriums (↑ Revierverhalten) oder auch zur Verteidigung der Jungtiere eingesetzt wird.

Bei innerartlichen Kämpfen kann man nach *Kommentkämpfen*, d. h. Kämpfe, die nach festen Regeln ablaufen, nicht zur Verletzung der Gegner führen und die von ausgiebigem ↑ Drohverhalten begleitet werden, sowie nach *Beschädigungskämpfen*, bei denen der Gegner nicht nur abgedrängt, sondern auch verletzt oder sogar getötet werden kann (↑ Aggressionsverhalten), unterscheiden. Die letztere Form wird bei territorialen Tieren meist nur zwischen den Angehörigen verschiedener Gruppen beobachtet, bei der Katze zwischen den männlichen Tieren in Form des *Katerkampfes*. Das K. der Kater verläuft in vielen Fällen nach einem strengen Komment (↑ Ritualisation), wozu ↑ Drohverhalten, ↑ Angriffsverhalten und Abwehrverhalten eingesetzt werden. Echte Kämpfe, die auch zur Verletzung führen können, bestehen aus einer Überlagerung von Angriffs- und Abwehrverhalten (↑ agonistisches Verhalten). Sie sind besonders für Revierkämpfe kennzeichnend. Dabei überlagern sich nach *Leyhausen* (1982):

a) Elemente des ↑ Angriffsverhaltens: die hochgestreckten Beine, die hakenförmige Schwanzhaltung; letztere allerdings häufig in einer kennzeichnenden Abwandlung: die Schwanzwurzel stellt sich steil aufwärts und die hakenförmige Krümmung wandert zur Schwanzspitze hin, bis schließlich der ganze Schwanz steil hochgereckt ist; und

b) Elemente des ↑ Abwehrverhaltens: das Einziehen des Kopfes, Anlegen der Ohren, Zusammenziehen des Körpers, Sträuben der ↑ Haare über den ganzen Körper und den Schwanz, Fauchen, Pupillenerweiterung, die Schwanzspitze wird steif und ruhig gehalten.

Diese Elemente der ↑ Mimik und ↑ Gestik der Katze ergeben den sogenannten *Katzenbuckel*, mit dem eine Katze angreifenden Hunden (↑ Feindverhalten), freilaufenden Katzen, oft auch dem Menschen gegenübertritt.

Obwohl Elemente des K. bereits von Jungkatzen im Rahmen des ↑ Spielverhaltens gezeigt werden, tritt eine vollintensive Revierverteidigung meist erst bei zwei- bis dreijährigen Katzen auf (*Leyhausen*, 1982). Dieser Zeitpunkt stimmt mit den Beobachtungen von *Liberg* (1984a) überein, der feststellte,daß männliche Tiere in diesem Alter aus den Weibchengruppen vertrieben werden und eigene Reviere gründen (↑ Sozialverhalten). In diesem Alter pflanzen sich freilaufende Kater erstmals fort, was sich wesentlich vom Einsetzen der ↑ Geschlechtsreife unterscheidet.

Mutterkatzen verteidigen ihre Jungen mit Tatzenhieben (↑ Pfotenhieb), die Element des Abwehrverhaltens sind. Ähnlich werden Revierstreitigkeiten zwischen weiblichen Tieren ausgetragen. Verteidigt sich die eingedrungene Katze gegen die Revierinhaberin ebenfalls mit Tatzenhieben, können beide Tiere hoch auf den Hinterbeinen aufgerichtet mit schlagbereiten Vorderpfoten aufeinander zufahren (*Leyhausen*, 1982).

Känguruhbeine, *Vorderextremitätenverkürzung*: Verkürzung und Verkrümmung beider Vorderextremitäten, wodurch die Katzen im Sitz und in der Bewegung ein känguruhartiges Aussehen erhalten. Die übrigen Körperteile sind regelmäßig ausgebildet. Der Defekt wurde familiär gehäuft in zwei Regionen Großbritanniens und in der Sowjetunion beobachtet.

Karies ↑ Zahn-, Zahnfleisch- und Zahnhalteapparaterkrankungen.

Karpalballen ↑ Fußballen.

Karpfengebiß ↑ Unterbiß.

Kartäuser: 1. ↑ Chartreuse. – **2.** ↑ Britisch Kurzhaar.

Karyogramm ↑ Chromosomensatz.

Karyotyp: 1. ↑ Chromosomensatz. – **2.** ↑ Chromosomenaberration.

Kashmir ↑ Chocolate.

Kaspar-Hauser-Tier: ein Tier, das unter weitgehendem Erfahrungsentzug aufgezogen und dadurch gehindert wurde, für die normale Verhaltensentwicklung Erfahrungen zu sammeln; eine Methode der Verhaltensbiologie, die es ermöglicht, den Anteil angeborener und erlernter Elemente sowie deren Zusammenspiel in der ↑ Jungtierentwicklung zu erforschen.

Die Bezeichnung bezieht sich auf ein

Perser, black-smoke

oben Perser, vangezeichnet, *unten* Perser Bi-Colour, schwarz-weiß

oben Perser, schildpatt und weiß, *unten* Perser, schildpatt

oben Perser, black-smoke und schwarz, *unten rechts* Perser, schildpatt-tabby-smoke, *unten links* Perser, schildpatt-smoke

oben Perser, cameo-red-shaded, *unten* Perser, chinchilla

oben Perser, chinchilla, *unten* Perser, weiß mit orangefarbenen Augen, und Abessinier, wildfarben

Perser, chocolate-weiß

Exotic Kurzhaar Bi-Colour, blau-weiß

Findelkind gleichen Namens, das 1828 in Nürnberg auftauchte und großes Aufsehen erregte. Nach eigenen Aussagen lebte *K. Hauser*, so lange er sich erinnern konnte, in einem dunklen Raum ohne Kontakt zu anderen Menschen. In der Verhaltensforschung unterscheidet man mehrere Gruppen von experimentell erzeugten K.en: Totale K. sind praktisch nicht zu erzielen, da die Tiere zumindest Kontakt mit ihrem eigenen Körper haben; K. zweiter Ordnung werden nur von bestimmten Umweltreizen isoliert (*Beute-K.*; *optische K.*, *soziale K.*). Bei Gruppenhaltung von mehreren erfahrungslosen Jungtieren spricht man von *Gruppen-K.*

Isolierte Aufzucht führt zu einer Reihe von ↑ Verhaltenstörungen beim erwachsenen Tier. Umfangreiche Experimente an Graugänsen und Rhesusaffen erbrachten Erkenntnisse über ein gestörtes Lernvermögen, gestörtes Sexualverhalten, Unfähigkeit zum normalen Umgang mit den Jungen und gestörtes ↑ Sozialverhalten bei K.en. *Leyhausen* (1982) führte an verschiedenen Katzenarten (u. a. Bengalkatze und Baumozelot) Beute-K.-Versuche zur Entwicklung des ↑ Tötungsbisses durch. Wenn diese Tiere auch länger brauchten, um lebende ↑ Beutetiere verhaltensgerecht zu töten, wirkte sich die fehlende Erfahrung nicht entscheidend auf dieses Element des ↑ Beutefangverhaltens aus. Sogar in völliger Dunkelheit aufgezogene optische K. zeigten eine artgerechte Fanghandlung (*Thomas* und *Schaller*, 1954). Experimente von *Weiss* (1952) zeigten, daß Elemente des Abwehrverhaltens, z. B. der ↑ Pfotenschlag, nicht an ↑ sensible Perioden gebunden, sondern angeboren sind. Auch das ↑ Komfortverhalten, das Zuscharren von Kot und Urin, und Teile des ↑ Sexualverhaltens werden auch von isoliert aufgezogenen Katzen richtig ausgeführt. Ähnliche Erkenntnisse erbrachten neuere Untersuchungen von *Baerends van Roon* und *Baerends* (1979) zur Verhaltensentwicklung von Jungkatzen.

Kastration, *Neuterisation*: chirurgische Entfernung der ↑ Keimdrüsen oder ihre hormonelle Ausschaltung (hormonelle K.). Der Begriff der K. gilt im engeren Sinn für männliche Tiere, wird im weiteren Sinn aber auch auf weibliche angewandt. Die hormonelle K. und die ↑ Sterilisation (Unfruchtbarmachung) sind in der Katzenzucht und -haltung unübliche und uneffektive Verfahren. Die chirurgische K. ist die am häufigsten vorkommende Operation am Kater. Hierbei werden die Hoden, die Nebenhoden und ein Stück des Samenstranges (↑ Geschlechtsorgane) operativ entfernt (Abb. a). Die K. weiblicher Tiere umfaßt mindestens die Herausnahme der Eierstöcke (Ovarektomie), der Eileiter und eventuell ein Stück des Uterushornes. Wegen der potentiellen Gefahr einer späteren Pyometra (↑ Gebärmuttererkrankungen) sollte allerdings immer der gesamte Uterus, also Uterushörner und -körper in die Operation mit einbezogen werden (Ovariohysterektomie) (Abb. b).

Nach *Todd* (1977) werden im Mittel in den USA und Westeuropa mehr als 50% der Kater und Katzen kastriert. Hauptgrund für die K. der Kater sind Streunen, ↑ Kampfverhalten und ↑ Duftmarkieren, insbesondere während der ↑ Rolligkeit der Katzen. Diese Verhaltensweisen hören in der Regel wenige Wochen nach der K. auf, die Tiere werden ruhiger und hausgebundener und der Schwellenwert für das Auslösen von Kampfverhalten steigt. Die Hornstacheln auf dem Penis, ein Zeichen der ↑ Geschlechtsreife, bilden sich nach längerer Zeit zurück. Kastrierte Tiere werden größer und schwerer.

Erfahrene Kater können noch über viele Monate nach der K. die Fähigkeit zur

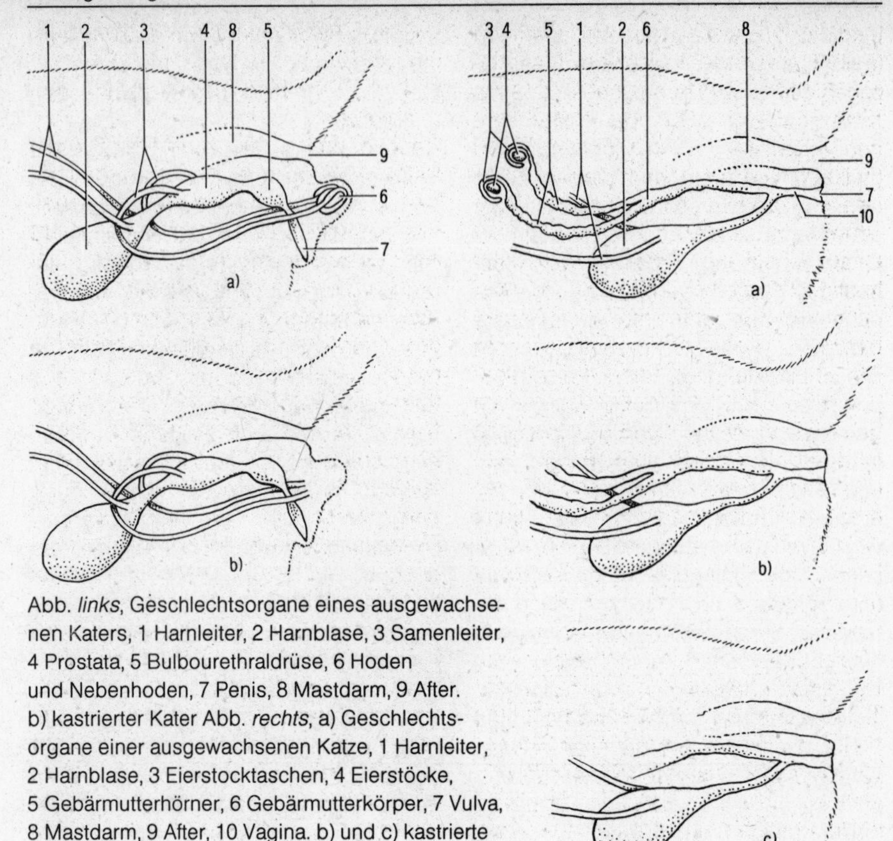

Abb. *links*, Geschlechtsorgane eines ausgewachsenen Katers, 1 Harnleiter, 2 Harnblase, 3 Samenleiter, 4 Prostata, 5 Bulbourethraldrüse, 6 Hoden und Nebenhoden, 7 Penis, 8 Mastdarm, 9 After. b) kastrierter Kater Abb. *rechts*, a) Geschlechtsorgane einer ausgewachsenen Katze, 1 Harnleiter, 2 Harnblase, 3 Eierstocktaschen, 4 Eierstöcke, 5 Gebärmutterhörner, 6 Gebärmutterkörper, 7 Vulva, 8 Mastdarm, 9 After, 10 Vagina. b) und c) kastrierte Katze

Werbung und Begattung beibehalten. Manche Kastraten versuchen ihr ganzes Leben lang rollige Katzen zu begatten. Etwa 10% der männlichen und 5% der weiblichen Tiere zeigen auch nach der K. ein unverändertes Kampfverhalten und verspritzen weiterhin Urin (*Voith*, 1984). Weibliche Tiere werden häufig im Zusammenhang mit Schwergeburten, Uterusentzündungen, abgestorbenen Früchten und unerwünschten ↑ Trächtigkeiten kastriert. Männliche Tiere sollten, damit sich der Urogenitaltrakt voll entwickeln kann, so spät wie möglich kastriert werden, d. h. erst dann, wenn sie anfangen zu spritzen. Die K. hat jedoch einen Nachteil: Aufgrund des ruhigeren Temperaments neigen kastrierte männliche Tiere vermehrt zur Bildung von Harnsteinen (↑ Urolithiasis).

Katergesang ↑ Lautgebung.

Katerkampf ↑ Kampfverhalten.

Kattunkater ↑ Schildpattkater.

Katzen *Echte Katzen, Felidae*: Familie der Säugetierüberordnung Carnivora (Raubtiere, Beutegreifer). Die moderne zoologische Systematik zählt zu den *Raubtieren* die Landraubtiere (Fissipedia) und die Robbenverwandten (Pinnipedia). Die erste Ordnung kann in die *Überfamilie* der Hundeartigen (Canoidea) mit vier heute lebenden Familien (Hunde, Bären, Kleinbären und Marder) und die *Überfamilie* der Katzenartigen (Feloidea) aufgeteilt werden. Die Katzenartigen untergliedern sich in drei *Familien*: Schleichkatzen (Viverridae), Hyänen (Hyaenidae) und die Echten Katzen (Felidae). Die hundeähnliche Urform aller Landraubtiere entstand vor mehr als 50 Millionen Jahren.

Charakteristisches Kennzeichen aller heutigen K. ist ihr Gebiß, das, mit Ausnahme des Geparden, aus 30 ↑ Zähnen besteht.

Die moderne Taxonomie (Gattungs- und Artfestlegung) wird unterschiedlich gehandhabt: Meist werden die Felidae in vier *Unterfamilien* aufgeteilt: Felinae (Alt- und Neuweltkleinkatzen), Lycinae (Luchse), Pantherinae (Großkatzen) und Acinocychinae (Geparde). *Sokolov* (1984) nennt die Gattungen Acinonyx (Geparde, eine Art), Felis (Katzen, 31 Arten), Panthera (Panther, vier Arten) und Uncia (Schneeleopard, eine Art).

Die systematische Einordnung der ↑ Hauskatze (↑ Domestikation) geht heute im wesentlichen auf die Vorstellungen von *Haltenorth* (1953) zurück:

Gattung: Felis

Untergattung: Chaus, mit nur einer Art:

Felis chaus – Rohrkatze

Untergattung: Felis – Wildkatzen (im engeren Sinne)

1. (Groß-) Art: Felis silvestris – Wildkatze
   - I. Staffel: ↑ Waldwildkatzen
     Prototyp: Felis silvestris silvestris – Europäische Waldwildkatze
   - II. Staffel: Steppenwildkatzen
     Prototyp: Felis silvestris ornata – Indische Steppenkatze
   - III. Staffel: Falbkatzen
     Prototyp: Felis silvestris lybica – Nordafrikanische Falbkatze
2. Art: Felis margarita – Wüsten- oder Sandkatze
3. Art: Felis nigripes – Schwarzfußkatze
4. Art: Felis bieti – Gobi- oder Graukatze

Somit gehört die Hauskatze zur Großart Wildkatze und ihre Ahnen sind unter den drei Vertretern der einzelnen Staffeln zu suchen. Unter dem Begriff *Katze* wird im umgangssprachlichen Gebrauch die Hauskatze verstanden.

Katzenbuckel: 1. ↑ Drohverhalten. – **2.** ↑ Gestik. – **3.** ↑ Kampfverhalten. – **4.** ↑ Spielverhalten.

Katzenhaus ↑ Zwinger.

Katzenkonzert ↑ Lautgebung.

Katzenkraut ↑ Catnip-Verhalten.

Katzenminze ↑ Catnip-Verhalten.

Katzenpest ↑ Infektionskrankheiten.

Katzenschnupfen ↑ Infektionskrankheiten.

Katzenseuche ↑ Infektionskrankheiten.

Katzenstaupe ↑ Infektionskrankheiten.

Katzentyphus ↑ Infektionskrankheiten.

Katzenversammlung: Form des ↑ Sozialverhaltens bei freilaufenden ↑ Hauskatzen, die besonders zu Beginn der Paarungszeit charakteristisch ist. Männchen und Weibchen kommen zu einem Treffpunkt in der Nähe oder am Rande ihrer ↑ Reviere. Die Tiere sitzen im Abstand von 2 bis 5 m, manche sogar auf „Fellfühlung" verbunden mit Lecken und Aneinanderreiben (↑ Körperpflege). Die K. dient möglicherweise zum Abbau von ↑ Aggressionsverhalten und zum Errichten erster Bindungen in Vorbereitung der Verpaarung. Ähnliche Verhältnisse sind auch bei freilebenden Tigern bekannt.

Katzenwäsche ↑ Zunge.

Katzenzwicke ↑ Chimäre.

Keimbahn ↑ Gameten.

Keimdrüsen, *Gonaden:* spezifische Organe zur Produktion von Keimzellen, d. h. Spermien und Eizellen (↑ Gameten). In den männlichen K. (Hoden) werden die Samenzellen (Spermien) gebildet, in den weiblichen K. (Ovarien, Eierstöcke) die Eizellen (↑ Geschlechtsorgane).

Keimzellen ↑ Gameten.

Kennreiz ↑ Schlüsselreiz.

Kernschleife ↑ Chromosom.

Kernteilung ↑ Mitose.

Khmerkatzen ↑ Colourpoint.

Kindchenschema: ein menschliches Pflegeverhalten hervorrufender angeborener ↑ Auslösemechanismus. Er beruht auf wenigen einfachen ↑ Schlüsselreizen: große, weit auseinanderstehende Augen; ein verhältnismäßig großer Kopf; Pausbacken; steile Stirn und weiche Körperoberfläche. Tierkinder und auch einige erwachsene Tiere (↑ Perser) lösen mit diesen „Babymerkmalen" beim Menschen ebenfalls Zärtlichkeitshandlungen bzw. -einstellungen aus. Das K. ist eine wichtige Voraussetzung für das Entstehen bestimmter ↑ Mensch-Tier-Beziehungen, z. B. die Haltung bestimmter Schoß- und Streichel-Rassen bei Hund und Katze.

Kindestötung ↑ Infantizid.

Kippohren: 1. ↑ Faltohren. – **2.** ↑ Scottish Fold.

Klammerpedigree ↑ Pedigree-Analyse.

Kleinäugigkeit ↑ Brachyzephalie.

Kleinhodigkeit ↑ Geschlechtschromosomenaberration.

Kleinwüchsigkeit ↑ Zwergwuchs.

Klettern: 1. ↑ Fortbewegung. – **2.** ↑ Kratzbaum.

Klinefelter-Syndrom: 1. ↑ Geschlechtschromosomenaberration. – **2.** ↑ Schildpattkater.

Klon: von *Webber* 1903 geprägte Bezeichnung für eine ↑ Population von Zellen oder Organismen, die durch ↑ Mitose aus einer einzigen Zelle hervorgegangen sind bzw. von einem einzigen Vorfahren abstammen. Es handelt sich um einen asexuellen Prozeß der Reproduktion. Der Begriff K. ist daher nicht mit ↑ Homozygotie oder Homogenität identisch. Eine Begriffserweiterung ergab sich u. a. mit dem „molecular cloning" (*Cohen* et al., 1973), das sich auf Klonieren von DNA-Molekülen in Plasmiden (↑ Gen) im Zusammenhang mit dem Gentransfer bezieht. Bei mehrzelligen Organismen entsteht durch Bildung eines K. ein ↑ Mosaik. Die bedeutendsten Fälle in der Rassekatzenzucht sind ↑ Scheckung und ↑ Schildpatt (*Mormont,* 1978). Sie kommen durch eine kombinierte Wirkung von Migration (Wanderung) und Klonierung zustande. Der späteren Pigmentierung (Melaninbildung) geht eine Wanderung der Melanoblasten von der Neuralleiste, ihrer Bildungsstätte, zur Körperperipherie voraus. Besonders weit entfernte Körperregionen werden häufig von den Melanoblasten nicht erreicht oder unterversorgt. Bei der Scheckung werden die pigmentierten Körperregionen durch eine begrenzte Anzahl von primären Melanoblasten besiedelt, die hier ein K. bilden. Die Klonierung wird durch die Fähigkeit der Melanoblasten, die Körperfläche zu erreichen (Faktor 1), und von der Expansion der Nachbar-K. (Faktor 2) bestimmt. Im Falle der Scheckung spielt der Faktor 2 eine geringere Rolle. Es kommt in der Regel zur Plattenscheckung. Der Faktor 2 spielt jedoch beim Fehlen der Scheckung die Hauptrolle. Bei ↑ Schildpatt z. B erreichen infolge des ↑ X-Chromosom-Kompensationsmechanismus zwei Gruppen von Melanoblasten die Peripherie, eine mit dem X-chromosomalen ↑ Orange (O), die andere mit dem ↑ Wildtyp (o^+). Nach der Klonierung entsteht das typische Zeichnungsmuster bzw. in Kombination mit dem Scheckungsfaktor die ↑ Tri-Colour. Bei letzterer geht die Pigmentierung von wenigen primären Melanoblasten aus, die entsprechend größere und klar abgesetzte Regionen besiedeln. Fehlt der Scheckungsfaktor, geht die Klonierung von vielen Primärzellen aus, und die Zeichnung wird unklarer. Die physiologischen Unterschiede der Melanoblasten und der K.einfluß bleiben selbst bei einem sehr geringen Weißanteil erhalten.

Knarren ↑ Lautgebung.

Knickerbocker ↑ Hosen.

Knickschwanz, *Knotenschwanz*, *Schwanzverkrümmung* [engl. kink, bent tail]: Defekt der Schwanzwirbelsäule (kaudale Dysostose) in Form von Schwanzabknickungen und -verkrümmungen mit knotenförmiger Verdickung infolge Verschmelzung benachbarter Wirbel. Das Krankheitsbild ist variabel. Häufig treten auch regressive Veränderungen der kaudalen Skelettabschnitte auf (Schwanzverkürzung, Beckenverengung, Geburtsschwierigkeiten) auf. Aufgrund eines relativ hohen Inzuchtgrades der Rassekatzen und bestimmter Kurzhaarpopulationen wurde diese Störung in vielen ↑ Rassen bzw. Varietäten registriert. Sie ist erblich, der Erbgang einfach autosomal rezessiv. Am ↑ Genort befinden sich zwei Allele K^+ und k. Möglicherweise liegen Heterogenie und ↑ Heterophänie vor (↑ Genwechselwirkung). Dem genotypischen Milieu scheint eine bedeutende Rolle zuzukommen. Zunächst wurde der K. bei ↑ Siam besonders augenfällig. Ein Selektionsprogramm führte bei dieser Rasse zur Herabsetzung der Merkmalträgerhäufigkeit und des Stärkegrades der Schwanzveränderungen. Unter den Kurzhaarhauskatzen sind insbesondere Populationen im Fernen Osten der Sowjetunion betroffen. So wurde in Wladiwostok eine Merkmalträgerhäufigkeit von 12,8% registriert (*Manchenko*, 1981). Von hier aus wurden Merkmalträger von russischen Siedlern nach Alaska gebracht, weshalb auch heute noch z. B. in Sitka/Alaska hohe Merkmalträgerhäufigkeiten anzutreffen sind.
Einem K. können auch exogene (traumatische) Ursachen zugrunde liegen. Eine allgemeine Erklärung, z. B. die Siamkatzen hätten vor den Tempeln ihrer Heimat zu lange auf dem untergeschlagenen Schwanz gesessen, ist unsinnig (Vererbung erworbener Eigenschaften). Merkmalträger müssen von der Zucht ausgeschlossen werden. Verpaarungen, aus denen Nachkommen mit Knickschwänzen gefallen sind, sollten nicht oder nur in Ausnahmefällen wiederholt werden. Zu beachten ist die Mikrosymptomatik, d. h. das Auftreten von Merkmalträgern mit nur geringfügigen Schwanzveränderungen. Zur Abklärung ist eine Röntgenkontrolle erforderlich.

Knochenbrüchigkeit ↑ Osteogenesis imperfecta.

Knochengerüst ↑ Skelett.

Knochenmark: zell- und blutreiches Gewebe in den Hohlräumen der Knochen. Seine Aufgabe besteht vor allem in der Bildung von Blutzellen (↑ Blut) und dem Abbau von Erythrozyten. Beim erwachsenen Tier wird aktives K. in erster Linie in den platten Schädelknochen, im Brustbein, im Schulterblatt und in den Wirbeln und Beckenknochen gefunden. In den Röhrenknochen entsteht das inaktive gelbe Fettmark, das bei hochgradigem Blutverlust zum Teil wieder in aktives rotes K. umgewandelt wird.

Knochenweiche ↑ Rachitis.

Knotenschwanz ↑ Knickschwanz.

Kochsalzbedarf ↑ Mengen- und Spurenelementbedarf.

Kodominanz: selbständiger Vererbungsmodus (↑ Erbgang) bei ↑ multipler Allelie, wenn die beiden Produkte der Allelwirkung (↑ Allel) bei ↑ Heterozygotie im ↑ Phänotyp differenzierbar, d. h. nebeneinander nachweisbar sind. Unterdrückung der Wirkung des einen Allels durch die des anderen, also eine Dominanz-Rezessivitäts-Relation, liegt nicht vor. Beispiele liefern u. a. die Blutgruppensysteme sowie die polymorphen Serumproteine und die Gewebeenzyme. Bei den Serumproteinen z. B.

kodiert ein Allel ein bestimmtes Polypeptid, das sich nach der elektrophoretischen Auftrennung und Anfärbung als eine definierte Bande (oder eine Gruppe von Banden) erweist. Andere Allele kodieren weitere Banden mit einer unterschiedlichen Position im Elektropherogramm.

Bei K. ist die Verfolgung des Erbgangs relativ einfach, da man den Genotyp auch bei den Heterozygoten direkt bestimmen kann. Von Bedeutung ist, daß Ausfälle, z. B. Fehlen eines bestimmten Enzyms (↑ lysomale Speicherkrankheiten), im allgemeinen rezessiv gegenüber der Wirkung des Normalalleles sind. Enzymvarianten (Isoenzyme) werden z. B. durch ein unterschiedliches Verhalten im Elektropherogramm auffällig.

Als Beispiel sollen die Plasma-Esterase-Genotypen aufgeführt werden (Abb., Tab.). Esterasen sind Enzyme, die Ester spalten. Im Beispiel sind P-Es A und P-Es B monomer (Homozygote zeigen eine Bande, Heterozygote zwei Banden), P-Es F dagegen nicht (Homozygote zeigen zwar ebenfalls eine Bande, die Heterozygoten jedoch drei).

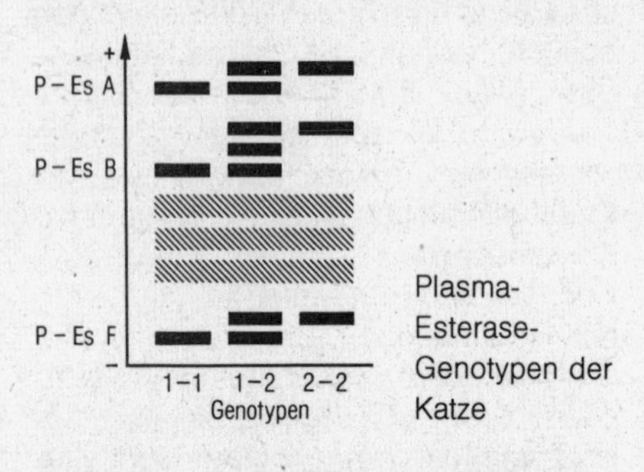

Plasma-Esterase-Genotypen der Katze

Plasma-Esterase-Häufigkeiten (nach *Ritte* et al., 1980)

Genorte Nr.	Symbole	Anzahl Tiere n	Genfrequenz Allel 1	Allel 2
1	P-Es A	61	0,1	0,9
2	P-Es B	51	0,74	0,26
3	P-Es F	60	0,56	0,44

Koeffizient der phänotypischen Dunkelfärbung [engl. coefficient of darkness]: von *Todd* (1969) im Rahmen gengeografischer Betrachtungen (↑ Gengeografie) eingeführter Koeffizient K_D als Kriterium einer Anreicherung der dunklen ↑ Phänotypen in einer Population, die durch die alternativen Allele von O (↑ Orange), A^+ (↑ Agouti), T^+ (Tigerung, ↑ Tabbyzeichnung) und d (↑ Verdünnung) bestimmt wird. K_D errechnet sich aus den ↑ Genfrequenzen nach der Gleichung

$K_D = (qo^+)(p^2D^+D^+ + 2pqD^+d)$
$[(p^2A^+A^+ + 2pqA^+a)(q^2t^bt^b) + q^2aa]$

bzw. aus deren Kurzfassung

$K_D = o^+D^+(A^+t^b + a)$.

K_D dient zum Vergleich verschiedener ↑ Populationen hinsichtlich der Dunkelfärbung, die durch menschliche Präferenzen, z. B. Bevorzugung der hellen Farben in Hinterasien, oder durch den Zwang der Umweltverhältnisse bestimmt werden. So liegt nach *Clark* (1975, 1976) ein kumulativer urbaner Druck gegen helle Farbtypen vor, da diese unter großstädtischen Verhältnissen (Bevölkerungsdichte, Industrialisierung) immer verschmutzt erscheinende Repräsentanten ergeben. Ähnliche Beobachtungen wurden auch mit den weißen Katzen gemacht (↑ dominantes Weiß), deren Häufigkeit in Großstädten geringer als auf dem Lande ist (*Dreux*, 1967, 1968). Demgegenüber steht die Beobachtung, daß in ländlichen Regionen traditionell gerade Tarnfarben bei Mäuse- und Rattenjägern begünstigt werden. Die Verteilung der Farbtypen wird darüber hinaus noch durch weitere Zusammenhänge beeinflußt, wie die Beziehung zwischen dominantem Weiß und ↑ Taubheit, sowie die relative Seltenheit der weißen Katzen, die eher ein Heim finden, wobei unter Umständen mit steigender Beliebtheit die Zahl der Kastrationen zunimmt (*Dyte*, 1974), d.h., die effektive Größe der Zuchtpopulation systematisch reduziert wird. Derartige Interpretationen führen immer zu Fehlschlüssen, wenn nicht die genetische und phänotypische Gesamtstruktion einer ↑ Population, einschließlich der herrschenden und sich verändernden Umweltverhältnisse, in Rechnung gestellt werden.

Kohlenhydrate: organische Verbindungen, die den Charakter eines Zuckers haben oder diesem im Aufbau und chemischen Verhalten nahestehen. Die Hauptvertreter sind Zucker, Stärke und Zellulose. Während bei den anderen Tierarten K. als Energiespender und als Basis zur Energiespeicherung von erheblicher Bedeutung sind, ist die Wildkatze für die Verwertung der K., d.h. für die Aufspaltung in resorbierbare Formen, nicht eingerichtet. Der Darm kann nur das Eiweiß und Fett der ↑ Beutetiere enzymatisch aufspalten, ist aber für die bakterielle Verdauung der K. zu kurz. Der Darmkanal der ↑ Hauskatze hingegen ist etwa ein Drittel länger als der der Wildkatze. Haus- und auch Rassekatzen sind somit besser in der Lage, bestimmte K. zu verwerten – eine Folge der ↑ Domestikation (vgl. Selbstdomestikation). Bis zu 10% K. im Futter werden gut vertragen, wenn sie in der entsprechenden Form vorliegen. Als Nährstoffe völlig wirkungslos sind pflanzliche Stärke und Zellulose. Sie können nicht aufgespalten und verdaut werden und sind nur als ↑ Ballaststoffe interessant. Durch Dextrinieren (backen, rösten, kochen usw.) wird pflanzliche Stärke, z.B. alle Getreideprodukte, auch für die Katze besser verwertbar. *Zucker* wird gut vertragen, aber wenig verwertet und wieder ausgeschieden. Deshalb ist Zucker im Harn nach Kohlenhydratfütterung normal und nicht wie beim Menschen als Krankheitsanzeichen anzusehen. *Milchzucker* (Laktose, in der Trinkvollmilch etwa 4,5%) wird nur von Welpen gut vertragen. Nach dem Absetzen wird das Milchzucker abbauende Ferment Laktase nicht mehr produziert. Der Milchzucker kann nicht mehr resorbiert werden, hält selbst noch das Wasser im Darmlumen zurück und führt schließlich zu Durchfällen. Darüber hinaus wird noch das Wachstum unerwünschter Bakterien gefördert. Unverdaulich sind alle *Hülsenfrüchte*, die außerdem Blähungen verursachen. Obwohl der Bedarf an K. von Natur aus niedrig ist, können sie bei einer sonst eiweißreichen ↑ Ernährung vorteilhaft eingesetzt werden. Je nach Verwertbarkeit sind sie energetisch leicht umzusetzen (Übergewicht!) bzw. können das Futtervolumen erhöhen, also insbesondere Ballaststoffe zuführen. K. werden nur ungern in reiner Form gefressen und sollten stets mit Eiweißfutter vermischt werden. Werden übergewichtige Katzen auf Diät gesetzt, sind zuerst die leicht verdaulichen Kohlenhydrate zu entziehen und durch unverdauliche Ballaststoffe auszutauschen. Somit wird die Energiequelle entzogen, die wesentlich für die Fetteinlagerung in der Unterhaut verantwortlich und überdies für Katzen die entbehrlichste ist.

Kolbenhaar ↑ Haarwechsel.

Kolostralmilch: 1. ↑ Hämolytisches Syndrom bei Neugeborenen. – **2.** ↑ Infektion. – **3.** ↑ Welpenaufzucht.

Kombination von Familiendaten: für die Rassekatzenzucht bedeutungsvolle Methode zur Sammlung von Vererbungsergebnissen, deren Anwendung erforderlich wird, wenn eine einzige Familie zu klein ist, um eine bestimmte Erbhypothese mit genügend hoher Sicherheit zu prüfen. Geht man bei Erbanalysen von merkmal- oder anlagetragenden Eltern aus und untersucht systematisch alle anfallenden Nach-

Tab. 1 Erbanalyse in Zwei-Nachkommen-Familien anhand merkmaltragender Nachkommen (Probanden-Erfassung)

theoretische Verteilung	nicht korrigiert betroffen	nicht korrigiert frei	korrigiert betroffen	korrigiert frei
● ●	2	0	2	0
● 0	1	1	1	1
0 ●	1	1	1	1
0 0	nicht erfaßt		0	2
Summen	4	2	4	4

kommen, werden auch die Würfe erfaßt, in denen keine Merkmalträger aufgetreten sind. Das Material ist vollzählig und gestattet eine exakte Berechnung genetischer Parameter. In Erbanalysen dagegen, die auf der Erfassung von Familien erst anhand merkmaltragender Nachkommen basieren, werden solche Familien nicht herausgefunden, in denen zufällig keine Merkmalträger aufgetreten sind (Tab. 1). Man hat einen systematischen Sammlungsfehler gemacht, und für die Stichprobe gilt im Falle einer Zwei-Nachkommen-Familie nicht das Häufigkeitsbinom $(p+q)^2$, sondern es fehlt das Glied p^2, das der Anzahl der Familien mit ausschließlich gesunden Würfen entspricht (↑ Genfrequenz). Dabei sind p die Häufigkeit der gesunden und q der defekten Nachkommenschaften sowie $i=2$ die Anzahl der Nachkommen je Familie. Erfaßt werden $(p+q)^2-p^2=1-p^2$ Würfe (da $p+q=1$ sind). Das sind bei ↑ Dominanz $1-0{,}5^2$ (1 : 1-Spaltung bei Heterozygotenverpaarung) und bei ↑ Rezessivität $1-0{,}75^2$ (3 : 1-Spaltung). Entsprechend lassen sich die Rechenansätze für Familien mit höheren Nachkommenzahlen ableiten. Insgesamt kann man sagen, daß das genetische Modell Binomialverteilung für eine derartige Sammlung nicht stimmt, und die Erwartungswerte korrigiert werden müssen.

Tab. 2 Korrigierte Erwartungswerte bei Familienerfassung mit der Probandenmethode

Familiengröße i	Spaltungsverhältnisse 1 : 1	3 : 1
	Korrekturgleichungen $i \cdot q' = \frac{i \cdot 0{,}5}{1-0{,}5^i}$	$i \cdot q' = \frac{i \cdot 0{,}25}{1-0{,}75^i}$
2	1,333	1,143
3	1,714	1,297
4	2,133	1,463
5	2,581	1,640
6	3,048	1,825
7	3,528	2,020
8	4,016	2,222
9	4,509	2,433
10	5,005	2,649
11	5,503	2,871
12	6,001	3,098

Die durchschnittliche Wahrscheinlichkeit der Erfassung von Merkmalträgern (Erwartungswert q) beträgt bei der Kombination von Familiendaten im aufgeführten Beispiel nicht $q/1$, sondern $q'=q/(1-p^2)$. Die korrigierten Erwartungswerte sind in Tab. 2 für den Fall eines einfach autosomal rezessiven und einfach autosomal dominanten Erbganges verzeichnet. Sie sind in den Lehr- und Handbüchern der Genetik tabelliert und können auch in Computern gespeichert werden.

Die Korrekturmethode trägt die Bezeichnung A-priori-Methode, da man von A-priori-Wahrscheinlichkeit ausgeht [lat. a priori = im voraus]. Tab. 3 enthält das Beispiel einer Erbanalyse mit einem gesammelten Familienmaterial, ein Fall, der eintritt, wenn z. B. jemand den Auftrag erhält, das in einem Zuchtverband anfallende Familienmaterial zu sammeln, um die Frage der Erblichkeit und des Erbganges eines interessierenden Merkmals zu klären.

Ausgangsdaten sind die Wurfgröße (i),

Tab. 3 Überprüfung der Hypothese eines einfach autosomal rezessiven Erbganges mit Hilfe der A-priori-Methode

Wurfgröße i	Wurf-häufigkeit f_i	Nachkommen-zahl $i \cdot f_i$	beobachtet r	Merkmalträger erwartet je Wurf $i \cdot q'$	gesamt $f_i \cdot i \cdot q'$
2	1	2	1	1,143	1,143
3	7	21	9	1,297	9,079
4	3	12	5	1,463	4,389
5	1	5	2	1,640	1,640
Summen		40	17		16,251

die Häufigkeit derartiger Würfe (f_i), die Gesamtnachkommenzahl in den Wurfgrößenklassen ($i \cdot f_i$) und die beobachtete Zahl der Merkmalträger (r). Im Beispiel in Tab. 3 spricht zunächst der beobachtete Anteil der Merkmalträger an der Gesamtnachkommenzahl von 17/40 nicht für einen einfach autosomal rezessiven Erbgang. Nach Korrektur der Erwartungswerte ($f_i \cdot i \cdot q'$) mit Hilfe der Tabellenwerte ($i \cdot q'$) erhält man einen Erwartungswert von 16,3. Dieser ist mit dem tatsächlich beobachteten Merkmalträgeranteil (17) zu vergleichen (Chi-Quadrat-Methode). Im vorliegenden Beispiel besteht Übereinstimmung, d. h., der angenommene Erbgang trifft tatsächlich zu.

Kombinationskreuzung: Kreuzung von Katern und Katzen unterschiedlicher Rassezugehörigkeit und Weiterzucht aus der F_1-Generation, wobei sich die beiden Rassen in bestimmten, zu kombinierenden Merkmalen unterscheiden, die im allgemeinen als gleichwertig betrachtet werden. Welche Tiere selektiv begünstigt und untereinander weitergezüchtet werden, hängt von der Zielvorstellung des Züchters ab. Es besteht durchaus die Möglichkeit, durch wiederholte Rückpaarungen auf eine der beiden Ausgangspopulationen bestimmte Merkmale zu bekräftigen. Eine Spezialmethode für diese Zwecke ist die Annäherungskreuzung (Konvergenzzüchtung), bei der man die Nachkommen bei gleichzeitiger ↑ Selektion mit beiden Eltern rückkreuzt.
Für die Rassekatzenzucht sind K.en zwischen Langhaar ll und Kurzhaar LL besonders bedeutungsvoll. Sie führten u. a. zur Herauszüchtung der ↑ Exotic Kurzhaar (Perser × American Shorthair), der ↑ Birma (Perser × Siam) und der ↑ Colourpoint (Perser × Siam). Die K. wird aber auch eingesetzt, wenn neue Farben in etablierte Zuchten einzubringen sind (↑ Chocolate). Die aufgeführten Kreuzungen ergeben in der F_1-Generation stets kurzhaarige Katzen, die mischerbig für ↑ Langhaar sind. Bei der Heterozygotenverpaarung Ll × Ll entstehen homozygote Kurzhaar LL, heterozygote Kurzhaar Ll und homozygote Langhaar ll im Verhältnis 1 : 2 : 1 (↑ Mendel-Regeln). Die K. kann auch in Verbindung mit anderen Methoden Bedeutung gewinnen (↑ Reinzucht, ↑ Kreuzungszüchtung), deren Auswahl und Reihenfolge nicht nur von den Zielvorstellungen des Züchters, sondern auch vom vorhandenen Zuchtmaterial und von der Qualität der Zuchtprodukte abhängen.

Kombinationsquadrat ↑ Kreuzungsdiagramm.

Komfortverhalten: Verhaltensweisen aus dem Funktionskreis der ↑ Körperpflege, z. B. Lecken, Kratzen, Sichwälzen, sowie Bewegungen, die mit dem

Stoffwechsel, vor allem mit der Sauerstoffversorgung, im Zusammenhang stehen, wie Gähnen, Sichstrecken u. a. Alle Elemente des K. dienen dem eigenen Wohlbefinden und werden mit sichtlichem Wohlbehagen ausgeführt. Beim *Gähnen* wird durch weites Öffnen der Kiefergelenke und einem tiefen Atemzug der Organismus bei leichter Müdigkeit aktiviert. Katzen gähnen oft langanhaltend und wiederholt vor dem Einschlafen, aber auch beim Erwachen. Danach lecken sie sich über Lippen und Brust. Während des Übergangs von der Ruhe zur Bewegung strecken sie sich oft (*Rekelsyndrom*). Die Beine werden dabei eng aneinander gestellt und der weit nach oben gewölbte Rükken bildet den *Streckbuckel*, der sich vom Abwehrbuckel (↑ Abwehrverhalten, ↑ Drohverhalten) durch den gesenkten Kopf und den schlaff herabhängenden Schwanz unterscheidet (*Leyhausen*, 1956). Nach dem ↑ Schlaf auf der Seite wird nur der Hinterkörper angehoben, die Vorderpfoten greifen weit nach vorn. Darauf folgt, manchmal auch erst nach einigen Schritten, das Hochrekken der Vorderbeine und das abwechselnde Ausstrecken der Hinterbeine. Auch recken sich Katzen gerne an senkrechten Gegenständen in die Höhe, die sich auch zum Krallenschärfen, einem weiteren Element des K. (↑ Kratzbaum, ↑ Krallen), eignen. Weiterhin kann man das Schütteln einzelner Körperteile beobachten (Kopf, Vorderpfoten). Das schnelle Hin- und Herzucken der Ohrmuscheln nach dem Schlaf ist ebenfalls zum K. zu rechnen. Durch all diese Elemente kann das Fell geordnet, aber auch Schmutz und Feuchtigkeit beseitigt werden. Häufiges Ohrzucken und Kopfschütteln hingegen deutet in der Regel auf Ohrmilben (↑ Ektoparasiten) hin.

Kommensalismus ↑ Selbstdomestikation.

Kommentkämpfe ↑ Kampfverhalten.

Konditionierung ↑ Lernverhalten.

Konfliktverhalten, *ambivalentes Verhalten:* Verhaltensweisen, die durch gleichzeitige Aktivierung unterschiedlicher ↑ Motivationen auftreten. So kann z.B. die Überlagerung von ↑ Angriffsverhalten und ↑ Fluchtverhalten, die zwei unterschiedliche Tendenzen des ↑ agonistischen Verhaltens darstellen, ihren Ausdruck im ↑ Drohverhalten finden. Dieses wird besonders im ↑ Ausdrucksverhalten der Katze deutlich sichtbar. Im Verlaufe des ↑ Kampfverhaltens tritt K. oft in Form von ↑ Übersprungverhalten auf.

Konservenfutter: 1. ↑ Ernährung. – **2.** ↑ Fertigfutter.

Konstanzlehre: 1. ↑ Blutanteillehre. – **2.** ↑ Erbfestigkeit. – **3.** ↑ Kreuzungszucht. – **4.** ↑ Reinzucht.

Kontaktinsektizide ↑ Vergiftungen.

Kontakttypen ↑ Individualdistanz.

Konvergenzzüchtung ↑ Kombinationskreuzung.

Köpfchengeben: Teilelement des ↑ Sexualverhaltens beider Geschlechter, das der ↑ Chemokommunikation dient. Weibliche Tiere reiben zu Beginn der ↑ Rolligkeit Kopf und Flanken an allen dazu geeigneten Gegenständen, wobei dieses Verhalten meist in Wälzen übergeht: Der Kopf wird seitlich herabgedreht und mit der Backe wird am Fußboden gerieben. In der Werbung der männlichen Tiere ist das K. ebenfalls einleitendes Zeremoniell, wenn die Katze kurz vor der Rolligkeit ist, sich aber äußerlich noch indifferent zeigt. Der Kater gibt dann allen möglichen Gegenständen in nächster Nähe der Katze „Köpfchen" (*Leyhausen*, 1982; vgl. Duftmarkieren).
Mit K. werben Katzen beiderlei Geschlechts um die Bezugsperson.

Kopfräudemilbe ↑ Ektoparasiten.

Kopf-Stell-Reflex: 1. ↑ Ohr. – **2.** ↑ Reflex.

Kophosis ↑ Taubheit.

Kopplungsanalyse: Untersuchung der gemeinsamen Übertragung bestimmter Merkmale im ↑ Erbgang. Eine K. ist für die Untersuchung eines selektiv begünstigten mit einem unerwünschten oder pathologischen Merkmal für die Nutzung von ↑ Markierungsgenen zum Nachweis eines erwünschten Selektionsmerkmals mit schwacher Ausprägung und für die Genkartografie von Bedeutung. Sie wird mit Hilfe von Zwei-Genort- (Tab. 1), Drei-Genort- oder *n*-Genort-Rückpaarungsversuchen durchgeführt (↑ genetische Rekombination). Im Kreuzungsdiagramm würden im Kopplungsfall (Tab. 2) 50% der Nachkommen weiß und mehrzehig sein, 25% pigmentiert und normalzehig. Die Kombination von Polydaktylie und Pigmentierung (w^+Pd) kann bei Kopplung nicht auftreten. Andererseits fehlt bei Repulsion die Kombination von Pigmentierung und Normalzehigkeit (w^+pd^+).

Tab. 3 enthält ein von *Todd* (1967) beschriebenes Beispiel. Der Unterschied zwischen den Beobachtungs- und Erwartungswerten wird bereits ohne statistischen Test deutlich. Weiß und Polydaktylie sind nicht gekoppelte Merkmale.

Dieses klassische Verfahren der K., das auf Kreuzung im Rahmen sexueller Prozesse beruht, wurde neuerdings durch parasexuelle Methoden ergänzt, z. B. Hybridisierung (Fusion) von Zellen mit bekannter und mit fraglicher Genortlokalisierung in Somazellkulturen.

Tab. 1 Zwei-Genort-Rückpaarungsversuch (Kopplung des Gens für dominantes Weiß W mit dem Gen für Polydaktylie Pd)

erster Genort	*zweiter Genort*
W = Weiß	Pd = Polydaktylie (Mehrzehigkeit)
w^+ = Wildtypallel	pd^+ = Normalzehigkeit

erste Etappe: Erzeugung oder Erfassung der doppelt-heterozygoten F_1-Generation

$WPd/WPd \times w^+pd^+/w^+pd^+$	WPd/w^+pd^+ (Kopplung)
bzw.	
$Wpd^+/Wpd^+ \times w^+Pd/w^+Pd$	Wpd^+/w^+Pd (Repulsion)

zweite Etappe: reziproke Rückkreuzung auf den für das unerwünschte Gen homozygotrezessiven Elternteil (pd^+)

$WPd/w^+pd^+ \times Wpd^+/w^+pd^+$	(Kopplung)
$Wpd^+/w^+Pd \times Wpd^+/w^+pd^+$	(Repulsion)

Tab. 2 Kombinationsquadrat im Kopplungsfall

	WPd	w^+pd^+
Wpd^+	$\frac{WPd}{Wpd^+}$	$\frac{Wpd^+}{w^+pd^+}$
w^+pd^+	$\frac{WPd}{w^+pd^+}$	$\frac{w^+pd^+}{w^+pd^+}$

Kopplungsgruppe: 1. ↑ Genkopplung. – **2.** ↑ Kopplungsanalyse.

Koproporphyrie ↑ Porphyrie.

Kopulationsschrei ↑ Sexualverhalten.

Korat: kurzhaarige ↑ Rassekatze von

Tab. 3 Zwei-Genort-Rückpaarungsversuch (Material nach *Todd*, 1967)

Phänotypen	beobachtete Anzahl		erwartete Anzahl bei Kopplung		Repulsion	
	n	%	*n*	%	*n*	%
Weiß, Polydaktylie, W, Pd	6	18,8	16	50	8	25
Weiß, normalzehig, W, pd^+	8	25,0	8	25	16	50
pigmentiert, Polydaktylie, w^+, Pd	9	28,1	0	0	8	25
pigmentiert, normalzehig, w^+, pd^+	9	28,1	8	25	0	0

einem mittelschweren ↑ Körperbautyp. Der Rücken ist gewölbt, die Beine dem Körper entsprechend proportioniert; die Füße sind oval. Der am Ansatz kräftige Schwanz ist von mittlerer Länge und läuft in eine rundliche Spitze aus. Der Kopf und das Gesicht sind herzförmig, wenn man die Katze von vorn oder senkrecht von oben über dem Kopf betrachtet. Die Augenbrauen formen den oberen Teil des Herzens, das durch die leicht gerundeten Seitenpartien bis zum Kinn vollendet wird. Kinn und Wangen sind gut entwickelt und kräftig, denn sie bilden die Voraussetzung für die Herzform des Kopfes. Unerwünscht ist jeglicher ↑ Pinch, ein zu breites oder spitzes sowie ein fliehendes Kinn. Die Nase darf in der herzförmigen Kopfproportion weder zu lang noch zu kurz wirken und hat zwischen Stirn und Nasenansatz einen leichten ↑ Stop. Genau über dem Nasenspiegel, der dunkelblau oder lavender gefärbt ist, ist sie löwenähnlich nach unten gebogen. Die Ohren sind groß, hoch gesetzt, breit am Ansatz und an den Spitzen leicht gerundet. Die Außenseiten der Ohren sind dicht behaart, die Innenseiten hingegen nur schwach. Im Verhältnis zum Gesicht sollen die runden Augen übergroß wirken. Bevorzugt wird als ↑ Augenfarbe ein leuchtendes Grün; eine Bernsteinfarbe wird gleichfalls toleriert. Die Augen sind weit geöffnet und ausdrucksvoll; kleine, matte Augen sind unerwünscht. Bis zu einem ↑ Lebensalter von zwei Jahren ist die endgültige Augenfarbe nicht zu bestimmen. Sie entwickelt sich im Idealfall von einem tiefen Blau über Gelb und Bernsteinfarbe zu einem leuchtenden Grün. Das Fell ist einfach, d.h., die Unterwolle ist wenig entwickelt (↑ Haar), kurz bis mittellang, dicht anliegend und von feiner Textur. In der Bewegung kann sich das Fell auf dem Rücken teilen. Die Fellfarbe ist einheitlich Silberblau, ohne Schattierungen und Streifen (↑ Geisterzeichnung, ↑ Blau). Die Haarspitzen sind silbern, an den kurzen Stellen des Felles wird der Silberschimmer intensiver. Unerwünscht ist ein Fell mit Silbertipping nur am Kopf, an den Beinen und Füßen. Weiße Haare oder Flecken und jede andere Farbe als Silberblau sind Fehler. Die Fußballen sind dunkelblau bis lavender mit einem rosa Schimmer. Katzen sind etwas graziler und kleiner im Körperbau als Kater.

Thailand, das bis 1939 Siam hieß, ist auch das Herkunftsland der ↑ Siam, und die K. ist wahrscheinlich die Vorläuferin der Siam ↑ Blue-Point. In Thailand soll die K. *Si-sawat* genannt werden, wobei *Si* Farbe und *sawat* soviel wie Glück und Wohlstand, aber auch eine Farbmischung von Grau und Hellgrün bedeuten kann. Eine nordamerikanische Züchterin, die diese gefällige Tonfolge als Zwingernamen wählte, weiß in einer Abhandlung über die K. zu berichten, daß sich in der Nationalbibliothek von Bangkok die älteste bekannt gewordene Darstellung einer K. befindet, die in dem sogenannten »Katzen-

Korat

buch der Verse« enthalten ist. Es handelt sich dabei um eine im Auftrag König *Rama V.* (1868–1910) Ende des vorigen Jahrhunderts erstellte Sammlung von Handschriften, die Zeichnungen und Verse umfaßt, die irgendwann in der Aydhya-Periode (1350–1767) entstanden sind. Dieses Buch soll 17 Katzen zeigen, deren Besitz Glück bringt, und sechs, die Unglück bringen. Die K. ist natürlich unter den Glückskatzen. Es soll auch *Rama V.* gewesen sein, der als erster die Schönheit der silberblauen Katzen bemerkte, die zu seiner Zeit im Gebiet von Korat im Osten Thailands in größerer Zahl als in den anderen Provinzen Siams vorkamen, und der der *Si-sawat* den Namen K. gab (*Negus*, 1982). Obwohl es in vielen Ländern einheimische blaue Katzen gibt, müssen die K. ihre Vorfahren auf Thailand zurückführen. Der Silberglanz im Fell der K. entsteht nicht durch die Wirkung des ↑ Melanininhibitors, sondern durch Lichtreflexion in den pigmentlosen Haarspitzen des Grannenhaares, eine Eigenart, die nur durch entsprechende ↑ Selektion verstärkt werden kann.

Im Jahre 1959 wurden *Nara* und *Darra*, das erste K.zuchtpaar, in die USA eingeführt. Als Mitte der 60er Jahre K.katzen das Interesse der Katzenfreunde erregten, gründeten sie im Mai 1965 die Korat Cat Fanciers Association (KFA). Nach Angaben von K.besitzern wurde ein ↑ Standard zusammengestellt. Ein Jahr später erhielt sie die Anerkennung durch den ↑ CFA. Die ↑ F.I.Fe. tat diesen Schritt 1982, der GCCF 1984. Abb.

Körperbautyp, *Körperformat:* Kategorie bei der Systematisierung der äußeren Gestaltung des Körpers (Exterieur). Die Kategorien umfassen Individuen, die sich in einem oder in mehreren konstanten Exterieurmerkmalen von anderen Typen innerhalb der gleichen Art unterscheiden. Die Körperproportionen können mit Hilfe bestimmter Körpermaße (z. B. Rückenhöhe, Kopf- und Brustumfang) und Körperformatindizes (z. B. Index der Rumpfgedrungenheit = Rumpflänge in Prozent des Brustumfanges) objektiviert und differenziert werden. Der K. wird polygen determiniert (↑ Polygenie) und ist umweltbeeinflußbar (Aufzucht, Haltung und ↑ Ernährung). Er kann selektiv beeinflußt werden. Während beim Hund teilweise bizarre Formen des Körperbaus herausgezüchtet wurden, hat die Katze eine weitgehende morphologische Uniformität aufzuweisen. Im allgemeinen differenziert man den K. in Schlanktyp und Plumptyp (*Schwangart*, 1936). Der Schlanktyp (z. B. ↑ Siam und ↑ Orientalisch Kurzhaar) charakterisiert Tiere mit einem schlanken Körperbau und keilförmigen Kopf, der Plumptyp (z. B. ↑ Perser und ↑ Britisch Kurzhaar) Tiere mit kompakterem Körperbau und Rundkopf. Der Plumptyp und der Schlanktyp werden im allgemeinen als Extreme einer Variationsreihe angesehen. Die Extremwerte sind jedoch noch zu übertreffen, wie es die Zucht auf Großwüchsigkeit (z. B. ↑ Maine Coon bis 1 m Gesamtlänge) oder das gelegentliche Auftreten des hypophysären und achondroplastischen ↑ Zwergwuchses zeigen. Zwischen den beiden Extremen wurde in letzter Zeit eine Reihe von Mischtypen angesiedelt.

In Kombination mit Fellfarbe und -länge dient der K. zur Unterscheidung von ↑ Rassen und ↑ Varietäten. Ein einheitliches Zuordnungsprinzip gibt es dabei nicht. Die Zuordnung erfolgt zwar neuerdings immer mehr nach dem K., in anderen Fällen aber noch nach Fellfarbe, -textur, und -länge. So werden wegen des gleichen Körperbautyps Siam und Orientalisch Kurzhaar sowie die ↑ Balinesen als eine Rassegruppe, Perser, Perser Colourpoint und Exotic Kurzhaar als eine andere betrachtet.

Britisch Kurzhaar, Chartreuse, Europäisch Kurzhaar, ↑ Russisch Blau und ↑ Korat werden trotz nahezu gleichen Körperbaus wegen der Unterschiede in der Augenfarbe, der Felltextur und -länge z. B. als eigenständige Rassen definiert. Eine exakte Differenzierung wird mit steigender Zahl der Rassen und Varietäten immer schwieriger. Klare Zielvorstellungen und biologisch begründete, exakte ↑ Standards sind deshalb erforderlich. Die weitere Aufspaltung der Population, die Nominierung und Standardisierung neuer Rassen erscheinen fragwürdig.

Körperkreislauf ↑ Kreislauf.

Körperpflege, *Putzen* [engl. grooming]: Verhaltenselemente aus dem Funktionskreis des ↑ Komfortverhaltens, die zur Instandhaltung der Körperoberfläche dienen (Kratzen, Lecken usw.) und bei den meisten Tierarten nach einem angeborenen Programm ablaufen. Man unterscheidet Selbst-Putzen [engl. self-grooming] und soziales gegenseitiges Putzen [engl. mutual oder allo-grooming]. Neben der Pflege der Haut und deren Anhänge wird bei der K. der Katze in geringen Mengen Vitamin D als wichtiger Nahrungsbestandteil aufgenommen. Weiterhin kann sie auch der ↑ Thermoregulation dienen, denn Katzen putzen sich bei warmem Wetter häufiger als bei niedrigen Umgebungstemperaturen. Die Abkühlung des Körpers wird durch das Verdunsten des aufgetragenen Speichels verbessert. Durch die K. werden ausgefallene ↑ Haare, Schmutz und Parasiten entfernt. Die fehlende Möglichkeit der effektiven K. bei Langhaarkatzen muß durch oftmaliges Kämmen ersetzt werden (↑ Fellpflege). Ein stark verschmutztes Fell löst das Putzverhalten aus. Dabei werden bestimmte Körperstellen auch durch entsprechende Organe und Bewegungsweisen gereinigt (Abb.). Bei der Hauskatze lassen sich nach *Leyhausen* (1956) eine Reihe von Putzhandlungen unterscheiden: die

Verschiedene Verhaltensweisen im Dienste der Körperpflege

einfachste davon ist das Belecken von Nase und Lippen. Es dient dem Reinigen des Nasenspiegels und der Lippen nach dem Fressen oder Trinken. Stärkere Reize (auch Gerüche) lösen Niesen und Abwischen der Nase mit einer Pfote aus. Am auffälligsten ist das Belecken des Fells. Die ↑ Zunge wird in langen, kräftigen Strichen meist in Richtung der Haare über das Fell gezogen. Dabei ist anfangs reichlicher Speichelfluß zu beobachten, später wird das Fell in der Regel wieder trocken geleckt. Die Sekretion des Speichels kann anscheinend willkürlich gesteuert werden. Die einzelnen Körperstellen werden mit unterschiedlicher Intensität beleckt. Die Reihenfolge sieht etwa folgendermaßen aus: Unterhals, Brust, Schulter, Vorderpfoten, Analgegend, Bauch, Flanken, Hinterbeine, Rücken und Kruppe, Schwanz. Meist sitzen die Tiere dabei. Im Liegen werden manchmal Flanken, Bauch, Hinterbeine, Vorderpfoten und Schwanz beleckt. Das Lecken wird regelmäßig durch Beknabbern abgelöst. Dabei erfassen die Schneidezähne eine Fellstelle und beknabbern diese, bei der K. des Schwanzes werden auch einzelne Haarpartien mit den Zähnen durchgekämmt. Besonders ausgiebig wird zwischen den gespreizten Zehen geknabbert. Kratzen führt die Katze meist im Sitzen aus. Häufig gekratzt werden die durch die ↑ Zunge schwer erreichbaren Körperstellen, wie Kinn, Kehle, Backen, die Ohrmuscheln und deren Umgebung und die Halsseiten. Rücken und Bauch, die z. B. von Hunden ausführlich durch Kratzen bearbeitet werden, werden von der Katze nicht gekratzt. Gekratzt wird mit der Hinterpfote. Die Gesichtswäsche verläuft nach einem festen Ritual. Sie kann zwar an einer beliebigen Stelle abgebrochen werden, beginnt aber immer auf dieselbe Art und Weise: Im Sitzen beleckt die Katze das Handgelenk der angehobenen Vorderpfote. Dann wischt die Pfote mit einer kreisenden Bewegung von hinten nach vorn seitlich über den Mund. Sie wird neu beleckt und fährt anschließend schon höher ins Gesicht. Bei jeder Wiederholung greift die Pfote weiter hinauf, bis sie frühestens beim dritten Mal hinter das Ohr greift und dann über Ohrrückseite, Stirn und Auge herunterwischt. Außer der Gesichtswäsche ist die Reihenfolge anderer Putzhandlungen nicht festgelegt. Bei einer großen „Katzenwäsche" beginnt die Katze meist am Vorderkörper und setzt sie nach hinten fort. K. ist eine der ersten von Jungkatzen (↑ Jungtierentwicklung) erlernten Verhaltensweisen. Im Alter von drei Wochen beginnen sie mit der Erprobung von Putzbewegungen und können diese mit sechs Wochen effektiv ausführen. Eine wichtige Rolle spielt dabei das gegenseitige (mutuale) Lecken von Mutter und Kind sowohl im Kontext der K., aber besonders als Ausdruck sozialer Bindung (↑ Mutter-Kind-Bindung). Diese infantile (kindliche) Verhaltensweise bleibt auch bei erwachsenen Katzen erhalten und ist besonders zwischen Partnern (↑ Sexualverhalten) und in ↑ Katzenversammlungen zu beobachten. Auf diese Weise werden ↑ Aggressionsverhalten abgebaut, die soziale Attraktion erhöht und nicht zuletzt solche schwerzugänglichen Körperstellen wie die Ohren gereinigt.

K. kann auch als Antwort auf ↑ Furcht o. a. unbekannte Umweltreize hervorgerufen werden. Es steht dann nicht im Dienste der K., sondern ist als ↑ Übersprunghandlung (deplaziertes Verhalten) in Konfliktsituationen zu betrachten. Unter Umständen kann hypertrophierte K. zu einem medizinischen Problem werden, da oft geputzte Körperstellen zu Entzündungen neigen können. Andererseits kann häufiges Kratzen auch durch Parasitenbefall

(↑ Parasitosen) hervorgerufen werden. Insgesamt ist die normale K. als wichtigste Voraussetzung für den Zustand des Haarkleides ein guter Anzeiger für den Gesundheitszustand einer Katze.

Körperregionen: Bezirke der Körperoberfläche, die in der Regel nach den dort liegenden Knochen oder Skeletteilen benannt werden.

Die Einteilung des Körpers in Abschnitte ist deshalb sinnvoll, weil sie auf der Basis eines einheitlichen Sprachgebrauches allen Beteiligten (Liebhaber, Züchter, Zuchtrichter, Tierarzt usw.) ein gleiches Verständnis bei der Beschreibung der Katze ermöglicht.

Eine erste Untergliederung des Tierkörpers faßt ganze Körpereinheiten zusammen: Kopf, Rumpf mit Brust- und Bauchhöhle, Vorder- und Hintergliedmaßen, Schwanz. In der Abb. werden dann die einzelnen K. benannt. Den meisten Namen ist der Anhang „-gegend", z. B. Oberarmgegend, anzufügen. Zugunsten einer besseren Übersicht wurde darauf verzichtet.

Manche in der Tierzucht gebräuchlichen Begriffe lassen sich nicht so ohne weiteres aus den anatomischen Verhältnissen ableiten:

- Kruppe: Kreuzbeingegend,
- Lende: Bereich der beiderseits der Lendenwirbel liegenden Lendenmuskulatur,
- Flanke: seitliche Bauchgegend zwischen der letzten Rippe und dem Beckenvorderrand,
- Rücken: Gegend der Brust- und Lendenwirbel sowie des Kreuzbeins,
- Widerrist: senkrecht über der Vordergliedmaße liegender Abschnitt der Wirbelsäule.

Körpersprache: 1. ↑ Ausdrucksverhalten. – **2.** ↑ Gestik. – **3.** ↑ Mimik.

Körpertemperatur: Die normale K. einer erwachsenen Katze liegt bei 38,0 bis 39,3 °C. Jungtiere haben wegen des intensiveren Stoffwechsels eine höhere Körpertemperatur: 38,5 bis 39,5 °C. Bei Welpen sind in den ersten Tagen nach der Geburt die wärmeregulierenden Zentren noch nicht vollständig ausgebildet (↑ Thermoregulation). Eine kalte Umgebungstemperatur läßt die K. rasch absinken und die Lebensvorgänge kommen zum Erliegen.

Zum Messen der K. wird ein mit Babyöl oder Vaseline bestrichenes Fieberthermometer in den After eingeführt. Nach 3 bis 5 min kann die Temperatur abgelesen werden. Dieser Vorgang erfordert eine Einschränkung der Bewegungsfreiheit der Katze und wird deshalb stets als Gewaltanwendung empfunden. Um Abwehrreaktionen zu mindern, muß das Tier sowohl beruhigt als auch entsprechend fixiert werden. Es gibt mehrere Möglichkeiten:

1. Die Katze wird auf einen Tisch gestellt oder auf den Schoß genom-

Messung der Körpertemperatur bei der Katze

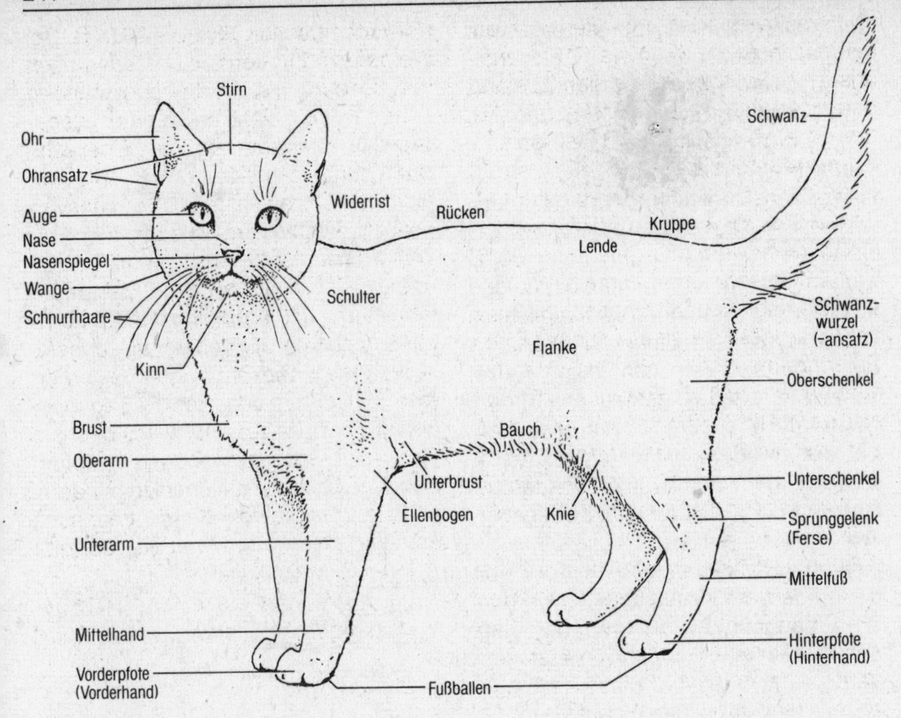

Körperregionen

men. Der rechte Unterarm des Menschen preßt das Tier an den eigenen Körper, während die rechte Hand den Schwanz hochhebt und festhält. Die linke Hand führt dann vorsichtig das Thermometer unter leicht drehenden Bewegungen ein (Abb.).

2. Bei allen nervösen Katzen benötigt man die Hilfe einer zweiten Person. Auch in der Praxis des Tierarztes wird allgemein so verfahren: Mit einer Hand wird das Genick der auf den Tisch gestellten Katze ergriffen und auf die Tischplatte gedrückt, die andere Hand fixiert den Rücken in der Lendengegend. Die zweite Person ergreift den Schwanz und hebt das Hinterteil der Katze leicht an, so daß die Pfoten gerade noch die Tischplatte berühren. Mit der anderen Hand wird wiederum das Thermometer mit leicht drehenden Bewegungen eingeführt (untere Abb.).

Abweichungen vom Normalbereich der K. haben verschiedene Ursachen.

Erhöhte K. (Hyperthermie) tritt auf:

– bei ↑ Fieber;
– bei hohen Umgebungstemperaturen über 30 °C; bei gleichzeitiger hoher Luftfeuchtigkeit werden Temperaturen über 35 °C schlecht vertragen und bei 40 °C tritt infolge von Wärmestauung im Organismus nach kurzer Zeit der Tod ein;
– bei Erregung, Tierarztbesuch, Ausstellungen, neuer Umgebung, bei Besitzerwechsel usw., die normale K. kann kurzzeitig um 1 °C ansteigen;
– in den ersten Tagen nach der Geburt der Welpen (Nachgeburtsperiode) kann die K. bis auf 39,7 °C erhöht sein.

Untertemperatur (Hypothermie) wird seltener beobachtet:
– bei vielen Katzen kündigt sich die Geburt etwa 12 bis 24 Stunden vorher durch Abfall der K. um etwa 1 °C an;
– Infektionskrankheiten, Vergiftungen, Herz-Kreislauferkrankungen.

Bei K.en über 42 °C und unter 30 °C kommt es zu zentral-nervösen und funktionellen Störungen, die schließlich zum Tod des Tieres führen. Ändert sich das normale Verhalten einer Katze, sollte zuerst die K. gemessen werden. Steigt sie über 39,5 °C bei erwachsenen Tieren oder sinkt sie unter 37,5 °C, muß der Tierarzt konsultiert werden.

Koten: 1.↑ Defäkation. – **2.**↑ Unsauberkeit.

Krallen: Hautanhanggebilde, die von der Epidermis (↑ Haut) gebildet werden. Die obersten Zellschichten der Haut unterliegen einem besonders starken Verhornungsprozeß. Diese Horngebilde entstehen direkt auf dem in K.form gestalteten letzten Zehenglied (K.bein). Die K. wachsen in Halbkreisform (Sichel-K.), spitz zulaufend und sind seitlich stark zusammengedrückt (Abb. a). Ein starker Bandapparat zieht das letzte Zehenglied zurück und kann so eine übermäßige Beanspruchung und vorzeitige Abnutzung der K. vermeiden. Unter Kontraktion des Zehenbeugermuskels kann das K.bein nach vorn gestreckt und die K. ausgefahren werden (Abb. b). Gleichzeitig spreizen sich die Zehenglieder. Durch Druck von Daumen und Zeigefinger auf die letzten beiden Zehenglieder (Abb. d) kann die Kralle manuell ausgestülpt werden. Bei bestimmten Bewegungsabläufen (schneller Lauf, Sprung, Beutefang usw.) werden sie unwillkürlich ausgefahren, können aber z.B. beim Spiel mit Bezugspersonen oder zwischen Mutterkatze und Jungtieren willkürlich zurückgehalten werden.

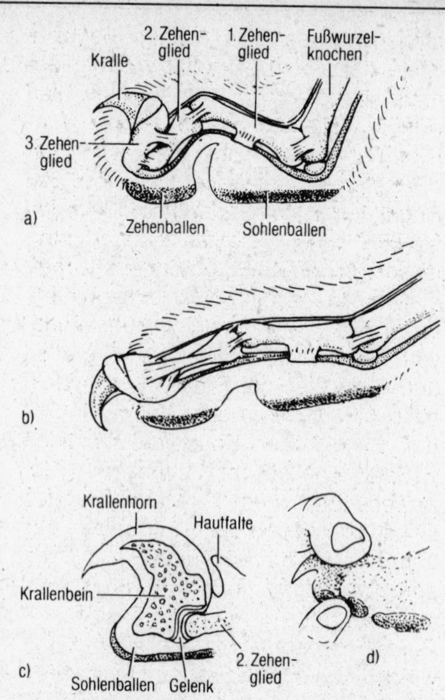

a) Krallenapparat eingezogen, b) gestreckt, c) Kralle, d) Druck von Daumen und Zeigefinger auf die letzten beiden Zehenglieder

Bei der Geburt sind die K. bereits voll entwickelt; zum Schutz der Geburtswege liegen sie in Krallenhüllen. Nach ein bis zwei Tagen trocknen diese ein und fallen ab. Durch das ständige Wachstum des K.horns werden von Zeit zu Zeit auflagernde ältere Hornschichten abgestoßen. Dieser Vorgang wird durch intensives Kratzen an geeigneten Gegenständen unterstützt. ↑ Kratzbäume, -pfosten oder -bretter bieten Möglichkeiten, dem natürlichen Kratzbedürfnis, dem sogenannten K.schärfen oder -wetzen, nachzukommen und bei entsprechender Erziehung bleiben Polstermöbel und häusliches Mobiliar weitestgehend verschont. Nur aus gesundheitlichen Gründen sollten die scharfen K.spitzen gekürzt bzw. abgetrennt werden, z.B., wenn eine schief

stehende oder die wenig benutzte Kralle der ersten Zehe der Vordergliedmaße bogenförmig in den Fußballen oder die Gliedmaße einwächst.
Die K. sind neben dem kräftigen ↑ Gebiß die schärfsten Waffen der Katze. Bei Angriff oder bei Verteidigung werden sie blitzschnell ausgefahren und hinterlassen an den wenig behaarten Körperstellen wie Ohr und Nase blutige Spuren. Im Funktionskreis des ↑ Beutefangverhaltens dienen sie dem Ergreifen und Festhalten der Beute, dem Angeln nach ↑ Beutetieren oder dem Spiel mit der Beute oder Beuteersatzobjekten (↑ Spielverhalten), im Kontext des ↑ Sozialverhaltens dem ↑ Markieren des Heimbezirkes und der ↑ Fortbewegung. Imponierkrallenschärfen tritt als Übersprunghandlung (↑ Übersprungverhalten) auf.
Bei der K.amputation, wie sie hin und wieder beschrieben oder sogar empfohlen wird, wird das K.bein und damit auch die K. operativ entfernt. Die Tiere werden unsicher im Gang, finden beim Klettern keinen Halt und können sich beim Sprung nicht festhalten und das Gleichgewicht ausbalancieren. In Rangordnungskämpfen (↑ Rangordnung, ↑ Kampfverhalten) sind sie stets unterlegen, denn eine artgemäße Verteidigung ist ihnen nicht mehr möglich. Schwere ↑ Verhaltensstörungen sind die Folge. K.amputation bei einer gesunden Katze ist Tierquälerei und in verschiedenen Ländern deshalb durch den Gesetzgeber verboten.
Einzig irreparable Schäden, wie Unfälle, nicht heilende Entzündungen, Abszesse mit Veränderungen der Knochen u. ä., können Gründe für die Amputation einzelner K. sein.

Krallenamputation ↑ Krallen.

Krallenschärfen: 1. ↑ Krallen. – **2.** ↑ Kratzbaum.

Krankheitserreger: 1. ↑ Infektion. – **2.** ↑ Infektionskrankheiten.

Krankheitszeichen, *Symptome:* mit klinisch-diagnostischen Methoden erkennbare Anzeichen einer Krankheit. Wer seine Katze gut kennt und täglich aufmerksam beobachtet, kann viele K. bereits selbst feststellen. Wenn nicht ein direkter Zusammenhang zwischen den K. und der möglichen Ursache, z.B. ↑ Durchfall infolge ↑ Fütterungsfehler, hergestellt werden kann und einfache Hausmittel die Unpäßlichkeiten nicht beseitigen, ist es ratsam, sofort den Tierarzt aufzusuchen. Er kennt die K., die auf das Vorliegen von ↑ Infektionskrankheiten, ↑ Parasitosen, ↑ Vergiftungen, Organ- o. a. Erkrankungen hindeuten und kann eine zielgerichtete Therapie einleiten. Der Katze sagt man zwar sieben Leben nach, das trifft aber nur auf die Zähigkeit bei äußeren Verletzungen oder Brüchen zu. Auf Infektionskrankheiten oder Vergiftungen z. B. reagiert sie dagegen äußerst empfindlich und eine rasche sach- und fachkundige Behandlung ist erforderlich. Einige K. sind so allgemeiner Natur, daß sie in dieser oder jener Form bei fast jeder Erkrankung beobachtet werden können:
– Appetitlosigkeit;
– Teilnahmslosigkeit, Kauerstellung, Verkriechen, Zittern;
– gesteigerte Unruhe bis zur Aggressivität (vgl. Aggressionsverhalten);
– veränderte ↑ Körpertemperatur;
– Abmagerung;
– trübe und/oder tränende Augen.

Je nach beteiligten Organsystemen gesellen sich hierzu andere spezifischere K.:

1. ↑ Haut und ↑ Haare
– Haarausfall, brüchige Haare;
– struppiges, stumpfes oder glanzloses Fell;
– Juckreiz, abnormes Putzen;
– Hautveränderungen (Schuppen, Krusten, Ekzeme);
– nässende bis eitrige Hautwunden.

2. ↑ Kreislaufsystem
– Hecheln, Husten;
– blaß, blaue Schleimhäute;
– allgemeine Schwäche;
– gesteigerte Unruhe;
– Puls klein, schwach oder schnell;
– unregelmäßiger Herzrhythmus.
3. ↑ Atmungsorgane
– gehäuftes Niesen, Husten;
– zu schnelle oder zu langsame ↑ Atmung;
– Atembeschwerden, Atemnot;
– Rasselgeräusche in der Lunge;
– Nasenausfluß.
4. ↑ Verdauungsorgane
– vermehrtes Speicheln;
– einseitiges Kauen, Verweigerung des Kauens trotz Appetit;
– Mundgeruch;
– Schluckbeschwerden;
– ↑ Durchfall;
– ↑ Erbrechen, Würgen;
– ↑ Verstopfungen, Blähungen.
5. ↑ Harnorgane und ↑ Geschlechtsorgane
– Ausfluß oder Blutungen aus der Vagina;
– vermehrter oder fehlender Harnabsatz (Kater);
– Harntröpfeln, Schmerzen beim Harnabsatz (Kater);
– ↑ Geburtsstörungen und Störungen während der ↑ Trächtigkeit;
– starker Durst, starker Urinfluß, Mattigkeit.
6. Bewegungsapparat (↑ Skelett, ↑ Muskulatur)
– klammer Gang, vorsichtige Bewegung;
– Lahmheit, nachziehen oder anheben einer Gliedmaße;
– schwankender Gang;
– das Springen ist vorsichtig oder unterbleibt.
7. ↑ Sinnesorgane (↑ Auge, ↑ Ohr)
– klarer, schleimiger oder eitriger Augenausfluß, verklebte Lider;
– ↑ Nickhautvorfall;
– teilweise oder komplette Blindheit (↑ Progressive Retina-Atrophie);
– ein- oder beidseitige erworbene Taubheit;
– Kopf schütteln, Ohren scheuern oder kratzen;
– Ausfluß aus den Ohren.
8. ↑ Nervensystem
– Juckreiz, Zuckungen;
– Lähmungen;
– unmotivierte Aggressivität, abnormes Putzen;
– abnorme Bewegungen;
– rastlose Unruhe oder Apathie.

Kratzbaum: zum Krallenwetzen und -schärfen hergerichtete Baumattrappe für Wohnungs- und Zwingerhaltung. Ein K. gehört in die Wohnung eines wirklichen Katzenfreundes. An ihm können die ↑ Krallen ausgiebig geschärft werden; Polstermöbel und Teppiche bleiben weitestgehend verschont. Bereits Jungtiere müssen angehalten werden, ihre Krallen nur am K. zu wetzen. Werden die Krallen an einem Polstermöbel geschärft, genügt ein energisches Nein. Das Tier wird im gleichen Atemzug hoch genommen, und die Vorderpfoten in Kratzbewegungen führend wird es an den K. gesetzt. Mit einiger Geduld und nicht nachlassender freundlicher Bestimmtheit lernen die Welpen, den K. zu benutzen (↑ Lernverhalten).

Ein K. kann auch von handwerklich Unbegabten gebaut werden: Ein runder oder eckiger Stamm (Vierkantholz z. B.) wird mit Hanfseil umwickelt oder Resten eines festen Teppichgewebes bespannt. Der K. sollte mindestens so hoch sein, daß sich die Katze voll strekken kann. Gleiches gilt auch für Kratzbretter, die etwa 30 cm breit und 80 cm lang sein müssen. Sowohl K. als auch Kratzbrett dürfen nicht wackelig sein, fallen sie gar einmal polternd um, wird die Katze sie für immer ablehnen. Im Idealfall ist der K. so groß, daß er gleichzeitig als Kletterbaum dienen kann und der Bewegungsarmut der Wohnungskatzen vorgebeugt wird. An einem entsprechend hohen Stamm werden mehrere Sitz- bzw. Sprungbretter mit Winkeleisen befestigt. Die Außenkanten der Bretter werden mit Hanfseil umspannt, die Bretter selbst mit Teppichbodenresten belegt. Da Katzen nur ungern rückwärts klettern, müssen die Bretter um etwa 90° versetzt so angebracht werden, daß die Katze von Brett zu Brett herunterspringen kann. Die hochgelegenen Bretter sind gleichzeitig bevorzugter Ruheplatz, von dem aus das Umfeld im Auge behalten werden kann.

Kratzen ↑ Körperpflege.

Kräuselohr ↑ American Curl.

Kreischen ↑ Lautgebung.

Kreislauf, *Blutkreislauf:* Bewegung des ↑ Blutes durch das Gefäßsystem des Organismus infolge Druckdifferenz, die durch die Tätigkeit des ↑ Herzens zustande kommt und durch die Elastizität der großen Arterien sowie den Widerstand der kleineren Arteriolen konstant gehalten wird. Es kann in einen kleinen K., den *Lungen-K.*, und einen großen K., den *Körper-K.*, unterschieden werden. Im großen Körper-K. wird das aus der Lunge kommende sauerstoffreiche Blut über das linke Herzkammersystem (Vor- und Hauptkammer) und die Aorta in die großen Körperarterien gepumpt. Ein Hauptstrom versorgt direkt das Gehirn, der andere wird über ein sich zunehmend verzweigendes arterielles System an das Körpergewebe bzw. die inneren Organe herangeführt. In den feinen Kapillaren, dem Verbindungsteil zwischen Arterien und Venen, wird Sauerstoff abgegeben und Kohlendioxid aufgenommen. Danach wird das Blut über das venöse Gefäßsystem zum rechten Herzkammersystem zurückgeführt und im kleinen K. direkt zur Lunge zum erneuten Gasaustausch (↑ Atmung, ↑ Atmungsorgane) gepumpt

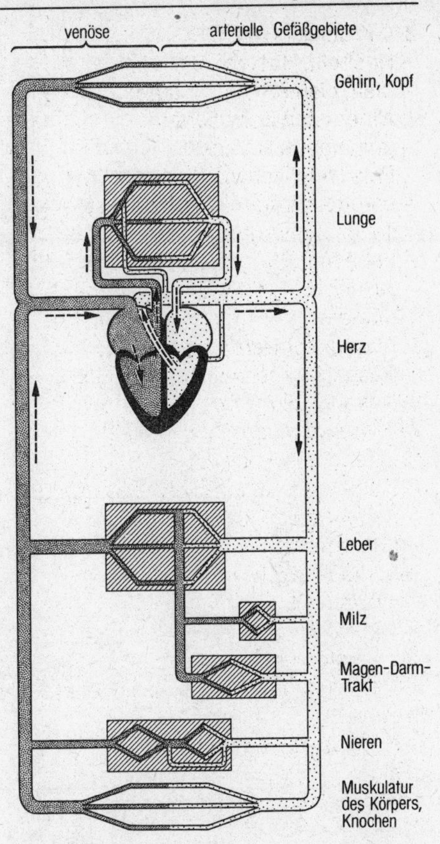

Schematische Darstellung des Blutkreislaufes (nach *Kolb*, 1980)

(Abb.). Eine solche K.passage eines Blutteilchens durch den Körper der Katze dauert unter normalen Bedingungen etwa 7 s.

Kreuzgang ↑ Fortbewegung.

Kreuzung: **1.** ↑ Hybridisation. – **2.** ↑ Kreuzungsdiagramm. – **3.** ↑ Kreuzungszucht.

Kreuzungsdiagramm, *Kombinationsquadrat* [amerik. checkerboard diagram; engl. chess-board diagram]: einfache grafische und rechnerische Hilfsmethode der Mendel-Genetik. In einem Ereignisfeld können Einzelgene und Gengruppen frei kombiniert werden (3. Mendel-Regel, ↑ genetische Rekombination). Dabei werden in die Kopfzeile (horizontal) die ↑ Allele des Vaters (Spermium) und in die Kopfspalte (vertikal) die der Mutter (Ovum) eingetragen und beide dann in den „Schachbrettfeldern" kombiniert. Das Verhältnis der Häufigkeiten der einzelnen ↑ Genotypen zueinander (Spaltungsverhältnis) ist bei der Erbanalyse der Erwartungswert, mit dem dann die in der ↑ Population ausgezählten Beobachtungswerte verglichen werden. Die zufallskritische

Orientalisch Kurzhaar, Weiß	Foreign White **Ww**	Siam Seal-Point (3) **aa B- c^sc^sDd**	Siam Blue-Point (4)	24 24
			Siam Seal-Point	24 24c
		Foreign White (5) **Ww**	Siam Seal-Point	24 24a
			Foreign White	35 24
Foreign White **Ww**	Siam Chocolate-Point (1) **aa bb c^ss^sDd**	Siam Lilac-Point (2) **aa bb c^sc^sdd**	Siam Chocolate-Point	24c 29
			Havana	29 29c
		Siam Chocolate-Point **aa bb c^sc^sD-**	Siam Chocolate-Point	32TB 24b
			Siam Chocolate-Tabby-Point	32 TB 24 b
Orientalisch Kurzhaar, Lilac (6)	Havana **aa bb Cc^sDd**	Siam Chocolate-Point **aa bb c^sc^s D-**	Siam Chocolate-Point	24c 24b
			Siam Chocolate-Point	24c 24
		Havana **aa bb C- D-**	Havana	29 29
			Havana	24b 29
Lavender **aa bb Cc^s dd**	Siam Seal-Point (7) **aa Bb c^sc^s Dd**	Siam Chocolate-Point **aa bb c^sc^s Dd**	Siam Blue-Point	24a 24c
			Siam Seal-Point	24 24c
		Siam Seal-Point **aa B- c^sc^s D-**	Siam Seal-Point	24 24
			Siam Seal-Point	24c 24

Beurteilung der Abweichungen zwischen den erwarteten und den beobachteten Spaltungsverhältnissen erfolgt mit mathematisch-statistischen Prüfverfahren. Stichprobenfehler werden dadurch ausgeschlossen.
Die Anwendung der Methode des K. ist der einfachste und sicherste Weg einer Analyse von Einzelgenwirkungen. Beim Zusammenspiel der Allele mehrerer ↑ Genorte läßt man zunächst alle Positionen außer acht, die bei den Paarungspartnern homozygot besetzt sind. An diesen gibt es keine Aufspaltung (↑ Mendel-Regeln). Danach erfolgen dann die Eintragungen des Spermiengenotyps in die Kopfzeile und des Eizellgenotyps in die Kopfspalte und die Kombination beider im Schachbrett. Aus den erhaltenen Spaltungsverhältnissen läßt sich dann die Art der ↑ Genwechselwirkung ableiten. An einem Beispiel soll der Vorgang erläutert werden. Das Paarungsergebnis eines ↑ Foreign White mit einer ↑ Lavender ist mit der aufgezeigten Methode solange nicht zu analysieren, wie man nicht mit Hilfe einer ↑ Pedigree-Analyse den Genotyp der Eltern ermittelt hat.
Das bedeutet, daß man vor Anwendung des K. z. B. auch den Status von Homozygotie oder ↑ Heterozygotie für die einzelnen Genorte des Prüflings abzuklären hat. Es muß also geprüft werden, ob der Foreign-White-Kater für das ↑ dominante Weiß homozygot oder heterozygot ist (Tab.).
Da er eine Siam-Chocolate-Point-Mutter (1) hat, muß er logischerweise am W-Locus heterozygot besetzt, also Ww sein. Die Lavenderkatze (6) hingegen ist nicht-weiß, also ww.
Es ist zu erkennen, daß 50% der Nachkommen wiederum weiß, die anderen 50% nicht-weiß, d. h. pigmentierte Katzen sind (↑ Pigmentierung). Wie aber die einzelnen ↑ Phänotypen beschaffen sind, wird erst das K. zeigen.

♂ ♀	W	w
W	WW	Ww
w	Ww	ww

Die Siam-Chocolate-Point-Mutter des Foreign White (1) hat den Genotyp aa bb c^sc^s D-. Ob der letztgenannte Genort homozygot oder heterozygot besetzt ist, bleibt zunächst offen. Zu sehen ist aber, daß die Chocolate-Point-Mutter einen Lilac-Point-Vater hatte (2), von dem sie ein Allel für ↑ Verdünnung geerbt haben muß. Somit kann man bisher feststellen, daß der Foreign-White-Kater mütterlicherseits (1 + 2) die Allele a b c^s D oder d vererbt bekommen hat. Der Vater des Foreign White (5) ist wiederum weiß und kann aufgrund der epistatischen Wirkung (↑ Epistasie) von W nicht weiterhelfen. Erst der Großvater väterlicherseits verrät etwas über den möglichen Restgenotyp: Er ist Seal-Point (3) und muß folglich die Genkonstruktion aa B- c^sc^s D- aufweisen. Da sein Vater ein Blue-Point-Siam war (4), muß er Verdünnung tragen und aa B- c^sc^s Dd sein. Da auch die Eltern keine Chocolate-Point sind, muß zunächst von der Genkonstruktion aa BB c^sc^s Dd ausgegangen werden. Der Foreign-White-Kater, der mit der Lavenderkatze gepaart werden soll, müßte somit aa Bb c^sc^s DD oder Dd sein. Bei der Aufstellung der Allelkombinationen sollte jedoch gleich die Verdünnung mit einbezogen werden, die über Generationen hinweg verdeckt getragen werden kann. Da der Kater mütterlicherseits (1) ein Braun-Allel b vererbt bekommen haben muß, kann man die gleiche Frage väterlicherseits ausschließen, dennoch sollte man daran denken, daß auch hier Braun verdeckt getragen und vererbt worden sein kann und der Foreign-White-Kater anstatt Bb homozy-

got rezessiv bb ist. Der Genotyp der Lavender (6) ist leicht zu definieren. Unter ihren Ahnen ist kein ↑ Cinnamon oder ↑ Cinnamon-Point, und da sie eine Siam-Seal-Point-Mutter hat (7) und selbst C- ist, kann ihr Genotyp nur aa bb Cc^s dd sein.
Die Gameten des Vatertieres Bc^sD und bc^sd werden in die Kopfzeile eingetragen, die des Muttertieres bCd und bc^dd in die Kopfspalte (Tab.).

♀ \ ♂	bCd	bc^sd
Bc^sD	$BbCc^sDd$	$Bb\ c^sc^sDd$
bc^sd	$bbCc^sdd$	$bb\ c^sc^sdd$

Da das rezessiv homozygote Allelpaar aa von beiden Seiten getragen wird, konnte es fortgelassen werden. Jetzt wird es aber wieder hinzugefügt. Dann entstehen:

1. aa Bb Cc^s Dd ↑ Ebony (↑ Schwarz), mit rezessivem ↑ Maskenfaktor, ↑ Chocolate und ↑ Verdünnung;
2. aa Bb c^sc^s Dd Siam Seal-Point, rezessiv wird braun und Verdünnung getragen;
3. aa bb Cc^s dd Lavender mit rezessivem Maskenfaktor;
4. aa bb c^sc^s dd Siam ↑ Lilac-Point.

Lavender und Lilac-Point Siamesen fallen nicht, wenn der Foreign-White-Kater für ↑ Nicht-Verdünnung reinerbig ist und vom Genotyp aa Bb c^sc^s DD ausgegangen worden wäre. Ebony und Siam Seal-Point würden nicht fallen, wenn der Foreign-White für braun reinerbig und als Ausgangspunkt der Betrachtungen die Genkonstruktion aa bb c^sc^s DD gewählt worden wäre. Die jeweiligen ↑ Spaltungsverhältnisse sind unter ↑ Oligogenie und Mendel-Regeln beschrieben worden (Tab.).

Kreuzungsquadrat ↑ Kreuzungsdiagramm.

Kreuzungszucht: der ↑ Reinzucht gegenübergestellte ↑ Zuchtmethode, d. h. Paarung unterschiedlicher ↑ Genotypen bzw. von Angehörigen verschiedener Rassen zwecks

- Erweiterung des Genspektrums einer ↑ Population;
- Merkmalkombination (↑ Kombinationszucht) und deren Stabilisierung (Rückkreuzungszucht);
- Schaffung neuer Varietäten bzw. von Rekombinations-Genotypen (z. B. Transgressionszüchtung);
- Verbesserung phänotypischer Merkmale in der Population durch ↑ Immigration (↑ Veredlungskreuzung);
- Verdrängung bestimmter Genotypen (↑ Verdrängungskreuzung).

Alle diese Varianten beinhalten Verpaarung und ↑ Selektion, d. h. Selektionszüchtung. Die Ansichten über Vor- und Nachteile einer K. haben sich im Verlauf der überschaubaren Zuchtgeschichte mehrfach geändert. Der Franzose *Buffon* (*George-Louis Leclerc*, Comte *de Buffon*, 1707–1788) war der Meinung, daß die Natur bei der Kreuzung ihr Bestes gibt. Durch Kreuzung der schönsten Tiere kann an jedem Ort und zu jeder Zeit Vollkommenheit der Form erreicht werden. Die auf *Robert Bakewell* (1725–1795) zurückgehenden „englischen Zuchtprinzipien" basieren, obwohl die von ihm angewandten Methoden nicht völlig klar gelegt wurden, auf Auswahl der geeigneten Typen aus den unreinen Mischbeständen und nachfolgender Inzucht. Die durch dieses Prinzip später erreichte „Reinheit" der Zuchtstämme ging auf Begünstigung der Ahnenreihe bei der Selektion zurück. Inzucht der besten Tiere, ↑ Zucht in geschlossenen Zuchtgruppen und Vermeidung jedweder Einkreuzung war die Basis dieses Zuchtprinzips. Es führte in der Endkonsequenz zur Begünstigung von „Ahnenreihen" gegenüber dem eigenen ↑ Zuchtwert eines Individuums. Die Übernahme dieser Konsequenz nach Deutschland in der zweiten Hälfte des 19. Jahrhunderts führte in Überschätzung des „Englischen" zur Modifikation dieser züchterischen Methoden zur Konstanzlehre, wobei es nur noch auf die Ahnenreihe ankam, und unter Umständen die besten Zuchtexemplare eliminiert wurden, weil sie nicht rein genug waren, d.h. ihre Ahnenreihe gegenüber minderwertigen Konkurrenten nicht lang genug war (Periode des Formalismus in der Zucht). Die schnelle Verbreitung dieser Irrlehre wird heute damit erklärt, daß sie keine hohen Ansprüche an die „Züchter" stellte. Sie mußten nur imstande sein, Abstammungstafeln zu lesen und zu verkaufen.

kritische Distanz ↑ Fluchtverhalten.

kritische Phase ↑ sensible Phase.

Kronismus ↑ Infantizid.

Krummschwanz ↑ Knickschwanz.

Kryptorchismus, *Binnenhodigkeit, Verborgenhodigkeit:* Spezialform der ↑ Ectopia testium, d. h. der Lagerung der Hoden außerhalb des Skrotums (Hodensack). Im Falle des K. befinden sich beide oder ein Hoden in der Bauchhöhle (Bauchhoden). Bei der Retentio testis spielen eine Vielzahl teilweise genetisch bedingter, teilweise nichtgenetischer mechanischer Regelwidrigkeiten, wie schwache Muskulatur, Unterentwicklung des Hodenleitbandes, kurzer Samenstrang, zu kurzes Hodengekröse, abnorme Enge des Leistenkanals oder des inneren Leistenrings bzw. absolut oder relativ zu große Hoden, die Hauptrolle. Wird deshalb die Störung, wie beim einseitigen K. oft zu beobachten, nicht vom Vater auf den Sohn übertragen, kann zwar an einen X-chromosomal rezessiven ↑ Erbgang gedacht werden (↑ Geschlechtschromosomen), jedoch sind die oben genannten Möglichkeiten genauso wahrscheinlich.

Kuder ↑ Waldwildkatze.

Kulturfolger ↑ Falbkatze.

künstliche Aufzucht ↑ mutterlose Aufzucht.

künstliche Besamung: Im Prinzip ist es möglich, auch bei Katzen wie bei den landwirtschaftlichen Nutztierarten eine k. B. durchzuführen. Die Verfahrensweisen sind bei der Katze bisher nicht standardisiert. Die Schwierigkeiten beginnen bereits bei der Auswahl der Spenderkater. Diese werden auf der Basis ihres Verhaltens gegenüber einer rolligen Testkatze und der Annahme der künstlichen Vagina ausgewählt. Bei den bisher durchgeführten Untersuchungen waren ein Fünftel (*Scott*, 1970) bis drei Fünftel der geprüften Kater (*Platz* et al., 1978) tauglich. Die künstliche Vagina wurde im Eigenbau gefertigt. Die von *Scott* (1970) bestand aus einem 2-ml-Gummipipettenball mit abgeschnittener Spitze, der über ein Reagenzglas gestülpt wurde. Beide zusammen wurden in ein Mantelgefäß gehängt, das aus einer 60-ml-Polyethylenflasche bestand, in der sich Wasser von 46°C befand. Die Befestigung des Innengefäßes am Mantelgefäß erfolgte durch Umkrempeln des gerollten Endes des Pipettenballs über den Hals der Flasche. Die Öffnung der künstlichen Vagina wurde mit einem Gleitmittel versehen und diese dann über den erigierten Penis (↑ Geschlechtsorgane) geschoben. Die Spermagewinnung dauerte 1 bis 4 min. Die erhaltene Spermaqualität variierte erheblich, das Ejakulatvolumen zwischen 20 und 120 µl (Durchschnitte zwischen 30 und 40 µl, die Spermienzahl zwischen 15 und 130×10^6 je Ejakulat; Durchschnitt bei 60×10^6), die Vorwärtsbewegung zwischen 80 und 90% (Frischsperma bis 37°C) und die Zahl mißgebildeter Spermien zwischen 2 und 12%. Verdünnung und Konservierung erfolgten je nach Verwendungszweck des Spermas auf eine unterschiedliche Art und Weise. Im einfachsten Fall wurde für Sofortverwendung mit physiologischer Lösung verdünnt. Die Tiefgefrierkonservierung erfolgte mit Verdünnern auf Eidotter-Laktose-Glyzerin-Basis. Im Prinzip wurden die vom Bullensperma bekannten Tiefgefrier- und Auftautechniken ausprobiert (*Platz* et al., 1978).

Da die Katze nicht spontan ovuliert (↑ Rolligkeit), war es notwendig, nach hormoneller Östrusauslösung (FSH, Östradiolbenzoat) eine medikamentelle (HCG), mechanische oder durch vasektomierte Kater bewirkte Ovulation auszulösen. Dosierungen und Applikationszeitpunkt schwankten stark. Für die intravaginale (seltener intrazervikale) Insemination wurden 1,2 bis 3×10^8 Spermien in 0,1 bis 0,2 ml Verdünner verwandt. Als Inseminationsgerät dienten Kanülen von 7 bis 9 cm Länge und einem Kaliber von 0,9 bis 1,4 mm. Die günstigsten Konzeptionserfolge lagen bei 75%. Von den einzelnen Untersuchern wurden durchschnittlich zwei bis drei Welpen erhalten.

Es ist festzustellen, daß für eine k.B. bei der Katze die wissenschaftlichen Grundlagen erarbeitet wurden. Erfahrungsberichte liegen in ausreichender Zahl vor. Für eine routinemäßige Verwendung gibt es jedoch bisher keine Indikation. Als solche wurden genannt:

– gezielte Paarungen bestimmter Tiere auf Wunsch der Besitzer, Ersparung von Reisekosten und -unannehmlichkeiten, Einhalten von Quarantänevorschriften, Überschreiten von Ländergrenzen;
– Kontrolle der genetischen und individuellen Gesundheit der Zuchttiere;
– Haltung weniger Kater vermindert Geruchsbelästigungen, besonders in Versuchs- und Großzuchten;
– wissenschaftliche Fragestellungen, z. B. Erarbeitung von Methoden und Anwendung bei anderen Felidenarten, die vom Aussterben bedroht sind.

künstliche Mutationsauslösung ↑ Mutationszüchtung.

Kurzhaar: 1. ein in der Länge der Haare und im Verhältnis der Unterhaare zu den Deckhaaren (↑ Haar) der wilden Stammform der ↑ Hauskatze entsprechendes Haarkleid.

2. die mit Ausnahme der Langhaarigkeit unter ↑ Normalhaar aufgeführten Abweichungen (↑ Rexkatzen, ↑ Drahthaar, ↑ Nacktkatzen).

3. die züchterisch begünstigten Formen, bei denen entweder auf wenig Unterhaar (↑ Siam und ↑ Orientalisch Kurzhaar) oder bei bestehenden Unterschieden in der Gesamtlänge des Haarkleides auf gleiche Länge von Unterhaar und Deckhaar durch ↑ Selektion Einfluß genommen wurde (↑ Britisch Kurzhaar, ↑ Russisch Blau). Bei gleichem ↑ Typ liegt am autosomal dominanten ↑ Genort L- für K. ein Wechsel zur rezessiven Langhaarigkeit ll bei folgenden ↑ Rassen vor:

Kurzhaar L-
↑ Abessinier
↑ Burma
↑ Exotic Kurzhaar
↑ Manx
↑ Orientalisch Kurzhaar
↑ Siamesen

↑ Langhaar bzw. ↑ Semilanghaar ll
↑ Somali
↑ Tiffany
↑ Perser
↑ Cymric
↑ Mandarin
↑ Balinesen

Die Dichte des Unterhaares wird durch polygene ↑ Modifikation bestimmt.

Kurzhaar-Chinchilla ↑ Tipped.

Kurzköpfigkeit ↑ Brachyzephalie.

Kurzschwanz, *Schwanzverkürzung* [griech. Brachyurie; engl. bobtail]: Schwanzverkürzung durch Reduktion der Schwanzwirbelzahl unterschiedlichen Grades. Die normale Schwanzwirbelzahl liegt zwischen 20 und 23. Die Wendigkeit der Katze und der lange Schwanz als Balancierstange beim Sprung oder Fall (Steuerfunktion) führen dazu, daß Katzen immer auf ihre „vier Füße" fallen. Beim Fall aus großen Höhen kommt es daher immer wieder zu gleichartigen Verletzungen, was *Robinson* (1976) veranlaßte, von einem „High-rise trauma syndrome" zu sprechen. Der K. hat eine heterogene Basis. *Moutschen* (1950) registrierte in einer Siamesenlinie einen einfach autosomal rezessiven Erbgang. Teilweise zeigten die Merkmalträger mit ↑ Knickschwanz verwandte Bilder, so daß gemeinsame Ursachen angenommen werden konnten. Da exakte wissenschaftliche Beweise bisher fehlen, wird eine unterschiedliche Manifestation der gleichen Gene angenommen, die durch das genotypische Milieu (↑ Genotyp) bestimmt wird. Auf der anderen Seite gibt es Schwanzdefekte mit einer anderen genetischen Basis. Im allgemeinen wird gegen Schwanzverkürzung selektiert, wobei die Mikromanifestation bei der Erfassung aller Merkmalträger Schwierigkeiten bereitet. Beim ↑ Japanese Bobtail wurde der geschilderte Defekt zum Rassekriterium erhoben. Er führt hier, mit Ausnahme des in der linken Spalte Gesagten, nicht zu weiteren Gesundheitsstörungen, was bei der Schwanzlosigkeit der ↑ Manx nicht der Fall ist.

Kurzzeitgedächtnis ↑ Gedächtnis.

kutane Asthenie ↑ Dermatosparaxie.

Kymrische Katze ↑ Cymric.

L

Langeweile: umgangssprachlicher Begriff, der den Zustand der Motivationslosigkeit des Menschen beschreibt und höhere Denkprozesse voraussetzt; oft als Synonym für Umweltarmut der ↑ Heimtiere benutzt. Rasse- und Stubenkatzen werden oft getrennt von Artgenossen und in einer reizarmen ↑ Umwelt gehalten. Wenn dazu noch der Kontakt mit der Bezugsperson Mensch beschränkt ist, kommt es oft während des Alleinseins zur L. Scheinbar abnorme Verhaltensweisen, wie ↑ Unsauberkeit oder auch Aggressivität (↑ Aggressionsverhalten), können die Folge sein. Eine reich strukturierte Umwelt mit ↑ Kratzbaum, Höhlen als Versteckmöglichkeiten und Spielgegenstände fordern das ↑ Erkundungsverhalten heraus und sind, neben der täglichen Beschäftigung mit dem Tier, ein wirksames Gegenmittel bei L. Auch kann eine Zweitkatze in Erwägung gezogen werden (vgl. Sozialverhalten).

Langhaar, *Langhaarigkeit:* Haus- oder ↑ Rassekatzen mit im Vergleich zum Haarkleid der wilden Stammform oder der ↑ Kurzhaar verlängertem Fell. Derartige Tiere sind seit Jahrhunderten bekannt. Lange Zeit sprach man von Angorakatzen, was jedoch nicht unbedingt als Herkunftsbezeichnung zu werten ist (Ankara/Türkei), sondern durchaus mit der allgemeinen Tendenz zur Übertragung des Namens der langhaarigen Angora-Ziege auf andere langhaarige Haustierarten (Kaninchen, Meerschweinchen, Katze) im Zusammenhang stehen könnte. Die ersten Hauskatzen mit verlängertem Haarkleid sollen zwar ebenfalls aus dem genannten Gebiet stammen (↑ Populationsgenetik), aber nach anderen Angaben hat der italienische Forschungsreisende

Pietro della Valle im Jahre 1521 die erste Langhaarkatze aus Chorassan/Persien nach Europa gebracht. Die Angorakatze wird heute in ihrer ursprünglichen Form noch in den USA als ↑ Türkisch Angora bzw. als in ↑ genetischer Rekombination neugeschaffene Rasse ↑ Angora gezüchtet. Weitere Katzenrassen wurden kombiniert, wobei in der Anfangsphase die Begriffe Langhaar- und Perserkatze gleichgesetzt wurden. Heute bestehen erhebliche Unterschiede zwischen den langhaarigen ↑ Rassen, die vorrangig den ↑ Körperbautyp, die Kopfform und die Fellfärbung betreffen, aber auch die Haarlänge und -stärke umfassen. Die Stärke spielt insofern eine Rolle, als sie die Neigung zur Filzbildung geringer werden läßt. Bereits *Schwangart* (1932) beschrieb neben den Langhaar- oder Angorakatzen die „Halbangoras«, bei denen das Haarkleid eindeutig länger als bei der wilden Stammform und somit auch bei der normalhaarigen Hauskatze war (↑ Semilanghaar).

Wie bei anderen Haustierarten ist auch bei der Katze das ↑ Normalhaar gegenüber dem L. dominant. Am Genort befinden sich die beiden Allele L^+ und l. Das Gen l scheint das Zellwachstum an der Haarpapille zu verlängern (vgl. Haar).

Unter unselektierten normalhaarigen Hauskatzen findet man gelegentlich Exemplare, die ein mehr oder weniger verlängertes Haarkleid aufzuweisen haben. Durch intensive ↑ Selektion über mehrere Generationen kann man zu Tieren mit beachtlicher Haarlänge kommen, ohne den Phänotyp von ll zu erreichen. Andererseits schwankt die Haarlänge in den ↑ Rassen und ↑ Varietäten auch bei diesem Genotyp erheblich. Die Wirkung des Gens für Langhaarigkeit sowie die Textur der Haare wird offensichtlich von modifizierenden Polygenen beeinflußt (↑ Modifikation), die unabhängig vom Gen l vererbt werden. So kann man zwar bei der Kreuzung einer reinerbigen normalhaarigen mit einer langhaarigen ↑ Rassekatze in der F_1-Generation normalhaarige Kreuzungsprodukte erwarten, aber bei weiterer Fortführung dieses Paarungstyps erhält man auch Rekombinanten, die langhaariger als normal sind, aber nicht so lang wie die Exemplare der langhaarigen Ausgangsrasse. Dieses Kunststück ist der Rassekatzenzucht bei der Schöpfung der ↑ Colourpoint und der ↑ Birma gelungen. Man könnte diese als ↑ Siam mit verlängertem Haarkleid bezeichnen, wenn nicht der Kopf- und Körperbautyp einer solchen Vereinfachung widersprechen würde. *Schwangart* (1932) zählte die Birmakatze (↑ Birma) zu den „Halbangoras", und Ziel dieser Kombination sollte die Vereinigung der Vorzüge beider Eltern sein, des ruhigen Wesens vieler Langhaarkatzen, ohne deren Phlegma, mit dem lebhaften Temperament und der schnellen Auffassungsgabe (Reaktionsfähigkeit) der Kurz- bzw. Normalhaarigen, ohne deren Neigung zur Unruhe und Nervosität. Die Natur der heutigen Zuchtprodukte wird jedoch oft von Geschäftsinteressen bestimmt und bezieht sich daher hauptsächlich auf Farbvarietäten. Jede Farbe kann inzwischen bei Kurz- und Langhaar angetroffen werden (↑ Kombinationskreuzung). Die Haarlänge bewirkt jedoch einige Besonderheiten. Die ↑ Tabbyzeichnung z. B. ist weniger scharf gekennzeichnet und die ↑ Abzeichen werden durch den Wärmestau bei den Perser Colourpoint etwas heller sein als bei den Siamesen. Bei den L. liegt ein großer Teil des Haarschaftes frei. Da er weniger intensiv pigmentiert ist als das Haar auf seiner übrigen Länge, entsteht häufig eine unechte, d. h. optische Aufhellung der Farbe (↑ Verdünnung). Züchter haben diesen Effekt mit Selektion auf eine kräftigere Färbung des Haaransatzes hin teilweise behoben. Wo diese Form der Auslese vernachlässigt wurde, können Laien eine ↑ Creme durchaus für eine Creme-Smoke (↑ Cameo) halten. Hochprämierte Perser und Perser Colourpoints, als eine ↑ Rassegruppe bzw. Rasse ebenfalls unter L. zusammengefaßt, haben gegenwärtig ein bis zu 12,5 cm langes Haar, das in der Textur fein und seidig ist. Selektive Begünstigung verdrängte das kräftigere Deckhaar, und Deckhaar und Unterwolle erreichen eine fast identische Länge. Die Selektion bei Balinesen und Angoras verlief in die entgegengesetzte Richtung. Ihr Fell ist lang, weich und seidig ohne wolliges Unterhaar. Der ↑ Standard für die Maine Coon hingegen schreibt ein gröberes, glattes Deckhaar mit weicher feiner Unterwolle vor. Alle L. haben neben einer mehr oder weniger gut entwickelten vollen ↑ Halskrause, lange dichte Hosen, d.h. eine volle Behaarung der Hinterbeine, die oft die Gliedmaßen völlig verschwinden läßt. Beide Eigenschaften werden durch dieselben Modifikatoren bewirkt, die die Länge und Dichte des Haarkleides bestimmen.

Langhaar Siam ↑ Balinese.

Langzeitgedächtnis ↑ Gedächtnis.

Lauerstellung ↑ Beutefangverhalten.

Läuse ↑ Ektoparasiten.

Lautäußerungen ↑ Lautgebung.

Lautgebung: wichtiges Mittel zur inner- und zwischenartlichen Verständigung im Tierreich. Die L. wird von der zoologischen Spezialdisziplin Bioakustik untersucht, die sich sowohl mit den Problemen der Lauterzeugung als auch mit der -wahrnehmung beschäftigt. Wichtigstes lautbildendes Organ der Säugetiere ist der Kehlkopf (Larynx). Seine Strukturen, besonders die Stimmbänder, werden durch die Atemluft in Schwingungen versetzt. Knorpel und Kehlkopfmuskulatur sorgen für unterschiedliche Spannung und Form der Stimmbänder und können im Zusammenwirken mit der Luftröhre, der Mund- und Rachenhöhle, der ↑ Zunge und den Lippen Laute modulieren. Grundsätzlich wird zwischen erzeugten Lauten bei der Einatmung (Inspirationslaute) und bei der Ausatmung (Exspirationslaute) unterschieden. ↑ Katzen verfügen über ein hochentwickeltes akustisches Verständigungssystem, das bisher nur in den Grundzügen erforscht wurde. Unklar ist u. a., inwieweit sich die ↑ Domestikation (vgl. Selbstdomestikation) auf die funktionelle Bedeutung der L. ausgewirkt hat. Untersuchungen am Haushund z.B. weisen auf eine Erweiterung des Anwendungsbereiches der L. gegenüber natürlichen Lebensbedingungen hin (*Herre*, 1979).

Die wichtigsten Lauttypen der ↑ Hauskatze sind:

– *Jungtierruflaut* (*Miefen, Fiepen, Quietschen, „Weinen des Verlassenseins“*): Er tritt sofort nach der ↑ Geburt auf, wenn die Tiere gedrückt, aus dem Nest genommen werden oder bei fehlender Wärme. Bis zum 20. Lebenstag ist er häufig zu hören, nach dem 40. Lebenstag verliert er sich zunehmend.
  Der Jungtierruflaut ist meist zu Lautfolgen zusammengestellt, Erregungssteigerung zeigt sich durch größere Häufigkeit und Verkürzung der Pausen. In den ersten Tagen nach der Geburt wirken sie beim Muttertier als ↑ Auslösemechanismus für das Eintragen der Jungen in das Nest (↑ Jungentransport). Die Jungtiere öffnen bei dieser L. das Mäulchen.
– *Stoßer:* Ein bis zum 20. Lebenstag abwechselnd mit dem Jungtierruflaut auftretender Ruf, der mit geschlossenem Mäulchen kurz und hart geäußert wird und den Eindruck vermittelt, als probiere das Tier seine Stimme aus.

– *Quärren, Knarren:* Ein sehr geräuschhafter, an das Quietschen verrosteter Türangeln erinnernder Ruf, der bei Wiederberuhigung nach starker Erregung von Jungtieren zu hören ist.
– *Triller:* Er tritt zwischen der 2. bis zur 5. Lebenswoche auf und ist ein recht variabler, piepsender bis kreischender Ruf. Die Laute klingen oft zweistimmig, manchmal erinnern sie an stimmbruchähnliche Erscheinungen. Seine Funktion ist ungeklärt, es wird vermutet, daß es sich um einen *Stimmfühlungslaut* gegenüber dem Pfleger handelt.
– *Ultraschallkontaktlaut* (vgl. Ohr):
a) der Jungtiere: Nach dem Verlassen des Nestes im Alter von 20 bis 30 Tagen nehmen Jungkatzen eine Ersterkundung der Umgebung vor. Dieses Verhalten wird oft durch wiederholtes Maulöffnen begleitet; auch tritt eine Bewegung der Flankenmuskulatur auf. *Härtel* (1972) konnte die Erzeugung von reinen Ultraschallauten nachweisen, die im Bereich um 80 kHz liegen. Auf diese Verhaltensäußerung sollen Muttertiere mit Ohrmuschelbewegungen, Maulöffnen oder sofortiger Annäherung an das Jungtier reagieren.
b) der Muttertiere: *Härtel* (1972) fand ähnlich wie bei Jungtieren auch bei Muttertieren Ultraschallaute. Sie liegen im Frequenzbereich von 50 kHz und zeigen in der Nahdistanz die Anwesenheit der Mutter an. Da diese Laute für den Menschen nicht hörbar sind, können sie nur anhand des begleitenden Verhaltens vermutet werden.
– *Mauzen, Miauen:* Während *Metze* (1958) diesen typischen Laut der Hauskatze erst ab 6. Lebenswoche in Ablösung zum Jungtierruflaut als Mauzen bezeichnet, gibt *Peters* (1983) bereits mit einer Woche Mauzen an. Sicher sind beide Laute voneinander abzuleiten und zwischen ihnen ist keine scharfe Grenze zu ziehen. Mauzen wird in sehr verschiedenen Verhaltenssituationen geäußert. Dabei öffnet sich das Maul unter raschem Auseinanderweichen der Kiefer und gleichzeitigem Zurückziehen der Oberlippe und der Mundwinkel. Die Zunge liegt am Mundboden. Danach folgt ein ebenso schnelles Schließen des Maules.
– *Jaulen:* Längerer heiserer bis kläglich weinend klingender Laut, der von der weiblichen erwachsenen Katze zur Ranzzeit und vom Kater mehr oder weniger regelmäßig geäußert wird. Meist werden Lautfolgen gebildet. Beim ruckartigen Öffnen der Kiefer werden die Mundwinkel nicht zurückgezogen, der Mundboden wölbt sich nach unten aus und die Zunge liegt im vorderen Teil hohl auf. Bei stärkerer Erregung in der Ranzzeit (↑ Sexualverhalten) kann dieser Laut durch stärkere Betonung zum rollenden ‚Raulen' werden.
– *Gurren:* L. von erwachsenen männlichen und weiblichen Katzen. Bei Jungtieren ist es etwa ab 70. Lebenstag begleitet vom Präsentieren und Entlangstreichen am Muttertier oder bei der Anzeige von Subdominanz (↑ Rangordnung) zu hören. Es ist neben dem Mauzen der häufigste Laut der Katze. Das Maul ist beim Gurren meist geschlossen. *Peters* (1984) beobachtete diesen Laut auch bei anderen Katzenarten und kennzeichnet ihn als freundlichen *Nahkontaktlaut*, der auch in ↑ Bruderschaften oder im Sexualverhalten oft auftritt.
– *Drohknurren:* Es ist meist langgezogen, mit wechselnder Intensität. Das Maul ist geschlossen. Drohknurren ist ein *Warnlaut* bei Jungtieren und Erwachsenen.
– *Fauchen:* Es erklingt in Situationen des plötzlichen Erschreckens, aber

auch in Begleitung des ↑ Kampfverhaltens. Dabei werden die Ohren zurückgelegt, der Kopf eingezogen und das Gesicht der Gefahrenquelle zugewandt. Das Maul wird weit geöffnet und der Zungenrücken nach oben gedrückt. Fauchen ist ein *Abwehrlaut* bei Jungtieren und erwachsenen Katzen.

– *Kreischen:* Sehr laut und oft vom ↑ Pfotenschlag begleitet. Kreischen gehört zum ↑ Kampfverhalten und ↑ Abwehrverhalten der Katzen.
– *Schreien:* Laut des Unwillens und hoher Aggressivität bei Jungtieren und erwachsenen Katzen. Entweder als langgezogener Einzellaut oder mehrfach kurz hintereinander geäußert. Bei Jungtieren ist das Schreien oft quietschend. Andere Lauttypen können bei starker Erregung auch wie Schreie klingen.
– *Spucken:* Sehr kurzer stimmloser Laut, der bei ängstlicher Erregung und in der Konfliktsituation Flucht–Angriff auftritt. *Leyhausen* (1982) gibt ihn im Kampf oder bei Angriffsdrohung bzw. bei der Verteidigung des Wurfes durch das Muttertier an. Artikulation durch schnelles Öffnen des Maules, ähnlich wie Fauchen.
– *Angriffslaut* („Schlag"): Er tritt beim Kampfverhalten erwachsener Kater auf, ist sehr scharf und wird in höchster Erregung vorgebracht. In der Lautfolge, die einem Katerkampf vorausgeht, ist dieser Laut häufig der letzte. Er besteht aus einem kurzen geräuschhaften Kreischen, das am Ende stark betont wird. Dadurch klingt er ähnlich wie ein Peitschenhieb. Manchmal ist er auch mit dem Fauchen verschmolzen.
– *Katergesang, Drohgesang:* Kampfgesang erwachsener Kater während der Ranzzeit, meist in Gegenwart einer rolligen Katze artikuliert. In ↑ Katzenversammlungen freilaufender Hauskatzen wird er oft von mehreren Katern gleichzeitig geäußert und dann als ‚Katzenkonzert' bezeichnet. Es handelt sich um sehr langgezogene Schreie (30 s und mehr) mit auf- und abschwellender Intensität. Der Katergesang dient zur Feststellung der ↑ Rangordnung zwischen den Katern und ist Element des ↑ Angriffsverhaltens.
– *Grollen:* Lautfolge kurzer, grunzender und abgehackter Laute bei leichtem Unwillen. *Leyhausen* (1982) gibt Grollen als Antwort der Kater auf das Kreischen der Weibchen vor Vollendung der Kopulation an. Ob das ähnlich klingende Kollern davon abzutrennen ist, bleibt vorerst unklar.
– *Schnattern, Meckern:* Zuerst von *Schwangart* (1933) beschriebene L., die durch schnelles rhythmisches Öffnen und Schließen der Kiefer erzeugt wird. *Leyhausen* (1982) ordnet es dem ↑ Übersprungverhalten zu. Es tritt auf, wenn Katzen in unmittelbarer Nähe eine reizvolle Beute, z. B. Fliegen, sehen, sie aber nicht erreichen können. *Metze* (1958) beobachtete es bei einer Katze, die ausgescholten wurde.
– *Schnurren:* Über die Bedeutung und Erzeugung dieses Lauttyps wird seit langem diskutiert. Er entwickelt sich bereits vom 6. Lebentag an und wird kontinuierlich während der Ein- und Ausatmung produziert (*Hussel*, 1956). Dabei ist das Maul geschlossen und die Atemfolge deutlich erhöht (*Peters*, 1981). Die Körperhaltung ist beliebig, auch während der Bewegung wird geschnurrt. Nach neueren Erkenntnissen entsteht es durch ein Zusammenwirken der Vibration des Kehlkopfes und der eigentlichen Lauterzeugung an den Stimmbändern. Nach allgemeiner Auffassung schnurrt eine Katze, wenn sie sich wohl fühlt. *Leyhausen* (1982) weist

auf einen Bedeutungswandel im Verlaufe der ↑ Jungtierentwicklung hin. Das Schnurren der Jungkatzen im Nest zeigt der säugenden Mutterkatze an, daß alles in Ordnung ist. Die Jungen können auch mit der Zitze im Maul schnurren und brauchen also zur Anzeige des Wohlbefindens das Saugen nicht zu unterbrechen. Im weiteren Verlauf der Entwicklung erklingt es bei der Begrüßung sowohl von ranghöheren als auch von rangniederen Tieren, dient der Spielaufforderung oder auch als *Beschwichtigungslaut* gegenüber dem menschlichen Pfleger. Das Schnurren der Mutterkatze im Nest trägt zur Optimierung der ↑ Mutter-Kind-Bindung bei. Wenn ein krankes oder verletztes Tier bei Annäherung eines anderen Tieres oder des Pflegers schnurrt, so soll es auch in diesem Fall beschwichtigend wirken.

Erste systematische Untersuchungen unter Verwendung von Klangspektogrammen haben eine Vielfalt von Übergängen zwischen den einzelnen Lauttypen sowie die Existenz von individualtypischen Merkmalen gezeigt.

Lavender: Bezeichnung der Orientalisch Kurzhaar ↑ Lilac im Sprachgebrauch der Züchter. Im ↑ Körperbautyp entspricht sie vollkommen der ↑ Siam, in der Färbung ist sie im Gegensatz zu dieser vollpigmentiert (↑ Vollpigmentierung); ihre Genkonstruktion ist aa bb C– dd. Die L. entstand mit der ↑ Zucht der ↑ Havana, da sich das Gen für ↑ Verdünnung durch die notwendigen Paarungen mit den Siamesen von Anfang an in dieser Zucht befand. Die Farbbezeichnung aller anderen ↑ Varietäten des gleichen ↑ Genotyps in ↑ Lang- und ↑ Kurzhaar ist hingegen lilac.

Tritt an die Stelle des dominanten Wildtypallels C– das homozygot rezessive Allelpaar c^sc^s (↑ Maskenfaktor), entsteht die Siam ↑ Lilac-Point. Die Kombination beider Braungene bb^l soll einen intermediären Braunton bewirken, der in Kombination mit Verdünnung eine hellere L. [engl. light lavender] entstehen läßt. Analog zu der lilac-ticked-pointed Siam, einer Katze mit ↑ Abessiniertabby in den Abzeichen, wird auch die L. mit der Genkonstruktion A- bb C- dd T^a- gezüchtet. In den USA existierte in den Anfängen der Zucht der ↑ Havana brown ein schwerer Typ in Lilac, die L. Foreign Shorthair. International entspricht die L. der amerikanischen Oriental Shorthair. Die L. ist seit 1972 innerhalb der F. I. Fe. anerkannt. Tafel 46.

Lebendvakzine ↑ Schutzimpfungen.

Lebenserwartung: Im allgemeinen wird die L. von Katzen, die in menschlicher Obhut leben, mit 10 bis 12 Jahren angegeben. *Bonnet* (1968) berichtet über 22jährige Exemplare, *Robinson* (1977) über ein Alter bis 27 Jahre. Katzen züchten bis zu 10 Jahre, einige noch länger (14 Jahre), aber die Zahl der sterilen Kopulationen nimmt zu, die Wurfgröße zunehmend ab. Kastraten leben im allgemeinen länger als nichtkastrierte Tiere (↑ Kastration). Darüber ist die L. von einer Reihe von Faktoren abhängig, die einzeln oder gemeinsam wirken: ↑ Erb- und ↑ Erbumweltkrankheiten, ↑ Haltung, ↑ Schutzimpfung, ↑ Infektionskrankheiten, ↑ Ernährung u. v. m.

Die Altersstruktur von Populationen freilaufender Katzen zeigt, daß diese Tiere in der Regel nur ein Alter von 3 Jahren erreichen. In Ausnahmefällen konnten unter den Katern Einzeltiere mit einem Alter von 5 Jahren beobachtet werden. Tab.

Leber: größte Drüse des Körpers. Unter den Haustieren hat die Katze bei einem Verhältnis L.masse zur Körpermasse von 1:30 die größte L. (bei anderen Haustieren 1:50 bis 1:100). Die L.

Altersstruktur von zwei freilaufenden Hauskatzenpopulationen in Schweden (*Liberg*, 1980) und Frankreich (*Legay/Pontier*, 1983). Die schwedische Population lebte in einem ländlichen Gebiet, die französische in der Stadt Lyon

Alter in Jahren	männliche Tiere		weibliche Tiere	
	Schweden	Frankreich	Schweden	Frankreich
bis 1	66,2%	26,2%	35,7%	16,3%
1 bis 2	25,7%	20,9%	21,4%	15,3%
2 bis 3	8,1%	16,4%	14,9%	16,3%
3 bis 4	—	9,3%	3,3%	13,2%
4 bis 5	—	5,7%	4,5%	7,8%
5 bis 6	—	5,3%	4,5%	8,8%
6 bis 7	—	2,5%	2,6%	4,7%
7 bis 8	—	4,1%	4,5%	2,7%
8 bis 9	—	4,1%	1,9%	3,1%
9 bis 10	—	1,2%	1,9%	2,0%
über 10	—	3,6%	5,8%	9,8%
Anzahl der Tiere	74	244	154	295
maximale Lebenserwartung in Jahren	3	19	über 10	17
durchschnittliche Lebenserwartung in Jahren	1,4	3,2	3,3	4,2

der Katze ist in sieben Lappen unterteilt, hat eine Gallenblase und liegt in der Bauchhöhle annähernd in einer Transversalebene eng am Zwerchfell an. Sie besitzt eine doppelte Blutversorgung durch die L.arterie (Arteria hepatica), die rund 25% der Gesamtblutversorgung deckt, und durch die Pfortader (Vena portae), die das gesamte ↑ Blut aus dem Kapillargebiet des Magen-Darm-Traktes (↑ Verdauungsorgane), der ↑ Milz und der Bauchspeicheldrüse (↑ Kreislauf) zur L. führt. Zwischen den L.zellen liegen die Gallengänge, die die gelb-braune Galle zur *Gallenblase* abführen. Die Katze produziert relativ wenig Galle (in 24 h etwa 14 ml je kg Körpermasse). Die Hauptfunktionen der L. bestehen in:

- der Beteiligung an der Regulation des Kohlenhydrat-, Fett- und Hormonstoffwechsels,
- dem Auf- und Abbau von Eiweißen, der Bildung von Harnstoff, Harnsäure usw.,
- der Depotbildung von verschiedenen Vitaminen (↑ Vitaminbedarf), insbesondere von Vitamin-A und B-Komplex, und Spurenelementen,
- der Entgiftung von Stoffwechselprodukten bzw. aufgenommenen Giften,
- der Gallensekretion.

Eine ausreichende Versorgung mit essentiellen Aminosäuren (↑ Eiweißbedarf) und Vitaminen sichert die Leistungsfähigkeit der L., die bei Wachstum, ↑ Trächtigkeit und Laktation besonders beansprucht wird. Dagegen wirken sich Fütterungsmängel (↑ Ernährung), ↑ Infektionskrankheiten, ↑ Parasitosen und ↑ Vergiftungen beeinträchtigend auf die Funktion und damit die Leistungsfähigkeit der L. aus.

Lecken ↑ Körperpflege.

Leistenhoden ↑ Kryptorchismus.

Leistungsbedarf ↑ Energiebedarf.

Leithaare ↑ Haar.

Lernverhalten, *Lernen* [engl. learning]: Aufnahme von Informationen durch den Organismus und ihre Speicherung im

↑ Gedächtnis. Die ↑ Verhaltensbiologie faßt unter diesem Begriff alle Prozesse zusammen, die zu einer individuellen Anpassung (↑ Individualität) des ↑ Verhaltens an die jeweiligen Umweltbedingungen führen, d.h., die Veränderungen im Verhalten als Folge individueller Erfahrungen bewirken. Der Lernvorgang erfolgt in vier Teilabschnitten: Aufnahme der Information über die ↑ Sinnesorgane, Einspeichern der Information in zentralnervösen Strukturen (↑ Zentralnervensystem), Aufbewahren von Informationen innerhalb des ZNS (↑ Gedächtnis) und Abrufen von Informationen aus dem Speicher zur Ausführung eines bestimmten Verhaltens.
Lernvorgänge, die für ein Tier lebensnotwendig sind, werden obligatorisch, andere, die möglich aber nicht lebensnotwendig sind, fakultativ genannt. Zur ersten Kategorie gehören alle Prägungsvorgänge (↑ Prägung) aber auch Lernvorgänge im Zusammenhang mit der Feindvermeidung (↑ Fluchtverhalten, ↑ Feindverhalten) und der Nahrungsaufnahme (↑ Beutefangverhalten, ↑ Beutetier); zur zweiten zählt Lernen zum individuellen Erkennen (↑ Sozialverhalten, ↑ Duftmarkieren) oder im Zusammenhang mit dem ↑ Erkundungs- und ↑ Spielverhalten. Die moderne Verhaltensbiologie unterscheidet sechs Arten von Lernvorgängen (*Immelmann*, 1983), die hier anhand von Beispielen erläutert werden sollen:
1. *Gewöhnung* oder *Habituation:* Unter diesem Begriff versteht man die Fähigkeit eines Tieres, sich an wiederholt auftretende Reize, die weder mit positiven noch mit negativen Folgen verbunden sind, zu gewöhnen und nicht mehr darauf zu reagieren. Es handelt sich dabei um einen „negativen" Lernvorgang, da eine ursprünglich vorhandene Antwortbereitschaft abgebaut wird. So kann eine Katze an bestimmte regelmäßig wiederkehrende Reize gewöhnt werden, z. B. an das Fahren in einem Auto oder den Aufenthalt in einem engen Ausstellungskäfig. Voraussetzung dazu ist, neben der ↑ Individualität, auch ein verständnisvoller Umgang mit dem Tier. Bei einer Katze kann ein Gewöhnungsprozeß länger als bei einer anderen dauern, bei einer dritten hingegen gelingt die Gewöhnung nie.
2. *Klassische Konditionierung:* Dabei erhält ein bisher neutraler Reiz durch positive Folgeerscheinungen („Belohnung") die Fähigkeit, Antworten auszulösen und wird damit zum reaktionsauslösenden oder bedingten Reiz. Diese Umkehrung der Gewöhnung wird auch als bedingter (im Sinne von „erfahrungsbedingt") ↑ Reflex bezeichnet. Bekannt sind die Versuche von *Pawlow* an Hunden: Den Tieren wurde Futter (↑ Schlüsselreiz) verbunden mit einem Klingelzeichen (indifferenter Reiz) angeboten. Lösten anfangs nur Anblick und Geruch des Futters den Speichelfluß (unbedingter Reflex) aus, so genügte später das Klingelzeichen allein, obwohl das Futter weder zu sehen, noch zu riechen war. Bedingte Reflexe sind nicht unbegrenzt erhaltbar. Werden sie über eine längere Zeit nicht vom Schlüsselreiz begleitet, so erlöschen sie (Extinktion). Extinktion ist nicht mit Vergessen gleichzusetzen, da die entsprechende Handlung sofort nach Verknüpfung der beiden Reize wieder auftreten kann.
3. *Operante Konditionierung* (Lernen am Erfolg): Diese Lernart, auch instrumentelle Konditionierung genannt, unterscheidet sich von der vorhergehenden dadurch, daß hier nicht ein neuer Reiz an eine bereits vorhandene Reaktion gebunden wird, sondern daß eine neue Bewegung mit der Verminderung eines Bedürfnisses (z. B. der ↑ Motivation von Hunger und Durst) in Beziehung tritt. Untersuchungen zur operanten Konditionierung werden besonders

in der aus der Psychologie hervorgegangenen Forschungsrichtung des Behaviorismus (↑ Verhaltensbiologie) in Labyrinthen oder Skinner-Boxen vorgenommen. Dabei muß das Versuchstier zuerst spontan eine bestimmte Laufrichtung wählen oder mit der Pfote einen Hebel drücken. Folgt einer solchen Bewegung wiederholt eine Belohnung, z. B. in Form eines Fleischbrokkens, so wird vom Tier eine Verbindung hergestellt und die Handlung bei entsprechender Motivation (Hunger) vermehrt ausgeführt. Damit wird die Bewegung auf experimentellem Wege zu einer Appetenzhandlung (↑ Appetenzverhalten). Beiden Formen der Konditionierung ist gemeinsam, daß zwischen einer Situation und einem Verhalten eine Assoziation (Verbindung) hergestellt wird. Da diese Verbindung durch das Darbieten von Belohnungen immer stärker wird, spricht man hier meist von „Verstärkung" oder „Bekräftigung". Die Belohnung kann sowohl positiv (z. B. Futter) als auch negativ (Setzen eines Strafzeichens) sein. Eine praktische Anwendung der operanten Konditionierung ist die ↑ Dressur. Auf Konditionierung beruhende Lernvorgänge spielen sich natürlich nicht nur im Labor ab und sind auch nicht nur mit solchen klassischen Versuchstieren, wie Ratten, Mäusen und Tauben, zu erzielen. Auch ein freilebendes Tier muß Dinge ausprobieren, etwa beim Unterscheiden von genießbarer und ungenießbarer Nahrung, beim Auffinden geeigneter Schlafplätze usw. Dabei werden meist zwar keine starken Verbindungen geknüpft, aber es bestehen starke Bezüge zu beiden Formen der Konditionierung. Solche Lernvorgänge werden meist als „Versuch-Irrtum-Lernen" oder als „Lernen am Objekt" bezeichnet.

4. ↑ *Spielverhalten:* Unter diesem Begriff, in dessen Bereich sich besonders viele Möglichkeiten zum Lernen nach Versuch und Irrtum ergeben, wird ein in Abgrenzung und Deutung noch umstrittenes Phänomen verstanden. Es dient dem Sammeln von Erfahrungen im weitesten Sinne, setzt also Lernbereitschaft voraus. Besonders ausgeprägt ist das Spielverhalten bei Jungtieren, es ist aber auch bei erwachsenen Tieren von Arten mit ausgeprägtem ↑ Erkundungsverhalten häufig zu beobachten.

5. *Nachahmung* (Lernen durch Beobachtung): Diese Lernart ist durch das Nachvollziehen des Verhaltens eines Vorbildes, meist eines Artgenossen, gekennzeichnet. Somit werden auf indirektem Wege Erfahrungen gesammelt. Es können sowohl Bewegungen bis hin zu ganzen Handlungsketten, aber z. B. auch Laute (wie die Imitation menschlicher Laute durch Vögel) nachgeahmt werden. Das Lernen durch Beobachtung ist nur bei wenigen hochentwickelten Säugetierarten beobachtet worden. Besonders ausgeprägt ist es bei den Menschenaffen, aber auch bei Katzen (*Chester*, 1969). Schimpansen sind auch in der freien Wildbahn in der Lage, relativ komplizierte Handlungsfolgen ohne vorheriges Ausprobieren vollständig nachzuahmen. Eine Katze kann durch Zusehen lernen, wie eine Zimmertür geöffnet wird. Dabei kann durchaus der Mensch nachgeahmt werden. Sie erkennt den Zusammenhang zwischen Türklinke und Öffnen der Tür und springt dann eines Tages selbst nach der Klinke. Das Drehen der Klinke dürfte aber nach der Methode Versuch und Irrtum erlernt werden (*Leyhausen*, 1956).

Nicht zu verwechseln mit der Nachahmung ist die *Stimmungsübertragung*. Sie stellt ein wichtiges Mittel zur Synchronisation des Verhaltens innerhalb einer Gruppe (↑ Sozialverhalten) dar. Das Tier wird hierbei nur in eine Stimmung versetzt, etwas zu tun, was es ohnehin schon kann. Die Stimmungsübertragung kann z. B. beim Erreichen der Schwelle für das Aufführen einer Beutefanghandlung eine Rolle spielen. So wird die nötige ↑ Motivation zum Ausführen des ↑ Tötungsbisses bei der Jungkatze nicht durch Nachahmen der Mutterkatze, sondern durch den Beuteneid erreicht (↑ Beutefangverhalten).

6. *Lernen durch Einsicht:* Eine auch als neukombiniertes Verhalten bezeichnete Lernart, die bisher eine nur bei Menschenaffen in ihrer höchsten Form bekannte Lernleistung darstellt. Das Tier erfaßt eine neue Situation spontan, vollzieht die erforderlichen räumlichen und zeitlichen Handlungsfolgen voraus und vollführt sie gleich beim ersten Mal in richtiger Weise. Schimpansen, denen Futter in unerreichbarer Entfernung und dazu eine Reihe von Gegenständen (Ineinanderschiebare Stöcke, stapelbare Kisten) angeboten wurden, verwendeten letztere zielgerichtet zum Erreichen der Nahrung. Bei diesen Tieren konnten Lernleistungen erreicht werden, die an menschliche Fähigkeiten erinnern.

Eine einfache Form des Einsichtlernens, die auch von Katzen bekannt ist, ist das sogenannte Umwegverhalten. Wenn ein Tier zum Erreichen eines Zieles, z. B. eines Beutetieres, einen Umweg ausführen muß, der es anfänglich vom Zielobjekt wegführt, darf Einsicht in die Situation vorausgesetzt werden. Diese Einsicht in räumliche Gegebenheiten macht auf den menschlichen Beobachter leicht den Eindruck hoher Intelligenz, doch stellt sie oft nur einen Bestandteil des Beutefangverhaltens dar.

7. ↑ *Prägung:* Ein in der Jugendphase erfolgender, verhältnismäßig schneller Lernvorgang, der sich in zwei Eigenschaften von anderen Lernarten unterscheidet: durch eine ausgeprägte ↑ sensible Phase und durch den stabilen, meist unumkehrbaren Lernerfolg.

In menschlicher Obhut und auch in Laborversuchen erweisen sich Katzen oft als schlechte Lerner. *Leyhausen* (1956) meint die Ursachen in dem hohen ↑ Ortsgedächtnis und dem ausgeprägten Bewegungssehen der Katze zu finden. Weiterhin verweist er auf ihre ‚Launenhaftigkeit'. Wie andere Raubtiere sind Katzen auf unregelmäßige Nahrungsaufnahme eingestellt und mäßiger Hunger ist für sie nicht Anreiz genug, Köder während einer ↑ Dressur als Belohnung anzusehen. Allzu starker Hunger hingegen macht sie meist sehr gierig.

Allgemein gilt für das Erlernen bestimmter „Fähigkeiten" oder die Hemmung von angeborenen Verhaltensweisen (↑ Unsauberkeit), daß damit sehr früh begonnen werden muß: Lernen an der Leine zu gehen, im Auto zu fahren, die wallende Gardine nicht als „Beutetier" anzusehen, muß bereits im Alter von zwölf Wochen beginnen. Bei einem sechs Monate alten Tier wird es schon schwieriger und kurz vor Vollendung des ersten Lebensjahres lernen Katzen wesentlich schwerer.

Katzen, deren Besitzer ihnen ↑ Auslauf im Garten ermöglichen, sollten sehr früh lernen, auf das Rufen ihres Namens zu reagieren. Es gibt nicht wenige Katzen, die wie ein Hund „aufs Wort" folgen. Manche geben sogar beim Rufen ihres Namens Kontaktlaute. Junge Katzen sollte man zunächst nur zu angenehmen Tätigkeiten rufen: zum Essen, Spielen, Hinausdürfen. Ähnlich wie bei Kindern sollte man die Katze nicht bei einer besonders wichtigen Beschäftigung, wie Haschen oder Aufsuchen der Katzentoilette, stören. Kommt das Tier nicht, sollte man es konsequent ignorieren. Wird das Herankommen auf das Signal Namen in der Wohnung beherrscht, kann man die Übung ins Freie verlegen. Wenn das Herbeikommen schließlich unter verschiedenen Umgebungsbedingungen klappt und verläßlich erscheint, kann man hoffen, daß es immer funktioniert. Diese Fähigkeit, kombiniert mit dem ↑ Zeitsinn der Katzen, kann verhindern, daß ein nicht sicher abgegrenzter Garten die Katze zum Vagabundieren verleitet. Eine Garantie ist es selbstverständlich nicht. Berücksichtigt man alle Eigenheiten der Katze, so zeigt sie sich an Lernfähigkeit und im Erfassen von Zusammenhängen dem Hunde wohl gleichwertig, wenn nicht sogar überlegen (*Leyhausen*, 1956).

Letalfaktor ↑ Letalfehler.

Letalfehler, *Letalgen:* Während im angelsächsischen Sprachgebrauch der Begriff „lethal" im allgemeinen zur Bezeichnung jeder zum Tod führenden Mißbildungskrankheit angewandt wird (beim „delayed lethal" kommt es unter Umständen erst im höheren Lebensalter zum Tod der Merkmalträger), versteht man im deutschsprachigen Raum unter Letalfehler [lat. letum = Tod] durch Mendelfaktoren (Letalfaktoren) oder durch polygene Wirkungen (↑ Polygenie) verursachte Störungen, die vor Eintritt der Geschlechtsreife bzw. des Reproduktionsalters zum Tod der Merkmalträger führen. Man grenzt L. von den letalen Morbiditätsfaktoren ab [lat. morbus = Krankheit], die erst nach Eintritt der Geschlechtsreife wirken (*Hadorn*, 1955). Tiere, die die Genwirkung eines L. ausprägen, pflanzen sich nicht fort. L. und letale Morbiditätsfaktoren sind wiederum von den nichtletalen Morbiditätsfaktoren zu unterscheiden, die Mißbildungen und Krankheiten ohne erhöhte Sterblichkeitsraten hervorrufen.

L. werden nach Erbgang, Wirkungsgrad und Wirkungsphase (effektive Letalphase) klassifiziert. Nach dem Erbgang unterscheidet man polygene (bedingte) oder mendelnde (unbedingte) L. mit einem autosomal dominanten oder rezessiven, einem geschlechtsgebundenen oder einem autosomal dominanten L. mit rezessiver Letalwirkung. Die Mehrzahl der bei Katzen beschriebenen L. folgt dem autosomal rezessiven ↑ Erbgang (z. B. ↑ Hydrozephalie). Bedingte (polygene) L. führen nur unter bestimmten Bedingungen zur Letalität, da sie von Variationen des genotypischen Milieus und von Umweltfaktoren abhängig sind. Die mendelnden Letalfaktoren treten als Einzelerscheinung, seltener in Serien multipler Allele auf. So ist es durchaus möglich, daß die cc-Konstellation (echter Albinismus) wie beim Pferd auch bei der Katze letal ist. Dominante Letalfaktoren bewirken den Tod des Trägers bereits im heterozygoten Zustand, d. h., eine Übertragung der Mutante auf die Nachkommengeneration ist nicht möglich (Entwicklungstod). Die genetische Basis der Störung kann nur anhand eines statistischen Vergleiches der Sterblichkeit in der verdächtigen Population mit der in der allgemeinen Population erkannt werden. Dominante L. werden daher selten registriert. Die autosomal rezessiven L. werden nach ↑ Mendel-Regeln vererbt. Heterozygote Tiere können die Anlagen auf die Nachkommenschaft übertragen. Geschlechtsgebundene L. wurden bei der Katze bisher nicht festgestellt (↑ Geschlechtschromosomen). Eine Sondergruppe sind die autosomal dominanten L. mit rezessiver Letalwirkung, z. B. der Manx-Faktor (Tab.). Bei der Heterozygotenverpaarung wird in

Autosomal dominanter Erbgang mit rezessiver Letalität (Verpaarung von Manx-Katzen)

♀ \ ♂	M	m^+
M	MM letal	Mm^+ Manx
m^+	Mm^+ Manx	m^+m^+ normal

der Population ein 2:1 Verhältnis von Manx- und normalschwänzigen Katzen erhalten. Da die Wirkung von M bereits im heterozygoten Zustand eintritt, nämlich in Form der kurzschwänzigen bzw. schwanzlosen Katzen, liegt ein typischer Fall von dominanter Vererbung vor (↑ Dominanz). Die intrauterine Letalität tritt dagegen erst bei den Homozygoten auf (↑ Rezessivität).

Nach dem Wirkungsgrad unterscheidet man zwischen L. sensu strictu (100% Penetranz), Subletalfaktoren (>90%), Semiletalfaktoren (>50%), Subvitalfaktoren (<50%) und „Durchbrennern" (<1%). Es handelt sich um ein statistisches Klassifizierungsprinzip, nämlich um die Häufigkeit der Merkmalbildenden unter den Erbanlagetragenden (↑ Penetranz). Der Ausdruck Semiletalfehler bezieht sich also nicht etwa auf mildere Formen der Krankheit und eine etwas höhere Lebenserwartung eines Einzeltieres. Ein Semiletalfehler der Katze ist offensichtlich die ↑ Polydaktylie. Nach der Wirkungsphase wird zwischen gametischen (↑ Gameten), embryonalen, fetalen (Fruchtresorption, Mumifikation, Abort), perinatalen (Totgeburt, Mißbildungskrankheit) und juvenilen L. (Tod während der Jugendphase) unterschieden.

Letalgen ↑ Letalfehler.

Leukämie ↑ Infektionskrankheiten.

Leukose ↑ Infektionskrankheiten.

Leukozyten ↑ Blut.

Leuzismus, *Weißfärbung:* Fehlen von Pigmenten in Haut und Haarkleid (Weißlinge), aber Pigmentierung der Augen und häufig Pigmentreste in der Haut und den sichtbaren Schleimhäuten. Da die Augen pigmentiert sind, liegt keine Funktionsbeeinträchtigung vor. Die Störung geht auf das Fehlen oder eine abnorme Verteilung der Pigmentzellen (Melanozyten) zurück. Da es sich um gestörte Anfangsschritte im hierarchisch geordneten Pigmentierungsablauf handelt, sind derartige Gene epistatisch gegenüber allen Pigmentierungsgenen (↑ Pigmentierung, ↑ Epistasie). Von Bedeutung sind die Genorte des ↑ dominanten Weiß und der ↑ Scheckung (partieller L.). Die Weißfärbung darf nicht mit dem Albinismus verwechselt werden.

Lilac [engl., lila, fliederfarben, blaßviolett]: Farbbezeichnung, die sich als englischer Ausdruck eingebürgert hat. L. ist ein Taubengrau mit einem zartrosa Anflug. Es handelt sich um die Wirkung der homozygot rezessiven Allelpaare aa für ↑ Nicht-Agouti, bb für ↑ Chocolate und dd für ↑ Verdünnung in Kombination mit dem Gen für ↑ Vollpigmentierung C-. Die Genotypkonstruktion wurde zunächst in Verbindung mit dem ↑ Maskenfaktor bei den Siamesen registriert. Von dort gelangte sie über die ↑ Colourpoint in die Perserzucht und später in die kräftig gebauten Kurzhaarrassen zurück. Während die Siam L.-Point schon zu den klassischen Varietäten gezählt wird, und auch ihre vollpigmentierte Schwester, die ↑ Orientalisch Kurzhaar L., die ↑ Lavender, ein Begriff geworden ist, ist dieser Farbschlag bei anderen ↑ Rassen noch relativ selten zu sehen.

Zu einer weiteren Aufhellung des L.farbtons kommt es, wenn eines der beiden Braungene b durch b^l [engl. light brown = hellbraun] ersetzt wird und der Genotyp bb^l entsteht, in homozygoter Form (b^lb^ldd) als ↑ Caramel bezeichnet. Der Wechsel von C- zu c^sc^s ergibt die ↑ Lilac-Point. Eine Bi-Colourvariante entsteht durch die Kombination von L. mit der Scheckung S-, Genotyp aa bb C- dd S-, der auch den Scheckungsspielarten ↑ Vanzeichnung und ↑ Harlekinzeichnung entspricht (↑ Scheckung). In Verbindung mit dem Orange-Mutantenallel O entsteht schließlich die L.-Schildpatt, Genotyp aa bb C- dd Oo (↑ Schildpatt). Durch den Austausch der rezessiven Allele aa mit dem dominanten Gen des ↑ Wildtyps A- für ↑ Agouti entstehen die L.-getigerten, -getupften und -gestromten Varietäten, deren Genotyp A- bb C- dd T-/t^bt^b wäre. In Kombination mit dem ↑ Melanininhibitor I- fallen die entsprechenden Varietäten der ↑ Silberserie. Der ↑ Nasenspiegel und die ↑ Fußballen aller L. sind lavenderrosa. Tafeln 2, 5, 7, 31.

Lilac-Chinchilla ↑ Chinchilla.

Lilac-Creme ↑ Schildpatt.

Lilac-Gestromt ↑ Gestromt.

Lilac-Getigert ↑ Getigert.

Lilac-Getupft ↑ Getupft.

Lilac-Point: anerkannte ↑ Abzeichenfarbe. Die ↑ Abzeichen sind ein leicht rosa getöntes Gletschergrau, die Körperfarbe ein als magnolienfarbig beschriebenes, gebrochenes Weiß. Der ↑ Nasenspiegel und die Fußballen sind lavenderrosa.

L. entsteht durch die Kombination der homozygot rezessiven Allelpaare aa (↑ Nicht-Agouti), bb (↑ Chocolate) c^sc^s (↑ Maskenfaktor) sowie dd (↑ Verdünnung).

Angesichts der Tatsache, daß sowohl die Gene für Chocolate als auch für Verdünnung lange vor Beginn der organisierten Rassekatzenzucht in den natürlichen Siamkatzenpopulationen vorhanden waren, ist es verblüffend festzustellen, daß dieser Farbschlag erst Mitte der 50er Jahre unseres Jahrhunderts in den USA (dort frost-point genannt), ab 1960 beim ↑ GCCF und kurze Zeit später innerhalb der ↑ F.I.Fe. bei den Siamesen anerkannt wurde. Ein Grund dafür ist wohl, daß die ↑ Chocolate-Point, deren verdünnte Form die L. ist, jahrzehntelang als ↑ Fehlfarbe angesehen wurde. Die ersten Siam L. hatten auch ↑ Russisch Blaue unter ihren Ahnen.

Zusammen mit den Persern ↑ Lilac entstanden über Kreuzungen zwischen einfarbigen blauen Persern und rundköpfigen, kurzohrigen chocolate-point Siamesen auch die ersten ↑ Colourpoint L. Bei den Siamesen existiert inzwischen eine hellere Variante mit der Genkonstruktion aa bb^l c^sc^s dd, die, untereinander verpaart, auch ↑ Caramel-Points hervorbringen können. Wie alle Katzen mit Spitzenfärbung (↑ Akromelanismus) werden L. weiß geboren, die Farbe der Abzeichen ist erst gegen Ende der zweiten Lebenswoche deutlich zu erkennen. Die ↑ Maske bleibt lange unvollständig gefärbt, auf dem Schwanz wollen bräunlich-graue Geisterstreifen teilweise überhaupt nicht verschwinden (↑ Geisterzeichnung). Als ↑ Varietät anerkannt ist L. auch bei der ↑ Birma, der ↑ Exotic Kurzhaar, den ↑ Balinesen und der ↑ Ragdoll.

Lilac-Schildpatt ↑ Schildpatt.

Lilac-Schildpatt-Shaded ↑ Tortie Cameo.

Lilac-Schildpatt-Shell ↑ Tortie-Cameo.

Lilac-Schildpatt-Smoke ↑ Tortie Cameo.

Lilac-Schildpatt-Weiß ↑ Tri-Colour.

Lilac-Shaded-Silver ↑ Shaded-Silver.

Lilac-Silber-Gestromt ↑ Silvertabbies.

Lilac-Silber-Getigert ↑ Silvertabbies.

Lilac-Silber-Getupft ↑ Silvertabbies.

Lilac-Smoke ↑ Smoke.

Lilac-Tabby-Point ↑ Tabby-Point.

Lilac-Tortie-Point ↑ Tortie-Point.

Lilac-Tortie-Tabby-Point ↑ Tortie-Tabby-Point.

Lilac/Weiß ↑ Bi-Colour.

Linienzucht: Zucht innerhalb geschlossener Zuchtgruppen, um später durch Kreuzung verschiedener Linien allgemeine und spezielle Kombinationseffekte (Heterosiswirkung) zu nutzen. Als Linie wird eine Teilpopulation innerhalb einer Rasse bezeichnet, die in mäßiger ↑ Inzucht gehalten wird und in sich genetisch einheitlicher ist, als es die Tiere der allgemeinen Population sind und sicher züchtet, d. h. linieneigentümliche Merkmale auf die Nachkommen überträgt. Der Begriff Linie ist nicht unbedingt mit „Zuchtstamm" identisch, da letzterer als nicht geschützter Begriff häufig ohne Berücksichtigung der genetischen Basis als einfache Herkunfts- bzw. Zwingerbezeichnung verwendet wird. Auch Zwischenformen sind verbreitet (↑ Blutanteillehre). Die Möglichkeit der Linienbildung ergibt sich aus der Tatsache, daß aus den gleichen Eltern Nachkommengruppen mit unterschiedlichen Qualitäten oder Merkmalen heranzuzüchten sind (↑ Selektion), die man später kombinieren kann. Inzucht ist eine Methode der Herausbildung von Linienmerkmalen (↑ Mendel-Regeln). Nachkommenprüfung und Selektion fixieren die erwünschten Ergebnisse bzw. lassen unerwünschte verschwinden (↑ Heterozygotietest). Der Erfolg der L. kommt nicht über Nacht, sondern erfordert Jahre der Selektionszüchtung.

Die Schaffung von Linien kann in der Praxis auf der Basis einer Halbgeschwister- oder Vetter-Base-Paarung bzw. eines Generationssprung- oder Rückpaarungsprogramms erfolgen (Abb.) Beim Halbgeschwister-Programm wird der Kater 3 mit den Katzen 1 und 2 verpaart, woraus in einem Fall zwei züchtende Töchter (4.1 und 4.1) und im anderen Fall ein züchtender Sohn (5) hervorgeht. Das wird alternierend fortgesetzt, wobei die Verpaarung „über Kreuz" erfolgt.

Beim Vetter-Base-Programm erzeugen jeweils ein Zuchtpaar einen Sohn und eine Tochter, die dann jeweils mit der Tochter bzw. dem Sohn des anderen Paares züchten.

Im Rückpaarungsprogramm gehen aus der Anpaarung des Katers 3 an seine eigenen Töchter 4 und 5 zwei Söhne hervor (6 und 7), die jeweils auf die Töchter 4 bzw. 5 des Katers 3 zurückgepaart werden (7 an 4 bzw. 6 an 5). Dieses Rückpaarungsbeispiel kann so-

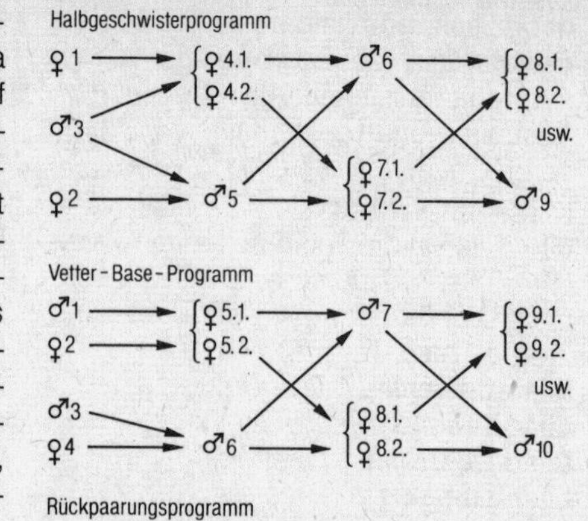

Beispiele für Linienzuchtmethoden

lange fortgesetzt werden, bis die ↑ Inzuchtdepression dem ein Ende bereitet.

Lockenbildung ↑ Rexkatzen.

Lokomotion ↑ Fortbewegung.

longy ↑ Manx.

Lungenentzündung ↑ Infektionskrankheiten.

Lungenkreislauf ↑ Kreislauf.

Lungenwurm ↑ Endoparasiten.

Luxurieren der Bastarde (luxuriance n. *Renner*, 1929) ↑ Heterosis.

Lynx-Point: Bezeichnung für ↑ Tabby-Point beim CFA und anderen amerikanischen Dachverbänden. Alle nicht traditionellen Siamvarietäten werden dort als Colourpoint Shorthair eingetragen. Die ↑ Siam Tabby-Point findet in den USA ihre Entsprechung unter der Bezeichnung Colorpoint Shorthair L.

Lyon-Hypothese ↑ X-Chromosom-Kompensationsmechanismus.

lysomale Speicherkrankheiten: Gruppe von Entwicklungsstörungen oder Krankheiten, die auf ein völliges Fehlen oder einer Unterfunktion lysomaler Enzyme sowie auf eine Anreicherung des

Lysomale Speicherkrankheiten der Katze

Bezeichnung	Merkmal (Enzymopathie)	Genort- und Allelsymbole	Krankheitsbild
Mukopolysaccharidose I (Hurler-Syndrom)	α-L-Iduronidase-Mangel	Mu-I$^+$, mu-I	Zelleinschlüsse (saure Mukopolysaccharide), besonders in den Granulozyten, aber auch in anderen Zellarten, fortschreitende Bewegungsstörungen und Skelettveränderungen
Mukopolysaccharidose VI (Maroteaux-Lamy-Syndrom)	Arylsulfatase-B-Mangel	Mu-VI$^+$, mu-VI	
Gangliosidose I, GM_1 (Landing-Syndrom)	β-Galaktosidase-Mangel	Ga-I$^+$, ga-I	Zelleinschlüsse (Mono- oder Diganglioside sowie Glykoproteine) in den Nervenzellen, fortschreitende Nervenfunktionsstörungen (Zittern, Ataxie, Krämpfe, Verhaltensstörungen) und Tod in der Jugendphase
Gangliosidose II, GM_2 (Tay-Sachs-Syndrom)	β-Hexosaminidase-Mangel	Ga-II$^+$, ga-II	
Globoidzellen-leukodystrophie	Galaktozerebrosid-β-Galaktosidase-Mangel	Glo$^+$, glo	Gehirn- und Nervenzelldegeneration und Speicherung der Abbauprodukte (Zerebroside) in Makrophagen (Globoidzellen), neurologische Symptomatik wie oben
Glykogenose II (von-Pompe-Krankheit)	α-Glukoronidase-Mangel	Gly-II$^+$, gly-II	Zelleinschlüsse (unphysiologisches Glykogen), bes. in den Nervenzellen, nervale Störungen wie oben
Sphingomyelinose (Niemann-Pick-ähnlich)	unbekannt (Gruppe von Enzymdefekten)	(Sph$^+$, sph)	Zelleinschlüsse (Sphingomyelin und Cholesterin), nervale Störungen wie oben
Mannosidose	α-Mannosidase-Mangel	(Ma$^+$, ma)	Speicherung mannosidosereicher Substanzen in Vakuolen des Nervenzell-, Makrophagen- und Eingeweide-Epithel-Zytoplasmas, neurologische Störungen
metachromatische Leukodystrophie	unbekannt (Arylsulfasate A?)	(Leu$^+$, leu)	Zelleinschlüsse (Zerebrosidsulfate), nervale Störungen wie oben
zyklische Neutropenie (Chediak-Higashi-Syndrom)	Lysosomaler Membrandefekt?	(Che$^+$, che)	Bildung von Riesengranula und Funktionsstörungen in den granulabildenden Zellen, z. B. Melanozyten und Granulozyten, mit entsprechenden Funktionsausfällen

nichtverarbeiteten Substrates vor der Enzymblockadestelle innerhalb eines Stoffwechselweges, hauptsächlich in den Nerven- und Pigmentzellen und in den weißen Blutzellen (Granulozyten), zurückgehen (Tab.).

Lysomen sind eine Klasse unterschiedlich ausgebildeter Zellorganellen (Organe innerhalb einer Zelle), die infolge ihres Enzymreichtums entscheidende Stoffwechselschritte des Organismus bestimmen. Die Klassifizierung der enzymatischen Defekte erfolgt bisher auf einer unterschiedlichen Basis. Die Bezeichnungen gehen auf den Ablagerungsort (Ganglienzellen), die Form der „Freßzellen“ (Globoidzellen), auf das abgelagerte Stoffwechselprodukt (Glykoside u. a.), der biochemisch erfaßbaren Abweichung (Metachromasie) oder der Funktionsstörung (zyklische Neutropenie) zurück. Eine weitere Aufklärung ist erforderlich. Das Krankheitsbild ist weitgehend einheitlich (meist nervale Funktionsstörungen), der Erbgang des Enzymdefektes einfach autosomal rezessiv.

Lyssa ↑ Infektionskrankheiten.

M

Magen-Darm-Störungen: 1. ↑ Ernährung. –**2.** ↑ Fütterungsfehler. – **3.** ↑ Infektionskrankheiten.. – **4.** ↑ Parasitosen. – **5.** ↑ Vergiftungen. – **6.** ↑ Erbrechen. – **7.** ↑ Durchfall. – **8.** ↑ Verstopfung.

Maine Coon: zu den ↑ Semilanghaar zählende kräftig gebaute, robuste Katze mit einem mittelgroßen bis sehr großen Körper, einem breiten, kräftigen Brustkorb und einem auffallend langen Hals. Bei Katern erscheint er durch die kräftige Muskulatur kürzer. Die Beine sind im Vergleich zu anderen Katzen lang, wirken aber durch die langgestreckte, rechteckige Erscheinung der M. C. gut proportioniert zum Körper. Die Pfoten sind groß und rund mit Haarbüscheln an den Sohlen, die teilweise mehr als 2 cm zwischen den Zehen hervorstehen. Der breite Kopf ist von mittlerer Länge. Die Wangenknochen sind hoch angesetzt; die Nase ist mittellang und gerade. Der Abstand zwischen dem Ansatz der Ohren und dem Ansatz der Nase sollte ebenso lang sein, wie die Nase vom Ansatz bis zur Spitze. Das Kinn ist kräftig, im Profil deutlich sichtbar und in einer Linie mit Nase und Oberlippe verlaufend. Ein fliehendes Kinn ist nicht erlaubt. Die Schnauze zeigt einen kantigen Umriß und darf nicht spitz sein. Die Ohren sind groß, spitz zulaufend, hoch am Kopf angesetzt, breit an der Basis, an den Innenseiten behaart und sollten mindestens um eine Ohrbreite auseinanderstehen. Die Augen sind leicht schräg gestellt, groß und rund und verleihen der M. C. ein eulenhaftes Aussehen. Alle ↑ Augenfarben sind erlaubt und nicht an die Farbe des Felles gebunden wie bei den Persern. Das locker fallende Fell ist am Kopf und an der Schulter kurz und dicht und wird allmählich zum Bauch hin länger. Unter dem gröberen glatten Deckhaar ist die Unterwolle weich und fein. Das Fell ist wie das der ↑ Norwegischen Waldkatze wasserabstoßend und leicht ölig. Der Schwanz ist breit am Ansatz, spitz auslaufend (er soll vereinzelt bis zu 40 cm lang sein), und verliert das lange, wehende Deckhaar auch nicht beim Abhaaren. Nur wenn der Schwanz aufgerichtet wird, wirkt er durch seine Unterwolle buschig. Die Entwicklung der M. C. ist erst zwischen dem dritten und vierten Lebensjahr abgeschlossen. Katzen sind im allgemeinen nicht so groß wie Kater, die im Durchschnitt 7,5...10 kg wiegen. Die Skelettstruktur der M.-C.-Kater soll

schwerer als die der Perser sein. Wahrscheinlich wird eine durchschnittliche M. C. dem Gewicht einer großen ↑ Perser entsprechen. Bei freilaufenden M.C. findet man vermehrt ↑ Polydaktylie, die jedoch in planmäßigen Zuchtprogrammen eliminiert worden ist.
Schon in der zweiten Hälfte des vorigen Jahrhunderts hegten die Einwohner des an der Grenze zu Kanada liegenden US-Bundesstaates Maine eine besondere Liebe für diese auffallenden Tiere. Auf ihren Volksfesten verglichen sie ihre Katzen mit denen der Nachbarn und 1897 wurde eine braungestromte (↑ Gestromt) M.C., *King Max*, Gewinner der Bostoner Katzenausstellung. Mit dem Import der ersten Perser erlosch das Interesse an dieser einheimischen halblanghaarigen ↑ Hauskatze und nur in ihrem Ursprungsgebiet, im Staate Maine, erfreute sie sich weiter großer Beliebtheit. Eine planmäßige Zucht setzte erst 1953 ein, als der Central Maine Coon Club gegründet wurde, spezielle Ausstellungen für diese Rasse veranstaltete und ihr wieder zu größerer Popularität verhalf. 1968 riefen sechs amerikanische Züchter den MCBFA (Maine Coon Breeders and Fanciers Association) ins Leben. Er ist inzwischen zur größten und bestimmenden Vereinigung von Züchtern und Liebhabern von M.-C.-Katzen herangewachsen. 1976 stimmte der CFA als letzter amerikanischer Dachverband einer Anerkennung zu. In Europa wurde die M. C. erstmals in den 70er Jahren auf einer Katzenausstellung in der Bundesrepublik Deutschlang gezeigt, wo sie durch ihre ‚sagenhafte' Größe beeindruckte, ein Gerücht, das sich jahrelang hielt, da es sich wahrscheinlich um ein besonders großes Tier dieser Rasse gehandelt haben muß. Die F. I. Fe. Anerkennung folgte 1982 unter der Nummer 13 MC.
Die M. C. wird in vier Klassen gerichtet: Mit ↑ Agouti, mit Agouti und Weiß (vgl. Scheckung), ohne Agouti und ohne Agouti und ↑ Weiß.
Über die Herkunft der M. C. wurde viel spekuliert. Wahrscheinlich waren es die Wikinger, die europäische Katzen mit in die neue Welt gebracht haben, und tatsächlich ist die Ähnlichkeit mit der Norwegischen Waldkatze nicht zu übersehen. Nach anderer Meinung waren es die sechs Angorakatzen der französischen Königin *Marie Antoinette*, die nach Maine gebracht wurden, um dort die Ankunft ihrer Herrin zu erwarten. Wie man weiß, mißlang die Flucht aus Frankreich, und die Katzen der *Marie*

Maine Coon

Antoinette verpaarten sich nicht standesgemäß mit einheimischen Hauskatzen. Ebenso wurden Theorien von Kreuzungen zwischen letzteren mit einem Luchs, anderen Wildkatzen, sogar mit Waschbären [engl. racoon] aufgestellt. Fest steht, daß die M. C. letzterem ihren Namen verdankt.
Die M. C. ist ein hervorragendes Beispiel für das Überleben der Tauglichsten und für eine ausgezeichnete Anpassungsfähigkeit an die rauhen Witterungsverhältnisse in ihrem Ursprungsgebiet, dem Staate Maine. Bei ihrer Zucht liegt deshalb der Schwerpunkt nicht auf einer Reinzucht der Farben, sondern auf der Erhaltung der M. C. in ihrem ursprünglichen Typ, mit ihrem lebhaften Temperament und ihrer hervorragenden Widerstandskraft. Abb.

Malayan: innerhalb des ↑ CFA gebräuchliche Bezeichnung für alle Burmavarietäten mit Ausnahme der ↑ Burma braun, die als ‚Burmese' anerkannt ist.

Maltese Blue ↑ Russisch Blau.

Maltese dilution ↑ Verdünnung.

Malteserkatze ↑ Russisch Blau.

Mandarin: zur Gruppe der ↑ Semilanghaar zählende ↑ Rassekatze, deren Form des Kopfes, Körperbaues und Schwanzes mit dem der Siam, Orientalisch Kurzhaar und der Balinese identisch sind. Im Gegensatz zu letzterer ist die M. vollpigmentiert (C-). Die M. wurde Anfang der 80er Jahre von einer Gruppe amerikanischer und französischer Züchter aus Kreuzungen zwischen ↑ Orientalisch Kurzhaar (OKH) und ↑ Balinesen herausgezüchtet. Die OKH brachte die ↑ Vollpigmentierung, die Balinese das halblange Fell. Die M. ist also nichts anderes als eine semilanghaarige Orientalisch Kurzhaar und entspricht dieser genauso wie die Balinese der ↑ Siam (Wechsel von ↑ Kurzhaar L- zu ↑ Langhaar II).
Die M. ist zur Zeit noch nicht anerkannt. Sie könnte in allen OKH-Varietäten gezüchtet werden.

Mangelschäden ↑ Ernährung.

Manifestationsstärke: 1. ↑ Expressivität. – **2.** ↑ Penetranz.

Manx, *Manxkatze, Mankatze:* Katze, deren rassebildendes Merkmal die ↑ Schwanzlosigkeit ist. Der Begriff M. kommt aus dem Keltischen (Idiom der Isle of Man). Die Mutation soll jedoch nicht auf der Insel ihren Ursprung haben. Man nimmt an, daß die Stummelschwänzigen als Schiffsbrüchige der zerstörten spanischen Armada an Land gekommen sind. *Searle* (1966) hat ähnliche Erbdefekte in asiatischen Katzenpopulationen angetroffen.
Der M.faktor wird unvollständig autosomal dominant vererbt. Am ↑ Genort liegen zwei ↑ Allele vor, M und m^+.
Todd et al. (1979) stellten auf der Isle of Man eine ↑ Genfrequenz von M = 0,163 fest. Derartig hohe Werte können nur durch menschliche Präferenzen zustande gekommen sein. Demgegenüber vertrat *Adalsteinsson* (1980) die Meinung, daß das dominante Gen M in der Population in einem stabilen ↑ genetischen Gleichgewicht gehalten wird, weil M-tragende Spermien während der Fertilisation (Penetration der Eimembranen) einen selektiven Vorteil besitzen oder M-tragende ↑ Chromatiden während der 2. Reifeteilung der Eizellen (↑ Meiose) selektiv erhalten bleiben, während m-tragende Chromatiden vermehrt in den Polzellen auftreten.
Die Wurfgrößen sind deutlich reduziert, da im homozygoten Zustand frühembryonale Letalität besteht (↑ Letalfehler). *Basrur* und *DeForest* (1979) ermittelten bei Merkmalträgerverpaarungen das Auftreten grobmorphologisch defekter Früchte während der frühen Phasen der Gravidität zusammen mit normalschwänzigen und schwanzlosen Exemplaren. Die defekten Früchte zeigten ZNS-Defekte, hauptsächlich lokale

Wucherungen (Hyperplasien) im Gehirn und im Rückenmark. Sie nahmen an, daß der Basisdefekt der M.mutation dem der kurzschwänzigen Mäuse (Brachyurie) gleicht, nämlich auf Vorhandensein defekter Zelloberflächenantigene beruht.

Bei den Heterozygoten wirkt sich der M.faktor mit unterschiedlichen Genexpressivitätsgraden aus. Das Krankheitsbild besteht aus Schwanzwirbelsäulenverkürzung, verschiedenen Graden von Wirbelspalten (Spina bifida), Wirbelfusionen, Verformung von Kreuzbein- und Beckenknochen, Rückenmarkdefekten mit Störungen des Harn- und Kotabsatzes sowie Nachhandparalyse. Die letztgenannte Störung wird offensichtlich vom Zuchtziel mitbestimmt, in dem eine Hinterhand, die nicht hoch genug, und ein Rücken gefordert wird, der nicht kurz genug sein kann, womit sich ein hüpfender, kaninchenähnlicher Gang herausbildet. Heterozygotie bedeutet also Semiletalität. Die Schwanzverkürzung umfaßt mehrere phänotypische Bilder (Begriffe aus dem Englischen), wobei die drei erstgenannten Formen als Varietäten zugelassen sind:

- rumpy = keine Schwanzwirbel, völlige Schwanzlosigkeit,
- rumpy-riser = wenig Schwanzwirbel, die gewöhnlich unbeweglich miteinander verbunden sind. Der Stummel stellt sich als kurzer, aufgerichteter Höcker dar.
- stumpy = Stummelschwanz, Kurzschwanz mit Verformungen (Knicke, Knoten),
- longy = Schwanz nähert sich der Normallänge, bleibt jedoch deutlich darunter.

Die Expressivitätsgrade werden auf Wirkung modifizierender Polygene zurückgeführt. Die M.zucht ist eine ausgesprochene Defektzucht. Im allgemeinen wird M. als eine erbliche Monstrosität angesehen und abgelehnt (*Schwangart*, 1950; *Wegner*, 1979). Aber nur wenige Zuchtverbände untersagen diese geschmacklosen Auswüchse züchterischer Bemühungen. M. ist ein tierschutzrelevanter ↑ Erbfehler. Weiterzucht mit nachfolgenden chirurgischen Korrekturen (*Dorn/Joiner*, 1976) stellen keine Lösung des Problems dar. Über Geschmack läßt sich auch in der Rassekatzenzucht nicht streiten, jedoch über die M. Es gibt keinen vernünftigen Grund, Tiere zu produzieren, die lebenslang an Behinderungen zu leiden haben. Die M. behält höchstens als Modell für vergleichende Untersuchungen,

Manx

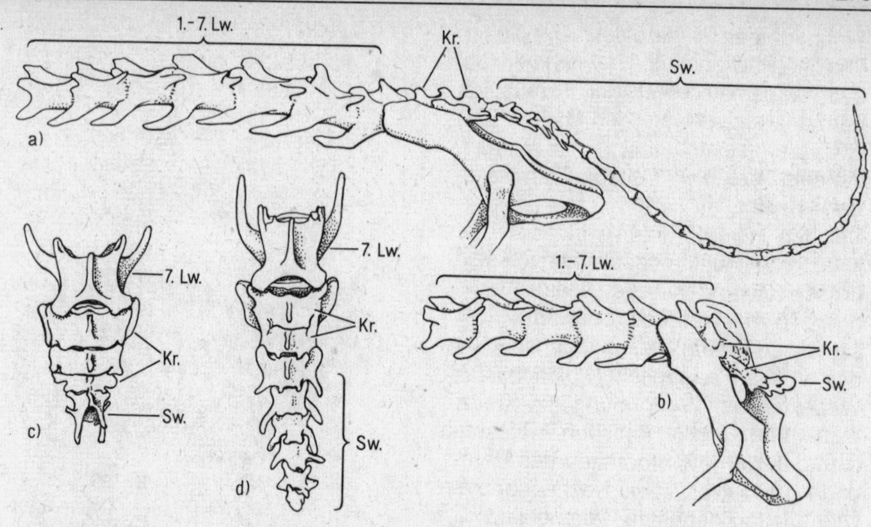

a) Skelett der hinteren Rumpfhälfte einer normalen Katze, b) mit Mißbildungen, c) Rumpy, d) Stumpy

insbesondere für die Humangenetik, ihre Bedeutung (*Howell* et al., 1966). 2 Abb.

Manxfaktor: 1. ↑ Letalfehler. – **2.** ↑ Manx. – **3.** ↑ Schwanzlosigkeit.

Markieren: Verhaltensweisen, die zur Kenntlichmachung eines Reviers (↑ Revierverhalten) eingesetzt werden. Meist wird der Begriff im engeren Sinne als Bestandteil der ↑ Chemokommunikation nur für das ↑ Duftmarkieren verwendet, darüber hinaus wird er aber zunehmend auf mehr oder weniger länger wirkende Signale im Sinne der gesamten ↑ Biokommunikation bezogen. Grundsätzlich kann man Signale mit aktueller Kurzzeitwirkung, wie akustische (↑ Lautgebung) oder optische (↑ Ausdrucksverhalten), oder mit Langzeitwirkung, wie Duftmarkieren oder optische Marken, unterscheiden. Nach *Schauenberg* (1981) markieren ↑ Waldwildkatzen z. B. durch Kratzen mit den Krallen die in der Nähe ihrer Höhle befindlichen Bäume. Möglicherweise läßt sich hiervon das Krallenschärfen der Hauskatzen (↑ Kratzbaum) ableiten.

Markierungsgene: Gene mit bekannter Lokalisation (↑ Genort) und phänotypischer Ausprägung, die zum Nachweis des Vorhandenseins und der Verteilung anderer, phänotypisch nicht erfaßbarer Gene (↑ Allele) dienen können. M. müssen mit dem zu kennzeichnenden Gen eng gekoppelt (↑ Genkopplung) und sowohl im homozygoten als auch im heterozygoten Zustand feststellbar sein, mit höherer ↑ Genfrequenz in der Population vorliegen und einen neutralen selektiven Wert besitzen. Als M. werden z. B. die polymorphen Protein- und Enzymsysteme genutzt, bei denen mit Hilfe biochemischer Methoden (u. a. unterschiedliche Wanderungsgeschwindigkeit bei der Elektrophorese) die Allele auch im heterozygoten Zustand nebeneinander nachweisbar sind (Kodominanz). Der Genotyp ist also aus dem Elektrophorogramm direkt ablesbar. Für derartige Untersuchungen werden speziell ausgerüstete Labors benötigt. Weitere Möglichkeiten bieten die Zellstruktur und -hybridisierung, mit deren Hilfe es

z. B. *O'Brien/Nash* (1982) gelang, 31 biochemische Genorte 17 Kopplungsgruppen zuzuordnen, die die Mehrzahl der 19 Chromosomen der Katze betrafen.

Marmormuster, -zeichnung ↑ Gestromt.

Maske: Teil der ↑ Abzeichen bei Rassen bzw. Varietäten, deren Fellfärbung auf ↑ Akromelanismus beruht. Die M. bedeckt das ganze Gesicht, einschließlich Schnurrhaarkissen und Kinn, und ist bei erwachsenen Tieren durch Farbspuren mit den ebenfalls pigmentierten Ohren verbunden. Die M., die sich nicht über den höchsten Punkt des Kopfes hinausziehen darf, ist meist der am intensivsten gefärbte Teil der Abzeichen. Eine M., die sich bis auf den Hinterkopf erstreckt oder Schnurrhaarkissen und Kinn nicht umfaßt, sowie Bänderung, weiße Flecken und ↑ Stichelhaar aufweist, ist fehlerhaft.

Maskenfaktor: ursprünglich als Siamfaktor bzw. Siamgen bezeichnet und bei anderen kleinen Tierarten als Himalyanzeichnung bekannt. In der ↑ Gen-Nomenklatur wurde der M. mit dem Symbol c^s festgeschrieben, wobei s für Siam steht, da mit der Siamkatze diese ↑ Mutation auch bei Katzen bekannt wurde. Beim heutigen Stand der Zucht ist es angebracht, von M. zu sprechen, da die typische Siamzeichnung auf andere Rassen und Varietäten übertragen wurde. In homozygoter Form (c^sc^s) bewirkt der M. die besondere Fellfärbung der Colourpointvarietäten bei ↑ Persern und ↑ Exotic Kurzhaar sowie bei der ↑ Birma, der ↑ Ragdoll und den ↑ Balinesen. Der M. bewirkt, daß die am wenigsten durchbluteten und somit am geringsten temperierten Körperteile, die ↑ Abzeichen, gefärbt sind. Dieses Phänomen wird als ↑ Akromelanismus bezeichnet. Der M. zeigt eine allgemein aufhellende Wirkung, die auch die pigmentierten Regionen betrift, d. h. die Abzeichen. Am deutlichsten können diese Zusammenhänge bei der ↑ Seal-Point nachgewiesen werden, die genetisch ↑ Schwarz ist, aber zu Schwarzbraun modifiziert wird.

Der M. c^s ist ein ↑ Allel am Genort C-, dem sogenannten Colorationlocus, dessen mutierte Formen als ↑ Albinoserie bezeichnet werden (vgl. Vollpigmentierung). Der M. ist rezessiv gegenüber der Vollpigmentierung C- und gegenüber dem Burmagen c^b und dominant im Verhältnis zu c^a und c, den beiden Albinogenen (↑ Albinismus). In Kombination mit c^b entstehen aufgrund der unvollständigen Dominanz von c^b zu c^s die ↑ Tonkanesen.

Durch die teilweise Depigmentierung des Auges bei Katzen mit M.. erklärt sich die Tatsache, daß alle ↑ Rassen bzw. ↑ Varietäten, die auf dieser Genkonstruktion beruhen, eine blaue Augenfarbe haben. Die Intensität der Blaufärbung ist jedoch nicht an den M. gekoppelt und nur durch ↑ Selektion zu begünstigen.

Masseentwicklung, *Gewichtsentwicklung:* Entwicklung der Körpermasse vom Neugeborenen bis zum ausgewachsenen Tier. Die normale ↑ Geburtsmasse der Welpen liegt bei 80 bis 120 g. Sowohl in der Säugeperiode, als auch mit der ab vierter Lebenswoche beginnenden selbständigen Futteraufnahme (↑ Jungtierentwicklung) soll die M. mindestens bis zur achten Lebenswoche kontinuierlich sein: täglich 10 bis 20 g bzw. wöchentlich etwa 100 g Gewichtszunahme. Rassespezifische M.en wurden bisher nicht festgestellt. In den ersten beiden Lebenstagen kann die Gewichtszunahme stagnieren, da sich der Organismus erst auf die veränderten Lebensprozesse einstellen muß. Nach acht Tagen soll aber das Geburtsgewicht verdoppelt sein. Die Welpen eines Wurfes kompensieren bis zum selbständigen Fressen die unterschiedlichen Geburtsmassen nicht.

Richtwerte bei der Masseentwicklung

Alter	Masse in g	Alter	Masse in g
Geburtsgewicht	100	3. Monat	1300...1600
1. Lebenswoche	190	4. Monat	1600...2000
2. Lebenswoche	300	5. Monat	1900...2400
3. Lebenswoche	400	6. Monat	2200...2700
4. Lebenswoche	500	7. Monat	2400...3000
5. Lebenswoche	600... 650	8. Monat	2600...3300
6. Lebenswoche	700... 800	9. Monat	2800...3600
7. Lebenswoche	800... 950	10. Monat	3000...3900
8. Lebenswoche	900...1100		

Dann aber treten individuelle und insbesondere geschlechtsspezifische Unterschiede auf. Männliche Jungtiere haben deutlich höhere Gewichtszunahmen zu verzeichnen. Mit zehn bis zwölf Monaten hat das Jungtier 90 bis 95% seines Endgewichtes erreicht. Tab.
Abweichungen von diesen Richtwerten sind bei Inzuchtdepression (↑ Inzucht) sowie extrem großwüchsigen oder kleinwüchsigen ↑ Rassen möglich.
Das Gewicht ausgewachsener weiblicher Katzen liegt bei 2,5 bis 3,5 kg, das der Kater bei 3,5 bis 5 kg. ↑ Main Coon und ↑ Ragdoll hingegen sollen 5 bis 8 kg, die ↑ Singapura bis 1,7 kg bei weiblichen und bis 2,8 kg bei männlichen Tieren aufweisen. Einige Faktoren können negativ auf die M. wirken:

1. In der Säugeperiode (1. bis 4. Woche)
1.1. Von der Mutter ausgehende Störungen
   - Krankheit (Infektionen, Organkrankheiten)
   - Milchmangel durch Mastitis, hormonelle Störungen, mangelhafte und unzureichende ↑ Ernährung sowie Flüssigkeitsmangel (↑ Wasserbedarf)
1.2. Vom Welpen ausgehende Störungen
   - mangelnde Vitalität (vgl. Fading Kitten Syndrom)
   - Verdauungsstörungen im Magen-Darmtrakt
2. In der Periode des Zufütterns (4. bis 5. Woche)
   - qualitativ unzureichendes Futter für die Welpen
   - mangelhafte Betreuung der Welpen; das Lernen selbständig zu fressen, wird dem Selbstlauf überlassen
   - Krankheiten
3. Nach dem Absetzen der Welpen (ab 5. Woche)
   - qualitativ und quantitativ unzureichendes Futter
   - zu wenig Mahlzeiten
   - zu spätes Zufüttern. (↑ Welpenaufzucht)
   - Krankheiten
4. Unabhängig vom Alter wirkend
   - endokrine Dysfunktion (Unterproduktion von Wachstumshormonen, Schilddrüsenhormonen u.a.)
   - chronische Organkrankheiten, insbesondere der Leber und Niere
   - Leberdysfunktion

Verantwortungsvolle Züchter werden die M. der Welpen täglich oder mindestens jeden zweiten Tag kontrollieren und tabellarisch festhalten. Durch die Kontrolle der M. können eine zu geringe oder verminderte Milchleistung rechtzeitig erkannt und eventuelle Infekte frühzeitig bekämpft werden. Vergleichende Betrachtungen der M. der Würfe einer Katze, die mit verschiedenen Katern angepaart wurde, geben überdies Aufschluß über eine zu starke Inzucht oder mögliche Heterosiseffekte (↑ Heterosis).

Massenselektion ↑ Individualselektion.

maternal-fetale Inkompatibilität ↑ Hämolytisches Syndrom bei Neugeborenen.

maternaler Effekt: jede nicht dauerhafte Wirkung des maternalen ↑ Genotyps auf die unmittelbare Nachkommenschaft. Eine Wirkung üben die chromosomalen Erbfaktoren (↑ Geschlechtschromosomen, geschlechtsbegrenzte Vererbung) sowie innere und äußere Umweltfaktoren aus (pränatale Umwelt, wie Versorgung der Frucht mit O_2 und essentiellen Nahrungsfaktoren, physiologische Merkmale und Krankheiten der Mutter, und teilweise auch die postnatale Umwelt, wie ↑ Brutpflegeverhalten, Säugeleistung der Mutter u.a.).

Ein m. E. zeigt sich insbesondere bei Merkmalen mit einer empfindlichen Reaktion auf ↑ Inzucht, wie Fruchtbarkeit (u. a. Wurfgröße, Lebensfähigkeit der Nachkommen) oder Körpergröße (↑ Inzuchtdepression).

Die Merkmale sind in diesem Fall durch zwei Komponenten charakterisiert, die verschiedenen Generationen zugeordnet werden können (Abb.). Beide Komponenten folgen dem allgemeinen Schema der Heterosiseffekte in der F_1- und F_2-Generation (↑ Heterosis), sind

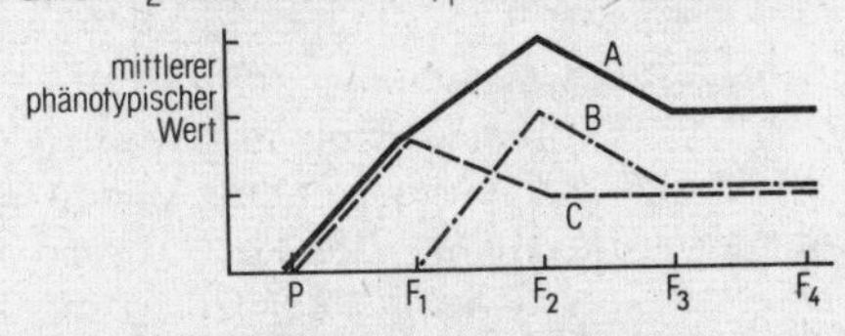

Diagramm der zu erwartenden Heterosis für ein durch maternale Effekte beeinflußtes Merkmal, wenn zwei Linien (Populationen) gekreuzt und die F_2 und weitere Generationen durch Zufallspaarung gezüchtet werden (nach *Falconer*, 1984)

aber untereinander um eine Generation verschoben. Die Heterosis in der F_1-Generation ist der nicht-maternalen Komponente zuzuordnen, während sich die Fähigkeit der Mischlingsmutter, vitalere Nachkommen zu bringen, erst in Form einer Überlegenheit ihrer Nachkommen in der F_2-Generation auswirkt. In praxi nimmt der nicht-maternale Anteil der Heterosis in der F_2-Generation um die Hälfte ab, während der maternale Anteil hier erst die volle Heterosis zeigt. In dem in der Abb. aufgeführten Beispiel wurden zwei Annahmen gemacht, nämlich daß die maternale und nicht-maternale Komponente der Merkmalbildung den gleichen Heterosiseffekt zeigen und daß sich diese hinsichtlich des meßbaren Merkmals additiv verhalten.

matrokline Vererbung: besondere Art der ↑ Vererbung, bei der jede Generation, unabhängig vom ↑ Genotyp der Zygote, den Genotyp der Mutter manifestiert. Wird die m.V. durch mütterliche chromosomale Gene bereits vor der Befruchtung bestimmt, spricht man von Prädetermination (*Kühn*, 1927). Eine ähnliche Wirkung können auch extrachromosomale Erbfaktoren haben, wobei man in diesem Fall auch von ‚verzögerter' Vererbung spricht, da in späteren Generationen der väterliche chromosomale Erbanteil neben den maternalen tritt, denn die extrachromosomalen Erbkomplexe werden nicht mit der gleichen Präzision wie die chromosomalen rekombiniert (↑ genetische Rekombination). Dieser Mechanismus spielt auch bei der Katze eine besondere Rolle, weil beim Befruchtungsprozeß das nahezu zytoplasmafreie Spermium mit der zytoplasmahaltigen (und damit extrachromosomale Erbfaktoren tragenden) Eizelle zusammentrifft. Von Dauermodifikation spricht man, wenn Umweltfaktoren temporär die extrachromosomalen Erbfaktoren verändern. Bei

Abwesenheit des induzierenden Reizes wird die Abweichung im Verlauf von Generationen immer schwächer und verschwindet allmählich. Besonders bei Verwandtschaftszucht (↑ Inzucht) können die modifizierten Faktoren eine längere Zeit erhalten bleiben. Während dieser Zeit liegt eine m. V. vor.

Mauzen ↑ Lautgebung.

Meckern ↑ Lautgebung.

Medaillon [engl. locket]: nicht standardgerechte Ansammlung weißer Haare. Überschreitet das M. 1 cm im Durchmesser, unterliegen solche Tiere der ↑ Disqualifikation. Liegt das M. im Halsbereich, wird es als Kehlfleck bezeichnet. Viele Rassen und Varietäten hatten zu Beginn ihrer Zuchtgeschichte mit immer wieder auftretenden M. zu kämpfen. Wahrscheinlich handelt es sich um ↑ Scheckung mit geringer ↑ Expressivität.

Medikamenteneingabe ↑ Zwangsernährung.

Mehrohrigkeit ↑ Doppelohren.

Mehrzehigkeit ↑ Polydaktylie.

Meiose, *Reduktionsteilung, Reifeteilung:* ein Regulationsmechanismus für die Aufrechterhaltung der Diploidie (↑ Chromosomensatz) in Form zweier aufeinanderfolgender Kern- und Zellteilungen. Bei der 1. Teilung werden die Chromosomensätze von der diploiden auf die haploide Chromosmenzahl reduziert (M. I). Im Verlauf der M. II teilen sich die haploiden Chromosomen in ihre beiden Chromatiden. Die Teilungen laufen in verschiedenen Phasen ab. Bei Störungen des Teilungsprozesses kommt es zu Fehlverteilungen des genetischen Materials (↑ Chromosomenaberrationen). Prinzipiell erfolgt im Verlauf der M. die freie ↑ genetische Rekombination der Gene, die auf verschiedenen ↑ Chromosomen lokalisiert sind, sowie die Rekombination gekoppelter Gene (↑ Genkopplung) durch ↑ Crossing over. Die erste meiotische Teilung läuft in den Phasen Prophase I (Phase der Chromosomenherausbildung mit Bündelung, Spiralisierung und Kondensierung der langen Fibrillen zu den arttypischen Chromosomen), Metaphase I (Auflösung der Kernmembran, Paarung homologer Chromosomen, Verbindung des Spindelapparates mit den Chromosomen, Anordnung der Chromosomen in der Äquatorialebene), Anaphase I (Trennung der homologen Chromosomen, Streckung

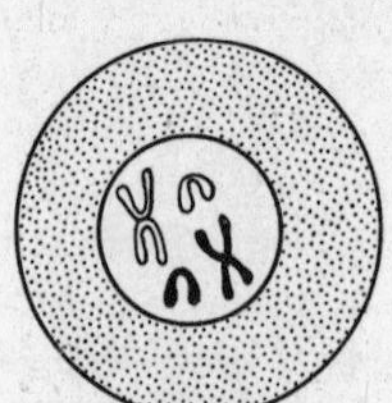

Herausbildung des Chromosoms (Prophase)

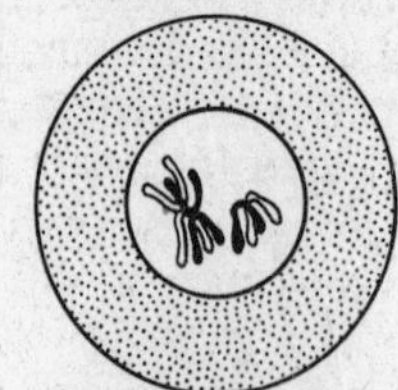

Paarung homologer Chromosomen

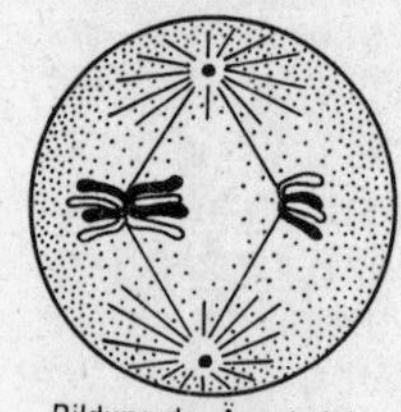

Bildung der Äquatorialplatte (Metaphase I)

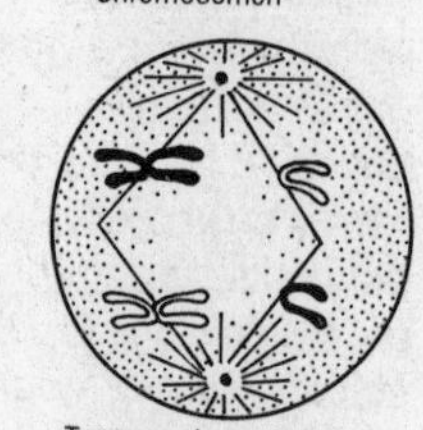

Trennung homologer Chromosomen (Anaphase I)

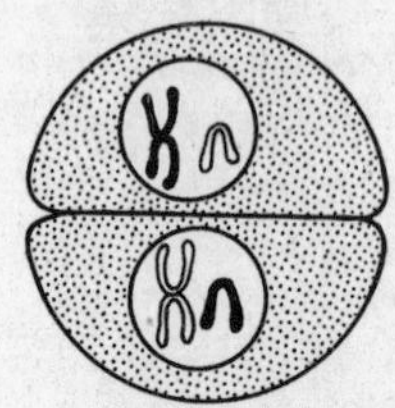

Durchschnürung des Zellkörpers (Telophase I)

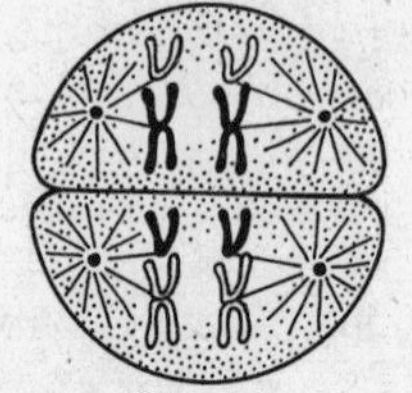

(Meiose II)

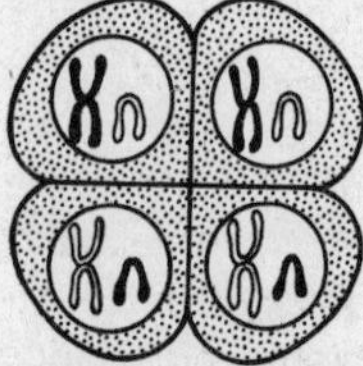

haploide Keimzellen

Vereinfachtes Schema der Reduktionsteilung (Meiose)

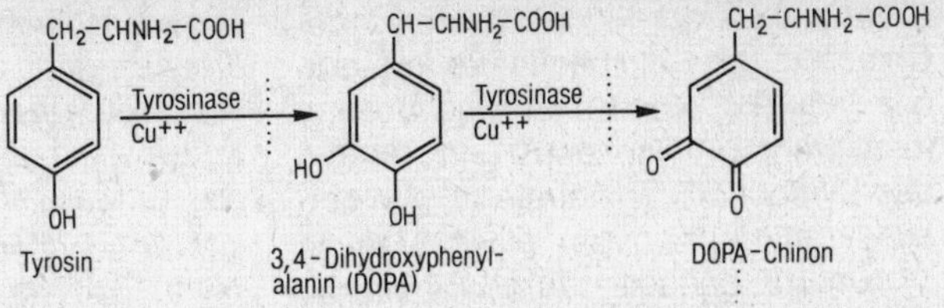

Anfangsschritte der Melaninbildung

CH_2-CHNH_2-COOH — Tyrosinase Cu^{++} → $CH-CHNH_2-COOH$ — Tyrosinase Cu^{++} → CH_2-CHNH_2-COOH

Tyrosin — 3,4-Dihydroxyphenylalanin (DOPA) — DOPA-Chinon

und Taillierung des Zellkörpers) und Telophase I ab (Chromosomenknäuel, Ausbildung der Membranen und des Kernkörperchens, Durchtrennung des Zelleibes). Die Prophase I ist selbst ein komplizierter Prozeß. Es folgt ihr die M. II, die als gewöhnliche Zellteilung (↑ Mitose) abläuft. Nach Abschluß der Meiose II sind aus jeder primären Geschlechtszelle (primäre Eizelle, primäre Samenzelle) vier haploide Zellen (↑ Gameten) hervorgegangen, beim männlichen Geschlecht vier Spermien und beim weiblichen Geschlecht die haploide Eizelle und drei Polzellen. Abb.

Melanin: Die ↑ Pigmentierung hängt vom Auftreten oder Fehlen des M. in der Haut und im Haarkleid der Katze ab. M. tritt in zwei chemisch unterschiedlichen Formen auf, als *Eumelanin* (↑ Schwarz, ↑ Blau, ↑ Chocolate, ↑ Lilac, ↑ Cinnamon, ↑ Caramel) oder als *Phäomelanin* (↑ Rot, ↑ Creme).

Die M. werden in den Melanozyten aus der Aminosäure Tyrosin mit Hilfe des Enzyms Tyrosinase synthetisiert, wobei zunächst über DOPA (3,4-Dihydroxyphenylalanin) das Oxidationsprodukt DOPA-Chinon gebildet wird (Abb.), das eine Reihe weiterer oxidativer Veränderungen, Reduktionen und eine Ringbildung der Seitenkette zum Indol-5,6-chinon durchmacht, bevor es zum M. polymerisiert wird. Die gleichen Melanozyten sind befähigt, Eumelanin oder Phäomelanin zu bilden. Der Umschaltmechanismus ist bisher nicht völlig bekannt. Die Wirksamkeit bestimmter chemischer Substanzen, wie 3-Hydroxykynurenin (Tryptophan-Derivat), von Glutathion oder von Sulfhydrylverbindungen ist gesichert. Bekannt ist ebenfalls, daß der Phäomelaninbildung bewirkende Genort bei Katzen auf dem X-Chromosom liegt (↑ Geschlechtschromosomen). Die Struktur des M. ist bisher nicht genau erforscht. Es ist an Protein gebunden und lagert sich als unlösliche Körnchen in den Melanozyten ab. Die hormonelle Steuerung der Melaninsynthese obliegt dem melanozytenstimulierenden Hormon (MSH) der Hypophyse. Eine vermehrte Hormonausschüttung führt zur Farbverstärkung. Beim ↑ Albinismus und beim ↑ Leuzismus ist die MSH-Produktion ungestört.

Melanininhibitor, *Inhibitor*: ↑ Suppressorgen, das sowohl auf Eumelanin als auch auf Phäomelanin (↑ Melanin) wirkt. Am Genort befinden sich zwei Allele: I und i^+. Der M. wirkt am stärksten in den Agoutiflächen der ↑ Tabbyzeichnung und wahrscheinlich in Kombination mit ↑ Verdünnung.

In Kombination mit ↑ Agouti entstehen je nach genotypischem Milieu (↑ Genotyp) und polygenem Modifikatorensystem (↑ Modifikation) die ↑ Silver Tabbies, die ↑ Shaded Silver und die ↑ Chinchilla. Bei Ausfall von Silber (i^+i^+) und dem entsprechenden genotypischen Milieu entstehen die Golden Shaded und Shell.

Smoke ist eine Verbindung von ↑ Nicht-Agouti (aa) und dem M., der überwiegend heterozygot besetzt ist.

Am Genort für ↑ Orange entstehen bei homozygoter Besetzung die weiblichen ↑ Cameos, bei heterozygoter die ↑ Tortie Cameos.

Ursprünglich wurde der Phänotyp der Chinchilla der Colorationserie zugeordnet (*Keeler/Cobb*, 1933) (vgl. Vollpigmentierung, Albinoserie) und er trug das Symbol c^{ch}. Später stellte sich heraus, daß es sich um einen eigenen ↑ Genort handelt (*Turner/Robinson*, 1973). Traditionell wurde der Unterschied zwischen Shaded Silver und Chinchilla auf eine polygene Modifikation und nicht auf die jeweilige Kombination mit den Genen der Tabbyzeichnung zurückgeführt. Die von *Turner/Robinson* (1980) durchgeführten Paarungskombinationen sind in der Tab. aufgeführt, mit ihnen entstanden die noch nicht anerkannten silbernen ↑ Abzeichenfarben ↑ Shadow-Point und Pastell-Point. Tab.

Paarungskombination von Siam c^sc^s und Inhibitor I nach *Turner/Robinson*

Paarungstyp	Nachkommenphänotyp			
	C- I-	C- ii	c^sc^sI-	c^sc^s ii
CC II × CC ii	3	—	—	—
CC II × c^sc^sii	5	—	—	—
CC Ii × CC ii	2	2	—	—
CC Ii × c^sc^sii	3	—	—	—
Cc^sIi × Cc^sIi	5	—	—	3
Cc^sIi × Cc^sii	12	7	—	5
Cc^sIi × c^sc^sIi	26	29	5	32

Meliorationskreuzung ↑ Veredlungskreuzung.

Mendel-Regeln: von *Gregor Mendel* (1822–1884) anfangs der 60er Jahre des 19. Jahrhunderts entdeckte und 1865 publizierte Regeln der Vererbung, die im Jahre 1900 von *Correns*, *De Vries* und *Tschermak* wiederentdeckt wurden. Der ↑ Erbgang (Aufspaltung der Merkmalausprägung in der Nachkommengeneration) wurde auf Wirkung von hypothetischen Einheiten (Recheneinheiten), häufig eines einzigen Faktorenpaares zurückgeführt, dessen Komponenten im Verlauf der ↑ Meiose voneinander getrennt werden und sich wieder neu kombinieren (↑ genetische Rekombination).

Nach der *Uniformitätsregel* (Mendel-Regel 1) sind die aus einer Kreuzung zweier reinerbiger Eltern (Parentalgeneration, P-Generation) hervorgehenden Nachkommen der 1. Hybridgeneration (Filial- oder Tochtergeneration, F_1-Generation) untereinander gleich. So ergibt z.B. die Verpaarung schwarzer Perser, die das Gen für ↑ Nicht-Verdünnung D in homozygoter Form tragen, mit blauen Persern, die Träger der beiden rezessiven Allele dd (↑ Verdünnung) sind, eine einfarbig schwarze Nachkommenschaft, da D über d dominiert.

Die *Spaltungsregel* (Mendel-Regel 2) besagt, daß bei Paarung zweier F_1-Hybriden miteinander die Nachkommen der 2. Hybridgeneration (F_2) nach bestimmten Zahlenverhältnissen aufspalten, die von der Zahl der beteiligten Allelpaare abhängen. Die Abbildung auf dem vorderen Vorsatz enthält das entsprechende Beispiel für den D-Locus. Es tritt ein Spaltungsverhältnis von 25% homozygot dominanten (schwarz reinerbig), 50% heterozygoten (schwarz mischerbig) sowie 25% homozygot-rezessiven Persern (↑ Blau) auf. Beispiele für einen dihybriden Erbgang sind bei den Stichwörtern ↑ Kreuzungsdiagramm, genetische Rekombination, ↑ mimetische Gene u. a. verzeichnet.

Nach der *Unabhängigkeitsregel* (Mendel-Regel 3) werden die Anlagen für zwei oder mehrere unterschiedliche, nichtgekoppelte Merkmale frei und unabhängig voneinander rekombiniert, d. h., für die Merkmale gelten jeweils die Uniformitäts- und die Spaltungsregel (↑ Oligogenie). Eine Vererbung nach den M. liegt bei einer Reihe züchterisch bedeutungsvoller Merkmale, z. B. bei den Genen der ↑ Pigmentierung, vor. Derartige Erbanlagen wirken jedoch nicht in einem luftleeren Raum, sondern vor dem Hintergrund der übrigen Gene des Organismus (↑ Genotyp). Sie stehen darüber hinaus unter dem direkten Einfluß anderer Gene und indirekt auch von Umweltfaktoren. Die züchterische ↑ Selektion richtet sich daher außer auf mendelnde Hauptgene zunehmend auch auf die polygenen Modifikatorensysteme (↑ Modifikation, ↑ Polygenie).

Tab. 1 Täglicher Mengen- und Spurenelementebedarf einer erwachsenen Katze

	Bedarf in mg	Mangelerscheinungen	Bemerkungen
Mengenelemente			
Natrium – Na	20…100	Rückgang der Futteraufnahme, Unruhe, Muskelzittern	diese Menge stellt die Mindestmenge dar
Natriumchlorid – NaCl	1000…1500		das ist der Bedarf an Kochsalz
Kalium – K	80…200	Störungen in der Muskelfunktion	ausreichend in Fleisch und Fisch enthalten
Calcium – Ca	200…400	Störungen der Skelettentwicklung bei wachsenden Tieren (Rachitis), Demineralisierung der Knochen erwachsener Tiere (Osteomalazie) verbunden mit beeinträchtigter Knochenstabilität, Lahmheit, Knochenverbiegungen, Knochenauftreibungen	während Wachstum und Laktation besonders hoher Bedarf
Phosphor – P	150…400		ausreichend in Fleisch und Fisch enthalten
Spurenelemente			
Magnesium – Mg	80…110	Störungen der neuromuskulären Erregbarkeit, Krämpfe	gewöhnlich ausreichend vorhanden
Eisen – Fe	5	verminderte Bildung der Blut- und Muskelfarbstoffe sowie eisenhaltiger Fermente	das Eisen aus Frischfleisch bzw. dem darin enthaltenen Blut kann verwertet werden
Iod – I	0,1…0,2	Verminderung des Wachstums und der Leistung	eventuell als Randerscheinung bei Fleischfütterung
Mangan – Mn	0,2	Störungen der Knochenentwicklung und der Fortpflanzung	
Zink – Zn	0,25…0,3	Hautveränderungen, Wachstumshemmung	bei gemischter Kost ausreichend
Cobalt – Co	0,1…0,2	Verminderte Vitamin B_{12}-Synthese im Darm, Herabsetzung von Wachstum und Leistung	

Mengen- und Spurenelementebedarf: Bedarf an Mineralstoffen, die in etwas größeren Mengen (Mengenelemente) oder nur in Spuren (Spurenelemente, weniger als 100 mg/Tag) zur Aufrechterhaltung von Stoffwechselfunktionen und als Bauelemente erforderlich sind. Werden die Grundprinzipien der ↑ Ernährung beachtet, sind die meisten Mineralstoffe, ob Mengen- oder Spurenelemente, in einem abwechslungsreich zusammengestelltem Futter in ausreichender Menge enthalten. Stets zu berücksichtigen ist aber die direkte Abhängigkeit des M. vom Wachstum, der Leistung, der Körpermasse und dem Alter. Bei Trächtigkeit und Wachstum erhöht sich der M. auf das 1,5- bis 2fache, bei einer säugenden Katze je nach Welpenzahl bis auf das 4fache. Bei älteren und kranken Tieren läßt allgemein das Futterverwertungsvermögen nach, und das Mineralstoffangebot muß erhöht werden.
Besonders wichtig ist aber eine ausreichende Versorgung mit Calcium (Ca) und Kochsalz (NaCl). Ca steht im Stoffwechsel der Katze in engem Zusammenhang mit Phosphor (P). Beide sind in einem bestimmten Verhältnis am Aufbau der Knochen beteiligt und müssen deshalb auch in einem bestimmten Verhältnis zueinander gefüttert werden. Ein Ca-P-Verhältnis von 0,9:1 im Futter wird als optimal angesehen (*Scott*, 1975). Mit ↑ Beutetieren werden beide Mineralstoffe in ausreichender Menge aufgenommen. Bei reiner Fleisch- und/oder Fischfütterung verschiebt sich, wie aus der Tab. 2 deutlich wird, das Ca : P-Verhältnis. Wie der Ca- und P-Gehalt der aufgeführten Nährstoffe zeigt, wird zuviel Phosphor und zuwenig Calcium zugeführt. Durch geeignete Mineralstoffgemische (0,9 : 0,2 – 0,5) muß der Calciummangel ausgeglichen werden, da sonst irreversible Skelettveränderungen auftreten (*Grünbaum*, 1982). Mit 1,0 bis 1,5 g pro Tier und Tag ist der Kochsalzbedarf der Katze recht hoch und kann nur abgedeckt werden, wenn das Futter etwas gesalzen wird. Um die

Tab. 2 Calcium-, Phosphor- und Kochsalzgehalt in einigen Nährstoffen

Nährstoff je 100 g	Calcium in mg	Phosphor in mg	Calcium : Phosphor	Kochsalz in mg
Rindfleisch, mager	12	208	0,9 : 15,6	178
Rindfleisch, mittelfett	10	180	0,9 : 16,2	178
Rinderherz	10	236	0,9 : 21,1	216
Rinderleber	8	373	0,9 : 42,0	330
Rinderlunge	31	180	0,9 : 5,2	279
Rinderniere	10	260	0,9 : 23,4	625
Schweineherz	35	132	0,9 : 3,4	—
Schweineleber	10	210	0,9 : 19,0	196
Suppenhuhn	12	200	0,9 : 15,0	211
Magerquark	92	177	0,9 : 1,7	102
Dorsch	18	189	0,9 : 9,5	244
Hering, ohne Gräten	36	150	0,9 : 3,8	—
Eidotter	147	586	0,9 : 3,6	216
Eiweiß	20	10	0,9 : 0,5	381
Haferflocken	54	365	0,9 : 6,1	5
Eierteigwaren	20	196	0,9 : 8,8	18
Trinkvollmilch	120	92	0,9 : 0,7	153
Knochen	≈ 9000	3800	0,9 : 0,4	2500

Wasseraufnahme zu erhöhen (↑ Wasserbedarf), sollte die Kochsalzmenge etwa 1 % der Gesamtfuttermenge betragen, das sind 1 g/100 g zubereitetes Futter.

Mensch-Tier-Beziehungen [engl. man-animal relationships]: Begriff für die Vielfalt der Interaktionen zwischen Mensch und Tier, die besonders bei der Einwirkung anthropogener (vom Menschen beeinflußter) Faktoren auf das tierliche Verhalten wirksam werden. Nach *Tembrock* (1980) und *Fölsch* (1984) lassen sich heute folgende Kategorien der M. bei Säugetieren unterscheiden:

1. Einseitige Nutzung von Tieren durch den Menschen als Nahrungsquelle oder -produzent,
   a) Jagdwild, b) Nutztiere;
2. Tiere als Begleiter des Menschen mit bestimmten Funktionen,
   a) Transportmittel (Pferd, Kamel, Elefant), b) Helfer bei Jagd und Schädlingsbekämpfung (Hunde, Katzen, Frettchen), c) Helfer für spezielle Aufgaben (Blindenführhunde und Spurensuchhunde);
3. Versuchs- und Labortiere für medizinische und biologische Forschung (Labormaus, Laborratte);
4. ↑ Heimtiere als ‚Kumpan' des Menschen (Rassehund, ↑ Rassekatze, Ziervögel, Zierfische usw.).

Während sich in den ersten drei Kategorien die Beziehungen meist sachlich und ohne affektiven Hintergrund gestalten (was zur Erzielung maximaler Leistungen durch das Tier oft auch notwendig ist [*Hediger* 1979]), kommt es beim Umgang mit Heimtieren zumindest bei höher entwickelten Tierarten oft zu engen sozialen Beziehungen zwischen Mensch und Tier. Die Heimtiere sind in der Regel mehr oder weniger stark durchgezüchtete Haustiere (↑ Domestikation, ↑ Züchtung), die sowohl in ihren angeborenen Verhaltensmerkmalen (↑ Auslösemechanismus) als auch in ihrer Lernfähigkeit (↑ Lernverhalten) von ihren wilden Verwandten und Vorfahren abweichen. Das wird durch genetisch bedingte Variation (↑ genetische Variation) körperlicher Voraussetzungen für das Verhalten und dessen rassespezifische und individuelle Ausprägung bedingt (↑ phänotypische Variation). *Brunner* (1967) weist darauf hin, daß beim Haustier im Gegensatz zum Wildtier, insbesondere bei engster Wohngemeinschaft mit dem Menschen, individuell oft sehr verschiedene und mitunter unbiologische Umweltbedingungen (↑ Umwelt) während der ↑ sensiblen Phasen der ↑ Jungtierentwicklung bestehen, die weitere, oft tiefgreifende Unterschiede in den Verhalenseigenschaften erwachsener Tiere determinieren (↑ Individualität). Auch Temperament, Lebensgewohnheiten und sonstige Verhaltenseigenschaften des Besitzers und seiner Familienmitglieder beeinflussen Entwicklung und Ausprägung des vierbeinigen Wohn-, Spiel-, Kind- und Eßkumpans in vielfacher Weise. Das Kumpanverhältnis zum Menschen als Ersatz für artgemäße Sozialpartner und das infolge der Artverschiedenheit unterschiedliche ↑ Ausdrucksverhalten führt nicht selten zu ‚Mißverständnissen' und Konflikten, auf die das Tier oft durchaus artgemäß und von seiner Lage aus situationsadäquat reagiert. Vom Menschen werden solche Verhaltensweisen oft als ↑ Verhaltensstörung oder sogar ↑ Aggressionsverhalten interpretiert.

Oft bemüht sich der Mensch wenig um echtes Verständnis für sein Tier, besonders, wenn es aus Gründen der Mode, der Eitelkeit, als Spielzeug für Kinder angeschafft wurde. Das Fehlen von elementaren Grundkenntnissen über das Verhalten von Heimtieren begünstigt diese für das Tier negative Situation. Man kann sich vollauf den Worten

Tab. 1 Heimtierhaltung in neun westeuropäischen Ländern nach Daten von *Messent/Horsfield* (1985)

Tierart	Heimtierbestand in Millionen	Prozentsatz der Haushalte mit Heimtieren
Hunde	26,0	23,0
Katzen	22,7	16,8
Vögel	26,5	14,2
Sonstige	14,8	50,0

Brunners (1967) anschließen, wenn er bemerkt: „Wie soll sich ein Tier in einer ihm artgemäß nur teilweise verständlichen Umwelt unter der Einwirkung von launischen, in ihrem „Rangverhalten" (vgl. Rangordnung) oft recht inkonsequenten Ersatzpartnern zurechtfinden, wenn es unter Umständen noch durch ungünstige Veranlagung und Aufzuchtschäden (↑ Welpenaufzucht) in seiner Anpassungsfähigkeit in verschiedenen Richtungen beeinträchtigt ist?".

Um die M. zu charakterisieren, müssen in erster Linie die Gründe für ihre Entstehung analysiert werden, d. h., warum das entsprechende Heimtier gehalten wird. Statistische Daten belegen, daß ihre Zahl ständig anwächst, insbesondere die der Hunde und Katzen.

Soziologische und demografische Untersuchungen können die relativ großen Unterschiede in der Heimtierhaltung zwischen den einzelnen Ländern nur zum Teil erklären (Übersicht bei *Messent/Horsfield*, 1985). So werden in Haushalten mit Kindern mehr Heimtiere, besonders Katzen, gehalten, als in solchen ohne Kinder. Als Ursache wird vor allem das menschliche Bedürfnis eines nahen Kontakes mit der Natur und der positive Einfluß von Heimtieren auf die psychologische Entwicklung der Kinder hervorgehoben. Auch die Art der Wohnverhältnisse hat einen deutlichen Einfluß auf die Heimtierhaltung. So werden Hunde eher gehalten, wenn ein Garten vorhanden ist, und die gleichzeitige Haltung von Hunden und Katzen erfolgt öfter im ländlichen Bereich als in Städten. Oft nehmen Heimtiere die Rolle eines Kind-Ersatzes oder eines Kumpanes ein. Trotzdem haben ältere Menschen weniger Heimtiere. Gründe dürften die kleinere Wohnung alleinstehender Personen sein, aber auch geringere Einkommen und Angst vor dem Tod des Tieres oder vor dem eigenen Tod. Soziologische Erfassungen zur Heimtierhaltung in der DDR liegen auch aus einem Berliner Neubaugebiet vor (*Siegmund/Tembrock*, 1985). Bezüge zur Heimtierhaltung konnten bei folgenden Faktoren festgestellt werden:

Geburtsort des Halters (in ländlichen Gegenden und in Kleinstädten aufgewachsene Personen halten häufiger

Tab. 2 Katzenhaltung in verschiedenen Ländern nach Daten von *Messent/Horsfield* (1985), *Pethes* (1985) und *Freye* (1985)

Land	Prozentsatz der Haushalte mit Katzen	Zahl der Katzen auf je 100 Menschen
Belgien	19	10,0
BRD	9	12,6
Dänemark	16	10,8
DDR	—	6,1
Finnland	16	9,0
Frankreich	22	12,6
Großbritannien	19	9,6
Italien	16	8,4
Niederlande	20	10,6
Norwegen	20	9,9
Österreich	23	14,7
Schweden	16	12,5
Schweiz	20	7,8
Ungarn	—	20,0
Australien	32	13,9
Japan	6	2,0
Kanada	27	14,0
USA	26	17,4

Heimtiere), Anzahl der Kinder, Lebensalter, Zeitdauer des Wohnens und Einkommen. Keine Zusammenhänge gibt es mit dem Geschlecht des Halters, der Struktur des Wohnhauses (5-, 11-geschossiges Hochhaus) und dem Unterschied, ob die Befragten berufstätig oder im Rentenalter waren. Die dargestellten Verhältnisse lassen bereits einige Ursachen für die Heimtierhaltung erkennen, die jedoch bei der Hauskatze oft weitere spezifische Gründe haben, die vom Verhalten dieser Tierart abhängig sind.

Leyhausen (1985) bemerkt zu diesem Problem „Ein Tier, das eine so deutliche Persönlichkeit besitzt, oder wenn man so will, von ihr besessen ist, entwickelt auch, genau wie der Mensch, hinsichtlich des Essens, seiner Gesellschaft und der Art, wie ‚man' etwas tut, manche Manieriertheit oder Idiosynkrasie (Widerwille). Es sind wohl diese Eigentümlichkeiten kätzischen Wesens und Verhaltens ..., welche die so gegensätzliche Einstellung zur Katze die Zeiten hindurch hervorgerufen haben. Als einziges anderes Tier, das sich selbst domestierte (↑ Selbstdomestikation), zeigt es Verhaltensweisen und trägt Persönlichkeitszüge, auf die nach der bewußten oder unbewußten Meinung vieler Leute ein unterhalb des Primatenstammes angesiedeltes Tier keinerlei ‚Anspruch' hat. Es sind auch nicht die Einzelheiten, die meist von denen menschlichen Verhaltens weit genug verschieden sind: es ist die allem zugrunde liegende Ähnlichkeit oder gar Gleichheit der Funktionsprinzipien, welche die Abwehrhaltung hervorrufen."

Grundsätzlich kann eingeschätzt werden, daß die Beziehungen Mensch–Hauskatze bisher wenig untersucht sind und daher oft spekulativ interpretiert werden. Zwischen den „Persönlichkeitsmerkmalen" von Hund und Katze bestehen wesentliche Unterschiede, die jedem Halter gut bekannt sind. Bei der Beschreibung des Verhaltens von Hunden werden oft die Attribute „gehorsam, loyal und freundlich" bei der Beschreibung des Verhaltens von Katzen „wild, unberechenbar und unabhängig" gebraucht (*Turner*, 1985). Von den Besitzern werden diese Eigenschaften geschätzt. Die einen sind duldsamer gegenüber einem Mitwesen das „wenngleich unwissentlich und ohne beabsichtigte Bosheit, uns einen Spiegel vorzuhalten wagt ... und ... finden, daß Katzen, wie die besten von uns, einer tiefen und dauernden Freundschaft fähig sind, die weder besitzergreifend noch untertänig ist" (*Leyhausen*, 1985). Die anderen dulden nur gehorsame und untertänige Wesen in ihrer Nähe, von denen sie selbst vollständig Besitz ergreifen können. Mit hoher Wahrscheinlichkeit darf vermutet werden, daß die Wahl des einen oder anderen Tieres mit dem Charakter des Besitzers in Zusammenhang steht. *Leyhausen* (1982) formulierte die Hypothese, daß der Mensch gerade so genau dem Verhaltensschema „Artgenosse" der Hauskatze entspricht, das diese sozial positiv auf ihn eingeht, jedoch wiederum nicht so genau diesem Schema entspricht, um Angriff bzw. Flucht auszulösen (↑ Distanzregulation).

Brunner/Hlawacek (1976) verweisen darauf, daß insbesondere Verhaltensweisen aus den Funktionskreisen des ↑ Sexualverhaltens und des ↑ Brutpflegeverhaltens zu einer engen Bindung von Mensch und Katze führen. Dabei gehen die entscheidenden Impulse vom Menschen aus. Er überträgt, wenn auch unbewußt, auf das Stubentier Kindereigenschaften (↑ Kindchenschema) und bedient sich bestimmter Bewegungsformen und Ausdrucksweisen, die arttypisch auf das menschliche Kind bezogen sind. Die Katze, die mit dem Menschen dieselbe Wohnung bewohnt, betrachtet ihn gleichermaßen als einen zu umwerbenden Sexualpartner und zu schützendes Jungtier. Der Mensch vereinigt in sich die Eigenschaften eines geschwisterlichen Spielkameraden und des übergeordneten Elterntieres. Verhält sich der Mensch ‚katzengerecht', kann er alle kätzischen Ausdrucksformen der Zuneigung auf sich vereinen und wird zu einer attraktiven „Super-Katze".

Es wird auch vermutet, daß die engen Beziehungen von Stubenkatzen zum Menschen eine teilweise Reifehemmung und Verkindlichung des Verhaltens der Katze (Infantilismus) bewirken. Die elterlichen Eigenschaften der Mutterkatze werden durch den Menschen auch der erwachsenen Katze gegenüber beibehalten: Fütterung, Streicheln des Fells, Hochheben, Verteidigung usw. Die ständige soziale Kontaktbereitschaft der Katze zum Menschen ist also ein durch die Stubenhaltung bedingter Sonderfall. Neue Untersuchungen zur individuellen Variabilität des ↑ Sozialverhaltens der Hauskatze machen jedoch auch andere Faktoren sichtbar, die für die hohe Anschlußbereitschaft der Katze an den Menschen verantwortlich sind. So sind freilaufende Katzen, die von frühester Jugend in Sozialverbänden gelebt haben, durchaus keine Einzelgänger (*Leyhausen*, 1984).

Turner (1985) verweist auf die großen Schwierigkeiten einer objektiven Analyse der Beziehung Mensch-Katze und bemerkt, daß diese durch den hohen Anteil „menschlicher Züge" im Verhalten der Katze bedingt sind.

Die Gestaltung der M. bei der Haltung von Heimtieren und besonders von Katzen setzt beim Halter eine große Bereitschaft zur Übernahme von Verantwortung voraus. Da die biologische Entwicklung der ↑ Hauskatze in starkem Maße durch die gesellschaftliche Entwicklung des Menschen determiniert worden ist (vgl. Selbstdomestikation), kann der Mensch auch aus ethischen Gründen nicht einfach aus dieser Verantwortung entlassen werden. Diese Feststellung trifft sowohl für die freilaufende Hauskatze (↑ Sozialstatus), aber in besonderem Maße für Stuben- und ↑ Rassekatzen zu. Daher sind nach *Tschanz* (1983) mindestens die folgenden zwei Voraussetzungen zu schaffen:

1. die Bereitstellung von artgemäßen Stoffen und Reizen und
2. eine verhaltensgerechte Gestaltung der ↑ Umwelt zur Erlangung der Stoffe und Reize.

Werden dem Tier solche Stoffe und Reize vorenthalten oder Verhaltensabläufe durch die Umweltgestaltung behindert, treten Verhaltensveränderungen auf, die später in irreversible Verhaltensstörungen übergehen können.

metachromatische Leukodystrophie ↑ lysomale Speicherkrankheit.

Mexican hairless ↑ Nacktkatzen.

Miauen ↑ Lautgebung.

Microsporie ↑ Mykosen.

Miefen ↑ Lautgebung.

Mi-Ke ↑ Japanese Bobtail.

Miktion, *Harnen, Urinieren*: ↑ Ausscheidung von Stoffwechselendprodukten in flüssiger Form. Katzen setzen Harn in hockender Haltung ab. Der Rücken ist dabei gestreckt und das Körperhinterende berührt fast den Boden. Weitere Verhaltensweisen, wie das Scharren einer Grube vor Beginn der M., sind ähnlich wie bei der ↑ Defäkation ausgebildet. Im Zusammenhang mit dem ↑ Duftmarkieren dient die M. der Kennzeichnung von ↑ Revieren. Dabei wird der Harn in stehender Haltung rückwärts an Gegenstände gespritzt.

Mikrophthalmus ↑ Entropium.

Milchgebiß ↑ Zähne.

Milchtritt ↑ Jungtierentwicklung.

Milchzahnpersistenz ↑ Gebißanomalien.

Milchzucker ↑ Kohlenhydrate.

Milz: in der Bauchhöhle liegendes, länglich flaches, dunkelrotes ↑ Kreislauf- und Abwehrorgan. Es spielt eine wichtige Rolle bei der Speicherung von ↑ Blut, beim Abbau von Blutzellen sowie der Bildung von Lymphozyten und Antikörpern. Damit hat die M. wichtige Aufgaben bei der Abwehr von ↑ Infektionen zu erfüllen und kann sich bei ↑ Infektionskrankheiten durchaus vergrößern.

mimetische Gene [engl. mimic genes], *Mimetik, Genokopie:* 'Gene, die das Wirkungsmuster eines bekannten Gens kopieren bzw. unterschiedliche Erbanlagen, die zur gleichen Merkmalbildung (identischer ↑ Phänotyp) oder bei Ausfällen zu gleichen Defektbildungen führen. Die ‚Mimetik' (Nachahmung) hat verschiedene Ursachen. Im engeren Sinne sind unter m. G. bzw. Genokopie (*Nachtsheim*, 1959) vom ursprünglich entdeckten Wirkungsmuster völlig abweichende Wirkungsabläufe zu verstehen. Mit zunehmender Aufklärung der Gen-Merkmal-Beziehungen zeigt sich häufig eine einheitliche Wirkungskette. Mutierte Gene, die unterschiedliche Syntheseschritte in einer Genwirkkette determinieren, können die gleichen Ausfallerscheinungen bewirken

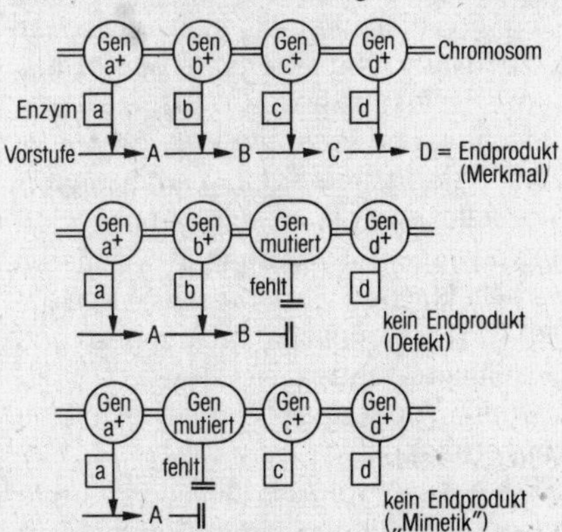

Mimetische Gene, Abb. 1. Parallelmutationen in einer Genwirkkette („Mimetik")

(Abb. 1). So wird z. B. die Weißfärbung des Katzenfelles (↑ Albinismus, ↑ Leuzismus) durch verschiedene Gene bestimmt. Das Gen für das ↑ dominante Weiß W ist für das Auftreten weißer Katzen mit blauen, kupferfarbenen (orangefarbenen) und ungleichgefärbten Augen (↑ Irisheterochromie) verantwortlich. Die ↑ Foreign White trägt dieses Gen in Kombination mit dem homozygot rezessiven Allelpaar c^sc^s (↑ Maskenfaktor). Genetisch hiervon völlig verschieden sind die Siamalbino der USA, die das c^a-Gen tragen, weiß sind und blaßblaue Augen haben. Der hierarchische Aufbau ist dadurch gegeben, daß das epistatische Gen für Weiß in einer Frühphase der Pigmentierungs-Stoffwechselkette, nämlich in der Phase der Melanoblasten-Differenzierung und -wanderung eingreift, das Albinogen dagegen erst bei der Melaninsynthese (durch Tyrosinase-Blockade). Durch eine erbliche Variation des Basisdefekts ist die ↑ Hämophilie (Bluterkrankheit) charakterisiert, die unabhängig davon entsteht, ob ein Faktor-VIII- oder Faktor-XI-Mangel vorliegt. Das gleiche ist bei den erblichen Gehirnfunktionsstörungen zu verzeichnen (↑ lysomale Speicherkrankheiten).

Als typisches Beispiel für Mimetik wird häufig die ↑ Rexkatze in den drei Versionen ↑ Cornish Rex, ↑ Devon Rex und ↑ Oregon Rex angeführt. Es handelt sich hier um unterschiedliche Mutationen. Die Möglichkeit, daß sie zur gleichen Wirkungskette gehören, ist nicht auszuschließen.

Die Mimetik wirft zwangsläufig die Frage nach der Identitätsüberprüfung der fraglichen Gene auf. Diese kann durch Erzeugung der Doppelt-Heterozygoten mit nachfolgender Verpaarung der F_1-Generation in sich (Heterozygotenverpaarung) realisiert werden (↑ Mendel-Regeln). In Abb. 2 wird als Beispiel die Identitätsüberprüfung von

♀ \ ♂	RRe	Rre	rRe	rre
RRe	RRReRe	RRRere	RrReRe	RrRere
Rre	RRRere	RRrere	RrRere	Rrrere
rRe	RrReRe	RrRere	rrReRe	rrRere
rre	RrRere	Rrrere	rrRere	rrrere

normal
Devon Rex
Cornish Rex
Devon-Cornish-Rex

Mimetische Gene, Abb. 2. Prüfung von Erbanlagen auf Identität (Cornish-Devon-Rex-Heterozygotenpaarung)

Cornish Rex (r) und Devon Rex (re) demonstriert. Als Ergebnis der Heterozygotenverpaarung Rr × ReRe zeigt sich die Nichtidentität durch das Spaltungsverhältnis 9:7 bei einem erwarteten Identitätsverhältnis von 3:1.

Mimik: ↑ Ausdrucksverhalten im Bereich des Gesichtes bei höheren Säugetieren, das bei hunde- und katzenartigen Raubtieren in einfacher und bei vielen Menschenaffen in ausgeprägter Form zu beobachten ist. Im Gegensatz

Darstellung der Überlagerung von Angriffs- und Abwehrverhalten (nach *Leyhausen*, 1982)

zur ↑ Gestik ist die M. bei ↑ Katzen beweglicher und drückt Stimmungsschwankungen genauer und schneller aus. Besonders gut untersucht ist die M. für die Überlagerung von ↑ Angriffs- und ↑ Abwehrverhalten bei der Katze, was die folgende Abbildung nach *Leyhausen* (1982) demonstriert. Während oben links ein beiden Stimmungen gegenüber indifferentes Tier dargestellt ist, sieht man oben rechts die stärkste Angriffsdrohung und unten links die stärkste Abwehrbereitschaft. Rechts unten ist das Resultat der Überlagerung beider Verhaltensweisen gezeigt. Wichtigste Kennzeichen sind die Ohrstellung, die Mundhaltung und die Pupillenform.

Mindestproteinbedarf ↑ Eiweißbedarf.

Mineralstoffbedarf ↑ Mengen- und Spurenelementbedarf.

Minkfarben ↑ Tonkanesen.

Mischerbigkeit ↑ Heterozygotie.

Mischlinge ↑ Kreuzungszucht.

Mißbildung: eine M. oder angeborene Anomalie ist die Veränderung in der Morphologie oder im Stoffwechsel, deren Ursprung in die Gametogenese, in die Embryogenese oder in die Fetalperiode fällt und die außerhalb der Variationsbreite der Spezies liegt (*Herzog*, 1971).

Formal unterscheidet man zwischen Exzeßmißbildung (Monstra per excessum), Defektmißbildung (Monstra per defectum) und Dystopie, d. h. der Verlagerung (Monstra per fabricam alienam). Die Einteilung der M. erfolgt nach morphologischen, vorwiegend äußeren Verhältnissen (*Schwalbe*, 1906) in Doppel- oder Mehrfachmißbildungen und Einzelmißbildungen.

Zu den Doppel- oder Zwillingsmißbildungen gehören:

1. Freie bzw. voneinander gesonderte Doppelbildungen (Gemini [lat., Zwillinge]) mit gleichmäßig entwickelten Embryonalanlagen (eineiige Zwillinge

oder Mehrlinge, die nicht als M.en angesehen werden) oder ungleichmäßig entwickelte Embryonalanlagen, d.h., ein Fetus oder mehrere Feten sind rudimentär (z. B. Amorphus globosus, d.h., bilden nur eine kugelförmige Gewebsmasse).

2. Zusammenhängende Doppelbildungen (Duplicitates), bei denen die Individualanteile in mehr oder weniger großem Ausmaß miteinander verwachsen sind. Sind die Individualanteile symmetrisch ausgebildet (Duplicitates symmetros), kann man noch die komplette (zwei Körperachsen bzw. Wirbelsäulen vorhanden) und die inkomplette Duplikation unterscheiden (Wirbelsäule in einem Teil ihres Verlaufes verdoppelt).
   Bei asymmetrisch ausgebildeten Individualanteilen (Duplicitas asymmetros) ist nur ein Individuum gut ausgebildet (Autosit), und die Anteile des anderen sind verkümmert (Parasit).

Die Einzelmißbildungen stellen Defekt- oder Exzeßmißbildungen dar. Beispiele sind der Wasserkopf (↑ Hydrozephalie), Wirbelsäulenspalten (↑ Manx), Unter- oder Oberkieferverkürzung, Schwanzdefekte usw. M.en kommen sporadisch oder gehäuft vor (↑ Erbfehler, ↑ Erbkrankheit, ↑ Erbumweltkrankheit). Die Hauptursachen sind in der Übersicht aufgeführt.

Mitose: Art der Zellkernteilung (Karyokinese), bei der im Regelfall aus einem Mutterkern zwei Töchterkerne mit identischen Chromosomenzahlen und -strukturen sowie ↑ Genorten entstehen.

Der Kernteilung folgt die Teilung der Gesamtzelle (Zytokinese). Auf diese Weise werden im wachsenden und sich regenerierenden Organismus genetisch äquivalente Zellen gebildet.

Während das Plasma bei der Zellteilung ohne mikroskopisch erkennbare Systematik durchtrennt wird, laufen im Zellkern geordnete Prozesse ab. Zwischen zwei Zellteilungen ist der Zellkern relativ homogen (biochemisch aktive Phase, Interphase der M.). In der Prophase werden fädige Strukturen sichtbar (zwei Chromatiden), die sich verkürzen und nach Auflösung der Kernmembran in der Metaphase der M. in der Äquatorialebene der Teilungsspindel anordnen. Die Fäden der Teilungsspindel setzen an den Zentromeren an. In der Anaphase teilen sich die Zentromere, so daß jedes Chromosom komplett aus zwei Chromatiden besteht. Anschließend werden die beiden Chromatiden eines Chromosoms getrennt und jeweils zu einem der beiden Zellpole transportiert. In der Telophase sind sie dort eingetroffen, und es erfolgt die Bildung der neuen Kernmembran.

Im Prinzip sind zwei neue Zellen mit

Kausale Genese von Mißbildungen

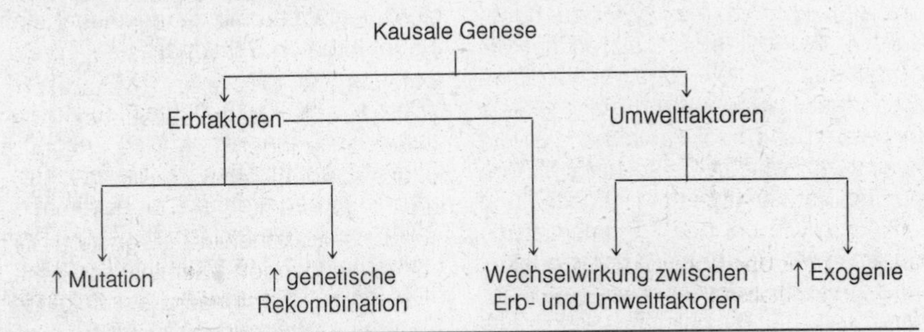

einem diploiden ↑ Chromosomensatz entstanden (↑ maternaler Effekt). Bei der Reduktionsteilung im Rahmen der Bildung von ↑ Gameten (↑ Meiose) entstehen dagegen aus einem diploiden Kern vier haploide Kerne.

Modifikation, *Abänderung:* im engeren Sinne im Gegensatz zur ↑ Mutation stehende, umweltbedingte und auf eine Generation beschränkte, nicht erbliche Änderung phänotypischer Merkmalwerte (↑ Exogenie), im weiteren Sinne auch die Beeinflussung der phänotypischen Ausprägung eines bestimmten Gens durch Gene anderer ↑ Genorte.
Die M. umfaßt ein breites Spektrum von Genwirkungen, die von der Einzelgenwirkung (↑ Epistasie) über die Wirkung von Gengruppen und die Einflußnahme des gesamten genotypischen Milieus, also aller übrigen Gene des Organismus, bis zur ↑ Polygenie gehen. Gegenüber der reinen Polygenie, der gemeinsamen Wirkung mehrerer gleichberechtigter Gene, liegt bei der M. eine ↑ Heterophänie vor, d.h., der Effekt des starkwirkenden Hauptgens [engl. major gene] wird durch mehrere oder viele andere mit geringer Wirkung [engl. minor genes] modifiziert.
Nach der Richtung der M. unterscheidet man die Unterdrückung bzw. Suppression [engl. reducer, restriction genes] und die Stimulation [engl. enhancer, intensifiers, extension genes] einer Merkmalausprägung, die in einem polygenen Modifikatorensystem gleichzeitig auftreten können. Häufig ist zu beobachten, daß die Modifikatoren auf die einzelnen ↑ Allele des beeinflußten Genortes unterschiedlich stark wirken. Ihre Vererbung erfolgt unabhängig vom Hauptgen. Typische Beispiele für M. können bei der Variation der Haarlänge und -dichte sowie bei der ↑ Pigmentierung beobachtet werden. Langhaarigkeit wird durch das rezessive Allelpaar ll bewirkt, das bei Mischlingen anders als bei Ausstellungstieren in Erscheinung tritt, da beide über unterschiedliche Modifikatoren verfügen. Auf dem Gebiet der Pigmentierung wirken nach *Robinson* (1977) vier Modifikatorensysteme:

1. Die Rufus-Gruppe (Gelb-Modifikatoren, ↑ Rufismus).
2. Die Dilution-Gruppe (Intensität der Blaufärbung von hell bis dunkel).
3. Die Chocolate-Modifikatoren, die eventuell mit der Dilution-Gruppe identisch sind.
4. Die Ticking-Polygene, die bei Anwesenheit von ↑ Agouti die Bänderung des Haares kontrollieren (↑ Ticking, ↑ Tabbyzeichnung).

Der Einfluß von Modifikatoren kann durch selektive Zucht (↑ Selektion) über mehrere Generationen begünstigt werden.

Modifikatoren ↑ Modifikation.

Molaren ↑ Zähne.

Monogamie ↑ Polygamie.

Monogenie: einfachster Fall der ↑ Genwechselwirkung. Am Genort befinden sich zwei ↑ Allele, Grundlage der ↑ Mendel-Regeln.

monohybrider Erbgang: 1. ↑ Oligogenie. – **2.** ↑ Mendel-Regeln.

Mopsköpfe ↑ Brachyzephalie.

Morgan-Einheit ↑ Genkopplung.

Mosaik: in der Biologie Auftreten genetisch unterschiedlicher Zellen bzw. Gewebe der gleichen Spezifität bei einem Individuum, das auf ↑ Mutation von Körperzellen (Somazellen) zurückzuführen ist. Ein Beispiel aus dem Bereich der Geschlechtschromosomenstruktur sind die fruchtbaren Schildpatt- bzw. Tri-Colourkater, die als $X^OX^{o^+}Y/X^OX^O$, $X^OX^{o^+}Y/X^OX^{o^+}$, $X^OX^OY/X^{o^+}X^{o^+}$ usw. zu klassifizieren sind. Die in normalen Zellpopulationen enthaltenen ↑ Geschlechtschromosomen können in bestimmten Fällen die Geschlechtsfunktion aufrechterhalten. Das M. entsteht im Rahmen eines parasexuellen Prozesses. Seine Alternative ist das ↑ Klon.

Motivation, *Stimmung, spezifische Handlungsbereitschaft, Drang, Trieb:* Bereitschaft eines Tieres zur Ausführung eines bestimmten ↑ Verhaltens. Die M. wird von inneren und äußeren Faktoren (↑ Umwelt) bestimmt, ist zielbezogen sowie räumlich und zeitlich orientiert. Die Verwirklichung von M.en läuft gewöhnlich über orientierendes, orientiertes Verhalten (↑ Appetenzverhalten) zu einer ↑ Endhandlung ab. Dabei kann die M. mit dem Ausführen der Endhandlung sprunghaft absinken (↑ Beutefangverhalten) und danach langsam wieder ansteigen. Der Begriff wird nicht von allen Verhaltensbiologen einheitlich gebraucht.

Mukometra ↑ Gebärmutterentzündung.

Mukopolysaccharidose ↑ lysomale Speicherkrankheiten.

multiple Allelie: Auftreten von mehr als zwei Allelen des gleichen ↑ Genortes in einer ↑ Population als Folge unterschiedlicher intragener ↑ Mutationen (↑ Gen). Die ↑ Allele treffen bei einem Individuum paarweise aufeinander (Diallelie, ↑ Gameten). Die einzelnen Mutationsschritte beeinflussen das gleiche Merkmal in spezifischer Art und Weise, so daß eine Variationsreihe der Genwirkung und der Merkmalbildung entsteht. Innerhalb dieser Reihe gelten die ↑ Mendel-Regeln, wobei im allgemeinen das weniger stark mutierte Gen über das stärker veränderte dominiert.

Die m. A. tritt z. B. bei den Genen der ↑ Vollpigmentierung auf, in der drei Allele des Albinolocus (↑ Albinismus) auftreten: $C > c^b > c^s$. Bei Heterozygotie von C mit den Mutantenallelen kommt es zur vollen Körperausfärbung (↑ Vollpigmentierung); c^bc^b sind die ↑ Burma und c^sc^s die ↑ Siamesen oder die ↑ Colourpoints. Bei Reinzucht der beiden Mutanten fehlt die ↑ genetische Rekombination zum Wildtypallel C. In dieser Serie dominieren c^b über c^s und c^s über c^a unvollständig. Die Heterozygoten von Burma und Siam des Genotyps c^bc^s sind die ↑ Tonkanesen. Generell ist zu berücksichtigen, daß die einzelnen Allele der Serie mit den Genen anderer Genorte in Wechselbeziehung stehen (↑ Polygenie), was phänotypische Besonderheiten ergibt. So konnte die Genkonstruktion Cc^s wegen komplementärer Genwirkung in Kombination mit aa Bb Dd zur Herauszüchtung brauner Kurzhaarkatzen (↑ Havana) genutzt werden.

Weitere Beispiele für eine m. A. stellen die Gene der ↑ Tabbyzeichnung, über die es mehrere Hypothesen gibt, die beim Stichwort ↑ Getupft abgehandelt werden, und die Allelserie für ↑ Nicht-Braun $B > b > b^l$ dar.

multiple Rezessivität: Ein bestimmtes Tier ist Träger beider rezessiver Allele mehrerer ↑ Genorte, z. B. eine Perser ↑ Colourpoint in ↑ Caramel mit der Genkonstruktion aa $b^lb^lc^sc^s$ddll. Die Tiere sind reinerbig, bei ↑ Heterozygotie an einem oder mehreren Genorten würde nach einer ↑ Gleich-zu-Gleich-Verpaarung eine phänotypische Aufspaltung der Nachkommen in Erscheinung treten.

Häufig ist die Zahl der beteiligten Genorte nicht eindeutig zu bestimmen, da ↑ Epistasie auftritt. Als Regel gilt, daß mit steigender Anzahl der zusammenwirkenden Genorte der ↑ Pigmentierung ein weißes oder nahezu weißes Tier entsteht.

Muskulatur: aktiver Teil des Bewegungsapparates der ↑ Katze, der die äußere Gestalt proportioniert und gemeinsam mit dem ↑ Skelett, den Blutgefäßen und Nerven eine große Beweglichkeit, außerordentliche Geschmeidigkeit und Schnelligkeit ermöglicht. Lendenpartie und Hintergliedmaßen sind besonders stark entwickelt und gestatten praktisch den Sprung aus dem Liegen. Das fehlende Nackenband, wie es die anderen Haustiere haben, wird durch einen höheren Anteil an Muskelfasern und elastischen Bändern zwischen den Querfortsätzen der Halswirbel ausgeglichen. Der Galopp, bei dem die Hintergliedmaßen weit nach vorne schnellen und die Wirbelsäule stark durchgebogen wird, ist durch den gemeinsamen Zug der kräftigen Hals-, Rücken- und der Bauchmuskulatur am Becken möglich.

Mutabilität ↑ Gen.

Mutantenallel: 1. ↑ Wildtyp. – **2.** ↑ Gennomenklatur.

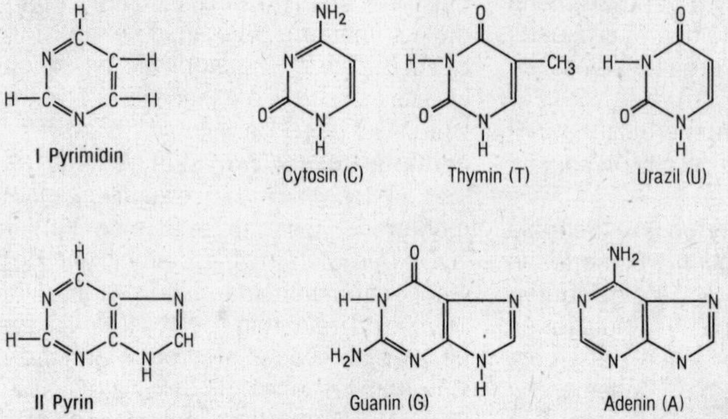

I Pyrimidin — Cytosin (C) — Thymin (T) — Urazil (U)

II Pyrin — Guanin (G) — Adenin (A)

Gen- oder Punktmutationen.
Transition: Ersatz von I durch ein anderes I oder von II durch ein anderes II
Transversion: Ersatz von I durch II oder von II durch I
Deletion: Verlust von I bzw. II
Insertion: Aufnahme von I bzw. II

Mutation, *Erbänderung:* jede nicht auf Neukombination (↑ genetische Rekombination) mendelnder Gene beruhende diskontinuierliche Veränderung des Genotyps (*De Vries*, 1900). M.en im engeren Sinne betreffen die Zellen der Keimbahn (Geschlechtszellen, ↑ Gameten). Im weiteren Sinne sind auch die Körperzellen einbezogen (somatische M.). Die Folgen einer gametischen M. sind erbliche Phänotypänderungen. Somatische M.en treten nur beim M.träger selbst auf und werden nicht auf die Nachkommengenerationen übertragen. Der mutative Prozeß kann in verschiedenen Bereichen der Genstruktur und -wirkung einsetzen (↑ Gen). Die Genstruktur bzw. der genetische Code ist bei der Gen- oder Punkt-M., der Segment- bzw. Restriktionsfragment-M. und der M. der Erbträger des Kern-Plasma-Raumes, der Plastiden und Mitochondrien, verändert (Abb.). Mutative Eingriffe in den Zellteilungsphasen führen zur Chromosomen-M. (Chromosomenzahländerung, Chromosomenstrukturänderung) und Genom-M. (Vermehrung oder Verminderung des ↑ Chromosomensatzes um ganze Sätze). Sind plasmatische Nukleoproteide betroffen, spricht man auch von Plasmon-M. Spontan-M.en treten ohne erkennbare äußere Ursache auf; induzierte M.en entstehen nach gezieltem Einsatz mutagener Agenzien, die auf die Struktur der Desoxyribonukleinsäure, die verschiedenen Phasen der Proteinsynthese oder den Verteilungsvorgang des genetischen Materials während der Zellteilung (↑ Mitose und ↑ Meiose) einwirken.

Die phänotypische Auswirkung einer M. hängt von der Stellung des Mutanten-Genortes im Gesamtsystem der Erbanlagen und von der Genstruktur des Organismus ab. Je homozygoter ein ↑ Genotyp ist, desto mutationsempfindlicher wird er, da sein Pufferungsvermögen für sich ändernde Umweltreize geringer wird. Die Wirkung einer M. auf die genetische Struktur einer ↑ Population ist unterschiedlich. Handelt es sich um einen nahezu einmaligen, nicht wiederkehrenden Schritt, ist sie für die Genfrequenzverhältnisse in

Abessinier, wildfarben und sorrel, *unten links* Abessinier sorrel, *unten rechts* Abessinier, wildfarben

Abessinier, wildfarben

Abessinier, wildfarben

Europäische Waldwildkatzen

Europäische Waldwildkatzen

Burma, braun (seal)

oben Burma, braun und lilac, *unten* Burma, lilac

Hauskatze

der Population von geringer Bedeutung. Die einmalige M. hat nur eine minimale Chance, in einer großen Populaton zu überleben. Das veränderte Mutantenallel liegt im heterozygoten Zustand vor, und die Wahrscheinlichkeit, daß es in der nächsten Generation verloren geht, beträgt 1/2. In unendlich großen Populationen hat es auf die Dauer eine Überlebenschance von $(1/2)^n$, wobei n = Anzahl der erzeugten Generationen ist. Da reale Populationen nicht unendlich groß sind, überlebt eine einmalige M. nur in Ausnahmefällen. Ein zweiter M.styp ist die wiederkehrende M., die zu stärkeren Genfrequenzänderungen führen kann.

Merkmalbildungen durch Neu-M.en unterliegen einer selektiven Beeinflussung. Sind M.srate u und Selektionsdruck s gleich groß, kommt es zur Einstellung eines Gleichgewichtszustandes, der im Falle eines autosomal dominanten Erbganges $u = s \cdot p$ und im Falle eines rezessiven Erbganges bei $u = s \cdot q^2$ liegt. Nach Umformung erhält man für die dominante und rezessive Merkmalbildung $p = u/s$ und $q = \sqrt{u/s}$. Kommt die Mutante nicht zur Fortpflanzung bzw. wird sie selektiert, werden $p = u$ und $q = u^2$, d. h., dominant erbliche Mutanten werden in der Population mit einer Häufigkeit in Höhe der M.srate und rezessive in Höhe der Quadratwurzel der M.srate in der Population erhalten. Wegen dieses Gleichgewichtes zwischen Neu-M. und Selektion besitzt jede diploide Population genotypisch ein beachtliches Reservoir an M.en. Es erfordert jedoch eine große Sachkenntnis und Aufmerksamkeit, derartig seltene Mutanten zu entdecken, in ihrer züchterischen Bedeutung zu erkennen und adäquat züchterisch zu bearbeiten. Ein typisches Beispiel sind die Rex-M.en, die immer wieder in verschiedenen Teilen der Welt beobachtet werden aber nicht in die richtigen Hände kommen und daher auch keine züchterische Bedeutung erlangen.

Die Wahrscheinlichkeit der Allelsubstitution stimmt für jede Generation mit der M.srate überein, für die man Werte zwischen 10^{-5} und 10^{-6} annehmen kann. Das bedeutet, daß ein unter 100000 bzw. 1000000 Gameten das neu mutierte Allel trägt. Die M.srate ergibt sich aus der Gleichung

$$u = \frac{1}{2} \cdot \frac{\text{Neu-M.en}}{\text{Gesamtzahl der Gameten}}.$$

Die Mehrzahl der Neu-M.en ist homozygot oder hemizygot letal (↑ Letalfehler, ↑ Erbkrankheiten), da sie zu strukturellen und regulatorischen Stoffwechselentgleisungen führen. Durch M.en werden im kompliziert organisierten vielzelligen Katzenkörper selten züchterisch nutzbare Varietäten geschaffen. Jedoch führen nicht alle M.en zu schwerwiegenden Veränderungen. ‚Klein-M.en', die nicht die Normalfunktion aus dem Gleis werfen, sind bei allen Lebewesen die Quelle für die Evolution der Organismen und der Grundlage der ↑ Mutationszüchtung.

Mutationsinduktion ↑ Mutationszüchtung.

Mutationsrate ↑ Mutation.

Mutationszüchtung: Obwohl in der organisierten Katzenzucht seit den ersten Anfängen durch ↑ genetische Rekombination zutage geförderte Mutanten ausgelesen und züchterisch bearbeitet wurden, z. B. ↑ Langhaar-Katzen, Albino-Katzen (↑ Albinismus), Hängeohr-Katzen (↑ Faltohr), schwanzlose Katzen (↑ Manx) oder ↑ Nacktkatzen, kann man nicht von einer echten Mutationszucht sprechen. Dieser Begriff beinhaltet zwar im weiteren Sinne die Zucht mit Individuen, die Träger von Neumutationen (Spontanmutationen) sind, im engeren Sinne als Methode jedoch nur die künstliche Mutationsauslösung und die Selektionszucht mit den erhaltenen Mutanten.

In der Rassekatzenzucht arbeitet man bisher ausschließlich mit Spontanmutationen. Dabei besteht folgende Hierarchie:

↑ Wildtyp
↓
primärer Mutationstyp (mutative Veränderung einzelner Faktoren)
↓
Kombinationstyp.

Da die heutige Spezies ↑ Hauskatze eine jahrtausendelange Evolution hinter sich hat, ist es nicht in jedem Fall möglich, Mutantenallele von Wildtypallelen zu unterscheiden. Man geht daher vom Normal- oder Standardtyp der getigerten Hauskatze des Genotyps A- B- C- D- T- aus. Es ist auch schwierig, Neumutationen von bisher verborgen gebliebenen Allelen (↑ Rezessivität, ↑ Hypostasie, ↑ Modifikation) zu unterscheiden. Eine derartige Differenzierung ist vom Standpunkt der Zuchtpraxis auch ohne Belang. Für eine künstliche Mutationsauslösung ist der Katzenorganismus wegen seiner Komplexität und ausbalancierten genetischen Regulation wenig geeignet. Bei Mutationsinduktionen hat man mit einer erheblichen Ausfallquote zu rechnen. Greifbare Erfolge lägen in weiter Ferne, und der Gesamtaufwand wäre zu hoch. Ungerichtete Mutationsprozesse laufen jedoch ständig ab. Ihre Nutzung zur Schaffung und Weiterverwendung erwünschter Formen und Farben wäre prinzipiell möglich; ihre Bearbeitung ist aber bisher häufig mit negativen Aspekten verbunden. Die Erkundung und Registrierung der Neumutationen wäre z. B. eine Aufgabe der Gengeografie.

Das Augenmerk interessierter Züchter richtet sich daher auf Mutanten, die bisher bereits bei anderen Tierarten beobachtet wurden, da die Wahrscheinlichkeit von Parallelmutationen hoch ist. Man erwartet vor allem die Fellmutationen Rosetten und Satin und die Fellfarbe black-and-tan. Als Rosetten-Effekt bezeichnet man ein Haarwachstum, bei dem die Haare von einem Mittelpunkt aus im Kreis oder kammartig bzw. sternförmig nach außen gewachsen sind. Typisch ist die Ponyfrisur (nach vorn gerichtete und über die Augen fallende Fransen). Beim Meerschweinchen sind zwei derartige Genorte bekannt geworden (R = rosette bzw. rough, St = star bzw. crested). Rosettenwelpen traten bisher bei ↑ Britisch Kurzhaar auf. Sie wurden in der Literatur als „Gardinen- bzw. Vorhangkatzen" beschrieben. Andere Kurzhaarrassen zeigten diese Fellvariante am Kehlgang und an der Rückseite der Extremitäten.

Beim Satin (Sa) handelt es sich um eine modifizierte Haarstruktur, die zu einer Vergrößerung der reflektierenden Oberfläche und zu einer Farbvertiefung führt. Es zeigt sich ein heller metallischer Schimmer, und Weiß wird zu Platin bzw. Creme zu Gold. Das Haar wird jedoch feiner und weicher, was für Langhaar nicht von Vorteil ist. Die Mutante tritt bei der Fawn-Satin-Maus auf. Beschreibungen bei Katzen sind bisher nicht eindeutig (↑ Seidenhaar).

Die Farbvarietät black-and-tan [engl. schwarz und lohfarben] ist durch einen pechschwarzen Rücken in Kombination mit einer gelbbraunen Färbung der Flanken, des Unterbauches, von Kopf und Schwanz charakterisiert. Sie wurde bei Hunden und Kaninchen registriert. Da es sich um eine Mutation am Agouti-Locus handelt (a^t), erwartet man auch bei der Katze eine derartige Varietät. Durch Selektionszucht und nach Kombination mit bekannten Farben und Formen käme man dann zu einem Spektrum neuer Varietäten, z. B. zu Katzen mit einem taubengrauen Rücken und glänzend lohfarbenen Unterbauch sowie blauen oder hellgrünen Augen. Mit Sicherheit fänden sich auch hierfür Liebhaber.

Mutter-Kind-Bindung [engl. mother-infant-attachment]: Teilaspekt des ↑ Brutpflegeverhaltens, der insbesondere bei höheren Säugetieren stark ausgebildet ist (vgl. Nesthocker). Bei der Katze kann man, ebenso wie beim Hund, die *Brutfürsorge* in drei Phasen einteilen (*Immelmann*, 1983): Während der ersten Phase geht die Initiative zum Kontakt mit den Jungtieren und zu Brutpflegeleistungen überwiegend von der Mutter aus (↑ Mutterverhalten), in der nachfolgenden Zeitspanne liegt die Initiative auf beiden Seiten, und in einer dritten und letzten Phase, namentlich kurz vor der Entwöhnung, d. h. vor der Loslösung der Jungen von der Mutter, versucht das Junge schließlich mehr Brutpflegeleistungen, z. B. Fütterungsleistungen, zu erlangen, als die Mutter zu geben bereit ist. Da das Muttertier oft ausweichend oder gar aggressiv reagiert, kommt es nicht selten zum „Entwöhnungs-Konflikt", der ein Teilphänomen des „Eltern-Nachkommen-Konflikts" ist (↑ Brutpflegeverhalten).
Von Seiten des Jungtieres ist die Bindung an das Muttertier anfänglich nicht-individuell, d. h. sie beruht auf angeborenen ↑ Auslösemechanismen. In dieser ersten Phase ist es leicht möglich, auch einen Anschluß an artfremde Mütter zu erzielen (↑ Adoption, ↑ mutterlose Aufzucht). Später wird auf der Basis von ↑ Lernverhalten, besonders jedoch der ↑ Prägung, die Bindung individualisiert, d. h. auf eine bestimmte Mutter bezogen. So können auch „Ersatzmütter" akzeptiert werden, wenn diese wesentliche Lebensansprüche der Jungtiere befriedigt. Bei gestörter M. kommt es zu Fehlentwicklungen im Verhalten, die oft unter dem Begriff des Deprivationssyndroms zusammengefaßt werden (↑ Kasper-Hauser-Tier, ↑ Verhaltensstörungen). Eine ↑ Fehlprägung auf eine menschliche Ersatzmutter bleibt lebenslang erhalten.

Mutterkuchen ↑ Trächtigkeit.

Mutterlose Aufzucht: Ausfall von ↑ Mutterverhalten der Mutterkatze. Eine M. A. sollte nur dann in Erwägung gezogen werden, wenn eine Amme (↑ Adoption) nicht zur Verfügung steht und das ↑ Einschläfern aus emotionellen Gründen abgelehnt wird. Züchterisch gerechtfertigt ist eine M. A. nur in den seltensten Fällen. Durch den fehlenden Kontakt mit dem Muttertier (↑ Mutter-Kind-Bindung) oder gar mit anderen adulten (erwachsenen) Artgenossen (↑ Kasper-Hauser-Tier) entstehen ↑ Fehlprägungen, die die Entwicklung des normalen Verhaltensrepertoirs blockieren. Da alle Funktionen des Muttertieres übernommen werden müssen, ist die M. A. stets arbeitsintensiv und von großer zeitlicher Belastung. In jedem Fall sollte man sich zur M. A. nur dann entschließen, wenn die Welpen wenigstens die Kolostralmilch mit den darin enthaltenen Immunglobulinen (vgl. Welpenaufzucht) erhalten haben und so bis zur Entwicklung eines körpereigenen Abwehrsystems ein passiver Immunschutz besteht (↑ Infektion, ↑ Infektionskrankheiten). Nicht zu rechtfertigen ist die M. A. von lebensschwachen und extrem untergewichtigen Welpen (↑ Geburtsmasse, ↑ Masseentwicklung) sowie Welpen mit erkennbaren ↑ Mißbildungen. Solche Tiere bleiben in der Körperentwicklung zurück, leiden an einer erhöhten Anfälligkeit für Infektions- und Organkrankheiten und haben folglich eine herabgesetzte ↑ Lebenserwartung.
Bei der M. A. sollte die Ersatzmilch in ihrer Zusammensetzung der Muttermilch angeglichen werden. Im Vergleich zur Kuhmilch hat die Katzenmilch einen wesentlich höheren Eiweiß- und Fettgehalt und ist doppelt so energiereich, so daß Kuhmilch, wie oft fälschlicherweise angenommen, die Milch einer Mutterkatze nicht ersetzen kann.

Nährstoff- und Energiegehalt von Kuh- und Katzenmilch je 100 g

Nährstoffe	Kuhmilch	Katzenmilch
Eiweiß	3,3%	9,5%
Fett	3,8...4,0%	6,8%
Laktose	4,8%	10,0%
Wasser	≈87,0%	≈80,0%
Calcium	120 mg	35 mg
Phosphor	100 mg	70 mg
Ca : P	0,9 : 0,75	0,9 : 1,8
Energie	251 kJ (60 kcal)	595 kJ (142 kcal)
Vitamin A	130 IE	1200 IE

Steht eine vollwertige, d. h. industriell hergestellte Ersatzmilch nicht zur Verfügung, kann nach einer einfachen Rezeptur von *Scott* (1975) verfahren werden: 20 g Magermilchpulver werden in 90 ml Wasser aufgelöst und mit 10 ml Pflanzenöl und Vitamin A (l 200 IE/100 g) angereichert; alle Bestandteile werden gut vermischt. Tab.
Die so zubereitete Milch muß in der ersten Woche die Körpertemperatur der Welpen haben, d.h. 37 ...38 °C; ab siebentem Tag kann die Temperatur auf 30 °C gesenkt werden.
Stehen Aufzuchtflaschen nicht zur Verfügung, können kleine Liebesperlenflaschen mit Gummisauger, der vor der ersten Fütterung ausgekocht werden muß, benutzt werden. Um den Saugreflex bei den Welpen zu stimulieren, dürfen die Löcher im Sauger nicht zu groß sein. Während der Fütterung muß die Temperatur der Milch gleich gehalten werden, d. h. die Flaschen müssen mehrmals in einem heißen Wasserbad aufgewärmt werden. Nachstehender Fütterungsplan ist dem natürlichen Saugrhythmus der Katzenwelpen angepaßt und sollte möglichst befolgt werden:

Alter in Tagen	Fütterungszeiten
1. bis 3. Tag	Tag und Nacht alle zwei Stunden
4. bis 6. Tag	Tags alle zwei Stunden, nachts alle drei Stunden
7. bis 14. Tag	Tags alle zwei Stunden, nachts alle vier Stunden
ab 15. Tag	Tag und Nacht alle vier Stunden

Ab 21. Tag kann mit der Zufütterung von fester Nahrung (vgl. Ernährung) begonnen werden.
Nach jeder Fütterung wird der Welpe gut abgerieben, um Kreislauf und Hautdurchblutung anzuregen. Da Harn und Kot nicht selbständig abgesetzt werden können, massiert man mit einem angefeuchteten warmen Wattebausch leicht die Bauch- und die Analgegend.
In der ersten Woche muß die Umgebungstemperatur der Welpen konstant auf 30 ...32 °C gehalten, in den beiden folgenden Wochen kann sie langsam auf 26 °C gesenkt werden, ab vierter Lebenswoche soll sie 20 ...22 °C haben (vgl. Thermoregulation).
Von wenigen Ausnahmefällen abgesehen, sollten Welpen aus M. A. nicht als Zuchttiere eingesetzt werden (vgl. Sexualverhalten, Verhaltensstörungen). Für ihre künftigen Besitzer werden sie besonders anhängliche und menschenbezogene Katzen sein (↑ Prägung).

Mutterverhalten: Verhaltensweisen weiblicher höherer Wirbeltiere, die dem Funktionskreis der Brutpflege zuzuordnen sind. Grundlage für das M. ist die ↑ Mutter-Kind-Bindung, die im Verlauf der ↑ Trächtigkeit und der ↑ Geburt durch eine hormonelle Umstellung entwickelt und nach der Geburt durch die von den Jungtieren ausgehenden Reize gesteuert wird. Das M. beginnt bei der hochträchtigen Katze mit dem sogenannten Nestbautrieb; während der Geburt äußert es sich z.B. im Abnabeln und Trockenlecken der Neugeborenen und später in der sogenannten Säugeperiode im Freimachen und Präsentieren des Gesäuges, im Wärmen und in der ↑ Körperpflege der Welpen, im Lecken der Analregion der Jungtiere als äußerer Reiz zur Kot- und Urinabgabe (↑ Defäkation, ↑ Miktion) sowie in der Aufhebung der Fluchtdistanz (↑ Fluchtverhalten) und dem damit verbundenen ↑ Abwehrverhalten (vgl. Kampfverhalten). Geben die Neugeborenen keine ausreichend starken Reize ab, da ↑ Lautgebung, ↑ Fortbewegung und Saugen infolge von Vitalitätsmangel oder ↑ Mißbildungen ausbleiben oder nur schwach ausgebildet sind, prägt sich das M. nicht in voller Stärke aus. In solchen Fällen werden die Jungen teilweise nicht beachtet, eingescharrt oder sogar gefressen (↑ Infantizid), und das M. wird schnell abgebaut. Bei unerwünschten Würfen sollte daher nicht zu lange mit dem Abnehmen (↑ Einschläfern) der Jungkatzen gewartet werden.

Ursache für ein gestörtes M. können Umwelteinflüsse (↑ Umwelt, ↑ Stress), angeborene Verhaltensausfälle (↑ Inzuchtkoeffizient) oder Störungen der komplizierten hormonellen Steuerungsvorgänge des Geburtsvorganges, des Milchflusses oder auch des Pflegetriebes selbst (↑ Domestikation) sein.

Bei Stubenkatzen (↑ Sozialstatus) ist die Bereitstellung und die Ortswahl für ein geeignetes Wurflager (↑ Wurfkiste) von ausschlaggebender Bedeutung.

Die bei Katzen nur selten zu beobachtende Scheinmutterschaft – eine Folge hormoneller Entgleisungen – führt dazu, daß für eine gewisse Zeitspanne (etwa zwei Monate nach der ↑ Rolligkeit für die Dauer von vier bis sechs Wochen) andere Tiere, auch ↑ Beutetiere oder Gegenstände in ein Versteck transportiert (↑ Jungentransport) und symbolisch umsorgt, beleckt und bewacht werden. Aus dem Gesäuge kann in dieser Zeit Milch herausgedrückt werden, und mit dem Versiegen der Muttermilch erlischt auch das M., unabhängig davon, ob ein Wurf vorhanden ist oder es sich um leerlaufendes M. handelt. Bei größeren Würfen erfolgt das nach fünf bis sechs Monaten, bei kleineren ein bis zwei Monate später. Vgl. Mutter-Kind-Bindung.

Durch die Anlage zum bisexuellen Geschlechtsverhalten ist es offensichtlich möglich, daß auch männliche Tiere mütterliche Verhaltensweisen zeigen, sich an der Aufzucht und der Pflege der Jungen aktiv beteiligen und von der Mutterkatze toleriert werden (*Leyhausen*, 1982). Solche Verhaltensweisen sind ebenfalls bei männlichen Kastraten beobachtet worden (vgl. atypisches Sexualverhalten, Kastration.).

Mydriasis ↑ progressive Retina-Atrophie.

Mykosen: durch Pilze hervorgerufener Erkrankungskomplex. Die am häufigsten vorkommenden M. sind die *Dermato-M.* (Haut-M.). Hierzu gehören die weltweit verbreitete *Microsporie* und die bei der Katze schon weniger auftretende *Trichophytie* (vgl. Tabelle). Beide M. bringen erhebliche therapeutische Probleme mit sich, da einerseits die Pilzelemente meist diffus im Haarkleid verteilt sind und da es andererseits schwierig ist, die im ↑ Haar, in den Haarbälgen und auf der ↑ Haut sitzenden Pilzsporen zu inaktivieren. Oft verläuft die Microsporie bei Katzen unerkannt und ohne auffallende klinische Erscheinungen. Latente ↑ Infektionen sind häufig zu finden; sie stellen sowohl für andere Katzen als auch für den Menschen (insbesondere Kinder und Jugendliche) potentielle Infektionskrankheiten dar (↑ Zoonosen).

Pilzerkrankungen der inneren Organe werden als *System-M.* bezeichnet. Durch obligat pathogene (unbedingt krankmachende) Pilzarten bedingte System-M. sind in Europa nur selten bei Katzen zu finden. Häufiger sind die durch fakultativ pathogene (bedingt

Häufigste Dermatomykosen der Katze

Krankheit	Erreger	Inkubationszeit	Pathogenese	Symptome	Maßnahmen
Microsporie Trichophytie	Microsporum canis Trichophyton mentagrophytes	1...4 Wochen	direkte Infektion von Tier zu Tier oder indirekt über Personen, Putzzeug, Lagerstellen usw.; die Pilzsporen keimen aus, dringen in den Haarbalg bis zur Haarwurzel und wachsen mit dem lebenden Haar. Diese werden brüchig und fallen aus.	typisch: kleine gerötete juckende haarlose Stellen, die sich ringförmig oder flächenhaft ausweiten; im Zentrum eventuell Schuppenbildung und Entzündungen. Bei älteren Tieren oft untypisch: diffuser Haarausfall verbunden mit Juckreiz, bevorzugt an Kopf, Hals und Extremitäten auftretend. Jungtiere erkranken häufiger, Streßsituationen spielen ebenfalls eine Rolle; kann auf den Menschen übertragen werden!	gleichzeitig neben der tierärztlichen Behandlung sind alle Lagerstellen, das Putzzeug usw. gründlich zu reinigen, eventuell auszukochen, und anschließend zu desinfizieren.

krankmachend) Pilzarten hervorgerufenen Pilzinfektionen anzutreffen. Diese Pilzarten, vor allem Schimmelpilze (Aspergillusarten und Phykomyzeten) und Hefen (Candidaarten) leben normalerweise auf der Körperoberfläche und den Schleimhäuten und werden erst unter bestimmten Umständen pathogen: nach längerer Antibiotika- und Kortisonbehandlung oder im Zusammenhang mit der felinen Panleukopenie (↑ Infektionskrankheiten), die das Eindringen der Pilze in das Körpergewebe erleichtern. Es sind stets Einzeltiererkrankungen, die aber sehr schwer zu erkennen sind.

N

Nabelbruch, *Hernia umbilicalis:* Vortreten von Eingeweiden aus der Bauchhöhle durch die Nabelpforte in eine sackartige Ausstülpung des Bauchfelles, die nur noch von der Haut umkleidet ist. Es entsteht ein bereits äußerlich sichtbarer, mehr oder weniger großer Bruchsack. Oft wird ein N. nicht erkannt, da der Nabelring nur geringgradig geöffnet und nur etwas Fett in dem kleinen unscheinbaren Bruchsack eingelagert ist. Mit zunehmender Öffnung der Nabelpforte können Eingeweideteile vorfallen, und der Bruchsack ist nunmehr gut erkennbar. Solange der Inhalt frei beweglich ist und in die Bauchhöhle zurückgeführt werden kann, entstehen für die Katze keine gesundheitlichen Probleme. Es können jedoch jederzeit Komplikationen eintreten, wie Einklemmen bzw. Einschnüren der Darmschlingen, Kotanschoppungen bei zu starker Darmfülle verbunden mit Darmträgheit oder auch Verwachsungen.

Der N. kommt bei der Katze relativ selten vor; die Tiere sollten aber dann dem Tierarzt zur eventuellen operativen Korrektur vorgestellt werden. Beim N. handelt es sich um ein Schwellenmerkmal, dessen Erbgang bisher unklar ist. *Henricson/Bornstein* (1965) ermittelten den Defekt bei ↑ Abessiniern in Schweden. War ein Elternteil Merkmalträger, traten 75% defekte Nachkommen auf. Waren die Eltern normal oder von unbekanntem Phänotyp, reduzierte sich diese Zahl auf 3%. Ein Oligogen ist wahrscheinlich (↑ Oligogenie). Es liegt offensichtlich Polyphänie vor, d. h., die Ausprägung des Hauptgens wird durch das genotypische Milieu beeinflußt (*Robinson*, 1977). Der Vorfall der Eingeweide ist allerdings das sekundäre Ereignis. Der primäre Nabelringdefekt kann verborgen bleiben und somit ergeben sich Schwierigkeiten bei der Merkmalträgererfassung.

Nabelschnur: 1. ↑ Geburt. – **2.** ↑ Jungtierentwicklung. – **3.** ↑ Fading Kitten Syndrom.

Nachahmung ↑ Lernverhalten.

Nachgeburt ↑ Geburt.

Nachkommenprüfung: Ermittlung der Qualität bzw. der Leistung der Nachkommen zwecks Bestimmung des ↑ Zuchtwertes des Vaters und/oder der Mutter. Die Selektion anhand der Nachkommenbeurteilung verbessert gegenüber anderen Methoden den Selek-

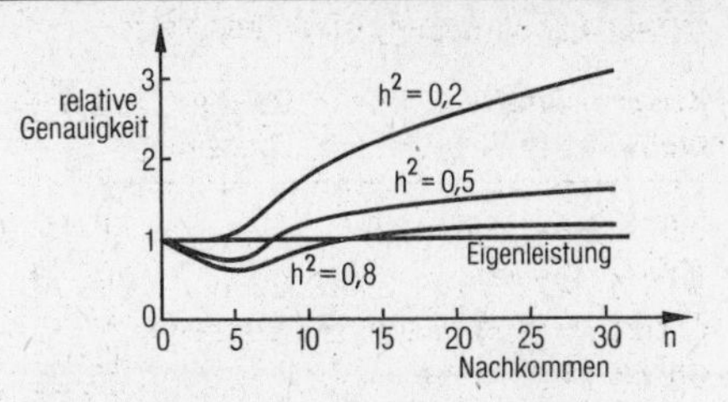

Genauigkeit der Zuchtwertprüfung in Abhängigkeit von der Größe der Nachkommengruppe und vom Heritabilitätskoeffizienten (h^2)

tionserfolg, erfordert jedoch einen höheren Zeitaufwand als die Eigenleistungsprüfung bzw. Qualitätsbeurteilung des Prüflings, da die Nachkommen erst erzeugt, aufgezogen und beurteilt werden müssen. Für Merkmale mit einem niedrigen ↑ Heritabilitätskoeffizienten werden gegenüber der Beurteilung des ↑ Phänotyps der Eltern bis zu dreifach höhere Genauigkeitswerte der Zuchtwerteinschätzung erreicht (Abb.). Die N. dient u. a. der Relativierung von Aufwand und Erfolg (Zahl der Qualitätstiere gegenüber der Gesamtzahl) und kann zur Beurteilung einzelner Nachkommenschaften, z. B. der eines Katers, aber auch von kleinen Zuchtgruppen (↑ Zucht in geschlossenen Gruppen) herangezogen werden. Sie ist insbesondere für die Katerbewertung empfehlenswert, weil Katzen häufig die für eine bestimmte Prüfgenauigkeit erforderliche Nachkommenzahl nicht aufbringen. Bei einem positiven Ausfall der Prüfung wird die Paarung wiederholt und die Anpaarung an Verwandte des erfolgreichen Zuchtpartners intensiviert [engl. nicking, Prüfung auf Kombinationseignung]. Ein negatives Ergebnis führt zum Zuchtausschluß der Eltern und Nachkommen oder nur der mangelhaften Nachkommen, und die Kombinationseignung der Eltern wird mit anderen Paarungspartnern erneut überprüft. Die methodischen Mög-

lichkeiten sind bisher noch nicht ausgeschöpft.
Eine spezielle Form der N. ist die in der DDR geübte Vergabe des Nachzucht- bzw. Zwingerleistungspreises auf Ausstellungen. Dabei wird für Nachkommengruppen bzw. Zwingersammlungen eine Gesamtpunktzahl ermittelt, die aus folgenden Positionen resultiert:
- Plazierung I bis IV in der Ehrenklasse 8 Punkte
- Sieger der Siegerklasse (↑ CACIB) 6 Punkte
- Sieger der offenen Klasse (↑ CAC) 5 Punkte
- Jugendbester und Nachzuchtbester 4 Punkte
- ↑ Qualifikation „vorzüglich" 3 Punkte

Bewertet werden die sechs besten Tiere einer Nachkommenschaft bzw. eines Zwingers. Es sind mindestens 30 Punkte zu erreichen. Bei Punktgleichheit entscheidet die Anzahl der Siegertitel, sofern nicht von den konkurrierenden Parteien weitere Tiere mit einer entsprechenden hohen Bewertung beigebracht werden können.
Eine N. kann auch zum Zwecke des Nachweises genetischer Defekte durchgeführt werden. Mit Hilfe des ↑ Heterozygotietestes können darüber hinaus alle beliebigen mendelnden Erbanlagen in rezessiver Kombination nachgewiesen werden.

Nachtblindheit: 1. ↑ Auge. – **2.** ↑ Progressive Retina-Atrophie.

Nackenbiß: Verhaltenselement katzenartiger Raubtiere, das sowohl unterschiedlichen Funktionskreisen als auch hinsichtlich seiner Steuerung verschiedenen Hirnstrukturen zugeordnet werden muß. Neurophysiologische Untersuchungen von *Hunsperger* (1983) haben gezeigt, daß der N. der Kater während der Kopulation zur Fixierung der Katze anderen Hirnstrukturen untergeordnet ist als der N. im Rahmen des ↑ Beutefangverhaltens. Inwieweit er im Kontext des ↑ Jungentransports einer dieser beiden Hirnstrukturen zuzuordnen ist, bleibt noch unklar.
Durch diese Untersuchungen werden die Vorstellungen von *Leyhausen* (1982) über die stammesgeschichtliche Verwandtschaft aller Formen des Nackenbisses in Zweifel gestellt, denn er meint, „Kopulationsbiß und Transportgriff unterscheiden sich vom Töten nur darin, daß sie trotz präziser Orientierung normalerweise gehemmt sind und daher das ergriffene Tier nicht verletzen". Die ebenfalls von *Leyhausen* eingeführten unterschiedlichen Kategorien des Nackenbisses sind deshalb deutlich voneinander zu trennen:
- *Kopulationsbiß* im Rahmen der Begattung,
- *Nackengriff* oder *Transportgriff* im Rahmen des ↑ Jungentransports,
- ↑ *Tötungsbiß* im Rahmen des Beutefangverhaltens, gegen artfremde Tiere gerichtet, und
- *Kampfbiß* im Rahmen des Kampfverhaltens, in der Regel gegen Artgenossen gerichtet.

Allen vier Formen des Nackenbisses ist der Ansatzort und die Nutzung der ↑ Zähne gemeinsam, was auch erklärt, warum sowohl Jungtiere als auch ↑ Beutetiere mit einer gleichen Reaktion, nämlich der ↑ Tragstarre, auf den ↑ Auslösemechanismus N. reagieren.

Nacktkatzen, *angeborener Haarmangel, Hypotrichosis congenita, angeborene Kahlheit:* Tiere mit ausgebreitetem Haarmangel, der bis zur völligen Kahlheit reichen kann. Die einfach autosomal rezessiv erbliche Haarlosigkeit wurde bei vielen Tierarten beschrieben. Von der Katze stammen die ersten Berichte aus Mexiko (*Bailly-Maitre*, 1924), Frankreich und Marokko (*Carpentier*, 1934), den USA (*Sternberger*, 1937), Indien (*Collet/Jean-Blain*, 1934) und Paraguay (*Mellen*, 1939).
Letard (1938) beobachtete den Defekt

gehäuft in der Siamzucht. Die Störung erwies sich auch hier als einfach autosomal rezessiv erblich (*Collet/Jean-Blain*, 1934) und erhielt zunächst das Symbol h [engl. hairlessness = Haarlosigkeit]. Am ↑ Genort wurden die Allele H^+ und h angenommen.

Eine aus kanadischen Populationen herausgezüchtete Variante wurde unter der ↑ Rassebezeichnung *Sphynx* weitergezüchtet und in den USA verbreitet. Das rezessive ↑ Allel erhielt die Bezeichnung hr (*Robinson*, 1973). Die ↑ Mutation wurde im Jahre 1966 in Toronto/Kanada in einem Wurf einer schwarzweißen ↑ Hauskatze festgestellt. Eine interessierte Siamzüchterin erwarb die Mutter namens *Elizabeth* und ihren haarlosen Sohn *Soku*. Zunächst nahm sie eine Rückpaarung des Sohnes auf die Mutter vor. Als die Paarung der Nachkommen unter sich keine lebensfähigen Würfe ergab, erfolgte eine Kreuzung der Haarlosen mit ↑ American Shorthair. Durch selektive Begünstigung der Haarlosigkeit konnte ein Zuchtstamm von N. herausgezüchtet werden (Canadian Hairless). Neben der fehlenden Behaarung zeigten die Merkmalträger eine allgemeine Wachstumsverzögerung und eine Hautverdikkung. Systematische Züchtungen erfolgten schon vorher in Mexiko (Mexican hairless). Bereits *Collet/Jean-Blain* (1934) unterschieden drei Typen, nämlich vollständig haarlose Katzen, Katzen mit saisonal auftretendem Unterhaar, das während des Sommers verschwindet, und Katzen mit einem konstant dünnen Haarkleid. In den im übrigen widersprüchlichen Mitteilungen in der Folgezeit wurden auch dominante Formen und fließende Übergänge zur ↑ Polygenie registriert. *Hendy-Ibbs* (1984) erfaßte in Großbritannien einen haarlosen Birma-Zuchtstamm. Die ↑ Pedigree-Analyse sprach für einen einfach autosomal rezessiven Erbgang. Merkmalträger haben normale Schnurrhaare aufzuweisen, weshalb ein bisher nicht beschriebener Genort angenommen wurde, der die Allele Hi^+ und hi führen soll. Die Sphynx dagegen besitzt kurze, gekräuselte Schnurrhaare.

Haarlosigkeit sollte nicht mit den bei einzelnen ↑ Rexkatzen (↑ Devon Rex) auftretenden kahlen Stellen einzelner Körperregionen verwechselt werden.

Nacktkatzen

Die Züchtung der N. wird damit begründet, daß auch Allergiker das Recht haben, ihr Leben mit einer Katze zu bereichern. Ein billiger Vorwand für eigene Darstellungs- und Gewinnsucht, mit dem beschönigt werden soll, daß die Merkmalträger im allgemeinen wärmebedürftiger und verletzungsgefährdeter als behaarte Tiere sind und nur unter besonderen Umweltverhältnissen existieren können. Sphynx sind ein tierschutzrelevantes Problem und werden deshalb schon in den meisten Verbänden strikt abgelehnt. Abb.

Nahkontaktlaut ↑ Lautgebung.

Nährstoffe ↑ Ernährung.

Nahrungspräferenz: 1. ↑ Beutetier. – **2.** ↑ Ernährung. – **3.** ↑ Prägung.
Nahrungsrevier ↑ Revier.
Nanosomie ↑ Zwergwuchs.
„Naschkatze“ ↑ Zunge.
Nase: Teil der ↑ Atmungsorgane von Wirbeltieren, der sekundär auch der Wahrnehmung von Geruchsinformationen dient. Durch die N. wird bei geschlossenem Mund (z. B. während der Nahrungsaufnahme) geatmet. Ein Flimmerepithel sorgt für die Selbstreinigung und kann Schmutzpartikel oder Schleimauswurf, z. B. bei Erkrankungen der Atmungsorgane (↑ Krankheitsanzeichen), ausscheiden.
Obwohl die Katze zu den sogenannten Maskrosmaten (Riechtieren) zählt, dient die N. als ↑ Sinnesorgan nur im Nahkontakt (↑ Chemokommunikation, ↑ Duftmarkieren, ↑ Analkontrolle, ↑ Sexualverhalten). Dabei werden gasförmige Substanzen durch ein gut ausgebildetes Riechepithel wahrgenommen, das sich auf den Siebbein- und Nasenbeinmuscheln befindet und bei der Katze 4 cm^2 (beim Menschen 5 cm^2, Schäferhund 150 bis 170 cm^2) groß ist. In das Riechepithel eingefügte Riechzellen stellen die primären Sinneszellen dar (*Nickel* u. a., 1975).
Neben der N. hat als Geruchsrezeptor der Katze das Jacobson'sche Organ (Organum vomeronasale, Nasenbodenorgan) eine große Bedeutung. Oft wird angenommen, daß eine Katze Beutetiere oder andere Objekte beschnuppert, doch kann bei genauem Hinsehen festgestellt werden, daß entweder der Tastsinn oder bei zurückgelegten ↑ Schnurrhaaren das Jacobson'sche Organ eingesetzt wird. Trotzdem besitzt der *Geruchssinn* bei der Auswahl von Futter (↑ Ernährung) und im Sexualverhalten der Katze eine große Bedeutung. Er dient jedoch nicht dem Aufspüren der Beute (↑ Beutefangverhalten).
Die Länge der Nase, die Färbung des Nasenspiegels usw. spielen bei der Bewertung von Rassekatzen eine wichtige Rolle. Eine extreme Rückbildung des Nasenbeins ist Rassekriterium der ↑ Peke-face.
Nasenkontrolle: Verhaltenselement der ↑ Chemokommunikation, das regelmäßig beim Zusammentreffen von zwei Katzen gezeigt wird (↑ Sozialverhalten). Bei einer Begegnung auf neutralem Gebiet (vgl. Revier, Revierverhalten) zeigen beide Partner anfangs scheinbares Desinteresse. Dann beginnen sie sich jedoch gegenseitig an der Nase zu beschnuppern, wobei sie den Hals möglichst weit nach vorn strecken und den Kopf etwas schief halten, ohne sich jedoch mit den Nasen zu berühren. Die Ohren sind dabei freundlich nach vorn gerichtet (vgl. Ausdrucksverhalten). Möglicherweise erfolgt hier eine geruchliche Kontrolle der verschiedenen Drüsen der Kopfregion, die ansonsten hauptsächlich zum ↑ Duftmarkieren des Reviers eingesetzt werden (*Rieger/Walzthöny*, 1979; *Neuschulz*, 1985; *Verberne/Leyhausen*, 1976). Oft geht die N. in die ↑ Analkontrolle über.

Nasenkontrolle bei der Begegnung zweier Hauskatzen

N. wird auch gegenüber der Bezugsperson gezeigt, die z. B. ihre Katze auf dem Arm hält, sie geht dann in das ↑ Köpfchengeben über. Abb.
Nasenspiegel: nicht behaarter Teil der Nasenspitze, deren Färbung wie die der ↑ Fußballen in dem seit 1983 gülti-

gen F.I.Fe.-Standard vorgeschrieben ist. Sie können ein wichtiges Unterscheidungskriterium bei nicht eindeutig gefärbten Tieren sein. Bei allen Rassen und Farbschlägen mit ↑ Abzeichenfärbung kann man u. a. mit Hilfe des N. und der Fußballen frühzeitig die Farbe bestimmen. Generell entspricht die Färbung des N. und der Fußballen, von individuellen Unterschieden einmal abgesehen, der genetischen Grundfarbe. Bei allen einfarbigen Schwarzen ist der N. ebenfalls schwarz, während die Fußballen schwarz bis sealbraun sein können, bei allen einfarbigen Blauen sind N. und Fußballen blaugrau, bei ↑ Chocolate ist der N. milchschokoladenfarben, die Fußballen hingegen zimt- bis milchschokoladenfarben und bei den einfarbigen Lilac sind sie lavenderrosa. Weiße und cremefarbene Katzen haben rosa N. und Fußballen, während sie bei roten ziegelrot gewünscht werden. Alle gestromten und getigerten Katzen sollen einen in der genetischen Grundfarbe umrandeten N. aufweisen, während die Färbung von rosa bis ziegelrot variiert, die Fußballen sind analog zur N.umrandung gefärbt. Alle ↑ Bi-Colours können sowohl einen rosa N. und rosa Fußballen haben, als auch analog zum farbigen Teil. Alle Schildpattvarietäten zeigen entweder einen N. und die Fußballen in rosa, analog zur genetischen Grundfarbe, oder in beiden gefleckt.

Die Ausbildung der klar gezeichneten Umrandung des N. bei einigen Agoutikatzen kann bis zu einem Jahr dauern. Bei getupften Katzen wird keine Nasenumrandung gefordert, obwohl sie gleichfalls zu den Katzen gehören, die ↑ Agouti tragen, ebenso darf die ↑ Somali einen einfarbigen oder umrandeten N. haben.

Nebenhaare ↑ Haar.

Nebenhoden ↑ Geschlechtsorgane.

Nematoden ↑ Endoparasiten.

Nepeta cataria ↑ Catnip-Verhalten.

Nervensystem: Informationen aufnehmendes, verarbeitendes, speicherndes, ausgebendes und regulierendes System. In seiner morphologischen und funktionellen Einheit steuert das N. die Abläufe im Inneren des Organismus (*vegetatives N.*) und regelt dessen Verhalten gegenüber der ↑ Umwelt (*zerebrospinales N.*). Das vegetative, autonome oder unwillkürliche N. ist mit seinen sympathischen, parasympathischen und Organwandnerven ein weitgehend selbständiger Teil, der im wesentlichen die Organsysteme, Blutgefäße usw. versorgt und wichtige Funktionen, wie ↑ Verdauung, ↑ Atmung, Stoffwechsel, Sekretion, ↑ Körpertemperatur, Wasserhaushalt u. a., reguliert. Es ist auf das engste mit dem zerebrospinalen oder willkürlichen N. verflochten. Dieses besteht aus dem *Zentralnervensystem* (ZNS, Gehirn und Rückenmark) und den peripheren Nerven. Als Empfangs-, Umschalt- und Befehlszentrale liegt das ZNS, von Knochen geschützt, im Schädel bzw. in der Wirbelsäule. Aus den im ZNS gelegenen Nervenzellen entspringen die Nervenfasern, die sich in großer Anzahl zusammenlagern und den makroskopisch sichtbaren peripheren Nerv bilden. In einem solchen Nerv können Nervenfasern mit verschiedensten Funktionen vorkommen:

- sensible Nervenfasern, die Informationen vom Rezeptor (↑ Sinnesorgan) zum ZNS leiten,
- motorische Nervenfasern, die Informationen vom ZNS zur quergestreiften Muskulatur leiten,
- vegetative Nervenfasern für die Informationsvermittlung von den Organen zum ZNS und zurück zum Erfolgsorgan.

Bereits in der fetalen Entwicklung beginnt das N. zu arbeiten: z. B. wird die Funktion des Herzens, des ↑ Kreislaufes und der ↑ Muskulatur beeinflußt.

Zum Zeitpunkt der ↑ Geburt ist die Ausreifung des N. und der Sinnesorgane der Katze weniger vollständig als bei anderen Tieren (↑ Nesthocker, ↑ Jungtierentwicklung). Es ist erst etwa ab der vierten Lebenswoche voll entwikkelt. Mit steigendem Alter vermindert sich dann wieder die Zahl der Nervenzellen und damit auch die Anpassungsfähigkeit und das Erinnerungsvermögen (↑ Gedächtnis). Weiterhin ist die Funktion des ZNS abhängig vom Stoffwechsel und den Lebensbedingungen. So nehmen im Hungerzustand die Aktivitäten des ZNS zunächst zu, um dann bei anhaltendem Hunger abzunehmen, während Fettsucht das Reaktionsvermögen und die Anteilnahme an der Umwelt mindert.
Während des Wachzustandes fließen mehrere Millionen Informationseinheiten (bit) je Sekunde in das ZNS. Nur ein geringer Teil davon führt zu entsprechenden erkennbaren Reaktionen. Die meisten Informationen laufen über das vegetative N. und werden zur autonomen Steuerung funktionserhaltender Regelleistungen in den Organen und Geweben eingesetzt.

Nestbautrieb: 1. ↑ Mutterverhalten. – **2.** ↑ Trächtigkeitsnachweis. – **3.** ↑ Wurfkiste.

Nesthocker, *Nestsäugling:* Bezeichnung für Tierarten, deren Junge in Bezug auf Bewegungsmöglichkeiten, Entwicklung der ↑ Sinnesorgane und der ↑ Thermoregulation auf einem frühen Entwicklungsstand geboren werden und noch über eine längere Zeit die intensive Betreuung durch die Mutter (↑ Mutter-Kind-Bindung, ↑ Jungtierentwicklung) benötigen. Alle ↑ Katzen gehören zu den N. Nestflüchter werden Jungtiere genannt, die bei der Geburt bereits voll entwickelt sind, z.B. Huftiere und Meerschweinchen. Einen Sonderfall der N. stellen die sogenannten Tragsäuglinge (z. B. Affe) dar, die von den Eltern aufgrund der nicht ortsfesten Lebensweise am eigenen Körper transportiert werden.

Netzhaut ↑ Auge.

Netzhautrückbildung ↑ Progressive Retina-Atrophie.

Neugeborene: 1. ↑ Geburt. – **2.** ↑ Geburtsmasse. – **3.** ↑ Jungtierentwicklung. – **4.** ↑ Mutterverhalten. – **5.** ↑ Welpenaufzucht.

Neugierverhalten ↑ Erkundungsverhalten.

Neumutationen: 1. ↑ Mutation. – **2.** ↑ Mutationszüchtung.

neuroaxonale Dystrophie: zur Gruppe der Depigmentierungsanomalien gehörende neurologische Störung. Sie wurde bei ↑ lilac Katzen auf einem Nicht-Agouti-Hintergrund beobachtet (*Woodard* et al., 1974). Das Krankheitsbild besteht aus progressiver Ataxie und beginnt in der fünften bis sechsten Lebenswoche mit Kopfnicken und -schütteln. Sie endet mit einer Bewegungsinkoordination in der achten Lebenswoche. Das Krankheitsbild umfaßt auch sensorische Störungen (Taubheit, Sehstörungen) und führt zur Entwicklungsverzögerung und zur Degeneration von Hirnstammzellen sowie letztlich zum Tod. Der Erbgang ist einfach autosomal rezessiv. Am ↑ Genort befinden sich die Allele Neur-I^+ und neur-I.

Neurose: aus der Humanpsychologie entlehnter Begriff, der oft auch für bestimmte ↑ Verhaltensstörungen von Tieren verwendet wird. Man versteht unter einer N. das nicht normgerechte Verhalten, das erworben wird, reversibel (umkehrbar) ist und nicht primär eine Folge organischer Defekte darstellt. Eine N. entsteht als Folge gestörter Verarbeitung von Umwelteindrücken, die oft das Resultat einer Überforderung sind. Bei Abbau der entsprechenden Belastungssituation verschwinden die neurotischen Erscheinungen.

Neuterisation ↑ Kastration.

Neuzüchtung: **1.** ↑ Mutationszüchtung. – **2.** ↑ Züchtung.

Nicht-Agouti [engl. nonagouti]: Mutantenallel a am ↑ Genort für ↑ Agouti, das in homozygoter Form die gelbliche Bänderung des Haares in den Agoutiflächen der ↑ Tabbies in schwarz umformt. Die vormals gebänderten Haare erscheinen nun ↑ einfarbig. Das homozygot rezessive Allelpaar aa wirkt nur bei Eumelanin und ist bei Phäomelanin (↑ Melanin) unwirksam. N. wirkt epistatisch (↑ Epistasie) über alle Gene der ↑ Tabbyzeichnung. Im jugendlichen Alter ist die Art der so maskierten Tabbyzeichnung in Form von ↑ Geisterzeichnung sichtbar.
Da N. im Phäomelaninbereich nicht wirksam werden kann, ist roten und cremefarbenen Tieren phänotypisch nicht anzusehen, ob sie N. oder ↑ Agoutikatzen sind. Erst bei Paarungen mit Nicht-Roten (o(o)) weisen die ↑ Schildpatt auf N., die Schildpatt-Tabbies (↑ Torbies) auf Agouti hin. Das gleiche gilt für die Varietäten der ↑ Cameo, die sich von den Roten und Cremefarbenen nur durch den Besitz des dominanten Mutantenallels I (↑ Melanininhibitor) unterscheiden.
Wechselt das dominante Wildtypallel C für die ↑ Vollpigmentierung in das homozygot rezessive Allelpaar c^sc^s, entstehen die entsprechenden ↑ Abzeichenfarben in N. Seal-, Blue-, Chocolate-, Lilac-, Cinnamon- und Caramel-Point.
Am Orange-Locus (Eumelanin wird zu Phäomelanin) entstehen bei heterozygoter Besetzung des Genortes (Oo) die entsprechenden Schildpattvarietäten und als Abzeichenfarbe die ↑ Tortie-Point. In Kombination mit dem Gen für ↑ Scheckung S entstehen die Bi-Colours bzw. Katzen mit Van- oder Harlekinzeichnung. In Verbindung mit dem Melanininhibitor I entstehen als N. die ↑ Smokes bzw. die entsprechende Kombination mit ↑ Orange, die ↑ Tortie Cameos. Tab.

Grundfarben (Eumelanin)	
Agouti	Nicht-Agouti
schwarz-getigert, -getupft, -gestromt A- B- C- D- T-/t^bt^b	schwarz aa B- C- D-
blau-getigert, -getupft, -gestromt A- B- C- dd T-/t^bt^b	blau aa B- C- dd
chocolate-getigert, -getupft, -gestromt A- bb C- D- T-/t^bt^b	chocolate aa bb C- D-
cinnamon-getigert, -getupft, -gestromt A- b^lb^l C- D- T-/t^bt^b	cinnamon aa b^lb^l C- D-
lilac-getigert, -getupft, -gestromt A- bb C- dd T-/t^bt^b	lilac aa bb C- dd
caramel-getigert, -getupft, -gestromt A- b^lb^l C- dd T-/t^bt^b	caramel aa b^lb^l C- dd

Nicht-Braun: dominantes Wildtypallel B- (↑ Wildtyp). Am ↑ Genort liegt ↑ multiple Allelie vor, wobei sich folgende Dominanzreihe bildet $B > b > b^l$. N. (B) steht auch für ↑ Schwarz, ↑ Homozygotie vorausgesetzt, steht b für ↑ Chocolate und b^l für ↑ Cinnamon.

Nicht-Orange: **1.** ↑ Normalfarballel. – **2.** ↑ Orange.

Nicht-Scheckung: **1.** ↑ Normalfarballel. – **2.** ↑ Scheckung.

Nicht-Silberung: **1.** ↑ Melanininhibitor. – **2.** ↑ Normalfarballel.

Nicht-Verdünnung [engl. dense pigmentation]: Auftreten des Gens für dichte Pigmentierung D in homozygoter oder heterozygoter Form (*Doncaster*, 1904). Am D-Locus befinden sich zwei Allele: D^+ und d. Der ↑ Wildtyp ist dominant. D ergibt mit B ↑ Schwarz, mit b ↑ Chocolate, mit b^l ↑ Cinnamon und mit

Unverdünnte Farben	Genkonstruktion
Schwarz	aa B- C- **D-**
Chocolate	aa bb C- **D-**
Cinnamon	aa b^lb^l C- **D-**
Seal-Point	aa B- c^sc^s **D-**
Chocolate-Point	aa bb c^sc^s **D-**
Cinnamon-Point	aa b^lb^l c^sc^s **D-**
Rot C- **D-** O(O)	
Red-Point c^sc^s **D-** O(O)	
Schildpatt	aa B- C- **D-** Oo
Chocolate-Schildpatt (Chocolate Creme)	aa bb C- **D-** Oo
Cinnamon-Schildpatt (Cinnamon Tortie)	aa b^lb^l C- **D-** Oo
Seal-Tortie-Point	aa B- c^sc^s **D-** Oo
Chocolate-Tortie-Point	aa bb c^sc^s **D-** Oo
Cinnamon-Tortie-Point	aa b^lb^l c^sc^s **D-** Oo
Burmafarbschläge: Wechsel von C- und c^sc^s zu c^bc^b	
Schwarz-getigert, -getupft, -gestromt	A- B- C- **D-** T-/t^bt^b
Chocolate-getigert, -getupft, -gestromt	A- bb C- **D-** T-/t^bt^b
Cinnamon-getigert, -getupft, -gestromt	A- b^lb^l C- **D-** T-/t^bt^b
Seal-Tabby-Point	A- B- c^sc^s **D-** T-/t^bt^b
Chocolate-Tabby-Point	A- bb c^sc^s **D-** T-/t^bt^b
Cinnamon-Tabby-Point	A- b^lb^l c^sc^s **D-** T-/t^bt^b
Rot und Rot-getigert, -getupft, -gestromt C- **D-** O(O)	
Red-Point und Red-Tabby-Point c^sc^s **D-** O(O)	
Schildpatt-Tabby	A- B- C- **D-** Oo T-/t^bt^b
Chocolate-Schildpatt-Tabby	A- bb C- **D-** Oo T-/t^bt^b
Cinnamon-Schildpatt-Tabby	A- b^lb^l C- **D-** Oo T-/t^bt^b
Seal-Tortie-Tabby-Point	A- B- c^sc^s **D-** Oo T-/t^bt^b
Chocolate-Tortie-Tabby-Point	A- bb c^sc^s **D-** Oo T-/t^bt^b
Cinnamon-Tortie-Tabby-Point	A- b^lb^l c^sc^s **D-** Oo T-/t^bt^b
Seal-Ticked-Tabby (↑ Abessinier/wildfarben)	A- B- C- **D-** T^a-
Chocolate-Ticked-Tabby	A- bb C- **D-** T^a-
Cinnamon-Ticked-Tabby (Abessinier/Sorrel)	A- b^lb^l C- **D-** T^a-
Ticked-Tabby-Point-Entsprechung: Wechsel von C- zu c^sc^s	
Black-Smoke	aa B- C- **D-** I-
Chocolate-Smoke	aa bb C- **D-** I-
Cinnamon-Smoke	aa b^lb^l C- **D-** I-
Red Smoke C- **D-** I- O(O)	
Schildpatt-Smoke, -Shaded, -Shell	aa B- C- **D-** I- Oo
Chocolate-Schildpatt-Smoke, -Shaded, -Shell	aa bb C- **D-** I- Oo
Cinnamon-Tortie-Smoke, -Shaded, -Shell	aa b^lb^l C- **D-** I- Oo
Red Cameo Shaded, -Shell, und Red Cameo -Tabby C- **D-** I- O(O)	
Shaded Silver, Chinchilla	A- B- C- **D-** I-
Chocolate-Shaded Silver, -Chinchilla	A- bb C- **D-** I-
Cinnamon-Shaded-Silver, -Tipped	A- b^lb^l C- **D-** I-
Schwarz-Silber-getigert, -getupft, -gestromt	A- B- C- **D-** I- T-/t^bt^b
Chocolate-Silber-getigert, -getupft, -gestromt	A- bb C- **D-** I- T-/t^bt^b
Cinnamon-Silber-getigert, -getupft, -gestromt	A- b^lb^l C- **D-** I- T-/t^bt^b
Abessinier Silver	A- B- C- **D-** I- T^a-
Sorrel silver	A- b^lb^l C- **D-** I- T^a-
rot/weiß C- **D-** O(O) S-	

Schwarz/Weiß	aa B- C- **D-** S-
Chocolate/Weiß	aa bb C- **D-** S-
Cinnamon/Weiß	aa b^lb^l C- **D-** S-
Schildpatt-Weiß	aa B- C- **D-** Oo S-
Chocolate-Schildpatt-Weiß	aa bb C- **D-** Oo S-
Cinnamon-Schildpatt-Weiß	aa b^lb^l C- **D-** Oo S-
Black-Tabby-Weiß	A- B- C- **D-** S- T-/t^bt^b
Chocolate-Tabby-Weiß	A- bb C- **D-** S- T-/t^bt^b
Cinnamon-Tabby-Weiß	A- b^lb^l C- **D-** S- T-/t^bt^b

O ↑ Rot. Es entstehen die sogenannten unverdünnten Farben mit ihren verschiedenen Kombinationen (Tab.).

Nickhautvorfall, *Nickhautprolaps:* ungewöhnlich weites Überdecken der Hornhaut des ↑ Auges durch die Nickhaut. Die Nickhaut (Membrana nicitans) ist das im inneren Augenwinkel liegende dritte Augenlid. Haben die Welpen zwischen dem siebenten und zehnten Tag nach der Geburt (↑ Jungtierentwicklung) gerade die Augen geöffnet, kann manchmal zwei bis drei Tage lang ein N. beobachtet werden. Im Prinzip ist aber der N. ein ↑ Krankheitsanzeichen. Mit ihm sind oft Pupillenverengungen und verringerte Lidöffnung verbunden (Abb.). Die Ursachen können vielgestaltig sein:

- Reizung des Auges oder Schmerz: die Nickhaut fällt zum Schutz des Auges vor,
- ↑ Infektionskrankheiten, z. B. infektiöse Rhinotracheitis, infektiöse Peritonitis,
- ↑ Vergiftungen, z.B. Strychnin,
- Tetanus (Wundstarrkrampf), hervorgerufen durch Bakteriengifte,
- nervlich bedingt, bei Störungen des sympathischen Nervensystems, z. B. Unwohlsein,
- Gewebeschwund im Auge und/oder der Umgebung, z. B. bei allgemeiner Abmagerung (Kachexie), Muskelschwund oder allgemeiner Austrocknung durch Flüssigkeitsentzug aus den Körpergeweben,
- Gewebszunahme im Auge und/oder

Nickhautvorfall

der Umgebung, z. B. bei Entzündungen, Neubildungen (Geschwulst), Blutungen, Ödemen usw.

Niere ↑ Harnorgane.

Nierensteine ↑ Urolithiasis.

Nikotin ↑ Vergiftungen.

Non-Agouti ↑ Nicht-Agouti.

Normalfarballel: vom biologischen Standpunkt mit dem Begriff Wildtypallel identisch, vom züchterischen mit dem im ↑ Standard vorgeschriebenen Allel (Standardallel). Das N.spektrum umfaßt daher dominante und rezessive Allele, nämlich die Allele des ↑ Wildtyps A- B- C- D- T- und die rezessiven Allele für Nicht-Scheckung s^+, Nicht-Silberung i^+ und Nicht-Orange o^+. In der Kurzbezeichnung der Genkonstruktion wird das N., unabhängig von ↑ Dominanz und ↑ Rezessivität, gewöhnlich mit +

(↑ Gennomenklatur), z. B. O,o⁺, gekennzeichnet.
Bei der Aufstellung eines Kreuzungsdiagrammes oder der Genkonstruktion werden die rezessiven N. nur dann angegeben, wenn durch Paarungen mit Trägern der dominanten Mutantenallele ↑ Scheckung, ↑ Orange und ↑ Melanininhibitor eine Notwendigkeit dazu besteht.

Normalhaar: Haarkleid, das in der Länge der Haare und in dem Verhältnis der Unterhaare zu den Deckhaaren (↑ Haar) der wilden Stammform der Hauskatze entspricht. Abweichungen sind die Verlängerung gegenüber der Stammform, der Angorismus bzw. die Langhaarigkeit (↑ Langhaar) und die Verkürzung gegenüber der Stammform (↑ Rexkatzen) bzw. die Haarlosigkeit (↑ Nacktkatze). Das N. verfügt mindestens über die in der Tab. aufgeführten Gene.

Identifizierte Genorte und deren Besetzung beim Normalhaar

Normalhaar	Abweichung
L L	Langhaar ll
R R	Cornish Rex rr
Rg Rg	German Rex rg rg
Re Ro	Devon Rex re re
Ro –	Oregon Rex ro ro
wh wh	Drahthaar Wh –
Hr Hr	Haarlosigkeit hr hr

Normalohr: im Regelfall Ohrform des ↑ Wildtyps. Da aber Rassekatzen (↑ Hauskatze, ↑ Katzen) polyphyletischen Ursprungs sind, bestehen unterschiedliche Auffassungen über die Normalität der Ohrmuschelgröße und -form. Der ↑ Standard, der neben der Breite des Ohransatzes, der Plazierung der Ohren auf dem ↑ Schädel, die Form ihrer Spitzen und ihre Stellung vorschreibt, definiert für die Ohrgröße z. B. bei den ↑ Persern „klein", den ↑ Europäisch Kurzhaar „mittelgroß", den Abessiniern „verhältnismäßig groß" und den ↑ Devon Rex „sehr groß". Die extremste bisher bekanntgewordene Ohrgröße bei Rassekatzen stellen die ↑ Fledermausohren dar. Prinzipiell verfügt das N. über die in der Tab. aufgeführten Gene.

Allele an identifizierten Ohrmuschel-Genorten bei der Katze

Normalohr	Abweichungen	Anmerkungen
Dp⁺-	dp dp	↑ Doppelohren
fd⁺fd⁺	Fd –	↑ Faltohren, Kräuselohr,
cu⁺cu⁺	Cu –	↑ American Curl

Norwegische Waldkatze: zu den ↑ Semilanghaar gehörendes kräftiges, geschmeidig wirkendes Tier mit langgestrecktem Körper und hohen Beinen. Der Kopf ist dreieckig mit hochplazierten Ohren, die mit luchsartigen Haarpinseln versehen sind und deren äußere Linie gerade über die Backen zu einem kräftigen Kinn hin verläuft. Die Augen sind groß, die Nase lang und gerade. Das Fell der N. W. besteht aus wolligem Unterhaar, das von glänzenden, wasserabstoßenden Haaren überdeckt wird. Der gut entwickelte Backenbart unterstreicht die dreieckige Form des Gesichtes. Halskrause und Brustkragen sollen von guter Länge sein. An den Hinterbeinen sind „Knickerbocker" erwünscht, deren hinterer Teil keine Deckhaare hat, da er durch die langen Schwanzhaare geschützt wird. Der Schwanz ist lang und sehr buschig. Im Sommer ist das Unterfell spärlich entwickelt und nur die langen Schwanzhaare lassen auf eine Semilanghaar schließen. Bei Jungtieren entwickelt sich das Deckhaar erst im Alter von drei bis fünf Monaten. Von der N. W. wird erzählt, daß sie Krallen haben soll, die kräftiger sind als die der europäischen Wildkatze. Fehler sind ein filziges, trockenes Fell, ein kurzer Schwanz, eine kurze Nase, ↑ Stop, runder Kopf, kleine Ohren, zuviel Abstand zwischen den Ohren, fehlendes Deckhaar, ein zu schlanker und zierlicher Typ.

Die N. W. wird vor allem in Skandinavien gezüchtet. Ihr besonderes Rassemerkmal, das Fell, hat sich in natürlicher Auslese in dem rauhen Klima ihrer norwegischen Heimat entwickelt. Durch den leichten, wolligen, wärmenden Unterpelz konnte sie in den extrem kalten Wintermonaten überleben. Die glatten, leicht öligen, wasserabstoßenden Deckhaare schützen sie vor Regen und Schnee. In nordischen Märchen, die zwischen 1837 und 1852 schriftlich festgehalten wurden, wurde sie erstmals literarisch erwähnt. Erste Zuchtprogramme wurden 1930 aufgestellt und schon vor dem Zweiten Weltkrieg war eine N. W. auf einer Osloer Ausstellung zu bewundern. Anfang der 70er Jahre wurde ein zweiter Anlauf gemacht, die N. W. planmäßig zu züchten. 1972 wurde sie dann von den norwegischen Vereinen als Nationalkatze anerkannt. 1975 wurden die ersten Exemplare von der F.I.Fe. registriert. Die meisten Züchter sind dem „Norsk Skogkattring“, einem Interessenverband der F.I.Fe., angeschlossen.

Wie bei der ↑ Maine Coon, der sie auffallend ähnelt, sind bei der Beurteilung dieser Rasse das gesamte Erscheinungsbild und die Fellqualität primäre Merkmale. Ihrer Widerstandskraft, dem ihrer rauhbeinigen Erscheinung widersprechenden sanften und gutmütigen Wesen wird großes Augenmerk geschenkt. Die wenigen Unterscheidungsmerkmale zwischen einer Maine Coon und der N. W. sind die etwas höheren Hinterbeine letzterer, der breite Kopf der Maine Coon sowie die Plazierung der Ohren.

Seit ihrer Anerkennung durch die F.I.Fe. im Jahre 1977 wurde die N. W. bis Ende 1983 in zwei Klassen unterteilt, und zwar jeweils mit und ohne ↑ Agouti. Seit 1984 wird sie in vier unterschiedlichen Gruppen gerichtet: mit Agouti, mit Agouti und Weiß, ohne Agouti und ohne Agouti und Weiß (↑ Scheckung, ↑ Tabbyzeichnung, ↑ Bi-Colour), alle ↑ Augenfarben sind zulässig, ↑ Nasenspiegel und die Fußballen sollen analog zur Körperfarbe pigmentiert sein. Bei N. W. mit Agouti muß der Nasenspiegel umrandet sein.

Die N. W. und die Maine Coon verkörpern erfreuliche Tendenzen in der Rassekatzenzucht: einen Sinn für das natürlich Schöne, für die Erhaltung einer Rasse, die auch ohne Hilfe des Menschen zu überleben vermag. Abb.

Norwegische Waldkatze

Notapotheke: Hausapotheke für die Katze, in der Instrumente und Arzneimittel für eine erste Hilfe bzw. für die Versorgung bei Krankheiten geringfügiger Art bereitgehalten werden. Die N. ist, wie der Name bereits sagt, nur für den Notfall gedacht und ersetzt niemals

den Tierarzt. Sie sollte stets griffbereit, aber außer Reichweite von Kindern und Katzen, möglichst im ↑ Zwinger oder Katzenzimmer sein. Eine deutliche Kennzeichnung muß sie eindeutig von der Hausapotheke des Menschen unterscheiden. In der N. sind alle Gegenstände griffbereit, übersichtlich plaziert und sauber aufbewahrt. Auch in der größten Aufregung ist so ein schnelles Auffinden des gewünschten Instruments oder Arzneimittels möglich.
Folgendes sollte vorhanden sein:

- eine gerade, einfache und gut schneidende Schere,
- eine gebogene Schere mit stumpfen Enden,
- eine stumpfe, sogenannte anatomische Pinzette,
- zwei Fieberthermometer.

Verbandsmaterialien
- ausreichend Verbandwatte und Zellstoff (sie können auch außerhalb der N. untergebracht werden, da sie viel Platz einnehmen),
- sterile Mullkompressen und Binden (etwa 4 cm breit),
- breites Leukoplast zur Sicherung eines Verbandes gegen eventuelles Abrutschen,
- Baumwolltücher (z. B. saubere, nicht mehr gebrauchte Bettlaken).

Desinfektionsmittel (↑ Desinfektion)
- zur Flächendesinfektion,
- zur Händedesinfektion.

Medikamente
Es sollten nur solche Medikamente aufbewahrt werden, die der Tierarzt verordnet bzw. zur Fortsetzung einer Behandlung übergeben hat. Auch relativ harmlose Medikamente können falsch dosiert böse Folgen haben. Das gilt auch für in der Humanmedizin bewährte Medikamente, die für die Katze sehr gefährlich werden können. Der Tierarzt aber schreibt die korrekte Anwendung und die erforderlichen Mengen (Dosierung) vor.
Darüber hinaus empfiehlt es sich, die Anschriften und Telefonnummern des zuständigen Tierarztes sowie der jeweiligen Bereitschaftsdienste an der Türinnenseite der N. anzuheften. Die Impfpässe können ebenfalls, soweit nicht bereits bei den Stammbäumen deponiert, in der N. untergebracht werden.

Novize ↑ Sozialstatus.

Nubierin ↑ Abessinier.

Nulldiät ↑ Energiebedarf.

Nystagmus, *Augenzittern:* oszillatorisches [lat. schwingendes], horizontales Augenzittern, das durch eine pigmentmangelbedingte Schwachsichtigkeit [griech. Amblyopie] bewirkt wird (*Whitehead*, 1959). Es hat nicht nur periphere, sondern auch zentralnervale Ursachen und wurde als angeborenes und unwillkürliches Leiden bei Siamesen registriert (*Archer*, 1970). Es soll in Beziehung zum ↑ Schielen (Strabismus) stehen.

O

Oberhaar ↑ Haar.

Oberkieferverkürzung: 1. ↑ Gebißanomalien. – **2.** ↑ Vorbiß.

Objektspiel: 1. ↑ Beutespiel. – **2.** ↑ Spielverhalten.

Ocicat: große, langbeinige ↑ Kurzhaarkatze, die nur in der getupften Variante der ↑ Tabbyzeichnung in den USA registriert und gezüchtet wird. Sie entstand aus einer Kreuzung zwischen einer Chocolate-Point ↑ Siam und einer ↑ Abessinier, die rezessiv den ↑ Maskenfaktor trug, da sie ihrerseits aus Abessinier und Seal-Point Siam stammte. Diese Paarungen wurden ursprünglich für die ↑ Zucht der Siam mit ↑ Abessiniertabby in den ↑ Abzeichen vorgenommen. 1964 zeugten *Dalai She*, die mischerbige Abessinierin (Cc^s), und *Whitehead Elegant Sun*, der Chocolate-Point Siamese, neben Siamesen mit Abessiniertabby, ↑ Seal-Points, ↑ Chocolate-Points, ↑ Tabby-Points, einfarbigen Schwarzen und Chocolates auch einen Kater namens *Tonga* mit zimtfarbenen Tupfen auf elfenbeinfarbigem Grund.

Tonga war gerade eine Woche lang mit der Auflage verkauft, im entsprechenden Alter kastriert zu werden (↑ Geschlechtsreife, ↑ Kastration), als in der Fachpresse ein Artikel erschien, in dem ein bekannter amerikanischer Genetiker die vom Aussterben bedrohte ↑ Egyptian Mau beschrieb und zu ihrer Rettung eine ↑ genetische Rekombination vorschlug. Die Paarung zwischen *Dalai She* und *Whitehead Elegant Sun* wurde wiederholt. Da *Tonga* seine Züchter an ein Ozelotbaby erinnerte, wurde aus der Wortverbindung Ozelot (Oci) und Katze (cat) die ↑ Rassebezeichnung O. kreiiert. Die O. darf neben Abessinier und Siamesen auch ↑ Amerikanisch Kurzhaar zu ihren Ahnen zählen und wird inzwischen mit schwarzen, blauen, chocolate, lilac, cinnamon und caramel Tupfen sowie in Kombination mit Silber (↑ Melanininhibitor) gezüchtet. Ihre Augenfarbe ist je nach Farbschlag kupfer bis blaugrün, der ↑ Nasenspiegel und die ↑ Fußballen sind analog zur Tupfung gefärbt, der Nasenspiegel entsprechend umrandet. O. sollen im Schnitt 5,5 bis 7 kg als ausgewachsene Tiere wiegen, was auf ↑ Heterosis und fehlende ↑ Reinzucht zurückgeführt werden kann. Seit 1966 wird sie beim ↑ CFA u. a. kleineren amerikanischen Dachverbänden registriert. Eine weltweite Anerkennung blieb ihr wegen der starken Ähnlichkeit mit der Egyptian Mau bis heute versagt. Abb.

Ocicat

odd-eyed ↑ Irisheterochromie.

offene Bäuche ↑ Nabelbruch.

Ohr: ↑ Sinnesorgan zur Wahrnehmung von Schallwellen (Gehörsinn) und Lageveränderungen des Körpers gegenüber der Ausrichtung der Erdschwerkraft (Gleichgewichtssinn). Schallwellen niedriger Frequenz (beim Menschen bis ≈ 2 kHz) werden durch Luftleitung zu den Sinneszellen befördert. Dabei passieren sie das *äußere Ohr* mit einer beweglichen trichterförmigen Ohrmuschel und dem äußeren Gehörgang, das an der Grenze zum *Mittelohr* gelegene *Trommelfell*, die drei Gehörknöchelchen (Hammer, Amboß und Steigbügel) und gelangen so ins *Innenohr*. Das Trommelfell gerät in Schwingungen, die dann auf die Gehörknöchelchen übertragen werden. Diese liegen in der Paukenhöhle, die über die Eustachische Röhre mit dem Rachenraum verbunden ist. Die Eustachische Röhre dient dem Sekretabfluß aus dem Mittelohr und dem Ausgleich eventuell auftretender Luftdruckunterschiede. Das Innenohr ist fest in den Schädel eingebettet und besteht aus einem mit Flüssigkeit gefüllten Hohlraumsystem: den drei Bogengängen, dem *Vorhof* und der *Schnecke* (Cochlea). Für den Hörvorgang ist die Schnecke von Bedeutung, während Vorhof und Bogengänge das Gleichgewichtsorgan bilden. Hochfrequente Schallwellen werden direkt über die Schädelknochen (Knochenleitung) zur Schnecke geleitet. Die Schnecke der Katze hat drei Windungen. In ihr befindet sich das Corti-Organ, eine aus Membranen (u. a. Reissner-Membran, ↑ Taubheit) und Sinneszellen aufgebaute Struktur. Werden die Schallwellen auf die Schneckenflüssigkeit übertragen, beginnt die Deckmembran die auf der Basillarmembran angeordneten Haarzellen (2000 innere und 9900 äußere) zu reizen. Die dabei entstehenden elektrischen Potentiale werden über 52000 Fasern des Hörnervs in verschiedene Hirnzentren weitergeleitet, wo die Hörinformationen verarbeitet werden (Abb. 1).

Der *Hörbereich* der Katze reicht weit über die obere Hörgrenze des Menschen (20 kHz) hinaus. Nach Verhaltenstests von *Neff* und *Hind* (1955) liegt sie bei 60 kHz, elektrophysiologische Untersuchungen ergaben sogar Werte von 100 kHz. Die untere Hörgrenze soll nach *Foss* und *Flottorp* (1974) bei 60 Hz liegen. Jedoch schwanken die angegebenen Werte wegen der unterschiedlichen Untersuchungsmethoden

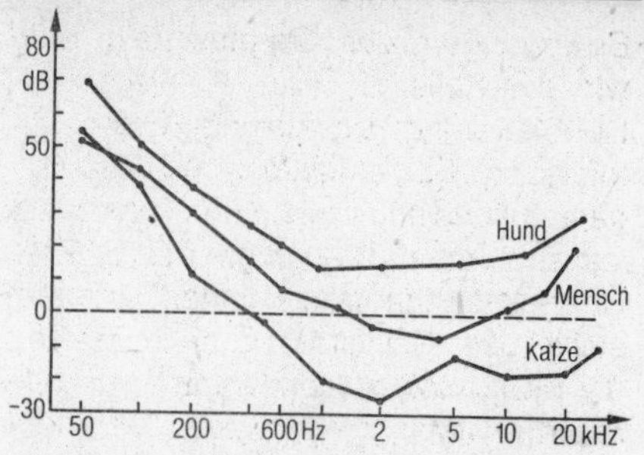

Ohr, Abb. 1. Hörschwellen von Mensch, Hund und Katze (auszugsweise nach *Reetz* et al., 1977)

erheblich. Die in Abb. 2 dargestellten Hörschwellkurven für den Bereich bis 20 kHz zeigen, daß das Ohr der Katze die Hörempfindlichkeit von Hund und Mensch bedeutend übertrifft. Besonders empfindliche Bereiche liegen zwischen 2,5 und 10 sowie zwischen 25 und 30 kHz. Über die Bedeutung der *Ultraschallwahrnehmungen* der Katze ist viel spekuliert worden. Sicher spielt sie bei der Lokalisierung der Beute eine herausragende Rolle, da Mäuse z. B. eine Vielzahl von Ultraschallauten benutzen. Plausibel ist auch die Wahrnehmung von arteigenen Ultraschallauten, die nach Untersuchungen von *Härtel* (1972) bei der Verständigung der Mutter mit den Jungtieren von Bedeutung sein sollen (↑ Lautgebung). In einer neueren Untersuchung von *Romand* und *Ehret* (1984) konnten solche Laute jedoch nicht gefunden werden.

Die Katze kann genau die räumliche Lage einer Schallquelle orten, da sie in der Lage ist, die Zeitdifferenz zu messen, mit der die Laute an den beiden Ohrmuscheln eintreffen. Bereits Zeitunterschiede von 0,000 01 s werden wahrgenommen und durch spezielle Verschaltungen im Gehirn ausgewertet. So kann die Richtung einer Schallquelle mit einer Genauigkeit von 1,5° bestimmt werden. In diesem Zusammenhang spielen die reflektorisch gesteuerten

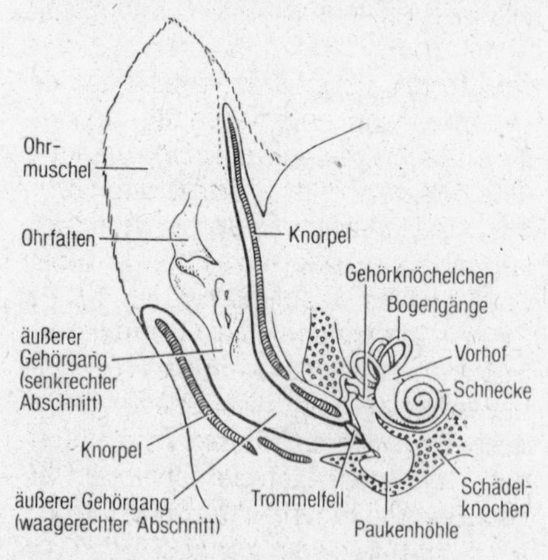

Ohr, Abb. 2. Schematische Darstellung

Bewegungen der Ohrmuscheln eine wichtige Rolle.
Die Steuerung des Gleichgewichtes erfolgt über Sinneshaare in den Bogengängen und im Vorhof des Innenohrs (zusammen als Labyrinth bezeichnet). Über den Vorhofsinneszellen sind Kristalle aus Calciumcarbonat ($CaCO_3$), die die Statolithen bilden, in einer gallertartigen Masse eingelagert. Veränderungen der Einwirkungsrichtung der Schwerkraft der Erde führen zu Lageverschiebungen der Statolithen und Erregung der Sinneszellen.
Vom Gleichgewichtsapparat gehen verschiedene ↑ Reflexe aus. Dreht man ein frei in der Luft gehaltenes Tier in Rükkenlage, führt der *Kopf-Stell-Reflex* zu einer Drehung des Kopfes, so daß der Scheitel nach oben weist. Dadurch können weitere Reflexe, wie der tonische Halsreflex, ausgelöst werden, die den ganzen Körper wieder in die Normallage zurückführen.
Bei Jungkatzen ist der Gehörgang verschlossen. Mit dem siebenten Lebenstag beginnt er sich zu öffnen, bei manchen Katzen auch erst später (im Mittel mit 9,5 Tagen). Dieser Vorgang ist im Alter von 17 Tagen beendet und das Gehör funktioniert vollständig (*Beaver*, 1980).
Die durch den Gleichgewichtssinn hervorgerufenen Reflexe treten sofort nach der Geburt auf. Für die Katze als ↑ Nesthocker sind sie jedoch bis zu den ersten Spaziergängen kaum von Bedeutung (↑ Jungtierentwicklung), können jedoch zur Überprüfung der normalen Funktion des Innenohres (↑ Taubheit) verwendet werden. Die Stellung der O.en zeigen ↑ Angriffs- bzw. ↑ Abwehrverhalten und deren gegenseitige Überlagerung (↑ Mimik) an.
Bei der ↑ Fellpflege sind die O.en mitzukontrollieren. Das Sekret der Talgdrüsen (Ohrenschmalz) des äußeren Gehörgangs wird durch die feine Behaarung nach außen transportiert und lagert sich zwischen den sichtbaren *O.falten* ab. Mit einem O.tupfer, der mit Vaseline, Babyöl oder Paraffinöl getränkt ist, kann das O.schmalz (u. a. leichte Verschmutzungen) beseitigt werden. Normalerweise ist eine Reinigung des Gehörganges nicht erforderlich und sollte auch bei starker Talgproduktion wegen der empfindlichen Hautauskleidung höchstens einmal im Monat vorgenommen werden. Eine tägliche Säuberung reizt die Haut des Gehörganges; erhöhte Talgabsonderung und Entzündungen werden zusätzlich provoziert. Durch die fast rechtwinklige Biegung des Gehörganges besteht bei der Katze, im Gegensatz zum Menschen, nicht die Gefahr, daß das Trommelfell beim O.säubern verletzt wird.
Rötlich-braune Krümel oder Verkrustungen im äußeren O. deuten auf Ohrmilben (↑ Ektoparasiten) hin, die vom Tierarzt zu behandeln sind.
Größe, Form, Plazierung der O.en sowie deren Behaarung (↑ Ohrbüschel) sind für ↑ Rassekatzen durch den ↑ Standard festgelegt; sie bilden ein wesentliches Bewertungskriterium auf Ausstellungen. ↑ Mutationen, die die O.en betreffen, sind unter ↑ Normalohr verzeichnet.

Ohrbüschel: Behaarung an den Innenseiten der Ohren. Die Länge und die Dichte der O. steht in einem direktem Zusammenhang mit der Art und Länge des Haarkleides der Katze. Langhaarkatzen, also Perser und Perser Colourpoint, haben die auffälligsten O. Bei den Semilanghaar sind O. durch den Standard nur für die Somali und die Maine Coon vorgeschrieben, obwohl auch alle anderen Rassen eine Behaarung der Innenseiten der Ohren aufweisen. Bei den Kurzhaarkatzen werden O. auch nur teilweise erwähnt. Sie sind bei den Exotic-, Britisch- und Europäisch

Kurzhaar ebenso vorhanden wie bei den Langhaarkatzen, nur entsprechend kürzer. Semilanghaar- sowie Kurzhaarkatzen ohne schützendes Wollhaar haben nur gering ausgebildete O. an den Innenseiten der Ohren. Die O. sollen das Ohr vor eindringendem Staub bzw. Fremdkörpern schützen. Fehlen sie, muß die äußere Ohrmuschel besonders vor Ausstellungen gereinigt werden.

Die ↑ Norwegische Waldkatze trägt luchsartige Haarpinsel an den Ohrspitzen, ebenso die leicht gerundeten Spitzen der ↑ Europäisch Kurzhaar. Eine solche pinselartige Behaarung der Ohrspitzen wird ebenfalls als O. oder Ohrpinsel bezeichnet. Bis auf die beiden angeführten Ausnahmen sollten sie entfernt werden: man drückt mit dem Daumen und dem Zeigefinger der einen Hand das Ohr kurz hinter der Spitze fest zusammen, so daß nur der Haaransatz der O. frei bleibt. Mit den Fingernägeln des Daumens und des Zeigefingers der anderen Hand werden nach und nach immer ein paar Haare zusammen herausgerupft. Schmerzhaft ist die Prozedur nur, wenn die Ohrspitzen nicht richtig festgehalten werden.

Ohrmuschel-Genorte ↑ Normalohr.

Ohrräudemilbe ↑ Ektoparasiten.

OKH: gebräuchliche Abkürzung für ↑ Orientalisch Kurzhaar.

Oligodontie ↑ Gebißanomalien.

Oligogenie: Merkmalbildung durch Wirkung eines (Monogenie) oder weniger mendelnder Gene (↑ Mendel-Regeln), wobei fließende Übergänge zur ↑ Polygenie bestehen. Je nach Anzahl der beteiligten Allelpaare (↑ Genort) ergibt sich ein mono-, di-, tri-, tetra- oder pentahybrider Erbgang mit entsprechend variierten Spaltungsverhältnissen (Tab. 1). Als Beispiel soll ein trihybrider ↑ Erbgang demonstriert werden, wie er z. B. bei ↑ Ebony × Ebony-Verpaarungen der Genkonstruktion aa Bb Cc^{s} Dd auftritt (↑ Kreuzungsdiagramm, Tab. 2). Bei drei unterschiedlichen Allel-

Tab. 1 Spaltungsverhältnisse bei oligogener Vererbung

Allelpaare	Gametenarten	Gametenkombinationen	Genotypen	Phänotypen (F_2) bei dominanter Vererbung	Phänotypen (F_2) bei intermediärer Vererbung
n	2^n	2^{2n}	3^n	2^n	3^n
1	2	4	3	2	3
2	4	16	9	4	9
3	8	64	27	8	27
4	16	256	81	16	81
5	32	1024	243	32	243

Tab. 2 Beispiel eines trihybriden Erbganges

	B C D	B C d	B c^{s} D	B c^{s} d	b C D	b C d	b c^{s} D	b c^{s}d
B C D	**BB CC DD**	BB CC Dd	BB Cc^{s}DD	BB Cc^{s}Dd	Bb CC DD	Bb CC Dd	Bb Cc^{s}DD	Bb Cc^{s}Dd
B C d	BB CC Dd	**BB CC dd**	BB Cc^{s}Dd	BB Cc^{s}dd	Bb CC Dd	Bb CC dd	Bb Cc^{s} Dd	Bb Cc^{s}dd
B c^{s}D	BB Cc^{s}DD	BB Cc^{s}Dd	**BB c^{s}c^{s}DD**	BB c^{s}c^{s}Dd	Bb Cc^{s}DD	Bb Cc^{s}Dd	Bb c^{s}c^{s}DD	Bb c^{s}c^{s}Dd
B c^{s}d	BB Cc^{s}Dd	BB Cc^{s}dd	BB c^{s}c^{s}Dd	**BB c^{s}c^{s}dd**	Bb Cc^{s}Dd	Bb Cc^{s}dd	Bb c^{s}c^{s}Dd	Bb c^{s}c^{s}dd
b C D	Bb CC DD	Bb CC Dd	Bb Cc^{s}DD	Bb Cc^{s}Dd	**bb CC DD**	bb CC Dd	bb Cc^{s}DD	bb Cc^{s}Dd
b C d	Bb CC Dd	Bb CC dd	Bb Cc^{s}Dd	Bb Cc^{s}dd	bb CC Dd	**bb CC dd**	bb Cc^{s}Dd	bb Cc^{s}dd
b c^{s} D	Bb Cc^{s}DD	Bb Cc^{s}Dd	Bb c^{s}c^{s}DD	Bb c^{s}c^{s}Dd	bb Cc^{s}DD	bb Cc^{s} Dd	**bb c^{s}c^{s}DD**	bb c^{s}c^{s}Dd
b c^{s}d	Bb Cc^{s}Dd	Bb Cc^{s}dd	Bb c^{s}c^{s}Dd	Bb c^{s}c^{s}dd	bb Cc^{s}Dd	bb Cc^{s}dd	bb c^{s}c^{s} Dd	**bb c^{s}c^{s}dd**

paaren (heterozygot besetzten Genorten) werden acht Gametenpaare gebildet, die 27 Genotypen erzeugen. Da es sich in diesem Fall um ↑ vollständige Dominanz handelt, sind bei derartigen Verpaarungen acht ↑ Phänotypen zu erwarten:

1. ↑ Schwarz: BB CC DD, BB CC Dd, BB Cc^s DD, BB Cc^s Dd, Bb CC DD, Bb CC Dd, Bb Cc^s DD, Bb Cc^s Dd,
2. ↑ Blau: BB CC dd, BB Cc^s dd, Bb CC dd, Bb Cc^s dd,
3. ↑ Chocolate: bb CC DD, bb CC Dd, bb Cc^s DD, bb Cc^s Dd,
4. ↑ Lilac: bb CC dd, bb Cc^s dd,
5. Seal-Point: BB c^sc^s Dd, Bb c^sc^s DD, Bb c^sc^s Dd, BB c^sc^s DD,
6. ↑ Blue-Point: BB c^sc^s dd, Bb c^sc^s dd,
7. ↑ Chocolate-Point: bb c^sc^s DD, bb c^sc^s Dd,
8. ↑ Lilac-Point: bb c^sc^s dd.

Allen Genkonstruktionen ist das homozygot rezessive Allelpaar aa für ↑ Nicht-Agouti hinzuzufügen, da es die ↑ Tabbyzeichnung durch seine epistatische Wirkung verdeckt (↑ Epistasie). Das gleiche Kreuzungsdiagramm gilt für die respektive Verpaarung zwischen schwarzen Persern mit rezessivem ↑ Maskenfaktor. Wird dieses Beispiel um das Allelpaar Ss, den heterozygot besetzten Scheckungslocus, erweitert, entstehen 16 Gametenarten mit 256 Gametenkombinationen, 81 möglichen ↑ Genotypen und 16 Phänotypen. Beispiele für einen monohybriden Erbgang sind unter dem Stichwort Mendel-Regeln anhand des D-Locus (↑ Nicht-Verdünnung, ↑ Verdünnung) und für einen dihybriden Erbgang unter dem Stichwort ↑ genetische Rekombination anhand der Kombination des D- und des C-Locus (↑ Vollpigmentierung) aufgeführt.

Omega-Tier ↑ Rangordnung.

Ontogenese, *Individualentwicklung:* Entwicklung eines Organismus von der befruchteten Eizelle im Mutterleib (↑ Zygote) über die ↑ Jungtierentwicklung, den Zustand des ausgewachsenen, sich fortpflanzenden Organismus (↑ Geschlechtsreife), bis zum Alter und Sterben. In der *Verhaltens-O.* hat der Zeitraum von der ↑ Geburt bis zum Erreichen der Geschlechtsreife eine besondere Bedeutung, da er viele Informationen über angeborene, erlernte und gereifte Verhaltensweisen (↑ Auslösemechanismus, ↑ Lernverhalten) geben kann.

Oogenese ↑ Gameten.

optische Biokommunikation: 1. ↑ Auge. – **2.** ↑ Biokommunikation. – **3.** ↑ Gestik. – **4.** ↑ Mimik.

Orange (Standardbezeichnung), frühere Bezeichnungen waren *ginger* [engl., Ingwer], *marmalade* [engl., Apfelsinenmarmalade] und *yellow* [engl., gelb]: Auftreten des geschlechtschromosomengebundenen dominant vererbten Gens O (↑ Geschlechtschromosomen).

Am X-chromosomalen ↑ Genort befinden sich die beiden Allele O und o^+ (alte Bezeichnung Y und y^+).

O. bewirkt in einem biochemischen Umwandlungsprozeß, daß Eumelanin (Nicht-O.) durch Phäomelanin (O., ↑ Melanin) ersetzt wird. Da O. nur die schwarze Bänderung des Agoutihaares im ↑ Wildtyp in Phäomelanin umfärbt, entsteht ein beige-rötliches ↑ Ticking in den Agoutiflächen, auf denen die ebenfalls in O. umgefärbte Tabbyzeichnung liegt. ↑ Nicht-Agouti (aa) ist bei O. nicht wirksam, so daß im Fell der auf O. beruhenden Varietäten stets ↑ Tabbyzeichnung sichtbar bleibt. Das bedeutet, daß männlichen Tieren, deren Färbung auf O. beruht, und homozygot besetzten weiblichen Tieren nicht anzusehen ist, ob sie ↑ Agouti tragen. Erst Anpaarungen mit Schwarzen, Chocolates und Cinnamons sowie den jeweiligen ↑ Verdünnungen geben darüber Aufschluß. Das mit der Wildfärbung verbundene

aufgehellte Kinn sowie die Umrandung des Nasenspiegels können auf Agouti im ↑ Genotyp eines o.farbenen Tieres hindeuten.
Die starke Variabilität von hellgelb bis tief-o. wird auf polygene ↑ Modifikation (↑ Polygenie, ↑ Rufismus) zurückgeführt. Da Kater (XY) nur ein X-Chromosom im Genom aufzuweisen haben, können sie im Prinzip nur eines der beiden O.allele tragen und sind entweder O. oder Nicht-O. In den Körperzellen weiblicher Tiere (XX) bleibt aufgrund des ↑ X-Chromosom-Kompensationsmechanismus nur ein X-Chromosom in Funktion, was erklärt, warum sie gleichzeitig das Mutantenallel O und das Wildtypallel o^+ tragen können. Da die Eliminierung eines X-Chromosoms nach dem Zufallsprinzip erfolgt, ist das Ergebnis ein ↑ Mosaik der Körperfärbung, die Varietät ↑ Schildpatt. Das Auftreten von ↑ Schildpattkatern ist auf ↑ Geschlechtschromosomen-Aberration zurückzuführen. O. zeigt ↑ Epistasie über alle Gene der Allelserie $B > b > b^l$ (↑ multiple Allelie) und ist hypostatisch zum ↑ Albinismus, zum ↑ dominanten Weiß und zur ↑ Scheckung. Im Zusammenwirken mit dem Gen für ↑ Nicht-Verdünnung (D-) ergibt O. einfarbig Rote oder rote Tabbies (C- D- O(O)), mit ↑ Verdünnung (dd) cremefarbene bzw. Cremetabbies (C- dd O(O)). In Kombination mit dem ↑ Melanininhibitor (I-) entstehen bei heterozygoter Besetzung des O-Locus die ↑ Tortie-Cameos, bei homozygoter die ↑ Cameos bzw. die Cameo-Tabbies. Die ↑ Bi-Colours rot-weiß und creme-weiß sowie die jeweiligen Schildpatt-und-weiß (↑ Tri-Colour) sind das Ergebnis der Verbindung von O. und Scheckung. Mutiert das Gen für ↑ Vollpigmentierung (C-) in die homozygot rezessiven Allelpaare c^bc^b oder c^sc^s, entstehen die roten und cremefarbenen Burmesen (↑ Burma) bzw. die ↑ Red-Points und ↑ Creme-Points, bei heterozygoter Besetzung des Genorts für O. die ↑ Tortie-Points.
Durch den X-chromosomalen ↑ Erbgang von O. ist das Paarungsergebnis o.farbener Kater × nicht-o.farbener Katze nicht identisch mit dem Paarungsergebnis nicht-o.farbener Kater × o.farbene Katze (vgl. Schwarz und Schildpatt).
Berechnungen der ↑ Genfrequenz von O. in den meisten Ländern der Welt haben ergeben, daß das Mutantenallel in Indien, Südostasien und Japan besonders häufig auftritt und auch dort entstanden ist (↑ Populationsgenetik).

Oregon Rex: ausgestorbene Zuchtform innerhalb der Gruppe der ↑ Rexkatzen. Im Mai 1959 brachte im Staate Oregon/USA *Callie*, eine ↑ Hauskatze, einen Wurf zur Welt, in dem sich neben drei glatthaarigen Tieren auch eine gelockte, schwarz-weiße Katze befand. Ungefähr zur gleichen Zeit wurden die ersten Rexkatzen aus Großbritannien in die USA eingeführt. Durch ihre Neuheit und ihren Seltenheitswert hatten Rexkatzen ein allgemeines Interesse geweckt. So wandten sich die Besitzer von *Kinky Marcella*, wie das gelockte Tier genannt wurde, an den britischen Genetiker *A. C. Jude*, der seinerzeit auch die ersten Anpaarungsvorschläge für *Kallibunker*, Stammvater der ↑ Cornish Rex, gemacht hatte. Sie erhielten die erforderlichen Informationen und Hinweise, und so wurde *Kinky* zunächst mit einem glatthaarigen Kater verpaart, der allerdings von einem Cornish Rex stammte und bereits gelockten Nachwuchs erzeugt hatte. Trotz der einschlägigen Hinweise von *Jude* war die Enttäuschung groß, als der Wurf nur aus glatthaarigen Tieren bestand. Ein schwarzer und ein blauer Kater wurden für Rückkreuzungen behalten.
Vor deren Geschlechtsreife wurde *Kinky Marcella* noch mit einem roten

Hauskater verpaart. Die Nachkommen waren auch in diesem Fall glatthaarig. Glücklicherweise paarte man zwei weibliche Tiere dieses Wurfes mit einem Halbbruder aus *Kinkys* erstem Wurf und nahm später Rückkreuzungen vor. Da aus den Kreuzungen mit Cornish Rex und später auch mit Devon Rex stets glatthaarige Welpen hervorgingen, war anzunehmen, daß es sich um eine eigenständige Mutation handelt. Sie erhielt das Allelsymbol ro. *Kinky Marcella* erkrankte leider recht bald an einer schweren ↑ Gebärmutterentzündung, und ihre Besitzer ließen sie vernünftigerweise kastrieren. Ein gleiches Schicksal hatte bereits vorher *Callie*, *Kinkys* Mutter, erfahren (↑ Kastration). Scheinträchtigkeiten (↑ Trächtigkeit) und Sterilitätsprobleme waren trotz elfjähriger harter und kostspieliger Zuchtarbeit ein nicht zu überwindendes Hindernis. Eine reine amerikanische Rexlinie aufzubauen, gelang nicht. *Callie* und *Kinky* starben im Jahre 1972 im stattlichen Alter von 13 bzw. 14 Jahren. Die O. R. ging in verschiedenen Rexkombinationen unter, da in den USA zunächst alle Rexmutationen vermischt wurden und heute kaum noch differenziert werden können.

Orientalisch Kurzhaar: vom Menschen erdachte und auf der Grundlage genetischer Kenntnisse gezüchtete Kurzhaarrasse. Für die Beschreibung des allgemeinen Erscheinungsbildes haben O. K. und ↑ Siam einen gemeinsamen Standard. Im Gegensatz zur Siam ist die O. K. vollpigmentiert (C-) und hat, die Foreign White ausgenommen, grüne statt blaue Augen.

Die Zucht der O. K. begann in den 50er Jahren mit der ↑ Havana, dem ältesten Farbschlag dieser Rasse, und den ↑ Lavender, die als „Nebenprodukte" in der Havanazucht fielen. Sie begann etwa zum gleichen Zeitpunkt in Großbritannien und auf dem Kontinent. In Großbritannien richtete sich das Interesse, von den schon etablierten Havana und Lavender abgesehen, vornehmlich auf die ↑ Foreign White; andere Farben wurden zunächst kaum beachtet. Da in Großbritannien alle Kurzhaarrassen in Britisch oder „ausländisch" [engl. foreign] unterteilt werden, wurden die ↑ Ebony, die Havana, die Lavender und die O. K. weiß unter der offiziellen Bezeichnung Foreign Black (Ebony), Foreign Chestnut Brown (Havana), Foreign Lilac (Lavender) und Foreign White anerkannt. Nur die O. K. mit ↑ Tabbyzeichnung wird Oriental Shorthair (Orientalisch Kurzhaar) genannt. Auf dem Kontinent begann Ende der 60er Jahre vornehmlich in den Niederlanden und in der Bundesrepublik Deutschland eine planmäßige Zucht, in der, nach englischem Vorbild, weitere O.-K.-Varietäten entstanden. 1972 wurden von der F.I.Fe. die bisher erwähnten Varietäten offiziell anerkannt, zehn Jahre später folgten dann die roten, schildpatt, creme, blauschildpatt, chocolate-schildpatt, lilac-schildpatt Varietäten sowie die getigerten, getupften und gestromten O. K. in den Farben Schwarz, Chocolate, Blau, Lilac, Rot, Creme und Silber. Sie entstanden entweder aus Verpaarungen zwischen Havana und der verschiedenen Siamvarietäten, oder durch Einkreuzen von schlanken ↑ Hauskatzen in den jeweiligen Farben sowie anschließenden mehrfachen Rückkreuzungen, um den feingliedrigen Körperbau, die langgezogene Keilform des Kopfes und das kurze, eng anliegende Fell mit seiner feinen seidigen Textur herauszuzüchten.

Während für die 1972 anerkannten Farbschläge noch eine Reinzucht zur Voraussetzung gemacht wurde, hat sich inzwischen die Erkenntnis durchgesetzt, daß die O. K. mit einem Genotyp Cc^s, d. h., wenn sie rezessiv den

↑ Maskenfaktor trägt, durchaus gleichwertig ist und daß die in dieser Zucht fallenden Siam keinerlei Beeinträchtigung erfahren. Bei einer Gleich-zu-Gleich-Verpaarung über Generationen hinweg entstehen nicht standardgerechte Augenfarben und die grünen Augen der O.K. sind am leichtesten mit dem oben erwähnten heterozygoten Genotyp zu erhalten.
Eine eigenständige Gruppe unter den O. K.-Varietäten stellen die silber getigerten, -getupften und -gestromten dar. Bei ihnen würden Verpaarungen mit Siam die nicht anerkannten ↑ Shadow-Point und Pastel-Point bringen. Da die silbernen O. K. durch Einkreuzen von Britisch Kurzhaar ↑ Tipped entstanden sind, ist es wahrscheinlich, daß eine nicht an den Maskenfaktor gekoppelte grüne ↑ Augenfarbe in diese Gruppe gekommen ist, die durch korrekte Auslese erhalten und verbessert werden kann. Die Zucht der Silbergruppe mit Tabbyzeichnung macht stets ein Einkreuzen von Einfarbigen notwendig, um eine deutlich abgegrenzte klare Tabbyzeichnung auf silberweißem Grund zu erhalten (↑ Silvertabbies).
Im Wesen soll die O.K. genauso lebhaft wie ihre Siamschwestern sein. Ihre Stimme ist durch die Einkreuzungen nicht mehr ganz so rauh und kräftig. Die Augen färben sich zwischen dem zweiten und dritten Lebensmonat von blau in grün um, oftmals kann dieser Prozeß bis zu zwei Jahren dauern.
Die Trächtigkeitsdauer der O. K. liegt wie bei der Siam bei mindestens 65 Tagen. Tafeln 45–47.

Oriental Shaded ↑ Shaded Silver.

Oriental Smoke ↑ Smoke.

Oriental Ticked Tabby ↑ Abessiniertabby.

Orientierung: Fähigkeit des Organismus, Parameter des Raumes und/oder der Zeit zur Einstellung des Körpers und des ↑ Verhaltens im Raum und/oder in der Zeit zu nutzen. Sowohl für die O. im Raum als auch in der Zeit sind nach *Tembrock* (1980) jeweils zwei Grundvoraussetzungen zu sehen:

1. Raum: Richtungsbezug zu einem äußeren Reiz (↑ Tötungsbiß),
   Zeit: Zeitbezug zu einem äußeren Reiz (↑ Zeitgeber).
2. Raum: Entfernungsbestimmung (↑ Fortbewegung),
   Zeit: Zeitdauermessung (↑ Zeitsinn).

Die O. ist eine wichtige Voraussetzung für die Verwirklichung der Organismus-Umwelt-Beziehungen.

Ortsgedächtnis, *Ortssinn:* besondere Form des Gedächtnisses, die durch Lern- (↑ Lernverhalten) und Prägungsvorgänge (↑ Prägung) des Organismus auf bestimmte räumliche Strukturen und Verhaltensereignisse zurückzuführen ist. Für Katzen ist das O. besonders im Zusammenhang mit Beuteappetenz ausgeprägt.
Hauskatzen suchen nach *Leyhausen* (1982) bereits nach einmaliger positiver Erfahrung in einem Raum oder einem bestimmten Geländeteil die betreffende Stelle häufig und mit immer wiederkehrender Genauigkeit auf, um weitere Beute zu finden, selbst wenn inzwischen viele Wochen vergangen sind (↑ Heimfindevermögen).

Ortsprägung: 1. ↑ Ortsgedächtnis. – **2.** ↑ Prägung.

Ortssinn ↑ Ortsgedächtnis.

Osteogenesis imperfecta, *Glasknochen, Knochenbrüchigkeit, angeborene Osteoporose:* erblich beeinflußte Störung des Mineralstoffwechsels, die zur mangelhaften fetalen Knochenbildung (Mineralisation) und zur Knochenverbiegung und -brüchigkeit führt. Verursacht wird die O. i. durch eine angeborene Leistungsschwäche der knochenbildenden Zellen (Osteoblasten), während das Knorpelwachstum normal weiter geht und auch die knochenabbauen-

den Zellen (Osteoclasten) regulär funktionieren. Die knorpelig vorgebildeten Skelettregionen zeigen Knochenweiche, und die häufig vorgebildeten Knochen bilden bindegewebige Brücken aus (Osteofibrose). Die Krankheit wird bei Jungtieren im Alter von 2 bis 12 Monaten auffällig. Die Tiere können sich nur unter Schmerzen bewegen. Sie gehen vorsichtig, und nach Sprüngen oder beim Spielen tritt eine Verschlechterung ein, die bei Spontanfrakturen schlagartig einsetzt. Röntgenologisch sind diese Frakturen meist als Teil- oder Stauchfrakturen oder als Grünholzbrüche (Knochenbrüche ohne Verletzung der Knochenhaut) nachweisbar. Knochenverbiegungen und Deformationen von Becken und Brustkorb stellen sich ein. Im Extrem fließen die knochenweichen Tiere beim Liegen auf dem Brustkorb wie ein Koalabär auseinander. Im übrigen sind die klinischen und röntgenologischen Erscheinungen nur schwer von anderen Mineralstoffwechselstörungen zu unterscheiden. Falls Komplikationen vermieden werden konnten, soll mit Erreichen der Geschlechtsreife Selbstheilung eintreten, Knochendeformationen bleiben aber bestehen.
Der Basisdefekt der Störung ist unbekannt. Enzymatische und innersekretorische Ursachen wurden vermutet. Eine familiäre Häufung bei Burmesen und Siamkatzen sowie Vererbung in bestimmten Katernachkommenschaften waren in mehreren Fällen nachweisbar. Man neigt bisher dazu, einen Ursachenkomplex anzunehmen, der aus erblicher Disposition (↑ Polygenie), Fehlernährung und endokriner Dysregulation besteht. Heterogenie ist wahrscheinlich.

Osteomalazie ↑ Rachitis.

Östrus ↑ Rolligkeit.

Ovarinsuffizienz ↑ Gebärmuttererkrankungen.

Ovulation ↑ Rolligkeit.

P

Paarungsbereitschaft ↑ Rolligkeit.

Paarungsrevier ↑ Revier.

Paarungsschrei ↑ Sexualverhalten.

Paarungszeit: 1. ↑ Jahresrhythmik. – **2.** ↑ Rolligkeit.

Palatochisis ↑ Gaumenspalte.

Panleukopenie ↑ Infektionskrankheiten.

Panmixie: 1. ↑ genetisches Gleichgewicht. – **2.** ↑ genetische Drift. – **3.** ↑ Population.

Parallelmutationen: 1. ↑ mimetische Gene. – **2.** ↑ Mutationszüchtung.

Parasitosen: durch Schadwirkung von Parasiten (Schmarotzern) verursachte Erkrankung des Wirtsorganismus. Die Schädigungen sind unterschiedlicher Art: mechanische und/oder chemische (z. B. Räudemilbe) Störungen der Nahrungsaufnahme infolge verringerter Absorption der Nährstoffe im Darm (↑ Verdauungsorgane), z. B. bei Wurmbefall, oder durch Ausscheidung toxischer Stoffe, z. B. bei Spulwurmbefall. Sie reichen von einer einfachen Belästigung bis zu schweren Krankheitserscheinungen und äußern sich in der Beeinträchtigung der Gesundheit und Leistungsfähigkeit des Wirtes. Je nach Lokalisation der Parasiten unterscheidet man ↑ Ektoparasiten und ↑ Endoparasiten. Bei ↑ Infektionen ist die Reaktion des Wirtes darauf gerichtet, den eingedrungenen Parasit abzuwehren. In der Regel stellt sich zwischen Wirt und Parasit vorerst ein bestimmtes Gleichgewicht ein. Wird dieses Gleichgewicht durch irgendwelche Umstände gestört, kommt es entweder zum Absterben oder zum Ausscheiden des Parasiten oder zum Tod des Wirtes. Voraussetzung für das Haften einer parasitären Infektion sind seitens des Wirtes seine Empfänglichkeit und seitens des Parasiten der entsprechende Wirt und das entsprechende Entwicklungsstadium (Infektionsreife und -fähigkeit). Für den Nachweis und die Bekämpfung von Parasiten ist die Kenntnis der Lebensweise einschließlich der Präpatenzzeit und der Infektionswege wichtig. Die *Präpatenzzeit* ist die Zeitspanne von der Aufnahme eines ansteckungsfähigen Parasitenstadiums durch den Endwirt bis zum Ausscheiden von Eiern oder Larven der nächsten Generation. Hiervon ist die Inkubationszeit zu trennen, die in der Regel länger ist, da die meisten Parasiten erst im geschlechtsreifen Zustand und bei starkem Befall Schäden verursachen, d.h. Krankheiten auslösen.

Katzen im ↑ Zwinger oder mit freiem ↑ Auslauf sind parasitären Infektionen besonders stark ausgesetzt. Das gilt aber auch für unhygienische Tierhaltung, hohe Tierkonzentrationen in begrenzten Räumlichkeiten, häufige Zukäufe, oft eingesetzte ↑ Deckkater, Tierheime und in besonderem Maße Tierhandlungen. Werden die notwendigen ↑ Hygienemaßnahmen nicht regelmäßig und mit der nötigen Konsequenz durchgesetzt, kommt es zu übermäßigen Parasitenanreicherungen und damit zu Überinfektionen der Tiere, eine Situation, die für Katzen durchaus lebensbedrohlich werden kann.

Parentalgeneration ↑ Mendel-Regeln.

Paria: Tier, das innerhalb der ↑ Rangordnung den untersten Platz einnimmt oder sich sogar völlig außerhalb der Gruppenstruktur befindet. Der Begriff wird abgeleitet von der Benennung für Angehörige außerhalb der Kastenordnung stehender hinduistischer Bevölkerungsschichten Indiens und wird z.B. von *Leyhausen* im übertragenen Sinne auf Katzen bezogen. Ein oder mehrere P. innerhalb einer Rangordnung können sich nur an versteckten Schlafplätzen aufhalten und kommen nur dann zur Nahrungsaufnahme, wenn sich der Halter als Respektsperson am Futternapf aufhält und die anderen Tiere fernhält. Während ranghohe ↑ Hauskatzen bestimmte Elemente des ↑ Ausdrucksverhaltens nur andeuten, muß der P. diese in voller Ausprägung zeigen, um bei anderen Tieren ein entsprechendes Verhalten auszulösen.

partielle Manifestation ↑ Penetranz.

partieller Albinismus: 1. ↑ Albinismus. – **2.** ↑ Akromelanismus.

partieller Leuzismus: 1. ↑ Leuzismus. – **2.** ↑ Scheckung.

Parvovirusinfektion ↑ Infektionskrankheiten.

Paßgang ↑ Fortbewegung.

pavane ↑ sorrel.

Pedigree-Analyse [frz. pied de grue = Kranichfuß]: grafisches Verfahren einer Erbanalyse auf der Basis des Vorfahrengenotyps bzw. von Familienerhebungen. Die Eltern eines Individuums werden durch Klammern miteinander verbunden (Klammerpedigree), Pfeile weisen von den Eltern auf den gemeinsamen Nachkommen (Pfeilpedigree) oder Eltern und Geschwister werden jeweils durch horizontale Linien miteinander verbunden (Paarungslinien – oder Horizontallinien-Pedigree). Bei der P. geht man (retrospektiv) vom kompletten ↑ Genotyp der Individuen (Besetzung beider ↑ Genorte eines Allelpaares) in aufeinanderfolgenden Generationen aus, während im ↑ Kreuzungsdiagramm prospektiv mit dem haploiden ↑ Chromosomensatz der ↑ Gameten kalkuliert wird. Für die P. ist die in Abb. 1 aufgeführte Symbolik empfehlenswert. Die Pedigrees gestatten eine übersichtliche Darstellung der verwandtschaftlichen Beziehungen der Zuchttiere und über die Systematik der Elternpaarung (z. B. ↑ Inzucht), eine Überprüfung von Hypothesen und eine begrenzte Aussage über den Genotyp und das Krankheitsrisiko bzw. den Merkmalerwartungswert bei den einzelnen Familienmitgliedern. Wenn die Familiengrößen zu gering sind, um gesicherte Aussagen anhand einer Familie treffen zu können, kann man die Daten mehrerer Familien kombinieren, wobei die Art der Datenerfassung (Sammlungs- oder Erhebungsmodell) zu beachten ist (↑ Kombination von Familiendaten). Als Beispiel wird in Abb. 2 eine Familie mit Wasserkopfwelpen demonstriert.

männlich
weiblich
Geschlecht unbekannt
Anlageträger, männlich bzw. weiblich
Merkmalträger, männlich bzw. weiblich
verendet
Abort oder Totgeburt, männlich, weiblich bzw. unbekanntes Geschlecht
Proband
Anzahl der Nachkommen des betreffenden Geschlechts
weibliche Heterozygote bei gonosomal rezessiver Vererbung
Paarungslinie
dizygote Zwillinge
monozygote Zwillinge
konsanguine Anpaarung
Familie
Identifizierung von Individuen

Pedigree-Analyse, Abb. 1. Symbolik des Paarungslinien-Pedigrees

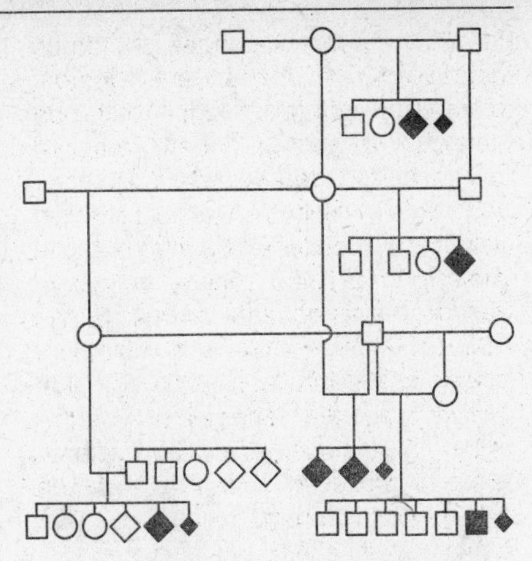

Pedigree-Analyse, Abb. 2. Beispiel für ein Paarungslinien-Pedigree (Hydrozephalie in einer Familie)

Pedigree-Selektion ↑ Selektion.

Peke-face [engl. Peke = Abkürzung für Pekinese, face = Gesicht]: in den Vereinigten Staaten von Amerika eine eigenständige Varietät, während sie sonst als Verkörperung eines extremen Typs (Übertyp) abgelehnt werden (↑ Brachyzephalie). Folgerichtig wurde auch die allgemeine Beschreibung der Perser in dem jetzt gültigen Standard der F.I.Fe. dahingehend präzisiert, daß die Nasenspitze nicht höher sein darf, als das Unterlid des Auges.

Auffallendstes Merkmal der P. ist die flachgedrückte Nase. Bei einigen Tieren ist sie nur noch an den fast zwischen die Augen gerutschten Nasenlöchern zu erkennen. Eine tiefe Falte zieht sich im Gesicht der P. von den inneren Augenwinkeln ausgehend seitlich abwärts. Der Tränen-Nasengang ist bei einer derartigen Deformation des Gesichtsschädels stark abgewinkelt, verengt oder sogar nicht durchgängig.

Fast alle P. leiden deshalb an tränenden Augen. Schwarze Augenwinkel beiderseits der fast weggezüchteten Nase sind ein untrügliches Kennzeichen.
Da in den amerikanischen Zuchtverbänden auf das Gebiß der Katzen kaum geachtet wird, spielt es natürlich keine Rolle, daß P. einen extremen Vorbiß u. a. grobe Gebißfehler haben. Selbsteinschränkende Standardforderungen oder diesbezügliche Zuchtbestimmungen stellen weder eine Bevormundung, noch eine Einschränkung sogenannter züchterischer Freiheiten dar, sondern dienen der Gesunderhaltung der Katzen.
Die ersten P. tauchten schon in den 30er Jahren auf Ausstellungen unter den roten und rotgestromten Persern auf. Bis auf die beschriebene unästhetische und degenerierte Form des Gesichtsschädels sind sie mit den ↑ Persern in allen anderen Punkten identisch. Wie der Name sagt, soll der Kopf der P. dem der Pekinesen ähneln. Seit 1971 sind die P. beim CFA als eigenständige Varietät in rot und rotgestromt anerkannt. Abb.

Peke-face

Penetranz, *partielle Manifestation:* Häufigkeit der Individuen, die Träger einer bestimmten Erbanlage (↑ Gen) sind (Anlageträger) und die Genwirkung, d. h. die typische Abweichung vom ↑ Wildtyp bzw. Standardphänotyp, zeigen. Keine P. bedeutet Expressivitätsstufe „Null“ (↑ Expressivität). Ihre Maßzahl ist die prozentuale Häufigkeit der Merkmalträger unter den Anlageträgern. Die P. beruht auf Einwirkung der gleichen Modifikatoren (Repressoren) wie bei der Expressivität oder des genotypischen Milieus auf das Wirkungsmuster des betrachteten Gens. Farbgene zeigen in der Regel die volle P. In bestimmten Zuchtlinien, in denen die Scheckung zur Fleckung wird, zeigten sich Überlappungen zur Einfarbigkeit, die als verminderte P. gedeutet werden konnte. Bei Erbkrankheiten, z. B. Skelettdefekten, wie Schwanzverkürzung/Schwanzlosigkeit, Gesichtsspalten, Brüchen (Hernien) usw., ist mangelnde P. die Norm.
Diese Erscheinung wird als lebensnotwendige erhöhte Fähigkeit des Organismus zur Selbstreorganisation, d. h. zur Wiederherstellung des geordneten Entwicklungsablaufes und der Gesundheit, gedeutet.

Penisknochen ↑ Geschlechtsorgane.

Peripher-Männchen: 1. ↑ Sexualverhalten. – **2.**↑ Sozialstatus.

Perodaktylie: 1. ↑ Spalthand. – **2.** ↑ Zehenverstümmelung.

Perser: zur ↑ Rassegruppe der Langhaar gehörende Katze mit einem großen bis mittelgroßen, gedrungenen Körper, der niedrig auf kurzen, stämmigen Beinen mit großen, runden Pfoten steht. Zwischen den Zehen sind Haarbüschel erwünscht. Brust, Schulter und Rücken sind breit, massiv und muskulös.
Der runde Kopf sitzt auf einem kurzen, dicken Hals. Der ↑ Schädel ist kräftig und breit mit einer gewölbten Stirn und vollen Wangen. Die kleine, kurze, breite Nase muß einen ↑ Stop haben: eine Stupsnase ist unerwünscht, d. h., die Nasenspitze darf nicht höher als das untere Augenlid liegen. Der Kiefer ist breit und kräftig, das Kinn voll und gut entwickelt. Die kleinen, leicht gerunde-

ten, mit Haarbüscheln versehenen Ohren sind niedrig am Schädel angesetzt. Die weit auseinanderliegenden Augen sind groß, rund, einheitlich gefärbt und leuchtend. Die Färbung der Augen (↑ Augenfarben), des Nasenspiegels und der ↑ Fußballen entspricht den verschiedenen Varietäten. Der am Ende leicht gerundete Schwanz ist kurz und buschig. Neben dem typischen runden Kopf und den großen runden Augen (vgl. Kindchenschema) ist das extrem lange Fell der P.katzen rassebildendes Merkmal. Es ist dicht, von feiner seidiger Textur und bildet um die Schultern und Brust eine lange üppige ↑ Halskrause, die zwischen den Vorderbeinen in einen fülligen Latz ausläuft.

Mit Beginn der organisierten Rassekatzenzucht Anfang der 70er Jahre des vorigen Jahrhunderts setzte in Großbritannien auch die planmäßige ↑ Züchtung von P.katzen ein. Bis 1982 galt dann auch innerhalb der ↑ F.I.Fe. der britische ↑ Standard, der für jeden einzelnen Farbschlag eine getrennte Beschreibung mit unterschiedlicher Punktverteilung für die einzelnen Positionen des Körpers enthält. Mit der Vereinheitlichung des F.I.Fe.-Standards im Jahre 1983 wurde auch für die P. und ↑ Colourpoints eine allgemeine Beschreibung erarbeitet, die für alle Varietäten eine einheitliche Punktaufteilung vorsieht.

1901 wurden in Großbritannien, dem Mutterland der Rassekatzenzucht, neben den klassischen P.farben Blau und Weiß ganze siebzehn Farbschläge gezüchtet; heute sind es über achtzig. Sie wurden in erster Linie durch ↑ genetische Rekombinationen geschaffen. Der Vererbungsmodus und ihre Geschichte, so weit bekannt, sind unter den jeweiligen Stichworten verzeichnet. Im deutschsprachigen Raum wurden P.katzen bis 1965 ↑ Angora genannt. Im Standard der ↑ GCCF werden sie schlicht als Langhaarkatzen bezeichnet.

Für die meisten Katzenliebhaber ist die P. der Inbegriff einer ↑ Rassekatze. Vor allem durch ihr ruhiges und zurückhaltendes Wesen und ihr imposantes Äußeres gewann sie ständig neue Freunde. Auf Katzenausstellungen ist sie die am zahlreichsten vertretene ↑ Rasse. Obwohl ihre ↑ Fellpflege viel Zeit und Geduld fordert, gilt sie als ideale Stubenkatze, die auch auf ↑ Auslauf verzichten kann. Ihrer langen Haare überdrüssig, begannen amerikanische Züchter mit Hilfe der P. eine kurzhaarige Variante unter der Rassebezeichnung ↑ Exotic Kurzhaar zu züchten. Eine P. war auch die Urahnin der ↑ Ragdoll, und die Farbpalette der ↑ Britisch Kurzhaar wird noch heute durch Einkreuzungen von P.katzen erweitert.

Der bekannteste und zugleich älteste P.katzenzwinger der DDR brachte mit *Dionys von Sonneck*, einem cremefarbigen Tier, 1953 den ersten von 20 Internationalen Champions bzw. Champion der DDR (vgl. CAC, CACIB) hervor. Ihm folgten die weißen *Nicolino*, *Schneemann*, *Charly*, *Mischka* und *Kassy*, die blauen *Yussoff*, *Quis* und *Baffy*, *Tino von Sonneck*, ein schwarzer P., *Giso* rot, *Poly* schildpatt, *Yucki* und *Xerenthème* in ↑ Bi-Colour sowie die Colourpoints *Musette*, *Sonny* und *Xoxi*. Die Kinder und Kindeskinder der Championkatzen *von Sonneck* sind in fast allen P.stammbäumen des DDR-Verbandes vertreten. Tafeln 1–8, 17–23, 33–35, 38–40, 48

Pestizide ↑ Vergiftungen.

Pewter [engl., Zinn]: Farbschlagbezeichnung für silberschattierte ↑ Perser mit schwarzem ↑ Tipping und orangefarbenen Augen. P. ist als ↑ Varietät beim britischen ↑ GCCF anerkannt.

Sie entstanden aus Paarungen zwischen einfarbigen und Perser Chinchilla, die auch in Großbritannien zur

Typverbesserung vorgenommen wurden. P. sind ↑ Agoutikatzen und haben wie die Silberschattierten eine schwarze Augenlidumrandung, einen ziegelroten Nasenspiegel mit einer schwarzen Umrandung, schwarze Lippen und Fußballen. Als fehlerhaft gelten ein grüner Ring; starke ↑ Tabbyzeichnung, ein Braun- bzw. Cremeanflug hingegen sind schwere Fehler.

Pfeilpedigree ↑ Pedigree-Analyse.

Pflanzengifte: von Pflanzen stammende chemische Stoffe, die durch ihre toxische Wirkung im lebenden Organismus vorübergehend oder bleibend Gesundheitsschädigungen verursachen oder den Tod herbeiführen können. Bereits in kleinsten Mengen können P. außerordentlich starke Wirkungen hervorrufen. Als P. treten vorwiegend Alkaloide (z. B. Koffein, Nikotin oder das Kolchizin der Herbstzeitlose), ätherische Öle (z. B. Harze der Nadelhölzer, Öle der Gewürze und Duftpflanzen), Glykoside (z. B. blausäurehaltige Glykoside im Lein) und Phenole (z. B. Kumarin im Waldmeister) in Erscheinung. Die Wirkung des P. ist individuell abhängig vom Alter (junge und alte Tiere sind besonders anfällig), dem Gesundheitszustand, der Giftmenge, der Art und dem Zeitraum der Giftaufnahme (*Liebenow* u. a., 1973). Obwohl eine Vielzahl von P. medikamentell genutzt werden, ist eine unkontrollierte Aufnahme gesundheitsgefährdend oder sogar tödlich. P. sind besonders konzentriert in der großen Gruppe der sogenannten Arzneipflanzen enthalten. Unter ↑ Giftpflanzen muß jedoch auch eine große Anzahl von Zier- und Zimmerpflanzen eingeordnet werden.

Pflanzenschutzmittel ↑ Vergiftungen.

Pflegetrieb: 1. ↑ Adoption. – **2.** ↑ Mutterverhalten.

Pfotenhieb, *Pfotenschlag, Tatzenhieb:* Verhaltenselement von ↑ Katzen, das in Form des Pfotenschlages zum ↑ Beutefangverhalten und in Form des Tatzenhiebes zum ↑ Abwehrverhalten gerechnet werden kann. Obwohl *Leyhausen* (1982) meint, beide Formen des P. voneinander trennen zu können, führt er doch selbst eine Reihe von Übergangsformen an. Der Tatzenhieb ist immer eine schnelle, seitlich ausholende schräg von oben kommende Bewegung, die gegen einen Angreifer gerichtet ist und der aktiven Verteidigung dient.

Der Pfotenschlag erfolgt kurz vor dem Erfassen einer größeren Beute mit den Zähnen. Dabei warten Katzen oft mit halb erhobener Pfote in Erwartung eines Angriffs des in die Enge getriebenen ↑ Beutetiers, das mit den Zähnen schlecht zu fassen ist. Dieses Verhalten könnte durchaus auch der Abwehr zugeordnet werden.

Pfotenschlag ↑ Pfotenhieb.

Phalangen ↑ Zehenverstümmelung.

Phänotyp, *Erscheinungsbild:* Gesamtheit aller äußeren und inneren Strukturen und Funktionen des Organismus, die das Ergebnis der Wechselwirkung des ↑ Genotypes eines Individuums mit seinen Entwicklungsbedingungen (Umweltfaktoren) sind (*Johannsen*, 1909). Phänotypische Merkmalwerte sind insbesondere für die Katzenhaltung von Bedeutung, z. B. ein ausgeglichenes Wesen oder Stubenreinheit. Der P. steht jedoch auch in der Rassekatzenzucht im Mittelpunkt. Ein exzellenter P. ist immer der, der voll und ganz dem ↑ Standard entspricht. Auf Ausstellungen wird allein der P. bewertet. Die hohe Bewertung eines Show-Tieres kann auch zur Befriedigung der Eitelkeit des Besitzers beitragen, sagt aber noch nichts über den Genotyp oder ↑ Zuchtwert der Katzen aus. Dieser ergibt sich aus der Aufschlüsselung der ↑ genetischen Variation. Übersicht.

phänotypische Häufigkeitskurve ↑ Polygenie.

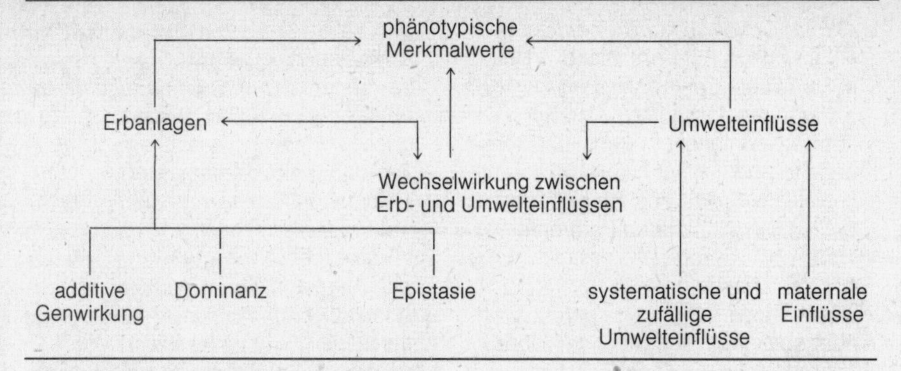

phänotypische Variation: *Variabilität des Erscheinungsbildes* von Individuen oder Merkmalen, die selektiven (adaptiven) Kräften unterliegen und aus einem genetischen und einen umweltbedingten Anteil besteht: V(P) = V(G) + V(U). Die p. V. liefert das Rohmaterial für Evolution, ↑ Domestikation und ↑ Züchtung (↑ Selektion), wobei die Sicherheit der Vererbung (↑ Erbfestigkeit) durch den erbbedingten Anteil an der Variation bestimmt wird (↑ genetische Variation). Nach der Art der Häufigkeitsverteilung (Häufigkeitskurve) der Phänotypen in der ↑ Population unterscheidet man zwischen quantitativen (metrischen) Merkmalen, die eine kontinuierliche Phänotypvariation zeigen, und qualitativen (typologischen) Merkmalen, die diskontinuierlich variieren (↑ Erbumweltkrankheiten). Grundsätzlich unterscheidet man die individuelle Variation (Unterschiede zwischen Individuen und Merkmalen innerhalb einer Population) und die Gruppenvariation (Unterschiede zwischen Population einer Art). Hauptformen der individuellen Variation sind:

1. Zeitabhängige p. V. in Form der *Altersvariation:* unterschiedlicher selektiver bzw. adaptiver Wert der Altersklassen (unter natürlichen Bedingungen Befähigung zur Anregung des ↑ Brutpflegeverhaltens, Bevorzugung durch Geschlechtspartner, Konkurrenz zwischen Jung- und Alttieren, bei künstlicher Selektion z. B. Bevorzugung rundköpfiger Babytypen u. a.) und der *jahreszeitlichen Variation* (↑ Jahresrhythmik) von Individuen. Sie beruht auf einem saisonbedingten Wandel des Phänotyps, z. B. Winterfell infolge Adaption an jahreszeitlichen Umweltveränderungen (vgl. Haarwechsel).
2. *Variation des Verhaltens:* Das ↑ Verhalten eines jeden Tieres ist an seine ↑ Umwelt angepaßt. Das trifft sowohl für die Bewegungsfolgen bei der Nahrungssuche oder der Feindvermeidung (↑ Feindverhalten). in gleicher Weise zu als auch für das gesamte ↑ Sozialverhalten. Diese Anpassung kann auf zwei Wegen realisiert werden: über das Erbgut (↑ Genotyp) oder über die ↑ Sinnesorgane. So kann die Information über ein bestimmtes Verhalten im Genom von Generation zu Generation als *Artgedächtnis* weitergegeben werden oder von den Angehörigen jeder Generation als *Individualgedächtnis* (vgl. Individualität) jeweils neu erworben und eventuell durch Tradition (↑ Lernverhalten) weitergegeben werden. Besonders auf der Grundlage des zweiten Mechanismus entsteht die Möglichkeit der Variation des Verhaltens und damit eine hohe Anpassungsfähigkeit.

3. *Ökologische Variation* (Entwicklungselastizität): phänotypische Unterschiede infolge Ausnutzung der Kapazität des Organismus, unter Wirkung systematischer Umweltfaktoren und Hilfe von Modifikatoren (↑ Modifikation) mehrere Phänotypen auszubilden. Die wichtigsten Formen sind:
– Variation durch *Umweltänderung* (Biotopvariation, z. B. Kalt- oder Warm- bzw. Zwinger- oder Wohnungshaltung, Mangel- oder Überernährung bzw. -aufzucht),
– Variation durch kurzzeitige Schwankungen im Spektrum der Umweltfaktoren (zum Teil krankmachende Einflüsse),
– dichteabhängige Variation (Populationsdichte, isometrische Variation),
– allometrische Variation: Proportionsverschiebung durch einen unterschiedlich hohen Zuwachs an ↑ Rassekatzen, ↑ Varietäten oder Genotypen infolge differenzierter Selektion (Benachteiligung oder Begünstigung).
4. *Pathologische Variation:* Die Katze hat einen relativ stabilen Phänotyp. Bei Überschreitung der artspezifischen und genetisch determinierten Reaktionsnorm werden die Tiere dennoch krank und zeigen bestimmte Symptome oder Syndrome. Zu dieser Art der Variation zählen:
– biotische Krankheitsursachen (↑ Infektionskrankheiten, ↑ Parasitosen),
– Fehlernährung (Mangelkrankheiten und Stoffwechselstörungen),
– Wirkung zufälliger (pathogener) Umweltfaktoren bzw. teratologische Variation (↑ Exogenie).

Hauptformen der *Gruppenvariation* sind die geografische Variation (↑ Gengeografie) und die Polymorphie (Polytypie). Unterschiede zwischen räumlich getrennten Populationen treten auf als
– Reihe von sich schrittweise ändernden Nachbarpopulationen,
– geografische Trennung (geografisches Isolat, vgl. Manx),
– Verbindung durch einen Gürtel erhöhter Variabilität (Bastardgürtel) oder
– Zentralpopulationen mit Populationen erhöhter Variabilität an der Peripherie.

Die *geografische Variation* wurde im Zusammenhang mit der Evolution und ↑ Domestikation der Katze vielfach diskutiert. Die ↑ Hauskatze wird als Abkömmling der Makrospezies Felis silvestris Schreber (1777) angesehen, deren Vertreter auch heute noch in Teilen Eurasiens und Afrikas leben und in historischer Vergangenheit noch weiter verbreitet waren. Felis silvestris ist heute in mehrere Staffeln (vgl. Katzen) aufgespalten, die sich im ↑ Genpool und in feineren Ausprägungen von Körperbau (vgl. Körperbautyp), Farbe und Zeichnung und in der Verhaltensweise unterscheiden (↑ Katzen). Dabei gibt es Überschneidungsbereiche der Formen, in denen Mischtypen auftreten. Als polytypische Art gliedert sich die Spezies Felis catus in mehrere Gruppen (↑ Rasse, ↑ Varietät, ↑ Genotyp).

Phäomelanin ↑ Melanin.

Pheromone: körpereigene Stoffe im Dienste der ↑ Chemokommunikation. P. werden durch spezifische Drüsen produziert, die sich bei der Katze in der Analgegend (Analdrüsen) und am Kopf (Orbitaldrüsen) befinden. Durch bestimmte Verhaltensweisen werden die Drüsensekrete wahrgenommen (↑ Nasenkontrolle, ↑ Analkontrolle) oder zur Markierung abgesetzt (↑ Markieren). Bei Katzen wird nach neueren Erkenntnissen nicht nur durch Harnspritzen markiert, sondern auch während des oft zu beobachtenden Kopfreibens (↑ Köpfchengeben) werden P. an bestimmten exponierten Stellen (z.B. auch an den Beinen des Besitzers) verteilt. Die Wahrnehmung von P. wird gleichfalls von ganz bestimmten Verhaltenselementen, wie dem ↑ Flehmen, begleitet. P. sind relativ niedermolekulare Verbindungen (daher leicht flüchtig) und wirken nach dem Schloß-Schlüssel-Prinzip (↑ Auslösemechanismus). Bereits unterschiedliche Konzentrationen können zu verschiedenen Reaktionen des Empfängers führen.

Phosphor ↑ Mengen- und Spurenelementebedarf.

Photorezeptorendysplasie ↑ Progressive Retina-Atrophie.

Piebald white spotting ↑ Scheckung.

Pigmentierung: Färbung von Haut und Haarkleid. Die Färbung des Katzenfelles wird durch die Struktur der Pigmentgestaltung von Haut und Haarkleid bestimmt. Träger des Pigmentes sind die Pigmentzellen (Melanozyten), die der embryonalen Neuralleiste entstammen und von dort als Melanoblasten und unreife Melanozyten auf vorgezeichneten Entwicklungsbahnen an die Orte ihrer endgültigen Ausdifferenzierung wandern. Sie sind in der Lage, Melaninpigment (↑ Melanin) zu bilden. Die einzelnen Etappen der P. werden durch Allele unterschiedlicher Genorte kontrolliert (↑ Mendel-Regeln). Die Wirkung derartiger Allele wird jedoch von Modifikatoren (↑ Modifikation) und vom genotypischen Milieu, d.h. von der Natur der übrigen Gene des Organismus, mitbestimmt. Daher ergeben sich Variationskurven von heller bis zur dunklen Schattierung [engl. dark to light shade]. Die Gesamtfärbung ergibt sich aus dem Zusammenwirken vieler Genorte (↑ Polygenie). Einige Genorte konnten anhand ihrer Mutantenallele identifiziert werden (Tab.). Das polygene P.ssystem wird durch verschiedene selektive Kräfte beeinflußt (↑ Selektion). Unter natürlichen Umweltverhältnissen hat es eine adaptive Funktion (Tarnung). Unter dem Einfluß des Menschen werden auffällige Mutanten begünstigt. Dabei nutzt man insbesondere vier Arten der Genwechselwirkung, die Allelie, die komplementäre und die additive Genwirkung und die ↑ Epistasie. Das Spektrum der bekannten Farbgenorte umfaßt mendelnde 2-Allele-Loci und Genorte mit ↑ multipler Allelie. Bei der komplementären Polygenie entscheidet das Vorhandensein eines bestimmten Gens nach der Alles-oder-Nichts-Regel über die P. bzw. über das Wirksamwerden von Genen anderer Genorte. So ist z.B. das Auftreten des dominanten Allels C [engl. coloration] erforderlich, um die anderen Loci überhaupt erst zur Wirkung kommen zu lassen, oder zur Manifestation der Tabbygene ist das Auftreten des dominanten Agouti-Allels notwendig (↑ Agouti). In anderen Fällen addieren sich die Wirkungen der einzelnen Gene (additive Polygenie), wobei mehr oder weniger intensiv gefärbte Phänotypen zustande kommen. Bei der P. handelt es sich um eine Folge von Stoffwechselschritten, die hierarchisch geordnet sind. Mutantenallele, die am Anfang dieser Reihe stehen, verhalten sich epistatisch gegenüber Allelen im funktionellen Ablauf später folgender Genorte. Epistatisch verhalten sich z. B. das ↑ dominante Weiß (W-Locus) und die ↑ Scheckung (S-Locus) gegenüber den P.sgenorten oder -allelen, da es sich um die gestörten biochemischen Anfangsschritte der P. handelt, die durch das Fehlen oder eine abnorme Verteilung der Pigmentzellen charakterisiert oder auf eine gestörte Melanoblastendifferenzierung in der Neuralleiste bzw. auf Störungen der Melanozytenproliferation und -wanderung zurückzuführen sind. Ihnen untergeordnet sind die P.sgene, deren Wirkung auf Tyrosinaseblockade (↑ Albinismus), auf einer Polymerisationsstörung des Melanins oder auf einer Variation der Melaningranulaentwicklung bzw. eine gestörte Übertragung

Identifizierte Pigmentierungsallele

Genort	Allele	Wirkung auf die Körperfärbung
Agouti	A^+	schwarz/gelbe Bänderung des einzelnen Haares im Agoutibereich der ↑ Tabbyzeichnung
	a	Umfärbung der Gelbbänderung im Agoutibereich in Schwarz; Tabbyzeichnung wird nur bei Jungtieren in Form von ↑ Geisterzeichnung sichtbar; a wirkt nicht auf O
Black	B^+	Nicht-Braun, Schwarz
	b	↑ Chocolate (schokoladenfarben)
	b^l	↑ Cinnamon (zimtfarben)
Coloration	C^+	volle Fellausfärbung, ↑ Vollpigmentierung
	c^b	↑ Burma
	c^s	↑ Maskenfaktor, blaue Augenfarbe
	c^a	Albinos mit blauen Augen, rezessives Weiß, keine Pigmentierung
	c	Albino mit rot durchschimmernden Augen, keine Pigmentierung
Dense pigmentation	D^+	dichte Pigmentierung, ↑ Nicht-Verdünnung
	d	↑ Verdünnung [engl. dilute pigmentation], die Schwarz zu Blau, Chocolate zu Lilac, Cinnamon zu Caramel und Rot zu Creme werden läßt, d. h., sie wirkt auf Eumelanin und Phäomelanin
	Md	modifizierte Verdünnung, die einen Beigeton entstehen läßt (↑ Dilution-Modifikator)
Inhibitor	i^+	kein Silber, normale Fellausfärbung
	I	Silberung, ↑ Melanininhibitor, der die ↑ Silberserie entstehen läßt und gleichermaßen auf Eumelanin und Phäomelanin wirkt
Orange	O	lokalisiert auf dem X-Chromosom, geschlechtschromosomengebundener Erbgang erzeugt ein Spektrum von Gelb-Rot-Färbung (↑ Geschlechtschromosom)
	o^+	das X-Chromosom ist nicht mit O besetzt, kein ↑ Orange Oo ergibt ↑ Schildpatt
Tigerung	T^+	Streifung [engl. mackerel tabby], auch t^+ oder t^m
	T^a	↑ Abessiniertabby, extensiv reduzierte Tigerung dominant über das Wildtypallel T^+
	t^b	Stromung (↑ Gestromt) [engl. blotched tabby] nur bei Vorhandensein von A (Agouti) sichtbar
Scheckung [engl. piebald-white spotting]	S	variable ↑ Expressivität, die Pigmentierungsgene werden an unterschiedlichen Körperregionen unterdrückt; es entstehen ↑ Handschuhe, ↑ Bi-Colour, ↑ Harlekin- und Vanzeichnung
	s^+	Nicht-Scheckung, die Pigmentierungsgene werden in allen Körperregionen sichtbar
	w^+	Nicht-Weiß, d. h. Normalfarbigkeit
Weiß	W	↑ dominantes Weiß, epistatisch über alle Pigmentierungsgene

des Farbstoffes an den Epithel- und Haarzellen beruhen.

Insgesamt gesehen ist über die Verhältnisse im polygenen P.ssytem nicht das letzte Wort gesprochen, da mit den bisher dokumentierten Beobachtungsergebnissen nicht alle auftretenden Varianten erklärt werden können. Das trifft z. B. für die Gruppe der Rufus-Gene zu. Der Bereich der Modifikatoren dürfte noch einige Überraschungen bieten.

Pigmentmangelsyndrom: 1. ↑ Albinismus. – **2.** ↑ Albinoserie. – **3.** ↑ dominantes Weiß. – **4.** ↑ Leuzismus. – **5.** ↑ Scheckung.

Pilzerkrankungen ↑ Mykosen.

Pinch [engl., kneifen, zusammendrükken]: negativ besetzter Begriff in der Züchtersprache, mit dem das bei den meisten ↑ Rassen unerwünschte Merkmal eingezogener Wangen beschrieben wird.

Pinealorgan ↑ Zeitsinn.

pink-eyed dilution ↑ Augenalbinismus.

Platinum: amerikanische Farbbezeichnung der ↑ Burma Lilac.

Plazenta: 1. ↑ Geburt. – **2.** ↑ Trächtigkeit.

Plumptyp ↑ Körperbautyp.

Points ↑ Abzeichen.

Polyandrie: 1. ↑ Chromosomenaberration. – **2.** ↑ Polygamie.

Polydaktylie, *Mehrzehigkeit*, *Superscratcher*: Auftreten überzähliger Zehen an breit erscheinenden Pfoten (bis zu zehn Extrazehen je Tier). Vorwiegend sind die Vorderextremitäten betroffen. Die variable ↑ Expressivität führt im Extrem zur Semiletalität (↑ Letalfehler). Es handelt sich um eine Defektmutante mit einem autosomal dominanten ↑ Erbgang. Am ↑ Genort liegen zwei Allele vor: Pd und pd^{+} (*Todd*, 1967). Die Expressivitätsgrade werden durch Wirkung des genotypischen Milieus erklärt. Die ↑ Mutation soll ursprünglich in Boston/USA bei der ↑ Maine Coon aufgetreten sein, von wo aus sie von Renommierzüchtern verbreitet wurde. Heterogenie ist jedoch nicht unwahrscheinlich, da auch Berichte aus verschiedenen anderen Regionen der Welt vorliegen, die zum Teil abweichende Krankheitsbilder beinhalten. Aufgrund des gehäuften Auftretens von P. in den USA schreibt der Standard des CFA z. B. die genaue Zehenzahl vor. Eine spezielle Form der P. ist die ↑ Wolfskralle. Abb.

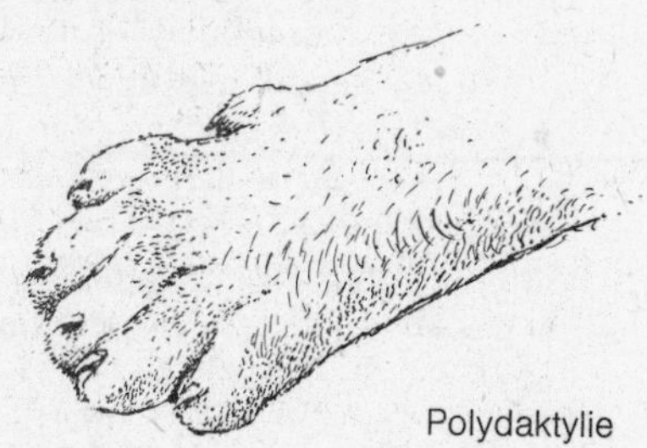

Polydaktylie

Polygamie, *Vielehe*: sexueller Kontakt eines Individuums zu mehreren Individuen des anderen Geschlechtes. Man unterscheidet zwischen *Polygynie* (Vielweiberei) und *Polyandrie* (Vielmännerei). Im Gegensatz zur *Monogamie* (Einehe) kommt P. bei Arten vor, bei denen das in der Einzahl vorhandene Geschlecht sich nicht an der Jungenaufzucht beteiligt und somit mehr Zeit und Energie zur Revierverteidigung (↑ Revierverhalten) und zur Stabilisierung der ↑ Rangordnung aufwenden kann. Bei Säugetieren ist Polygynie weit verbreitet. Freilaufende Hauskatzenmännchen sind ebenfalls polygyn. Durch ein kompliziertes ↑ Sozialverhalten kommt trotz der Anwesenheit mehrerer Kater in der Nähe einer Weibchengruppe nur ein Männchen zur Verpaarung (↑ Sexualverhalten, ↑ Sozialstatus) und erzielt gleichzeitig von mehreren miteinander verwandten Weibchen Nachkommen. Dabei kann ein Männchen sogar mehrere der streng territorialen Weibchengruppen kontrollieren.

polygene Modifikatorensysteme ↑ Modifikation.

Polygenie: Merkmalbildung durch gemeinsame Wirkung mehrerer ↑ Allele unterschiedlicher ↑ Genorte. Polygen determinierte Merkmale zeichnen sich durch folgende Besonderheiten aus:

– Eine größere, kaum oder nicht berechenbare Anzahl von Genen mit unterschiedlicher Wirkung ist an der Merkmalbildung beteiligt. Die Wirkung der Einzelgene basiert dabei auf ↑ Dominanz und ↑ Rezessivität (↑ Mendel-Regeln) bzw. auf ↑ Epistasie, und das Zusammenwirken mehrerer Gene ist additiv, komplementär, multiplikativ (Volumen-Merkmale) oder modifizierend (↑ Modifikation). Als Beispiel einer additiven Genwirkung kann einfarbig ↑ Blau, in der homozygoten Genkonstruktion aa BB CC dd angeführt werden, bei der dd ↑ Schwarz infolge ↑ Verdünnung zu Blau macht. Der Tabby-Locus liefert das Beispiel für eine komplementäre Genwirkung. Zur Manifestation des T^a-Allels z. B. ist das Auftreten des komplementären Agouti-Allels A erforderlich.
– Bei P. kann die Wirkung der beteiligten Gene auf die Merkmalbildung gleich stark sein, oder es wirkt ein Hauptgen [engl. major gene] neben vielen anderen modifizierenden Genen [engl. minor genes]. Der erstgenannte Fall trifft u. a. für Körperformatmerkmale zu, der letztgenannte, als Heterophänie bezeichnet, für die Modifikation der ↑ Pigmentierung. Die verschiedenen Arten der Genwirkung führen zu erheblichen qualitativen und quantitativen Variationen der phänotypischen Bilder mit fließenden Übergängen zwischen den Gruppen (Stufen) und zum Normalzustand (↑ Wildtyp). Dabei ist das Prädikat „befundfrei“ oder „keine Merkmalbildung“ nicht mit „anlagefrei“ zu übersetzen, sondern neben den Tieren mit vollausgeprägter und Mikro- bzw. Teilsymptomatik treten auch solche auf, die mit den verfügbaren Methoden nicht als Anlageträger ermittelt werden können (↑ multiple Rezessivität).
– Bei P. im engeren Sinne (polygen determinierte quantitative Merkmale) ergibt die Auszählung der Phänotypen im Idealfall eine symmetrische Binomialverteilung (phänotypische Häufigkeitskurfe, *p*-Kurve, Gaußkurve). Die diskontinuierliche Mendel-Variation und Mendel-Spaltungsverhältnisse fehlen, können aber bei den sogenannten Schwellenmerkmalen (polygen determinierte qualitative Merkmale, nicht mendelnde Alles-oder-Nichts-Merkmale) vorgetäuscht werden. Die genetischen Untersuchungen werden hauptsächlich mit Hilfe der Varianzanalyse durchgeführt (↑ Heritabilitätskoeffizient).
– Der Unterschied zwischen den mendelnden und den polygen determinierten Merkmalen ist fließend. Je mehr Genorte an der Ausprägung eines bestimmten ↑ Phänotyps beteiligt sind, desto geringer und unklarer wird der Beitrag eines Einzelgens an der Merkmalbildung (Abb.).
– Neben dem Genspektrum (genotypisches Milieu) eines bestimmten Organismus wirkt in vielen Fällen auch eine variable Zahl von Umweltfaktoren an der Merkmalbildung und deren Modifikation mit. Aufgrund der Umweltkomponente ist die ↑ Züchtung mit polygen determinierten Se-

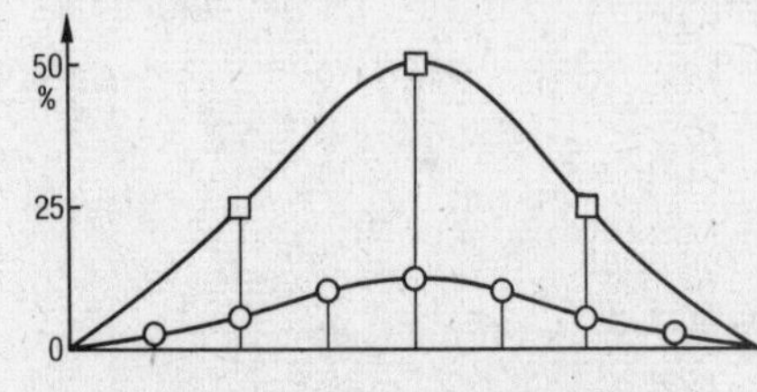

Zunahme der Zahl der Phänotypklassen (Abszisse) und Abnahme der phänotypischen Unterschiede zwischen diesen Klassen (Ordinate) bei Erhöhung der an der Merkmalbildung beteiligten Genorte mit einem dominanten Allel von eins (□) auf drei (○)

lektionskriterien (↑ Selektion) erschwert. Andererseits ergibt sich ein bestimmter Spielraum, in dem durch eine bestimmte Umweltkorrektur eine Merkmalmodifikation vorgenommen werden kann (Beeinflussung des ↑ Maskenfaktors durch Temperatur, Prophylaxe von ↑ Erbumweltkrankheiten).

– Polygen determinierte Merkmale sind häufiger als monogen bestimmte, wobei bei neuauftretenden polygenen Merkmalen zunächst ein sporadisches Auftreten überwiegt, dem aber Vorkommen in aufeinanderfolgenden Generationen und familiäre Häufung folgen. Je seltener ein polygen determiniertes Merkmal in der allgemeinen Population ist, desto stärker ist es in der Familie des Probanden vertreten, denn dieser ist ein Indikator der Akkumulation bestimmter Erbanlagen. Die Wahrscheinlichkeit des Auftretens bestimmter Merkmale bzw. Krankheitsrisiken ist bei Verwandten ersten Grades relativ hoch. Mit jedem neuen Fall innerhalb einer Familie erhöhen sich Sicherheit bzw. Risiko, z. B. mit jedem Verwandten ersten Grades, der Merkmalträger ist, auf das Doppelte. Bei normalen und pathologischen Merkmalen erhöhen sich Sicherheit der Merkmalbildung bzw. Krankheitsrisiko parallel zum Ausprägungs- bzw. Schweregrad (↑ Expressivität). Bei ungleicher Geschlechtsverteilung der Merkmalbildung steigt der Sicherheits- bzw. Risikograd erheblich, wenn der Proband dem seltener vertretenen Geschlecht angehört.

Polygen determiniert werden alle morphologischen und funktionellen Gesamtleistungen des Organismus, wie Körperbau (Form, Größe), Fruchtbarkeit, Verhaltensweisen, Krankheits- und Haltungsresistenz usw. Aber auch die Einzelgenwirkungen werden durch Modifikatoren zumindest durch das genotypische Milieu mitbestimmt, da sich ein Gen nicht im luftleeren Raum manifestiert.

Polygynie: **1.** ↑ Chromosomenaberration. – **2.** ↑ Polygamie.

Polymerie: additiv bedingte ↑ Polygenie (↑ Genwechselwirkung).

Polyodontie ↑ Gebißanomalien.

Polyploidie ↑ Chromosomenaberration.

Population: Fortpflanzungsgemeinschaft von Individuen mit einem gemeinsamen ↑ Genpool (Gesamtheit der Erbfaktoren zu einem bestimmten Zeitpunkt). Die Fortpflanzungsgemeinschaft kann dabei eine Tiergruppe umfassen, deren Mitglieder bei Verpaarung fruchtbare Nachkommen zeugen (Art, Arthybrid Waldwildkatze × Hauskatze, Rasse, Variante) oder sich praktisch paaren bzw. unter der Einwirkung des Menschen miteinander verpaart werden (Sondermutanten, Tiere eines Zuchtverbandes, einer ↑ Zucht in geschlossenen Zuchtgruppen, eines Territoriums usw). Jede P. hat eine besondere phänotypische und genetische Struktur. Merkmale der phänotypischen Struktur sind z. B. das Geschlechtsverhältnis und die Altersstruktur (↑ Lebenserwartung). Die phänotypische Struktur wird durch den Genotyp der Tiere und die herrschenden und sich verändernden Umweltverhältnisse bestimmt. Diese sind bei der Erhebung von Merkmalen der phänotypischen und genetischen Struktur einer P. immer mit in Rechnung zu setzen (↑ Gengeografie, ↑ Populationsgenetik). Der wichtigste Parameter der genetischen Konstruktion einer P. ist die ↑ Genfrequenz, d. h. die relative Häufigkeit bestimmter Allele in einer definierten P. Der P.sgenetiker konstruiert auf der Basis der ↑ Mendel-Regeln und durch Anwendung mathematischer Verfahren ideale genetische Modelle, die vom ↑ genetischen Gleichgewicht ausgehend die in der P. zu beobachtenden Veränderungen der Genfrequenzen erklären können und Voraussagen über die genetische Gesamtkonstruktion einer P. und damit über deren Qualität nach Einwirkung populationsdynamischer Faktoren gestatten. Derartige Modelle gehen im Prinzip von einer Zufallspaarung [griech. *Panmixie*; engl. random mating] aus, worunter man ein Paarungssystem versteht, in dem die gleiche Wahrscheinlichkeit für jede Partnerkombination besteht, d. h., daß alle vorkommenden Gene hinsichtlich ihrer Kombinationsmöglichkeit völlig dem Zufall unterworfen sind und systematische populationsdynamische Faktoren nicht wirken (Geschlechtsverhältnis 1:1, Fehlen von Mutation, ↑ Selektion, ↑ Immigration). In der Katzenzucht sind diese Voraussetzungen im allgemeinen nicht gegeben. Die aufgeführten Prämissen treffen nicht voll zu (z. B. Abweichungen durch naturgemäße Verhaltensweisen oder Selektion). Bei geringfügigen Abweichungen spricht man daher auch von einer allgemeinen panmiktischen P. Panmixie nimmt man auch für einen ↑ Genort an, für den Erbanalysen ein genetisches Gleichgewicht, d.h. die binomiale Häufigkeitsverteilung der Allele von $(p+q)^2$ ergeben haben.

Populationsgenetik: Teilgebiet der Genetik, das sich mit der genetischen Struktur von ↑ Populationen (↑ Genfrequenzen und ↑ Genotypfrequenzen) und deren Veränderungen (Dynamik) beschäftigt und mit genetischen Modellen arbeitet. Die klassischen Modelle sind das ↑ genetische Gleichgewicht, der 2-Allele-Locus (↑ Genort, ↑ Mendel-Regeln), die ↑ multiple Allelie sowie die autosomale und geschlechtschromosomengebundene Vererbung (↑ Autosom, ↑ Geschlechtschromosomen). Hinzu kommen ↑ Polygenie und weitere ↑ Genwechselwirkungen. Die wichtigsten populationsdynamischen Faktoren sind:

1. Mutation: Da die Spontanmutationsraten relativ niedrig sind ($u \approx 10^{-6}$), kann für die Zeitspanne einiger Generationen die ↑ Mutation als Faktor der Genfrequenzänderung in einer Population vernachlässigt werden. Sie gewinnt nur im Zusammenhang mit weiteren populationsdynamischen Faktoren an Bedeutung. Die Entwicklung der ↑ Hauskatze erfolgte durch ↑ Selektion und ↑ genetische Rekombination von bereits im Wildzustand vorhandenen und während der Domestikation neu aufgetretenen Mutationen.
2. Selektion: Die Domestikation setzt die Wirkung der natürlichen Selektion herab und stellt die künstliche Selektion in den Vordergrund. Es finden Veränderungen im Bereich der Selektionsmerkmale und eine Variation der Selektionsmethoden statt:

– Erhaltung neotenischer, d. h. juveniler Merkmale bei den erwachsenen Tieren, insbesondere Begünstigung Vertrauen und Unterwerfung beweisender Verhaltensweisen und Minderung des ↑ Abwehrverhaltens und ↑ Fluchtverhaltens (↑ Selbstdomestikation).

– Reduktion der Gehirngröße, womit die Sensitivität für Reize geschwächt wird, die unter natürlichen Verhältnissen lebensbedrohend sind (↑ Hirnschädelkapazität).

– Modifikation der hormonellen Balance, insbesondere der hypothalamischen und hypophysären Steuerungsmechanismen mit Größenreduktion der Nebennieren sowie Minderung ihrer Sekretion.

– Selektive Begünstigung des „Ungewöhnlichen“: Je leuchtender eine Farbe oder je deutlicher die Abweichung unter Umständen vom ↑ Standard ist, desto größer ist die Bevorzugung. Hier spielen auch kommerzielle Gesichtspunkte eine Rolle. Kommt eine ↑ Varietät neu auf den Markt oder wird sie plötzlich populär („modisch"), steigen insbesondere bei kleiner Zuchtbasis Nachfrage und Preise. Eine selektive Begünstigung von Anlage- und Merkmalträgern ist häufig im Zusammenhang mit Importen (↑ Immigration von Genen) zu verzeichnen (Gründerprinzip).

– Unterlassung der Selektion von unter natürlichen Bedingungen nachteiligen Erbanlagen, u. a. Verkauf selektierter Tiere an „Liebhaber", die dann damit weiterzüchten oder die Vermehrung dem Selbstlauf überlassen und damit Defektmerkmale in der Population erhalten, oder die Aufbesserung von Merkmalträgern durch Operationen (Make up) und deren Zuchtbenutzung.
– Erhaltung ungünstiger Allele infolge Überlegenheit der Heterozygoten (↑ Heterosis).

3. Paarungssystematik: Die Systematik der Elternkombination beeinflußt die Genfrequenzen entscheidend (↑ Inzucht, ↑ Linienzucht, ↑ Zucht in geschlossenen Zuchtgruppen, ↑ Kreuzung).
4. ↑ Immigration: Zufuhr neuer Allele in eine geschlossene Zucht.
5. ↑ genetische Drift: Zufallsschwankungen der Genfrequenzen bei Zerlegung einer großen panmiktischen Population in Teilpopulationen, die in sich weitergezüchtet werden.
6. Fertilitätsunterschiede und zytoplasmatische Faktoren (↑ matrokline Vererbung).

In der organisierten Rassekatzenzucht sind P. und ↑ Gengeografie der Fellfarben und -länge von besonderem Interesse. Die Mehrzahl der Fellfarbmutanten ist weltweit verbreitet. Die Mutationen sind in einer weit zurückliegenden Evolutionsphase eingetreten. Wann sie das erste Mal beobachtet wurden, ist unbekannt. Zu dieser Gruppe gehören a (↑ Nicht-Agouti), d (↑ Blau), l (↑ Langhaarigkeit), O (↑ Orange), S (↑ Schekkung), t^b (↑ Tabbyzeichnung) und W (↑ dominantes Weiß). Die Genfrequenzen schwanken zwischen den einzelnen regionalen Populationen. Während einige Gene, wie d und S, mit geringer bis mäßiger Häufigkeit weltweit verbreitet sind, treten andere regional gehäuft auf, z. B. a, O und t^b.

Nach neueren Angaben soll l besonders stark im Bereich Türkei/Iran sowie in bestimmten Gebieten der UdSSR verbreitet sein (*Borodin* et al., 1978), wo sie mit dem Kälteschutz in Zusammenhang gebracht wurden. Anzumerken ist jedoch, daß in l Zonen mit großen jährlichen Niederschlagsmengen unvorteilhaft ist. Es kommt zu ähnlichen Veränderungen, wie bei der Vliesfäule der Merinoschafe auf den britischen Inseln.

Das Allel a ist in allen Teilen der Welt anzutreffen, in einigen Regionen mit sehr hoher Frequenz. Die Ursachen hierfür sind unbekannt. Nach einer Hypothese von *Keeler* (1942) sind schwarze Tiere weniger ängstlich und fügsamer als wildfarbene. Die Zuordnung von a zu den „Zähmungsgenen" erscheint fraglich. Einleuchtender erscheint die Annahme einer Beziehung zur menschlichen Populationsdichte, zur Häufung in städtischen gegenüber ländlichen bzw. industrialisierten gegenüber nichtindustrialisierten Regionen (↑ Koeffizient der phänotypischen Dunkelfärbung).

Das O-Allel tritt in Indien, Südostasien und Japan besonders häufig auf. Dort soll auch die Mutante entstanden sein. O steht jedoch im inversen Verhalten zu a und t^b. Wo diese auftreten, wird O offensichtlich nicht begünstigt, obwohl es eine attraktive Farbe ist.

Das Allel t^b ist stark regionalisiert. Die Mutante soll in Großbritannien entstanden und von dort per Schiff auf die ehemaligen britischen Kolonien (Nordamerika, Australien) verbreitet worden sein. Die Genfrequenz blieb in den kolonisierten Gebieten unverändert, da entweder keine einheimische genfrequenz-verdünnende Wildpopulation existierte oder nach der Inauguration der Population spätere Immigrationen keine Rolle mehr spielten. Ein selektiver Druck durch menschliche Präferenzen fehlte. Die Ursache einer Genfrequenzerhöhung im Mutterland ist ungeklärt. Teilweise wird sie mit der besseren Adaptationsfähigkeit der weniger furchtsamen melanotischen Mutanten erklärt, teilweise mit der steigenden Populationsdichte, mit menschlichen Präferenzen bei Industrialisierung usw. in Zusammenhang gebracht.

Das dominante Weiß W-, das zwar allgemein selten ist, tritt in Ländern mit gemäßigtem oder kaltem Klima signifikant seltener auf als in wärmeren Regionen. Nach *Wegner* (1979) liegt q^W in den beiden Fällen bei 0,008 ± 0,005 bzw. 0,025 ± 0,006. Die Türkei bildet hierbei wegen der Bevorzugung der weißen Van (↑ Türkisch Angora) mit einer Allelfrequenz von 0,1 die Ausnahme (*Todd* et al., 1977).

Zwei Farbmutanten mit ursprünglich geografischer Restriktion sind c^s (↑ Siam) und T^a (↑ Abessiniertabby). Beide sind gehäuft in Südostasien verbreitet gewesen, die letztgenannte Mutante auch in Teilen der UdSSR. In jüngerer Zeit wurde das Allel mit geringer bis mittlerer Frequenz weltweit verbreitet. M (↑ Manx) und Pd (↑ Polydaktylie) sind von typischer begrenzter Verbreitung. Hierfür ist der Defektcharakter der Merkmale verantwortlich zu machen.

↑ Schwanzanomalien [engl. kinky, bent or bobtail] sollen ursprünglich in Südostasien verbreitet gewesen sein. Als Ursache werden menschliche Präferenzen angegeben.

Bisher wurden die Katzenpopulationen im wesentlichen auf der Basis von Stichprobenvergleichen hinsichtlich ihres Bestandes an individuellen Allelen untersucht. Die Erhebungen sind noch nicht abgeschlossen. In zunehmendem Maße wird das „genetische Profil" der Populationen, u. a. durch Bestimmung des Koeffizienten der genetischen Identität oder Distanz, analysiert.

populationsgenetische Faktoren ↑ genetisches Gleichgewicht.

Porphyrie, *Purpurfärbung*: Überproduktion der Porphyrinisomere des Typs I in Form von Uro- und Koproporphyrin (Abb.). Porphyrine sind Ausgangspunkte der Hämbildung, des wichtigsten Hämoglobinbestandteils. Da die Protoporphyrine des Typs I nicht in solche des Typs III überführt werden können, die zur Hämoglobinbildung erforderlich sind, kommt es zur Ablagerung in den wachsenden Knochen und Zähnen. Außerdem werden die I-Isomere in erhöhter Menge im Kot (Koproporphyrie) und Harn (Porphyrinurie) ausgeschieden. Knochen und Zähne verfärben sich rosa bis bräunlich. Auch Kot und Harn sind entsprechend verfärbt (Purpur). Unter UV-Licht zeigen die verfärbten Teile eine rosa Fluoreszenz. Es treten auch variable Grade von Anämie auf. Der Erbgang der Stoffwechselstörung ist einfach autosomal dominant (*Tobias*, 1964; *Glenn* et al., 1968). Am Genort befinden sich zwei Allele, Po und po^+.

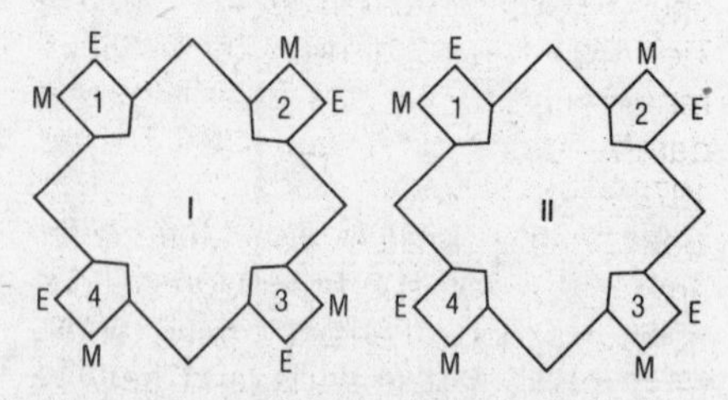

Etioporphyrietypen I und II (E = Ethylradikal, M = Methylradikal

Porphyrinurie ↑ Porphyrie.
Prägephase ↑ sensible Phase.
Prägung [engl. imprinting]: in der Regel irreversibler (unumkehrbarer) und an eine ↑ sensible Phase gebundener Lernvorgang (↑ Lernverhalten), der in frühester Jugend erfolgt. Je nach Art des ↑ Verhaltens und den Objekten bzw. Bedingungen, die die Reize liefern, werden verschiedene Klassen der P. unterschieden:
Beute-P. (Nahrungspräferenz): Festlegung auf bevorzugte Beutetiere, die zum Teil bereits durch die erste Fütterung des Jungtieres mit fester Nahrung durch die Mutter erfolgt. So werden z.B. Jungkatzen, deren Mütter reine Mäusekatzen sind, später als erwachsene Tiere nicht rattenscharf. Der bei der ↑ Hauskatze vermutete Einfluß der Beute auf das spätere ↑ Beutefangverhalten konnte von *Leyhausen* (1982) nicht bestätigt werden. Es ist jedoch noch unklar, was zu einer Bevorzugung bestimmter ↑ Beutetiere bei der Katze führt.
Bei Zufütterung durch den Menschen werden die Welpen ebenfalls in den ersten Wochen nach dem Absetzen (↑ Welpenaufzucht) auf die in dieser Zeit verabreichte Nahrung festgelegt. Versuche ergaben, daß Welpen, die vor und nach dem Entwöhnen mit einer an sich schlecht akzeptablen halbsynthetischen Diät gefüttert wurden, dieses Futter auch später problemlos aufnahmen, obwohl zwischenzeitlich handelsübliches Futter gefressen wurde. Andere Tiere, die diese Diät nicht kannten, waren erst nach ein bis zwei Monaten daran gewöhnt (*Mugford, Thorne,* 1978).
Sexuelle-P.: Erfassen von Merkmalen, an denen der später geeignete Geschlechtspartner erkannt wird. Während man früher überwiegend der Ansicht war, daß nur artspezifische Merkmale (Art-P.) erlernt werden, zeigten neuere Untersuchungen, daß auch individuelle Merkmale eine Rolle spielen können, was für die Inzestvermeidung von Bedeutung sein könnte. Völlig von Artgenossen getrennt aufgezogene Kater und Katzen (↑ Kaspar-Hauser-Tier) sind als Erwachsene menschgeprägt und richten ihr ↑ Sexualverhalten vorzugsweise auf bestimmte menschliche Bezugspersonen (↑ Mensch-Tier-Beziehungen). *Leyhausen* (1982) beschreibt ein menschgeprägtes Baumozelotweibchen (↑ Wildkatze), das bei Rolligkeit nur den Fuß der Pflegerin umklammerte und den Kater wegbiß. Erst nachdem es dem Kater gelang, zu einem geeigneten Zeitpunkt doch eine Kopulation zu vollziehen, wurde er später von dem Weibchen als sexuelles Ersatzobjekt akzeptiert (↑ atypisches Sexualverhalten).
Orts-P.: besonders bei wandernden Tierarten, z. B. Zugvögeln, vorhandene Bindung an den Geburtsort (Brutorttreue), die bei der reviertreuen Hauskatze auf das eigentliche ↑ Heim bezogen werden kann (vgl. auch Ortsgedächtnis).
Zeit-P.: Festlegung auf eine bestimmte Beziehung zur kosmischen Zeit bei der Ausführung bestimmter Verhaltensweisen (↑ Zeitsinn, ↑ Tagesrhythmik).
Prämolaren ↑ Zähne.
Premior ↑ CAP.
Progressive Retina-Atrophie, *Netzhaut-Rückbildung, fortschreitender Netzhautschwund, Photorezeptordysplasie,* Abk. *PRA*: mit Nachtblindheit beginnender fortschreitender Schwund [griech. Atrophie] der Netzhaut (↑ Auge), der zur völligen Erblindung führt. Die Krankheit wurde bei vielen Tierarten festgestellt. Das Krankheitsbild ist variabel, weshalb zur Bezeichnung der gleichen Störung unterschiedliche Begriffe verwendet wurden (u. a. Dystrophie, Abiotrophie). Sie beginnt mit Verhaltensabweichungen, die

auf Sehstörungen zurückzuführen sind (z. B. Anstoßen an Gegenstände). Im Extrem kommt es zum vollständigen Verlust der Photorezeptorenschichten. Nachtblindheit und Pupillenerweiterung (Mydriasis) setzen sich über eine eingeschränkte Tagsichtigkeit bis zur völligen Blindheit mit fixierten Pupillen fort. Hierzu laufen abweichende ophthalmoskopische Befunde parallel (Degeneration und teilweises Fehlen der Netzhaut, erhöhtes Reflexionsvermögen des Tapetum lucidum, Degeneration und Discus opticus und verstärkte peripapilläre Pigmentierung, d. h. Ähnlichkeit mit der Retinitis pigmentosa des Menschen). Die elektroretinografischen Abweichungen korrelieren mit der Stärke der degenerativen Prozesse. Bei der Katze hatte man zunächst zwei erbliche Formen festgestellt:

– die einfach autosomal rezessiv erbliche, progressive zentrale Retina-Atrophie, bei der am Genort die Allele PRA-1^+ und pra-1 vorliegen. Der Defekt wurde in vielen Rassen festgestellt, gehäuft aber bei Siamesen (*Bellhorn/Fischer*, 1970).
– die progressive generalisierte Retina-Atrophie, ebenfalls mit einem einfach autosomal rezessiven Erbgang, mit den Allelen PRA–2^+, pra–2 am Genort. Auch diese Form wurde bei mehreren Rassen ermittelt. Im Durchschnitt sollen 1 bis 2 % aller Tiere der Katzenpopulation betroffen sein. Eine Häufung zeigte sich bei Abessiniern und Perser-Katzen (*Slatter*, 1977).

Im ersten Fall sind zunächst verstärkt die zentralen Retinabereiche betroffen. Im zweiten Fall ist der Krankheitsprozeß von Anfang an generalisiert. In beiden Fällen sind die Heterozygoten weder anhand von Verhaltensabweichungen, noch von ophthalmoskopischen oder elektroretinografischen Veränderungen zu erfassen. Das ist nur im Rahmen eines ↑ Heterozygotietests möglich.

Inzwischen konnte nachgewiesen werden, daß eine weitergehende Heterogenität der Krankheit besteht. Von *Narfström* (1981) wurde sie bei Abessinierkatzen in Schweden und von *Barnett* (1982) in Großbritannien registriert. Die betroffenen Populationen differierten jedoch hinsichtlich des Erstmanifestationsalters und des Erbganges. In Schweden waren hauptsächlich zwei bis drei Jahre alte Tiere betroffen, und der Erbgang war einfach autosomal rezessiv (*Narfström*, 1982, 1983). Bei den in Großbritannien hauptsächlich erkrankten juvenilen Tieren lag ein autosomal dominanter Erbgang vor (*Barnett/Curtis*, 1985). Es ist anzunehmen, daß die Heterogenität noch weitgehender ist. Als Ursache zu beachten sind neben Erblichkeit auch Mangelkrankheiten und Stoffwechselstörungen, die alters- und die toxisch bedingte sowie die postinflammatorische, d. h. die nach Entzündungen auftretende PRA. Die Katze ist die einzige bekannte Tierart, die β-Karotin nicht in Retinol (Vitamin A) umwandeln kann. Sie ist auf einen hohen Vitamin-A-Spiegel in der Nahrung angewiesen. Die Ursache dieser Besonderheit ist bisher nicht geklärt. Man weiß nicht, ob die Katzen aus diesem Grunde zu Fleischfressern wurden oder ob sie die Fähigkeit der β-Karotin-Umwandlung verloren haben, weil sie Fleischfresser sind (*Scott*, 1977). *Hayes* et al. (1975) ermittelten den Defekt als Folge einer Störung des Stoffwechsels schwefelhaltiger Aminosäuren (Taurin-Mangel, ↑ Eiweißbedarf). Bei den von *Narfström/Nillsson* (1983) beschriebenen Fällen lag nur in zwei von 78 Fällen ein Verdacht auf metabolische Retina-Atrophie vor. Von den über zwei Jahren alten Abessinierkatzen waren über 40 % von der erblichen P.R. betroffen.

Proteine ↑ Eiweißbedarf.

Protozoen ↑ Endoparasiten.

pseudogravider Zyklus ↑ Rolligkeit.
Pseudopolyodontie ↑ Gebißanomalien.
Pseudowut ↑ Infektionskrankheiten.
Ptosis ↑ Entropium.
Pulsfühlen ↑ Herz.
Pupille: 1. ↑ Auge. – **2.** ↑ Reflex.
Pupillenerweiterung: 1. ↑ Abwehrverhalten. – **2.** ↑ dominantes Weiß. – **3.** ↑ Progressive Retina-Atrophie. – **4.** ↑ Reflex.
Pupillenreflex ↑ Reflex.
Purpurfärbung ↑ Porphyrie.
Putzen ↑ Körperpflege.
Pyometra ↑ Gebärmuttererkrankungen.

Q

Qualifikation: Urteil des amtierenden Zuchtrichters auf Ausstellungen. Die Q. basiert auf der erreichten Punktzahl, die für die einzelnen ↑ Rassen und ↑ Varietäten im ↑ Standard für die jeweiligen Bewertungspositionen festgelegt ist. Die Q. ist bei einer Punktzahl bis 75 „gut", bis 87 „sehr gut", ab 88 „vorzüglich". Bei einer ↑ Klassifikation I kann ab 93 Punkten ein ↑ CAC und ab 95 Punkten ein ↑ CACIB vergeben werden.
Quärren ↑ Lautgebung.
Quecksilber ↑ Vergiftungen.
Quietscher ↑ Lautgebung.

R

Rabies ↑ Infektionskrankheiten.
Rachitis, eigentlich Rhachitis – Wirbelsäulenentzündung, *englische Krankheit*: mangelhafte Mineralisierung der neugebildeten Knochen beim Jungtier und damit ungenügende Verknöcherung der Knorpelgrundsubstanz. Beim erwachsenen Tier entsteht die *Knochenweiche* (Osteomalazie) in ähnlicher Weise, wenn beim ständigen Umbau des Knochens das neugebildete Gewebe nicht mineralisiert wird. Als Ursache kommen vor allem Störungen der Calcium-, Phosphor- und Vitamin-D-Versorgung in Frage, die im allgemeinen in einer falschen ↑ Ernährung (↑ Fütterungsfehler) zu suchen sind. Allerdings wird ein Vitamin-D-Mangel erst bei fehlender Sonnenbestrahlung relevant, da eine Eigensynthese dann nicht mehr möglich ist. Erbliche Disposition (↑ Erbumweltkrankheiten) und ↑ Inzuchtdepression wirken unterstützend. Spulwürmer (↑ Endoparasiten) bzw. deren Toxine beeinflussen direkt oder indirekt den Calcium-Phosphor-Stoffwechsel, so daß die R. u. a. auf einen Spulwurmbefall zurückgeführt werden kann. Bei natürlicher Aufzucht und Ernährung spielt R. eine unbedeutende Rolle. Erst bei mangelhaften Umweltverhältnissen, wie eine Aufzucht und Haltung in lichtarmen „Karnickelbuchten", und reiner Fleischfütterung kommt die R. zum Tragen. Das gilt auch für die „liebevolle Haltung" und alleinige Versorgung mit „Leckerbissen". Ein ↑ Fertigfutter kann nur dann als vollwertig und ausgewogen gelten, wenn u. a. auch Calcium und Phosphor im Verhältnis 0,9:1,0 enthalten sind, und dies auf dem Etikett vermerkt ist. Leider werden international in dieser Hinsicht suspekte Fabrikate angeboten.

Je nach Grad der Unterversorgung kommen offensichtliche (klinische) und verborgene (subklinische) Krankheitsbilder zustande. Das klinische Bild besteht hauptsächlich aus Wachstumsminderung und -verzögerung, Verbiegung von Röhrenknochen (O-Beine), der Wirbelsäule und der Rippen (u. a. rosenkranzähnliche Auftreibungen an der Knorpel-Knochen-Grenze = rachitischer Rosenkranz) sowie aus einer Verdickung der Epiphysen (oberes und unteres Ende der Knochen, gewöhnlich eine Gelenkfläche tragend). Häufig liegt eine Disposition für Knochenbrüchigkeit vor. Das Krankheitsbild ist jedoch variabel. Handhabbare Einzelgenwirkungen sind bei ↑ Katzen bisher nicht bekannt geworden. Eine indirekte Wirkung des ↑ Genotyps, z. B. steigende Homozygotisierung bei ↑ Inzucht, ist jedoch erwiesen. Die Ursachen sind in solchen Fällen nicht einheitlich. Eine falsche Zuordnung des Krankheitsbildes ist deshalb nicht selten (↑ Osteogenesis imperfecta).

Rädermuster, -zeichnung: 1. ↑ Gestromt. – **2.** ↑ Tabbyzeichnung.

Ragdoll: zu den ↑ Semilanghaar gehörende Rassekatze. Die R. ist eine große, schwergewichtige Katze mit einem durchschnittlichen Gewicht von 7 bis 10 kg. Der breite Kopf bildet einen mittellangen Keil, dessen Seitenlinien in einem runden, kräftigen Kinn zusammenlaufen. Die Ohren sind von mittlerer Größe und weit gesetzt. Die gut ausgeprägten Wangen verleihen dem Gesicht eine herzförmige Rundung. Die Augenfarbe aller R.varietäten ist ein tiefes Blau. Der langgestreckte Körper steht auf stämmigen, mittellangen Beinen und runden dicken Pfoten. Der Schwanz paßt in der Länge zum Körper und ist federbuschartig behaart. Das dichte Fell ist von seidiger Textur und durch die spärliche Unterwolle am Körper anliegend. Die R. wird in den Varietäten *mitted* [amerik., behandschuht] in Seal aa B- c^sc^s D- S-, Blue aa B- c^sc^s dd S-, Chocolate aa bb c^sc^s D- S- und Lilac aa bb c^sc^s dd S- (in der ↑ Maske ist durch die ↑ Scheckung eine ↑ Blesse vorhanden), ↑ Bi-Colour Schwarz/Weiß aa B- C- D- S-, Blau/Weiß aa B- C- dd S-, Chocolate/Weiß aa bb C- D- S- und Lilac/Weiß aa bb C- dd S- und als ↑ Colourpoint in Seal aa B- c^sc^s D- ss, Blue aa B- c^sc^s dd ss, Chocolate aa bb c^sc^s D- ss und Lilac aa bb c^sc^s dd ss gezüchtet.

Die Geschichte der R. ist eine Geschichte in zwei Teilen: In ihrem ersten Teil ist sie die Geschichte der Unbedarftheit, der Darstellungssucht und des Gewinnstrebens einer amerikanischen Züchterin, ein Musterbeispiel für all das, was Rassekatzenzucht nicht sein sollte. Sie begann Mitte der 60er Jahre mit *Josephine*, die nach Aussagen ihrer Besitzerin eine „weiße Angora" sein sollte. Nach einem Autounfall entdeckte man das eigentliche Wesen von *Josephine*, Anschmiegsamkeit und in hohem Maße Schmerzunempfindlichkeit. Die erste Tugend ist allen gut gehaltenen und gepflegten ↑ Rassekatzen gemeinsam, die zweite eher ein Mangel, der nicht zum Rassemerkmal erhoben werden sollte. Diese „Eigenschaften" entdeckte *Josephins* Besitzerin aber erst bei der Behandlung der schweren Unfallfolgen, als sie gezwungen war, sich intensiv um das Tier zu kümmern. Die wieder hergestellte *Josephine* wurde „gezielt" mit einem Birmakater verpaart und brachte einen „geplanten Wurf" zur Welt, dem sie natürlich alle eingangs erwähnten Tugenden vererbte. Ein attraktiver Name wurde ersonnen. Katzen züchten konnte jedermann – aber Stoffpuppen? So erhielten *Josephines* Nachkommen die ↑ Rassebezeichnung R., was wörtlich übersetzt „Stoffpuppe" heißt. Unzählige Veröffentlichungen unterschiedlichen Genres ließen die übrige Katzenwelt an diesem „sensationellen" Ereignis teilnehmen. Um zu verhindern, daß ein anderer in Katzen freundliche, liebevolle, anschmiegsame und notfalls auch duldsame Tiere entdeckte, wurde der Name R. gesetzlich geschützt. Ahnungslose Käufer erhielten beim Erwerb einer R. strenge Auflagen und Konzessionsverträge; der darin festgelegte Preise war fünfmal höher als der ohnehin hohe Preis für eine Ausstellungskatze in den USA. In den Verträgen wurde außerdem festgelegt, daß zum Decken nur Kater aus dem ↑ Zwinger von *Josephines* Besitzerin genommen und daß männliche Jungtiere nur kastriert abgegeben werden durften. Somit war die R.zucht in totaler Kontrolle ihrer Erfinderin. Obwohl Experten versuchten, sie zu belehren, daß erworbene Eigenschaften, wie z. B. die angeblich hohe Schmerzgrenze, nicht vererbt werden, wurden R. immer wieder an wissenschaftlichen Institute den verschiedensten Untersuchungen unterzogen. Das Resultat war stets das gleiche: Die R. unterschieden sich in physiologischer Hinsicht in keiner Weise von anderen Katzen. Das ständige Wiederholen und Widerlegen von Ungereimtheiten, die immer aufs Neue geschürten Kontroversen machten die R. immer populärer und ließen ihren „Marktwert" steigen: Das uneingestandene Ziel war erreicht!

Der zweite Teil der Geschichte beginnt 1969, als unerfahrene Katzenfreunde ein R.pärchen erwarben. Hier beginnt eine Zuchtgeschichte, die anderen völlig ähnlich ist. Die Käufer hatten Glück im Unglück, da sie noch keinen Konzessionsvertrag unterzeichnen mußten. Ihre Wege trennten sich nach so viel Wirbel um die R. bald von denen, die *Josephines* Besitzerin eingeschlagen hatte. In jahrelanger intensiver Zuchtarbeit gelang es einer Gruppe von Züchtern dann, einen Punkt zu erreichen, an dem alle Katzen, die den Namen R. tragen, sich durch gemeinsame Merkmale von anderen unterscheiden und zu Recht als eigene Rasse betrachtet werden konnten. Als 1979 einer der amerikanischen Dachverbände sich zur offiziellen Anerkennung entschloß, traten

Ragdoll

die Birmazüchter auf den Plan. Sie hatten völlig vergessen, wie sehr sie von den Himalayanzüchtern (↑ Colourpoint) bekämpft wurden, als es um die Anerkennung ihrer Rasse ging, und widersetzten sich erfolgreich der Anerkennung. Auf den ersten Blick ist eine gewisse Ähnlichkeit zwischen ↑ Birma und R. nicht zu übersehen, bei genauerer Betrachtung fallen jedoch die großen Unterschiede im Kopfprofil und im ↑ Körperbautyp ins Auge. Diese Unterschiede sind genauso groß oder genauso klein wie die zwischen anderen ↑ Rassen, z. B. einer ↑ Russisch Blau und einer ↑ Korat, die ebenfalls als eigenständige Rassen gelten.

Die R. wird inzwischen bei den meisten amerikanischen Dachverbänden registriert und ist teilweise schon voll anerkannt. Den Weg nach Europa hat sie auch schon gefunden, und es dürfte somit nur eine Frage der Zeit sein, bis sie auch einen Platz im F.I.Fe.-Standard bekommt. Abb.

Rangordnung: geregelte Verteilung von „Rechten und Pflichten" innerhalb einer Gruppe von Tieren (↑ Sozialverhalten). Jedes Gruppenmitglied verkörpert auf seinem Rangplatz eine bestimmte Funktion von gleichem Wert für das Ganze. In den meisten Fällen ist die *Rangfolge* einer Gruppe linear, es gibt aber auch komplexere Beziehungen, z.B. Dreiecksverhältnisse. Das Tier mit dem höchsten Rangplatz wird als dominantes Tier oft mit dem ersten Buchstaben des griechischen Alphabets als *Alpha-Tier* bezeichnet. Das Tier mit dem niedrigsten Rangplatz wird *Omega-Tier* genannt. Die Dominanzverhältnisse tragen zur Stabilisierung der Gruppe bei, oft sind sehr heterogen zusammengesetzte Strukturen am stabilsten. Ranghohe Tiere haben meist bevorzugten Zutritt zur Nahrung, zu günstigen Schlafplätzen oder auch Vorrechte im ↑ Sexualverhalten; sie können aber auch bestimmte Pflichten, wie z. B. die der Revierverteidigung, haben. Voraussetzung für die Entwicklung und Aufrechterhaltung der R. ist das individuelle Erkennen (↑ Ausdrucksverhalten, ↑ Chemokommunikation) der Gruppenmitglieder. R.skämpfe sind häufig formalisiert (↑ Ritualisation) und werden unblutig abgewickelt (↑ Kampfverhalten, ↑ Drohverhalten). Die Hauskatze wurde lange Zeit als ausgesprochener Einzelgänger betrachtet, und es gibt nur wenige Hinweise zu ihrem ↑ Sozialverhalten. Da die Revierverhältnisse (↑ Revierverhalten, ↑ Heim) hauptsächlich nach einem zeitlichen Fahrplan geregelt werden, die Tiere sich bei optischem Kontakt in der Regel aus dem Wege gehen, kommt es nur in Ausnahmefällen zu ernsthaften R.skämpfen (*Leyhausen*, 1982). Nur bei der ersten Begegnung kann es zu einer Auseinandersetzung kommen (↑ Kampfverhalten), besonders dann, wenn die Tiere unerwartet aufeinandertreffen. Konfrontiert man zwei unbekannte Katzen in einem abgeschlossenen Raum, kann es zu blutigen Kämpfen kommen, da das ↑ Fluchtverhalten nicht realisiert werden kann. *De Boer* (1977b) beobachtete bei 123 Konfrontationen insgesamt 22 Kämpfe. Kastrierte Kater zeigen in derartigen Situationen oft submissives (unterordnendes) Verhalten. Vor einem Gegner lassen sie sich fallen oder legen sich auf die Seite (↑ Beißhemmung).

Die durch Kämpfe freilaufender Hauskatzen entstehende R. ist nicht starr. Die einmal gewonnene Überlegenheit ist immer orts- und meist auch zeitgebunden. So darf z. B. ein rangniederes Tier sogar das ↑ Heim erster Ordnung eines ranghöheren Tieres inspizieren und eine dominante Katze vertreibt kaum eine untergeordnete von einem bereits eingenommenen Lieblingsplatz. Die so entstehende Sozialstruktur wird von *Leyhausen* (1982) *relative R.* oder relative soziale Hierarchie genannt. An Reviergrenzen oder auf gemeinsamen Wegen ist meist das Tier überlegen, das zuerst eintrifft. Mehrere Katzen können z.B. in Form der ↑ Bruderschaft ein größeres Gebiet beherrschen. Bei ausreichendem Nahrungsangebot, besonders bei hausgebundenen Tieren, können Katzen durchaus Gruppen bilden (↑ Sozialverhalten). Grundlage einer solchen Sozialstruktur, die aus mehreren Weibchen und noch nicht geschlechtsreifen Tieren besteht, dürfte eine Mutter-Kind-Familie sein. Unter den Jungtieren bildet sich verhältnismäßig früh eine R. heraus, die z. B. in der ↑ Zitzenpräferenz ihren Ausdruck finden kann. Diese R. setzt sich später in einer fest ausgeprägten -Hierarchie am Futternapf fort, wie sie sich auch bei künstlich zusammengesetzten Gruppen von Stubenkatzen in beengten räumlichen Verhältnissen regelmäßig herausbildet (*Cole* und *Shafer*, 1966). Diese Form der R. wird von *Leyhausen* als *absolute R.* bezeichnet. Zwischen relativer und absoluter R. sowie der Wohndichte künstlicher Katzengruppen gibt es eine direkte Beziehung. Je überfüllter ein Raum bzw. ein ↑ Zwinger ist, umso stärker ist die absolute R. ausgeprägt. Das kann bis zur Entwicklung eines ↑ Despoten und einer Anzahl von regelrecht neurotischen Tieren (↑ Neurose), die unter ständiger Drangsalierung leiden (↑ Stress), führen (↑ Paria). Oft wird in solchen Gruppen nicht mehr gespielt, Bewegungen werden auf ein Minimum eingeschränkt. Im Gegensatz zum Rudeltier Hund ordnet sich eine Katze dem Menschen nicht auf Befehl unter (↑ Selbstdomestikation). Eine im Vergleich zu ihren wilden Vorfahren (↑ Katze, ↑ Domestikation) größere Umgänglichkeit besonders der ↑ Rassekatzen, ist auf das Erhaltenbleiben infantiler (kindlicher) Verhaltensweisen in den Beziehungen zum Menschen (↑ Mensch-Tier-Beziehungen) zurückzuführen und steht zu dieser Feststellung in keinem Widerspruch.

Ranzzeit: 1. ↑ Jahresrhythmik. – **2.** ↑ Rolligkeit.

Rasse: Gruppe von Tieren, die sich von anderen der gleichen Art durch den gemeinsamen Besitz bestimmter Erbanlagen unterscheiden, die unter gleichen Umweltverhältnissen zur Manifestation rassebildender Merkmale führen. Die R.bildung ist ein komplizierter Prozeß, an dem mehrere Evolutionsfaktoren mitwirken (u.a. ↑ Mutation, ↑ Immigration, ↑ genetische Drift). Der wichtigste Faktor der R.bildung ist jedoch die Isolation von Subpopulationen. Diese Isolation geht auf Entfernung, also geografische Barrieren (allopatrische Isolation) oder auf Fortpflanzungsbarrieren (sympatrische Isolation, reproduktive Isolation wie Standardforderungen bzw. Zuchtbuchschranken und Pedigree-Barrieren) zurück. Die Isolation führt zur Entwicklung von Divergenzen. Im Prinzip können zwei sonst erbgleiche Stämme kennzeichnende Unterschiede zeigen, die sich nur in einem Genpaar unterscheiden, d. h. homozygot dominant oder homozygot rezessiv an einem ↑ Genort sind. R.festlegungen auf der Basis stark variierender oder aufspaltender Merkmale oder vieler Merkmale sind nicht möglich. Bei polygen determinierten R.merkmalen ist ein ↑ genetisches Plateau erforderlich. Bei der Herausbildung der verschiedenen R. wurden in der organisierten R.katzenzucht unterschiedliche Methoden angewandt. Die einfachste Form ist die Entwicklung von R. in Anlehnung an natürliche Populationen, was für die ↑ Norwegische Waldkatze, ↑ Maine Coon, ↑ Europäisch Kurzhaar, ↑ Egyptian Mau, ↑ Korat und ↑ Singapura zutrifft. Bei ihnen ist das Einkreuzen fremder R. untersagt und die Zucht ist auf

die Erhaltung der natürlichen Merkmale und des ursprünglichen ↑ Phänotyps gerichtet.
Der nächste Schritt ist die Weiterentwicklung von Tieren, die aus natürlichen Populationen bei Beginn der organisierten R.katzenzucht entnommen und zur Zucht eingesetzt wurden. Nach dem ästhetischen Empfinden der Züchter, das im ↑ Standard seinen Ausdruck findet, erfolgte eine Umformung zum heutigen Aussehen. Zu dieser Gruppe gehören die ↑ Perser, ↑ Siam und ↑ Abessinier. Ein spontan auftretendes ungewöhnliches Merkmal zum R.kriterium zu machen, ist eine alte Methode. Sie wurde bei den ↑ Manx, ↑ Japanese Bobtail, ↑ Scottish Fold, ↑ American Curl, ↑ German Rex, ↑ Cornish Rex und ↑ Devon Rex angewandt. Durch Kombination zweier oder mehrerer Merkmale verschiedener bereits etablierter R. können neue R. geschaffen werden. Auf diese Weise sind die ↑ Colourpoint (Kombination von ↑ Langhaar mit dem ↑ Maskenfaktor), die ↑ Exotic Kurzhaar (Persertyp und ↑ Kurzhaar), ↑ Orientalisch Kurzhaar (Verbindung des Siamtyps mit der Vollpigmentierung) und die ↑ Foreign White (innerhalb der Orientalisch Kurzhaar die Kombination von Siamtyp und ↑ dominantem Weiß) entstanden. Diese R. wurden auf der Basis züchtungsgenetischer Erkenntnisse im Rahmen systematischer Zuchtprogramme weiterentwickelt.
Der R.begriff und die R.zuordnung waren in der R.katzenzucht ein Diskussionsschwerpunkt. Auch gegenwärtig ist die Systematik im Umbruch begriffen. Während z. B. die Perser und Colourpoint jahrzehntelang als eigenständige R. galten, werden sie heute ebenso zu einer R. zusammengefaßt wie die Siam und die Orientalisch Kurzhaar. Tab.
Die internationale uneinheitliche Auslegung brachte auch die Begriffe Farbschlag und ↑ Varietät durcheinander, die mehrheitlich als Synonyme verwendet werden.

Als Rasse gelten innerhalb der ↑ F.I.Fe. seit dem 1. 1. 1984:

Rasse-Nr. I	Perser (einschließlich Colourpoint), Exotic und Exotic var. (↑ Variant)
Rasse-Nr. II	Heilige Birma (↑ Birma)
Rasse-Nr. III	Türkisch Van
Rasse-Nr. IV	Norwegische Waldkatze
Rasse-Nr. V	Abessinier, Abessinier var. und Somali
Rasse-Nr. VI	Maine Coon
Rasse-Nr. VII	Britisch Kurzhaar und Britisch Kurzhaar var.
Rasse-Nr. VIII	Europäisch Kurzhaar
Rasse-Nr. IX	Russisch Blau
Rasse-Nr. X	Chartreuse
Rasse-Nr. XI	Manx
Rasse-Nr. XII	Burma
Rasse-Nr. XIII	Cornish Rex
Rasse-Nr. XIV	Devon Rex
Rasse-Nr. XV	German Rex
Rasse-Nr. XVI	Korat
Rasse-Nr. XVII	Siam, Siam var., Orientalisch Kurzhaar, Orientalisch Kurzhaar var. und Balinese

Rassebezeichnung: Die so verschieden anmutenden R.en können im Grunde in drei Gruppen unterteilt werden:
a) in geografische Namen, die jedoch nicht in jedem Fall ein Hinweis auf das eigentliche Herkunftsland sind;
b) in Phantasienamen und Wortkombinationen;
c) in Bezeichnungen, die das Rassemerkmal beschreiben.

Zur ersten Gruppe gehören u. a. die Perser, die Siam, die Burma und die Egyptian Mau, deren Vorfahren wirklich aus Chorassan im alten Persien, Siam, dem heutigen Thailand, und Ägypten stammen, sowie die Birma, die Abessinier, Somali und Bombay, die reine Zuchtprodukte sind.

Ocicat, eine Wortverbindung aus Ozelot und cat [engl., Katze], Tiffany, Mandarin und Snow-shoe-cat (Schneeschuhkatze) sind Produkte der Phantasie.

In die letzte Gruppe können die Scottish Fold (Schottische Hängeohr- oder Faltohrkatze), die Amerikanische Drahthaar sowie die kanadische Nacktkatze (Sphynx) eingeordnet werden. Aus der Kaninchenzucht stammt zwar das Wort Rex, jedoch hat es sich in der Rassekatzenzucht für Katzen mit gelocktem Fell eingebürgert und bildet in Verbindung mit dem Ort bzw. Land ihres ersten Auftretens die R.: Cornish-, Devon-, German-, Oregon-,- Californian Rex.

Neben den R.en haben sich auch Namen für einzelne Varietäten herausgebildet, z. B. Havana, Ebony und Lavender für die braune, schwarze und lilac Varietät der Orientalisch Kurzhaar.

Rassefehler: **1.** ↑ Erbfehler. – **2.** ↑ Standard.

Rassegruppen: nicht mehr gültige Unterteilung der anerkannten ↑ Rassen innerhalb der F.I.Fe. in vier Gruppen:

1. *Langhaarkatzen:* Perser und Perser Colourpoint;
2. *Semilanghaarkatzen:* Birma, Türkisch Van, Norwegische Waldkatze, Maine Coon, Somali, Balinese;
3. *Kurzhaarkatzen:* Britisch Kurzhaar, Europäisch Kurzhaar, Exotic Kurzhaar, Chartreux, Russisch Blau, Abessinier, Burma, Korat, Devon Rex, Cornish Rex und German Rex;
4. *Siam und Orientalisch Kurzhaar.*

Eine derartige Unterteilung wurde sogar den augenscheinlichsten Unterschieden in der Länge des Haarkleides nur in systematisierender Form gerecht. ↑ Körperbautyp und ↑ Kopfformen spielen keine Rolle, denn in dieser Hinsicht entspricht z. B. die Balinese der Siam und die Somali der Abessinier. Da auch die heutigen Perser (Langhaar) aus der ↑ Türkisch Angora (↑ Semilanghaar) in einem guten Jahrhundert selektiver Zuchtarbeit hervorgegangen sind, darf mit Recht angenommen werden, daß aus einigen der heute noch als Semilanghaar anerkannten Rassen in einigen Jahrzehnten Langhaarkatzen geworden sein werden.

Rassekatzen, *Edelkatzen:* unter menschlicher Aufsicht und nach den Vorgaben der in den einzelnen Verbänden geltenden ↑ Standards und Zuchtbestimmungen gezüchtete Katzen (↑ Zuchtmethoden, ↑ Züchtung). Ihre Abstammung wird durch einen Stammbaum über vier bzw. fünf Vorfahrengenerationen dokumentiert, und ihre Nachkommen erhalten, bei Beachtung der Verpaarungsvorschriften u. a. verbandsrechtlicher Bestimmungen, wiederum einen Stammbaum. Durch diesen lückenlosen Beweis ihrer Herkunft wird der R. ein besonderer materieller Wert zugeschrieben, der in mehr oder weniger gerechtfertigter Höhe vom Züchter oder gegebenenfalls der Zuchtordnung festgelegt wird und im Kaufpreis seinen Niederschlag findet. Der Preis für eine R. unterliegt zuerst gewissen Modeströmungen, einem eventuellen Seltenheitswert oder dem Bekanntheitsgrad einer Rasse oder eines ↑ Zwingers, pendelt sich aber nach einer gewissen Zeit von selbst auf eine Höhe ein, die dem tatsächlichen züchterischen Aufwand nahekommt.

Die Bezeichnung Edelkatze, wohl aus Traditionsgründen in der Bundesrepublik Deutschland weitergeführt, spiegelt dennoch deutlicher als die Bezeichnung R. eine allzu menschliche Einstellung zu diesen Tieren wieder: Das vom Menschen geschaffene ist „edel“ und „wertvoll“ und grenzt mit dieser Wertung die R. bewußt von der ↑ Hauskatze ab. Letztere verpaart sich nach Gutdünken, kostet nichts und hat deshalb auch keinen Wert. Eine grundsätzlich falsche Einstellung, die leider auch von vielen Züchtern leidenschaftlich vertreten wird. Trotz ihrer kurzen, erst gut 100 Jahre alten Zuchtgeschichte haben R. tatsächlich einen höheren Domestikationsgrad (↑ Domestikation) als freilebende Hauskatzen. Es waren die Züchter selbst, die, ohne das irgendein Verband zu irgendeiner Zeit darauf abzielende Normen aufgestellt hätte, die „umgänglichsten", anpassungsfähigsten Tiere zur Zucht einsetzten und durch die praktizierte ↑ Reinzucht und die damit einhergehende ↑ Inzucht diese Eigenschaften festigten und verstärkten. Mit dem Anwachsen der Großstädte verlagerte sich die Zucht von der überwiegenden Zwingerhaltung in ländlichen Gebieten oder Stadtrandgebieten auf kleine Wohnungszuchten in den Ballungszentren. Das Bezugs- und Abhängigkeitsverhältnis zwischen Mensch und R. wurde räumlich bedingt noch enger und begünstigte eine ↑ Selektion nach emotionalen Gesichtspunkten, die zuerst auf das „liebe Wesen" der Stubenkatze gerichtet ist, und das nicht zuletzt im Interesse der künftigen Besitzer und auch der Katzen selbst.

Die R. hat in der Stadt den Hund teilweise schon verdrängt. Sie konnte das nicht etwa, weil der Mensch endlich gelernt hat, in ihr das zu sehen, was sie ist, nämlich eine ↑ Katze, sondern weil der Mensch es verstanden hat, ihren materiellen Wert dem eines Hundes anzupassen und ihre „Qualitäten" im Vergleich zu denen eines Hundes positiv abzugrenzen: eine R. bellt nicht, eine R. muß nicht bei Wind- und Wetter ausgeführt werden, eine R. kann gut ohne ↑ Auslauf in einer kleinen Wohnung leben und den ganzen Tag allein bleiben, eine R. kann man erziehen. All diese Feststellungen sind keineswegs unwahr. Die Tatsache aber, daß diese Eigenschaften einer R. stets zuerst unterstrichen werden, zeigt jedoch, daß aus der R. ein Ersatzhund gemacht werden soll. In Vergessenheit gerät dabei, daß auch eine R. immer eine „Felis catus" mit all ihren artspezifischen Verhaltensweisen bleiben wird.

rauchfarben ↑ Smoke.

Rauchperser ↑ Smoke.

Raulen ↑ Lautgebung.

Raunze ↑ Rolligkeit.

realisierte Heritabilität: Näherungswert für den ↑ Heritabilitätskoeffizienten. Der Selektionserfolg SE ist dem Heritabilitätskoeffizieten h^2 und der Selektionsdifferenz SD direkt proportional: $SE = h^2 \cdot SD$. Hieraus ergibt sich als Schätzwert für den Heritabilitätskoeffizienten $h^2 = SE/SD$. Die Selektionsdifferenz ist der Unterschied zwischen den Merkmalwerten der ausgewählten Zuchttiere (z.B. 90 Punkte) und der übrigen Tiere (z. B. 60 Punkte, d. h., $SD = 30$ Punkte) und der Selektionserfolg die entsprechende Differenz bei den Nachkommen. Wenn z. B. die Nachzucht aus den Zuchttieren im Durchschnitt 80 Punkte und die Tiere der allgemeinen ↑ Population 60 Punkte erhielten, beträgt $SE = 20$. Man erhält $h^2 = 20/30 = 0{,}67$. Das bedeutet, daß in der betreffenden Population ausgezeichnete Voraussetzungen dafür bestehen, durch Massenselektion zu einer weiteren Merkmalverbesserung zu kommen.

Red-Cameo-Tabby ↑ Cameo.

Red-Point: anerkannte ↑ Abzeichenfarbe der Genkonstruktion c^sc^s D- O(O). Die Körperfarbe aller R. ist ein gebrochenes Weiß mit Creme, die ↑ Abzeichen sind von einer warmen, orangefarbenen Tönung. Der ↑ Nasenspiegel und die ↑ Fußballen sind rosa gefärbt. Streifen in der ↑ Maske, an den Beinen und am Schwanz sind fehlerhaft, ebenso Pigmentflecken an der Nase, den Lippen, den Augenlidern, Ohren und Fußballen. Fehlen die Abzeichen

an den Beinen und Füßen, wird ein ↑ CAC nicht erteilt. Nur eine ↑ Pedigree-Analyse oder Testpaarungen mit Seal-Point geben Aufschluß darüber, ob eine R. ↑ Agouti trägt. Fällt aus einer solchen Paarung eine ↑ Tortie-Tabby-Point, muß die R. Agouti tragen. Eine maximale Reduzierung der ↑ Tabbyzeichnung in den Abzeichen kann durch ↑ Abessiniertabby, aber auch durch ↑ Selektion erreicht werden. In den meisten Fällen beschränkt sich die Färbung der Maske nur auf den Nasenbereich und die Ohren. Beine und Füße sind minimal pigmentiert. Ein fast zeichnungsfreier Schwanz ist selbst bei ↑ Langhaar eine absolute Rarität und bei ↑ Kurzhaar durch die Spezifik von ↑ Orange wohl kaum zu erzielen.
Die ersten R. waren vermutlich zwei Katzen, die auf einer Ausstellung des britischen Siamclubs 1934 als Orange-Point vorgestellt wurden. Die heutigen R.-Siamesen entstanden aber knapp 15 Jahre später. In Großbritannien wurde 1948 eine ↑ Schildpatt mit rezessivem ↑ Maskenfaktor mit einem Siam Seal-Point gepaart. Mehrere Rückkreuzungen auf Siam Seal-Point und strenge Auslese waren aufgrund des geschlechtschromosomengebundenen Erbganges von ↑ Orange und im Hinblick auf den feingliedrigen ↑ Körperbautyp der Siamesen nicht nur notwendig, sondern schufen gleichzeitig eine breite Zuchtbasis. Die Traditionalisten unter den Siamzüchtern wurden durch die schlechtere Kopfform und den kräftigen Körperbautyp der ersten Siam R. zunächst in ihrer ablehnenden Haltung bestärkt. Der ↑ GCCF schlug deshalb vor, sie als „Pointed Foreign Short Hair" anzuerkennen und nicht den Siamesen zuzuordnen. Nach einem energischen Protest der R.züchter stimmte der GCCF 1966 schließlich einer Anerkennung dieser Varietät als Siam R. zu. Der 1976 überarbeitete britische Standard für Siam R. beschreibt die Farbe als ein leuchtendes rötliches Gold, während bei den ↑ Colourpoint von orange gesprochen wird. Beim amerikanischen CFA hingegen setzten sich die Gegner einer „nicht reinen Siam" (↑ Reinzucht) durch. Der Fehltritt einer langhaarigen rotgestromten Katze mit einem Seal-Point gab hier 1947 den ersten Anstoß zu dieser schwierigen ↑ Zucht. Diese Verpaarung und Kreuzungen zwischen ↑ Balinesen und Siam R. führten dann zu den R.-Balinesen. 1964 wurde die Siam R. beim CFA definitiv aus der Siamzucht verbannt und als Colourpoint Shorthaired [amerik., kurzhaarige Colourpoint] anerkannt (↑ Genpool). Der eigenen Logik folgend wurden die R.-Balinesen als ↑ Javanese aus der Balinesenzucht verdrängt.
Die Zucht der Siam R. und auch der Perser Colourpoint Red setzte in Westeuropa Anfang der 60er Jahre ein, 1982 gesellten sich die Exotik Kurzhaar in dieser Varietät hinzu.
Die Birma R. erhielt in Großbritannien 1984 einen vorläufigen Standard, in der DDR ist sie schon seit 1979 anerkannt. Alle R. sollten vorzugsweise mit Seal-Tortie-Point, Seal-Point oder wiederum R.tieren gepaart werden, von Verpaarungen mit verdünnten Farben (↑ Verdünnung) ist grundsätzlich abzuraten. Siam Red-Points können mit ↑ Orientalisch Kurzhaar rot, Colourpoints in red mit roten Persern erfolgversprechend verpaart werden. Tafel 44.

Red-Shaded-Cameo ↑ Cameo.

Red-Shell-Cameo ↑ Cameo.

Red-Smoke ↑ Cameo.

Red-Tabby-Point ↑ Tabby-Point.

Reduktionsdiät ↑ Energiebedarf.

Reduktionsteilung ↑ Meiose.

Reflex: mit Sicherheit und ohne Verzögerung eintretende Antwort eines Erfolgsorgans (z. B. Muskulatur oder Drüse) auf einen Sinnesreiz (↑ Sinnesorgan). R. zeichnen sich durch eine be-

Reflex, Abb. 1. Pupillenformen bei der Hell-Dunkel-Adaption des Auges

sonders starre Reiz-Reaktions-Beziehung aus und sind durch eine festliegende nervöse Bahn charakterisiert (Reflexbogen). Sind Reiz-Reaktions-Beziehungen angeboren, spricht man von einem *unbedingten R.* (Schutz- und Körperhaltungen, Pupillen- und Umdrehreflex). Der von *Pawlow* untersuchte *bedingte* (erworbene) *R.* entspricht dem Einbau erlernter Reizmuster in einen ↑ Auslösemechanismus (↑ Dressur).

Der *Pupillen-R.* läßt sich in Form eines Regelkreises beschreiben (Abb. 1) und dient dazu, die Lichtintensität im ↑ Auge (Beleuchtungsstärke an der Retina = Regelgröße) konstant zu halten. Das Meßglied des Regelkreises sind die Sehzellen der Retina, die den jeweiligen Istwert der Regelgröße messen und diese Informationen den pupillenmotorischen Zentren sowie den sympathischen Zentren im Gehirn (Regelglied) zuleiten. Von dort werden entsprechende Befehle an das Stellglied (Irismuskulatur) weitergeleitet. Die Reaktion der Muskulatur führt entweder zu einer Verkleinerung (Helladaption bei Erhöhung der Lichtintensität) oder zur Erweiterung (Dunkeladaption bei Abnahme der Lichtintensität) der Pupillenöffnung (Stellgröße).

Ein bei der Katze besonders ausgeprägter unbedingter R. ist der *Umdreh-R.*, der es dem Tier ermöglicht, nach einem Fall aus größerer Höhe immer auf den Beinen zu landen. Der Umdreh-R. besteht aus einer Reihe automatischer Bewegungen, die durch den Gleichgewichtssinn (Kopf-Stell-R., ↑ Ohr) und den tonischen Hals-R. gesteuert werden. Dadurch wird zuerst der Kopf mit dem Gesicht zur Erde orientiert und dann durch Reize, die von der reflektorisch angespannten Halsmuskulatur ausgehen, der ganze Körper ausgerichtet. Der Ablauf der einzelnen Bewegungen beim *Fallen* ist folgender (Abb. 2): Nach dem Beginn des Falls wird sofort der Kopf geschützt, die Vorderbeine werden vor das Gesicht gebracht und die Hinterbeine ausgestreckt. Dann klappt der Körper wie ein Taschenmesser auseinander und der Vorderkörper dreht sich um 180° mit dem Gesicht nach unten. Weiter werden die Vorderbeine ausgestreckt und die Hinterbeine in eine Seitwärtsstellung gebracht, wobei auch der hintere Teil des Körpers ausgerichtet wird. Der Schwanz kann dabei als Steuer benutzt werden. Die Landung erfolgt auf allen vier Pfoten gleichzeitig; dabei wird der Rücken durchgebogen, um den Aufprall abzufangen.

Der Umdreh-R. schützt dennoch nicht vor Verletzungen beim Fall aus großer Höhe, da die hohe Aufprallgeschwindigkeit nicht mehr kompensiert werden kann. Besonders gefährdet ist der schwere Kopf, der nach dem Auftreffen der Gliedmaßen zuerst auf den Boden aufschlägt.

regelmäßige Dominanz: 1. ↑ Dominanz. – **2.** ↑ vollständige Dominanz.

Regenbogenhaut ↑ Augenfarbe.

Reflex, Abb. 2. Verschiedene Phasen des Umdrehreflexes beim Fall

Reifeteilung ↑ Meiose.

reinblütig ↑ Blutanteillehre.

Reinerbigkeit ↑ Homozygotie.

Reinerbigkeitsprüfung ↑ Heterozygotietest.

Reinzucht: neben der ↑ Kreuzungszucht zu den klassischen Zuchtmethoden gehörendes Verfahren, bei dem allerdings populationsgenetische Gesichtspunkte noch nicht berücksichtigt wurden. Die R. (Züchtung innerhalb einer Rasse mit Tieren jeglichen Verwandtschaftsgrades) wurde in ↑ Inzucht, ↑ Linienzucht und Blutauffrischung (↑ Blutanteillehre) unterteilt. Die ↑ Selektion erfolgt auf der Basis der Eltern-Nachkommenähnlichkeit (↑ Zuchtmethoden).

In der Rassekatzenzucht wird die R. meist als *„open stud method"* durchgeführt, d. h. dem Kater, einem Champion, werden die Katzen anderer Züchter bzw. der allgemeinen Population zugeführt. Die alternative Methode ist die *„closed stud method"*, die ↑ Zucht in geschlossenen Zuchtgruppen. Von *inbreeding* spricht man, wenn die Paarungspartner miteinander näher verwandt sind, als die Paarungspartner in der allgemeinen Population. Inbreeding ist also weder mit R., noch mit Inzucht identisch. Bei *outbreeding* ist das Umgekehrte der Fall.

Beim R.begriff ging man vom Modell der absoluten „Reinheit", d. h. von der Vorstellung einer erbreinen Elternrasse und -varietät aus. Reine Linien umfassen Individuen mit identischem ↑ Genotyp (*Johannsen*, 1909), was höchstens bei selbstbefruchtenden Pflanzen (Autogamie) oder bei Klonpflanzen (vegetative Vermehrung) vorkommen kann. In der Tierzucht bleiben die reinen Linien eine Fiktion, auch wenn man den Begriff Reinrassigkeit definieren möchte.

Reinheit kann im genetischen Sinne lediglich für Homozygotie an einem oder

an wenigen ↑ Genorten stehen. Hierbei bleibt die Merkmalbildung relativ stabil (↑ Phänotyp), bei ↑ Polygenie auch, wenn man ein ↑ genetisches Plateau erreicht. Bei Einzelgenwirkungen können jedoch die übrigen Genorte heterozygot besetzt sein. Transplantationsversuche und immungenetische Analysen haben ergeben, daß auch ein ↑ genetisches Plateau nicht für alle Genorte gleichermaßen gilt. In der Tierzucht versucht man, die reinen (isogenen) Linien durch einen hohen Inzuchtgrad zu erreichen. In der Katzenzucht geht das nicht, da man mit einer erheblichen ↑ Inzuchtdepression zu rechnen hat.
In der Rassekatzenzucht entscheidet der Züchter, was rein ist. Die Reinheitsregeln sind eine Konvention. Bei Verwendung des Reinheitsbegriffes muß immer definiert werden, was rein zu sein hat. Auch wenn man den Reinheitsbegriff auf ein bestimmtes Allel, eine Allelkombination, eine Merkmalkombination, einen Zwinger oder eine Abstammungstafel bezieht, zeigen sich häufig bei Rückkreuzungen (↑ Heterozygotietest) unerwartet mitgeschleppte Allele. So können z. B. in der Zucht der ↑ Britisch Kurzhaar durch Eltern-Nachkommen-Verpaarung Langhaartypen zutage gefördert werden, in der Zucht der ↑ Russisch Blau immer noch Tiere mit Spitzenfärbung fallen. Kein Mensch wollte behaupten, daß alle Heterozygoten Mischlinge (Kreuzungsprodukte, Hybriden) sind (↑ Genpool).

Reißzahn ↑ Zähne.

Rekelsyndrom ↑ Komfortverhalten.

REM-Schlaf ↑ Schlaf.

Respiration ↑ Atmung.

Retina ↑ Auge.

Retina-Abiotrophie ↑ Progressive Retina-Atrophie.

Retinadystrophie ↑ Progressive Retina-Atrophie.

Revier, *Territorium:* reserviertes Teilgebiet eines Lebensraumes, in dem sich der (oder die) Besitzer durch bestimmte Verhaltensweisen (↑ Revierverhalten) und/oder Signale dem Eindringen bestimmter oder aller Artgenossen widersetzen. Das R. kann unterschiedliche Umweltansprüche (↑ Umwelt) der Art befriedigen. So kann es die ausreichende Nahrungsmenge der Inhaber sichern, Störungen bei der Fortpflanzung und Jungenaufzucht verringern und Schutzansprüche gewährleisten. Entsprechend werden die R. auch *Nahrungs-R.*, *Paarungs-R.* usw. genannt. Sie sind nicht nur durch räumliche Merkmale, sondern teilweise auch durch unterschiedliche zeitliche Nutzung (↑ Zeitplanrevier) gekennzeichnet. Das ↑ Heim stellt einen Spezialfall vom R. dar: es beinhaltet u. a. den Ort der maximalen Geborgenheit innerhalb eines R.es.
Katzen sind ausgeprägt territorial. In Abhängigkeit von ihrem ↑ Sozialstatus besetzen sie Einzel- oder Gruppen-R. Während geschlechtsreife freilaufende Männchen der Hauskatze Einzelgänger sind, leben Weibchen und Jungtiere bei ausreichendem Nahrungsangebot in Gruppen-R.en.
Über die Größe der R. lagen bis vor kurzem nur wenige konkrete Angaben vor. *Leyhausen* (1982) gibt für auf dem Lande freilaufende Hauskatzen eine Fläche von 50 bis 100 ha an und vermutet, daß die R. in dicht bebauten Gebieten kleiner sind. In letzter Zeit wurden mehrfach Katzen mit an Halsbändern angebrachten Radiosendern versehen und danach durch Funkpeilung über einen längeren Zeitraum verfolgt. Dabei konnten interessante Daten gesammelt werden. Die Fläche der R. ist in erster Linie vom Nahrungsangebot abhängig:
a) *freilaufende, ungebundene Katzen:*
australische Halbwüsten-Männchen 620 ha
australische Halbwüsten-Weibchen 170 ha (*Jones* und *Coman*, 1982)

Großbritannien: Männchen bis 60 ha, Weibchen bis 6 ha (*Tudge*, 1981)
Schweden: Männchen bis 900 ha, Weibchen 200 bis 300 ha (*Liberg*, 1984 a)

b) *hausgebundene Katzen:*
USA: Männchen 228 ha, Weibchen 112 ha (*Warner*, 1985)
Großbritannien: Weibchen 0,7 bis 2 ha (*Panaman*, 1981), bis 10 ha (*Dards*, 1978)
Schweden: Weibchen 20 bis 150 ha (*Liberg*, 1984).

Das ↑ Streifgebiet der Kater wird in der Regel nicht aktiv verteidigt und umfaßt oft R. mehrerer Männchen. Seine Größe wird jedoch durch den Sozialstatus beeinflußt (*Liberg*, 1981). Es beträgt für hausgebundene bzw. freilaufende, ungebundene Kater (↑ Sozialstatus):
Novizen und Ausgestoßene 80 bzw. 630 ha,
Herausforderer 300 ha,
Zuchttiere 380 bzw. 540 ha.

Revierverhalten, *Territorialverhalten:* dem Raumanspruch territorialer Tierarten zugeordnete Verhaltensweisen zur Kenntlichmachung und Verteidigung des ↑ Reviers. Das R. stabilisiert die ↑ Population, dient dem Schutz vor Überbevölkerung und optimiert die Reproduktion sowie die Nahrungsbeschaffung. Wesentliche Elemente des R. sind das ↑ Markieren und das ↑ agonistische Verhalten in seinen verschiedenen Formen (↑ Drohverhalten und ↑ Kampfverhalten). Nach Inbesitznahme eines Reviers ändert sich das ↑ Verhalten und die Dominanzverhältnisse (↑ Rangordnung) können sich z. B. zugunsten des Revierbesitzers umkehren. Bei der ↑ Hauskatze ist bei beiden Geschlechtern R. ausgeprägt. Da sich jedoch die Reviere der Männchen in der Regel ohne Probleme überschneiden, werden sie von manchen Forschern als nicht territorial bezeichnet (*Liberg*, 1984 a, b). Dem widersprechen jedoch oft angewandte Verhaltensweisen zur Markierung, wobei Kater weit häufiger als Katzen und Kater höherer sozialer Ränge (↑ Sozialstatus) häufiger als solche mit einem niedrigen sozialen Rang ↑ Duftmarkieren.
Bei der Begegnung zwischen zwei Einzeltieren kann es zu freundschaftlichem, aggressivem oder neutralem Kontakt kommen. Ausgeprägtes ↑ Aggressionsverhalten tritt nur bei Katern in der Paarungszeit auf. Es beginnt mit Drohen und kann in einen Kampf übergehen. Weibliche Hauskatzen verteidigen nur Teile des Reviers, besonders den Aufenthaltsort der Welpen (↑ Heim, ↑ Wurfkiste), aktiv.
Das R. von Katzen, die in menschlicher Obhut gehalten werden, ist oft nur wenig ausgeprägt, da die Bevölkerungsdichte im Revier durch örtliche Bedingungen und die Halter bestimmt wird. Weibliche Tiere befinden sich meist ständig unter Aufsicht, Kater können besonders zur Paarungszeit erheblich umherstreunen und dabei alle Elemente des R. ausbilden. Werden ungebundene Katzen und auch Katzen mit freiem ↑ Auslauf gewaltsam an einen anderen Ort verbracht, leiden sie oft erheblich unter der Trennung von ihrem ursprünglichen Revier. Diese richtige Beobachtung führte zu der falschen Verallgemeinerung, daß Katzen mehr an das Haus, als an den Menschen gebunden sind. Freilaufende Katzen werden, soweit es ihnen möglich ist, in ihr altes Revier zurückkehren (↑ Heimfindevermögen). Katzen mit freiem Auslauf benötigen bei genügend starker Bindung an den Besitzer eine gewisse Eingewöhnungszeit. Liegt das neue unfreiwillige Heim allerdings nur ein, zwei Gärten weiter, wird die Katze ihrem alten R. und seinen neuen Inhabern gern und oft einen Besuch abstatten, wobei es meist aber auch bleibt. Während des Urlaubs sollten Katzen möglichst in

ihrer gewohnten Umgebung gelassen werden. Eine Nachbarin, ein Verwandter oder ein bekannter Zuchtfreund findet sich vielleicht bereit, die Tiere zu versorgen, natürlich auf der Grundlage der Gegenseitigkeit

Die Reviergröße verliert bei Stubenkatzen ihre eigentliche Bedeutung, wie sie sie bei freilaufenden Tieren u. a. wegen des unterschiedlichen Angebots an ↑ Beutetieren hat. Katzen in Wohnungshaltung vermissen nicht die ursprüngliche ↑ Umwelt, sie haben sie nie kennengelernt und sind mit einem Wohnraum mittlerer Größe durchaus zufrieden. Das Problem des Revierwechsels stellt sich ihnen z. B. bei einem Umzug. Sie können nicht wählen, wo sie bleiben und werden sich in ihrem neuen Heim zuerst recht verstört zeigen. Je nach nervlicher Veranlagung und Bindung zu ihrem Halter kann eine solche Veränderung ein derartiges „Heimweh" erzeugen, daß es zu erheblichen Gesundheits- und ↑ Verhaltensstörungen kommen kann (vgl. Stress). ↑ Unsauberkeit und Aggressivität können Folgeerscheinungen sein. Züchter sollten dieses Problem bedenken, bevor sie ein älteres Tier abgeben, um „Platz zu schaffen". Sehr sensible Tiere lassen sich oft nur unter erheblichem Aufwand an Zeit, Geduld und Fingerspitzengefühl umsetzen, manche auch gar nicht. Eine wesentliche Rolle spielt die Ortsprägung (↑ Prägung). Es empfiehlt sich daher, Welpen nicht „revierarm" aufzuziehen (↑ Jungtierentwicklung, ↑ Welpenaufzucht). Hat sich ein Jungtier in der Wohnung der neuen Besitzer eingelebt, sollte ihm z. B. ruhig ein wohlbehüteter Ausflug ins Treppenhaus oder auch in den Vorgarten gestattet werden. Meist genügt eine geöffnete Tür, um das ↑ Erkundungsverhalten erwachen zu lassen. Die notwendigen ↑ Schutzimpfungen sollte die Katze zuvor aber erhalten haben. Reizarm aufgezogene Kater, die z. B. erst zur ↑ Kastration ihr Heim verlassen, können als Folge dieses kleinen unkomplizierten Eingriffes neurotische Charakterveränderungen (↑ Neurose) zeigen, die dann fälschlicherweise auf die Operation und nicht die traumatischen Eindrücke zurückgeführt werden, die eine völlig fremde Umwelt bei dem Tier hinterlassen haben (*Brunner*, 1976). Zu Revierstreitigkeiten kann es bei Stubenkatzen kommen, wenn eine zweite Katze angeschafft wird und die Alteingesessene ihren Heimbezirk teilen muß. Es kommt vor, daß weibliche Tiere, die bis zur ersten ↑ Trächtigkeit mit anderen Katzen des Haushalts geschwisterlich zusammengelebt haben, nun beginnen, ihr Revier strikt zu verteidigen und sich auch nicht mehr bereit finden, es mit anderen Katzen zu teilen. Zwangsläufig muß diese Katze künftig in einem anderen Raum gehalten werden, die Türschwelle ist dann die natürliche Grenze. Außerhalb des neuen Heimbezirks verhalten sich die Tiere dann meist wieder tolerant. In Ausnahmefällen werden sie aber beim Anblick einer anderen Katze diese sofort angreifen (↑ Angriffsverhalten). Die ↑ Mensch-Tier-Beziehungen spielen in solchen Fällen wahrscheinlich eine größere Rolle als das R., denn einer Mutterkatze mit Welpen wird naturgemäß eine größere Aufmerksamkeit geschenkt, als den übrigen Tieren. Die ↑ Geburt wird überwacht, die Entwicklung der Jungen täglich kontrolliert. Ist die Mutterkatze aus ihrem alten Heimbezirk erst einmal umgesetzt worden, wird sie sich schon aus diesen Gründen nur mit Mühe wieder eingliedern lassen, da dies ein Verzicht auf ihre Vorrechte bedeuten würde. Das neue Revier wird nämlich an die täglichen Aufmerksamkeiten gekoppelt, die einer Mutterkatze entgegengebracht werden.

Züchter sind oft gezwungen, mehrere

Katzen zu halten. Meist geschieht dies in einem gesonderten Raum innerhalb der Wohnung oder in einem ↑ Zwinger. Katzen denken zwar nicht in Quadratmetern, aber die Anzahl der gehaltenen Tiere sollte sich dennoch auch nach der Größe der Wohnung oder des Zwingers richten. Die Ausgestaltung der Räume mit vielen Hochsitzen, Fensterplätzen und ↑ Kratzbäumen zum Klettern ermöglicht den Tieren überdies ein halbwegs natürliches R.

Rexkatzen: Katzen unterschiedlichen ↑ Körperbautyps, die sich durch das Rexfell von anderen Katzen auf den ersten Blick unterscheiden. Von den fünf bekannt gewordenen und züchterisch bearbeiteten R., ↑ Cornish Rex, ↑ Devon Rex, ↑ German Rex, ↑ Oregon Rex und ↑ Californian Rex sowie weiteren vereinzelt auftretenden analogen Mutationen, konnten sich nur die ersten drei als eigenständige ↑ Rasse durchsetzen.

Die *Cornish* und *Devon Rex* unterscheiden sich am deutlichsten durch die Form ihrer Nasen voneinander; die der Cornish Rex ist gerade, die der Devon Rex (Tafel 13) zeigt einen deutlichen ↑ Stop. Die Kopfform der Cornish Rex und der gesamte Körperbautyp kommen der ↑ Siam recht nahe. Der Kopf der Devon Rex hingegen ist kurz und breitwangig mit riesigen, extrem breit und tief angesetzten Ohren. Cornish und Devon Rex stehen auf langen schlanken Beinen; bei der Devon Rex ist eine geringgradige Krummbeinigkeit erwünscht. Beide Rassen haben mandelförmige Augen. Die Augen der Devon Rex sind ausgesprochen groß, die der Cornish sind, bedingt durch die schmalere Form des Kopfes, nur von mittlerer Größe.

Die *German Rex* (Tafel 13) könnte als eine gelungene Mischung dieser beiden Rassen bezeichnet werden. Ihre Gesamterscheinung entspricht im Grunde der einer harmonisch proportionierten schlanken Hauskatze. Ihre Beine und ihr Schwanz sind nur von mittlerer Größe, der Kopf ist gerundet; die Ohren hingegen wie bei der Cornish Rex groß und breit am Ansatz.

Gemeinsames rassebildendes Merkmal dieser drei international anerkannten R.rassen ist das gelockte Fell, das eine Defektmutation des Haarwachstums darstellt und bei der sämtliche Haartypen im Wachstum zurückbleiben (Hypoplasie). Die einzelnen Haare wachsen ungleichmäßig und sind unregelmäßig gebaut, d.h., infolge des Differentialwachstums werden die Haare wellig und auch teilweise brüchig. Da das Grannenhaar zurückgesetzt ist, fühlt sich das Fell samtig wie das eines Persianerpelzes an.

Die Mutation wurde erstmals in Frankreich beim Kaninchen züchterisch bearbeitet (Rex 1). Sie erhielt von Abbé *Gillet* (1919), einem Dorfpfarrer, dem diese Mutation aufgefallen war, die Bezeichnung Castor-Rex [lat., Biberkönig], weil die ursprüngliche Mutation bei einem Tier mit bibergrauer Färbung auftrat und diese Kombination „König unter den Kaninchenrassen" werden sollte, da man das unerwünschte Grannenhaar im Pelz nicht erst auskämmen mußte bzw. sein Abscheren unterbleiben konnte. Die Kaninchenfelle wurden in der Pelzindustrie für Immitationen verwandt (Biber, Sumpfbiber, Seehund), indem man den über den Unter- bzw. Wollhaaren stehenden Teil der Deckhaare abscherte. Man glaubte, mit den Rexkaninchen eine Mutante gefunden zu haben, die ohne Bearbeitung den gewünschten Immitationseffekt erbringen würde.

Spätestens als die ersten Chinchillakaninchen auftraten, wußte man, daß das Rexfell nicht mit einer besonderen Farbgestaltung, z. B. bibergrau, kombiniert ist. In der Folgezeit wurden weitere Mutanten entdeckt, u. a. Deutsch Kurz-

Züchterisch bearbeitete Rexvarietäten bei der Katze

Varietät (Rasse)	Genort- und Allelsymbole	Ort	Jahr der züchterischen Bearbeitung	Züchter (Genetiker)
Cornish Rex	R^{+}, r	Cornwall/GB	1950	*Ennismore, Stirling-Webb* (*Searle-Jude*, 1959)
Devon Rex	Re^{+}, re	Devonshire/GB	1960	*Stirling-Webb* (*Jude*, 1960)
German Rex	Rg^{+}, rg	Berlin-Buch/DDR	1951	*Scheuer-Karpin, Barensfeld* (*Robinson*, 1969)
Oregon Rex	Ro^{+}, ro	Warrenton (Oregon)/USA	1959	*Stringham* (*Jude*, 1961)

haar (Rex 2) und Normannen-Kurzhaar (Rex 3), die sämtlich einfach autosomal rezessiv vererbt wurden. Eine allgemeine Wachstumsdepression (keine Fleischwüchsigkeit), die hohe Sterblichkeitsrate und die während der Pubertät auftretende Kahlheit wurden teilweise auf ↑ Inzucht, teilweise aber auch auf Wirkung von Modifikatoren (↑ Modifikation) zurückgeführt, trugen aber wesentlich dazu bei, daß diese Rasse doch nicht der „Rex" wurde.
In den 50er Jahren entdeckte man homologe Mutationen auch bei der Katze (Tab.). Diese haben jedoch gegenüber den Kaninchen-Kurzhaar-Varietäten einige Besonderheiten aufzuweisen: Das normale Fell der Katze besteht aus dem Deckhaar, das aus Leit- und Grannenhaaren gebildet wird, und dem Unterhaar, den Wollhaaren (↑ Haar). Demgegenüber sind bei den Rexmutanten die Haare insgesamt dünner und kürzer. Die Unterentwicklung betrifft die Leit- und Grannenhaare mehr als die Wollhaare. Bei flüchtiger Betrachtung scheint es, als ob das Fell der R. vollständig aus Wollhaaren besteht. Im mikroskopischen Bild sieht man aber bei der Devon Rex Leit- und Grannenhaare, während bei der Cornish Rex und der German Rex nur die Grannenhaare ausgebildet sind. Leithaare fehlen diesen beiden Rexvarianten. Von den R. ist – auch bei Berücksichtigung der Tatsache, daß German Rex und Cornish Rex zum gleichen ↑ Genort gehören – die Cornish Rex am stärksten von Haarveränderungen betroffen. Die Grannenhaare sind spärlich und nicht sehr deutlich von den Wollhaaren zu unterscheiden; sie verschwinden regelrecht in der Unterwolle und sind oft nur ein wenig stärker als die Wollhaare.
Die Grannenhaare der German Rex sind besser entwickelt, reichlicher verteilt und werden mehr oder weniger verdeckt getragen. Die Unterschiede zwischen Grannen- und Wollhaaren sind etwas deutlicher auszumachen. Die größere Anzahl von Grannenhaaren bei der German Rex führt *Robinson* auf Modifikatoren zurück.
Der Vollständigkeit halber sei auch die Oregon Rex erwähnt. Ihr fehlen ebenfalls die Leithaare, ihre Grannenhaare sind aber im Vergleich zu den anderen R. besser geformt. Sie zeigen deutlich die subapikale Schwellung (die Granne), sind üppiger als bei der German Rex im Fell verteilt, erscheinen weniger gekräuselt und gebogen und stehen etwas über dem Haarkleid.
Bei allen drei Rexvarianten sind kurze gewellte Schnurrhaare ausgebildet. Die Leit- und Grannenhaare der Devon Rex erscheinen als kräftige Haare in unterschiedlichen Stärken und Längen. Sie enden jedoch abrupt, als wenn das Wachstum der Haare niemals mit einer

feinen Spitze beginnen würde bzw. als ob die Enden abgebrochen sind. Aufgrund der mehrfachen Einschnürungen eines jeden Haares sind diese auffallend uneben. Wahrscheinlich ist hierauf eine vermehrte Brüchigkeit zurückzuführen. Die Schnurrhaare fehlen im allgemeinen oder sind nur als ein paar kurze Stumpen ausgebildet.

Ähnliche Mutanten wurden auch in Italien und in den USA mit einem rezessiven ↑ Erbgang beschrieben, aber nicht weitergezüchtet. Berichte über Spontanfälle betreffen nahezu alle Rassen und Varietäten. Sie gehen im allgemeinen auf ↑ genetische Rekombination zurück, stellen also keine neuen Mutanten dar.

In den USA wurden von Beginn der R.zucht an die drei genannten Rassen vermischt, und der Standard des ↑ CFA z. B. kannte bis 1979 nur eine R., die in der Beschreibung der Cornish Rex ähnlich war. Ein ↑ Schildpattkater deckte in Großbritannien *La Morna Cove*, eine Cornish Rex, bevor sie in die USA geschickt wurde und dort mit *Diamond Lil of Fan-T-Cee* und *Marmaduke of Daz-Zling*, ihren beiden Söhnen, die amerikanische Rexdynastie gründete. Auch Oregon und Devon Rex wurden eingekreuzt und mit *Christopher Columbus*, einem Enkel von *Lämmchen*, die Rexmischung komplettiert. 1970 belegten Paarungen zwischen *Rodell's Rimski* (Cornish) und *Paw Prints Schatz* (German) sowie zwischen *Una Bailay's New Moon Christina of the Willows* (German) und *Trinka's Icarus of Daz-Zling* (Cornish) die Identität beider Mutationen. Die anschließenden Rückkreuzungen bestätigten dieses Ergebnis nur noch. Durch Kreuzungen mit ↑ Havana-Brown entstanden im Zwinger „Daz-Zling" die ersten ↑ Chocolate Rex und Lilac Rex. In den Zuchtprogrammen aller R. fielen anfänglich einige haarlose Katzen, die man nicht mit den eigentlichen ↑ Nacktkatzen verwechseln darf. Durch die vielen Einkreuzungen von Hauskatzen und ↑ Britisch Kurzhaar oder ↑ Amerikanisch Kurzhaar traten zu keinem Zeitpunkt ↑ Inzuchtdepressionen auf, und das Rexfell aller Rassen ist dichter und plüschartiger geworden.

Die ersten R. haben sich allein durch die Eigenart ihres Fells von den Hauskatzen unterschieden. Deshalb forderte der französische Genetiker Prof. *Letard*, der die German Rex in Frankreich weiterzüchtete, die Rex nicht als eigenständige Rasse, sondern vielmehr als eine Fellqualität, eine Varietät, zu den bestehenden Rassen anzuerkennen. Diese Forderung fand jedoch kein Gehör und nach den Vorbildern von *Kirlee* ud *Kallibunker* wurden die jeweiligen Standards für die Devon und die Cornish Rex erarbeitet.

rezessiv epistatische Genwirkung ↑ Epistasie.

Rezessivität: Kennzeichnung des durch das dominante Allel (↑ Dominanz) in seiner Manifestation beeinträchtigten oder unterdrückten Gens. R. entsteht durch Wechselwirkung zwischen den Allelen eines Genortes. Bei regelmäßiger R. kommt es erst bei den rezessiven Homozygoten zu einer erkennbaren Genwirkung. Hauptcharakteristika eines einfach autosomalen, vollständig rezessiven Erbganges sind:

– beide Elternteile sind Anlageträger (heterozygot),
– bei Anlageträgerpaarung treten unter

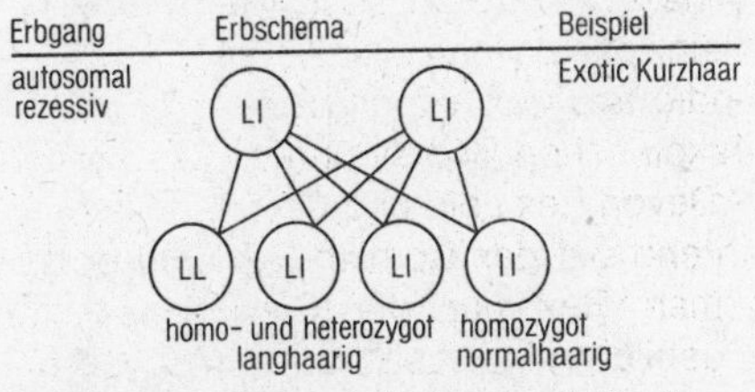

Spaltungsverhältnis bei einem vollständig autosomal rezessiven Erbgang

den Nachkommen 25 % Merkmalträger auf (Abb.),
- gleichzeitig sind 50 % der Nachkommen Anlageträger.

Bei unvollständiger R. bewirkt das Gen nur im homozygoten Zustand eine vollständige Merkmalbildung, ist aber auch im heterozygoten Zustand nachweisbar (↑ unvollständige Dominanz, ↑ Tonkanesen).

Rhodopsin ↑ Auge.

Riechzellen↑ Nase.

Ritualisation, *Ritualisierung:* Umwandlung von Gebrauchshandlungen, die z. B. im Dienste der Fortbewegung oder des Schutzes stehen, in Signalhandlungen zur Übermittlung von Informationen. So kann das ursprüngliche im Dienste der Temperaturregulation stehende Haaraufrichten (↑ Haar) im Kontext des Kampfverhaltens im Sinne der Körpervergrößerung zum Fellsträuben ritualisiert werden, um Überlegenheit vorzutäuschen.

Frisch gefangene ↑ Beutetiere werden nach dem Totbeißen oft abgelegt, um einen ↑ Spaziergang anzutreten. Danach nimmt die ↑ Katze die Beute wieder auf und trägt sie umher, um zum ungestörten Fressen einen Sichtschutz aufzusuchen. Dieses Verhalten wird jedoch auch in völlig deckungslosen Räumen gezeigt und es führt, wenn ein geschützter Platz vorhanden ist, nicht sofort dorthin. Oftmals schließen sich mehrfach die ritualisierten Verhaltensweisen Ablegen, Spazierengehen, Wiederaufnehmen und Umhertragen aneinander an.

RNA ↑ Gen.

Rodentizide ↑ Vergiftungen.

Rollid ↑ Entropium.

Rolligkeit, *Brunst, Östrus, Raunze, Hitze, Paarungszeit, Begattungszeit, Ranzzeit:* Zeitraum, in dem die weibliche Katze geschlechtliche Aktivitäten zeigt und zur Paarung bereit ist (vgl. Paarungsverhalten). Die R. der Katze setzt erst mit der ↑ Geschlechtsreife im Alter von 6 bis 12 Monaten ein. Im allgemeinen ist das Frühjahr (↑ Jahresrhythmus) die Zeit der „Katzenkonzerte"; bei Wohnungskatzen läßt sich der Zeitraum nicht so eindeutig abstekken. Die weiblichen Tiere durchleben aber generell eine längere sexuell aktive und eine kürzere inaktive Phase. Der Beginn und die Dauer der aktiven Phase wird von der jahreszeitlich unterschiedlichen Tageslichtmenge gesteuert. In der Regel beginnt sie im Januar und endet im Juli/August. Ihr schließt sich die inaktive Phase an.

Kater haben analog zu den weiblichen Tieren einen latenten Paarungszyklus, der allerdings bei Kontakt jederzeit von der R. der Katze durchbrochen werden kann und das männliche Tier auch in der Ruhephase aktiviert. Es ist also erstrangig die R. der Katze, die das Paarungsverhalten bestimmt (↑ Sexualverhalten). Die Katze wird als saisonal polyöstrisch bezeichnet, d. h., während der sexuell aktiven Saison tritt die R. in regelmäßig wiederkehrenden Zyklen auf. Je nachdem, ob die Katze eingedeckt wurde oder nicht, sind die Zyklen bzw. die Dauer der R. unterschiedlich lang.

Dauer der Rolligkeit und Brunstzyklen

Dauer der R.:

mit Deckakt	3 bis 5 Tage
ohne Deckakt	bis 10 Tage

günstiger Decktermin: zweiter bis dritter Tag der R.

Zyklen zwischen zwei R.en:
- Katze wurde isoliert vom Kater gehalten bzw. nicht erfolgreich gedeckt, die Ovulation blieb aus (anovulatorischer Zyklus)
  14 bis 28 Tage
- ↑ Trächtigkeit (neun Wochen) und Säugeperiode (sechs Wochen), die R. setzt nach Absetzen der Welpen ein (gravider Zyklus)
  14 bis 16 Wochen
- Scheinträchtigkeit, die Ovulation er-

folgte, aber die Eizelle wurde nicht befruchtet (pseudogravider Zyklus) 40 bis 50 Tage

Die Ovulation, d. h. das Freisetzen der Eizelle im Eierstock, ist vom Deckakt abhängig. Der notwendige Reiz ist offensichtlich erst dann stark genug, wenn der Penis in die Vagina (↑ Geschlechtsorgane) eingeführt wird (provozierte Ovulation), worauf nach 24 Stunden die Eizelle freigesetzt wird. Eine mechanische Stimulation mit gleichem Effekt aus der Hand des Menschen zur Unterdrückung der R. oder Ablenkung der Katze, um unerwünschte Verpaarungen zu vermeiden, ist möglich.

Die freigesetzte Eizelle wandert durch den Eileiter, in dem sie dann befruchtet wird, langsam herab zur Gebärmutter.

Im anovulatorischen Zyklus entwickelt sich der Follikel, in dem sich die Eizelle befindet, normalerweise zurück. Bleibt der Follikel bestehen, entsteht *Dauer-R.* Um eine Dauer-R. zu unterbinden, gibt es mehrere Möglichkeiten: entweder die Katze wird einer ↑ Kastration unterzogen, eingedeckt oder vom Tierarzt gegebenenfalls hormonell behandelt.

Die Katze zeigt ihre Paarungsbereitschaft durch ein besonderes Verhalten an. Zunächst wird sie unruhig, frißt weniger und reibt immer häufiger Kopf und Flanken an allen möglichen Gegenständen. Dabei markiert sie mit Sekreten verschiedener Drüsen (↑ Pheromone, ↑ Chemokommunikation). Sie schnurrt, streckt und räkelt sich mehr als gewöhnlich. Scheue Katzen sind weniger zurückhaltend. Am zweiten oder dritten Tag der R. beginnt das eigentliche Rollen: der Kopf wird seitlich herabgedreht, und mit Backe und Hinterkopf der Boden gerieben. Unter weiterer Drehung des Kopfes wird der Körper über die Schulter nachgezogen und plumpst auf die Seite. Anschließend wälzt sich die Katze unter schlangenartigen Windungen mehrmals auf dem Rücken hin und her, um sich dann die Pfoten zu lecken und/oder den Kopf zu reiben. Nachdem sie sich erneut gewälzt hat, steht sie auf, läuft ein paar Schritte und beginnt das Ganze von vorn. Zwischendurch wird viel und anhaltend, oft mit steigender Lautstärke, gerufen. Unkundige halten ihre Katzen in diesem Stadium oft für krank und bringen sie zum Tierarzt. Es gibt Katzen, bei denen die R. kaum zu bemerken ist, andere hingegen versprühen wie ein Kater Urin. Auf der Höhe der R. zeigt die Katze Paarungsbereitschaft an: Sie präsentiert sich dem Kater, indem sie Begattungsstellung einnimmt. Gleich nach Einsetzen der R. sollten Zuchtkatzen zum Deckkater gebracht werden, da durch den ↑ Transport und die fremde Umgebung die R. zunächst aussetzt und nach einer kurzen Eingewöhnungszeit wiederkehrt.

Anzeichen für eine gesteigerte sexuelle Aktivität der Kater sind zunehmendes Spritzharnen (↑ Duftmarkieren), häufiges Belecken des ganz oder teilweise erigierten Penis (↑ Geschlechtsorgane) bis hin zu Vergewaltigungsversuchen nicht paarungsbereiter Katzen oder schwächerer Kater.

Rosettenwelpen ↑ Mutationszüchtung.

Rot: anerkannter Farbschlag bei den meisten Kurzhaarrassen sowie den ↑ Persern. Das Fell zeigt ein tiefes dunkles R., das bis zur Haarwurzel gleichmäßig gefärbt sein soll und keinerlei Zeichnung oder hellere Flecke aufweisen darf. Der ↑ Nasenspiegel und die ↑ Fußballen aller R.en sind ziegelrot. Mit Ausnahme der ↑ Orientalisch Kurzhaar R. ist die ↑ Augenfarbe kupfer oder ein dunkles Orange. Eine weiße Schwanzspitze schließt die Vergabe eines ↑ CAC aus. Pigmentflecke auf dem Nasenspiegel oder schwarze Schnurrhaare sind Fehler, leichte Streifung an Stirn und Beinen ist erlaubt.

Die ↑ einfarbig rote Katze hat den gleichen ↑ Genotyp wie die rot-gestromte, nur daß die tiefroten Stromungsflächen sehr weit ausgedehnt und die Agoutiflächen auf ein Minimum reduziert sind. Bei den Persern läßt das lange Haar die Stromungszeichnung (↑ Gestromt) noch mehr verwischen. Solche Tiere würden den Standardforderungen für Gestromt nicht entsprechen, da sie zu breitflächig gezeichnet sind; für die Zucht der sogenannten einfarbig R.en sind sie wertvoll (*Robinson*, 1979). Die Genkonstruktion der roten Fellfärbung ist C- D- O(O), wobei O für ↑ Orange, D- für ↑ Nicht-Verdünnung und C- für ↑ Vollpigmentierung stehen. Der Wechsel von C- zu c^sc^s (↑ Maskenfaktor) ergibt die ↑ Red-Points und von D- zu dd (↑ Verdünnung) die ↑ Creme. Die Hauptgenwirkung von Orange wird durch polygene ↑ Modifikation (↑ Polygenie) intensiviert oder abgeschwächt, so daß eine ganze Palette von helleren bis dunkleren Rottönen entsteht. Die mahagonirote Färbung von Ausstellungstieren kann nur durch selektive Begünstigung erreicht werden.

Aufgrund des X-chromosomalen ↑ Erbganges von Orange (↑ Geschlechtschromosomen) fallen weibliche R. nur, wenn das väterliche und mütterliche Elterntier je ein X-Chromosom vererben können, das Orange trägt, d.h., daß der Vater auf jeden Fall X^OY sein muß, die Mutter ↑ Schildpatt oder R. sein kann.

Übersicht der zu erwartenden Nachkommen bei Paarungen mit roten Tieren

Verpaarung		Nachkommen	
Kater	Katze	Kater	Katzen
rot	rot	rot	rot
rot	schwarz	schwarz	schildpatt
rot	schildpatt	rot/schwarz	rot/schildpatt
schwarz	rot	rot	schildpatt

R. männliche Tiere können nicht aus der Verpaarung roter Kater × schwarze Katze (↑ Schwarz) hervorgehen; weibliche Tiere mit einem heterozygot besetztem ↑ Genort für Orange sind Schildpatt. Tab.

R. Katzen kann man unter Berücksichtigung der verschiedenen Paarungsergebnisse mit schwarzen, ↑ Smoke, Schwarz-Weißen und R.-Weißen (↑ Bi-Colour), Red-Smoke und Red-Cameo Shaded (↑ Cameo) verpaaren, rote Kater darüber hinaus mit Schildpatt, Schildpatt-Weiß (↑ Tri-Colour), Schildpatt-Smoke und Schildpatt-Shaded (↑ Tortie Cameo). Verdünnte Farben (↑ Verdünnung) sollten wegen der unterschiedlichen Modifikatorengruppen nicht eingesetzt werden.

R.en Katzen ist nicht anzusehen, ob sie ↑ Agouti bzw. die Mutantenallele für ↑ Chocolate b und ↑ Cinnamon b^l tragen, und erst Anpaarungen geben darüber Aufschluß. Fallen z. B. aus einer Verpaarung zwischen einem roten Kater und einer schwarzen Katze ↑ Tabbies bzw. Schildpatt-Tabbies (↑ Torbies), ist sicher, daß der rote Kater Agouti trägt.

Die Tabbyzeichnung wird bei einfarbig R.en nie ganz zu eliminieren sein. In die Zucht der ↑ Orientalisch Kurzhaar wurde durch Kreuzungen mit ↑ Abessiniern das dominante Mutantenallel T^a-, das sogenannte ↑ Abessiniertabby, eingebracht. Da es zweifellos am Anfang der Dominanzreihe steht, reduziert es, vor allem in homozygoter Form (↑ Homozygotie), die Tigerung, Tupfung oder Stromung auf ein Mindestmaß. Es entstehen bemerkenswert zeichnungsfreie Tiere, obwohl bei ↑ Kurzhaar die Tabbyzeichnung um ein vielfaches deutlicher wird als bei ↑ Langhaar. Leichte Streifen an den Beinen, am Schwanz und an der Stirn zeigen jedoch auch die roten Orientalen mit Abessiniertabby.

Perser Colourpoint, seal-tabby

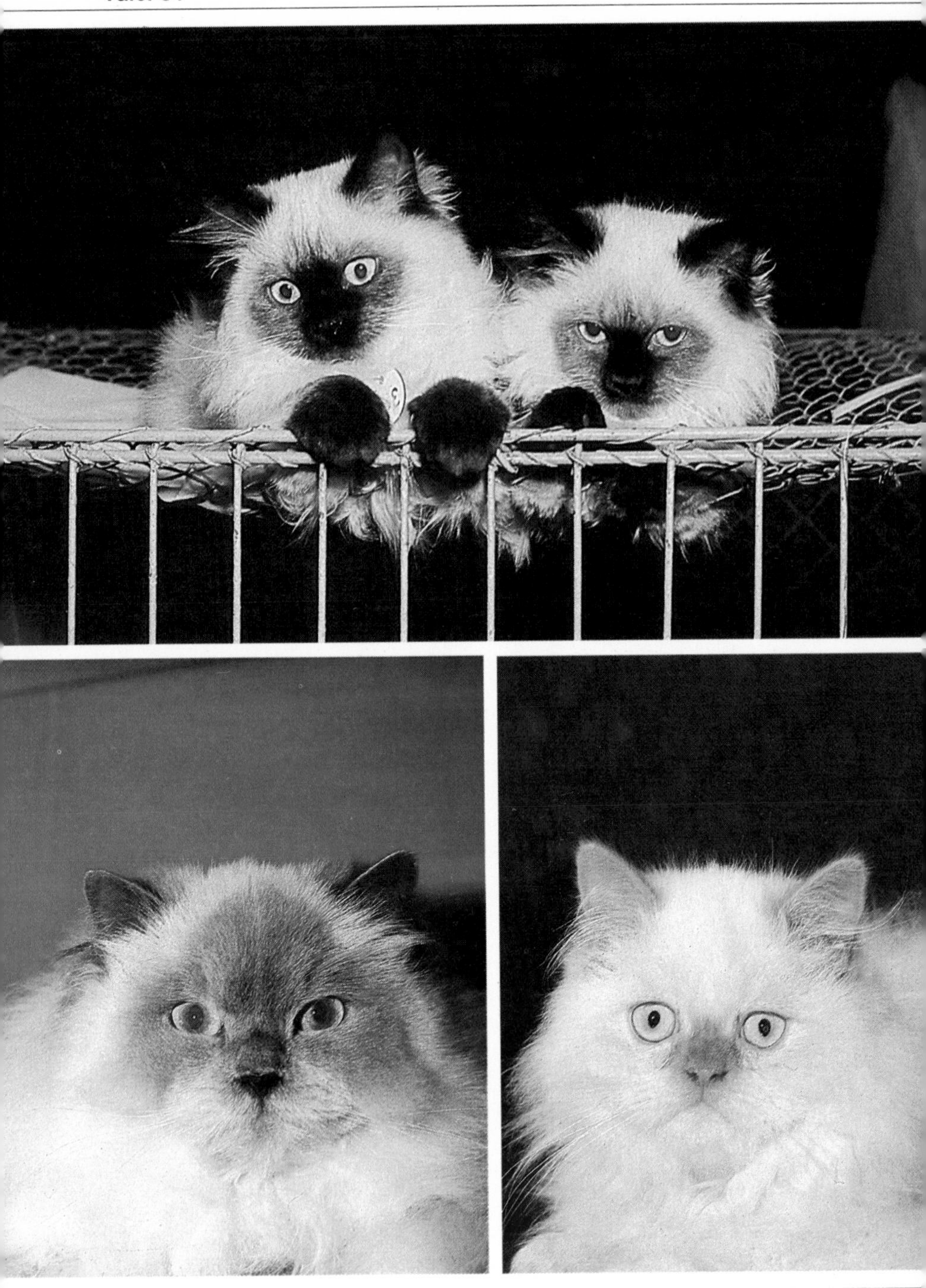

oben Perser Colourpoint, seal, *unten links* Perser Colourpoint, blue, *unten rechts* Perser Colourpoint, red

Perser Colourpoint, chocolate

Birma, seal-point

oben Birma, seal-point, *unten links* Birma, seal- und blue-point, *unten rechts* Birma, blue-point

oben Perser, golden shaded, *unten* Perser Bi-Colour, blau-weiß

oben links Perser, creme und blau, *oben* rechts Perser Bi-Colour, blau-weiß, *unten* Perser, golden-shaded und shaded-silver

Perser, weiß

Das sogenannte Aby-R. hat nichts mit dem geschlechtschromosomengebundenen R. zu tun, sondern basiert auf dem Mutantenallel b^l, auf dem die Varietäten ↑ Sorrel und ↑ Cinnamon beruhen.
R. Perser sind in Großbritannien schon seit dem letzten Jahrzehnt des vorigen Jahrhunderts bekannt und hießen anfangs Orange. Auf Ausstellungen mußten sie zusammen mit den Cremefarbenen konkurrieren und erst 1915 wurden sie in R.einfarbig (red self) und R.gestromt (red tabby) umgetauft; die Bezeichnung Orange verschwand völlig. Weibliche Tiere waren damals eine Seltenheit, weil der geschlechtschromosomengebundene Erbgang der Farbe unbekannt war. Anfang dieses Jahrhunderts erhielten die roten Perser zuerst in Großbritannien einen eigenen Standard. In den USA werden R. und R.gestromte als ↑ Peke-face gezüchtet.
Rotationskreuzung ↑ Zuchtmethoden.
Rotbraun: 1. ↑ Cinnamon. – **2.** ↑ Sorrel.
rote Chinchilla ↑ Cameo.
Rotfärbung: 1. ↑ Orange. – **2.** ↑ Rufismus.
Rot-Gestromt: 1. ↑ Gestromt. – **2.** ↑ Rot.
Rot-Getigert: 1. ↑ Getigert. – **2.** ↑ Orange.
Rot-Getupft: 1. ↑ Getupft. – **2.** ↑ Orange.
Rot/Weiß ↑ Bi-Colour.
Rückkreuzung ↑ Heterozygotietest.
Rufismus [lat. rufus = rötlichbraun, rothaarig], *Flavismus, Isabellismus, Chlorochroismus*: von *Reinig* (1937) geprägter Begriff, der ursprünglich eine allgemeine Bezeichnung für Genwirkungen war, die zum Verblassen des roten Pigmentes in ein gelbes, gelborange, hellrosa, rosa usw. führen. Zu den Abweichungen tragen viele Gene bei (↑ Polygenie). Pathogenetisch handelt es sich um einen Ausfall im Bereich des Chromogenpigments, nicht der Chromogenbildung selbst (keine Tyrosinase-Blockade, ↑ Albinismus). Phänotypisch zeigt sich ein Spektrum von Gelbfärbungen. Inzwischen konnte geklärt werden, daß in diesem polygenen Komplex auch oligogene Wirkungen (↑ Oligogenie) differenziert werden können (vgl. a^Y in früheren Arbeiten und O, ↑ Orange, in neueren).
Nachdem diese Wirkungen entdeckt wurden, ist man dazu übergegangen, den nichtidentifizierten „Rest" der beteiligten Gene als *Rufus-System* zu bezeichnen. Es ist zu erwarten, daß man bei exakten Erhebungen weitere „Rufus-Gene" entdeckt.
Rümpfgebärde ↑ Flehmen.
rumpy [engl. rump = Hinterteil] ↑ Manx.
rumpy-riser ↑ Manx
Rundwürmer ↑ Endoparasiten.
Rupfen: ein besonderes Element der ↑ Endhandlung des ↑ Beutefangverhaltens, das nur ↑ Katzen eigen ist. Beim R. werden Federn oder Haare eines ↑ Beutetieres gezielt mit den Zähnen erfaßt und mit ruckartiger Aufwärtsbewegung des Kopfes herausgerissen, wobei die Beute mit den Vorderpfoten festgehalten wird. Reste von Federn oder Haaren werden durch Abschleudern oder Ausspucken beseititgt. Da es Zusammenhänge zwischen dem Abschleudern und dem ↑ Wegschleudern gibt, kann vermutet werden, daß es auch eine Beziehung zum ↑ Totschütteln gibt.
Russian Black ↑ Russisch Blau.
Russian Blue ↑ Russisch Blau.
Russian White ↑ Russisch Blau.
Russisch Blau: zu den ↑ Kurzhaar zählende ↑ Rassekatze mit einem langgestreckten Körper und mittelstarken Knochenbau. Ihr Gesamteindruck und ihr Wuchs sind aber graziös. Der Hals ist lang und gerade, der Schwanz am Ansatz nicht zu breit, eher lang und spitz auslaufend. Die Beine sind lang und feingliedrig, die Pfoten schmal und

oval. Der kurze, keilförmige Kopf hat einen langen, flachen Schädel und formt im Profil einen konvexen Winkel, dessen Schnittpunkt in gleicher Höhe wie die Augenbrauen liegen muß. Die Nase ist gerade, die Schnurrhaarkissen sind stark betont. Die großen, ziemlich zugespitzten Ohren sind weit auseinandergesetzt und stehen vertikal zum Kopf. Die Haut der Ohren ist dünn und durchsichtig, die Innnenseite wenig behaart. Die Augen der R. B. sind groß und mandelförmig, weit auseinanderstehend und grün. Das doppelte Fell (Grannenhaare und Wollhaare sind gleich lang) ist seidig, kurz, dicht und steht plüschartig auf. Textur und Aussehen des Felles sind neben den Merkmalen des Körperbaus die rassebildenden Charakteristika der R. B. Die Fellfarbe soll ein reines gleichmäßiges Blau mit einem deutlichen Silberschimmer sein. Ein mittleres Blau wird bevorzugt. Der ↑ Nasenspiegel und die Fußballen sind blaugrau. Weiße Flecke, Streifenzeichnung, gedrungener oder schwerer Körperbau, Siamtyp und anliegendes Fell sind gravierende Fehler.

Die Geschichte der R. B. ist verworren und widersprüchlich. Im letzten Jahrzehnt des vorigen und in den ersten Jahren dieses Jahrhunderts gelangten blaue kurzhaarige Katzen aus dem damaligen Rußland nach Großbritannien. Sie hatten zwar meist ein kurzes, dichtes, pelzartiges Fell, waren aber sonst von recht unterschiedlichem Aussehen. Einige hatten ein rundes Gesicht und einen runden Kopf mit winzigen Ohren, die anderen einen längeren schlankeren Körperbau und einen schmaleren Kopf. Die Augenfarbe dieser Tiere soll orange oder gelb gewesen sein. Alle konkurrierten gemeinsam mit den blauen einheimischen Katzen als „blue self colour" und der kräftigere Typ erhielt meist den Vorzug. Diese importierten Tiere wurden von ihren Besitzern als *Russian Blue*, *Archangel Blue*, *Maltese Blue* oder als *Foreign Blue* bezeichnet. 1912 erfolgte dann eine Trennung in Blue British type und Blue Foreign type, und erst 1939 sind die ersten Eintragungen unter Russian Blue im britischen Zuchtbuch zu finden. Wie die meisten anderen Rassen war auch die R. B. nach dem Zweiten Weltkrieg vom Aussterben bedroht. Im britischen Zwinger *Dunloe*, der sich dieser Rasse besonders annahm, wurden Siamesen eingekreuzt, nicht nur um eine neue Zuchtbasis zu schaffen, sondern auch um die grüne Augenfarbe zu verbessern. Nach dem Vorbild dieses international bekannt gewordenen R.-B.-Zwingers wurde diese Praxis gang und gäbe, vor allem, weil unter dem alten, 1952 in Großbritannien erstellten Standard viele Experimentalzuchtkatzen unter der Voraussetzung, daß ihre Farbe blau war, registriert werden konnten. Dieser erste Standard würde aus heutiger Sicht eher auf eine einfarbige blaue Siamesin, also auf eine ↑ Orientalisch Kurzhaar blau zutreffen. Im Jahre 1963 tauchte dann auch auf Ausstellungen eine Katze mit sehr orientalischem Typ auf, die zwar als R. B. eingetragen war, aber von einem ↑ Havana und einer Siam ↑ Blue-Point stammte und siegte, wo immer sie ausgestellt wurde.

Um den Niedergang dieser Rasse aufzuhalten und ihr eine neue Form zu geben, schlossen sich 1965 einige britische Züchter zusammen und formulierten den Standard um. Die spezielle Fellqualtität wurde nun mehr hervorgehoben und der Siamtyp ausdrücklich als unerwünscht bezeichnet. Das winkelförmige Profil und die ausgeprägten Schnurrhaarkissen wurden neu aufgenommen und die Punktaufteilung entsprechend geändert. Diese 1965 angenommene Standardbeschreibung wollte auch eine möglichst einheitliche Formulierung finden, die auch den für

diese Rasse gültigen ↑ CFA Standard berücksichtigen sollte. Der amerikanische Standard schreibt noch heute eine runde Augenform vor und ist in diesem wesentlichen Merkmal abweichend. Nach 1965 verschwand die blaue Schlankform, vormals R. B. genannt, bis zu ihrer Wiedergeburt im Jahre 1972 als Orientalisch Kurzhaar blau von der Bildfläche. In die USA gelangte R.B. schon um 1900, der heutige Zuchtbestand gründet sich jedoch auf Importtiere aus Großbritannien und Schweden, die in den 50er und 60er Jahren eingeführt wurden. Beim CFA ist sie seit 1949 anerkannt.
Der Name R. B. ist deshalb verwirrend, weil er vermuten läßt, daß es im damaligen Rußland in der Gegend um Archangelsk überwiegend blaue Katzen gegeben hat und daß diese Rasse allein dort vorgekommen ist. Das Besondere der Tiere, die aus dieser Gegend stammten und nach Großbritannien importiert wurden, war aber ihr kurzes, dichtes, seidiges Fell, das sich deutlich von dem der britischen Hauskatzenpopulation unterschied. Diese Fellqualität, zuerst unter dem Eindruck der silbrig blauen Farbe in den Hintergrund verbannt, wurde aber mit dem neuen Standard zusammen die Grundlage für die Idee, die R. B. auch als weiße und als schwarze Katzen unter der Bezeichnung *Russian White* und *Russian Black* zu züchten, da es die Besonderheiten des ↑ Körperbautyps und der Fellqualität sind, die die rassebildenden Merkmale der R .B. letztendlich ausmachen. Russisch Weiß und Russisch Schwarz sind inzwischen vom GCCF anerkannt. Da Kenntnisse der Farbvererbung international kein Geheimnis mehr waren, kamen 1971 in Australien ebenfalls Züchter auf diese Idee, nachdem sie *White Rose*, eine weiße Hauskatze, die wirklich aus der Sowjetunion stammte, entdeckt und diese im Tausch gegen eine R. B. erworben hatten. Ziel des Zuchtprogrammes war eine R. B. im weißen Kleid, analog zur ↑ Foreign White. Da das ↑ dominante Weiß über alle Farben und Zeichnungsmuster epistatisch ist (↑ Epistasie), wurden alle nicht-weißen und nicht-blauen Tiere streng selektiert. Eine Reinzucht von Russisch Weiß ist unnötig, wenn in den Ahnen nur R. B. und Russisch Weiße auftauchen, und vor allem aufgrund eventueller Probleme mit ↑ Taubheit auch gar nicht erwünscht.
Nachdem dieser Schritt getan ist und die Anerkennung für diese neuen ↑ Varietäten in einigen weiteren Verbänden bereits erteilt wurde, kann man absehen, daß eines Tages auch die ↑ Tabbies und weitere Farben anerkannt werden. Tafel 15.

S

sable: amerikanische Farbbezeichnung der ↑ Burma braun.

Satin: **1.** ↑ Mutationszüchtung. – **2.** ↑ Seidenhaar.

Sauberkeit: **1.** ↑ Jungtierentwicklung. – **2.** ↑ Unsauberkeit. – **3.** ↑ Welpenaufzucht.

Schädel: Kopfskelett der Wirbeltiere. Abgesehen von einigen Hunderassen besitzt die Hauskatze den kürzesten S. unter den Haussäugetieren. Der abgerundete Hirn-S. ist wesentlich mächtiger als der Gesichts-S. Das Verhältnis von Hirn- zu Gesichts-S. beträgt bei der Hauskatze etwa 1:0,27. Hierbei ist die gerade Linie zwischen Hinterhauptbein

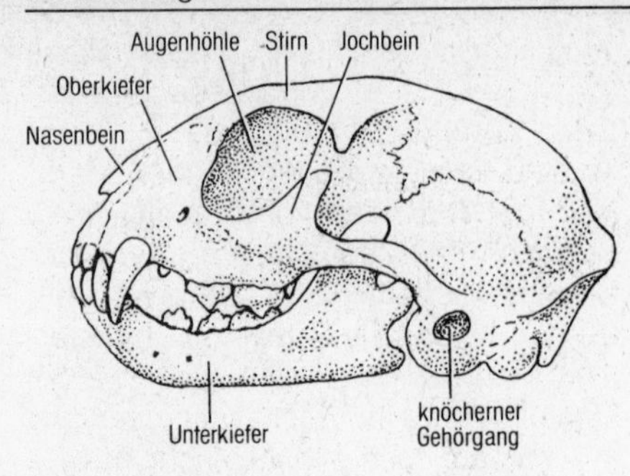

Katzenschädel

und Nasenbeinbasis die Hirn-S.länge und die Länge des Nasenbeins die Gesichts-S.länge. Die Gesichts-S.knochen sind insgesamt kürzer, die Augenhöhle ist seitlich offen (kein geschlossener Ring aus S.knochen wie bei anderen Haustieren) und die ↑ Augen liegen nebeneinander in einer Ebene. Dadurch wird der Eindruck eines gedrungenen Rundkopfes vermittelt. In der Reihenfolge Siam – Hauskatze (Europäisch Kurzhaar) – Britisch Kurzhaar – Perser verkürzt sich der Gesichts-S.

Durch züchterische ↑ Selektion auf einen primatenähnlichen Rundkopf (↑ Kindchenschema) unter Mitwirkung domestikationsbedingter Einflüsse entstand der Perserrundkopf. Gleichzeitig wurden die negativen Begleiterscheinungen der ↑ Brachyzephalie in diese Zucht hineingetragen: Neigung zu Schwergeburten, Kaiserschnitten (↑ Geburtsstörungen), Kopfhautfaltenekzemen, Augenstörungen, ↑ Hydrozephalie und erhöhte Totgeburtenrate. Nach *Joëlle* (1979) entsteht durch die vorgewölbte Stirn (verstärkt durch die Haare) und den ↑ Stop des Perserkopfes der Eindruck, daß dieser abgeflachter ist, als Messungen tatsächlich ergeben. Dafür ist der Kopf breiter und höher als bei der Britisch Kurzhaar.

Bereits am S. sind Geschlechtsunterschiede erkennbar. Der Katerkopf ist insgesamt größer und kräftiger entwikkelt. Bei der Hauskatze haben männliche Tiere durch die relativ längeren Kieferknochen einen längeren S. Abb.

Scheckung [engl. piebald white spotting]: Abweichung von der ursprünglichen Wildfärbung (↑ Wildtyp) unterschiedlicher Stärke. Die Wildfärbung wird zunächst durch weiße Abzeichen (↑ Medaillon) durchbrochen, nimmt der Weißanteil an Ausdehnung zu, spricht man von S. (↑ Klon).

S. entsteht hauptsächlich als Folge einer gestörten Melanoblastenwanderung und -differenzierung (↑ Melanin) und ist vom ↑ Albinismus zu unterscheiden.

S. dominiert unvollständig über den Wildtyp. Am Genort liegen die Allele S und s+ vor. Dabei führt ↑ Homozygotie des Mutantenallels (SS) zu einem größeren Weißanteil als ↑ Heterozygotie (Ss). Jedoch können auch heterozygote Tiere, gepaart mit nicht-gescheckten, ebenfalls Nachkommen mit einem übergroßen Weißanteil (↑ Harlekinzeichnung, ↑ Vanzeichnung) und nichtgescheckte Tiere hervorbringen. Nach *Dreux* (1968) hingegen soll der Weißanteil bei den homozygot-dominanten Tieren (SS) zwischen 0,5 und 0,9, bei den heterozygoten (Ss) zwischen 0,1 und 0,4 und bei den homozygot-rezessiven (ss) zwischen 0 und ϵ (↑ Handschuhe, Abb.) liegen. Ausmaß und Position des Weißanteils werden durch Modifikatoren (↑ Modifikation) bestimmt. *Dreux* (1968) apostrophierte ein hypothetisches modifizierendes Oligogen F (↑ Oligogenie, ↑ springende Gene).

Der S.sfaktor wirkt auf alle Fellfarben und -muster (↑ Epistasie, ↑ Pigmentierung), d. h. auch auf einfarbig ↑ Schwarz, ↑ Chocolate, ↑ Cinnamon und ↑ Rot, deren Kombination mit ↑ Verdünnung und ↑ Agouti (↑ Tabbyzeichnung) sowie auf ↑ Schildpatt und Schildpatt-Tabby

Scheckung

(↑ Torbies). S. wirkt auch auf die Mutantenallele des Coloration-Locus C- (↑ Vollpigmentierung), d.h. auf c^b und c^s (↑ Burma, ↑ Ragdoll).
Bei Schildpattkatzen bewirkt S. generell eine klar abgegrenzte Fleckenbildung (↑ Tri-Colour, ↑ Japanese Bobtail), die aber hinsichtlich der Vererbung einen zu beachtenden Nebeneffekt haben kann, z. B. das Auftreten rot-weißer Kater aus einer Verpaarung von schwarzweißen Tieren untereinander. Bei dem weiblichen Elterntier war dann der Rotteil der Schildpattzeichnung durch die S. überdeckt.

Scheinträchtigkeit: **1.** ↑ Mutterverhalten. – **2.** ↑ Trächtigkeit.

Scherengebiß: 1. ↑ Gebiß. –**2.** ↑ Zähne.

Schieläugigkeit ↑ Schielen.

Schielen, *Schieläugigkeit* [engl. squint], *Strabismus convergens*: in Kombination mit weiteren Störungen auftretende Abweichung von der normalen Blicklinie nach innen. Die Störung wurde als polygen determiniertes Schwellenmerkmal (↑ Polygenie) in einigen Siamstämmen beobachtet (*Moutschen*, 1950).
Die Katzen besitzen prinzipiell die Fähigkeit des räumlichen Sehens (Stereopsis, ↑ Auge) und nutzen diese zur Differenzierung von Personen und Gegenständen. Siamkatzen zeigen nach *Guillery* (1969) häufig ein abnormes Corpus geniculatun laterale (lateraler Kniehöcker, Schaltstelle der Sehbahnen). Ein Teil der optischen Fasern kreuzt auf die kontralaterale Gehirnseite, während die Fasern bei der normalen Katze ungekreuzt bleiben. Jede Hemisphäre erhält dadurch einen Input aus Teilen des gegenüberliegenden Gesichtsfeldes. Es zeigte sich, daß Siamesen mit dieser Anomalie Störungen des Kontrastsehens zeigen (Simultan- und Sukzessivkontrast), eine Störung, die zusätzliche Defekte des visuellen Systems anzeigen könnte. Neben der abweichenden visuellen Projektion kommen Mangel oder Fehlverteilung bestimmter Rezeptorenklassen, z. B. der Zapfenzellen in der Netzhaut, Lichtstreuung infolge Retina-Depigmentierung und ↑ Augenzittern, vor. Eine Heterogenie der Sehstörungen ist wahrscheinlich. Rein optische Faktoren komplizieren das Bild, so daß die Zusammenhänge insgesamt noch nicht geklärt sind. Auf alle Fälle findet man Kätzchen, die in gewissem Grade schielen. Häufig wird der Zustand mit steigendem Lebensalter korrigiert. In Versuchen mit Elastoplastemasken konnte *Quinio* (1976) zeigen, daß das S. durch Aufzucht der Kätzchen bei hemiretinaler Beleuchtung verstärkt oder vermindert werden kann. Abb.

Schielen

Schildpatt [engl. tortoise shell, tortie]: Katzen mit einem ähnlich dem Schildkrötenpanzer gemusterten Fell. Sie fallen entweder aus der Verpaarung eines schwarzen Katers X^oY mit einer roten Katze X^OX^O bzw. einer S.katze X^OX^o oder aus der Paarung eines roten Katers X^OY mit einer schwarzen X^oX^o bzw. einer S.katze X^OX^o. Die S.katzen sind Träger des Mutantenallels O auf dem X-Chromosom, das in einem biochemischen

Prozeß die Umwandlung von Eumelanin in Phäomelanin (Melanin) bewirkt. Am ↑ Genort befinden sich die beiden Allele O und o^+, wobei das Mutatenallel O über das Wildtypallel o^+ dominiert (↑ Gennomenklatur). O steht für ↑ Orange und liefert ein Spektrum an Gelbfärbungen. Außer durch einen geschlechtschromosomengebundenen Erbgang (↑ Geschlechtschromosom) ist O durch ↑ Epistasie über andere Farbgene charakterisiert. Bei ↑ Homozygotie von O geht alles Pigment in Gelb-Orange über. Bei Heterozygotie tritt der ↑ X-Chromosomen-Kompensationsmechanismus in Kraft, d. h., in den einzelnen Körperregionen wird eines der beiden X-Chromosomen nach dem Zufallsprinzip eliminiert. Es ergeben sich dann Zellreihen, die das weibliche Geschlechtschromosom entweder mit dem Wildtypallel o^+ (↑ Schwarz, ↑ Blau, ↑ Chocolate, ↑ Lilac) oder mit dem Mutantenallel O (Rot und Creme) in Wechselwirkung realisieren. Wegen ihres heterozygoten Genotyps können S.katzen niemals reingezüchtet werden. Im Normalfall sind S.katzen stets weiblich.

Kater tragen nur ein X-Chromosom. Daher können sie entweder nur das Wildtypallel o^+, das für Nicht-Orange (↑ Normalfarballel) steht, oder nur das Mutantenallel O tragen. Sie sind also stets schwarz oder rot gefärbt oder entsprechend weiterer Genkombinationen in deren ↑ Verdünnungen. Treten ↑ Schildpattkater auf, müssen diese Tiere drei Geschlechtschromosomen besitzen, d. h. XY und zusätzlich ein X-Chromosom.

Um festzustellen, wie die Nachkommen aus einer bestimmten Verpaarung aussehen, sollte die aufgestellte Tab. benutzt werden. Fallen S.katzen, bleibt zu definieren, wie der nicht-orangefarbene Anteil im Haarkleid beschaffen ist. O bedeutet im allgemeinen Sinn Orange und steht für Rot und dessen Verdünnung Creme, das Wildtypallel o^+ kann hingegen, wie gesagt, Schwarz, Blau, Chocolate oder Lilac sein. Diese Farben müssen mit den entsprechenden Gensymbolen präzisiert werden.

Unter dem Begriff S. wird stets die unverdünnte Form verstanden, d. h., der nicht-orange Farbanteil ist schwarz; die Genkonstruktion ist aa B– C– D– Oo, wobei aa B– C– D– nur den durch das Wildtypallel o^+ bewirkten Farbanteil präzisiert.

Oft erscheinen diese Tiere dreifarbig und der alte Standard sprach von den Farben Rot, Creme und Schwarz. Das ist genetisch unkorrekt, da Creme die Verdünnung von Rot ist und genetisch gesehen die Tiere entweder die nicht verdünnte Farbe (↑ Nichtverdünnung) oder die verdünnte Farbe tragen können, aber nicht beide auf einmal. Der sogenannte cremefarbene Anteil entspricht dem helleren Stromungsanteil im Rotbereich (↑ Gestromt). Dieser bleibt, wenn die entsprechenden Erbanlagen vorhanden sind, als Stromung stets sichtbar. Im schwarzen Farbbereich ist sie nicht wahrnehmbar, da aa die gelbe Bänderung des Agoutihaares in schwarz umfärbt und dieser ↑ einfarbig erscheint. Da aa bei Orange inaktiv ist und O die schwarze Bänderung des Agoutihaares in Rot umfärbt, bleibt die Stromung, soweit vorhanden, im Orangeanteil stets erkennbar. Aus diesem Grunde heißt es nun in den korrigierten Standards, daß die Farben Schwarz, Rot und Hellrot in scharf voneinander getrennten Flecken harmonisch über den ganzen Körper verteilt sein sollen (eine ↑ Blesse ist erwünscht, weil derart gezeichnete Katzen sehr attraktiv aussehen). Da die Farbverteilung, wie eingangs erläutert, durch die nach dem Zufallsprinzip erfolgenden Inaktivierung eines der beiden X-Chromosome in den Körperzellen erfolgt, kann sie züchterisch nicht beeinflußt werden (↑ Klon). Neben Tieren, die dem Idealbild des Standards entsprechen, fallen oft Katzen, die überwiegend rot erscheinen und nur kleine schwarze Flecken vorwiegend am Kopf und den Extremitäten oder überwiegend schwarz mit wenigen roten Flecken in den gleichen Bereichen aufzeigen. Solche Katzen erhalten auf Ausstellungen schlechtere Bewertungen, können aber bei entsprechendem ↑ Körperbautyp, guter Fellqualität und Augenfarbe durchaus für die Zucht wertvoll sein. S.katzen, die bei der Geburt nur wenige rote Flecke zeigen, entsprechen meist der Standardforderung am besten, da sich die Rotfleckung erst mit dem voll ausgewachsenen Fell zeigt und die Rot-Hellrot-Schwarz-Verteilung besonders harmonisch wirkt. S. gehören bei den ↑ Persern zu den ältesten Varietäten. Die Anerkennung dieses Farbschlages erfolgte in Großbritannien bereits im Jahre 1910. S. ist als Bindeglied zwischen den roten und schwarzen Varietäten inzwischen in allen Rassen mit diesen Farbschlägen anerkannt.

In einigen unabhängigen, d.h. nicht der F. I. Fe. angeschlossenen Verbänden, werden die S. in zwei Gruppen unterteilt:

1. in die bereits beschriebene S.varietät und 2. in schwarz-rot gefleckte Katzen. Genetisch sind letztere ebenfalls S.katzen. Sie fallen zwischen den entsprechenden Bi-Colour und Bi-Colour- bzw. ↑ Tri-Colour Varietäten, wenn beide Elternteile am Scheckungslocus S heterozygot besetzt sind. Bei den schwarzrot gefleckten Tieren ist der hellrote Farbanteil durch die Wirkung des ↑ Scheckungsfaktors, der eine flächigere Farbkombination bewirkt, nicht mehr vorhanden. Die roten Flecken zeigen dennoch beim genaueren Hinsehen oftmals hellere Zeichnung. Die gleiche Trennung in Vermischung der Farben oder Fleckung wird bei allen anderen S.varietäten ebenfalls vorgenommen.

Blau-S. (*Blau-Creme* der F. I. Fe.) geht auf ↑ Verdünnung in reinerbiger Form zurück. Es liegt der Genotyp aa B– C– dd Oo vor. Verdünnung wirkt sowohl im Eumelanin- als auch im Phäomelaninbereich und färbt somit Schwarz in Blau und Rot in Creme um. Sowohl in der F.I.Fe. als auch in der DDR wurden früher Blau-S. und Blau-Creme als eigenständige Varietäten nebeneinander geführt. In der DDR entschied man sich für die Bezeichnung Blau-S., wobei Fleckung und Vermischung der Farben gleichermaßen erlaubt sind und am Richtertisch nur auf eine harmonische Farbverteilung und einen hellen Farbton geachtet wird. Innerhalb der F.I.Fe. wurden die Zucht der gefleckten Blau-S. fallengelassen und der alte Standard der Blau-Creme beibehalten, der eine gleichmäßige Vermischung der Farben Blau und Creme am ganzen Körper, einschließlich der Extremitäten, vorsieht, was züchterisch kaum zu lösen ist. Die formale Anerkennung der Blau-S. erfolgte nach längeren Diskussionen über die Bezeichnung unter Blau-Creme im Jahre 1929 in Großbritannien. Die S.-Chocolate und -Lilac sind Varietäten, die mit Hilfe von ↑ genetischer Rekombination entstanden und seit 1982 innerhalb der F.I.Fe. anerkannt sind.

Der *S.-Chocolate* liegt der Wechsel von B– zu bb (↑ Chocolate) zugrunde, die Genkonstruktion ist aa bb C– D– Oo. Durch die Wirkung des homozygot rezessiven Allelpaares bb wird der Schwarzanteil der S. in Schokoladenbraun geändert. S.-Chocolate werden in den unabhängigen Verbänden auch als *Chocolate-Creme* anerkannt. Analog zu der S. können auch die S.-Chocolate aufgrund des X-Chromosomenkompensationsmechanismus einmal eher schokoladenfarben mit hellen und dunklen Rottönen gefleckt und ein anderes Mal in einem warmen Creme- oder Rotton mit wenigen schokoladenbraunen Flecken erscheinen. Gleiches gilt für die *S.-Lilac*, auch *Lilac-Creme* genannt. Es handelt sich bei ihnen um eine Kombination zwischen Lilac, einem Farbton in Gletschergrau mit leicht rosafarbenem Anflug, und einem hellen Creme. Sie entstehen, wenn die homozygot rezessiven Allelpaare bb und dd kombiniert werden; ihr Genotyp ist aa bb C– dd Oo.

dem ↑ Melanininhibitor I entstehen die ↑ Tortie-Cameos.

Der ↑ Nasenspiegel und die ↑ Fußballen aller S.varietäten können analog zur jeweiligen Körpergrundfarbe einfarbig, rosa oder in der jeweiligen Körpergrundfarbe rosa gefleckt sein. Als Pendant zu den ↑ Schildplattkatern sind teilweise schwarze oder rote weibliche Tiere zu verzeichnen, die nicht zu erwarten waren. Es handelt sich bei ihnen um Katzen, vorausgesetzt die Angaben zu den Elterntieren waren auch korrekt, bei denen im Rahmen des bereits erwähnten X-Chromosomenkompensationsmechanismus X-Chromosomen aus den Körperzellen eliminiert wurden. Sie tragen den Genotyp XO (↑ Chromosomenaberration). Sind auch Gewebe betroffen, die die ↑ Geschlechtsorgane determinieren, kommt es zur Sterilität. Fruchtbarkeit kann vorliegen, wenn z. B. nur regionale epidermale Zellreihen mutiert sind. Über solche Fälle geben Testpaarungen Aufschluß. Die Paarung des abweichenden (schwarzen oder roten Tieres) mit einem roten oder schwarzen Kater zeigt, wenn ein rotes weibliches oder ein schwarzes männliches Tier fällt, daß die Mutter ein XO-Genotyp war. Tafel 19. Abb.

Kater ♂		Katzen ♀: OO rot (X, X)	oo schwarz (X, X)	Oo schildpatt (X, X)
O rot	X	Oo♀ rot	Oo♀ schildpatt	OO♀ rot; Oo♀ schildpatt
	Y	O♂ rot	o♂ schwarz	O♂ rot; o♂ schwarz
o schwarz	X	Oo♀ schildpatt	oo♀ schwarz	Oo♀ schildpatt; oo♂ schwarz
	Y	O♂ rot	o♂ schwarz	O♂ rot; o♂ schwarz

Ergebnisse der Paarungen zwischen Rot und Schwarz bzw. zwischen männlichen Tieren dieser Farben mit Schildpatt

Alle bisher aufgeführten S.varietäten sind ↑ Nicht-Agouti-Katzen. Tragen sie ↑ Agouti, wird im Schwarz-, Chocolate-, Blau- und Lilac-Farbanteil ↑ Tabbyzeichnung sichtbar und es entstehen die ↑ Torbies. ↑ Tortie-Points entstehen, wenn am Coloration-Locus das dominante Gen für die ↑ Vollpigmentierung C– durch die rezessiven Allele c^sc^s (↑ Maskenfaktor) ersetzt wird. Findet sich am gleichen ↑ Genort das Burma-Gen c^b in homozygoter Form, entstehen bei der ↑ Burma die entsprechenden Varietäten. Bei den ↑ Tonkanesen (c^bc^s) sind S.varietäten nicht erlaubt. In Kombination mit dem Scheckungsfaktor S (↑ Scheckung) entstehen S.katzen mit weißer Plattenscheckung, die ↑ Tri-Colours in der in der DDR anerkannten Spielart S. und Weiß und als ↑ Vanzeichnung. In Kombination mit

Schildpatt-Cameo ↑ Tortie-Cameo.

Schildpattkater: Tiere, die mindestens drei unterschiedliche ↑ Geschlechtschromosomen besitzen, nämlich ein Y-

und zwei X-Chromosomen, von denen eins das Gen für ↑ Orange O trägt. In Kombination mit ↑ Scheckung S entstehen die Kattunkater [engl. calico]. Da normale Kater nur ein X-Chromosom tragen, können sie nur den ↑ Wildtyp (Eumelanin, d. h. Nicht-Orange o^+ in all seinen Kombinationen) oder das Mutantenallel O ausprägen. Das Auftreten von S. ist daher an die Anwesenheit zweier X-Chromosomen, also an das Auftreten von ↑ Chromosomenaberration gebunden. Es handelt sich um die Genkonstruktion 39,XXY, um das feline Klinefelter-Syndrom, das mit Sterilität verbunden ist (↑ Geschlechtschromosomenaberration). Fruchtbare S. werden trotzdem immer wieder beobachtet. Diese verfügen über unterschiedliche Genkonstruktionen (Tab.). Bei den Duplikationen (Verdopplungen) oder Translokationen (Übertragungen) kommt es nach einem Chromosomenbruch zur Wiederanheftung am gleichen oder an einem anderen Chromosom. Während in den beiden erstgenannten Fällen der Tab. die Fertilität erhalten bleibt, kommt es nach reziproken X/Y-Translokationen, d. h. Austausch von Segmenten zwischen dem X- und dem Y-Chromosom, zur männlichen Sterilität, da das Y-Chromosom im Austausch Genkomplexe abgibt, die die männliche Geschlechtsfunktion determinieren. Nichtreziproke X/Y-Translokationen ergeben dagegen fertile Produkte. Chimärismus (↑ Chimäre) und Mosaikbildung (↑ Mosaik) zeigen trotz ihrer unterschiedlichen Genese gleiche genotypische Bilder. Färbung und Farbmuster werden jedoch in den beiden letztgenannten Fällen nicht vererbt.

Mögliche Ursachen des Auftretens fertiler Schildpattkater

Ursachen	chromosomales Bild	Erwartungswerte für Schildpattsöhne	Schildpattöchter
Tandemtranslokation am X-Chromosom (Duplikation)	Genotyp 38, XY; Verdopplung der den Orange-Locus tragenden Region am gleichen X-Chromosom	wird vom maternalen X-Chromosom bestimmt, in der Regel kein Schildpatt	alle Schildpatt, unabhängig vom maternalen Genotyp
X-Autosom-Translokation	Genotyp 38, XY; Duplikation des Orange-Locus durch Translokation auf ein Autosom	25% aus Schildpattmüttern, 50 oder 0% aus homozygoten Müttern	50 oder 100% aus homozygoten Müttern, 75% aus Schildpattmüttern
X/Y-Translokation	Genotyp 38, XY; Duplikation durch Translokation eines X-Chromosomenabschnitts mit Orange-Locus auf das Y-Chromosom	50% aus Schildpattmüttern, 100 oder 0% aus homozygoten Müttern	50% aus Schildpattmüttern
Chimärismus und Mosaikbildung (somatische Mutation)	Genotyp 38, XY/38, XY 38, XY/38, XX 38, XY/39, XXY 38, XY/39, XXY/40, XXYY 38, XX/38, XY/39, XXY 38, XY/39, XYY 40, XXYY	das Farbmuster ist eine Besonderheit der Merkmalträger, bleibt also auf eine Generation begrenzt; in der Nachkommenschaft treten ungleiche und zum Teil unerwartete Spaltungsverhältnisse und Kombinationen auf	

Das Muster wird durch die Anzahl der ausgetauschten Zellen bzw. vom Verhältnis der beiden Zellpopulationen (Chimärismus) oder durch den Zeitpunkt bestimmt, an dem die somatische Mutation eingetreten ist (Mosaik).

Schildpatt-Shaded ↑ Tortie-Cameo.

Schildpatt-Smoke ↑ Tortie-Cameo.

Schildpatt-Tabby ↑ Torbies.

Schildpatt-Tabby-Smoke: eine seit 1986 in der DDR bei Persern zugelassene Varietät, deren charakteristisches Merkmal die Kombination des Silberanteils der ↑ Smoke mit der Zeichnung der Schildpatt-Tabby (↑ Torbies) ist. Eine S. ist eine Schildpatt-Smoke (↑ Tortie Cameo), die eine deutliche Stromung trägt. Ihre Genkonstruktion ist A– B– C– D– li Oo t^bt^b, wobei sich die Stromungszeichnung am Körper, bedingt durch die Langhaarigkeit der Perser und die nicht durchgehende Pigmentierung des einzelnen Haares, weitestgehend auflöst. Da die Übergänge zwischen den einzelnen Silberstufen fließend sind, ist eine optische Einordnung dieser Varietät teilweise schwierig.

Bei den ebenfalls zur Eintragung in das Zuchtbuch zugelassenen *Blau-Schildpatt-Tabby-Smoke* (Genkonstruktion A– B– C– dd li Oo t^bt^b) können die cremefarbenen Partien leicht für eine nicht korrekte Silberung (vgl. Shaded-Silver, Silver-Tabbies, Chinchilla) gehalten werden. Eine S. und noch mehr eine Blau-Schildpatt-Tabby-Smoke wird deshalb leicht mit einer fehlerhaften Silberschattierten verwechselt. Wie für die Torbies, die Smokes und die ↑ Cameos wird auch für die S. eine dunkelorange oder kupferfarbene Augenfarbe verlangt. Ob sie ein nützliches Bindeglied zu den Red- bzw. Creme-Cameo-Tabbies sein kann, wird die Zuchtpraxis zeigen. Tafel 20.

Schildpatt-Weiß ↑ Tri-Colour.

Schlaf: Zustand verminderter Aktivität, der durch relative Unempfindlichkeit gegenüber Außenreizen sowie durch vollständige Bewegungsruhe gekennzeichnet ist. Der Zeitpunkt des S.es

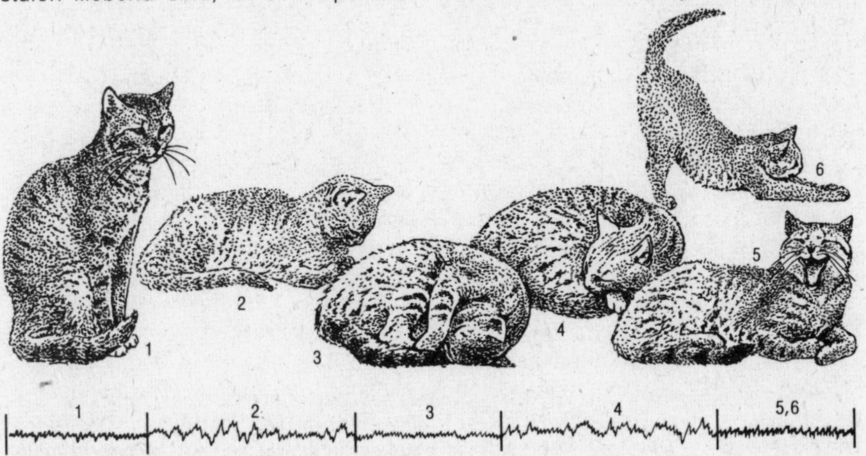

Aktivitätsstadien und damit verbundene Körperhaltungen der Katze. Unten die in den einzelnen Stadien registrierten Wellen des EEG.
Von links nach rechts: wache Katze mit unregelmäßiger Hirnaktivität – Katze beim Dösen mit langsamen Wellen – schlafende Katze in Seitenhaltung, das EEG weist auf Traumzustände hin (REM-Schlaf) – Phase leichten Schlafes, durch Haltungsänderung charakterisiert – Erwachen mit Gähnen und Körperstrecken zur Kreislaufaktivierung

wird weitgehend durch die ↑ Tagesrhythmik des Organismus bestimmt. Die Angaben zur S.dauer bei Hauskatzen sind recht unterschiedlich und schwanken zwischen 40 und 60% des Tages. Diese Schwankungen werden sowohl durch die schwere Unterscheidbarkeit von eigentlichem S. und Ruhe als auch durch die über den gesamten Tag verteilten mehrfachen S.perioden der Katze hervorgerufen. Da Katzen ein vielverwendetes Untersuchungsobjekt in der S.forschung sind, ist die Neurophysiologie ihres S.es gut untersucht. S. ist bei weitem nicht nur ein passiver Prozeß, sondern wird durch eine steigende Aktivierung bestimmter Hirnabschnitte begleitet, die als Elektroenzephalogramm (EEG) mit Elektroden von der Kopfhaut aus ableitbar sind. Das EEG ermöglicht die Bestimmung der verschiedenen S.phasen. Bei einer wachen Katze besteht es aus unregelmäßigen Mustern geringer Amplitude (Abb.). Beginnt die Katze zu dösen und legt sich nieder, treten langsam unregelmäßige Schwingungen mit hoher Amplitude auf, gleichzeitig erschlafft die Nacken- und Rumpfmuskulatur. In diesem Stadium des leichten S.es, der etwa 10 bis 30 min andauert, kann das Tier leicht durch äußere Einflüsse geweckt werden. Danach beginnt die Periode des Tief-S.es, die durch Änderungen der Körperhaltung sichtbar wird. Charakteristisch für diese Phase sind einzelne kurze Perioden schneller Augenbewegungen, die etwa 8- bis 30mal bei geschlossenen oder halbgeöffneten Augenlidern erfolgen. In Anlehnung an die englischsprachige Bezeichnung (rapid eye movement = REM) spricht man auch vom REM-S. Oft rollt sich die Katze dabei von einer auf die andere Seite, einzelne Muskeln können kurz unkontrolliert kontrahieren. Auch ↑ Lautäußerungen können auftreten. Ob Katzen in dieser S.phase, ähnlich wie der Mensch, träumen können, ist ungewiß, obwohl alle physiologischen Erscheinungen durchaus darauf hinweisen. Das EEG erinnert an die Wachphase, jedoch können nur extreme Reize das Tier in den Wachzustand überführen. Nach 6 bis 7 min wird der Tief-S. wieder von einer längeren Phase leichten S.es abgelöst. Bei Jungkatzen konnten nur Tief-S.phasen festgestellt werden, in denen sie bis zum Alter von vier Wochen etwa 50% des Tages verbringen (↑ Jungtierentwicklung). Im S. wird von Katzen meist die Seitenlage eingenommen.

Jede Katze hat in der Regel einen oder mehrere feste S.plätze. Diese sind ein wichtiger Bestandteil des ↑ Reviers freilaufender Hauskatzen. Die Wahl des Platzes wird von Schutz- und Wärmebedürfnissen (↑ Thermoregulation) bestimmt. Auf einem sonnigen Fensterbrett wird der S.platz mit der Sonnenbewegung verändert. Somit kann ein leichter Abfall der ↑ Körpertemperatur während des S.es kompensiert werden. In Gruppen lebende Katzen (↑ Sozialverhalten) können besonders im Winter S.gemeinschaften bilden. Werden ↑ Rassekatzen in Gruppen gehalten, sollte jede Katze die Möglichkeit haben, sich einen eigenen S.platz zu suchen, wo sie ungestört schlafen kann.

Schlafplatz ↑ Schlaf.

„Schlag" ↑ Lautgebung.

Schlanktyp ↑ Körperbautyp.

Schleichen ↑ Fortbewegung.

„Schlittenfahren": typisches Verhalten von Katzen, das meist durch eine Verstopfung der in den After mündenden Ausführungsgänge der ↑ Analbeutel verursacht wird. Die daraus resultierende Entzündung verursacht einen Juckreiz, den die Tiere durch S. sowie durch häufiges Belecken der Analregionen zu lindern suchen.

S. ist aber auch bei Langhaarkatzen zu beobachten, ohne das medizinische

Schlittenfahren

Gründe vorliegen. Bei einem etwas weicheren Kotabsatz kann es passieren, daß Stuhl im dichten, die Analregion umschließenden Fell kleben bleibt. Mit S. kommen die Katzen dann ihrem natürlichen Reinlichkeitsbedürfnis nach. Bei häufigem S. sollte ein Tierarzt konsultiert werden. Abb.

Schlüsselreiz, *Auslöser, Kennreiz*: ein Außenreiz oder eine Reizkombination, der (die) ein bestimmtes Verhalten in Gang setzen kann. Neben der auslösenden Wirkung können S. auch die Orientierung einer Verhaltensweise oder die Motivation eines Tieres beeinflussen. *Leyhausen* (1982) unterscheidet im Rahmen der Beutefanghandlung der Katze mindestens vier Gruppen von S.en.:

1. Auslösen und Richten der einleitenden Beutefanghandlung,
2. Auslösen und Richten von Zupacken und Totbeißen,
3. Anregung der Nahrungsaufnahme,
4. Bestimmen, an welchem Körperteil die Beute angeschnitten wird.

Ein „Beuteschema", von dem alle notwendigen Reize zum Auslösen des Beutefangverhaltens ausgehen, gibt es nicht. Die Frage, um welche Art von ↑ Auslösemechanismus es sich im einzelnen Fall handelt, läßt sich heute noch nicht voll beantworten. Durch Versuche an unerfahrenen Jungkatzen (↑ Jungtierentwicklung) konnten einige Merkmale von S.en bereits geklärt werden.

Schmarotzer: **1.** ↑ Ektoparasiten. – **2.** ↑ Endoparasiten. – **3.** ↑ Parasitosen.

Schmecken ↑ Zunge.

Schmetterlingsabzeichen: auf dem Schultergürtel liegender Teil der ↑ Tabbyzeichnung bei gestromten Katzen, der an die Flügelform der Schmetterlinge erinnert.

Schnattern ↑ Lautgebung.

Schneeschuhkatze ↑ Snow-Shoe-Cat.

Schnurren ↑ Lautgebung.

Schnurrhaare, *Vibrissen*: ↑ Sinneshaare (Tasthaare), die in mehreren Reihen angeordnet auf der beweglichen Oberlippe liegen und normalerweise gespreizt getragen werden. Die Austrittsstellen, an denen die Fellhaare (↑ Haar) leicht gewölbt erscheinen, werden als S.kissen bezeichnet. Mittels eines Muskels können die S. aktiv bewegt werden. Der besondere anatomische Bau der Haarwurzel läßt die S. zu hochsensiblen „Fühlern" werden, die gemeinsam mit dem Sehvermögen eine außerordentlich gute Raumorientierung gewährleisten. Eine Vielzahl von Rezeptoren (Nervenenden zur Reizaufnahme) in der Nähe der S.wurzel leiten die aufgenommenen Erregungsmuster über Nervenbahnen in das zutreffende Zentrum der Area corticalis der Großhirnrinde. Die Laufzeit der sensorischen und motorischen Impulse ist extrem kurz, so daß z. B. der Kopf der Katze auch den schnellsten Bewegungen eines einmal erfaßten Beutetieres folgen kann. Die S. sind so hoch empfindlich, daß Grad, Richtung, Geschwindigkeit, Dauer und eventueller Rhythmus der Ablenkung der S. aus der Normalstellung wahrgenommen sowie die betroffenen Stellen der Oberlippe lokalisiert werden. Das befähigt die Katze, auch mit verbundenen Augen ein ↑ Beutetier, sobald es in Reichweite der S. kommt, blitzschnell mit präzisem Nackenbiß zu ergreifen und zu töten. Hierbei sind die S. weit nach vorn gespreizt, umschließen förmlich kleine Beutetiere, erfassen den Haarstrich zur

Körperorientierung des ↑ Tötungsbisses und kontrollieren jede Bewegung. Bei starker Erregung, wie Abwehr oder Angriff, und bei der Untersuchung von Objekten werden die S. ebenfalls mehr oder weniger weit nach vorn gespreizt. Vermutlich können diese hochempfindlichen Sinneshaare willkürlich an- und abgeschaltet werden. Das hängt wahrscheinlich von der Stellung der S. und der erforderlichen Aufmerksamkeit des Tieres ab. Es ist also nicht allein Aufgabe der S., wie so oft behauptet wird, anzuzeigen, ob Katzen mit dem Körper durch ein Loch oder einen Spalt passen. S. haben eine wesentliche Funktion im gesamten Komplex der optimalen Umwelterfassung zu erfüllen und es ist schon deshalb eine Unsitte und überdies schmerzhaft, wenn manche Züchter den ↑ Rassekatzen nicht standardgerechte S. ausreißen.

Schreien ↑ Lautgebung.

Schutzhaare ↑ Haar.

Schema für Schutzimpfungen bei der Katze am Beispiel der infektiösen Panleukopenie und der Tollwut

	Lebendvakzine z. B. Panleukopenie	Tot-/inaktivierte Vakzine, z. B. Tollwut
Anzahl der Impfungen für eine Grundimmunität	einmal ab zwölfter Lebenswoche *oder* zweimal ab achter Lebenswoche im Abstand von vier Wochen	zweimal ab zehnter bis zwölfter Lebenswoche im Abstand von vier Wochen
belastbare Immunität	nach drei bis fünf Tagen	vierzehn Tage nach der ersten Impfung
Wiederholungsimpfung	einmal jährlich	einmal jährlich

Schutzimpfungen: Übertragung eines Impfstoffes (Vakzine) bzw. eines Immunserums zur Erzeugung einer aktiven (Vakzination, Vakzinierung) bzw. passiven (Serumtherapie) Immunisierung. Bei der *Vakzinierung* werden lebende, abgeschwächte oder inaktivierte Antigene (Erreger) injiziert, um den Organismus zur Bildung spezifischer Antikörper gegen bestimmte ↑ Infektionen anzuregen. Je nach Art der Vakzine setzt bereits nach drei bis fünf Tagen (Lebendvakzine) oder erst nach zwei Wochen (Totvakzine, inaktivierte Vakzine) eine belastbare Immunität ein, die in der Regel ein Jahr wirksam ist und dann wiederholt (geboostert) werden muß. Inaktivierte Vakzine müssen, im Gegensatz zu Lebendvakzinen, zur Erzielung einer ausreichenden Grundimmunität zweimal im Abstand von etwa vier Wochen injiziert werden.

Welpen können erst ab zwölfter Lebenswoche erfolgreich vakziniert werden, da die bis zu diesem Zeitpunkt noch vorhandenen maternalen Antikörper (↑ Welpenaufzucht) die Vakzine teilweise unwirksam machen. Eine aktive S. in der achten Lebenswoche fordert deshalb nach etwa vier Wochen eine Wiederholungsimpfung (Tab.).

Für Katzen gibt es derzeitig leistungsfähige Impfstoffe gegen die Panleukopenie und die Tollwut (↑ Infektionskrankheiten). Tiere mit freiem ↑ Auslauf sollten jährlich gegen Tollwurt immunisiert werden (Zoonosen). Entsprechend internationalen Forderungen ist diese Impfung Pflicht bei Auslandsreisen. Impfstoffe gegen Erkrankungen des Katzenschnupfenkomplexes sind wegen des variablen Erregerspektrums

unzuverlässig bzw. bilden nur einen unzureichenden Impfschutz aus (Herpesviren).
Bei der *Serumtherapie* werden bereits gebildete Antikörper injiziert. Sie wirken unmittelbar nach der Übertragung und werden deshalb bei bereits erkrankten Tieren eingesetzt. Vom Organismus werden sie allerdings wie Fremdkörper behandelt und innerhalb von zwei bis drei Wochen vollständig abgebaut.

Schwanz: hinteres Ende der Wirbelsäule, das aus einer variablen Anzahl von Wirbeln besteht. Nach *Sachse* (1968) werden bei etwa 88% der Katzen 21 bis 23 S.wirbel gefunden, wobei als Variationen im Normalbereich 18 bis 24 Wirbel angegeben werden. Die unterschiedlichen S.längen und -formen ergeben sich aber nicht nur aus der differierenden Anzahl der Wirbel, sondern auch aus der Länge und Stärke der einzelnen Wirbelkörper. So hat z.B. der S. der ↑ Maine Coon eine extreme Länge und ist kräftig und breit am Ansatz, der der Perser ebenfalls breit am Ansatz, aber kurz und dick und der sogenannte Lunten- oder Peitschen-S. der ↑ Siam und ↑ Orientalisch Kurzhaar ist dünn, extrem lang und läuft zu einer feinen Spitze aus. Neben diesen natürlichen oder bestenfalls durch züchterische ↑ Selektion veränderten Schwänzen existieren Formen, die auf Defektmutationen beruhen (↑ Knickschwanz und ↑ Kurzschwanz sowie die S.losigkeit der ↑ Manx mit ihren unterschiedlichen Expressivitätsgraden „rumpy" und „stumpy").
Form und Gestalt des S.es und des S.ansatzes werden durch die Behaarung optisch verändert. Langhaarkatzen haben entweder einen dichten buschigen S., z.B. die Perser, oder einen S. mit wenig Unterwolle (↑ Haar), der federbuschartig auseinanderfällt, z.B. bei der ↑ Türkisch Van. Eine Unterteilung in diese von der Unterwolle abhängigen Behaarung kann auch bei den ↑ Kurzhaar vorgenommen werden. ↑ Rassen mit dichter Unterwolle, z.B. die ↑ Britisch Kurzhaar, zeigen einen breiteren und kräftiger wirkenden S. als solche, bei denen auf fehlende Unterwolle selektiert wurde, z.B. die ↑ Burma.
Funktionell dient der S. dem Gleichgewicht. Grund für den hoppelnden Gang der Manx ist nicht nur das überhöhte Beckenteil, sondern auch die ↑ Schwanzlosigkeit. In der Bewegung wirkt der S. als Balancierstange und beim Sprung als Steuergerät. Beim Fall (↑ Reflex) ist er ein Hilfsmittel, um den Körper in eine aufsprungbereite Position zu drehen.
Schließlich ist der S., neben den Ohren, ein Ausdrucksmittel der jeweiligen Stimmung: hocherhobener S. bei freundlicher Begrüßung (↑ Analkontrolle), beim Angriff eine hakenförmige Haltung, d.h., die hakenförmige Krümmung wandert von der S.wurzel bis zur S.spitze, bis der S. steil aufgerichtet ist; gesträubter S. mit steifer und ruhiger Spitze beim ↑ Abwehrverhalten, S.peitschen bei Erregung, leises Zucken der S.spitze beim Anschleichen an die Beute und heftiges Zucken kurz vor dem Absprung.

Schwanzanomalien: **1.** ↑ Japanese Bobtail. – **2.** ↑ Knickschwanz. – **3.** ↑ Kurzschwanz. – **4.** ↑ Manx.

Schwanzlosigkeit, *Anurie* (abgeleitet vom systematisch-zoologischen Begriff Anuren = Froschlurche): Reduktion der Schwanzwirbelsäule. S. oder Stummelschwänzigkeit wird gelegentlich bei Katzen verschiedener Rassen beobachtet. Sie kommt jedoch selten vor. *Searle* (1966) berichtete über eine erbliche Anurie in asiatischen Katzenpopulationen. Der Defekt ist Rassemerkmal bei der ↑ Manx geworden.

Schwanzwirbel: **1.** ↑ Schwanz. – **2.** ↑ Skelett.

Schwarz: wahrscheinlich die erste bei

Hauskatzen aufgetretene Mutation des ↑ Wildtyps. S. entsteht durch Ersatz des dominanten Wildtypallels A (↑ Agouti) durch das homozygot rezessive Allelpaar aa für ↑ Nicht-Agouti sowie aus dem Zusammenwirken dreier weiterer dominanter Gene, dem für ↑ Nicht-Braun B–, für ↑ Vollpigmentierung C– sowie für ↑ Nicht-Verdünnung D–. Die Genkonstruktion für S. ist somit aa B– C– D–. Die Intensität von S., d.h. alle Übergänge von einem S.braun bis zu einem tiefen ebenholzfarbenen Ton, werden durch ↑ Modifikatoren sowie durch die Haarlänge mit beeinflußt.

Die Genorte B–, C– und D– können entweder heterozygot oder homozygot besetzt sein. Bei Heterozygotie der Genorte besteht ↑ vollständige Dominanz des Wildtypallels über das Mutantenallel. Bei ↑ Homozygotie von S. liegt der Genotyp aa BB CC DD vor. Oft sind jedoch ein oder zwei Genorte heterozygot besetzt. Vor der ↑ Immigration von Braun in die Perserpopulationen war der wahrscheinlichste ↑ Genotyp s.er Perser (Tafel 4) aa BB CC Dd. Heute kann auch schon die Genkonstruktion aa Bb CC Dd gefunden werden, die bei ↑ Orientalisch Kurzhaar häufig vorkommt. Tiere aus Verpaarungen mit ↑ Colourpoint oder aus Paarungen zwischen ↑ Siam und Orientalisch Kurzhaar haben infolge ↑ Rezessivität des ↑ Maskenfaktors c^s den Genotyp aa B– Cc^s D–. Das Beispiel einer Paarung zweier ↑ Ebony mit heterozygot besetzten Genorten ist in Form eines ↑ Kreuzungsdiagramms unter dem Stichwort ↑ Oligogenie verzeichnet. In der Kurzform des Kreuzungsdiagramms kann bei ↑ Gleich-zu-Gleich-Verpaarungen aa S. bedeuten, solange dieses Allelpaar nicht durch andere Gensymbole ergänzt wird. So ergäbe sich für die Verpaarung von S.gestromten (Tafeln 3, 6) mit heterozygot besetztem Agoutigenort bei gleichzeitiger Homozygotie der übrigen Genorte für Aa BB CC DD t^bt^b × Aa BB CC DD t^bt^b das Kreuzungsdiagramm der Tab. 1.

	A	a
A	AA	Aa
a	Aa	aa

Tab. 1 Ergebnis der Heterozygotenverpaarung am Agoutilocus

Die Kombination AA und Aa ergäbe wiederum gestromt mit dem Genotyp AA BB CC DD t^bt^b, während aa s. bedeutet, da aufgrund der ↑ Epistasie von aa die ↑ Tabbyzeichnung verschwindet und als vollständiger Genotyp aa BB CC DD sich ergibt.

Ebenso kann das dominante Wildtypallel D, wie aus nachstehendem Beispiel ersichtlich ist, s. bedeuten, solange es allein steht. Beide Elterntiere sind s. und tragen rezessiv ↑ Verdünnung (Tab. 2) aa BB Dd × aa BB Dd.

	D	d
D	DD	Dd
d	Dd	dd

Tab. 2 Ergebnis der Heterozygotenverpaarung am Verdünnungslocus

DD und Dd bedeuten hier wiederum S., da der vollständige Genotyp aa BB CC DD oder aa BB CC Dd wäre, dd hingegen bedeutet ↑ Blau bei einer vollständigen Genkonstruktion aa BB CC dd.

Tragen die zu verpaarenden Tiere bei homozygoter Besetzung der übrigen Genorte das Braungen b (↑ Chocolate), ergäbe sich das Kreuzungsdiagramm der Tab. 3, aa Bb CC DD × aa Bb CC DD.

	B	b
B	BB	Bb
b	Bb	bb

Tab. 3 Ergebnis der Heterozygotenverpaarung am Braunlocus

BB wäre reinerbig s., Bb s. mit rezessivem Braunallel und bb ↑ Chocolate mit den vollständigen Genotypen aa BB CC DD, aa Bb CC DD bzw. aa bb CC DD.
Ein Kreuzungsdiagramm der Verpaarung zweier Tiere mit rezessivem Maskenfaktor ist unter dem Stichwort ↑ genetische Rekombination enthalten.
Bei doppelt heterozygoter Besetzung der Genorte für Agouti und Nicht-Verdünnung ergäbe sich das Kreuzungsdiagramm der Tab. 4, Aa BB CC Dd × Aa BB CC Dd.

Tab. 4 Ergebnis der Verpaarung doppelt heterozygoter Katzen am Agouti- und am Verdünnungslocus

	AD	Ad	aD	ad
AD	**AA DD**	AA Dd	Aa DD	Aa Dd
Ad	AA Dd	**AA dd**	Aa Dd	Aa dd
aD	Aa DD	Aa Dd	**aa DD**	aa Dd
ad	Aa Dd	Aa dd	aa Dd	**aa dd**

Jetzt bedeuten die Allelpaare AA und Aa, daß es sich um Katzen mit Tabbyzeichnung handelt, während DD und Dd bedeuten, daß die Farbe nicht verdünnt ist und dd, daß eine Farbverdünnung vorliegt. Es ergibt sich die Frage: Welche Farbe ist verdünnt und welche nicht? BB, das für Nicht-Braun steht, muß also der Vollständigkeit halber wieder hinzugefügt werden.
AA BB CC DD, Aa BB CC DD und Aa BB CC Dd sind also s. Katzen, die entweder ↑ Getigert, ↑ Getupft oder ↑ Gestromt bzw. Tiere mit ↑ Abessiniertabby sind. AA BB CC dd und Aa BB CC dd sind blaue Katzen mit Tabbyzeichnung, aa BB CC DD und aa BB CC Dd ↑ einfarbige s. und aa BB CC dd einfarbig blaue Katzen. Der Genort für Nicht-Braun kann mit dem rezessiv homozygoten Allelpaar bb besetzt sein. In nicht verdünnter Form bedeutet bb (aa bb CC D–) Braun (↑ Chocolate) und in verdünnter Form ↑ Lilac (aa bb CC dd), während die Kombination mit Agouti wiederum chocolate- oder lilacfarbene Katzen mit Tabbyzeichnung ergeben.
Die Änderung von S. in Braun wird durch eine chemische Reaktion hervorgerufen, durch die die Pigmentkörnchen (Granula) eine andere Form und Größe annehmen und infolge veränderter Lichtbrechungsverhältnisse braun erscheinen. Die Verdünnung von S. zu Blau hingegen wird durch eine unregelmäßige Verklumpung und spärlichere Verteilung der Pigmentkörnchen im Haarschaft erzeugt, und die somit wiederum geänderten Lichtbrechungsverhältnisse lassen das Fell blau- bzw. schiefergrau erscheinen.
Die Fellfarbe aller S.en soll, unabhängig von Lang- oder Kurzhaar, bis zu den Haarwurzeln raben-s., ohne rostige Spuren, weiße Haare oder Zeichnung sein. Eine graue Unterwolle ist fehlerhaft.
S. Perser gehören zu den ältesten ↑ Varietäten dieser Rasse. Bereits 1902 wurde in Großbritannien ein Spezialklub für die Zucht dieser Tiere gegründet, der „Black and White Cat Club". S. Perser beeindrucken durch den Kontrast zwischen den dunkelorangefarbenen oder kupferfarbenen Augen und dem tief-s.en Fell. Häufig entspricht die Fellfärbung jedoch nicht den gestellten Anforderungen und erscheint rostigbraun. Reingezüchtete s. Perser sind eine Rarität, ihr Genotyp wäre aa BB CC DD II. Durch Sonneneinwirkung, Luftfeuchtigkeit, Speichelfluß u. a. kann das Fell s.er Katzen einen bräunlichen Anflug erhalten. Die Intensität des Farbtons soll gleich nach der ↑ Geburt gut erkennbar sein.
Mit dem Babyfell bekommt das Haarkleid dann einen rußigen Anflug; oft ist es grau und mit Stichelhaaren durchsetzt, besonders am Schwanz. Im Alter

von ein bis zwei Jahren sind solche Tiere dann meist durchgefärbt. Britische Kurzhaar in s. sind genauso alt wie die Perser dieses Farbschlages. Die ↑ Europäisch Kurzhaar verkörpert in s. das klassische „Morle“, eine schöne, gutproportionierte s. Hauskatze. Perser und Briten in S. haben, ebenso wie die jüngsten S.en, die Exotic Kurzhaar s., orange- bis kupferfarbene Augen. Europäer dürfen innerhalb der ↑ F.I.Fe. auch gelbe oder grüne Augen aufweisen. Als Schlanktyp existiert seit Anfang der 70er Jahre die ↑ Ebony, eine Orientalisch Kurzhaar in s., die ebenfalls grüne Augen haben soll. Aus Kreuzungen zwischen ↑ American Shorthair und ↑ Burma entstand eine Katzenrasse, die zur Zeit nur in den USA gezüchtet und dort nur in s. anerkannt ist, die ↑ Bombay. Ebenfalls innerhalb der F.I.Fe. bisher noch nicht anerkannt, in Großbritannien vom ↑ GCCF aber bereits mit einem provisorischen Standard versehen, wurde die Russian Black, eine s. Version der ↑ Russisch Blau. Genetisch s. ist auch die Burma braun mit dem Genotyp aa B– $c^b c^b$D–.

Das Ergebnis einer Paarung zwischen einem s.en Kater und einer roten Katze ist aufgrund der geschlechtschromosomengebundenen Vererbung von ↑ Orange (↑ Geschlechtschromosom) ein anderes als das eines roten Katers mit einer s.en Katze (roter Kater O, rote Katze OO, s.er Kater o, s. Katze oo):

Tab. 5 Reziproke Paarungskombination Rot × Schwarz

	roter Kater X^O	Y	schwarzer Kater X^{o+}	Y
schwarze Katze X^{o+}	$X^O X^{o+}$ schildpatt Katze	$X^{o+} Y$ schwarzer Kater	$X^{o+} X^{o+}$ schwarze Katze	$X^{o+} Y$ schwarzer Kater
X^{o+}				
rote Katze X^O	$X^O X^O$ rote Katze	$X^O Y$ roter Kater	$X^{o+} X^O$ schildpatt Katze	$X^O Y$ roter Kater
X^O				

Das Gensymbol o steht für Nicht-Orange und kann S., Chocolate und ↑ Cinnamon (oder deren Verdünnung Blau, Lilac, Caramel bedeuten, je nachdem, wie der Genort besetzt ist. Steht o allein, so bedeutet es, daß es sich um ein männliches s.es Tier handelt, oo bedeutet ein weibliches s.es Tier, da der an das X-Chromosom gebundene Genort für Orange nicht durch das Mutantenallel O besetzt ist und Kater nur ein X-Chromosom (XY), Katzen zwei X-Chromosomen (XX) haben (vgl. Schildpatt).

S. gehört zu den Grundfarben und kann mit verschiedenen anderen Genen noch kombiniert sein. Mutiert am Genort für Vollpigmentierung C zu c^s in homozygoter Form, entstehen die ↑ Seal-Point. Die Verbindung mit dem ↑ Melanininhibitor I läßt u. a. die ↑ Smoke entstehen, die am Genort für Silber I heterozygot besetzt ist. Aus Verpaarungen zwischen zwei Smoke des Genotyps aa BB CC DD Ii untereinander

	I	i
I	II	Ii
i	Ii	ii

Tab. 6 Ergebnis der Heterozygotenverpaarung am Locus des Melanininhibitors

können wiederum s. Katzen fallen. Die s.-weißen ↑ Bi-Colour sind eine Kombination von s. mit dem Gen für ↑ Scheckung S. Die meisten sind am Scheckungslocus heterozygot besetzt, so daß es auch aus Verpaarungen zwischen zwei Bi-Colour z.B. einfarbige s., also nicht gescheckte Tiere ss fallen können.

	S	s
S	SS	Ss
s	Ss	ss

Tab. 7 Ergebnis der Heterozygotenverpaarung am Scheckungslocus

Da das ↑ dominante Weiß epistatisch über alle übrigen Genorte der Pigmentierung ist, können aus Verpaarungen zweier weißer Katzen des Genotyps Ww gegebenenfalls s. Katzen fallen.

Schwarz-Gestromt ↑ Gestromt.

Schwarz-Getigert ↑ Getigert.

Schwarz-Getupft ↑ Getupft.

Schwarz-Silber-Gestromt ↑ Silvertabbies.

Schwarz-Silber-Getigert ↑ Silvertabbies.

Schwarz-Silber-Getupft ↑ Silvertabbies.

Schwarz/Weiß ↑ Bi-Colour.

Schweißdrüsen: **1.** ↑ Fußballen. – **2.** ↑ Haut. – **3.** ↑ Thermoregulation.

Schwellenmerkmal ↑ Polygenie.

Schwergeburten ↑ Geburtsstörungen.

Schwimmen ↑ Fortbewegung.

Schwitzen: **1.** ↑ Haut. – **2.** ↑ Thermoregulation.

Scottish Fold, *Schottische Faltohrkatze*, *Hängeohrkatze*: mittelgroße, stämmige, wohlgeformte Katze, die im Grunde voll und ganz einer typvollen ↑ Britisch Kurzhaar entspricht. Im Gegensatz zu dieser darf die S. F. etwas Stop haben und ihr Schwanz soll mittellang bis lang sein. Ihr rassebildendes Merkmal, die Ohren, sind klein, nach vorn und nach unten gefaltet, mit gerundeten Spitzen. Die Ohren sollen so gesetzt sein, daß sie wie eine Kappe die vollkommenen Rundungen des Kopfes unterstreichen.

Hängeohren gibt es bei vielen Haustierarten: Kaninchen, Ziegen, Schweinen. Geradezu vertraut sind sie uns bei vielen Hunderassen. Katzen mit Hängeohren wurden schon in Brehms Tierleben beschrieben und tauchten nachweislich in Europa und den Vereinigten Staaten von Amerika auf, ohne daß ihnen jedoch große Beachtung geschenkt wurde.

Die Geschichte der S. F. fing erst mit *Susie* an. Ein schottischer Schäfer entdeckte sie 1961 auf einem Nachbargehöft: eine kleine weiße Katze mit komischen Schlappohren. Es stellte sich heraus, daß Susies Mutter, die kurz zuvor bei einem Unfall auf dem Gehöft getötet worden war, normale, also aufrechtstehende Ohren hatte. Wie der Vater aussah, wußte verständlicherweise niemand zu sagen. *Susie* hatte noch einen Schlappohrbruder, aber dieser war schon verschwunden.

Im darauffolgenden Jahr kaufte das Schäferpaar *Snooks*, eine Tochter von *Susie*. Sie hatte ein genauso herrlich weißes Fell, gefaltete Ohren und den komisch traurigen Gesichtsausdruck ihrer Mutter. *Snooks* wurde unter dem Zwischennamen *Denisla* als „andere Kurzhaar" registriert. Testpaarungen wurden vorgenommen, um festzustellen, wie dieses besondere Merkmal vererbt wird. Der Nachwuchs hatte teils normale, teils unterschiedlich stark gefaltete Ohren. Einige hatten kürzere, dickere Schwänze und da man eine Britisch Kurzhaar mit Faltohren im Auge hatte, wurden sie bevorzugt. In dem ersten Wurf von *Snooks* befand sich nur ein S.-F.-Kater, *Snooball*. Erschrocken über die Möglichkeit, die S. F. könnten eventuell wieder aussterben, wurden Hängeohrkatzen mit Hängeohrkatzen verpaart. Als bekannt wurde, daß in Würfen von S. F. immer wieder Mißbildungen am Knochenbau auftraten: dicke, unbewegliche Schwänze, Verdikkung und Versteifung der Hinterbeine, verbot der britische Dachverband 1973 kurz entschlossen die Zucht der S. F. unter dem Vorwand, sie seien taub und würden aufgrund ihrer abnormen Ohren an Milben leiden.

Die Entdecker von *Susie* wollten trotz dieses Verbotes nicht aufgeben und exportierten einige Tiere in die Vereinigten Staaten von Amerika. Beim größten amerikanischen Dachverband, dem ↑ CFA, konnten S. F. seit 1974 zur Experimentalzucht eingetragen werden, andere Dachverbände erlaubten eine Zuchtbucheintragung mit den Originalstammbäumen. S. F. wurden mit Hauskatzen, ↑ Amerikanisch Kurzhaar, den gedrungeneren amerikanischen ↑ Burmas, mit ↑ Exotic Kurzhaar und sogar ↑ Persern gepaart. Auf letztere ist wohl das Zugeständnis im Standard, „ein leichter Stop ist erlaubt", zurückzuführen. Durch die Perserkatzen kam das Gen für ↑ Langhaar in die S.-F.-Zucht und es wird nur eine Frage der Zeit sein, wann S. F. mit halblangem oder langem Fell gezüchtet werden. Eine langhaarige S.F. soll schon in Neuseeland ausgestellt worden sein.

Der Internationale Scottish Fold Verband ISFA (International Scottish Fold Association) wurde gegründet. Da sein britischer nationaler Vorläufer mit dem Verbot der S. F. aufgelöst werden mußte, wurde *Susies* Entdecker jetzt Präsident des amerikanischen Verbandes. Seit 1978 sind S.F. beim CFA und den anderen großen amerikanischen Dachverbänden anerkannt. Seitdem die S. F. in allen Farben gezüchtet werden, sollen keine Fälle von ↑Taubheit mehr aufgetreten sein. Im Zwinger *„Denisla"* hingegen setzte sich der Ausgangsbestand der S.-F.-Zuchttiere aus vielen weißen Katzen zusammen (↑ dominantes Weiß).

Das Auftreten von Skelettmißbildungen wird von den Anhängern der S.F. heute nicht mehr verschwiegen. Sie sollen schon nach einer Woche röntgenologisch feststellbar sein. Untrügliches erstes Anzeichen für Knochenmißbildungen ist aber eine mit ungefähr fünf Wochen einsetzende Unbeweglichkeit des Schwanzes. In einigen Standards wird deshalb ausdrücklich disqualifiziert: „ein Schwanz, der verkürzt ist, oder dem es an Beweglichkeit fehlt, was auf abnorm dicke Wirbel zurückzuführen ist".

Züchter von S. F. wissen, daß sie eine S. F. nur mit einer normalohrigen Katze verpaaren sollten, um Mißbildungen zu vermeiden. Deshalb gestatten viele amerikanische Verbände Paarungen zwischen S.F. und Britisch- bzw. Amerikanisch Kurzhaar und normalohrigen Katzen, die aus solchen Paarungen hervorgegangen sind. Das ↑ Faltohr, Gensymbol Fd nach der englischen Bezeichnung folded ears, wird dominant vererbt. Paart man Faltohrkatzen mit Katzen, die normal aufrechtstehende Ohren (fd) haben, so fallen zur Hälfte S. F. und die andere Hälfte zeigt normale Ohren. Zudem kann man gleich nach der Geburt nicht feststellen, welcher Welpe Faltohren hat und welcher nicht, sie gleichen völlig anderen Neugeborenen. Erst wenn sie zwei Wochen alt sind, sieht es so aus, als ob jemand mit einer Brennschere eine Welle in der äußeren Ohrwand geformt hat. Die Ohrspitzen scheinen sich vor der Nase zu verbeugen. Es kann aber auch bis zur dritten Woche so aussehen, als ob die

Jungtiere normale Ohren behalten und plötzlich zeigen die Spitzen dann doch nach unten. Andere Jungtiere haben anfänglich die gewünschte Ohrform, dann richten sie sich jedoch nach und nach wieder auf, oder nur ein Ohr ist gefaltet, das andere bleibt gerade. Zum Entsetzen der S.-F.-Züchter richten sich die Ohren ihrer Katzen manchmal während der Trächtigkeit auf und falten sich nie wieder. Als ob diese Zucht nicht schon problematisch genug wäre, unterscheiden S.-F.-Anhänger inzwischen schon einfache und doppelt gefaltete Ohren. Die doppelt gefalteten Ohren sind zuerst am Ansatz gewellt und dann beugt sich der spitze Oberteil nach vorn und formt eine Klappe. Einfache Faltohren sollen weniger auf Ausstellungen zu sehen sein, da sie die Rundung des Kopfes beeinträchtigen. S.-F.-Züchter hoffen trotz all dieser Probleme die Skelettmißbildungen durch selektive Zucht beseitigen zu können.

Scottish Fold

Wenn dem eines Tages so sein wird, könnte man gegen diese Rasse so lange nicht polemisieren, bis nicht ↑ Peke-face, Sphynx (↑ Nacktkatze) und schon gar nicht zu sprechen von ↑ Manx und ↑ Cymric von der Bildfläche verschwunden sind. Eine gesunde, vitale S. F. wäre dann nur noch eine Frage des Geschmacks.

Die großen europäischen Verbände scheinen ein derartiges Zuchtziel für einen Wunschtraum zu halten und lehnen die Anerkennung der S.F. ab. Dennoch wird sie in einigen, nicht der F.I.Fe. angeschlossenen Verbänden gezüchtet. Abb.

Seal-Point: anerkannte ↑ Abzeichenfarbe der Genkonstruktion aa B– c^sc^s D–. Es können gegebenenfalls L– für ↑ Kurzhaar (z. B. bei Verpaarungen von Siamesen und Balinesen) und ll für ↑ Langhaar hinzugefügt werden. Die Abzeichen der S. sind schwarzbraun, die Körperfarbe ist am Rücken creme bis bräunlich, langsam in hellere Töne an Bauch und Brust übergehend. Fehlerhaft sind Flecke am Bauch und an den Flanken, Streifen und Stichelhaare in den Abzeichen. Der ↑ Nasenspiegel und die ↑ Fußballen der S. sind schwarzbraun, die ↑ Augenfarbe ist ein tiefes kräftiges Blau. Wie bei allen auf ↑ Akromelanismus beruhenden ↑ Varietäten sind die Jungtiere bei der Geburt weiß und färben die ↑ Abzeichen erst allmählich an der Nasenspitze beginnend um.

Die Bezeichung seal [engl., Seehund] ist auf das Fell der Seebären (Seehunde) zurückzuführen, die im oberen Teil schwarze, am Grund hellgraue Grannen (↑ Haare) und eine seidig hellbraune Unterwolle haben. Werden die Grannen entfernt, ist das Fell meist glänzend tiefschwarz gefärbt. Bekannt wurde diese klassische Abzeichenfarbe mit den Siamesen. Über die ↑ Siam gelangte sie zu den ↑ Colourpoints

und den ↑ Birma, den ↑ Balinesen und schließlich zu den ↑ Exotic Kurzhaar.
Siam S. können mit der ↑ Ebony verpaart werden, wie auch aus Verpaarungen von Ebonies untereinander Siam S. fallen können, vorausgesetzt, beide Elternteile tragen rezessiv den ↑ Maskenfaktor. Ein entsprechendes ↑ Kreuzungsdiagramm ↑ Oligogenie.
Alle S. sind genetisch schwarze Katzen (↑ Schwarz), bei denen durch Tyrosinaseblockade nur ein Teil des Körpers gefärbt bleibt. Die unter dem Stichwort „Schwarz" verzeichneten Verpaarungsbeispiele sind auch für S. gültig, nur daß für das Allelpaar CC (↑ Vollpigmentierung) c^sc^s stehen muß. S. kombiniert mit ↑ Scheckung S- ergibt eine Varietät der ↑ Ragdoll, kombiniert mit dem ↑ Melanininhibitor I– (↑ Silberserie) entsteht die nicht anerkannte Abzeichenfarbe ↑ Shadow-Point. S. in Verbindung mit dem dominanten Mutantenallel W– (↑ dominantes Weiß) ergeben bei den Siam die ↑ Foreign White.
S. können rezessiv ↑ Verdünnung sowie am Genort für ↑ Nicht-Braun die Mutantenallele b (↑ Chocolate) oder b^l (↑ Cinnamon) tragen. Wechselt am Genort für ↑ Nicht-Agouti das rezessive Allelpaar aa in das dominante Wildtypallel A– (↑ Wildtyp, ↑ Agouti), entstehen die Seal-Tabby-Points (↑ Tabby-Point), in Verbindung mit dem Gen für ↑ Orange (↑ Geschlechtschromosom) entstehen die ↑ Tortie-Point, während eine Kombination der zuletzt angeführten die ↑ Tortie-Tabby-Point hervorbringt. Tafeln 33, 34, 36, 37.

Seal-Tabby-Point ↑ Tabby-Point.

Seal-Tortie-Point ↑ Tortie-Point.

Seal-Tortie-Tabby-Point ↑ Tortie-Tabby-Point.

Sehen ↑ Auge.

Sehpurpur ↑ Auge.

Sehstörungen: **1.** ↑ Nystagmus. – **2.** ↑ Progressive Retinaatrophie. – **3.** ↑ Schielen.

Seidenhaar, *Satin*: seiden- oder satinähnliche Felltexturen (Satin = Atlasseide mit glänzender Ober- und matter Unterseite). Sie treten bei Verlängerung des Deckhaares (↑ Haar) und Unterentwicklung der Markschicht der Haare bzw. ausschließlich durch Verlust der Markschicht bei den gröberen Haaren des ↑ Normalhaares auf. So handelt es sich beim Seidenkaninchen, das von britischen Seeleuten 1723 aus Ländern am Schwarzen Meer nach Bordeaux gebracht und von dort aus verbreitet wurde (*Nachtsheim*, 1949), um Langhaar, das spätere „Angorakaninchen". Demgegenüber war das von *Castle/Law* (1936) beschriebene „Satin" ein Normalhaar mit Markschichtverlust im Deckhaaranteil. Die Marksubstanz wird in den jungen Haaren zunächst angelegt, obliteriert (verkümmert) aber vollständig oder bis auf geringe Spuren. Den Grannenhaaren wird dadurch die Starrheit genommen. Das Fell wird seidig weich. Der Erbgang von S. ist einfach autosomal rezessiv. Am ↑ Genort befinden sich die ↑ Allele Sa^+ und sa. S. tritt auch bei Katzen auf und wird teilweise selektiv begünstigt.
Nach *Thies* (1977) wird das außergewöhnlich kurze, glänzende, seidig straff anliegende Deckhaar mit spärlichem Unterhaar vieler Siamesen, Orientalisch Kurzhaar, Burmesen und Bombay wahrscheinlich ebenfalls einfach autosomal rezessiv vererbt. Auch bei niedrigen Umgebungstemperaturen verhindert diese Mutante die Entwicklung eines kräftigen Unterhaares. Das bei anderen Rassen mittellange wollige Babyfell ist bei S. plüschartig kurz und beginnt sich bereits mit acht Wochen zu glätten. Kreuzungen von Kurzhaar und S. ergeben zunächst mischerbige Nachkommen mit dem normalen Kurzhaar. Die Paarung der F_1-Generation unter sich ergibt dann neben Normalhaar auch S. (↑ Mendel-Regeln).

Selbstdomestikation: Bezeichnung für den Prozeß der Evolution des Menschen im Mensch-Tier-Übergangsfeld durch Sichselbstauferlegung von Lebensbedingungen. Sie wurde von *Lorenz* (1940) nach dem Vergleich von ↑ Domestikation und Menschwerdung geprägt. Bei der S. ist der Domestizierende mit dem Domestizierten gleichzusetzen. Ursprünglich sah *Lorenz* sowohl in der Domestikation als auch in der S. eine Störung der Organismus-Umwelt-Beziehungen (↑ Verhalten, ↑ Umwelt), die jedoch für den domestizierten Organismus, aber zumindest für den Menschen, von Vorteil sind. *Leyhausen* (1984, 1985) nennt folgende Auswirkungen der Domestikation, die auf das Verhalten der Tiere Einfluß haben:

- Schutz vor Raubfeinden,
- Behinderung der freien Konkurrenz um Nahrung, Rangstellung (↑ Sozialstatus), ↑ Revier und Sexualpartner,
- Leben auf engerem Raum als in der natürlichen Umwelt,
- Zuteilung der Nahrung und damit Ausfall von Nahrungssuche.

Die Änderungen führen zu einem erheblichen Abbau der natürlichen Selektion, besonders im Umfeld des ↑ Sozialverhaltens. Überleben und Fortpflanzungserfolg eines Haustieres werden immer stärker von den Nutzungszwecken des Menschen abhängig gemacht. Der Begriff der S. ist vielfach kritisiert worden. So weisen *Herre/Röhrs* (1971) darauf hin, daß er für einen Evolutionsvorgang verwendet wird, Domestikation hingegen nur innerartliche Prozesse betrifft. Dieses Argument ist jedoch nur solange treffend, wie Haus- und Wildform zu einer Art gerechnet werden. Folgt man z. B. den Vorstellungen von *Hemmer* (1983), und nimmt zumindest für einen Teil der Haustiere eigene Artnamen an (für die Hauskatze wäre in diesem Falle Felis catus gültig), so würden Domestikation und S. gleichrangige Vorgänge beschreiben.

Ein wesentliches Kennzeichen der S. wird von *Lorenz* in der über das gesamte Leben anhaltenden Neugier (↑ Erkundungsverhalten) und in der Unspezialisiertheit des Verhaltens gesehen. Ausgehend von dieser Betrachtungsweise wird von *Leyhausen* in den letzten Jahren die S. der Hauskatze diskutiert (*Leyhausen*, 1984, 1985). Er schließt aus seiner Betrachtung von vornherein die ↑ Rassekatzen aus, die er als domestizierte Haustiere ansieht. Seine Darstellung geht davon aus, daß auch Katzen keinen strengen Zuchtverfahren mit Produktions- oder Gebrauchszielen unterlagen und unterliegen. Freilaufende Hauskatzen besitzen bei der Wahl des Sexualpartners hohe Freizügigkeit (↑ Sexualverhalten, ↑ Sozialverhalten), sie sind in ihrer Bewegung nicht eingeschränkt (es sei denn, durch die vom Menschen geschaffenen Umweltbedingungen) und können ihre Sozialpartner selbst wählen (Leben in Gruppen oder als Einzelgänger). Die Sozialstrukturen der Hauskatze sind in Abhängigkeit von klimatischen Bedingungen und vom Nahrungsangebot äußerst vielfältig (↑ Sozialverhalten). Neuere Untersuchungen geben Hinweise, daß nicht allein Umweltfaktoren für die soziale Struktur verantwortlich sind, sondern ein Zusammenspiel zwischen individueller Veranlagung (↑ Individualität) und Tradition innerhalb der ↑ Population, in der die Katze aufwächst. So gibt es unter den freilaufenden Hauskatzen die unterschiedlichsten Konstitutionstypen, die mit den leptosomen (schlankwüchsig) und dem pyknischen (gedrungen) des Menschen übereinstimmen, und die in der Rassekatzenzucht besonders genutzt wurden (vgl. Körperbautyp).

Leyhausen (1985) verweist eindringlich darauf, daß die Katze „nicht auf den

Menschen, sondern auf den Geschmack häuslichen Komforts" kam. Damit wird ein Problem sichtbar: Ohne die durch den Menschen geschaffene ökologische Nische (Lebensbedingungen in der Nähe des Menschen) hätte sich auch die Hauskatze nicht dergestalt entwickeln können. Man unterscheidet heute zwei Formen von Anpassungen von Tieren an den Menschen, die einseitig vom Menschen ausgehende *Domestikation* und den vom Wildtier ausgehenden *Kommensalismus*. Unter letzterem versteht man das Teilhaben an der Nahrung einer anderen Art (Mitessertum). Typische Kommensalen des Menschen sind Hausmaus, Wanderratte und Hausratte, die sich an menschliche Umweltbedingungen ökologisch und verhaltensmäßig angepaßt haben.

Die freilaufende Hauskatze ist gewiß bisher kaum domestiziert. Anatomische Merkmale der um 1810 auf den antarktischen Macquarie-Inseln ausgesetzten Hauskatzen unterscheiden sich nicht von denen ihrer in Frankreich lebenden hausgebundenen Vorfahren (*Derenne*, 1972), die Hirnschädel-Kapazität der Haukatze differiert nur in geringem Maße von der der Stammform (*Hemmer*, 1972) und scheinbar domestikationsbedingte Verhaltensmerkmale können auch bei gefangenen Wildkatzen beobachtet werden (*Leyhausen*, 1982). Auch dürfte die Hauskatze, zumindest im Sinne von *Lorenz*, nicht als selbstdomestiziert bezeichnet werden, da der Mensch die Voraussetzungen für ihre Verhaltensänderungen schuf. Vielmehr stellt die Hauskatze einen speziellen, bisher nicht beschriebenen Typ eines indirekten Kommensalen dar. Sowohl Nahrungs- als auch Schutzansprüche werden durch den Menschen geschaffen, die Katze ist jedoch kein Nutzer des gleichen Nahrungsangebotes. Das Bindeglied wird durch andere Kommensalen (Schadnager), durch Nutzung menschlicher Abfälle oder bewußte Zufütterung durch den Menschen geschaffen. Gegenseitige Duldung oder sogar Attraktion beruhen auf speziellen Verhaltensmerkmalen, die bei Mensch und Katzen weitgehend übereinstimmen (↑ Mensch-Tier-Beziehungen) können.

Selektion, *Auslese, Selektionszüchtung*: Zuchtverfahren, bei dem ausgewählte, erwünschte Individuen oder Familien begünstigt und unerwünschte gemerzt werden, d. h., nicht alle Individuen (Genotypen) sind an der Erzeugung der Nachkommengenerationen beteiligt. Grundlage der S. sind die phänotypischen Merkmalwerte (↑ Phänotyp). Die Wahrscheinlichkeit, daß ein Genotyp nicht zur Bildung der nächsten Generation herangezogen wird, bezeichnet man als S.skoeffizient (s). Er ist das Maß der S.sintensität. Die S. kann ein oder mehrere Merkmale betreffen. Die Richtung der S. (intermediäre oder extreme Genausprägung) wird durch das Zuchtziel bestimmt (Abb.). Die stabilisierende S. mit dem Paarungstyp Gleich zu Gleich führt zu Nachkommen mit All-round-Qualitäten, selten zu Spitzentieren, und birgt die Gefahr des Aufspaltens der Nachkommengeneration in sich.

↑ Inzucht und ↑ Gleich-zu-Gleich-Ver-

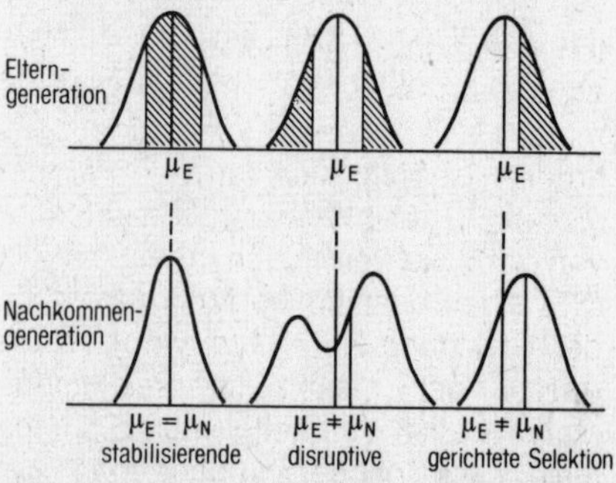

Wirkung der Selektion, μ_E und μ_N = mittlere Merkmalwerte der Eltern und Nachkommen

paarung ist der Schlüssel, um Merkmale zu fixieren bzw. zu stabilisieren. Die Bevorzugung der ↑ Heterozygotie spielt auch bei der ↑ Ausgleichspaarung eine Rolle. Die stabilisierende S. dient mehr der Anlageerhaltung. Durch disruptive S. können aus den gleichen Elternstämmen Linien mit unterschiedlichen Qualitäten herausgezüchtet werden, die man später kombinieren kann (↑ Linienzucht). Der auf das Zuchtziel gerichteten S. kommt die größere Bedeutung zu.

Die drei einfachsten S.smethoden sind die ↑ Individualselektion, die ↑ Familienselektion und die ↑ Intra-Familien-Selektion, deren Vor- und Nachteile bei den entsprechenden Stichwörtern beschrieben werden.

Die Pedigree-S. berücksichtigt die Durchschnittsleistungen der Verwandten (Vorfahren und kollaterale Verwandte). Die günstigsten Ergebnisse werden bei der ↑ Nachkommenprüfung erhalten. Von frequenzabhängiger S. spricht man, wenn ein Allel, das mit einer geringeren ↑ Genfrequenz in der ↑ Population vorhanden ist, bevorzugt wird. Es kann sich um ein Importtier (↑ Immigration), eine Neumutation (↑ Mutation) oder um eine seltene ↑ genetische Rekombination handeln. In diesem Fall wird gegen die „gewöhnlichen" Allele selektiert. Mit einer S. auf spezieller Kombinationseignung wird versucht, den Heterosiszuwachs züchterisch zu nutzen (↑ Heterosis). Bei der gleichzeitigen S. auf mehrere Merkmale, die unabhängig voneinander bearbeitet werden, hat man den Fall der „S. nach unabhängigen S.skriterien" vor sich. Sie vermindert den S.serfolg (SE) eines bestimmten Merkmals nach der Gleichung $SE = 1/\sqrt{n}$, wobei n die Anzahl der gleichzeitig selektierten Merkmale ist. Bearbeitet man S.smerkmale nacheinander, spricht man von Tandem-S., die entsprechend größere Zeiträume und eine Erhaltungszüchtung der vorher selektierten Merkmale erfordert. Bei der ↑ Indexselektion werden die einzelnen S.smerkmale mit Wertfaktoren (Punkten) belegt, und als S.skriterium dient dann die Gesamtpunktzahl.

Selektionserfolg ↑ realisierte Heritabilität.

Selektionskoeffizient ↑ Selektion.

Semilanghaar: ↑ Rassegruppe, die alle ↑ Rassen umfaßt, für die ein halblanges Fell typisch ist. Dieses ist im Gesicht am kürzesten, wird zu den Wangen hin allmählich länger und ist an den Flanken am längsten. Die ↑ Halskrause ist bei S.katzen bei weitem nicht so lang und füllig ausgebildet wie bei den ↑ Langhaar.

Die S. ist entweder ein Produkt der natürlichen Auslese unter den harten Witterungsbedingungen, in denen die ↑ Norwegische Waldkatze und die ↑ Maine Coon als natürliche ↑ Populationen lebten (beide haben ein wärmendes, vor Kälte und Nässe schützendes Wollhaar; ↑ Haar), oder ein Produkt züchterischer ↑ Selektion, wie z. B. die Türkisch Van, bei der, ausgehend von den natürlichen Anlagen, auf ein seidiges Haar ohne Unterwolle selektiert wurde. Beim kurzen Sommerfell ist die S. nur an der Behaarung des Schwanzes zu erkennen.

Genotypisch ist die S. eine Langhaarvariante, die genau wie die Langhaar das homozygot rezessive Allelpaar ll trägt, jedoch nicht deren polygene Modifikatorengruppen (↑ Modifikation) besitzt. Die heutige Perser ist in einem Jahrhundert intensiver Zuchtarbeit aus der natürlichen Katzenpopulation (↑ Türkisch Angora) der Türkei zu dem für sie so typischen fülligen, gleichlangen Deck- und Unterhaar herausselektiert worden.

Semiletalfehler ↑ Letalfehler.

sensible Phase, *Prägephase, sensible*

Periode, kritische Phase: zeitlich begrenzter Lebensabschnitt eines Organismus, in dem er für bestimmte Lernerfahrungen besonders empfänglich ist. Die s.P. liegt meist in einem frühen Abschnitt der ↑ Jungtierentwicklung und ist besonders für den Vorgang der ↑ Prägung von großer Wichtigkeit. Einzelne Prägungsklassen können zu unterschiedlichen Zeitpunkten der Entwicklung (↑ Ontogenese) ihre s. P. besitzen und sind meist irreversibel (unumkehrbar). Oft hinterläßt die erste Erfahrung den stärksten Eindruck und ist zeitlebens wirksam.
Brunner/Hlawacek (1976) nennen für die ↑ Hauskatze fünf Entwicklungsstufen. Diese Phasen können auch s. P. bestimmter Prägungsphänomene zugeordnet werden.
Die *Artprägung* geht bei ↑ Nesthockern relativ spät vor sich, bei der Hauskatze etwa am 21./22. Lebenstag. Im Normalfall erfolgt die Prägung auf die Mutter und die Geschwister. Bei Stubenhaltung spielt jedoch auch der Mensch eine große Rolle. Er bringt Futter, streichelt das Fell und baut so gewisse soziale Kontakte auf. Der Extremfall ist die ↑ mutterlose Aufzucht. Wächst die Jungkatze gemeinsam mit anderen Tieren auf (Hunde, Meerschweinchen, Mäuse; ↑ Adoption) und bezieht diese mit in ihr ↑ Spielverhalten ein, so betrachtet sie sie nicht als Feind oder Beute, sondern als „Geschwister". Fehlt das übende Spiel und das Angebot sozialer ↑ Auslösemechanismen durch die Mutter und Geschwister, reifen viele Verhaltensweisen später oder unvollkommen.
Die *Beuteprägung* wurde von *Leyhausen* (1982) ausführlich untersucht. Er stellte fest, daß Jungkatzen im Alter von neun bis zehn Wochen einen Höhepunkt der Bereitschaft zum erstmaligen Töten eines ↑ Beutetiers zeigen. Wird ihnen im Zeitraum von der 6. bis zur 20. Lebenswoche durch die Mutter keine lebende Beute zugetragen, töten sie später nicht oder erlernen diesen Vorgang nur sehr mühsam. Sie sind aber, entgegen einer weit verbreiteten Meinung, sehr wohl in der Lage, nach Abschluß der s. P. den vollständigen ↑ Tötungsbiß noch zu erlernen, nur liegt die Reizschwelle höher.
Etwa gleichzeitig mit der *Nahrungsprägung*, die auch die Beuteprägung einschließt, geht bei der Hauskatze auch die *Ortsprägung* auf ein bestimmtes ↑ Heim (↑ Revierverhalten) vor sich. Katzen, die in der entsprechenden s. P. nicht an Ortswechsel gewöhnt werden (Kennenlernen einer fremden Umgebung, z.B. den Innenraum eines Autos, einer anderen Wohnung usw.), zeigen später teilweise solche ↑ Verhaltensstörungen wie gesteigertes ↑ Aggressionsverhalten, ↑ Unsauberkeit, Sich-Verkriechen und Futterverweigerung, oder reagieren mit ↑ Verstopfung oder ↑ Durchfall. Besitzer von Stubenkatzen sollten stets im Auge haben, daß Jungkatzen um den 45. Lebenstag herum ein sehr empfindliches, für einmalige schreckhafte Erlebnisse besonders empfängliches Nervensystem haben. Werden sie z. B. von einem anderen Tier oder von Kindern erschreckt, gehen sie für lange Zeit, unter Umständen auch nie mehr, auf ähnliche Lebewesen zu.

Sexualverhalten: Verhaltenweisen im Rahmen der Fortpflanzung und damit der Arterhaltung. Der gesamte Funktionskreis der Fortpflanzung läßt sich in die Komponenten des S. und des Brutpflegeverhaltens aufteilen. Innerhalb dieses Funktionskreises werden wesentliche Prinzipien der Individualerhaltung (Schutz und Verteidigung) zeitweise aufgehoben. So sind z.B. bei der Paarung die ↑ Individualdistanz, bei der Jungenverteidigung die Fluchtdistanz (↑ Fluchtverhalten) nicht wirksam. Das eigentliche Paarungsverhalten wird von einer Reihe weiterer Verhaltenselemente umrahmt, die folgende Funktionen erfüllen:

1. Bestimmung der Eigenschaften des Partners (Geschlecht, Alter, ↑ Sozialstatus, Paarungsbereitschaft, ↑ Analkontrolle);
2. Überwindung der Individualdistanz;
3. Synchronisation physiologischer Prozesse und gegenseitige Abstimmung der Handlungsfolgen bis zum Paarungsvollzug.

Während sich das S. der Stubenkatze in der Regel auf das eigentliche Paarungszeremoniell beschränkt, das zudem noch durch den Menschen gelenkt wird, ist es bei freilaufenden Katzen noch durch eine Vielzahl weiterer Verhaltensweisen charakterisiert. Während der ↑ Rolligkeit bleiben die Weibchen in der Nähe des eigenen ↑ Reviers, wo sich ein bis fünf (im Mittel zwei, drei) Kater versammeln, die einen unterschiedlichen Sozialstatus besitzen. Meist schließt sich die Katze einem Kater näher an, der Zentral-Männchen (CM) genannt wird (*Liberg*, 1981). Die anderen, ebenfalls geschlechtsreifen Kater werden Peripher-Männchen genannt. Die Interaktionen zwischen den Katern beschränken sich auf ritualisiertes ↑ agonistisches Verhalten. Eigentliches ↑ Kampfverhalten ist nur zwischen einander fremden Katern zu beobachen (vgl. Bruderschaft). *Leyhausen* (1982) geht davon aus, daß die Partnerwahl Sache der weiblichen Katze ist. Sie interessiert sich kaum für die rivalisierenden Kater und führt ihre eigene Werbung durch, als ob nur ein Männchen vorhanden sei. Oft soll sie sich auch mit dem Unterlegenen paaren, nicht nur mit dem Sieger. Ebenso wurde beobachtet, daß rollige Katzen über Jahre hinweg immer mit dem gleichen Kater zusammenkommen (vgl. Inzestvermeidung).

Bei ↑ Zuchtkatzen entfallen diese Kämpfe, da Kater und Katzen getrennt gehalten und gezielt miteinander gepaart werden. Allerdings spielen auch hier Sympathie und Antipathie eine nicht unerhebliche Rolle und es kann durchaus passieren, daß der Kater desinteressiert bleibt bzw. die rollige Katze keine Paarungsbereitschaft zeigt.

Dem eigentlichen Paarungsakt geht ein längeres Vorspiel voraus. Das weibliche Tier erreicht viel langsamer die Begattungsbereitschaft als das männliche. In dieser ersten Phase übernimmt der Kater die aktive Rolle. Die Katze flieht zunächst vor ihm und wehrt ihn mit heftigen Tatzenhieben (↑ Pfotenhieb) unter lautem Kreischen ab (vgl. Lautgebung). Sie hört damit auf, wenn der Kater die Verfolgung einstellt, gibt Köpfchen (↑ Köpfchengeben) und wälzt sich. Nähert sich der Kater, beginnt die Jagd aufs neue (Kokettierverhalten, *Leyhausen*, 1982). Mit Erreichen des Höhepunktes der Rolligkeit der Katze gelingt es dem Kater immer öfter, die Katze mit schnellen Griff im Genick (↑ Nackenbiß) zu packen. Zuerst windet sie sich heraus, später nimmt sie ungefähr die Begattungsstellung ein, ohne jedoch das Kreuz hohl zu machen und den Schwanz zur Seite zu nehmen. Der Kater kann den Penis nicht einführen und muß schließlich die Katze freigeben. Die Individualdistanz der Katze wird jetzt immer kürzer. Der Kater folgt nun behutsamer, wenn sie sich wälzt und setzt sich sofort, sobald sie ihn anschaut. Im Sitzen stößt er maunzende Töne aus. Durch die Begattungsstellung wird der Kater zur Kopulation aufgefordert: Die Katze legt die Vorderpfoten bis zum Ellenbogen auf den Boden, streckt den Kopf flach darüber; das Kreuz wird gestreckt und die Kruppe angehoben; der Schwanz ist seitlich gestellt und an der Wurzel ebenfalls leicht angehoben; die meist dem Part-

Sexualverhalten

ner zugewandte Vulva wird freigegeben und die Hinterpfoten treteln leicht zukkend auf und ab.

Nach dieser Einleitung kommt es plötzlich zur Begattung. Der Kater schießt von schräg hinten auf die Katze zu, packt sie im Nacken und übertritt sie, zuerst mit der Vorderpfote und danach mit der Hinterpfote. Hebt sie nicht genügend die Vulva, tritt der Kater abwechselnd mit den Hinterpfoten auf ihren Rücken und löst somit ein weiteres Durchstrecken, Treteln und Seitwärtsstellung des Schwanzes aus. Erst wenn die Katze voll bereit ist, wird der bereits beim Übertreten erigierte Penis nach einigen Suchbewegungen in die Vulva eingeführt. Der Samenerguß erfolgt nach wenigen schnellen Friktionsbewegungen in einer Art Nachstoß. Die Katze kreischt laut auf (Kopulations-, Paarungsschrei), der Kater grollt und fährt schnell nach hinten zurück. Die Katze wendet sich um und schlägt nach ihm. Er wehrt nur schwach ab, bleibt in der Nähe sitzen. Die Katze leckt sich die Vulva und wenige Minuten danach beginnt bereits die Einleitung zur nächsten Paarung.

Die Deutung des Paarungsschreis ist umstritten. Unter Berücksichtigung des mit Hornpapillen besetzten Penis des Katers (↑ Geschlechtsorgan) wird er von einigen Untersuchern als Schmerzschrei, von anderen hingegen als Lustschrei angesehen. Paare, die einander lange und genau kennen, sparen oft die einleitende Werbung und trennen sich

auch nach dem Paarungsakt ruhig voneinander.
Nach einiger Zeit tauschen die Tiere ihre Rollen; der Kater wird zunehmend inaktiver, folgt immer weniger der Katze und wendet sich schließlich ab. Je weiter die Rolligkeit der Katze voranschreitet, um so mehr und ausdauernder muß sie den Kater zur Paarung animieren. Sie schiebt sich jetzt in Begattungsstellung unter heftigen Treteln mit weit hochgestrecktem Schwanz rückwärts dem Kater entgegen. Dieser begattet sie dann oft geradezu „widerwillig“ und vielfach ohne Nackenbiß.
Nach erfolgreicher Paarung klingt die Rolligkeit innerhalb von zwei bis drei Tagen ab. In der Regel werden die Zuchtkatzen zum ↑ Deckkater gebracht. Damit die Tiere sich miteinander vertraut machen können, werden sie von verantwortungsvollen Deckkaterbesitzern zunächst in Sichtweite getrennt gehalten. Die Katze kann sich ungestört mit der neuen Umgebung vertraut machen und ist bald wieder paarungsbereit. Zwei vollständige Deckakte an zwei aufeinanderfolgenden Tagen bringen eine ausreichende Sicherheit, daß die Katze aufgenommen hat. Bei freilaufenden ↑ Hauskatzen zeigten Beobachtungen (*Liberg*, 1981) Intervalle von etwa 100 min zwischen zwei Verpaarungen. Abb.

sexuelle Unterentwicklung ↑ Geschlechtschromosomenaberration.

Shaded: 1. ↑ Cameo. – **2.** ↑ Shaded Silver. – **3.** ↑ Tortie Cameo.

Shaded-Chocolate-Schildpatt ↑ Tortie Cameo.

Shaded-Lilac-Schildpatt ↑ Tortie Cameo.

Shaded-Schildpatt ↑ Tortie Cameo.

Shaded-Silver, *Silberschattiert*: Gruppe anerkannter Varietäten in der ↑ Silberserie. S. wurde zuerst bei den ↑ Persern mit schwarzem und blauem ↑ Tipping gezüchtet. Das Tipping, das neben den genannten Farben seit 1982 auch in Chocolate und Lilac anerkannt ist, macht ungefähr ein Drittel der gesamten Haarlänge aus. Es verläuft vom Rücken zu den Flanken und hellt an den Beinen leicht auf. Gesicht und Schwanzoberseite müssen Tipping aufweisen. Die Unterwolle (↑ Haar) ist reinweiß, ebenso das Kinn, die Ohrbüschel, der Bauch und die Innenseite der Beine sowie die Unterseite des Schwanzes. Die ↑ Sohlenstreifen sollen sich bis zum Gelenk hochziehen. Der ↑ Nasenspiegel aller Varietäten ist ziegelrot, seine Umrandung trägt die Farbe des Tippings. Die ↑ Fußballen und die Augenlider sind ebenfalls entsprechend der jeweiligen Varietät gefärbt. Die ↑ Augenfarbe ist grün oder blaugrün, wobei grün bevorzugt wird. Der Gesamteindruck ist der einer dunkleren Katze als eine ↑ Chinchilla der gleichen Färbung. ↑ Tabbyzeichnung, braune oder cremeartige Färbung gelten ebenso wie durchgehend gefärbte Haare, gelbe oder haselnußfarbene Augen als fehlerhaft.

S. sind ↑ Agoutikatzen. Die Genkonstruktion der einzelnen Farbschläge wäre für die S., unter der stets die schwarze Variante verstanden wird, A- B- C- D- I-, für *Blue-S.* A- B- C- dd I-, für *Chocolate-S.* A- bb C- D- I- und für *Lilac-S.* A- bb C- dd I-. Die Höhe des Silberanteils bzw. die Länge des Tippings werden durch polygene ↑ Modifikation bestimmt, die die Wirkung des ↑ Melanininhibitors I beeinflußt. Bei heterozygoter Besetzung dieses ↑ Genortes (Ii) können ↑ Golden hervorgehen. Die Übergänge zur Chinchilla, die auch aus der Paarung zweier S. fallen kann, sind fließend. S. sollten je nach Intensität des Tippings in Gleich-zu-Gleich-Verpaarung mit Chinchilla bzw. mit Golden-Shell oder -Shaded gezüchtet werden. Paarungen mit andersfarbigen Katzen beeinträchtigen zum einen durch die unterschiedliche Färbung der Augen und zum anderen durch das Fehlen der entsprechenden Modifikatorengruppen bei den Nicht-Silbernen nachteilig die charakteristischen Merkmale dieser Varietäten.

Die Annahme, daß der Unterschied zwischen einer S. und einer Chinchilla in der Art der Tabbyzeichnung liegt, d. h., daß die S. ↑ Gestromt und die Chinchilla ↑ Getigert seien, hat sich nicht bestätigt. Die Art der Tabbyzeichnung ist gleich nach der Geburt zu erkennen, da die Unterwolle nicht ausgebildet und das Haarkleid kurz ist. Um festzustellen, ob es sich um eine Chincilla oder eine S. handelt, muß oft auf das zweite Lebensjahr oder länger gewartet werden. Das erste auffällige Merkmal ist eine besonders starke Pigmentierung, eine Art verwischtes Tipping direkt unterhalb der Augen, sowie die Sohlenstreifen. Sicheres Kennzeichen sind beide nicht, denn sowohl die verwischten „Eyeliner-Augen“, als auch die Sohlenstreifen können allmählich verschwinden und aus einer eindeutigen S. ist nach drei Jahren langsam eine Chinchilla geworden. S. sollten deswegen nicht zu früh in das Zuchtbuch eingetragen werden, wenn Verbandsregeln eine spätere Umschreibung nicht gestatten.

Einige S. wechseln die Augenfarbe gleich von einem Babyblau in ein phantastisches Grün; solche Jungtiere haben im Alter von fünf bis sechs Wochen dunkelviolette oder türkisfarbene Flekke in der Iris (↑ Auge). Bei anderen dauert der Wechsel bis zu zwei Jahren, aber bei solchen Tieren läßt die Intensität des Grün meist auch zu wünschen übrig. Viele S. haben einen völlig schwarzen Nasenspiegel. Meist wird er sich in ein leuchtendes Ziegelrot aufhellen und eine deutliche Umrandung übriglassen.

In den Kindertagen der Rassekatzenzucht waren in Großbritannien S. bereits schon einmal neben den Chinchillas anerkannt. Da es häufig vorkam, daß die Richter beide nicht voneinander zu unterscheiden vermochten, wurde die Anerkennung der S. 1902 wieder rückgängig gemacht; eine Entscheidung, die der ↑ GCCF heute wieder revidiert hat. Die heutigen S. entstanden zuerst in den USA durch Einkreuzung von schwarzen oder blauen Persern in die alten britischen Chinchillalinien. Diese besaßen zwar ein zartes Tipping, jedoch auch eine lange Nase und große Ohren. Durch die britische ↑ Reinzucht war schließlich keinerlei Typverbesserung mehr möglich; innerhalb der amerikanischen Verbände wurde sie jedoch unumgänglich, da es, im Gegensatz zu GCCF, eine einheitliche Punktverteilung für alle Perserfarbschläge gab, die seit jeher 30 Punkte allein für den Kopf vorsah. Der ↑ CFA erteilte die Anerkennung bereits 1951. Als innerhalb der ↑ F.I.Fe. 1958 der erste Antrag auf Anerkennung der vornehmlich aus den USA importierten S. mit der Begründung gestellt wurde, daß sie eine große Typverbesserung für die Chinchillas mit sich bringen würde, stieß dieser Antrag auf strikte Ablehnung. Ein zweiter, 1969 gestellter Antrag wurde mit dem Hinweis, daß die gelbe ↑ Augenfarbe spätestens nach fünf Generationen bei den Chinchillas wieder durchkommen würde, erneut abgelehnt. Schließlich erhielt die Perser S. zwei Jahre später dann doch eine eigene Ausstellungsklasse und wurde 1976 auch zur Konkurrenz um das ↑ CAC und das ↑ CACIB zugelassen. Die Anerkennung der ↑ Britisch Kurzhaar Shaded-Silver (Tafel 14), die über Kreuzungen mit den Persern S. bzw. Chinchilla entstand, datiert erst aus dem Jahre 1983. An der Anerkennung der Orientalisch Kurzhaar S. wird seit langem gearbeitet. In Großbritannien erhielt sie bereits eine vorläufige Anerkennung, auch mit rotem, cremefarbenem, ↑ Cinnamon und ↑ Caramel Tipping sowie in Kombination mit ↑ Schildpatt und den jeweiligen ↑ Verdünnungen. Als *Oriental Shaded* bezeichnet, bildet sie das Gegenstück zur *Oriental Tipped*, die die Chinchillavariante darstellt. Mit Ausnahme der rot, creme und schildpatt getippten, bei denen nur ein gleichmäßig gefärbtes Auge gefordert wird, ist die Augenfarbe der Oriental Shaded grün. Mit ihrer Anerkennung wurde die ↑ Exotic Kurzhaar in allen Perserfarbschlägen, also auch in S., zugelassen. Tafel 39.

Shadow-Point: nicht anerkannte ↑ Abzeichenfarbe der Genkonstruktion aa B- c^sc^s D- I-. Die S. wurde mit der Lokalisation des ↑ Melanininhibitors I im Jahre 1970 möglich, der bis zu diesem Zeitpunkt in die ↑ Albinoserie eingeordnet wurde. Sie werden in Großbritannien auch in Kombination mit ↑ Rot gezüchtet. S.-Jungtiere entwickeln sich wie ihre langhaaringen, vollpigmentierten Schwestern, die ↑ Smokes, und werden als Jungtiere, aufgrund ihres kräftig schattierten Körpers, leicht für zu dunkle ↑ Seal-Point gehalten, da die silbernen ↑ Abzeichen und die Körperfarbe mehrere Entwicklungsstadien durchlaufen. Durch die aufhellende Wirkung des ↑ Maskenfaktors sind die Abzeichen von ↑ Geisterzeichnung durchzogen. Ihre Agoutientsprechung (↑ Agouti) findet die S. in der Pastel-Point, auch Tipped-Point genannt.

Shell: 1. ↑ Cameo – **2.** ↑ Tortie Cameo.

Shell-Chocolate-Schildpatt ↑ Tortie Cameo.

Shell-Lilac-Schildpatt ↑ Tortie Cameo.

Shell-Schildpatt ↑ Tortie Cameo.

Siam: kurzhaarige ↑ Rassekatze, die mit der ↑ Orientalisch Kurzhaar (OKH) und ihrer halblanghaarigen Schwester, der ↑ Balinese (↑ Semilanghaar), eine ↑ Rasse bildet. S. und OKH werden nach einem gemeinsamen ↑ Standard beurteilt. Von der OKH unterscheidet sich die S. durch den Wechsel des dominanten Wildtypallels C- (↑ Vollpigmentierung, ↑ multiple Allelie) in das homozygot rezessive Allelpaar c^sc^s (↑ Maskenfaktor, ↑ Albinoserie) und von der Balinese durch den Wechsel von ↑ Langhaar ll zu ↑ Kurzhaar L-.

S.- und OKH-Katzen sind schlanke, geschmeidig elegante Tiere. Ihr Körper ist langgestreckt und von mittlerer Größe, wobei die Schultern nicht stärker als die Hüften sein sollen. Die langen, schlanken Beine haben kleine ovale Füße. Der sehr lange Schwanz ist dünn am Ansatz und endet spitz. Der keilförmige Kopf sitzt auf einem langen, schlanken Hals. Die Linien des Keils verlaufen von der Nasenspitze sich allmählich verbreiternd an beiden Seiten des Kopfes zu den zugespitzten Ohren, die breit am Ansatz sind und so die Seiten des Keils verlängern. Von der Seite gesehen hat der Keil eine leicht konvexe Form. Die lange, gerade Nase verlängert die Stirnlinie, während Kinn und Nasenspitze eine senkrechte Linie bilden. Kinn und Kiefer sind von mittlerer Größe, ebenso die Augen, die nicht zu tief liegend, aber auch nicht hervorstehend sein sollen und leicht schräg gestellt sind, damit sie harmonisch in die Keilform des Kopfes passen. Die ↑ Augenfarbe der S. ist ein reines, leuchtend tiefes Blau. Die ↑ Abzeichenfarbe soll so einheitlich wie möglich sein. Die ↑ Maske bedeckt das ganze Gesicht einschließlich der Schnurrhaarkissen. Sie ist durch Farbspuren mit den Ohren verbunden, soll sich aber nicht bis auf den Schädel hinaufziehen. Zwischen der Farbe der Abzeichen und der des Körpers wird ein guter Kontrast gewünscht. Leichte Schattierungen am Körper in der Farbe der Abzeichen sind ebenso erlaubt, wie eine dunklere Körperfarbe bei älteren Katzen. Das Fell der S. und OKH ist kurz, fein, glänzend und glatt anliegend (↑ Seidenhaar). Weiße Flecke und Zehen (↑ Medaillon, ↑ Scheckung) sowie die Neigung zum ↑ Schielen ziehen eine ↑ Disqualifikation nach sich. Eine Einbuchtung am Nasenansatz und hinter den Schnurrhaarkissen (↑ Pinch), Flecke am Bauch und an den Flanken, Streifen und weiße ↑ Stichelhaare in der Abzeichenfarbe sind fehlerhaft.

Die verschiedenen ↑ Varietäten, ihre Genkonstruktionen sowie die Geschichte ihrer Anerkennung werden unter den jeweiligen Stichworten beschrieben.

Die ersten S.katzen, die Ende des 19. Jahrhunderts aus dem damaligen Siam (heute Thailand) nach Großbritannien gelangten, waren wahrscheinlich ↑ Tonkanesen, die einen mit der S. identischen ↑ Phänotyp besaßen. In der Tat waren die S. bis Mitte der 50er Jahre unseres Jahrhunderts wesentlich kräftiger und rundköpfiger. Der uns heute vertraute extreme Schlanktyp entstand erst mit einer Standardänderung aus dem Jahre 1958. Bis zu dieser Zeit galten ein ↑ Knickschwanz und Schieläugigkeit als rassetypische Echtheitsmerkmale. Viele Geschichten versuchten hierfür eine Erklärung zu finden, z. B., daß die S. als Tempelkatzen kostbare Vasen zu bewachen hatten. Um ihrer Aufgabe gerecht zu werden, legten sie den Schwanz um das ihnen anvertraute Stück und fixierten es solange, bis sie anfingen zu schielen. Für den Knickschwanz hingegen wurden Ringe verantwortlich gemacht, die siamesische Prinzessinnen ihren Katzen zur Aufbewahrung anvertrauten. Da sie die Ringe auf die Schwänze der Tiere steckten, war der Knickschwanz eine Notwendigkeit, da er verhinderte, daß sie herunterrutschten und verloren gingen.

Bereits 1871 wird auf der ersten Katzenausstellung in London von „unnatürlich, alptraumhaften Katzen" berichtet, und alles deutet darauf hin, daß es sich um S.katzen gehandelt hat. Als authentisch gilt aber, daß der britische Generalkonsul in Bangkok *Pho* und *Mia* 1884 nach England brachte. Ein Jahr später sollen sie, zusammen mit ihren Nachkommen, auf der jährlichen Kristallpalastausstellung in London zum ersten Mal gezeigt worden sein. Trotz widersprüchlicher Reaktionen fanden sie bald viele Liebhaber. Ein erster Standard entstand 1892 für die „Royal", die ↑ Seal-Point. *Royal Cat of Siam* oder *Royal Siamese Cat* wurden unter den eingeführten bzw. gezüchteten Katzen diejenigen genannt, die einen helleren Körper hatten, während die anderen, als „chocolate" beschrieben, zwar auch mit dunklen Abzeichen versehen waren, aber eine in einem warmen dunklen Braunton gehaltene Körperfarbe aufweisen (vgl. Tonkanesen). Mit seiner Gründung im Jahre 1902 formulierte der britische „Siamese Cat Club", noch heute einer der größten Spezialklubs der Welt, einen neuen Standard für die „Royal Siamese". Die Anerkennung der ↑ Blue-Point (vgl. Korat) durch den ↑ GCCF erfolgte erst 1936. Zwar wurde schon Anfang 1930 die erste S. ↑ Chocolate-Point registriert, anerkannt wurde sie aber erst 1950, die ↑ Lilac-Point 1960 und die ↑ Red-Point und die ↑ Seal-Tabby-Point (↑ Tabby-Point) sechs Jahre später. Mitte der sechziger Jahre erfolgte auch die Anerkennung der ↑ Creme-Point. 1958 wurde der S.standard für die vier Grundfarben nochmals überarbeitet und die genannten ↑ Erbfehler ausdrücklich als Fehler vermerkt.

Entweder direkt aus Thailand oder über Großbritannien gelangten Ende des 19. Jahrhunderts S.katzen in die USA. Ein 1909 gegründeter Klub, die „Siamese Cat Society of America", entwarf 1914 einen eigenen Standard. Als S. gelten nur die vier Grundfarben (↑ Reinzucht), während alle übrigen als *Colorpoint Shorthair* registriert werden.

1927 wurden die ersten S.katzen, die teils aus ihrem Ursprungsland, teils aus Großbritannien, Frankreich und Indonesien eingeführt wurden, in Deutschland registriert. Die damaligen Farbbezeichnungen, wie rahm-, sand-, sahne- oder rehfarben, stimmen nicht mit den heute gebräuchlichen überein. Bei diesen ersten Zuchtbucheintragungen wurde auch vermerkt, ob die Katzen einen langen Schwanz, einen kurzen Knotenschwanz oder gar einen Stummelschwanz (↑ Kurzschwanz) hatten. Die meisten Katzen wurden im Einklang mit den britischen Vorbildern als S.königskatzen bezeichnet, worunter man wiederum Tiere mit einer helleren Körperfarbe verstand, während die dunkel rehfarbenen mit Knoten- oder Stummelschwanz Tempelkatzen genannt wurden und meist aus einem der Zoologischen Gärten von Berlin, Frankfurt oder Paris stammten. S.katzen sollen bevorzugt am königlichen Hof von Siam gehalten worden und als einheimische ↑ Hauskatze ebenso unbekannt wie die Korat gewesen sein. Heute ist die S.

Siam, Katze aus den Anfängen der Zucht (*oben*), Siam neuen Typs (*unten*)

wohl die bekannteste und populärste Rassekatze der Welt. Seit 1924 findet in London jedes Jahr eine Ausstellung statt, auf der nur S.katzen gezeigt werden und noch 1961 sollen 75 % aller in Großbritannien registrierten Katzen S. gewesen sein. In den Zwingern *„von Fuchsberg"* und *„von der Burgaue"* wurde der Grundstein der S.katzenzucht in der DDR gelegt. Faszinierend sind die strahlend blauen Augen der S., auffallend ist ihre typische rauhe, ausdrucksvolle, aber recht eindringliche Stimme, mit der sie sich Gehör zu verschaffen weiß. Ihre ↑ Fellpflege ist problemlos, und sogar beim ↑ Haarwechsel genügt es, wenn einmal wöchentlich mit einem angefeuchteten Lederlappen der Körper abgerieben wird. Durch ihr extrem kurzes Fell, das sowenig Unterwolle (↑ Haar) wie möglich haben soll, ist die S. andererseits sehr wärmebedürftig. S.katzenaussteller stricken ihren Lieblingen ein wärmendes Leibchen, um einem Nachdunkeln der Körperfarbe vorzubeugen. S. sind wesentlich lebhafter als Perser. Aus Kreuzungen zwischen beiden Rassen entstand die ↑ Colourpoint und wahrscheinlich auch die ↑ Birma. S.katzen wurden nach dem Zweiten Weltkrieg beim Wiederaufbau der Zucht der ↑ Russisch Blau eingesetzt und über sie wurden die neueren Farben ↑ Cinnamon und ↑ Caramel gezüchtet. Tafeln 41–44. Abb.

Siamalbino: 1. ↑ Albinismus. – **2.** ↑ mimetische Gene.

Siamesisch Langhaar ↑ Colourpoint.

Siamfaktor ↑ Maskenfaktor.

Siamgen: 1. ↑ Abzeichen. – **2.** ↑ Abzeichenfarbe. – **3.** ↑ Maskenfaktor.

Sibirische Langhaarkatze ↑ Sibirische Waldkatze.

Sibirische Waldkatze, *Sibirische Langhaarkatze:* zur Rassegruppe der ↑ Semilanghaar gehörende Katze, die aus längerhaarigen Hauskatzenpopulationen der Sowjetunion entnommen wurde (vgl. Populationsgenetik). Seit 1986 wird sie in der DDR mit einem vorläufigen Standard gezüchtet. Ihr Körper ist von mittlerer Größe, langgestreckt, auf nicht zu hohen Beinen mit kleinen rundlichen Pfoten, die zwischen den Zehen vorzugsweise Haarbüschel aufweisen sollen. Der mittellange Schwanz ist verhältnismäßig kräftig am Ansatz und verjüngt sich in eine nicht zu feingliedrige Spitze. Auch nach dem ↑ Haarwechsel zum Sommerfell soll er besonders reich behaart sein. Der Kopf bildet ein kurzes, stumpfes Dreieck mit einem gut ausgeprägten Kinn. Die Stirn ist nur leicht gewölbt, der Nasenrücken von mittlerer Länge und gerade. Die an der Basis breiten, mittelgroßen, nicht zu tief angesetzten Ohren sind an der Spitze leicht gerundet und reich mit Haarbüscheln besetzt. Die Augen sind groß, leicht mandelförmig und schräg gestellt; ihre Färbung ist nicht festgeschrieben, sie soll nur einheitlich und leuchtend sein. Das halblange, dichte Fell ist von seidiger Textur und besonders lang und üppig am Hals, an der Vorderbrust, den Hinterbeinen (↑ Hosen) und am Schwanz. Alle Fellfarben (↑ Pigmentierung) sind erlaubt. Im ↑ Typ darf die S. W. keine Übereinstimmung mit einer ↑ Perser zeigen (vgl. Deutsch Langhaar).

Sichelkralle ↑ Krallen.

Signalübertragung ↑ Biokommunikation.

Silbermoor ↑ Smoke.

Silberschattiert ↑ Shaded-Silver.

Silberserie: Oberbegriff für alle Rassen bzw. Varietäten, die im ↑ Genotyp das Mutantenallel I (↑ Melanininhibitor) tragen, das sich phänotypisch in einem silbern gefärbten Fell mit unterschiedlichen Pigmentierungsanteilen zeigt (↑ Tipping). Zur S. gehören die ↑ Silvertabbies, die Smoke-, Shaded- und Shellvarietäten sowie die ↑ Chinchilla und ↑ Shaded-Silver. Die gleichen Modifikatorengruppen (↑ Modifikation) bestimmen den ↑ Phänotyp der ↑ Golden.

Silberungsfaktor ↑ Melanininhibitor.

Silver ↑ Chinchilla.

Silvertabbies: Gruppe anerkannter Varietäten, deren gemeinsames Merkmal die Kombination der ↑ Tabbyzeichnung mit dem ↑ Melanininhibitor ist, der eine Silberung bewirkt. Als ↑ Supressorgen unterdrückt er die Wirkung der Rufuspolygene (↑ Rufismus) und in den Agoutiflächen tritt an die Stelle der goldbraunen Färbung ein reines in der Färbung der Tabbyzeichnung getichtes Silber (↑ Ticking). Die Fußballen, Sohlenstreifen sowie die Umrandung des Nasenspiegels und der Augenlider sind analog zur Zeichnung gefärbt. Die Zeichnungsmuster sind mit den genannten Einschränkungen mit den unter ↑ Getigert, ↑ Getupft und ↑ Gestromt beschriebenen identisch. Aufgrund ihrer Langhaarigkeit (↑ Langhaar) und fülligen Unterwolle (↑ Haar) wird bei den ↑ Persern nur die gestromte Variante gezüchtet, während bei den ↑ Britisch Kurzhaar, den ↑ Europäisch Kurzhaar und den ↑ Orientalisch Kurzhaar auch die Tigerung und Tupfung anerkannt sind. Die Augenfarbe aller S. ist grün; eine gelbgrüne Färbung wird toleriert. Jede braune Farbspur ist fehlerhaft.

Die Genkonstruktionen sind für *schwarz-silber-getigert* (Tafel 10), *-getupft* und *-gestromt* (Tafel 6) A- B- C- D- I- T-/t^bt^b, für *blau-silber-getigert, -getupft, -gestromt* A- B- C- dd I- T-/t^bt^b, für *chocolate-silber-getigert, -getupft, -gestromt* A- bb C- D- I- T-/t^bt^b und für *lilac-silber-getigert, -getupft, -gestromt* A- bb C- dd I- T-/t^bt^b. In Großbritannien erteilt der ↑ GCCF bei den ↑ Orientalisch Kurzhaar eine vorläufige Anerkennung in Kombination mit ↑ Cinnamon und ↑ Caramel.

Unter *Silver-Tabby* wurde lange Zeit nur die schwarz-silber-gestromte Perserkatze verstanden. Ihre Genkonstruktion ist A- B- C- D- I- II t^bt^b (↑ Gennomenklatur) wobei die Genorte für ↑ Nicht-Braun B- und für die ↑ Vollpigmentierung C- stets homozygot besetzt waren.

1900 wurde in Großbritannien eine erste Spezialzuchtgemeinschaft, die *Silver-Society* gegründet, die später in „Chinchilla, Silver Tabby and Smoke Cat Society" umbenannt wurde (vgl. Shaded-Silver). Aus einer Paarung zwischen ↑ Smoke und einer Silver-Tabby ging in den 80er Jahren des vorigen Jahrhunderts der erste Chinchillakater hervor.

Die Zucht der S. gehört allgemein zu den schwierigsten. Während schon einige vielversprechende ↑ Britisch Kurzhaar vor allem in der attraktiven silber-gestromten Form mehrfach auf Ausstellungen zu bewundern waren, ist das Ergebnis ihrer ↑ Züchtung bei den Persern recht unbefriedigend, da abgesehen von den Polygenen, die den ↑ Körperbautyp beeinflussen, mindestens fünf Modifikatorengruppen in Gleichklang gebracht werden müssen:

1. die Modifikatorengruppe (↑ Modifikation), die die Bänderung des einzelnen Agoutihaares bestimmt,
2. die Modifikatoren, die die Intensität der schwarzen Stromungszeichnung bewirken,
3. die für die Silberung verantwortlichen Modifikatoren,
4. die Modifikatoren, die die Form der Stromung beeinflussen,
5. die Modifikatoren, die die Länge und Fülle des Haarkleides erzeugen.

Paarungen zwischen schwarzen Persern (↑ Schwarz) und ↑ Chinchilla führten nicht zum Ziel, zum einen aufgrund der unterschiedlichen Augenfarben, zum anderen durch die ↑ Dominanz der Tigerung über die Stromung (vgl. Tabbyzeichnung). Fielen dennoch Tiere mit der geforderten Stromungszeichnung, waren sie zu oberflächlich gefärbt und ein Mittelding zwischen Silber-Gestromt und ↑ Shaded-Silver. Die Forderung des Standards nach einer grünen ↑ Augenfarbe, die auf eine Vorliebe der ersten maßgeblichen britischen Zuchtrichter zurückgehen soll, verbietet die ansonst naheliegende Paarung zwischen Black-Smoke und Schwarz-Gestromt, da beide ↑ Varietäten dunkelorangefarbene Augen aufweisen. Problemlos hingegen wäre eine Paarung zwischen den mittlerweile bei den ↑ Golden aufgetretenen Golden-Tabby und S., wenn es sie nur in ausreichender Qualität geben würde. Züchterehrgeiz und Fleiß haben schon viel zustande gebracht, warum sollte man die Hoffnung aufgeben, eines Tages auch schwarz-silber-gestromte Perser in genügender Zahl und guter Qualität auf Ausstellungen bewundern zu dürfen.

Singapura: sehr kleine, vitale Katze mit einem mittellangen, festen, muskulösen, leicht untersetzen Körper, dessen Rücken leicht gewölbt ist. Körper, Beine und Fußboden sollen optisch ein Rechteck bilden. Die Beine sind von mittlerer Länge, die Pfoten klein und schmal. Der Schwanz ist von mittlerer Länge und Dicke und endet in einer stumpfen Spitze. Auf dem kurzen, dikken Nacken sitzt ein runder Kopf, der in eine stumpfe, mittellange Schnauze mit einer leichten Einbuchtung hinter den Schnurrhaarkissen übergeht. Im Profil zeigt sich ein kräftiges Kinn und eine leichte Einbuchtung oberhalb des Nasenrückens. Die Ohren sind groß, leicht spitz, weit offen am Ansatz und tief gewölbt; kleine Ohren sind fehlerhaft. Die großen schrägstehenden, mandelförmigen Augen können in der Farbe Grün, Haselnuß oder Gold sein. Das sehr feine, seidige, eng am Körper anliegende Fell muß mindestens ein doppeltes dunkelbraunes ↑ Ticking auf einem helleren, warmen, elfenbeinfarbigen Grund aufweisen. Die Haarspitzen sind dunkel, der Haaransatz hell; ein ↑ Aalstrich ist erlaubt. Er kann in eine dunkle Schwanzspitze auslaufen. Die Extremitäten sollen zeichnungsfrei sein, ↑ Sohlenstreifen an den Hinterbeinen sind erwünscht. Die Schnauze, das Kinn, die Brust und der Bauch sind in einem warmen Rehbraun gefärbt, an den Ohren und auf dem Nasenrücken sind rötlichere Töne erlaubt. Weiße ↑ Medaillons oder Haare sind fehlerhaft. Der ↑ Nasenspiegel ist rot und dunkelbraun umrandet; die Fußballen sind dunkelbraun.

Mit einer Durchschnittsmasse von 1,8 kg für weibliche und 2,7 kg für männliche Tiere gehört die S. zu den extrem kleinen ↑ Rassen. Ob, wie vermutet wird, dieses niedrige Gewicht (↑ Masseentwicklung) auf das entbehrungsreiche Leben der „Rinnsteinkatzen" von Singapur zurückzuführen ist, wird kaum zu klären sein, es wurde jedoch mit zu einem Rassekriterium erhoben. Seit 1976 werden diese, den natürlichen ↑ Populationen von Singapur entnommenen Katzen auf Ausstellungen in den USA gezeigt. Nach den Vorbildern der ersten Importe wurde ein

Singapura

↑ Standard erarbeitet, der dem der ↑ Abessinier recht nahe kommt und seit 1981 werden sie u. a. auch beim ↑ CFA registriert. Genetisch scheint die S. o^+ (Nicht-Orange, ↑ Orange), A- (↑ Agouti), T^a- (↑ Abessiniertabby), D- (↑ Nicht-Verdünnung) und bb (↑ Chocolate) zu sein. Folgerichtig wurde von den beratenden Genetikern vorgeschlagen, sie den Abessiniern zuzuordnen, um deren ↑ Genpool zu erweitern. Im Gegensatz zu ihrer ↑ Rassebezeichnung sind die Abessinier wahrscheinlich in erster Linie auf südostasiatische Populationen oder auf Populationen des indischen Subkontinents zurückzuführen, denn die Gründergeneration, die vor einem guten Jahrhundert nach Großbritannien gelangte, stammte wahrscheinlich überwiegend aus Malaysia oder Indien (↑ Populationsgenetik). S.kätzchen sollen sich nur sehr langsam entwickeln und z. B. nicht vor der fünften Lebenswoche die Wurfkiste verlassen (↑ Jungtierentwicklung), geschlechtsreif sollen sie nicht vor dem 15. bzw. 18. Lebensmonat werden. Abb.

Singapur-Rex: im März 1984 in Singapur beobachtete und fotografierte Rexvarietät. Es ist wahrscheinlich der erste Bericht über eine solche ↑ Mutation aus diesem Teil der Welt (↑ Populationsgenetik). Der Merkmalträger zeigt ein kurzes, dichtes, plüschartiges Fell mit schöner Wellenbildung. Im Gegensatz zu anderen ↑ Rexkatzen sind die Schnurrhaare gerade und lang. Die genetische Klassifizierung der S. steht noch aus (*Robinson*, 1985).

Sinneshaar, *Tasthaar, Sinushaar*: Bestandteil des Systems der Tastsinnesorgane (↑ Sinnesorgan). Wichtigste Formen bei der Katze sind die ↑ Schnurrhaare auf der Oberlippe, die Spürhaare in der Augenregion und die über das gesamte Fell verstreuten Leithaare. Vom normalen ↑ Haar weichen die S. in ihrem Aufbau ab. Sie wachsen zwar ebenfalls aus einer am Grunde der Wurzelscheide liegenden Haarpapille heraus, die Wurzelscheide steckt aber in einem blutgefüllten Säckchen, dem Sinus, und dessen Wand ist mit zahlreichen in Tastkörperchen (Pacinische Körperchen) mündende Nervenenden versehen (Abb.). Die hochsensible Wirkungsweise beruht auf dem hydraulischen Prinzip: Eine Richtungsänderung des S.es wird auf das Blut im Sinus

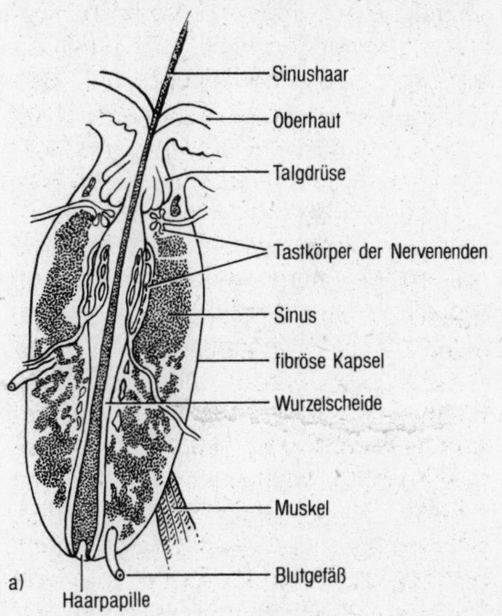

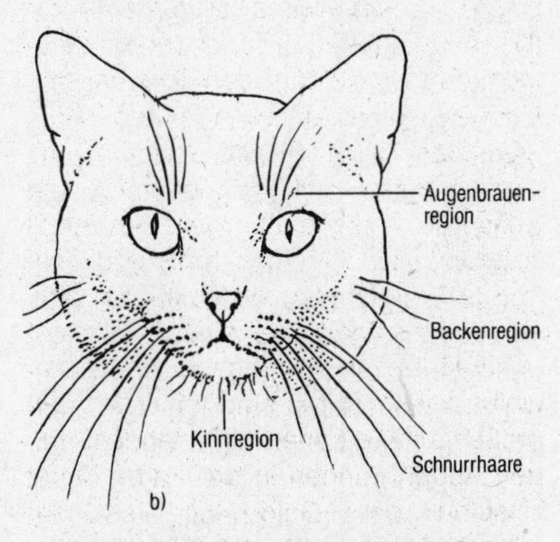

a) Schematische Darstellung eines Sinneshaares, b) Sinneshaare im Gesicht der Katze

übertragen und wirkt gemäß den Gesetzen der Hydraulik vielfach verstärkt auf die Tastkörperchen. Ein Muskel gestattet die aktive Bewegung des S.es, besonders der Schnurrhaare. S. sind rund wie eine Spule. Die Spitze ist lang und fein ausgezogen, das Ende selbst aber meist stumpf. Eine starke Rindenschicht gibt dem S. eine hohe Elastizität.

S. stehen vorherrschend in Gruppen an bestimmten Stellen des Körpers, vorzugsweise im Gesicht. Auf jeder Seite der Oberlippe in vier etwa horizontalen Reihen befinden sich mehr als ein Dutzend Schnurrhaare, jeweils mehrere schwächere S. im Kinnbereich, über den Augen und in der Backengegend. Außerdem befinden sich S. direkt über dem Handwurzelgelenk. Da an die Fellhaare Nervenenden herantreten, kommt jedem einzelnen Haar und dem Haarkleid insgesamt ebenfalls ein Fühlvermögen zu, besonders den die Felloberfläche überragenden Leithaaren. S. werden unabhängig vom periodischen ↑ Haarwechsel einzeln abgestoßen. Wie an den Fellhaaren, lassen sich auch an den S.en richtige ↑ Ernährung und der allgemeine Gesundheitszustand ablesen. Bei Mangelerscheinungen oder Befall mit ↑ Endoparasiten z. B. verlieren die Schnurrhaare an Elastizität und brechen ab. Rassespezifische Besonderheiten (↑ Rexkatzen, ↑ Drahthaar) müssen berücksichtigt werden.

Sinnesorgan [lat. organa sensuum]: spezifisches Empfangsorgan zur Aufnahme von Reizen aus der ↑ Umwelt, das aus Ansammlungen von Sinneszellen (Rezeptoren), Nervenzellen und Hilfsstrukturen besteht. Die Rezeptoren [lat. receptor, Aufnehmer, Empfänger] sind spezielle Teile des Nervensystems, die der Informationsaufnahme dienen. Die Einwirkung von Umweltreizen führt zu einer Erregung der Rezeptorzelle in Form eines elektrischen Potentials. Diese Potentiale werden über Nervenzellen in kodierter (verschlüsselter) Form in das Zentrale Nervensystem (ZNS) weitergeleitet und dort in den zugehörigen Schaltzentren verarbeitet. Die Informationen rufen eine Reaktion des Organismus hervor (↑ Verhalten) und/oder sie werden gespeichert (↑ Gedächtnis). Die Hilfsstrukturen (z. B. Linse und Pupille des Auges) dienen der Umformung bestimmter Reize, der Anpassung an Reizintensitäten und der Abschirmung vor Reizen.

Nach der Form der durch die S. wahrgenommenen Reize lassen sie sich in mehrere Gruppen einteilen:

1. *mechanische Sinne* (Wahrnehmung mechanischer Energie)

1.1. *Tastsinn:* Wahrnehmung von Scherungs- und Biegungskräften durch freie Nervenenden oder Tastkörperchen in der ↑ Haut, ↑ Muskulatur und in inneren Organen, oft durch Unterstützung von über die Körperfläche hinausragenden ↑ Sinneshaaren.

Wahrgenommene Reizqualitäten sind Druck, Berührung, Schmerz, Juckreiz usw. Über die Rezeptoren der Muskulatur wird die Lage der Körperteile und die Stellung der Gliedmaßen zueinander vermittelt, so daß eine zielgerichtete Bewegung ohne eine ständige visuelle Kontrolle möglich ist (↑ Reflex). Rezeptoren innerer Organe können z. B. den Blutdruck oder den Füllungsgrad des Magens messen. Sinneszellen des Tastsinns sind bei der Katze außerdem an den Pfotenballen, im Mesenterium (Gekrösefalte des Bauchfells zur Befestigung des Darms und seiner Anhangsorgane), in der Analregion, an der Klitoris (↑ Geschlechtsorgane) und an Pankreas (Bauchspeicheldrüse) zu finden.

1.2. *statischer oder Gleichgewichtssinn:* Wahrnehmung der Einwirkungsrichtung der Schwerkraft der Erde auf den Organismus (↑ Ohr)
1.3. *Gehörsinn:* Wahrnehmung von Schallwellen (↑ Ohr)
2. *Temperatursinn:* Wahrnehmung der Umgebungstemperatur durch Wärmerezeptoren (Ruffinische Körperchen) und Kälterezeptoren (Krausesche Endkolben) sowie freie Nervenendigungen. In der sehr temperaturempfindlichen ↑ Zunge der Katze konnten bisher keine speziellen Temperaturrezeptoren gefunden werden (vgl. Thermoregulation).
3. *optischer oder Gesichtssinn:* Wahrnehmung elektromagnetischer Wellen bestimmter Länge. Das sichtbare Licht liegt für die Mehrzahl der Wirbeltiere im Bereich von 390 (violett) bis 760 nm (rot); vgl. Auge.
4. *chemischer Sinn:* Wahrnehmung gelöster Stoffe durch den Geschmackssinn (↑ Zunge) und gasförmiger Stoffe durch den Geruchssinn (↑ Nase). Der chemische Sinn ist Voraussetzung für die ↑ Chemokommunikation.

Für das ↑ Verhalten der Katze haben die S. eine unterschiedliche Wichtigkeit. Katzen werden zurecht als *Augentiere* bezeichnet. Sowohl bei der Beutesuche (↑ Beutefangverhalten) als auch bei der innerartlichen Verständigung (↑ Mimik, ↑ Gestik) spielt der Gesichtssinn eine ausschlaggebende Rolle. Von gleicher Funktionstüchtigkeit ist der Gehörsinn und beide Sinne sind denen des Hundes überlegen. Geschmacks- und Geruchssinn hingegen sind im Vergleich mit dem Hund weniger gut ausgebildet und haben nur bei der Orientierung in der Nahdistanz (↑ Analkontrolle, ↑ Ernährung) Bedeutung.

Sinushaar ↑ Sinneshaar.

Si-Rex: ↑ Rexkatzen mit Spitzenfärbung (↑ Akromelanismus). Die Bezeichnung setzt sich aus den Worten Siam und Rexkatzen zusammen. Die S. wird überwiegend bei der ↑ Cornish Rex gezüchtet, da ihr ↑ Körperbautyp dem der ↑ Siam im Prinzip recht ähnlich ist.

Si-Sawat ↑ Korat.

Skarabäuszeichnung [von lat. Scarabaeus sacer, heiliger Pillendreher]: Bezeichnung der zarten, streifenförmigen Mittelzeichnung in der Schädelregion von Agoutikatzen (*Thies*, 1977). Ob die Kopfzeichnung der heiligen Katze der Ägypter und des heiligen Pillendrehers in Beziehung stehen, d. h., die S. der Falbkatze selektiv begünstigt wurde, ist unklar. Auf alle Fälle favorisierten die Christen später das Kopfmuster M als Zeichen für Madonna (*Damjan/Schilling*, 1969).

Skelett, *Knochengerüst:* passiver Teil des Bewegungsapparates, der aus einer Vielzahl von Knochen, Knorpel, Bändern und Gelenken besteht. Das S.

Variabilität der Anzahl der Knochen der Wirbelsäule, zusammengestellt nach *Sachse* (1968)

	Anzahl im Normalfall	noch normale Variationsbreite
Halswirbel	7	
Brustwirbel mit je einer Rippe	13 bei ≈85% der Tiere	± ein Wirbel bei 15% der Tiere
Lendenwirbel	7 bei ≈85% der Tiere	± ein Wirbel bei 15% der Tiere
Kreuzwirbel	3 bei 95% der Tiere	bei 5% zwei oder vier Wirbel
Schwanzwirbel	21...23 bei 88% der Tiere	18...24

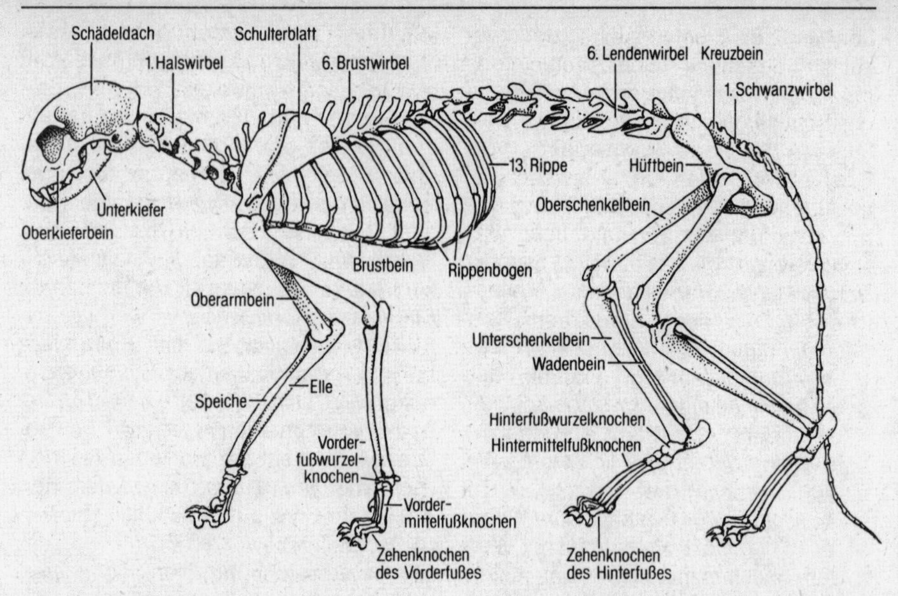

gibt dem Tier Gestalt, schützt lebenswichtige Organe und ist die feste Grundlage, an die sich der aktive Teil des Bewegungsapparates, die ↑ Muskulatur, anheftet. S.knochen sind darüber hinaus direkt am Mineralstoffwechsel, insbesondere Calcium und Phosphor, beteiligt und in das blutbildende System (das Mark der Röhrenknochen) mit einbezogen.
Das S. der Katze besteht insgesamt aus etwa 240 Knochen (Abb.). Die Variabilität ergibt sich vor allem aus der veränderlichen Anzahl der Knochen der Wirbelsäule (Tab.).
Die Rippen umschließen einen relativ kleinen Brustraum, in dem wenig Platz für Herz und Lunge bleibt. Hieraus resultiert die rasche Ermüdung bei übermäßigen oder längeren Belastungen und das hohe Schlaf- und Ruhebedürfnis der Katzen. Außerdem eignet sich das Gebäude bereits von seiner Konstruktion her nicht für ein längeres Stehen.
Die Wirbelsäule der Katze ist weitaus beweglicher als bei anderen Tieren. Sie bildet den Brückenbogen in der tragenden Konstruktion und wird wegen der ballastarmen Fleischnahrung (↑ Ernährung) weit weniger belastet als die der Pflanzenfresser. Der vordere Teil der Wirbelsäule (Halswirbel und die ersten sechs bis sieben Brustwirbel) zeigt eine besondere Beweglichkeit in der Vertikalebene, während der hintere Teil (7. bis 13. Brustwirbel und Lendenwirbel) in der Horizontalebene besser beweglich ist. Das Gelenk zwischen dem ersten und zweiten Halswirbel gestattet Drehungen um die eigene Achse bis zu 50° in jede Richtung. Solche Drehungen sind in weit geringerem Maße nur noch im Brustwirbelbereich möglich (*Lang*, 1972). Die Kreuzwirbel sind einheitlich zum Kreuzbein verwachsen und unbeweglich, ein Prozeß, der aber erst im Alter von 1 $^1/_2$ Jahren abgeschlossen ist. Abweichend von anderen Haustieren kann die Vorderpfote noch gedreht werden, da die Unterarmknochen Elle und Speiche ein zwar geringes, aber aktives Drehvermögen besitzen. Außerdem verfügt die Katze noch

über ein 2 bis 5 cm langes, in der Muskulatur liegendes Schlüsselbeinrudiment, das zur festeren Verankerung der Schultergliedmaße am Rumpf dient und nur bei Tieren vorhanden ist, die Greif-, Grab- oder Kletterbewegungen ausführen (↑ Angeln). Der ↑ Schädel der Katze ist der kürzeste unter den Haustieren. Vgl. Abb. auf S. 270.

Smoke: Gruppe anerkannter Varietäten in der ↑ Silberserie, deren gemeinsames Merkmal die Kombination von ↑ Nicht-Agouti (aa) (vgl. einfarbig) und dem ↑ Melanininhibitor (I-) ist. Das Haarkleid aller S. besteht aus einer silberweißen Unterwolle (↑ Haar) mit einem zwischen drei Achtel bis zur Hälfte gefärbten Deckhaar. Die Unterseite des Schwanzes und der Bauch sind ebenfalls silberweiß. Die Genkonstruktion der anerkannten S.varietäten ist für *Black-S.* (schwarzes ↑ Tipping) aa B- C- D- I-, für *Blue-S.* (blaues Tipping) aa B- C- dd I-, *Chocolate-S.* aa bb C- D- I- und Lilac-S. aa bb C- dd I- (braunes bzw. lilafarbenes Tipping). Die *Red-* und *Creme-S.* sind aufgrund der an die ↑ Geschlechtschromosomen gebundenen Vererbungsweise von ↑ Orange den ↑ Cameo, die Schildpatt-S.varietäten den ↑ Tortie-Cameo zuzuordnen. Die Red- und Creme-S. wurden ebenso wie die Chocolate- und Lilac-S. erst 1984 anerkannt. In Großbritannien hat neben den genannten S.varietäten die Oriental S. in ↑ Cinnamon und ↑ Caramel, Genkonstruktion aa b^lb^l C- D- I- bzw. aa b^lb^l C- dd I-, bereits eine vorläufige Anerkennung erhalten, und die Black-S. wird bei den ↑ Siam als nicht anerkannte ↑ Abzeichenfarbe als ↑ Shadow-Point gezüchtet. Mit Ausnahme der letztgenannten und der ↑ Europäisch Kurzhaar ist die ↑ Augenfarbe aller S.varietäten aller ↑ Rassen tieforange bis kupferfarben. Brauntöne, einfarbige Haare und ↑ Tabbyzeichnung sind fehlerhaft. Gleich nach der Geburt zeigen S. die typische ↑ Waschbärenzeichnung, die nach etwa zwei Wochen wieder nachdunkelt. Die meisten S. werden am ↑ Genort für Silber heterozygot (↑ Heterozygotie) besetzt sein (Ii), so daß aus Verpaarungen zwischen zwei S. auch einfarbige Tiere in ↑ Schwarz, ↑ Blau, ↑ Chocolate und ↑ Lilac fallen können. Sie sollten vorzugsweise wiederum in der Zucht von Silbervarietäten verwendet werden.

Die Perser Black-S., die S. an sich, auch als *Rauchperser* bzw. *Silbermoor* bekannt (Tafeln 17, 20), gehört mit zu den ältesten Farbschlägen dieser ↑ Rasse. In Großbritannien erhielt sie bereits 1893 eine eigene Ausstellungsklasse. Ihre genaue Herkunft ist unbekannt, wahrscheinlich wurde sie, wie die ↑ Chinchilla, ebenfalls aus den langhaarigen Silbergestromten herausgezüchtet.

Nach dem Zweiten Weltkrieg mußte auch die S.zucht wieder neu aufgebaut werden. Es wurden Chinchilla mit schwarzen Persern und die Nachkommen wiederum mit blauen Persern gepaart. Anschließende Halbgeschwisterverpaarungen (↑ Linienzucht) ergaben dann Tiere, die dem ↑ Standard der S. entsprachen. Die Zuchtpraxis hat gezeigt, daß ein Stammbaum auf der väterlichen und mütterlichen Seite ein einfarbiges Tier enthalten sollte. Bei fortlaufenden ↑ Gleich-zu-Gleich-Verpaarungen reduziert sich das Tipping zu stark, und es entstehen faktisch die Black-Shaded ohne Agouti, die in Großbritannien mit Agouti als ↑ Pewter [engl., Zinn, zinnfarben] anerkannt sind. Zu viele Einkreuzungen von einfarbigen lassen andererseits das silberweiße Unterfell zu grau werden.

Die meisten S perser haben ein weißes Unterfell, bei einigen ist es jedoch zu gering entwickelt und sie werden fälschlicherweise als einfarbige eingeordnet, während spätere Verpaarungen eindeutig beweisen, daß es S. sind. Die große Variationsbreite ist vergleichbar mit den Unterschieden zwischen Chinchilla und ↑ Shaded-Silver und beruht wahrscheinlich auf den gleichen Modifikatoren (↑ Modifikation) (*Robinson*, 1977).

Einige S. werden augenscheinlich einfarbig geboren und entpuppen sich erst nach drei bis vier Wochen als eine Rauchperser. Gegen Ende der zweiten Lebenswoche jedoch, wenn sich das Unterfell zu entwickeln beginnt, kann man teilweise einen silbrigweißen Haaransatz am Hinterkopf entdecken. Zwischen dem siebten und neunten Lebensmonat beginnt eine S.perser zum ersten Mal wie eine S. auszusehen. Bis zu diesem Zeitpunkt durchläuft sie mehrere Phasen, in denen das Unterfell zu hell oder zu dunkel, die Kontraste oft auf den Kopf gestellt sind, d. h., die Unterwolle ist auf einem breiten Streifen gefärbt und die Haarspitzen sind silbern. Manchmal haben Black-S. sogar das Aussehen einer Blue-S., und nur der ↑ Nasenspiegel und die ↑ Fußballen ermöglichen eine richtige Zuordnung. Je nach Stand des ↑ Haarwechsels färbt sich mit dem Beginn des Abhaarens die silberne Unterwolle zu mehreren Grauschattierungen um und die Farbdichte des Rückens verliert sich. Der Schwanz und die Beine zeigen bis zum völligen Ausfärben lange ↑ Geisterzeichnung.

Züchter dieser Varietät können sich bei der Wahl des richtigen Ausstellungszeitpunktes nur auf die Erfahrungen verlassen, die sie mit einem bestimmten Tier gemacht haben. Es muß nicht nur vollkommen aufgehaart sein, auch der richtige Farbkontrast muß abgewartet werden. Ist die Maske völlig geschlossen, d. h. erscheint das Gesicht einfarbig, fehlt oft am Körper die silbrige Unterwolle. Zeigt eine S. jedoch die bei anderen Perserfarbschlägen lobend hervorgehobene füllige Unterwolle, erscheint das Fell auf dem Rücken oft nicht als geschlossene Decke. Bei vielen Tieren sind die ↑ Ohrbüschel und die ↑ Halskrause nicht silbrig weiß gefärbt, wenn der Ausstellungstermin herangerückt ist. Die Farbkontraste ändern sich nicht nur mit jedem Haarwechsel und in den anschließenden Wachstumsphasen des Fells, sondern auch in der Zeit, in der eine Perser S. völlig aufgehaart erscheint. Tafel 13.

Snow-Shoe-Cat [engl., Schneeschuhkatze]: ↑ Rassekatze, die als kurzhaarige ↑ Birma bezeichnet werden könnte.

Snow-Shoe-Cat

Rassebildende Merkmale sind die ↑ Abzeichen sowie die ↑ Handschuhe und Sporen. Im Gegensatz zur Birma hat die S. manchmal eine gescheckte ↑ Maske. Sie soll aus Kreuzungen zwischen ↑ American Shorthair und Birma einerseits oder ↑ Siam mit Bi-Colour-Hauskatzen andererseits sowie den notwendigen Rückkreuzungen auf den rezessiven ↑ Maskenfaktor entstanden sein. Die S. erfreut sich wachsender Beliebtheit und wurde deshalb auch von einigen kleineren amerikanischen Verbänden anerkannt. Abb.

Sohlenballen ↑ Fußballen.

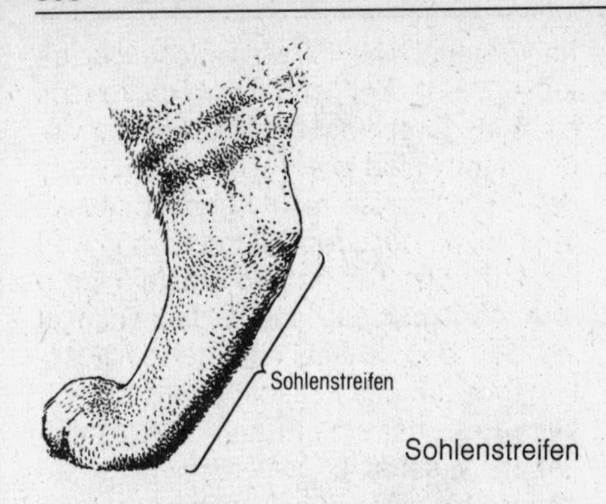

Sohlenstreifen

Sohlenstreifen: intensive Pigmentierung der Hinterextremitätensohlen, die an den Fußballen beginnt und unregelmäßig bis zum Sprunggelenk hochgezogen sein kann. In Kombination mit der Umrandung des ↑ Nasenspiegels und dem ↑ Wildfleck sind die S. ein Kennzeichen der ↑ Agoutikatzen. Hiervon ausgenommen sind die Chinchilla- und Golden-Shell-Varietäten, bei denen S. auf einen zu hohen Pigmentanteil hinweisen und als schwerer Fehler bewertet werden. Bei ↑ Tabbyzeichnung mit ↑ Scheckung können die Beine ganz oder teilweise weiß sein, und der S. wird durch die epistatische Wirkung der Scheckung verdeckt (↑ Epistasie). Die Färbung der S. entspricht der Farbe der Tabbyzeichnung, bei ↑ Abessiniern und ↑ Somali der Färbung der Schwanzspitze, bei den Shaded-Varietäten der Farbe des ↑ Tippings. Abb.

Somali: zu den ↑ Semilanghaar gehörende Rassekatze. Die S. hat einen mittelgroßen, muskulösen, geschmeidig und graziös wirkenden Körper, dessen Rumpf rund und dessen Rücken leicht gewölbt ist, so daß er den Eindruck von Sprungbereitschaft vermittelt. Der Kopf, der keine flachen Linien und keinen ↑ Pinch haben soll, bildet eine leicht gerundete Keilform. Die Konturen von Stirn, Wangen und Profil sind weich. Typisch für den Kopf der S. ist ein leichter ↑ Stop, d.h. eine leichte Erhöhung vom Nasensattel zur Stirn. Die am Ansatz kelchförmigen Ohren sind groß, mäßig spitz und ziemlich weit hinten am Schädel angesetzt. Das Ohr soll innen behaart sein. Die gut auseinanderstehenden Augen sind groß, mandelförmig, glänzend und ausdrucksvoll, intensiv bernsteingelb oder grün gefärbt. Die Augenlider sind dunkel umrandet. Die Länge der Beine und des Schwanzes sollen in einem guten Verhältnis zum Körper stehen. Die Pfoten sind oval und kompakt. Der am Ansatz dicke Schwanz ist buschig und verjüngt sich leicht. Nasenspiegel und Fußballen sind analog zur genetischen Grundfarbe pigmentiert. Die Sohlenstreifen sind wie die Schwanzspitze gefärbt. Der ↑ Körperbau der S. soll insgesamt größer und kräftiger als der ihrer Ahnen (↑ Abessinier) sein, ein Eindruck, der auch durch das halblange Fell noch verstärkt wird. Seit 1984 sind bei der ↑ F.I.Fe. Kreuzungen zwischen S. und Abessiniern erlaubt. Tiere aus derartigen Verpaarungen erhalten eine Stammbaumkennzeichnung (↑ Variant). Während das Fell der Abessinier zwei- bis dreifach getickt ist, wird bei der S. eine zehn-, elf-, oder gar zwölffache Bänderung des einzelnen Haares erwünscht. Das Fell ist von außerordentlich feiner, weicher und dichter Textur. Besonders gut behaart ist bei allen Tieren der Schwanz, mit einer gut entwikkelten Halskrause und Hosen erhalten sie in der Konkurrenz den Vorzug. Die S. benötigt für die volle Ausfärbung des Fells bis zu zwei Jahre und das ↑ Tikking sollte bis dahin nicht so streng bewertet werden.

Seit Anfang der 60er Jahre tauchten in einigen amerikanischen, australischen und kanadischen Würfen hin und wieder recht dunkle, längerhaarige Jungtiere auf. Wie in ähnlich gearteten Fällen wurden diese Tiere zuerst als nicht standardgerecht ausgemerzt oder als

Liebhabertiere heimlich verschenkt, damit die ↑ Reinzucht nicht in Frage gestellt und die betroffenen Blutlinien (↑ Blutanteillehre) nicht diskreditiert wurden. 1965 wurde die erste S. in Australien ausgestellt. Einige amerikanische Züchter gründeten schließlich 1972 den „Somali Cat Club of America" und bemühten sich vereint um die Anerkennung ihrer Katzen, die dann 1979 vom ↑ CFA erteilt wurde. Zwei Jahre zuvor wurde die erste S. auf dem europäischen Kontinent, und zwar in die Bundesrepublik Deutschland, eingeführt. Die F.I.Fe. erkannte diese Rasse dann 1982 in den Varietäten ↑ Wildfarben, ↑ Sorrel, Blue und ↑ Fawn-Beige und ein Jahr später in den entsprechenden Silberfarbschlägen an (Abessinier-Genotypen). Trotz vielfältiger Nachforschungen des Somali Cat Club of America konnte nie ganz geklärt werden, wie das Gen für ↑ Langhaarigkeit in die Abessinierzucht gelangt ist. Man fand jedoch heraus, daß erst langhaarige Welpen fielen, nachdem 1952 *Raby Chuffa of Selene* aus Großbritannien eingeführt worden war. Eine ↑ Pedigree-Analyse ergab, daß die Urgroßmutter mütterlicherseits, *Roverdale Purkins*, wie *Raby Chuffa* eine wildfarbene Abessinierin, einen unbekannten Vater hatte. Ob dieser Kater wirklich ein Langhaar war, oder selbst Langhaar nur rezessiv trug, wird heute niemand mehr feststellen können. *Raby Chuffa* gilt inzwischen als Stammvater der amerikanischen S., aber auch alle anderen Linien lassen sich auf britische Importe zurückführen. Abb.

somatische Mutation: 1. ↑ Mosaik. – **2.** ↑ Mutation. – **3.** ↑ Schildpattkater.

Sorrel [engl., rotbraun]: Farbbezeichnung bei ↑ Abessiniern und ↑ Somalis. Bei diesen Varietäten ist das Fell ein glänzendes Kupferrot, das rotbraun getickt ist. Der Haargrund ist dunkel aprikosenfarbig. Während das Kupferrot

Somali

durch eine Gruppe von Genen, Rufusgene (↑ Rufismus), erzeugt wird, beruht das rotbraune ↑ Ticking auf einer ↑ Mutante des Braungens b, die ein helles Braun [engl. light-brown] b^l erzeugt. Vor ihrer Umbenennung in S. wurde die seit langem in diesem Farbton bekannte Abessinier „rote Abessinier" genannt und Ausdrücke wie Aby-rot bürgerten sich ein. Bald wurde jedoch vermutet, daß das Aby-rot nichts mit dem geschlechtschromosomengebundenen ↑ Rot der Katzen zu tun hat, sondern eine Braunmutante darstellen müßte. Englische Züchter führten gezielte Testpaarungen durch, um das für diesen Farbton verantwortliche Gen zu isolieren. Auf einem Nicht-Agouti-Hintergrund erschien es dann als ein helles Braun, das sich deutlich vom bis dahin bekannten Braun (↑ Chocolate) abhob. Da die Katze mit dieser Farbe *Pavane* hieß, bürgerte sich, nachdem sie auf einer großen Londoner Ausstellung gezeigt wurde, Pavane als Farbbezeichnung ein. Der englische Dachverband entschied sich zuerst für die Bezeichnung ↑ Cinnamon [engl., zimtfarben], die die Farbe wahrscheinlich am besten beschreibt, später jedoch für S. Die S.-Varietät (A- b^lb^l C- D- T^a-) ist ↑ rezessiv zur wildfarbenen (A- B- C- D- T^a-) und zur ↑ Chocolate (A- bb C- D- T^a-) und ↑ dominant zur ↑ Fawn-Beige (A- b^lb^l C- dd T^a-). Durch ihre rosa Fußballen läßt sich eine S. gleich nach der Geburt von einer Wildfarbenen unterscheiden, die schwarze Fußballen hat. Eine Paarung zwischen einer S.- und einer Blue-Varietät (AA b^lb^l DD CC T^aT^a) × (AA BB dd CC T^aT^a) ergibt wie bei ↑ Chocolate × ↑ Blau in der F_1-Generation nur ↑ wildfarbene Varietäten (bzw. schwarze) vom Genotyp AA Bb^l Dd CC T^aT^a, die untereinander gepaart unter anderem Fawn-Beige AA b^lb^l dd CC T^aT^a ergeben. Die erste ↑ Somali S. wurde 1973 in Kanada geboren. Tafel 27.

Sozialspiel ↑ Spielverhalten.

Sozialstatus: Stellung einzelner Tiere innerhalb einer Gruppe oder ↑ Population (↑ Sozialverhalten, ↑ Rangordnung) in bezug auf verschiedene Funktionskreise des Verhaltens. Der S. der ↑ Hauskatze kann unter Berücksichtigung ihrer Beziehung zum Menschen (↑ Mensch-Tier-Beziehungen) in mehrere Gruppen eingeteilt werden:

1. *Stubenkatze* [engl. home cat]: eine unter strenger menschlicher Obhut gehaltene Katze, deren ↑ Umwelt und soziale Beziehungen allein durch den Halter bestimmt werden (vgl. Heimtier). Zu ihnen gehören auch alle ↑ Rassekatzen.
2. *Freilaufende Katzen:* Katzen mit mehr oder weniger starker Bindung an den Menschen.

2.1. *Hausgebundene Katzen* [engl. house cat]: an einen bestimmten menschlichen Haushalt gebundene Katze, die vom Halter als seine Katze angesehen und regelmäßig mit Nahrung versorgt wird.

2.2. *Ungebundene Katzen* [eng. feral cat]: Katze ohne Bindung an einen bestimmten menschlichen Haushalt, die sich den größten Teil ihrer Nahrung selbständig durch Jagen beschafft (↑ Beutefangverhalten).

Im Funktionskreis des ↑ Sexualverhaltens werden die Kater in Kategorien (vgl. Tab.) eingeteilt:

1. *Zentral-Männchen* [engl. central-male; CM]: Kater, die regelmäßig in einer oder mehreren Weibchengruppen zur Fortpflanzung gelangen.
2. *Peripher-Männchen* [engl. peripheral-male; PM]: geschlechtsreife Kater, die sich in der Nähe rolliger Katzen aufhalten, aber nur selten zur Fortpflanzung gelangen.
3. *Nicht-teilnehmende Männchen* [engl. non-participants; NP]: junge Kater, die oft noch in Weibchengruppen leben und nicht an sexuellen Aktivitäten beteiligt sind (*Liberg*, 1981).

Nach der Altersstruktur sowie dem Revier- und Sozialverhalten unterscheidet *Liberg* (1981, 1984 b) folgende S. von Katzen:

1. *Novizen* [engl. novice]: junge, gerade geschlechtsreif gewordene Kater, die

Kennzeichen von Katern verschiedener Kategorien (nach *Liberg*, 1981; Stichprobenumfang jeweils sechs bis zehn Tiere)

Merkmal	typische CM	typische PM	typische NP
Durchschnittsalter	4,2 Jahre	2,7 Jahre	1,1 Jahr
mittlere Körpermasse	5,4 kg	4,1 kg	4,0 kg
Schwankungsbreite der ↑ Körpermasse	4,9…6,0 kg	3,6…5,1 kg	3,4…4,7 kg

von anderen dominanten Katern angegriffen und verfolgt werden. Mit Eintritt in die ↑ Geschlechtsreife verlassen die Novizen in der Regel die Weibchengruppen und lassen sich in Gebieten mit geringen Kateraktivitäten nieder. Dort werden sie als

2. *Ausgestoßene* [engl. outcast] bezeichnet. Da jeder freie Haushalt von weiblichen Katzen besetzt gehalten wird, haben die Novizen nur die Alternative abzuwandern. In ihrem neuen ↑ Revier nehmen sie noch nicht an der Werbung um rollige Katzen (↑ Rolligkeit) teil.
3. *Herausforderer* [engl. challenger]: Nach Durchlaufen der genannten Stadien werden nicht länger Begegnungen mit anderen Katern vermieden und Kontakte mit Weibchen gesucht. Im Verlauf einer Fortpflanzungssaison (↑ Jahresrhythmik), in der sie zu den Peripher-Männchen gehören, steigen die Herausforderer in die nächste Stufe auf.
4. *Zuchttier* [engl. breeder]: Kater mit Paarungsvorrang in mindestens einer Weibchengruppe. Dieses Stadium wird selten im Alter von drei Jahren, meist jedoch nicht vor Ende des vierten Lebensjahres erreicht (vgl. Lebenserwartung).

Sozialstruktur: 1. ↑ Rangordnung. – **2.** ↑ Sozialverhalten.

Sozialverhalten [engl. social behaviour]: Gesamtheit aller Verhaltensweisen, die zur Regulation von Beziehungen zwischen Artgenossen eingesetzt werden. Das S. schließt das ↑ Sexualverhalten, das ↑ Brutpflegeverhalten, das ↑ Revierverhalten und alle Formen des ↑ agonistischen Verhaltens ein. Im Ergebnis des S. entwickelt die Art eine *Sozialstruktur*, die in der raumzeitlichen Verteilung und dem Zusammenleben der Tiere ihren Ausdruck findet. Durch diese Sozialstruktur werden die Formen des Zusammenlebens der Geschlechter (↑ Polygamie), die Art der Jungenaufzucht (↑ Mutter-Kind-Bindung), die sozialen Beziehungen außerhalb des Familienverbandes (↑ Sozialstatus) und schließlich auch die Beziehungen zwischen den Gruppen bestimmt. Wesentlicher Regulationsfaktor für die Sozialstruktur sind die Umweltbedingungen (↑ Umwelt), unter denen die Art lebt. Mitunter ist das S. einer Art so veränderlich, daß diese sich verschiedenen Bedingungen anpassen kann.

Das S. der ↑ Hauskatze wurde und wird von vielen Beobachtern falsch interpretiert. Ausgehend von der solitären (einzelgängerischen) „Jagdweise" (↑ Beutefangverhalten) schrieb man ihr auch den Status eines ausgesprochenen Einzelgängers zu (vgl. z. B. *Leyhausen*, 1956, 1982). Planmäßige Untersuchungen, die seit Mitte der 70er Jahre in verschiedenen Ländern durchgeführt werden, zeigen, daß freilebende Katzen komplizierte Sozialstrukturen ausbilden. Die Mehrzahl dieser Katzen leben in Gruppen, deren Größe hauptsächlich durch das Angebot an Nahrung und geschützten Schlaf- bzw. Wurfplätzen reguliert wird.

Grundelemente des S. sind die von *Leyhausen* (1956, 1979) untersuchten Verhaltensweisen bei der Begegnung von zwei Artgenossen. Sie sind der entscheidende Faktor der ↑ Distanzregulation und ermöglichen durch Unterschreiten der ↑ Individualdistanz überhaupt erst das gesellige Beisammenleben. Die möglichen Verhaltensweisen bei einer Begegnung zwischen zwei Katzen drücken sich im intraspezifischen agonistischen Verhalten aus, können sich im ↑ Drohverhalten, ↑ Kampfverhalten, ↑ Abwehrverhalten oder ↑ Fluchtverhalten widerspiegeln und werden besonders im ↑ Ausdrucksverhalten sichtbar. Im Sozialverband werden diese Verhaltensweisen in der Regel durch freundschaftliche Beziehungen zwischen den Tieren ersetzt. Voraussetzung dafür ist das individuelle Kennen und Erkennen. Dieser Prozeß wird bei der Katze optisch, akustisch (↑ Lautgebung) und vor allem geruchlich (↑ Chemokommunikation) realisiert. Entsprechende Verhaltensweisen sind die ↑ Analkontrolle und das ↑ Köpfchengeben. Zur Aufrechterhaltung und Stabilisierung einer geschaffenen Sozialstruktur dienen Verhaltensweisen, wie gegenseitige ↑ Körperpflege, gemeinsamer ↑ Schlaf, aber auch das regelmäßige Zusammentreffen von Angehörigen der gleichen oder verschiedener Gruppen in ↑ Katzenversammlungen und ↑ Bruderschaften. Auch zur Abgrenzung der ↑ Reviere zwischen den Gruppen werden optische, akustische und chemische Signale verwendet (↑ Markieren).

Grundsätzlich kann eine Begegnung zwischen zwei Einzeltieren entweder als freundschaftlich, aggressiv oder neutral klassifiziert werden (*Liberg*, 1984 a, b, *Ohkawa/Hidaka*, 1985). Dringt eine fremde Katze in das Revier ein, können folgende Verhaltenskategorien auftreten; Nichtbeachtung, Pflegeverhalten, Flucht oder Angriff. Innerhalb eines Familienverbandes aus Weibchen, jugendlichen Katzen und einem Kater ist etwa die Hälfte der Begegnungen aggressiv, der Rest etwa zu gleichen Teilen neutral und freundlich. Das ↑ Aggressionsverhalten besteht in diesem Kontext nur aus Drohungen in Form von Fauchen oder Knurren mit angelegten Ohren und gelegentlich einem Hieb mit der Vorderpfote.

Ausgesprochen aggressive Interaktionen treten außer bei Weibchen, die ihre Jungen verteidigen, nur zwischen erwachsenen Katern in der Paarungszeit auf (↑ Kampfverhalten).

Nichtbeachten zeigen junge Katzen gegenüber gleichgroßen oder größeren Tieren, kleinere werden in der Regel angegriffen. Ausgewachsene Weibchen können gegenüber allen anderen Katzen ↑ Angriffsverhalten zeigen, eine Ausnahme bilden Jungkatzen unter einem Monat, denen gegenüber nur Pflegeverhalten gezeigt wird. Männchen akzeptieren innerhalb ihres Reviers alle anderen Katzen, außer gleichgroße Männchen. Nur nach längerem Aufenthalt werden auch andere Fremdlinge angegriffen.

Erste Hinweise auf das komplizierte Sozialverhalten freilaufender Hauskatzen wurden 1978 während der „First International Conference of Domestic Cat Population Genetics and Ecology“ in Syrakus (Italien) dargelegt (*van Aarde*, 1978, *Corbett*, 1978, *Dards*, 1978, *Fagen*, 1978, *MacDonald/Apps*, 1978). Wenig später publizierte *Liberg* (1980, 1981) umfangreiche Daten über eine schwedische Katzenpopulation. Inzwischen liegen Untersuchungen an freilaufenden Katzen aus England (*Panaman*, 1981, *Kerby*, 1985), Australien (*Jones/Coman*, 1982), Japan (*Izawa* et al., 1982), Schottland (*Corbett*, 1983), Italien (*Natoli*, 1983, 1985a, b), Argentinien (*Colemnares* et al., 1984) und den USA (*Warner*, 1985) vor, die meist über mehrere Jahre und mit hohem technischen Aufwand bis hin zur Beobachtung einzelner Tiere mit Hilfe von Miniatursendern vorgenommen wurden. Die Ergebnisse wurden zusammengefaßt kürzlich von *Liberg* (1984b) und *Leyhausen* (1984, 1985) dargestellt: Grundsätzlich kann davon ausgegangen werden, daß die Stammform der Hauskatze, die ↑ Falbkatze, die Anlage zur Bildung verschiedener Sozialstrukturen besitzt (vgl. auch Selbstdomestikation). Neben klimatischen, Nahrungs- u. a. Bedingungen scheint es aber auch traditionelle Populationsunterschiede (↑ Population) im S. zu geben. Es treten z.B. große Unterschiede in der Geselligkeit, d. h. der

Bereitschaft zum Eingehen sozialer Bindungen bei verschiedenen Individuen der Hauskatze (↑ Individualität) auf, die von regelrechten Einzelgängern über individuelle Bindungen bis hin zu Tieren mit fester Gruppenbindung reichen. Was die einzelnen Katzen bevorzugen, hängt sowohl von der individuellen Veranlagung als auch davon ab, welchen Katzentyp das Tier während der Jugendentwicklung traf (*Natoli*, 1983). Menschliche Einwirkung kann diesen Prozeß der ↑ Prägung verstärken, bringt aber die individuellen Unterschiede nicht ursprünglich hervor.

In Gebieten, wo Katzen ausreichende Nahrungsreservoire besitzen (Zufüttern durch den Menschen, offene Müllbehälter, Zugang zu tierischen Abfällen usw.) und die Nachkommenschaft durch menschliche Regulationsmaßnahmen nicht vollständig unterdrückt wird, leben Weibchen in Gruppen (*Liberg* 1981, *Laundré*, 1977, *Dards*, 1978, *Izawa* et al., 1982, *Warner*, 1985 u. a.). Gewöhnlich sind alle Tiere der Gruppe miteinander verwandt, fremde weibliche Katzen werden nicht toleriert. Die meisten weiblichen Katzen verbleiben nach ihrer Geburt ständig in der Gruppe. Nur wenige emigrieren und lassen sich in Gebieten nieder, in denen noch keine erwachsenen Weibchen leben. Auslösende Faktoren können z. B. Störungen durch Hunde, besonders in der Fortpflanzungszeit, sein. Normalerweise pflanzen sich alle Weibchen innerhalb der Gruppe fort. In Populationen, die ausschließlich aus Katzen bestehen, die ohne Bindung an den Menschen leben, d. h., die Tiere ernähren sich ausschließlich durch ihre Beute, leben sie meist einzeln. Eine Ausnahme bilden säugende Mutterkatzen (*Jones*, 1977, 1982, *van Aarde*, 1978 u. a.). Das S. männlicher Hauskatzen wird weitaus stärker von agonistischen Verhaltensweisen geprägt. Der ausschlaggebende Faktor ist die Konkurrenz um das Weibchen (↑ Soziobiologie). *Liberg* (1981) stellte insgesamt vier Entwicklungsstadien von Katzen fest, die durch Alter und soziale Erfahrung bestimmt werden (↑ Sozialstatus). Junge Männchen werden mit Erreichen der ↑ Geschlechtsreife durch Aktivitäten residierender ranghoher Männchen aus den Weibchengruppen vertrieben. Erst im Alter von drei oder vier Jahren können solche Kater an der Fortpflanzung teilnehmen.

Das S. von Stubenkatzen ist ebenfalls ein Ausdruck seiner hohen Variabilität. Oft wird hier der Mensch zum Sozialpartner (Kumpan) der Katze (↑ Mensch-Tier-Beziehungen). Die Schlüsselrolle spielt dabei selbstverständlich der Mensch, seine Kenntnisse des artspezifischen Verhaltens seines ↑ Heimtiers sowie dessen individuelle Eigenheiten, auf die er eingehen muß. Auch bei der Gruppenhaltung von ↑ Rassekatzen ist dem S. große Aufmerksamkeit zu schenken. Einzelgängertypen können nur dann in einer Gruppe gehalten werden, wenn sie die Möglichkeit zur Verwirklichung ihrer Umweltansprüche (eigener Schlaf- und Ruheplatz usw.) haben. Auf individuelle Freundschaften innerhalb der Gruppe sollte der Halter Rücksicht nehmen. Beobachtet er das Verhalten aller Tiere, kann er ↑ Despoten und ↑ Paria innerhalb einer Sozialstruktur rechtzeitig erkennen und sich durch gezieltes Eingreifen vor unliebsamen Überraschungen schützen.

Soziobiologie: Zusammenfassung einer Reihe neuartiger selektionstheoretischer Wissenschaftsansätze, die viele Formen des ↑ Sozialverhaltens besser verständlich machen. Im Gegensatz zur klassischen Verhaltensbiologie, in der vor allem das artspezifische Verhalten untersucht wurde, stellt die S. einen populationsbiologischen Ansatz (↑ Populationsgenetik) in den

Vordergrund. Evolution begründet sich auf Häufigkeitsverschiebung von ↑ Genen (vgl. Genfrequenz, Genotypfrequenz). Verschiedene ↑ Populationen unterliegen jedoch unterschiedlichen Selektionsbedingungen (↑ Selektion) und können daher auch unterschiedliche Verhaltensanpassungen entwickelt haben. Viele theoretische Ansätze der S. konnten bisher nur für einige wenige Arten bestätigt werden und ihre Anwendung auf die Evolution menschlichen Verhaltens ist fragwürdig. Eine deutliche Abgrenzung zwischen biologisch bedingtem Verhalten und gesellschaftlich bedingten Beziehungen des Menschen ist daher notwendig.

Eine der soziobiologischen Theorien stellt die *Verwandtenselektion* [engl. kin selection] dar. Sie erklärt z. B. altruistisches (uneigennütziges) Verhalten von Individuen. So bleiben bei einigen Säugetierarten, z. B. bei den Afrikanischen Wildhunden, die Jungen auch nach dem Selbständigwerden im Familienverband und es entstehen Sippen miteinander eng verwandter Tiere. In ihnen kommen in jedem Jahr nur ein oder höchstens zwei Weibchen zur Fortpflanzung. Die Mutter bleibt mit ihren Jungen im Erdbau zurück, während die übrigen Sippenmitglieder auf die Jagd gehen. Bei der Rückkehr würgen die Jäger allen in der Höhle gebliebenen gleichermaßen Fleisch vor. Der Fortpflanzungserfolg wird hier nicht am Erfolg des Individuums innerhalb der Gruppe gemessen, sondern am Erfolg aller miteinander verwandten Individuen gewichtet. Somit wird das uneigennützige Verhalten indirekt belohnt.

Bestimmte Formen des Sozialverhaltens lassen sich durch die Theorie des *Elternaufwandes* [engl. parental investment theory] erklären. Unter Elternaufwand versteht man die Gesamtheit derjenigen Aufwendungen der Eltern für ein Jungtier, die die Überlebenschancen (und damit den späteren Fortpflanzungserfolg) dieses Jungtieres vergrößern, gleichzeitig aber die Fähigkeit der Eltern, in weitere Jungtiere zu „investieren", verringern. Dieser Aufwand ist in der Regel für das weibliche Geschlecht höher, da die Produktion von Ova (↑ Gameten) eine höhere physiologische Leistung erfordert. Bei Säugetieren kommen die Belastungen durch die Ernährung des heranwachsenden Embryos (↑ Trächtigkeit) und des geborenen Jungtieres hinzu. Während dieser Zeit hat das Weibchen im Gegensatz zum Männchen keinerlei weitere Fortpflanzungsmöglichkeiten. Das hat bei vielen Säugetieren zur Strategie der Erzeugung von immer weniger Nachkommen mit immer mehr Aufwand geführt (vgl. Brutpflegeverhalten). Weibchen sind deshalb nur periodisch bereit, sich begatten zu lassen. Männchen versuchen hingegen, jede sich bietende Möglichkeit zur Fortpflanzung wahrzunehmen und die Fürsorge den Weibchen zu überlassen. Das führt wiederum dazu, daß Weibchen bei der Wahl des Partners viel wählerischer sind als Männchen (↑ Sexualverhalten).

Eine weitere Erklärung von sozialen Verhaltensweisen ist mit *spieltheoretischen Rechenmodellen* möglich, die insbesondere Fragen des Verhaltenspolymorphismus bis hin zur ↑ Individualität erklären können. So gibt es innerhalb einer Population immer Individuen mit unterschiedlichen sozialen Strategien, z. B. Tiere, die ↑ Reviere verteidigen, und andere, die dies nicht tun, Einzelgänger und ausgesprochene Gruppentiere. Die Population kann so auf bestimmte Veränderungen der Umweltbedingungen, z. B. durch menschliche Eingriffe, selektiv reagieren und sich bis zu einem gewissen Maß an die neuen Bedingungen anpassen.

Innerhalb der Familie der ↑ Katzen ist besonders der Löwe vom Gesichts-

punkt der S. ausführlich untersucht worden und ist für viele Fragestellungen geradezu Modellobjekt (*Leyhausen*, 1982). Auch ↑ Hauskatzen können unter bestimmten ökologischen Bedingungen Gruppen aus verwandten Tieren bilden (vgl. Sozialverhalten). Innerhalb der Gruppen lassen sich auch kooperative Verhaltensweisen altruistischen Charakters nachweisen, wie Säugen von Jungtieren anderer Mütter (↑ Adoption), gegenseitige Körperpflege, gemeinsames ↑ Spielverhalten, Nutzen von gemeinsamen Plätzen für Ruhe und ↑ Schlaf, Verteilung von Beute an Welpen anderer Gruppenmitglieder (↑ Lernverhalten). Ebenso wie die scheinbare Bevorzugung bestimmter Kater durch weibliche Tiere unabhängig vom ↑ Sozialstatus letzterer, sind all diese Beobachtungen an der Hauskatze bisher nur bruchstückhaft (*Fagen*, 1978). Ein erster Versuch stammt von *Liberg* (1984b, 1985): Freilaufende Kater streunen weitaus stärker umher als ihre weiblichen Artgenossen, die auf der Grundlage sozialer Toleranz bei ausreichendem Nahrungsangebot Sippen bilden (↑ Revierverhalten). Nur wenige männliche Katzen erreichen ein Alter von drei bis vier Jahren, in dem sie in das Fortpflanzungsgeschehen eingreifen (↑ Lebenserwartung). Männchen, die sich jedoch nicht von ihrem Geburtsort trennen, haben einen weitaus größeren Fortpflanzungserfolg. Weibchen wandern nur bei freiwerdenden Revieren in der nächsten Nachbarschaft aus. Ihre Fortpflanzungsrate unterscheidet sich nicht von der ihrer seßhaften Artgenossinnen. Dieses Verhalten der Weibchen kann unter dem Gesichtspunkt der Verwandtenselektion interpretiert werden. Ohne sich selbst zu schaden, erhöhen sie die Fortpflanzungschancen der anderen Mitglieder der Sippe. Das Auswandern der Kater wird durch bereits anwesende revierbesitzende Kater ausgelöst, die zumindest zur Fortpflanzungszeit ihren Reproduktionserfolg durch ↑ agonistisches Verhalten sichern.
Die große Vielfalt des Verhaltens der Hauskatze wird heute besonders unter dem Gesichtspunkt der ↑ Individualität und ihrer Rolle bei der Herausbildung unterschiedlicher Sozialstrukturen diskutiert (*Leyhausen*, 1984).

Spalterbigkeit ↑ Heterozygotie.

Spalthand [engl. split hand], *Perodaktylie:* zentraler Spalt in einer oder in beiden Vorderextremitäten infolge Abweichens der Zehenstrahlen nach innen und außen, in der Regel verbunden mit weiteren Abweichungen, wie Fehlen von Zehen, Fusion zu Doppelzehen, abnormen Ballen, stärkeren Unregelmäßigkeiten der Ossa metacarpalia und carpalia (Mittelhand- und Handwurzelgelenkknochen). *Searle* (1953) berichtete, daß auch die Hinterextremitäten betroffen sind. *Jude* (1977) bezeichnete den Defekt als Hummerkralle [engl. lobster claw]. Er wird einfach autosomal dominant vererbt. Am ↑ Genort befinden sich die Allele Sh und sh^+ (*Searle*,

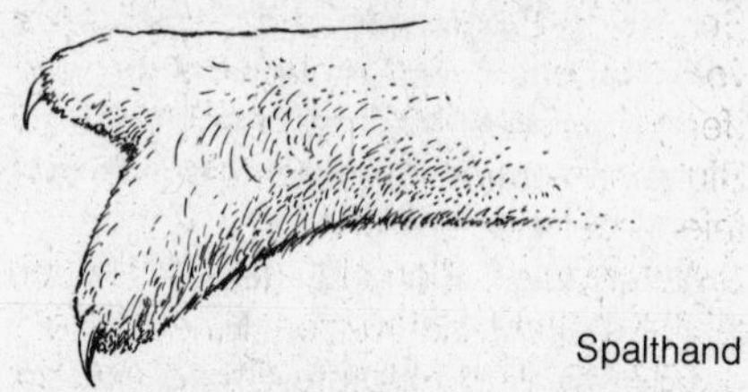

Spalthand

1953), nach *Robinson* (1977) Sp und sp^+. Neben einer variablen Merkmalausprägung wurde auch beobachtet, daß weniger Merkmalträger auftreten, als nach den ↑ Mendel-Regeln zu erwarten sind. Es wird eine ↑ Modifikation durch Gene anderer Genorte angenommen. Abb.

Spaltungsregel ↑ Mendel-Regeln.

Spaltungsverhältnisse: **1.** ↑ Geschlechtschromosomen. – **2.** ↑ Mendel-Regeln. – **3.** ↑ Oligogenie.

Spannung ↑ Stress.

spastisches Syndrom, *mitochondriale Myopathie vom Schultergürteltyp:* erbliche mitochondriale Myopathie (Muskeldystrophie) [engl. ragged red fibre] auf der Grundlage einer Genmutation. Der ↑ Erbgang ist einfach autosomal rezessiv. Der der Dystrophie zugrunde liegende Basis- bzw. Enzymdefekt ist unbekannt. Die Störung wurde bei der ↑ Devon Rex registriert, wo sie ein ernsthaftes Zuchtproblem darstellt. Auffällig wird eine Schwäche der Schultergürtelmuskulatur (skapulo-humerale Dystrophie). Merkmalträger leiden häufig an Pneumonie und Erstickungsanfällen. Die Krankheit ist sehr langsam progredient (fortschreitend) und auf die Beckengürtelmuskulatur übergreifend. Bei ↑ Homozygotie ist der Verlauf schneller. Das Erstmanifestationsalter ist jedoch variabel. Eine kausale Therapie gibt es bisher nicht. Als symptomatische Therapie kann Muskeltraining empfohlen werden. Die Natur der Enzymdefekte wird zur Zeit erforscht (*Pflueger/Kagan-Hallet*, 1985). Gleichzeitig läuft in einigen Ländern ein Screening-Programm zur Erfassung von Merkmal- und Anlageträgern auf der Basis des Milchsäurespiegels im Blutserum (bei mitochondrialer Myopathie in der Regel erhöht).

Spaziergang: Element des ↑ Beutefangverhaltens bei Katzen. Eine soeben gefangene und getötete Beute wird in der Regel abgelegt und die Katze beginnt, den umgebenden Raum zu erkunden. Danach wird das ↑ Beutetier wieder aufgenommen. Dieser Vorgang kann sich mehrfach wiederholen und dient nach *Leyhausen* (1982) zum Abreagieren nicht verbrauchter Erregung und dauert um so länger, je größer und ungewohnter die Beute, je scheuer und weniger die Katze mit der Örtlichkeit vertraut ist. An den S. schließt sich oft das ↑ Beutespiel an. Beutetiere, die durch den ↑ Nackenbiß nicht getötet wurden, verfallen in ↑ Tragstarre und können während des S. der Katze teilweise entkommen.

Spermiogenese ↑ Gameten.

Spermovium ↑ Zygote.

Sphingomyelinose ↑ lysomale Speicherkrankheit.

Sphynx ↑ Nacktkatzen.

Spielverhalten [engl. play behaviour]: Bezeichnung für alle Verhaltensweisen, die keinen unmittelbaren „Ernstbezug" zum aktuellen ↑ Verhalten besitzen. In anderen Zusammenhängen können sie durchaus diesen Ernstbezug haben, z. B. Flucht-, Angriffs- oder Beutefanghandlungen. *Immelmann* (1983) gibt für das S. folgende Merkmale an und stimmt dabei weitgehend mit *Bekoff* (1984) überein:

– Die Verhaltensweisen erscheinen sinnlos, da sie im Augenblick ihres Auftretens nicht die biologische Funktion erfüllen, für die sie in der Stammesgeschichte der Art entwikkelt wurden.
– Die Verhaltensweisen sind frei kombinierbar, es besteht keine Korrelation der Elemente einer Handlungskette.
– Die Verhaltensweisen unterliegen scheinbar keiner Ermüdung, da sie über lange Zeiträume auftreten können.
– Die Verhaltensweisen erscheinen im Vergleich zur entsprechenden „Ernsthandlung" häufig übertrieben.

Eine Einteilung des S. kann nach dem Gesichtspunkt der Objektbezogenheit oder nach Art und Zahl der beteiligten Partner vorgenomen werden. Zur ersten Gruppe gehören Bewegungs-, Objekt- und Sozialspiele, je nachdem, ob das Tier ohne Objekt mit einem unbelebten oder belebten artfremden Objekt oder mit einem Artgenossen spielt. In der zweiten Gruppe unterscheidet man Spiele zwischen gleichaltrigen Geschwistern, zwischen Eltern und deren Jungen oder zwischen mehreren jugendlichen oder erwachsenen Artgenossen.

Die Bedeutung des S. kann sich nach *Immelmann* (1983) auf folgende Bereiche erstrecken:

– auf das Einüben von Muskelfunktionen (↑ Jungtierentwicklung, ↑ Muskulatur),
– auf das Einüben sozialer Rollen (↑ Sozialstatus) einschließlich der Fähigkeit zum individuellen Erkennen,
– auf die kognitive (geistige) Entwicklung.

In der Regel ist das S. auf Jungtiere beschränkt. In Tiergruppen mit besonders ausgeprägtem ↑ Erkundungsverhalten, z. B. Raubtiere, Primaten und Wale, bleibt es auch im erwachsenen Alter erhalten.

Das S. der ↑ Hauskatze ist in den letzten Jahren umfassend untersucht worden, wobei besonders die ↑ Ontogenese beachtet wurde. Es wird erstmals in der vierten Lebenswoche beobachtet, wenn die Bewegungskoordination ausreichend entwickelt ist. In dieser Zeit tritt besonders das *Sozialspiel* zwischen den Jungtieren eines Wurfes auf (*West*, 1974). In der siebenten bis achten Lebenswoche nimmt das *Objektspiel* stark zu und bis zur 16. Lebenswoche ist die Schwelle zum Auslösen des S. sehr niedrig (↑ Beutespiel, ↑ Beutefangverhalten). Diese Phase fällt mit der beginnenden Auflösung der ↑ Mutter-Kind-Bindung zusammen (*Barrret/Bateson*, 1978). Die objektbezogene Spielphase läßt sich durch Isolation der Jungtiere von der Mutter um etwa 15 Tage vorverlegen (*Bateson/Young*, 1981). In reinen Männchen-Würfen wird mehr gespielt als in reinen Weibchen-Würfen. In gemischten Gruppen wird die Spielintensität durch die männli-

oben links Anschleichen,
oben rechts Aufbäumen,
unten links Ringkampf, *unten rechts* Katzenbuckel und Nackenkrümmen
(nach *Barret* und *Bateson*, 1978)

chen Geschwister bestimmt (*Caro*, 1981a, b). Insgesamt werden von zehn bis zwölf Wochen alten Katzen etwa 9 % des Zeitbudgets mit S. verbracht (*Martin*, 1984). Zwischen der 16. und 32. Woche steigt die Schwelle zum Auslösen des S. an. *Barret/Bateson* (1978) unterscheiden sieben gut differenzierbare Formen des S. (Abb.): Kontakt mit Artgenossen, Objektkontakt, Katzenbuckel, Nackenkrümmen, Ringkampf, Anschleichen und Aufbäumen.

Von besonderer Bedeutung sind für die ↑ Hauskatze die verschiedenen Formen des Beutespiels. Aufgestautes Beutefangverhalten kann z. B. zum spielerischen Angriff auf die Füße des Halters führen (↑ Aggressionsverhalten). Kleine Papierschleifen an einen langen Bindfaden bewegt, versetzen jede Katze in Begeisterung. Eine sich unter der Decke bewegende Hand oder gar ein Finger, der ab und zu unter der Decke hervorfährt, löst auch bei einer durchgezüchteten ↑ Rassekatze den gleichen Jagdeifer wie bei einer freilaufenden Hauskatze aus. Angebote und Aufforderung zum S. sind ein wirksames Mittel gegen ↑ Langeweile.

Spitzenfärbung: 1. ↑ Abzeichenfarben. – **2.** ↑ Akromelanismus.

Spontanmutation: 1. ↑ Mutation. – **2.** ↑ Mutationszüchtung.

Sporen: 1. ↑ Birma. – **2.** ↑ Handschuhe. – **3.** ↑ Snow-Shoe-Cat.

Springen ↑ Fortbewegung.

springendes Gen, *Transposon:* ↑ Gen, das seine Position im Chromosomensatz verändern kann (*McClintock*, 1956). Die bei Mammalia beobachteten s. G. besitzen zwischen 800 und 1400 Basenpaare und können als Insertionssequenzen durch bisher nur teilweise aufgeklärte Mechanismen aus dem ursprünglichen Molekülverband herausgelöst und an anderer Stelle des Genoms eingeschoben werden. Die Insertionselemente besitzen charakteristische Endabschnitte, die beim Einbau eine wichtige Rolle spielen. Sie variieren durch ihren Einbau nicht nur die dort verankerte Genwirkung, sondern bewirken durch ein eingebautes Stoppsignal, daß die nachfolgenden Gene nicht mehr aktiv werden können.

Den beweglichen Erbfaktoren wird bei der Evolution der Organismen eine hervorragende Bedeutung zugemessen. Bei pathogenen Bakterien oder in bestimmten Geschwulstzellen spielt sich die Transposition praktisch vor unseren Augen ab. In der Biotechnologie wird sie bereits vielfach genutzt. Nachdem *Barbara McClintock* zu Beginn der 30er Jahre das ↑ Crossing over beim Mais untersucht hatte und sich bis zur Mitte der 40er Jahre mit dem Bruch-Fusions-Brücken-Zyklus beschäftigte, entdeckte sie eine Gruppe „genetischer Kontrollelemente" bzw. Systeme genetischer Instabilität, die heute als s. G. bezeichnet werden. Sie erhielt für diese Leistung 1983 den Nobelpreis für Medizin.

Seit Beginn der 70er Jahre wurden bei Säugetieren transponierbare DNA-Sequenzen nachgewiesen, die hauptsächlich die Weißscheckung betrafen (*Schaible*, 1973; *Sponenberg*, 1984; *Whitney/Lamoreux*, 1982). Inzwischen mußte die Hypothese, daß die ↑ Schekkung durch s. G. hervorgerufen wird, teilweise wieder zurückgenommen werden. So beruhen nach *Sponenberg/Lamoreux* (1985) die beim Merle-Faktor (M) des Hundes beobachteten Variationen auf Wirkung eines Modifikatorgens (*Tweed-Merle*, Tw).

Spritzharnen ↑ Duftmarkieren.

Sprungbuch: Verzeichnis der Aktivitäten aller im ↑ Zwinger gehaltenen ↑ Deckkater. Die Zuchtordnung des DDR-Verbandes schreibt jedem Deckkaterbesitzer die Führung eines S.es vor, das folgende Angaben enthalten muß:

– Name und Zuchtbuchnummer der belegten Katze,
– Decktage, Deckgebühren und Ergebnis des Deckaktes,
– Name und Anschrift des Katzenbesitzers.

Spucken ↑ Lautgebung.

Spulwürmer ↑ Endoparasiten.

Spurenelemente ↑ Mengen- und Spurenelementbedarf.

Stammbaum ↑ Rassekatze.

Stammhaare ↑ Haar.

Standard, *Richtschnur, Durchschnittsbeschaffenheit, Zuchtziel:* einheitlich anzuwendende und verbindliche, seltener empfohlene Norm (Bestlösung) einer sich wiederholenden Aufgabe (↑ Zucht). Ein korrekter S. umfaßt Angaben über das Zuchtmaterial (Arbeitsgegenstand, Zulassung zur Zucht), die Methode und Hilfsmittel zur Zuchtverbesserung (Zuchtleitungen, Richter, Organisationswesen, Veranstaltungen, Kontrollen usw.) sowie die Beschaffenheit der Zuchtprodukte (Zuchtziel). In der Rassekatzenzucht werden die Bezeichnungen S. und Zuchtziel synonym gebraucht und der S. beinhaltet im wesentlichen die Beschreibung der einzelnen Körperbau- und Farbmerkmale, die innerhalb eines bestimmten Verbandes verbindlich sind [engl. standard of points]. Der Verbands-S. hat nichts mit dem biologischen Begriff des S.typs zu tun, der definiert wird, wenn der ↑ Wildtyp unbekannt oder zweifelhaft ist. Der Verbands-S. bildet die Grundlage der züchterischen Tätigkeit innerhalb des jeweiligen Verbandes und ist die Richtschnur für Richterurteile. S. variieren unter den drei einflußreichsten Dachverbänden, dem britischen ↑ GCCF, dem amerikanischen ↑ CFA und der F.I.Fe., nicht nur in der Anerkennung bzw. Nichtanerkennung einzelner Rassen und Varietäten, sondern auch teilweise in prinzipiellen Fragen. So existieren ↑ Rassen, die zwar den gleichen Namen tragen, aber recht unterschiedlich aussehen (↑ Burma). Andererseits wird der S. von Rassen oder Farbschlägen eines bestimmten Verbandes wortwörtlich von jenen Verbänden übernommen, die sich später für eine Anerkennung entschließen. Dann unterscheiden sich die jeweiligen S. nur durch eine mehr oder weniger glückliche Übersetzung. Jedem einzelnen S.text entspricht eine bestimmte ↑ Rasse und Farbnummer. *Harrison Weir*, Mitglied der königlich britischen Gärtnergesellschaft, organisierte 1871 nicht nur die erste Katzenausstellung der Welt, sondern erarbeitete auch die ersten S.texte. Heute sind es die in den Zuchtverbänden organisierten Züchter selbst, die für eine neue Rasse einen vorläufigen S. aufstellen, der dann mit dem Anerkennungsverfahren durch ihren Verband für verbindlich erklärt wird.

S. beschreiben stets ein Idealbild nach dem jeweiligen Kenntnisstand der Verfasser. Mit den Fortschritten in einer bestimmten Zucht, mit der Verarbeitung von genetischen Erkenntnissen unterliegt auch der S. Veränderungen. Änderungen im S. werden von Richterkommissionen vorgeschlagen und nach den jeweiligen Verbandsregeln durchgesetzt. Der Schwerpunkt in der Zucht einer bestimmten Rasse oder eines bestimmten Farbschlages wird mit der Festlegung einer bestimmten Punktzahl unterstrichen. Die Gesamtpunktzahl beträgt stets 100, eine Mindestpunktzahl für die Vergabe der ↑ Qualifikation ist für alle Rassen verbindlich festgeschrieben.

Für Liebhaber sind S. oft unverständlich und meist messen sie ihnen keinerlei Bedeutung bei, denn auch eine Katze, die nicht einem bestimmten S. zugeordnet werden kann oder diesem nicht entspricht, ist für ihren Besitzer ein überaus liebenswerter Hausgenosse, zumal der beste S. nichts über das Wesen einer Katze aussagt.

Standardtyp: 1. ↑ Gennomenklatur. – **2.** ↑ Wildtyp.

„Stauungsspiel“ ↑ Beutespiel.

Steppenwildkatze, *Felis silvestris ornata* (*Gray*, 1832): neben der ↑ Waldwildkatze und der ↑ Falbkatze ein weiterer Vertreter der Großart Felis silvestris (↑ Katzen). Die S. besiedelt große Gebiete Zentral- und Südwestasiens. Im Gegensatz zur Waldwildkatze ist sie dunkel gefleckt und in der Regel auch etwas kleiner. Der dünne, am Ende zugespitzte Schwanz zeigt dunkle Querstreifen und Ringe. Die Grundfärbung der Körperoberseite wechselt zwischen weißgrau, creme- und sandfarben bis zu strohgelb. Die helle Unterseite trägt oft mehrere Fleckenquerreihen. Als Bewohner von Steppen- und Halbwüsten werden bevorzugt Nagetiere, bodenbrütende Vögel und auch ungiftige Reptilien erbeutet. Natürliche Feinde sind vor allem Wölfe und größere Greifvögel. Biologie und ↑ Verhalten der S. sind wenig untersucht.

Stereotypie: ständig gleichförmige Wiederholung von Verhaltensabläufen, die in der Regel genetisch fixiert sind, aber auch durch Lernprozesse eine hohe Formkonstanz erreichen können. Hier seien nur der Ablauf des ↑ Beutefangverhaltens genannt. Im allgemeinen wird dieser Begriff jedoch für in unnatürlichen Situationen auftretende Zwangsbewegungen (Bewegungs-S.) verwendet. Sie kommen besonders bei in menschlicher Obhut gehaltenen Tieren vor und äußern sich mitunter in stundenlang anhaltenden Kopf- und Körperbewegungen sowie im Hin- und Herlaufen in festen Bahnen. Sie sind die Folge einer Haltung in zu kleinen oder nicht richtig eingerichteten Räumen (↑ Umwelt) oder einer „Beschäftigungslosigkeit“. *Brunner* (1976) beschreibt eine Bewegungs-S. bei einem zeitweise isoliert gehaltenen Siamkater, die jedoch nach ↑ Kastration stark verringert auftrat. Auch einmalige Stresserlebnisse (↑ Stress) können zu S. führen. Solche S. sind in den Kreis der ↑ Verhaltensstörungen einzuordnen.

Sterilisation: das Unfruchtbarmachen durch Ausschalten der Fortpflanzungsfähigkeit. Die Ausführungsgänge der ↑ Keimdrüsen (Samenleiter, Eileiter, ↑ Geschlechtsorgane) werden operativ unterbunden und durchtrennt. Im Gegensatz zur ↑ Kastration, bei der die Keimdrüsen entfernt oder ausgeschaltet werden, bleibt bei der S. die innersekretorische Funktion voll erhalten und damit auch das geschlechtsspezifische ↑ Verhalten. In der Katzenhaltung und -zucht ist die S. zur Unterbindung der Fortpflanzungsfähigkeit ein ungebräuchliches Verfahren.

Sterilität: 1. ↑ Geschlechtschromosomenaberration. – **2.** ↑ Kryptorchismus. – **3.** ↑ Schildpattkater.

Stichelhaar: vereinzeltes weißes Haar in ansonst pigmentiertem Fell. S. ist meist abgestorbenes Haar, das mit einer harten Bürste entfernt werden kann. S. in der ↑ Maske von Katzen mit Abzeichenfärbung wird *Brindling* [engl., Sprenkelung] genannt. S. ist vor dem Fellwechsel besonders in der Schwanzbehaarung zu finden. Bei gehäuft auftretenden weißen Haaren an bestimmten Körperteilen von Katzen mit pigmentiertem Fell spricht man hingegen von Kehlfleck bzw. ↑ Medaillon, die darauf hinweisen, daß es sich genetisch um eine Katze mit Scheckungsfaktor von geringer ↑ Expressivität handeln muß. S. im Fell von Ausstellungstieren wird durch Punktabzug bestraft.

Stimmbänder ↑ Lautgebung.

Stimmfühlungslaut ↑ Lautgebung.

Stimmung ↑ Motivation.

Stimmungsübertragung ↑ Lernverhalten.

Stop [engl. break]: für das Profil der

Perser typischer Absatz zwischen Stirn und Nase (Abb.). Neben dem sehr langen und üppigen Haarkleid, der kurzen und breiten Nase ist der S. wohl mit das wichtigste rassebildende Merkmal der ↑ Perser. Um den S. gab es unter Züchtern und Richtern sehr kontroverse Auffassungen: über den Augen, unter den Augen, zwischen den Augen. In dem jetzt gültigen Standard wird deshalb ein Unterschied zwischen S. und Stupsnase gemacht. Letztere ist ein erster Schritt zum ↑ Peke-face. Auch mit der Festlegung, daß die Nasenspitze nicht höher sein darf als das Unterlid des Auges, wurde der Begriff S. eindeutig definiert. Der S. soll zwischen den Augen liegen. Liegt er höher, ist er meist mit ↑ Vorbiß, Kiefer- und ↑ Gebißanomalien verbunden. Das längere Haar auch auf der Stirn der Perserkatze ruft teilweise den Eindruck hervor, daß der S. eine Einkerbung darstellt. Diese ist jedoch unerwünscht, weil sie mit zu tief liegenden Augen verbunden ist (↑ Brachyzephalie).

Stoßer ↑ Lautgebung.

Streckbuckel ↑ Komfortverhalten.

Streifenzeichnung: 1. ↑ Getigert. – **2.** ↑ Tabbyzeichnung. – **3.** ↑ Wildtyp.

Streifgebiet, *Aufenthaltsgebiet:* Areal, das von mehreren Individuen bewohnt bzw. regelmäßig aufgesucht wird. Im Gegensatz zum ↑ Revier und zum ↑ Heim wird das S. nicht aktiv verteidigt. Es umfaßt häufig zwei oder mehrere Reviere. Während das Revier in seiner Größe hauptsächlich durch die Nahrungsressourcen bestimmt wird und bei der freilaufenden Hauskatze entweder von Gruppen aus mehreren Weibchen und Jungtieren bzw. von einzelnen Katern bewohnt wird, ist das S. eines Katers zur Fortpflanzungszeit (↑ Sexualverhalten) bedeutend größer. In dieser Zeit kann es sogar zu zeitweiligen Konzentrationen in Form von ↑ Katzenversammlungen und ↑ Bruderschaften kommen, die dem persönlichen Kennenlernen und damit der Herstellung einer gewissen ↑ Rangordnung dienen.

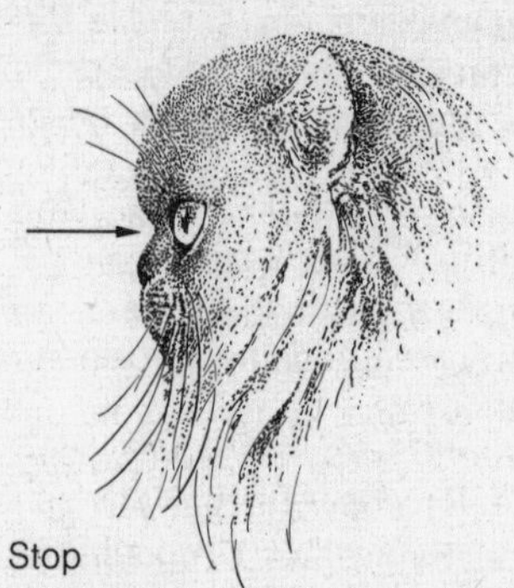

Stop

Stress, *Anstrengung, Belastung, Spannung:* ein von *Selye* 1936 eingeführter Begriff, der die Reaktion des Organismus auf über das normale (physiologische) Maß hinausgehende Umweltreize (Stressoren) bezeichnet. Der Organismus gerät dabei in eine besondere Spannungslage und stellt sich auf diese neuen Umweltbedingungen ein. Die Grundreaktion ist unspezifisch und gleichförmig und nicht abhängig von der Art der Stressoren. Über den Hypothalamus (Teil des Zwischenhirns) wird die Nebennierenrinde aktiviert, deren Hormone im wesentlichen den Ablauf der drei Phasen des Allgemeinen Anpassungssyndroms (Allgemeines Adaptionssyndrom) bestimmen:

1. Alarmreaktion, Anpassung an den Stressor,
2. Resistenzstadium, wenn die Anpassung optimal ist,
3. Stadium der Erschöpfung, das der Anpassung folgt. Eine Anpassung ist nun nicht mehr möglich, die Resistenz ist sogar gegenüber der Norm gemindert.

Neuere Untersuchungen haben jedoch ergeben, daß jede Belastung spezifisch ist und eine einheitliche hormonelle Reaktion nur vorgetäuscht wird. Ebenso

hat sich herausgestellt (*v. Holst*, 1977), daß die bisher als einheitlich angesehenen Reaktionen zwei voneinander getrennten Systemen zuzuordnen sind:
- der Alarmreaktion als schnelle Anpassung an Notstandssituationen, die den Organismus zeitweilig in eine erhöhte Abwehr- und Fluchtbereitschaft versetzen (z.B. Katzen auf Ausstellungen),
- der Langzeitanpassung in Form des oben erwähnten Allgemeinen Anpassungssyndroms.

Die *Stressoren* können physischer (Hitze, Kälte, Hunger, Durst, Verletzungen, Bewegungsmangel usw.) und psychischer Natur sein, letztere oft unter dem Begriff sozialer Stress zusammengefaßt. Bei anhaltendem S. sind z. B. eine Vergrößerung der Nebennierenrinde, Beeinträchtigung der Fortpflanzung und Wachstumshemmung die Folge. Gehen die schädigenden Umweltfaktoren von Artgenossen aus, spricht man von *sozialem S.* Neben den bereits genannten Erscheinungen können zu große Tierkonzentrationen und damit verbundene Rangordnungskämpfe zu verschiedenartigen ↑ Verhaltensstörungen führen. Genannt seien hier Verringerung bzw. Ausfall des ↑ Mutterverhaltens, ↑ Infantizid, verringertes ↑ Lernverhalten usw.

Tierliche S.erscheinungen sind vor allem in Menschenobhut bei ungünstigen Haltungsbedingungen zu beobachten. Im Freiland wird auftretender sozialer S. durch Mechanismen der Selbstregulation (z. B. Verringerung der Individuenzahl durch Raubtiere, Verringerung der Fortpflanzung bei beginnender Nahrungsknappheit) rechtzeitg verhindert.

Stromung: 1. ↑ Gestromt. – **2.** ↑ Tabbyzeichnung.

Stubenkatze ↑ Sozialstatus.

Stubenreinheit: 1. ↑ Jungtierentwicklung. – **2.** ↑ Unsauberkeit. – **3.** ↑ Welpenaufzucht.

Stummelschwanz ↑ Kurzschwanz.

Stummelschwanzkatze: 1. ↑ American Bobtail. – **2.** ↑ Japanese Bobtail.

stumpy ↑ Manx.

Subkutis ↑ Haut.

Subletalfaktor ↑ Letalfehler.

Submentalorgan ↑ Haut.

„Superkatze“ ↑ Mensch-Tier-Beziehungen.

Suppressorgene, *Hemmungsgene:* Spezialtyp der in Wechselwirkung stehenden ↑ Gene (↑ Modifikation). S. unterdrücken die durch Umweltfaktoren oder Mutationen verursachte Variation des ↑ Phänotyps teilweise oder völlig, d. h., es handelt sich um phänotypstabilisierende Einzelgen- oder polygene Wirkungen (↑ Polygenie, ↑ Heterosis). Eine besondere Form der Einzelgen-Suppression ist die ↑ Epistasie (↑ Melanininhibitor, ↑ Scheckung). Von dominanten S. spricht man, wenn das Hemmungsgen die Ausprägung des Wildtypgens oder einer dominierenden Mutante unterdrückt. Rezessive S. wirken nicht auf den ↑ Wildtyp, sondern auf dessen rezessive Mutanten, d. h., sie unterdrücken die den Wildtyp beeinträchtigende Mutante, und die Ausbildung des Wildtypmerkmals ist wieder möglich. Auf diese Weise kann eine Mutation in einem Gen durch eine Mutante eines anderen ↑ Genorts kompensiert werden (intergenische Suppressormutationen).

Polygene Suppressoren treten u. a. im Zusammenhang mit einer unvollständigen ↑ Penetranz oder variablen ↑ Expressivität des Merkmals auf. Ein Gen ist unvollständig penetrant, wenn es nicht in der Lage ist, sich in einem bestimmten genotypischen Milieu oder unter bestimmten Umweltbedingungen im Phänotyp auszuprägen. Die natürliche Selektion wirkt dann zugunsten der Gene des genotypischen Milieus, die abweichende Gene auf diese Weise unschädlich machen. Die Penetranz-

und Expressivitätsmodifikatoren sind aber nur eine Gruppe in einer großen Klasse von Genen, die alle dazu beitragen, Abweichungen vom „normalen" Phänotyp der Art zu verhindern (homöostatische Wirkung in einem ↑ Genpool), d. h., sie haben die Fähigkeit, Entwicklungsprozesse zu kanalisieren (*Waddington*, 1957). Andererseits entscheiden sie über die Qualität und Quantität der Ausprägung eines eingezüchteten Merkmals (↑ Immigration). Hierbei können die immigrierten Gene durch das neue genotypische Milieu vollständig oder auch teilweise unterdrückt werden bzw. bisher unterdrückte und unerwünschte Erbanlagen können dann manifest werden (↑ Knickschwanz).

Suprakaudaldrüsen ↑ Chemokommunikation.

sympatrische Isolation ↑ Rasse.

T

Tabbies [engl. Plural von tabby]: Katzen aller ↑ Rassen, die ↑ Tabbyzeichnung tragen. Das Wort „tabby" wurde vermutlich von Atabi abgeleitet, einem Stadtteil Bagdads, in dem Seidenstoffe mit changierendem Muster, dem Tabbymuster, hergestellt wurden. Bei den ↑ Persern sind T. stets ↑ Gestromt, jedoch wird in einigen amerikanischen Dachverbänden auch die getigerte Form anerkannt. Mit den Brown-T. [engl., braungestromt] kam dieses englische Wort wahrscheinlich in den Sprachschatz der Rassekatzenzüchter.

Tabby-Point: Gruppe anerkannter ↑ Abzeichenfarben, deren gemeinsames phänotypisches Merkmal gestreifte ↑ Abzeichen sind. T. sind ↑ Agoutikatzen, bei heterozygoter Besetzung dieses ↑ Genortes (Aa) gehen aus der Verpaarung zweier T. die entsprechenden Abzeichenfarben in ↑ Nicht-Agouti hervor. Innerhalb der F.I.Fe. sind T. bei Perser und Exotic Kurzhaar ↑ Colourpoint sowie bei den Siamesen anerkannt, und zwar in den Farben *Seal-T.* (A- B- c^sc^s C- T-/t^bt^b) (Tafel 33) mit schwarzbraun (seal) gestreiften Abzeichen und einer beigen Körperfarbe. Der Nasenspiegel ist dunkelrosa mit einer schwarzbraunen Umrandung oder seal wie die Fußballen; *Blue-T.* (A- B- c^sc^s dd T-/t^bt^b) (Tafel 42, 43) mit blaugrau gestreiften Abzeichen, einer gletscherfarbenen Körperfarbe, blaugrauen Fußballen und Nasenspiegel, wobei letzterer wiederum auch dunkelrosa mit blaugrauer Umrandung sein kann. Die Körperfarbe der *Chocolate-T.* (A- bb c^sc^s D- T-/t^bt^b) ist elfenbeinfarben, die Abzeichen sind milchschokoladenfarben gestreift, der Nasenspiegel ist milchschokoladenfarben bzw. dunkelrosa mit brauner Umrandung, die Fußballen sind zimt- bis schokoladenfarben, während die *Lilac-T.* (A- bb c^sc^s dd T-/t^bt^b) eine Körperfarbe in gebrochenem Weiß (magnolienfarbig) hat und die Streifung ihrer Abzeichen gletschergrau mit einem leichten Rosa ist.

Für alle T.-Varietäten wird eine helle Körperfarbe gewünscht, die möglichst frei von Schattierungen sein soll. Die ↑ Maske zeigt klar abgesetzte Streifen besonders um Nase und Augen, die Schnurrhaarkissen sind markiert, der Schwanz ist regelmäßig beringt und endet in einer einfarbigen Spitze. Die Ohren sind nicht gestreift, müssen aber einen ↑ Wildfleck aufweisen. An den Beinen laufen verschieden lange, ge-

brochene Streifen, die Sohlen an den Hinterbeinen sind einfarbig (↑ Sohlenstreifen). Die ↑ Augenfarbe ist ein reines Blau, das so dunkel wie möglich sein soll. Bei den ↑ Siam-T. darf die jeweilige Körperfarbe auf dem Rücken langsam in einen kräftigeren Ton übergehen.
In der DDR sind sowohl bei den ↑ Colourpoint als auch bei den Siamesen die *Red-T.* (Tafel 42) und die *Creme-T.* anerkannt. Ihre Genkonstruktion ist c^sc^s D- O(O) T-/t^bt^b bzw. c^sc^s dd O(O) T-/t^bt^b (vgl. auch Orange, Rot und Creme). Die Streifung der Abzeichen ist ein warmes Orange bei den Red-T., ihre Körperfarbe ist ein gebrochenes Weiß mit Creme, Fußballen und Nasenspiegel sind wie die der Creme-T. rosa. Die Creme-T. haben einen cremeweißen Körper, die Streifung der Abzeichen ist ein dunkles Creme. Bei beiden Varietäten sind Pigmentflecken auf dem Nasenspiegel und in den Abzeichen fehlerhaft. Im Gegensatz zu den nichtorangefarbenen Varietäten (o(o)) müssen die Red- bzw. Creme-T. nicht unbedingt ↑ Agouti tragen, damit die Zeichnung sichtbar wird. Eine Abgrenzung zu den Red- bzw. Creme-Point ist nur über eine scharfe Selektion auf relative Zeichnungsfreiheit letzterer zu erreichen (vgl. einfarbig). Red- und Creme-T. sind vorzugsweise mit ↑ Tortie-Tabby-Point bzw. nicht-orangefarbenen T. oder in ↑ Gleich-zu-Gleich-Verpaarung zu züchten.
Genetisch möglich ist ebenfalls die Kombination der ↑ Tabbyzeichnung mit dem rezessiv homozygoten Allelpaar b^lb^l (↑ Cinnamon), das einen zimtfarbenen Ton erzeugt. Die Cinnamon-T. hätte die Genkonstruktion A- b^lb^l c^sc^s D- T-/t^bt^b. Ein Kreuzungsdiagramm in ↑ Vollpigmentierung ist unter dem Stichwort Agouti enthalten. Bei den Siamesen ist die T. seit 1960 innerhalb der ↑ F.I.Fe. als Seal-, Blue-, Chocolate- und Lilac-T. anerkannt. Beim britischen ↑ GCCF erhielt 1984 auch die ↑ Birma einen provisorischen Standard für die Varietäten Seal- und Blue-T.
Die seit 1973 anerkannten Colourpoint-T. entstanden wahrscheinlich überwiegend aus Paarungen zwischen schwarz gestromten Persern (vgl. Gestromt) und Colourpoint-Seal (↑ Seal-Point) bzw. deren verdünnten Versionen (↑ Verdünnung), während die Siam-T. über feingliedrige Hauskatzen mit Tabbyzeichnung gezüchtet wurden. Da der Kontrast zwischen Abzeichen- und Körperfarbe durch polygene ↑ Modifikation entsteht, ist die Körperfarbe der F_2-Generation nach der Einkreuzung natürlich unzureichend und muß durch Auslese und Gleich-zu-Gleich-Verpaarungen erst wieder den Standardforderungen angeglichen werden. Im Alter von zwei bis drei Jahren, wenn vor allem bei den Seal-Point die Körperfarbe nachdunkelt und der Siamstandard z.B. einen etwas dunkleren warmen Ton auf dem Rücken einräumt, ist am Körper die Art der ↑ Tabbyzeichnung deutlich zu erkennen. Tiere mit einem zeichnungsfreien Körper bis ins hohe Alter dürften, falls überhaupt möglich, noch lange eine große Rarität bleiben. Den Red- und Creme-T., die im allgemeinen recht zeichnungsfrei am Körper sind, fehlen wiederum die Streifen an den Extremitäten.

Tabbyserie ↑ Tabbyzeichnung.

Tabbyzeichnung: getigerte [engl. makkerel tabby], getupfte [engl. spotted tabby] und gestromte [engl. blotched or classic tabby] Katzen sowie Katzen mit dem sogenannten ↑ Abessiniertabby. Die Tigerung (Allelsymbol T^+, gelegentlich auch t^+ oder t^m genannt) stellt den ↑ Wildtyp der T. dar. Die Stromung (Allelsymbol t^b) ist eine fleckenförmige verbreiterte Tigerung.
Diesen Zeichnungen gegenüber steht das Abessiniertabby (Allelsymbol T^a),

bei dem im Verlauf der Zuchtgeschichte die minimale Streifung durch ↑ Selektion eliminiert wurde (↑ Abessinier). Das „Aby-Muster" umfaßt daher ↑ Ticking am Körper und zarte T. nur im Gesicht. Die Tupfung, für die kein eigenes Gensymbol festgelegt wurde, ist eine aufgebrochene Tigerung. *Robinson* (1977) ist der Meinung, daß es sich um das Allel für Tigerung T^+ handelt, das durch ↑ Modifikatoren (↑ Modifikation) beeinflußt wird. Der T. liegt demnach ein Drei-Allele-Locus zugrunde: $T^a > T^+ > t^b$.
Die dargestellte Erbhypothese entspricht der ursprünglichen. Einstimmigkeit herrscht darüber, daß es sich um Allele des Tabby-Locus handelt. Dabei dominiert T^a über den Wildtyp und dieser über t^b. Typisch ist jedoch die ↑ unvollständige Dominanz (Tab. 1).
Bei der Verpaarung der Heterozygoten unter sich, so z. B. $T^at^b \times T^at^b$ oder $T^+t^b \times T^+t^b$, spalten die Nachkommen-Phänotypen nach den ↑ Mendel-Regeln auf. In beiden Fällen erhält man 25 % Welpen mit klassischer Zeichnung (↑ Gestromt).
Nach einer von *Don Shaw* vertretenen Hypothese umfaßt der Genort vier Allele, nämlich $T^a < t^s < t^+ < t^b$; dabei ist t^s

Tab. 1 Tabby-Genotyp und Zeichnung

Genotyp	Zeichnung
T^aT^a	Aby-Muster: ↑ Ticking am Körper, reduzierte Tabbyzeichnung in Form eines M nur im Gesicht
T^aT^+	Mischung aus Aby- und klassischem Muster, d. h. Streifen im Gesicht, an den Extremitäten und am Schwanz, Ticking am Körper
T^+T^+	Tigerung, ungebrochene Streifung
T^+t^b	aufgebrochene Streifung (Tupfung, spotted tabby)
t^bt^b	Stromung (classic or blotched tabby)

Tab. 2 Ergebnis der Verpaarung dreifach heterozygoter Katzen am Agouti-Locus, am Gen-

♂ \ ♀	A B D	A B d	A b D	A b d
A B D	**AA BB DD black tabby**	AA BB Dd black tabby	AA Bb DD black tabby	AA Bb Dd black tabby
A B d	AA BB Dd black tabby	**AA BB dd blue tabby**	AA Bb Dd black tabby	AA Bb dd blue tabby
A b D	AA Bb DD black tabby	AA Bb Dd black tabby	**AA bb DD chocolate tabby**	AA bb Dd chocolate tabby
A b d	AA Bb Dd black tabby	AA Bb dd blue tabby	AA bb Dd chocolate tabby	**AA bb dd lilac tabby**
a B D	Aa BB DD black tabby	Aa BB Dd black tabby	Aa Bb DD black tabby	Aa Bb Dd black tabby
a B d	Aa BB Dd black tabby	Aa BB dd blue tabby	Aa Bb Dd black tabby	Aa Bb dd blue tabby
a b D	Aa Bb DD black tabby	Aa Bb Dd black tabby	Aa bb DD chocolate tabby	Aa bb Dd chocolate tabby
a b d	Aa Bb Dd black taby	Aa Bb dd blue tabby	Aa bb Dd chocolate tabby	Aa bb dd lilac tabby

die Allelbezeichnung für spotted tabby (↑ Getupft).
Katzen mit T. gehören zur Gruppe der ↑ Agoutikatzen, d.h. zu den Katzen, die das dominante Agouti-Allel A- tragen. Infolge komplementärer Genwirkung wird T. erst bei Anwesenheit von A sichtbar. Im Phänotyp überlappt T. den Agoutibereich des Haarkleides, in dem jedes einzelne Haar gebändert (↑ Ticking) ist. Die Körpergrundfarbe schwarz-getigerter, -getupfter und -gestromter Katzen wird durch Rufus-Polygene bestimmt (↑ Rufismus). Von den Züchtern wurde der vom ↑ Standard geforderte warme goldbraune Ton gegenüber der blassen grauen Tönung des Wildtyps selektiv begünstigt. T. kann in den Farben *Schwarz* A- B- C- D- T-/t^bt^b, *Blau* A- B- C- dd T-/t^bt^b, *Chocolate* A- bb C- D- T-/t^bt^b, *Cinnamon* A- b^lb^l C- D- T-/t^bt^b, *Lilac* A- bb C- dd T-/t^bt^b und *Caramel* A- b^lb^l C- dd T-/t^bt^b sowie in Kombination mit ↑ Orange auftreten. Letztere sind Schildpatt-Tabbies, die sogenannten ↑ Torbies, die für die Zucht der roten und cremefarbenen Katzen mit T. von Bedeutung sind.
Der Wechsel von Agouti zu ↑ Nicht-Agouti ergibt die entsprechenden einfarbigen Varietäten in ↑ Schwarz, ↑ Blau, ↑ Chocolate, ↑ Cinnamon, ↑ Lilac, ↑ Caramel. Durch die Wirkung von Nicht-Agouti aa, das die gelbe Bänderung des Agoutihaares in Schwarz umfärbt, verschwindet die T., und es entstehen bei Paarungen zwischen Katzen mit heterozygot besetztem Agouti-Locus (Aa × Aa) einfarbige Varietäten (Tab. 2) (↑ Epistasie, Mendel-Regeln, ↑ Oligogenie). Unter dem Stichwort Agouti ist ein Kreuzungsdiagramm einer Verpaarung mit heterozygot besetztem Genort für Agouti, Chocolate und ↑ Nicht-Verdünnung enthalten.
Katzen mit Abzeichenfärbung haben die gleichen Genotypen. Da die Pigmentierung auf die ↑ Abzeichen be-

ort für ↑ Nicht-Verdünnung und ↑ Nicht-Braun

a B D	a B d	a b D	a b d
Aa BB DD black tabby	Aa BB Dd black tabby	Aa Bb DD black tabby	Aa Bb Dd black tabby
Aa BB Dd black tabby	Aa BB dd blue tabby	Aa Bb Dd black tabby	Aa Bb dd blue tabby
Aa Bb DD black tabby	Aa Bb Dd black tabby	Aa bb DD chocolate tabby	Aa bb Dd chocolate tabby
Aa Bb Dd black tabby	Aa Bb dd blue tabby	Aa bb Dd chocolate tabby	Aa bb dd lilac tabby
aa BB DD schwarz	aa BB Dd schwarz	aa Bb DD schwarz	aa Bb Dd schwarz
aa BB Dd schwarz	**aa BB dd blau**	aa Bb Dd schwarz	aa Bb dd blau
aa Bb DD schwarz	aa Bb Dd schwarz	**aa bb DD chocolate**	aa bb Dd chocolate
aa Bb Dd schwarz	aa Bb dd blau	aa bb Dd chocolate	**aa bb dd lilac**

schränkt ist, ist ihnen phänotypisch nicht immer anzusehen, ob es genetisch getigerte, getupfte oder gestromte Tiere sind. Bei Ihnen wurde das Gen für die Vollpigmentierung C- durch die Mutantenallele c^sc^s oder c^sc^a (↑ Maskenfaktor) ersetzt. Wurde bei diesen auf ↑ Akromelanismus beruhenden ↑ Rassen bzw. ↑ Varietäten nicht auf einen guten Kontrast zwischen Abzeichen- und Körperfarbe selektiert, ist die T. am Körperrumpf in Form von ↑ Geisterzeichnung erkennbar, besonders bei den Seal-Tabby-Point (↑ Tabby-Point).
In Kombination mit dem ↑ Melanininhibitor I- entstehen die entsprechenden ↑ Silvertabbies. Bei den ↑ Chinchillas und ↑ Shaded-Silvers, ↑ Golden Shell und Shaded-Varietäten ist die ursprüngliche Form der T. nur einige Tage nach der Geburt erkennbar und verbleibt mit abgeschlossener Fellentwicklung als ↑ Tipping.
T. tritt bei der ↑ Hauskatze häufig in Kombination mit ↑ Scheckung S auf. Innerhalb der F.I.Fe. ist diese Genkonstruktion bisher nur bei der ↑ Norwegischen Waldkatze und der ↑ Maine Coon sowie bei Rassen mit nicht fixierten Farbvarietäten anerkannt. In den sogenannten unabhängigen Verbänden sind diese Formen in allen Kombinationen auch bei ↑ Persern zugelassen.
Die T. gehört zu einem polygenen System der Pigmentierung. Die Zucht gestaltet sich entsprechend schwierig, da Gene unterschiedlicher Genorte rekombiniert werden (genetische Rekombination). Züchterisch sollte in erster Linie auf ↑ Homozygotie von Agouti und der Tabbygene hingearbeitet werden. T. wird in den erwähnten Farben sowie in Rot und in Creme gezüchtet und ist bei Lang- und Kurzhaar anerkannt. Bei Kurzhaarkatzen ist sie wesentlich klarer abgesetzt. Während bei den Persern innerhalb der F.I.Fe. bisher nur die gestromte Varietät anerkannt wurde, werden innerhalb des größten amerikanischen Dachverbandes CFA und bei den sogenannten Unabhängigen auch die getigerte und getupfte Varietät bei Persern zugelassen.
Alle Formen und Kombinationen der T. sind durch das Agouti gegenüber allen anderen Farbschlägen dominant und aufgrund der Hierarchie der Pigmentierungsabläufe nur dem Gen für das ↑ dominante Weiß untergeordnet. Abb.

Tagesrhythmik, *circadiane Rhythmik, Tag-Nacht-Rhythmus, 24-Stunden-Rhythmus:* tageszeitlicher Wechsel von Aktivität und anderen Lebensprozessen, die in den meisten Fällen in Form einer inneren (endogenen) Periodik vorgegeben sind (↑ Zeitsinn) und mit Hilfe von äußeren (exogenen) ↑ Zeitgebern mit der Periodik der Umwelt in zeitlichen Einklang gebracht (synchronisiert) wird. Die Synchronisation wird durch die Ungenauigkeit der inneren Uhr notwendig, die bei Haltung von Tieren un-

Tabbyzeichnung

ter absolut konstanten äußeren Bedingungen (z. B. Dauerlicht oder -dunkel) sichtbar wird.
Die T. zeigt sich in einer Vielzahl von Verhaltensphänomenen. Auf der Grundlage ihres Aktivitäts-Ruhe-Wechsels mit bestimmten Hauptaktivitätszeiten (Aktivitätsgipfel) unterscheidet man hell- (tag-), dunkel- (nacht-) und dämmerungsaktive Tiere. Unter dem Einfluß von Zeitgebern, die durch den Menschen gesetzt werden, kann die Lage der Aktivitätsgipfel verschoben werden. So wird z. B. das primär hellaktive Wildschwein in Gebieten mit starkem Jagddruck vorwiegend dunkelaktiv. Ihm kommt dabei die für diese Tierart typische Orientierung mit Nase und Ohren zugute.
In den letzten Jahren wurden mehrfach Untersuchungen zur T. freilaufender und streunender Hauskatzen vorgelegt (*Panaman*, 1981, *Izawa*, 1983, *Liberg*, 1984b). Wie auch an der ↑ Waldwildkatze (*Schauenberg*, 1981) konnte auch bei der Hauskatze festgestellt werden, daß sie überwiegend tagaktiv ist. Die Hauptaktivität des Beutefangs hingegen liegt in der Morgen- und Abenddämmerung. Deutlich werden auch jahreszeitliche Einflüsse (↑ Jahresrhythmik), denn im Sommer konnte eine relativ höhere Nachtaktivität beobachtet werden, während die tiefen Nachttemperaturen im Winter eine gesteigerte Tagaktivität hervorrufen (↑ Thermoregulation). Auch Witterungsverschiebungen, z. B. Regen, können zu Aktivitätsverschiebungen führen.
Unterschiede von Ruhe (↑ Schlaf) und Aktivität in der T. werden auch durch verschieden starke Bindungen an den Menschen, durch Faktoren wie Nahrungsangebot (Fütterung von Katzen, die an Haushalte gebunden sind bzw. Jagd zur Nahrungsaufnahme bei streunenden Katzen) sowie durch den sozialen Status der einzelnen Tiere (↑ Sozialverhalten, ↑ Rangordnung) beeinflußt. Die T. von Stubenkatzen wird weitgehend von der Anwesenheit des Besitzers in seiner Wohnung, seinem Lebensrhythmus und den eingeführten Fütterungszeiten bestimmt.
Das ursprüngliche Aktivitätsmaximum der freilaufenden Hauskatze liegt nach allen Angaben zwischen 18 und 21 Uhr. Bei ungebundenen Katzen ist mit ein bis drei Stunden die aktive Phase weiblicher Tiere kürzer als die männlicher. So verbrachten beispielsweise weibliche Katzen in Wales etwa 80 % des Tages in der Nähe einer Molkerei (*Panaman*, 1981), während Katzen in einem südschwedischen Beobachtungsgebiet nur zu 60 % in der Nähe menschlicher Siedlungen anzutreffen waren (*Liberg*, 1984a). Von den walisischen Katzen schliefen im Winter 40 % der Zeit, ruhten (ohne ↑ Schlaf) 22 %, verbrachten 15 % mit Jagen, 15 % mit Körperpflege, 3 % mit Umherwandern, 3 % mit Fressen und 2 % mit sonstigen Aktivitäten. Die Aktivitätsverteilung der Stubenkatze ist ähnlich.

Tag-Nacht-Rhythmus ↑ Tagesrhythmik.

Tandemselektion ↑ Selektion.

Tapetum lucidum ↑ Auge.

Tarsalballen ↑ Fußballen.

Tastsinn: 1. ↑ Schnurrhaare. – **2.** ↑ Sinneshaar. – **3.** ↑ Sinnesorgan.

Tatzenhieb ↑ Pfotenhieb.

Taubheit, *erbliche Innenohrtaubheit, Kophosis:* Hörunfähigkeit infolge degenerativer Innenohrveränderungen. Hörstörungen (Innenohrschwerhörigkeit) wurden sporadisch oder familiär gehäuft bei Katzen verschiedener ↑ Rassen beobachtet. T. ist im Zusammenhang mit Pigmentmangelsyndromen bekannt geworden, die auf eine Fehlentwicklung von Strukturen der frühembryonalen Neuralleiste, Störung der Wechselwirkung zwischen den sich differenzierenden Zellreihen oder der Zellwanderung (Migration der Neuro- und Melanoblasten) zurückgehen. Infolge pleiotroper Genwirkung entsteht eine Kombination von Weißfärbung des Felles (↑ Leuzismus), Augendepigmentierung (Blauäugigkeit), Seh- und Hörschwächen. Im Mittelpunkt der Genetik steht das vollpenetrante Gen für ↑ dominantes Weiß W, das bei Homozygotie zu 100 % und bei ↑ Heterozygotie zu 25 % mit der Ausbildung einer blauen Iris sowie zu 43 bzw. 27 % mit Taubheit verbunden ist (*Bergsma/Brown*, 1973). Einbezogen sind auch Fälle einer extremen ↑ Scheckung, denen der oben genannte Entstehungsmechanismus zugrunde liegt. Sie sind von Weiß ohne pleiotrope Wirkung (↑ Genwechselwirkungen) auf das sensorische System zu unterscheiden, die u. a. auf Enzymfunktionsvariationen zurückgehen (z. B. ↑ Albinismus). Daher führen auch die Gene der Albinoserie c^b (↑ Burma) und c^s (↑ Maskenfaktor, ↑ Siam) nicht zu derartigen Defekten.

Weiß tragende Katzen mit zwei blauen Augen sind häufiger taub als Tiere mit ↑ Irisheterochromie [engl. odd eyed]. Diese sind wiederum häufiger als orangeäugige Katzen betroffen. Auch Tiere mit Restpigmentierung des Felles sind in Abhängigkeit vom Grad der Pigmentbildung weniger häufig taub als reinweiße. Das trifft auch für das Auftreten von Kopfflecken [engl. head spots] zu, die auf Heterozygotie von W hinweisen.

Das beim dominanten Weiß auftretende Krankheitsbild ist variabel und umfaßt ein- oder beidseitige Schwerhörigkeit unterschiedlichen Grades bis zur völligen T. Die Degeneration der Struktur des Innenohres (↑ Ohr) setzt zwischen dem vierten und sechsten Lebenstag ein. Bei der pathologisch-histologischen Untersuchung sind Mißbildungen des Innenohres feststellbar (Agenesie oder Hypoplasie des Corti-Organs, der Reissner-Membran und des Schneckenganges, Degeneration oder Fehlen der Otolithen, der Gleichgewichtssteinchen, sowie Kollaps von Teilen des Gleichgewichtsorgans), die insgesamt ein variables Bild ergeben, aber zur perzeptiven T. führen.

Die Augenveränderungen umfassen außer der fehlenden Pigmentierung des Irisstromas (Blauäugigkeit) im wesentlichen Netzhautdepigmentierung und Fehlen des Tapetum lucidums, des hinter der Netzhaut liegenden reflektierenden Teppichs, an der vergrößerten Pupille zu erkennen. Es gibt auch Hinweise auf eine vitalitätsmindernde Wirkung der Depigmentierung, die u. a. zur Erhöhung der pränatalen Mortalität führt (*Jones*, 1922, *Robinson*, 1970). Der Beobachtung scheint jedoch keine Allgemeingültigkeit zuzukommen.

Teilalbino: 1. ↑ Akromelanismus. – **2.** ↑ Albinismus.

Temperatursinn: 1. ↑ Sinnesorgan. – **2.** ↑ Thermoregulation.

Temporaldrüsen ↑ Chemokommunikation.

Territorium ↑ Revier.

Territorialverhalten ↑ Revierverhalten.

Testpaarung: Probe, die im Rahmen der Zuchtwertprüfung (↑ Zuchtwert), der Prüfung von Zuchtlinien auf Kombinationseignung (↑ Kombinationskreuzung) oder zur Ermittlung der ↑ Heterozygotie (↑ Heterozygotietest) angewandt wird.

tetrahybrider Erbgang ↑ Oligogenie.

Thermoregulation: Regelvorgang zur Aufrechterhaltung einer konstanten ↑ Körpertemperatur im T.szentrum, das im Gebiet des vorderen Hypothalamus, einem Teil des Zwischenhirns, liegt. Mit den Thermorezeptoren (Wärme- und Kälterezeptoren, die überwiegend in der Haut, aber auch in den einzelnen Körperorganen zu finden sind) werden ständig die Temperaturen der Körperoberfläche und des -kerns gemessen und an das T.szentrum weitergeleitet,

Siam, seal-point

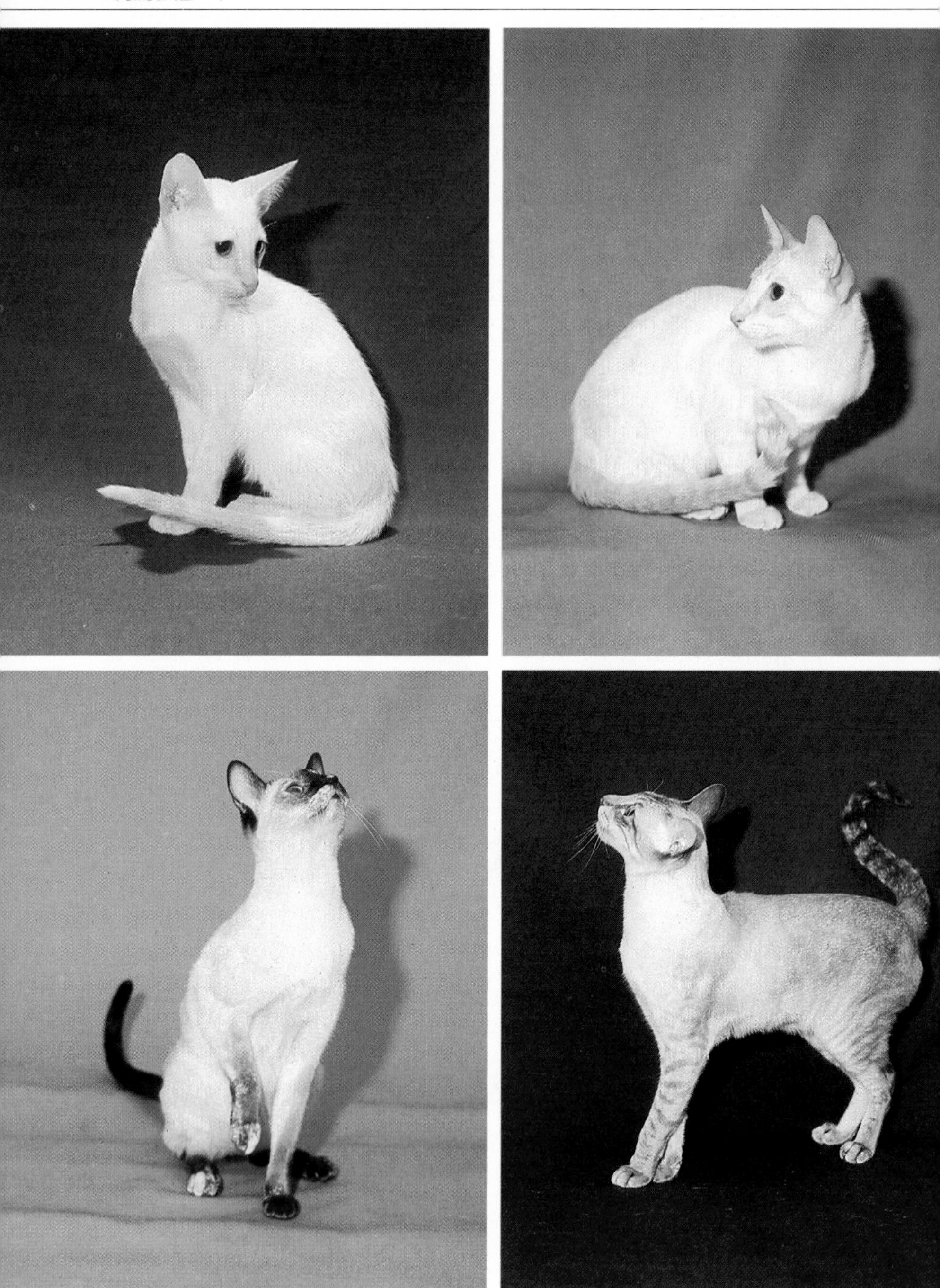

oben links Siam, creme-point, *oben rechts* Siam, red-tabby-point, *unten links* Siam, chocolate-tortie-point, *unten rechts* Siam, blue-tabby-point

Siam, blue-tabby-point

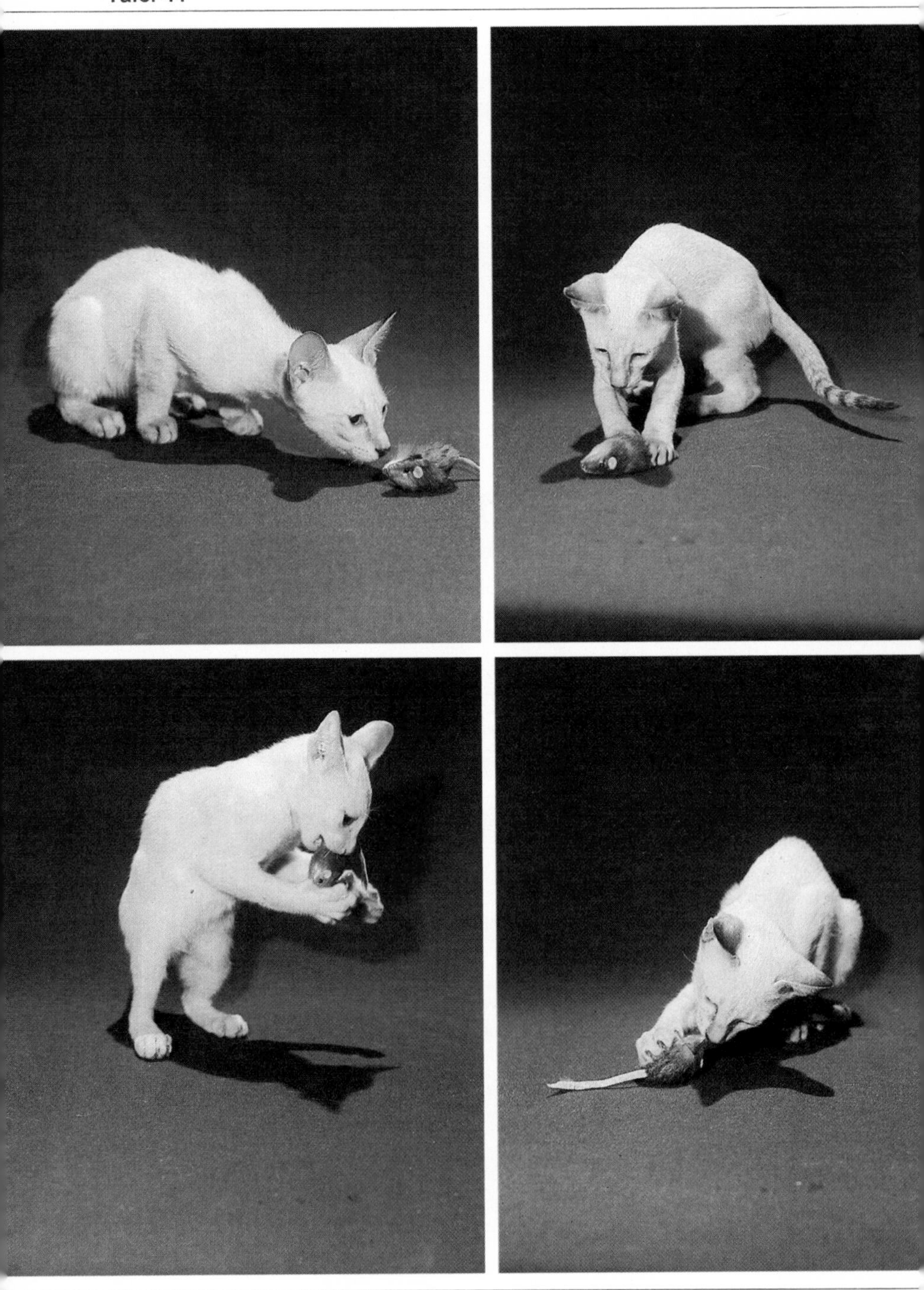

Siam, seal tortie tabby-point

Orientalisch Kurzhaar, schwarz-gestromt

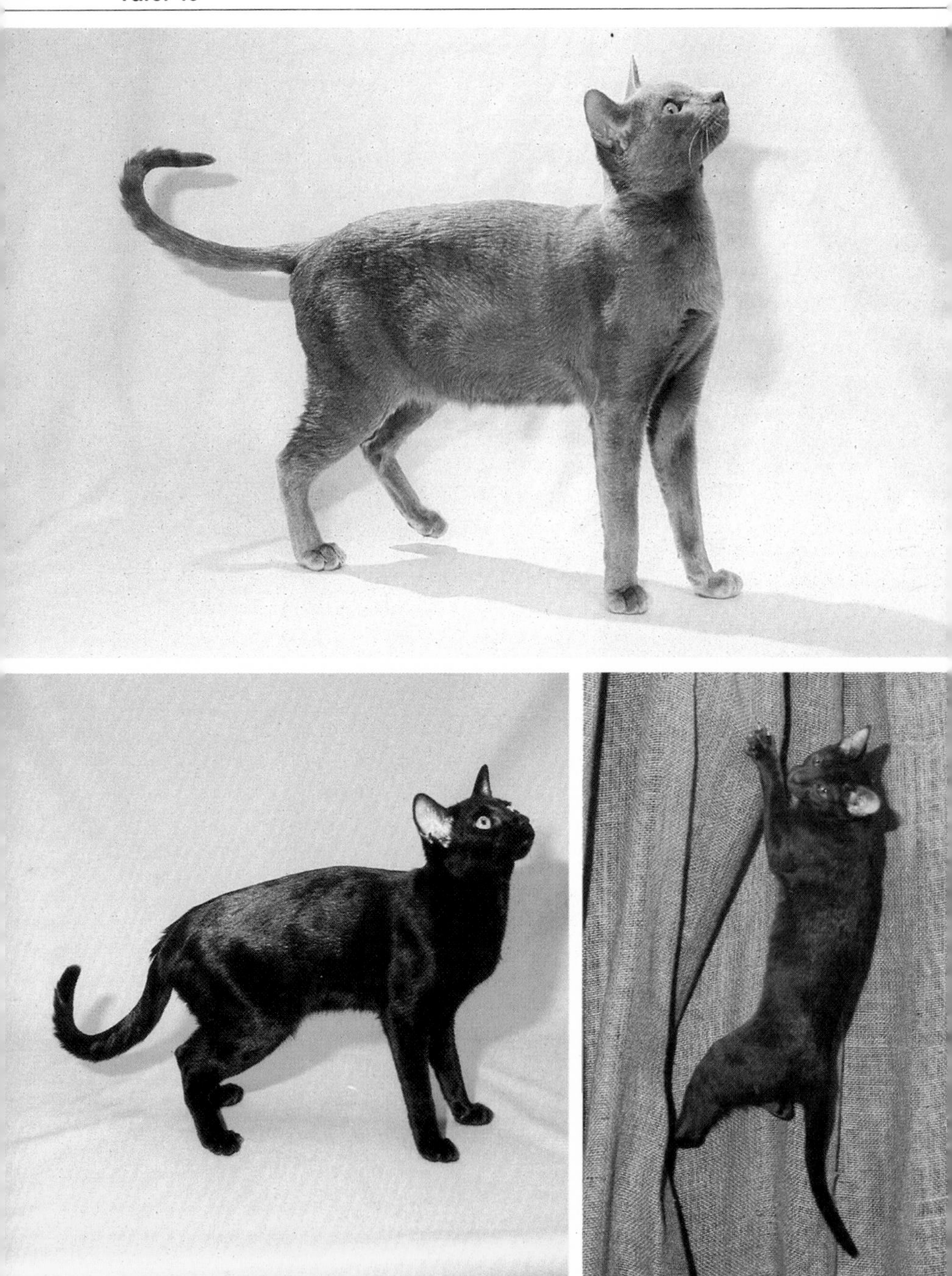

Orientalisch Kurzhaar *oben* Lavender, *unten links* Ebony, *unten rechts* Havana

Orientalisch Kurzhaar, Havana

Perser, weiß und blau-schildpatt

wo sie überprüft werden. Abweichungen vom individuellen Sollwert (die rektal gemessene ↑ Körpertemperatur der Hauskatze liegt bei 38,7 ±0,7 °C) oder Differenzen zwischen Körpertemperatur und Informationen über Temperaturen an der Körperoberfläche führen zu thermoregulatorischen Reaktionen auf physiologischer und verhaltensbiologischer Grundlage: Veränderung der Wärmeproduktion (chemische T.) und/oder der Wärmeabgabe (physikalische T.). Eine Steigerung der Wärmeproduktion erfolgt durch höheren Stoffwechsel und Steigerung der Muskelaktivität bis hin zum *Kältezittern*; eine Verringerung der Wärmeabgabe wird durch Herabsetzen der Hautdurchblutung und die Erzeugung eines stehenden Luftraumes durch Sträuben des Felles, eine vermehrte Wärmeabgabe durch eine stärkere Hautdurchblutung, Verringerung des stehenden Luftraumes im Haarkleid und vor allem durch eine gesteigerte Atemfrequenz bis hin zum *Hecheln* erreicht. Durch Schweißsekretion (schwitzen) kann die Katze die Körpertemperatur nicht regulieren, da sie nur am ↑ Nasenspiegel und den ↑ Fußballen *Schweißdrüsen* besitzt.

Die Körpertemperatur unterliegt tageszeitlichen Schwankungen (↑ Tagesrhythmik). Während des ↑ Schlafes erfolgt eine Senkung des Sollwertes und damit auch eine Verringerung der Körpertemperatur. Bei Erregung (↑ Stress) kommt es zu einer Erhöhung, z. B. beim Tierarztbesuch bis 1 °C und mehr. Ein physiologischer Temperaturabfall ist etwa 12 bis 24 Stunden vor dem Einsetzen der ↑ Geburt zu beobachten.

Jede Tierart besitzt eine *Vorzugstemperatur*, das ist die Temperatur, die das Tier im Wahlversuch aufsucht. Die Vorzugstemperatur muß nicht unbedingt mit der biologisch optimalen Temperatur (bei der die T. minimal beansprucht wird) übereinstimmen: für Hauskatzen werden 18 bis 25 °C (↑ Langhaar, ↑ Kurzhaar) empfohlen. Die zu den ↑ Nesthockern gehörenden Katzenwelpen sind nach der Geburt nur bedingt homoiotherm [griech., gleichwarm], d. h., sie können aufgrund des noch unvollkommen funktionierenden T.szentrum ihre Körpertemperatur nur über einen gewissen Zeitraum konstant halten. Werden z. B. neun Tage alte Jungkatzen 25 min lang einer Temperatur von 20 °C ausgesetzt, sinkt ihre Körpertemperatur bereits um 0,5 °C (↑ Welpenaufzucht, ↑ Jungtierentwicklung). Erst nach etwa zwei Wochen kann die Körpertemperatur selbständig stabilisiert werden. Bis zu diesem Zeitpunkt wird sie überwiegend durch den engen Körperkontakt mit der Mutter (↑ Mutterverhalten) und den Geschwistern aufrechterhalten. Das hohe Wärmebedürfnis kann durch eine entsprechende Gestaltung der ↑ Wurfkiste berücksichtigt werden. Ungebundene Hauskatzen begegnen einer Auskühlung auch durch Körperkontakt (↑ Sozialverhalten). Im Schlaf wird durch mehr oder weniger starkes Zusammenrollen des Körpers auf die Umgebungstemperatur reagiert. Die obere Toleranzgrenze der Außentemperatur liegt bei den meisten Säugetieren gemäßigter Breiten bei etwa 50 °C. So kann der längere Aufenthalt einer Katze in einem von Sommersonne aufgeheiztem Auto zum *Hitzschlag* führen, d. h., eine Schädigung des Gehirns und des übrigen Organismus durch Erhöhung der Körpertemperatur bei hohen Außentemperaturen und ungenügender Möglichkeit zur Wärmeabgabe, die zum Tode führen kann.

Ticking [von engl. tick = Drell, Drillich, dreifädiges und -farbiges, kräftiges Leinen- oder Baumwollgewebe]: Melaninbänderung des Agoutihaares (↑ Melanin). Das Wort T. kam mit der Chinchillazucht in den deutschen Züchtersprachschatz. Eine lange Zeit bezog sich die Bezeichnung T. auf die bei dieser Varietät gefärbten Haarspitzen (zartes T., intensives T.). Heute wird die Färbung der Haarspitzen der ↑ Chinchilla, ↑ Shaded-Silver, ↑ Golden-Shell und -Shaded, der ↑ Cameo und ↑ Tortie Cameo-Varietäten als ↑ Tipping bezeichnet, während die der genetischen Grundfarbe entsprechende Bänderung in Standardformulierungen z. B. als rotbraun- oder blau-getickt (↑ Sorrel, ↑ Gestromt, ↑ Abessinier) ausgewiesen wird.

Tiefschlaf ↑ Schlaf.

Tiertransport: zwangsweise vorgenommene Ortsveränderung von lebenden Tieren. Der T. stellt eine große psychische und physische Belastung (↑ Stress) dar, die durch unzureichende Frischluftzufuhr, Wärmestau, Zugluft und/oder Überbelegung des Transportbehältnisses verstärkt wird. Transportkörbe oder -kisten halten die Belastung auf einem vertretbaren Minimum. Der Transport in Einkaufstaschen und -körben bleibt wegen der mangelhaften Belüftung und Sicherung fragwürdig.

Zum Hineinsetzen in das Transportbehältnis als auch zum Tragen einer Katze ist folgender *Tragegriff* vorteilhaft: Man umfaßt mit der einen Hand von unten den Brustkorb kurz hinter bzw. zwischen den Vorderextremitäten und unterstützt mit der anderen Hand die Hinterbeine. Falls notwendig, können mit den Fingern die Vorder- und Hinterextremitäten gleichzeitig fixiert werden. Dieser Griff ruft, richtig angewandt, selten Abwehraktionen hervor.

Der Nackengriff ist vor allem dann sehr schmerzhaft, wenn der Körper nicht abgestützt wird. Durch die altersbedingte ↑ Masseentwicklung hat ein solcher Griff nichts mit dem ↑ Jungentransport durch ein Muttertier gemeinsam, bei dem der Welpe in ↑ Tragstarre verfällt.

Beim Transport verletzter Katzen sollten die geschädigten Körperteile nicht zusätzlichen Belastungen ausgesetzt werden, d. h., das Tier muß ausgestreckt liegend im Transportbehältnis transportiert werden können. Kisten mit zu kleinen Öffnungen sind deshalb denkbar ungeeignet. Katzen ohne Bewußtsein oder im Schock werden mit beiden seitlich unter die Vorder- und Hinterhand geschobenen Händen hochgehoben und in den Transportbehälter in seitlicher Strecklage gelegt. Der Kopf ist ebenfalls nach vorne gestreckt. Da die ↑ Thermoregulation beeinträchtigt ist, wird das Tier mit einer leichten Decke gewärmt. Bei Schock ist zur besseren Durchblutung des Kopfes eine zusammengefaltete Decke auch unter die Hinterhand zu legen. Nach Unfällen (↑ Unfallgefahren) sind Katzen manchmal derartig verstört, daß man sie trotz Ruhe und Vorsicht nicht anfassen kann. In solchen Ausnahmefällen werfe man eine Decke über das Tier, um sich vor seinen ↑ Krallen und dem scharfen ↑ Gebiß zu schützen. Solche extremen Maßnahmen sollten nur dann angewandt werden, um das Tier an einen sicheren Ort oder zum Tierarzt zu bringen. In der vertrauten häuslichen Umgebung sind sie völlig unange-

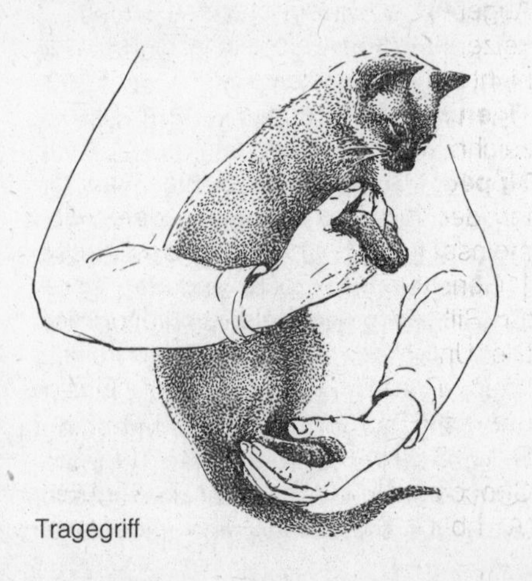

Tragegriff

bracht, da sie das Tier nur noch zusätzlich verängstigen. Abb.

Tiffany: durch ↑ genetische Rekombination entstandene neuere amerikanische Züchtung nach der Devise, was machbar ist, kann auch gemacht werden. Der attraktive Name dieser Schöpfung paßt nicht so recht zu dem Aussehen der Tiere. T. sind nichts weiter als langhaarige ↑ Burma, die wahrscheinlich durch einen Seitensprung mit einem ↑ Perser oder aber als Konsequenz von Burma- und Persereinkreuzungen in die ↑ Amerikanisch Kurzhaar entstanden sind, und deren Persertypvariante später die ↑ Exotic Kurzhaar wurde. T. sind nicht anerkannt.
Diese ungewöhnliche Kombination von seidigem Langhaar mit dem durch das Burma-Gen (c^b) an sich schon in Braun aufgehellte Schwarz der Ausgangstiere zeigt sich in einem Milchkaffeeton gleich nach der Geburt, der mit dem Fellwachstum etwas nachdunkelt. Durch das lange Fell und durch ihre unvollständige Fellausfärbung bleibt die T. dennoch stets heller als ihre kurzhaarige Schwester, die Burma. Durch den etwas kräftigeren und rundköpfigeren nordamerikanischen Burmatyp ähnelt die T. einer etwas zierlichen, mit einem schlechten Typ und einer schlechten Augenfarbe ausgestatteten Perserkatze, deren Fell nicht lang genug und nicht voll durchgefärbt ist.

Tigerung: 1. ↑ Getigert. – **2.** ↑ Tabbyzeichnung.

Tipped: Gruppe anerkannter Varietäten der ↑ Britisch Kurzhaar, deren gemeinsames Merkmal der Besitz des ↑ Gens für ↑ Kurzhaar und des Gens für Silberung (↑ Melanininhibitor) ist. Die Unterwolle aller T. ist ein reines Weiß, Rücken, Flanken, Kopf, Ohren und Schwanz sind leicht in Schwarz (A- B- C- D- I- L-), Blau (A- B- C- dd I- L-), Chocolate (A- bb C- D- I- L-) oder Lilac (A- bb C- dd I- L-) getippt. Das Kinn, die ↑ Ohrbüschel, Brust, Bauch sowie die Innenseite der Beine und die Unterseite des Schwanzes müssen weiß sein. Das ↑ Tipping macht etwa ein Achtel der Haarlänge aus, der Nasenspiegel ist bei allen Varietäten ziegelrot mit einer schwarzen, blauen, braunen bzw. lavenderfarbenen Umrandung. Entsprechend sind auch die Fußballen und die Umrandung der Augen gefärbt. Die ↑ Augenfarbe ist grün bzw. blaugrün, wobei einem kräftigen Grün der Vorzug gegeben wird. Gelbe oder haselnußfarbene Augen sind fehlerhaft. ↑ Sohlenstreifen, ↑ Tabbyzeichnung, braune oder cremeartige Färbung gelten ebenso als Fehler wie einzelne durchgehend gefärbte Haare.
Mit *Peerlees Icefloe* wurde 1973 zum ersten Mal eine T. auf einer Londoner Katzenausstellung gezeigt. Als British Shorthair T. wurde sie bereits fünf Jahre später, 1978, durch den britischen ↑ GCCF anerkannt, die Zulassung durch die ↑ F.I.Fe. erfolgte 1982. Gern auch als *Kurzhaar-Chinchilla* bezeichnet, entstand die T. überwiegend durch Kreuzungen zwischen ↑ Chinchilla bzw. ↑ Shaded-Silver und Britisch Kurzhaar Blau. Die anfallenden langhaarigen Tiere wurden von der Weiterzucht ausgeschlossen. Die unterschiedliche Augenfarbe der Ausgangstiere bildet ein Problem, das bei Kreuzungen zwischen Chinchilla bzw. Shaded-Silver und kurzhaarigen ↑ Silvertabbies vermieden werden kann.
Die Red- und Creme-T., die bei den Persern als ↑ Cameo bekannt wurden, sind noch nicht anerkannt. Tafel 14.

Tipping [engl. tip = Spitze, übertragen Spitzenfärbung]: Färbung der Haarspitzen der ↑ Chinchilla, ↑ Shaded-Silver, ↑ Golden-Shell und -Shaded, ↑ Smoke, ↑ Cameo und Tortie-Cameo-Varietäten. Die Intensität des T. steht in einem umgekehrt proportionalen Verhältnis zur Wirkung des ↑ Melanininhibitors I (Golden ausgenommen). I bestimmt in Abhängigkeit vom genotypischen Milieu (↑ Genotyp) und polygener ↑ Modifikation die Länge des T.

Tollwut ↑ Infektionskrankheiten.

Tonkanese, *Tonkinese, Golden Siam*: zu den Kurzhaar gehörende Rassekatze. Die ↑ Rassebezeichnung führt auf die im nördlichen Landesteil von Vietnam gelegenen Provinz Bac-bo zurück, die früher Tonking genannt wurde. Sie ist ein reiner Phantasiename, denn T. fallen nur aus Kreuzungen zwischen ↑ Burma und ↑ Siam und sind in der Rassekatzenzucht das klassische Beispiel für ↑ unvollständige Dominanz.
Ihre besondere Färbung entsteht durch die heterozygote Wirkung zweier rezessiver Allele am Coloration-Locus C. Ihr Genotyp ist c^bc^s und beide Allele beeinflussen sich in ihrer Wirkung gegenseitig. In der Form des Kopfes und im ↑ Körperbautyp ähneln T. einmal eher der amerikanischen ↑ Burma, einmal eher dem Schlanktyp der Siam. Paart man T. untereinander, erhält man im Verhältnis 1:2:1 je eine Burma, zwei T. und eine Siam (Abb.) . Da T. nicht reingezüchtet werden können, verweigern ihnen die F.I.Fe. und der britische GCCF die Anerkennung und auch der größte amerikanische Dachverband, der CFA, stimmte erst im Mai 1984 einer vollen Anerkennung zu.
Es ist anzunehmen, daß sich unter den ersten Siamesen, die gegen Ende des vorigen Jahrhunderts nach Großbritannien gelangten, auch T. befanden. In der Tat unterschied man damals zwischen der „Royal Cat of Siam" (königliche Katze von Siam), die dunkle Abzeichen und einen hellen Körper hatte, und den sogenannten Chocolate Siam. Letztere waren wahrscheinlich T. Bei ihnen sind zwar die ↑ Abzeichen kräftig gefärbt, der Kontrast zwischen Körper- und ↑ Abzeichenfarbe jedoch sehr schwach. Die Körperfarbe selbst ist eine Mischung zwischen dem Farbton der Burma und der Körperfarbe der Siam. T. sind in folgenden Varietäten, den sogenannten *Minkfarben*, anerkannt:

	Genotyp
natural mink	
[engl. mink = Nerz]	aa B- c^bc^s D-
Burma braun	aa B- c^bc^b D-
Siam Seal-Point	aa B- c^sc^s D-
honey mink	
[engl. honey = Honig]	aa bb c^bc^s D-
Burma Chocolate	aa bb c^bc^b D-
Siam Chocolate-Point	aa bb c^sc^s D-
champagne	aa bb c^bc^s dd
Burma Lilac	aa bb c^bc^b dd
Siam Lilac-Point	aa bb c^sc^s dd
blue-grey	
[engl., blau-grau]	aa B- c^bc^s dd
Burma blau	aa B- c^bc^b dd
Siam Blue-Point	aa B- c^sc^s dd

Durch das an den ↑ Maskenfaktor gekoppelte blaue Auge der Siamesen und durch das aufgehellte gelbe Auge der Burmesen haben T. stets blaugrüne Augen (↑ Augenfarbe). Das Fell ist wie das ihrer Eltern kurz, eng am Körper anliegend und ohne Unterwolle (↑ Seidenhaar).

Torbies: Farbschlaggruppe, deren charakteristisches Merkmal die klassische ↑ Tabbyzeichnung (↑ Gestromt) auf schildpattfarbenem Grund ist. T. sind ↑ Agoutikatzen und im Normalfall stets weiblich (vgl. Schildpatt, Schildpattkater). In der DDR ist seit 1986 bei den Persern die *Schildpatt-Tabby*, Genkonstruktion A- B- C- D- Oo t^bt^b, und deren ↑ Verdünnung, die *Blau-Schildpatt-Tabby*, Genkonstruktion A- B- C- dd-Oo t^bt^b, zur Zuchtbucheintragung zugelassen. Rot und Schwarz müssen bei der Schildpatt-Tabby in Flecken oder vermischt über den gesamten Körper verteilt sein. Das Rot tritt in unterschiedlichen Schattierungen auf. Die

Tonkanese

ursprüngliche Schildpattzeichnung wird im Schwarzanteil durch eine deutlich erkennbare Stromung durchzogen. Der Nasenspiegel zeigt eine Umrandung in der jeweiligen Grundfarbe. Die T. muß sich durch eine gut erkennbare Stromung deutlich von der Schildpatt unterscheiden, wobei sie mehr einer Gestromten als einer Schildpatt ähnelt. Für die Blau-Schildpatt-Tabby gilt die gleiche Standardbeschreibung, nur werden die Worte Schwarz und Rot durch Blau und Creme ersetzt. Auf Ausstellungen werden für diese beiden Varietäten keine Titel vergeben. Ihre Zuchtzulassung erfolgte in der Hoffnung, daß über die T. der Kontrast zwischen Zeichnung und Grundfarbe der Rot- und Creme-Gestromten (vgl. Orange) verbessert werden kann.

Die Augenfarbe aller T. ist ein dunkles Orange oder Kupfer. Die Tortie-Tabby-Point bei den ↑ Colourpoint oder den Siamesen unterscheiden sich von den T. nur durch den Wechsel des dominanten Wildtypallels C- in das rezessiv homozygote Allelpaar $c^s c^s$ (↑ Maskenfaktor), das eine Reduzierung der Fellfärbung auf die ↑ Abzeichen bewirkt. Tafel 14.

Tortie-Cameo, *Tortie-Silver, Schildpatt-Cameo*: Gruppe anerkannter Varietäten in der ↑ Silberserie der ↑ Perser und der ↑ Exotic Kurzhaar. Ihr gemeinsames Merkmal ist ein heterozygot besetzter Orange-Locus (↑ Schildpatt) sowie ein homozygot bzw. heterozygot besetzter Genort für Silber (↑ Melanininhibitor). T. unterscheiden sich von der Gruppe der Schildpattvarietäten nur durch die Anwesenheit des Gens I und der jeweiligen polygenen Modifikatorengruppe (↑ Modifikation), auf denen die drei Silberstufen Smoke, Shaded und Shell beruhen. Die Smokevarietäten haben ein stark getipptes Haarkleid (↑ Tipping), das bei ausgewachsenem Fell etwa bis zur Hälfte pigmentiert ist. Die Shaded sind heller und ihr Tipping ist dem der ↑ Shaded-Silver vergleichbar. Ihre Haarspitzen sind zu etwa einem Drittel gefärbt, während die der Shellvarietäten nur noch zu einem Achtel pigmentiert sind. Die Standardfestlegungen beziehen sich bei ↑ Langhaar auf die volle Haarlänge und tragen nicht den Wachstumsphasen und der variierenden Fülle des Unterhaares einzelner Tiere Rechnung. Eine *Schildpatt-Smoke* (Tafel 20) z. B. zeigt sich in den Phasen des ↑ Haarwechsels wie eine Schildpatt und nur ein geschultes Auge kann sie als eine Schildpatt-Smoke einordnen. Eine Schildpatt-Shaded hingegen kann beim Abhaaren einer Schildpatt-Smoke in der Länge des Tippings auf dem Rücken recht nahe kommen und eine Shell kann in dieser Phase einer Shaded teilweise recht ähnlich sehen. Bedingt durch die Wachstumsphasen des ↑ Haares und die jeweiligen Modifikatorengruppen sind die Übergänge zwischen den einzelnen Silberstufen fließend. Ein Unterscheidungsmerkmal ist die Färbung des Gesichts. Eine Schildpatt-Smoke zeigt eine fast geschlossene ↑ Maske, eine Shaded starke Pigmentierung unterhalb der Augen, während eine Shell kaum erkennbares Tipping im Gesicht aufweist.

Die Pigmentierung der Extremitäten ist ein weiteres Differenzierungskriterium. Die Beine der Schildpatt-Smoke wirken wie die einer Schildpatt, nur haben sie silberne Haarbüschel zwischen den ↑ Fußballen und einen silberweißen Haaransatz. Schildpatt-Smoke werden mit der typischen ↑ Waschbärenzeichnung geboren. Die Extremitäten der T.-Shaded sind optisch eher silbern als gefärbt und von zarter Pigmentierung überzogen, während sie bei einer T.-Shell fast als reines Silber erscheinen. Die T.-Shaded zeigen bei der Geburt eine helle Unterwolle, während die Shell lediglich am Kopf und den Haarspitzen auf dem Rücken etwas Tipping in den jeweiligen Farben zeigen. Beide haben teilweise leichte Streifen am Schwanz und an den Extremitäten, die jedoch mit abgeschlossener Fellentwicklung meist verschwunden oder soweit zurückgegangen sind, daß sie auf dem Richtertisch toleriert werden können. Jungtiere aller drei Silberstufen sollten wie die Schildpatt mit wenig roten bzw. hellroten oder cremefarbenen Flecken geboren werden. Ein Tier, das bei der Geburt schon eine perfekte Phäomelanin/Eumelanin-Fleckung hat, wird als Erwachsene zuviel Rot oder Creme haben. Die Farbaufteilung im Gesicht und an den Pfoten ändert sich hingegen nur unwesentlich. Besonders schwierig ist die Trennung zwischen Shaded und Shell, denn eine Shaded kann sich später zu einer Shell entwikkeln und umgekehrt. T. sollten nur zu dem Zeitpunkt ausgestellt werden, zu dem sie eindeutig als das zu erkennen sind, als was sie eingetragen wurden.

Die Genkonstruktion der anerkannten Varietäten ist für die drei Silberstufen identisch I-, wobei die Schildpatt-Smoke-Varietäten überwiegend Ii, die Shaded Ii oder II und die Shell meist einen homozygot besetzten Genort haben dürfte. Spätestens mit dem Auftauchen der ersten ↑ Golden wurde bewie-

sen, daß auch die ↑ Chinchilla, die wahrscheinlich auf der gleichen polygenen Modifikatorengruppe beruhen wie die Shell, nicht unbedingt reinerbig für Silber sein müssen, so daß eine Ii Konstruktion durchaus möglich ist.
Die Genkonstruktionen der anerkannten Varietäten sind:
Schildpatt-Smoke, -Shaded, -Shell aa, B- C- D- I- Oo,
Blau-Schildpatt (Blaucreme) -Smoke, -Shaded, -Shell aa B- C- dd I- Oo,
Chocolate-Schildpatt-Smoke, -Shaded, -Shell aa bb C- D- I- Oo,
Lilac-Schildpatt-Smoke, -Shaded, -Shell aa bb C- dd I- Oo.
Die noch nicht bei Langhaar, in Großbritannien aber bereits als Orientalisch Kurzhaar gezüchtete ↑ Varietät *Cinnamon-Tortie-Silver* hat die Genkonstruktion aa b^lb^l C- D- I- Oo. Während die Grundfarbe der anerkannten Varietäten ↑ Schwarz, ↑ Blau, ↑ Chocolate und ↑ Lilac sind, beruht letztere auf dem Allel b^l, das in seiner homozygoten Form (b^lb^l) bei den Orientalisch Kurzhaar als ↑ Cinnamon bereits anerkannt ist. Das Gen für das hellere Braun wird in Kombination mit Silber in einigen Jahren auch bei den Persern und den Exotic-Kurzhaar anzutreffen sein.
Die Vererbung dieser Farbgruppe beruht auf dem geschlechtschromosomengebundenen Erbgang von ↑ Orange und der Spezifik der einzelnen Silberstufen Smoke, Shaded, Shell.
Die Anerkennung der T. war ein langwieriger Prozeß und abhängig von der Entwicklung der ↑ Cameos, zu denen sie das notwendige Bindeglied darstellten. Während die Red Shell und die Red Shaded Cameo bereits seit 1975 innerhalb der ↑ F.I.Fe. anerkannt sind, konnten sich die T. erst in den ersten beiden Jahren dieses Jahrzehnts durchsetzen.
Die Augenfarbe aller T. ist dunkelorange oder kupferfarben. Fußballen und Nasenspiegel sind rosa, in der jeweiligen Grundfarbe pigmentiert oder rosa in der jeweiligen Grundfarbe gefleckt. Zur Zucht der Red-Cameo-Shell und -Shaded mußte der Weg über die Schildpatt-Smoke genommen werden, da bei Verpaarung mit Chinchilla die Nachkommen oft einen grünen Ring in den orangefarbenen Augen zurückbehielten, der sich überdies hartnäckig vererbte (↑ Augenfarbe). Die aus den Paarungen zwischen T. und Cameos hervorgehenden nicht-roten Katzen in den Silberstufen Shaded und Shell, d. h. schwarze oder blaue „Chinchillas" oder „Shaded-Silvers" mit orangefarbenen Augen, wurden bisher nur beim ↑ GCCF als ↑ Pewter [engl., zinnfarben] in der Shaded-Variante registriert.

Tortie-Point: Gruppe anerkannter ↑ Varietäten, deren gemeinsames Merkmal schildpattfarbene ↑ Abzeichen sind. T. unterscheiden sich von den ↑ Schildpatt nur durch den Wechsel des dominanten Wildtypallels C, das für ↑ Vollpigmentierung steht, in das homozygot rezessive Allelpaar c^sc^s (↑ Maskenfaktor). Wie bei allen auf ↑ Akromelanismus beruhenden Varietäten ist die ↑ Augenfarbe stets blau. Die Verteilung der Flecke soll möglichst klar und deutlich sein, eine ↑ Blesse ist erwünscht. Die Körperschattierung soll so gering wie möglich sein.
Der *Seal-T.*, deren Genkonstruktion aa B- c^sc^s D- Oo ist, entspricht in Vollpigmentierung die Schildpatt, der *Blue-T.* (Genkonstruktion aa B- c^sc^s dd Oo) die Blau-Schildpatt, der *Chocolate-T.* (Genkonstruktion aa bb c^sc^s D- Oo) die Chocolate-Schildpatt und der *Lilac-T.* (Genkonstruktion aa bb c^sc^s dd Oo) die Lilac-Schildpatt.
T.-Katzen stellen das Bindeglied zwischen den ↑ Red-Point bzw. ↑ Creme-Point und den nicht-orangefarbenen ↑ Seal-Point, ↑ Blue-Point, ↑ Chocolate-Point und ↑ Lilac-Point dar (vgl. Orange,

Geschlechtschromosomen). Im Normalfall sind sie stets weiblich (vgl. Schildpattkater). Tritt an die Stelle des homozygot rezessiven Allelpaares aa (↑ Nicht-Agouti) das dominante Wildtypallel A (↑ Agouti), entstehen die ↑ Tortie-Tabby-Point. Die ersten T.-Siamesen entstanden durch Einkreuzungen von roten feingliedrigen ↑ Hauskatzen und anschließender ↑ Rückkreuzung auf die jeweilige Abzeichenfarbe. Sie wurde bereits 1960 innerhalb der F.I.Fe. und durch den ↑ CFA anerkannt. T. sind ebenfalls bei den ↑ Colourpoint, Balinesen und in der DDR auch bei der ↑ Birma als Varietät zugelassen. Tafel 42.

Tortie-Silver ↑ Tortie-Cameo.

Tortie-Tabby-Point: Gruppe von ↑ Abzeichenfarben, die innerhalb der ↑ F.I.Fe. nur bei den Siamesen, in der DDR auch bei den ↑ Colourpoint, anerkannt ist. Ihr gemeinsames Merkmal ist der Besitz des homozygot rezessiven Allelpaares c^sc^s (↑ Maskenfaktor), des dominanten Wildtypallels A, das für ↑ Agouti steht, und die Ausbildung einer reduzierten Tabbyzeichnung auf den schildpattfarbenen ↑ Abzeichen (vgl. Schildpatt, Orange). T. unterscheiden sich von den jeweiligen ↑ Tortie-Points durch den Wechsel des homozygot rezessiven Allelpaares aa (↑ Nicht-Agouti) in das dominante Wildtypallel A-, d. h., die nicht-orangefarbenen Abzeichenteile sind nicht ↑ einfarbig schwarz, blau, chocolate oder lilac, sondern in einer dieser Farben gestreift. Die eigentliche Form der ↑ Tabbyzeichnung ist bei den Seal- und Blue-T. häufig am Körperrumpf als ↑ Geisterzeichnung erkennbar. T. gleichen den ↑ Tabby-Point mehr als den ↑ Tortie-Point. Der ↑ Standard beschreibt die T. analog zu den Tabby-Point mit folgenden Ausnahmen: Ohren, ↑ Nasenspiegel und ↑ Fußballen sind ebenso gefleckt wie der Schwanz, der zudem noch regelmäßig geringt ist. Die Abzeichen zeigen über der Tabbyzeichnung rote bzw. cremefarbene Flecken in Schattierungen von hell bis dunkel, wobei die Verteilung der Flekke auf den Abzeichen unwesentlich ist und in diesem Punkt die Bewertung den Tortie-Point gleicht.

Die Genkonstruktionen wären für *Seal-T.* A- B- c^sc^s D- Oo T-/t^bt^b, für *Blue-T.* A- B- c^sc^s dd Oo T-/t^bt^b, für *Chocolate-T.* A- bb c^sc^s D- Oo T-/t^bt^b und für *Lilac-T.* A- bb c^sc^s dd Oo T-/t^bt^b. Die Genkonstruktionen der noch nicht anerkannten *Cinnamon-T.* wären A- b^lb^l c^sc^s D- Oo T-/t^bt^b und deren ↑ Verdünnung, die *Caramel-T.* A- b^lb^l c^sc^s dd Oo T-/t^bt^b (vgl. Sorrel, Cinnamon, Caramel). T. sind in der Regel stets weiblich (vgl. Schildpattkater), ihre ↑ Augenfarbe ist stets blau.

Tritt an die Stelle des Maskenfaktors das Wildtypallel C-, das die reduzierte Körperfarbe aufhebt und ↑ Vollpigmentierung bewirkt, entstehen die ↑ Torbies. T.-Katzen sind bei Züchtern aufgrund ihrer zahlreichen Paarungsmöglichkeiten recht beliebt: durch die vielfältigen Möglichkeiten der ↑ genetischen Rekombination sind die Würfe solcher Katzen stets bunt gemischt.

Totschütteln: Element der ↑ Endhandlung des ↑ Beutefangverhaltens überwiegend größerer Raubtiere. Dabei werden kleinere ↑ Beutetiere nach ↑ Nackenbiß im Maul fixiert und durch intensives seitliches Kopfschütteln durch Genickbruch oder infolge Atemlähmung getötet. Bei der ↑ Hauskatze wird das T. kaum beobachtet. Über die Herkunft des T. und seine Verbindung mit anderen Formen des Beutefangs besteht noch keine Klarheit (vgl. Wegschleudern).

Tötungsbiß: Kategorie des ↑ Nackenbisses als Teilelement des ↑ Beutefangverhaltens. Im Gegensatz zu der Annahme von *Leyhausen* (1982), daß T.,

Transportgriff und Kopulationsbiß (↑ Sexualverhalten) nur durch einen verschiedenen Hemmungsgrad sich unterscheidende Formen des Nackenbisses sind, muß heute davon ausgegangen werden, daß ihnen nur äußerliche Verhaltensweisen gemein sind. Der T. ist am ehesten noch mit dem Kampfbiß verwandt, da er im Kontext des innerartlichen ↑ Kampfverhaltens zwar nur in ganz seltenen Ausnahmefällen, aber unter Umständen auch zum Töten von Artgenossen eingesetzt wird.
Der T. stellt ein art- und fachgerechtes Töten eines ↑ Beutetieres im Rahmen der ↑ Endhandlung des Beutefangverhaltens dar. *Leyhausen* (1982) hat die Entwicklung des Tötungsbisses im Verlauf der ↑ Jungtierentwicklung umfassend untersucht. Wie auch andere Bestandteile des Beutefangverhaltens reift bei der Katze der T. individuell unterschiedlich schnell heran. Um ihn erstmalig gegenüber einer lebenden Beute auszulösen, bedarf es sowohl des Erreichens einer bestimmten Reizschwelle als auch einer unspezifischen Zusatzerregung (Hineinsteigern in den Kampf mit der Beute, Konkurrenz durch einen Artgenossen u. a.). Daher ist die Motivation zur Nahrungsaufnahme „nicht ausreichend, um den T. erstmals über die Schwelle zu heben". Katzen, die vor dem erstmaligen Töten nicht daran gewöhnt sind, tote Beutetiere zu fressen, erkennen zwar in der getöteten Beute nichts Freßbares, töten aber genauso schnell oder langsam wie solche, die nur tote Beutetiere als feste Nahrung erhielten" (*Leyhausen*, 1982). Auch unerfahrene erwachsene Tiere (↑ Kaspar-Hauser-Tier) können noch den T. erlernen, haben jedoch eine deutlich höhere Reizschwelle als Jungtiere. Es besteht also bezüglich des Tötungsbisses kein irreversibler Verhaltensausfall bei Überschreitung einer ↑ sensiblen Phase.
Die Orientierung des Tötungsbisses ist nach Versuchen von *Leyhausen* (1982) erfahrungsbedingt; entscheidend ist jedoch die Kopf-Rumpf-Gliederung der Beute.

Toxine ↑ Vergiftungen.

Toxoplasmose ↑ Zoonosen.

Trab ↑ Fortbewegung.

Trächtigkeit, *Gravidität, Schwangerschaft, Gestation*: Zeit von der Befruchtung der Eizelle bis zur Geburt des Jungtieres. Zwei bis drei Tage nach erfolgreichem Deckakt (Kopulation) klingt die ↑ Rolligkeit der Katze ab. Die im vorderen Drittel des Eileiters befruchtete Eizelle gelangt mit Erreichen eines bestimmten Entwicklungsstadiums (Morulastadium) nach vier bis fünf Tagen in den Uterus und wird dort nach weiteren acht bis neun Tagen eingebettet. Als Stoffaustauschorgan entwickelt sich die Plazenta (Mutterkuchen), die aus dem mütterlichen (Placenta maternalis) und dem fetalen (Placenta fetalis) Anteil besteht. Die fetale Plazenta steht über die Nabelschnur mit dem Fetus in Verbindung und umschließt gürtelförmig (Gürtelplazenta, Placenta zonaria) die Eihüllen und den Fetus. Bei der ↑ Geburt wird sie dann als sogenannte Nachgeburt ausgestoßen. Die Eihüllen wiederum umschließen nicht nur den Fetus, sondern beinhalten auch das Fruchtwasser (Abb.). Das Fruchtwasser gestattet die aktive Bewegung des Fetus, sein Wachstum nach allen Seiten, schützt ihn vor äußeren mechanischen

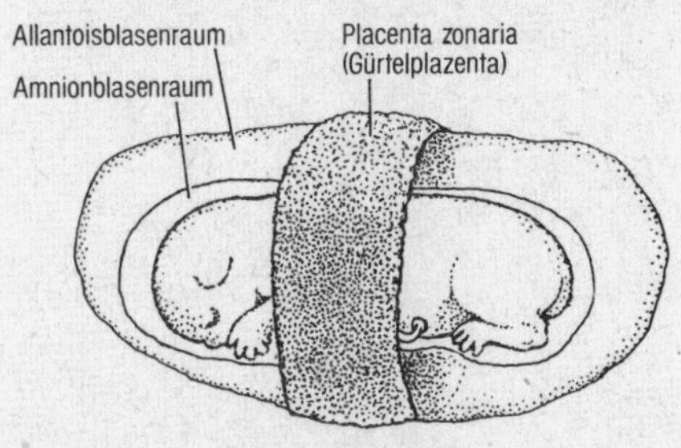

Plazenta und Eihüllen des Fetus

Störungen und sorgt letztlich für den glatten Ablauf der Geburt. Anzeichen der T. (↑ Trächtigkeitsnachweis) lassen sich aber erst zwischen dem 20. und 30. Tag erkennen: die Zitzen runden sich, heben sich ab und färben sich allmählich rosa bis rot. Ab fünfte Woche nimmt der Leibesumfang zu, der Bauch wölbt sich birnenförmig und die Flanken füllen sich. Die Milchleiste entwikkelt sich, hebt sich von der sonst glatten Bauchdecke ab und ist mehr und mehr zu erkennen. Gleichzeitig vergrößern sich die Zitzen zusehends. Erst etwa ab dem 50. Tag können die Feten ertastet werden, sowohl der herangewachsene Fetus als auch dessen Eigenbewegung. Bei fünf und mehr Welpen, aber auch bereits bei drei stark entwickelten Welpen rundet sich der Bauch zum Ende der T. gewaltig und wirkt wie ein praller Ball. Oft gelingt es der Kätzin nicht mehr, den Genitalbereich zu säubern.

Im letzten Drittel der T. zeigt die Katze eine gesteigerte Unruhe, wird besonders anschmiegsam und sucht ein geeignetes Wurflager. Die ↑ Wurfkiste sollte jetzt aufgestellt werden. Während der gesamten T. muß die ↑ Ernährung dem gesteigerten Bedarf angepaßt werden, indem mehrmals täglich kleinere Portionen angeboten werden, da das Magen- und Darmvolumen eingeschränkt ist. Im Mittel beträgt die T. 63...65 Tage und schwankt zwischen 58 und 72 Tagen.

Geburten vor dem 60. Schwangerschaftstag führen zu einer Erhöhung der Totgeburtenrate und der Zahl lebensschwacher Welpen. Hohe ↑ Inzuchtkoeffizienten haben hierauf einen besonders ungünstigen Effekt. Bei verlängerter T. über den 68. Tag hinaus nimmt die Zahl der Schwergeburten (↑ Geburtsstörungen) zu. Die Welpen sind zu groß und die Geburt muß teilweise durch Kaiserschnitt erfolgen.

Die durchschnittliche Welpenzahl liegt bei drei bis vier mit Variationsweite von 1 bis 12 Welpen. Erstlingswürfe sind oft kleiner. Generell werden mehr ↑ Zygoten gebildet als später Welpen geboren werden. Im ersten Schwangerschaftsdrittel gehen etwa ein Drittel der angelegten Zygoten zugrunde (natürliche Absterbehäufigkeit). Bei Vorliegen embryonaler ↑ Letalfaktoren ist der Anteil abgestorbener Früchte noch größer (↑ Manx). Hormonelle Störungen führen zum ↑ Abort. Das Geschlechtsverhältnis beträgt bei der Geburt 104 ♂:100 ♀. Unsicherheiten über die Dauer der T. und damit über den genauen Termin der Geburt ergeben sich aus dem Zeitpunkt des Eisprungs (etwa 24 bis 50 Stunden nach dem Deckakt), insbesondere aber aus Mehrfachverpaarungen an aufeinanderfolgenden Tagen. Als Tag des Beginns der T. sollte in solchen Fällen der Mittelwert gebildet werden.

Trächtigkeitsnachweis, *Graviditätsdiagnostik*: Für den T. können verschiedene Merkmale herangezogen werden, jedoch gestatten nur einige den exakten T. (z.B. Röntgen- und Ultraschalluntersuchungen), während andere zwar auf eine ↑ Trächtigkeit hinweisen, aber stets nur im Zusammenhang beurteilt werden können:

1. *Zyklusgeschehen*: nach erfolgreicher Paarung (↑ Sexualverhalten) verkürzte Dauer der ↑ Rolligkeit und fehlende Wiederkehr des Östrus. Die Scheinträchtigkeit beginnt allerdings in der gleichen Weise. Der saisonale Zeitpunkt des Eindeckens ist ebenfalls zu berücksichtigen, da die Saison der sexuellen Inaktivität folgen kann.
2. *Verhaltensänderungen*: ↑ Trächtigkeit.
3. *Palpation der Bauchhöhle*: Ab 18. bis 20. Tag der Trächtigkeit sind etwa 1 bis 1,5 cm große, pralle, derb elasti-

sche, perlschnurartige aufgereihte, durch Einschnürungen voneinander getrennte Fruchtkammern in den Uterushörnern fühlbar. Ende der 4. Woche beträgt der Durchmesser 2 bis 2,5 cm. Fester Darminhalt, Neubildung, vergrößerte Lymphknoten oder auch eine Pyometra können eine Trächtigkeit vortäuschen. In der 5. bis 6. Woche verschwinden die Einschnürungen, die Uterushörner nehmen Zylinderform an und senken sich in die Bauchhöhle. Eine sichere Palpation ist dann nicht mehr möglich. Gleichzeitig wird eine Umfangsvermehrung des Bauches wahrnehmbar, jedoch selten bei Ein- oder Zweifrüchtigkeit. Sie entwickelt sich besonders rasch zwischen dem 42. und 50. Tag, dem Zeitpunkt des beschleunigten Wachstums der Feten. Ab 50. Tag kann die Bewegung des Fetus, reflektorisch durch Reize von außen oder Eigenbewegungen, beobachtet werden.

4. *Röntgenuntersuchung*: Durch Anlegen eines Pneumoperitoneums (Einbringen von Luft in die Bauchhöhle) können ab 30. bis 35. Tag die Umrisse der Fruchtkammern erkannt werden. Frühestens ab 45. Tag sind die Knochengerüste der Welpen röntgenologisch nachweisbar.
5. *Ultraschalluntersuchung*: Sie ist ab 32. bis 35. Tag möglich. Als Kriterium werden die Herzaktionen des Fetus herangezogen.
6. *Blutbild*: Während der Trächtigkeit wird eine physiologische Leukozytose (vermehrtes Auftreten von weißen Blutkörperchen, Leukozyten) sowie im letzten Drittel eine geringgradige normochrome Anämie mit Retikulozytose festgestellt.
7. Regelmäßige Gewichtskontrollen der Mutter können ebenfalls Hinweise zur Trächtigkeit und auf die zu erwartende Wurfgröße geben. Abb.

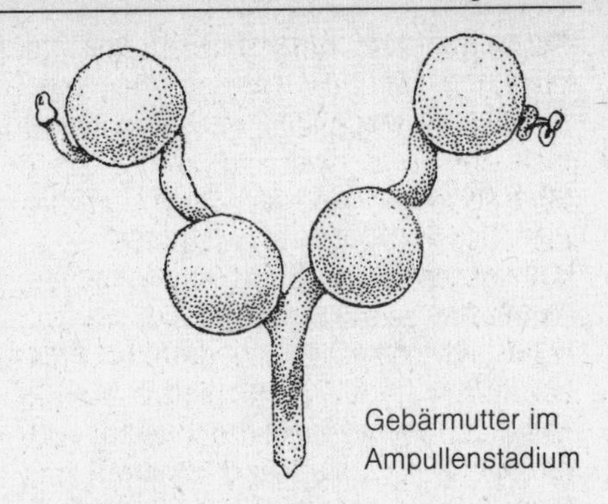

Gebärmutter im Ampullenstadium

Tragegriff ↑ Tiertransport.

Tragezeit ↑ Trächtigkeit.

Tragestarre: Verhaltenselement aus dem Komplex des ↑ Jungentransports, das bei verschiedenen Katzenarten durch ↑ Nackenbiß ausgelöst wird. Es bezeichnet die bewegungslose Körperhaltung, die den Transport erleichtert. Da die T. auch bei Nagetieren auftritt, können auch nicht lebensgefährlich verletzte Beutetiere in T. verfallen. Sie werden dann von der Katze als „tot“ abgelegt und können unter Umständen entkommen. Die T. bietet daher einen nicht zu unterschätzenden Selektions-

Katzenmutter beim Jungentransport

vorteil und verschwindet nicht wie andere jugendliche Verhaltensweisen gegen Ende der ↑ Jungtierentwicklung. Abb.

Tränenfluß, *tränendes Auge:* **1.** ↑ Auge. – **2.** ↑ Brachyzephalie.

Tränennasengang ↑ Auge.

Transposon ↑ springendes Gen.

Trauerverhalten: Bezeichnung für eine besondere Form von ↑ Verhaltensstörungen, die mit dem Begriff der menschlichen Trauer gleichgesetzt werden kann. T. tritt besonders bei Verlust oder Störung des Kontaktes mit dem menschlichen Partner (↑ Mensch-Tier-Beziehung) auf; auch Veränderungen der Umgebungsbedingungen führen zu emotionalen Belastungen des Tieres. Dauer und Intensität des T. hängen vom Temperament des jeweiligen Tieres ab. Ähnlich wie Kleinstkinder, die nach Besuchen der Mutter im Krankenhaus immer von neuem ihrem Trennungsschmerz durch Weinen oder Schreien Ausdruck verleihen, reagiert die Katze, die wegen zwingender Umstände vielleicht in ein Tierheim gebracht werden mußte. Wenn sie dort von ihrem Besitzer besucht wird, führt das Weggehen zu verschiedenen atypischen Reaktionen. Solche Besuche sollten daher vermieden werden. T. hat nach *Brunner* (1976) verschiedene Erscheinungsformen. Es kann sich in einer reaktiven Depression, also einem Überwiegen von Hemmungserscheinungen und psychosomatischen Störungen äußern, z. B. Bewegungseinschränkungen, Verkriechen, Interessenlosigkeit, Schlaflosigkeit, Appetitlosigkeit, Futterverweigerung, gesteigerte Fluchtbereitschaft, Verlust der Spielfreude, sexuelles Desinteresse, Apathie bis hin zur Reaktionslosigkeit selbst bei Schmerzzufügung, ↑ Verstopfung, ↑ Durchfall, Erbrechen u. ä. Bei anderen Tieren löst T. eine sogenannte reaktive Manie aus, einen Zustand der Unruhe und Übererregbarkeit, der mit „Ungehorsam" und gesteigerter Aggressivität (↑ Aggressionsverhalten) gegenüber anderen Hausgenossen einhergehen kann. Beobachtet wird auch Abreagieren, das sich in Zerstörungswut, Verlust der Stubenreinheit, Freß- oder Trinkzwang äußert. Gesteigertes Mißtrauen, Schreckhaftigkeit, erhöhte Fluchtbereitschaft (↑ Fluchtdistanz) wurden ebenfalls beobachtet. Die Vielfalt der Erscheinungsformen weist darauf hin, daß dieses Verhalten durch ein umfangreiches Faktorengefüge beeinflußt wird.

Tremor, *Zitterkrankheit*: neurologische Störung in Form eines kontinuierlichen oszillatorischen (wellenartigen) Gesamtkörperzitterns [engl. shaker]. Die Krankheit manifestiert sich in der zweiten bis vierten Lebenswoche. Die Tiere sind in der Bewegung und bei der Nahrungsaufnahme behindert, aber nicht ataktisch. Sie zeigen eine Wachstumsdepression; der Tod tritt während der Jugendentwicklung (juvenile Letalität, ↑ Letalfehler) ein. Pathologisch-histologisch können keine Kleinhirnveränderungen wie bei der virusinduzierten Ataxie festgestellt werden. Die Störung wurde bei der Kurzhaar-Hauskatze ermittelt. Es handelt sich um eine einfach autosomal rezessiv erbliche Krankheit. Am ↑ Genort befinden sich zwei Allele: Tr^+ und tr (*Norby/Thuline*, 1970).

Treteln: **1.** ↑ Jungtierentwicklung. – **2.** ↑ Sexualverhalten.

Tri-Colour: Gruppe anerkannter Varietäten bei ↑ Kurzhaar und ↑ Langhaar, deren gemeinsame Merkmale die Schildpattzeichnung (↑ Schildpatt) und die ↑ Scheckung sind. Sie umfaßt die *Schildpatt-Weiß* (schwarze und rote Flecken auf weißem Grund, Genkonstruktion aa B- C- D- Oo S-), die *Blau-Schildpatt-Weiß* (blaue und cremefarbene Flecken auf weißem Grund, Genkonstruktion aa B- C- dd Oo S-) sowie die erst seit 1982 anerkannten *Chocolate-Schildpatt-Weiß* (milchschokoladenfarbene und rote Flecke auf weißem Grund, Genkonstruktion aa bb C- D- Oo S-) und *Lilac-Schildpatt-Weiß* (gletschergraue Flecke mit einem rosa Schimmer und hellcremefarbene Flecke auf weißem Grund, Genkonstruktion aa bb C- dd Oo S-). Die Farben vererben sich nach den unter dem Stichwort Schildpatt erläuterten Prinzipien, jedoch sind die Flecke durch die Wirkung des Scheckungsfaktors S (vgl. Klon) großflächiger und deutlicher abgegrenzt. T.-Katzen sind am ↑ Genort der Scheckung meist heterozygot besetzt (Ss), so daß aus Verpaarungen zwischen einem einfarbigen bzw. einem Bi-Colour-Kater und einer T.-Katze auch nicht-gescheckte Tiere (↑ Normalfarballel) fallen. T. sind bei ↑ Persern (Tafel 19), ↑ Exotic-Kurzhaar, ↑ Britisch Kurzhaar und ↑ Europäisch Kurzhaar (Tafel 10) anerkannt, wobei bei letzterer die Chocolate- und Lilac-Schildpatt-Weiß-Variante ausgenommen sind. Die Augenfarbe aller T.-Varietäten ist ein dunkles Orange oder Kupfer. Die Farben sollen in großen Flecken über den ganzen Körper verteilt und vom Weißanteil gut getrennt sein. Maximal zwei Drittel des Haarkleides, aber mindestens die Hälfte ist farbig. Weiß auf dem Rücken ist wünschenswert. In der DDR gilt für die Farbverteilung der DDR-Standard der ↑ Bi-Colour. Eine ↑ Reinzucht ist in dieser Varität nicht möglich, da das Gen für ↑ Orange auf dem weiblichen ↑ Geschlechtschromosom liegt und es im Normalfall keine ↑ Schildpattkater gibt. Die attraktive Schildpatt-Weiß-Perser gehört zu den ältesten Varietäten dieser ↑ Rasse. Wahrscheinlich ist sie aus Kreuzungen zwischen ↑ Hauskatzen dieser Färbung und roten bzw. schwarzen Persern und anschließenden ↑ Rückkreuzungen entstanden. Die Schildpatt-Weiß-Varietät wird in einigen US-amerikanischen Verbänden *Calico*, ihre ↑ Verdünnung, die Blau-Schildpatt-Weiß, als *Dilute-Calico* bezeichnet.

Trieb [engl. drive]: veraltete Bezeichnung für die jeweilige Bereitschaft eines Tieres zu einem bestimmten ↑ Verhalten. Da der Begriff T. in der Umgangssprache und in verschiedenen Wissenschaftsdisziplinen eine unterschiedliche Bedeutung erlangt hat, wird er in der modernen ↑ Verhaltensbiologie weitgehend durch den Begriff ↑ Motivation ersetzt. Der in der Literatur oft noch benutzte Begriff *Triebstau* beschreibt die gesteigerte Bereitschaft zur Ausführung einer bestimmten Verhaltensweise. Ein Tier ist z. B. „gestaut", wenn es über längere Zeit keine Möglichkeit zur Ausführung des ↑ Beutefangverhaltens hatte. Die Schwelle für das Auslösen dieses Verhaltens wird dann so weit herabgesetzt, daß bereits ein vorbeifliegendes Insekt zum kompletten Ablauf der Handlungskette führen kann.

Triebstau: 1. ↑ Motivation. – **2.** ↑ Trieb.

trihybrider Erbgang ↑ Oligogenie.

Triller ↑ Lautgebung.

Trinken: 1. ↑ Wasserbedarf. – **2.** ↑ Zunge.

Trichophytie ↑ Mykosen.

Trockenfutter: 1. ↑ Ernährung. – **2.** ↑ Fertigfutter.

Thrombozyten ↑ Blut.

Tüpfelung ↑ Getupft.

Tupfung: 1. ↑ Getupft. – **2.** ↑ Tabbyzeichnung.

Türkisch Angora: zur ↑ Rassegruppe der ↑ Semilanghaar zählende Katze. Sie verkörpert den Typ, aus dem ursprünglich die ↑ Perser hervorgegangen sind. Ihr Körper ist mittelgroß, langgestreckt und von zartem Knochenbau. Die Beine sind lang, die Pfoten klein und rund mit Haarbüscheln zwischen den Zehen. Die Hinterbeine sind etwas höher als die Vorderbeine. Der Kopf hat die Form eines breiten Keils, der zu dem sanft gerundeten Kinn spitz zuläuft. Die Nase ist mittellang und ohne ↑ Stop. Die großen Ohren sind hoch am Kopf angesetzt, breit und offen an der Basis, zugespitzt und mit Haarbüscheln versehen. Die großen ausdrucksvollen Augen sind leicht schräg gestellt und je nach Farbschlag blau, bernsteinfarben oder grün. Der lange, buschig behaarte Schwanz ist breit am Ansatz und läuft zu einer schmalen Spitze aus. Er wird niedrig, jedoch nicht am Boden schleifend getragen. In der Bewegung wird er horizontal über dem Körper gehalten. Das Fell ist am Körper mittellang und neigt mit seiner feinen, seidigen Textur zur Lockenbildung am Bauch und an den ↑ Hosen. Im Winter ist die ↑ Halskrause besonders lang und üppig. Unerwünscht ist ein Persertyp. Die T. A. gehört zu jenen Rassen, die aus einer natürlichen ↑ Population hervorgingen. Als ↑ Hauskatze ist sie noch heute in dem Gebiet um Ankara beheimatet, kommt aber dort fast nur mit ↑ Tabbyzeichnung vor. Schon vor einigen Jahrhunderten wurden Angorakatzen von der Türkei aus in andere Länder mitgenommen. Als Zuchtform tauchte der Urtyp der Perser aber erst Anfang der 60er Jahre dieses Jahrhunderts wieder auf, als amerikanische Züchter verschiedene Tiere direkt aus der Türkei importierten, einen ↑ Standard erstellten und sich um die Anerkennung als ↑ Rasse bemühten.

Nach Angaben ihrer Besitzer stammten *Yildiz* [türk., Stern] und *Yildizcik* [türk., Sternchen], das erste importierte Zuchtpärchen, aus dem Zoo von Ankara, der sich den Erhalt der besonders begehrten weißen T. A. zur Aufgabe gemacht haben soll. Als klassische ↑ Angora betrachtet, wird die weiße (↑ dominantes Weiß) T. A. auch als *Ankarakatze* bezeichnet. Ihr erteilte der ↑ CFA als erste 1973 die volle Anerkennung; die übrigen Varietäten folgten bis 1978. Die T. A. ist neben Weiß mit blauen, zweierlei und bernsteinfarbenen Augen in Schwarz, Blau, Creme, Rot, Black- und Blue- ↑ Smoke, mit Tabbyzeichnung als Gestromt und Getigert, als ↑ Schildpatt, ↑ Bi-Colour und ↑ Silvertabby anerkannt. Im Gegensatz zu den bisher überwiegend in den USA gezüchteten T. A. ist die innerhalb der ↑ F.I.Fe. und beim britischen ↑ GCCF anerkannte ↑ Türkisch Van aus dem Osten der Türkei größer und kräftiger. Abb.

Türkisch Angora

Türkisch Van: zur Rassegruppe der ↑ Semilanghaar zählende Katze mit einem mittelschweren, muskulösen, langgestreckten Körper, der auf mittellangen Beinen mit zierlichen, runden Füßen steht. Der Kopf sitzt auf einem kräftigen Hals und bildet ein kurzes, nach unten abgestumpftes Dreieck. Das Kinn ist kräftig, die Nase mittellang und gerade. Die ovalen, großen Augen sind leicht schräg gestellt und haben eine helle Bernsteinfarbe. Die Augenlider haben eine rosafarbene Umrandung, der ↑ Nasenspiegel und die ↑ Fußballen sind ebenfalls rosa. Die großen, stark behaarten Ohren sind an der Spitze leicht abgerundet, gerade aufgerichtet, eng gesetzt und breit am Ansatz. Im Gesicht sind kastanienrote Flecke (vgl. Orange) mit einer weißen Blesse. Der mittellange, gut behaarte Schwanz ist ebenfalls von der Kruppe bis zur Spitze kastanienrot mit blassen Ringen durchzogen gefärbt. Die Flecke im Gesicht sind oft nicht ↑ einfarbig, sondern in sich gezeichnet. Der übrige Körper, die Ohren ausgenommen, ist reinweiß. Das Fell ist seidig und weich; es darf keine Unterwolle haben (vgl. Haar). Die ersten Van-Katzen, wie T. V. auch genannt werden, brachte eine Engländerin als Reiseandenken aus dem asiatischen Teil der Türkei von dem in der Nähe zur iranischen Grenze gelegenen Van-See nach Großbritannien. Vom Wesen dieser Tiere fasziniert, begann sie mit fünf Katzen die ↑ Züchtung dieser ↑ Rasse. Als erste T. V. wurde *Van Iskendrum Güzell* in Großbritannien registriert, und nachdem die vorgeschriebenen vier Generationen ↑ Reinzucht erzielt worden waren, erkannte sie 1969 der ↑ GCCF an. Die F.I.Fe. tat diesen Schritt bereits ein Jahr später, aber weitere drei Jahre mußten vergehen, bevor sich die „schwimmende Katze" auf dem europäischen Kontinent zu verbreiten begann. T. V. sind in der Tat in ihrer Heimat als gute Schwimmer und Fischfänger bekannt und Züchter behaupten, daß sie im Gegensatz zu allen anderen Katzen leicht für ein Bad zu begeistern seien (vgl. Fellpflege). Obwohl von Anfang an in dieser Zucht immer wieder Tiere mit einer anderen als vom ↑ Standard vorgeschriebenen Augenfarbe auftauchten – die erste bekannt gewordene blauäugige Van-Kätzin war *Artissino's Armen Van*; als erste odd-eyed sorgte *Gül von Anatolien* für hoffnungsvollen Nachwuchs – sind neben den bernsteinfarbenen erst seit 1984 die odd-eyed, d. h., ein bernsteinfarbenes und ein blaues Auge, und die blauen Augen anerkannt (vgl. Irisheterochromie, dominantes Weiß, Taubheit). Diese große, im Grundtyp der ↑ Waldwildkatze nicht unähnliche ↑ Hauskatze hat das gleiche lange Fell wie die ↑ Türkisch Angora (↑ Populationsgenetik, ↑ Angora), jedoch wird die Färbung des Haarkleides durch das ↑ Gen für ↑ Scheckung (S-) und einer bei weiblichen Tieren homozygoten Besetzung des Orange-Locus (vgl. Orange, Geschlechtschromosomen) bestimmt. Die Genkonstruktion weiblicher T. V. wäre also D- OO S-, die männlicher D- O S-, wobei ↑ Homozygotie am Scheckungs-Locus wahrscheinlich ist.

Wie alle Semilanghaarkatzen ist die T. V. im Sommer nur an ihrem buschigen Schwanz als ↑ Langhaar zu erkennen. Im Gegensatz zu den ↑ Persern neigt das Fell der T. V. nicht zum Verfilzen und zum Verknoten (↑ Fellpflege). Der Körper der T. V. ist eine Idee kürzer als der der Türkisch Angora und ihr Kopf ist etwas breiter und kürzer, die

Türkisch Van

Ohren etwas kleiner. Diese minimalen Unterschiede beruhen wahrscheinlich auf den natürlichen Entwicklungen innerhalb der verschiedenen ↑ Populationen in der Türkei.
In natürlicher Auslese in der Umgebung des Van-Sees entstanden, ist sie an große Temperaturschwankungen gewöhnt und besitzt folglich eine robuste Konstitution. Ihr geradezu unzähmbares Temperament prädestiniert sie nicht gerade für eine Haltung ohne ↑ Auslauf, d. h. für eine reine Wohnungshaltung. Die durchschnittliche Wurfgröße soll bei vier Welpen, die durchschnittliche Dauer der ↑ Trächtigkeit bei 65 Tagen liegen. Inwieweit ↑ Inzucht diese Kenndaten inzwischen verändert hat, ist nicht bekannt. Die T.V. hatte bisher das Glück, nicht „in Mode" gekommen und „en masse" gezüchtet worden zu sein. Ihre Zahl und die Zahl ihrer Züchter hat sich bisher zum Vorteil dieser Rasse in erfreulichen Grenzen gehalten. Abb.

Turner-Syndrom ↑ Geschlechtschromosomenaberration.

Typ: Gesamtbild einer ↑ Rassekatze, d. h. sowohl ihre Kopfform als auch ihr ↑ Körperbautyp. Da beim Richten meist die Form des Kopfes besonders beachtet wird und bei der zahlenmäßig am weitesten verbreiteten ↑ Perser ein Hauptkriterium ist, wird der Begriff T. im allgemeinen Sprachgebrauch auch oft nur auf den Kopf bezogen: ein guter T., typvoll ist das vom ↑ Standard vorgeschriebene Persergesicht mit einem breiten, kräftigen Kinn, großen, runden Augen, einer kleinen, breiten Nase und einem ausgeprägten ↑ Stop. Von dieser Verwendungsform abgeleitet entstanden dann wohl auch Begriffe wie Über-T., worunter ein Persergesicht mit extremen Stop und ↑ Vorbiß zu verstehen ist (↑ Peke-face).

U

Überbiß ↑ Vorbiß.

Überdominanz: **1.** ↑ Allelwechselwirkungen. – **2.** ↑ Dominanz.

Übergewicht: **1.** ↑ Energiebedarf. – **2.** ↑ Kohlenhydrate.

Überkreuz-Austausch ↑ Crossing over.

Übersprungverhalten, *deplaziertes Verhalten:* in Konfliktsituationen auftretende Verhaltensweise, die nicht situationsangepaßt ist, d. h. augenblicklich keinen biologischen Zweck erfüllt. Man nimmt an, daß sich Flucht- und Angriffstendenzen in Konfliktsituationen gegenseitig hemmen und dann eine dritte, weniger aktivierte Verhaltensweise zum Durchbruch kommt. Ein Katerkampf z. B. endet oft mit der Unterlegenheitsgebärde eines Tieres: Es richtet sich nicht mehr auf und bleibt mit eng angelegten Ohren regungslos sitzen. Der Sieger droht weiter, greift aber in der Regel nicht mehr an, sondern wendet sich halb ab und beschnuppert intensiv den Boden. Diese Übersprungbewegung tritt immer dann auf, wenn das angreifende Tier durch die Abwehrstellung oder die vorteilhafte Position des Unterlegenen gehemmt wird (*Leyhausen,* 1982). Weitere Formen von Ü. sind Schnattern, deplazierte ↑ Körperpflege und Imponierkrallenschärfen.

Übertyp: **1.** ↑ Brachyzephalie. – **2.** ↑ Peke-face. – **3.** ↑ Stop. – **4.** ↑ Typ. – **5.** ↑ Vorbiß.

Ultraschallkontaktlaut ↑ Lautgebung.

Ultraschallwahrnehmung ↑ Ohr.

Umdrehreflex ↑ Reflex.

„Umwegverhalten" ↑ Lernverhalten.

Umwelt: Anteil der objektiven Umgebung (Außenwelt) eines Organismus, mit dem dieser durch Informationswechsel und stofflich-energetischen Austausch verbunden ist (*Tembrock*, 1980). Die U. kann in eine nichtinformationelle und eine informationelle U. eingeteilt werden. Nichtinformationelle U.parameter wirken systematisch über ihre physikalischen und chemischen Eigenschaften auf den Organismus ein, wobei dieser keine für sein ↑ Verhalten nutzbaren Informationen aus ihnen bildet. Jedoch wirken Stoffwechsel- und Energiebilanzen über die ↑ Motivation von Hunger und Durst indirekt auf die Ausbildung von Verhaltensprogrammen ein.

Die Verhaltensbiologie beschäftigt sich mit den informationellen Beziehungen zwischen Organismus und U. Die *informationelle U.* kann nach *Tembrock* in *Eigen-U.* (der eigene Körper und sein Verhalten als Quelle der Information) und *Fremd-U.* (die Informationsquellen liegen außerhalb des eigenen Körpers) unterteilt werden. Zur Eigen-U. gehören z. B. Verhaltensweisen im Dienste der ↑ Körperpflege. Die Fremd-U. gliedert sich wiederum in zwei U.klassen: die informationelle U. (der Empfänger eines Reizes gibt diesem seine Bedeutung, z. B. im Verlaufe des ↑ Appetenzverhaltens) und die kommunikative U. (der Sender eines Signals gibt diesem seine Bedeutung, die durch den Empfänger, in der Regel ein Artgenosse, durch Kenntnis der gleichen „Sprache" entschlüsselt wird) (↑ Biokommunikation). Aus diesen Beziehungen leiten sich für den Organismus U.ansprüche ab, die sich im Verlaufe der Evolution für jede Art herausgebildet haben. Sie sind sowohl elementar (Aufnahme von Nahrung an sich), artspezifisch (Aufnahme von Fleischnahrung durch die Katze) als auch individuell (Spezialisierung auf Mäuse oder Ratten).

Während bei freilaufenden Katzen die U.ansprüche durch aktives Reagieren im Rahmen von ↑ Beutefangverhalten, ↑ Sozialverhalten, ↑ Sexualverhalten usw. befriedigt werden, ist bei der Haltung der Haus- und insbesondere der ↑ Rassekatze die Verantwortung des Menschen für die Gewährleistung dieser Ansprüche von ausschlaggebender Bedeutung. Dazu sind Kenntnisse über die artspezifischen Verhaltensweisen der Hauskatze besonders wichtig. Die ↑ Mensch-Tier-Beziehungen müssen so ausgerichtet werden, daß sowohl die artgemäßen (Nahrung, sozialer Kontakt mit Artgenossen oder dem menschlichen „Ersatz", ausreichende Bewegungsfreiheit, Möglichkeiten zur Ruhe usw.) als auch die individuellen U.bedingungen (Eingehen auf individuelle Besonderheiten (↑ Individualität) im Kontakt mit dem Menschen o. a. Artgenossen) gegeben sind. Da die menschliche U. für eine Katze vergleichsweise arm ausgestattet ist (U.armut), müssen besonders einzeln gehaltene Tiere, wozu auch ↑ Deckkater zu rechnen sind, ausreichende Möglichkeiten zur Ausübung von ↑ Spielverhalten (besonders dann, wenn diese Tiere nie ein artgerechtes Beutefangverhalten ausführen können) und zu sozialen Kontakten gegeben werden. Zuchttiere müssen die Möglichkeit haben, ihre Jungtiere ungestört und in einer ansprechenden Umgebung aufzuziehen (↑ Welpenaufzucht). Die Verantwortung des Menschen für sein Haustier beschränkt sich nicht nur auf eine ausreichende Fütterung und die Bereitstellung einer Katzentoilette, sondern bezieht sich gerade bei der Katze auf ein Verhältnis der gegenseitigen Toleranz der artspezifischen und der individuellen U.ansprüche von Mensch zu Tier.

In der Genetik versteht man unter U. (Milieu) die Summe aller nichterblichen Einflüsse auf ein Merkmal (Phänotyp).

Unfallart/-ursache	Folgen	Erste Hilfe/Maßnahmen
Verletzungen durch Biß, Riß, Stich, Schnitt, Schuß	mehr oder weniger starke Blutungen, Organschäden, eventuell Wundinfektion	Blutstillen durch Kompressen oder Druckverband, bei starker Blutung Blutzufuhr unterbinden durch Abschnüren der Extremität oberhalb der Wunde. – Tierarzt aufsuchen!
Stürze oder Sprünge aus großer Höhe, Verkehrsunfall	Kopfverletzungen, Verstauchungen, Knochenbrüche, mehr oder weniger starke Blutungen, Organschäden, eventuell Schock	innere Blutungen, z. B. Nasenbluten, müssen nach wenigen Minuten aufhören; ansonsten Blutstillung. Gebrochene Gliedmaßen in natürlicher Lage schienen (falls möglich). Vorgefallene Baucheingeweide in ein frisch geplättetes Leinentuch hüllen und mit physiologischer Kochsalzlösung feucht halten. – Tierarzt aufsuchen!
Verbrennungen, Verätzungen (Säuren, Laugen)	je nach Grad schmerzhafte Hautrötung bis Zerstörung der Haut, Fell versengt, hohe Infektionsgefahr, eventuell Schock	sofort mit fließendem kaltem Wasser abspülen, kalte Kompressen, offene Wunden mit sterilem Leintuch abdecken. – Tierarzt aufsuchen!
elektrischer Stromschlag (insbesondere junge Katzen, die am Stromkabel knabbern)	Verbrennungen an Lippe und Zunge, Herzschaden, eventuell tödliche Stromschläge	Tierarzt aufsuchen!
Einsperren in Kühltruhe, Waschmaschine, Geschirrspüler, luftdichten Kästen u.ä.	je nach Unfallart: Unterkühlung, Erfrieren, Ertrinken oder Ersticken	erwärmen, abtrocknen, erforderlichenfalls Atemhilfe durch rhythmische Thoraxkompression oder künstliche Beatmung durch Lufteinblasen in die Nasenlöcher. – Tierarzt aufsuchen!
Einklemmen im Kippfenster, Festhaken am Halsband (auch Flohbänder)	Tod durch Strangulation oder Ersticken infolge panischer Befreiungsversuche	lebende Katze auf Verletzungen untersuchen, insbesondere im Hals- und Bauchbereich. – Tierarzt aufsuchen!
Aufnahme von tierischen oder pflanzlichen Giften, Chemikalien u.a.	↑ Vergiftungen ↑ Pflanzengifte	Tierarzt aufsuchen!
Verschlucken von Fremdkörpern beim Spiel (Nähnadeln, Garn, Knöpfe, Gummiteile, Lametta, Tannennadeln usw.)	Erstickungsanfälle bei Festhaken oder Verlegung der Maulhöhle; Verstopfung, Verschlingung oder Verlegung des Magen-Darmtraktes; Fremdkörperwanderung nach Durchspießen des Darmes, Inappetenz, Erbrechen	Nadel verschluckt: Katze beobachten und Kot in den nächsten 24…48 h auf die Nadel kontrollieren. Aus dem Maul oder After heraushängende Fäden vorsichtig herausziehen oder abschneiden. Fremdkörper in der Maulhöhle: mit der Hand versuchen zu entfernen. – Tierarzt aufsuchen, wenn der Fremdkörper sich nicht entfernen läßt oder nach 2…3 Tagen nicht auftaucht.

Insektenstiche (Wespen, Bienen)	nur gefährlich bei Stich in Maul oder Rachen: Erstickungsgefahr	Tierarzt aufsuchen!

Dabei unterscheidet man zwischen abiotischen (Klima, Boden usw.) und biotischen U.faktoren (andere Tiere, Parasiten, bestimmte Nahrungsfaktoren).

Umweltarmut ↑ Umwelt.

Unabhängigkeitsregel: 1. ↑ genetische Rekombinationen. – **2.** ↑ Mendel-Regeln – **3.** ↑ Oligogenie.

Unfallgefahren: Gefahren, die als plötzliche Ereignisse eintreten und einen Körperschaden herbeiführen können. Das menschliche Vorstellungsvermögen sowie zu treffende Vorsichtsmaßnahmen reichen oft nicht aus, um an alle U. zu denken bzw. sie auszuschließen. Besonders gefährdet sind Jungtiere, die ein ausgeprägtes ↑ Erkundungsverhalten zeigen, sowie Katzen mit freiem ↑ Auslauf. Ältere Tiere werden vor allem nach der ↑ Kastration ruhiger und haben durch gemachte Erfahrungen gelernt (↑ Lernverhalten), Schmerzen bereitende Situationen zu vermeiden. Je größer die Umweltarmut einzeln gehaltener Tiere (↑ Umwelt, ↑ Kratzbaum), desto größer die ↑ Langeweile und desto mehr steigen die U.; die Schwelle des ↑ Auslösemechanismus für Aktivitäten sinkt.

Unfruchtbarmachung: 1. ↑ Kastration. – **2.** ↑ Sterilisation.

Uniformitätsregel ↑ Mendel-Regeln.

Unsauberkeit: Verhaltensproblem der ↑ Katze, mit dem fast jeder Halter, besonders bei Wohnungshaltung, konfrontiert wird. Dabei muß grundsätzlich davon ausgegangen werden, daß U. in der Regel nur das Ausführen von arttypischen Verhaltensweisen, wie Harnen und Koten (↑ Defäkation, ↑ Duftmarkieren), an für Menschen unakzeptablen Stellen ist. Katzen sind von Natur aus äußerst reinliche Tiere. Ständige ↑ Körperpflege ist ein wichtiger Bestandteil des Tagesablaufes gesunder Katzen. Für das Auftreten von U. gibt es eine Vielzahl von Ursachen, die nicht immer leicht zu erkennen und zu beseitigen sind.

Eine Katze, die Kot und Urin an anderen als den vorgesehenen Stellen absetzt, gibt dem Besitzer ein Alarmzeichen, daß irgend etwas nicht in Ordnung ist. Das muß aber nicht unbedingt eine unsaubere Katzentoilette sein. Verlust der Stubenreinheit kann auch die Folge von vegetativen Störungen als Begleiterscheinung blockierter oder starker Erregungsvorgänge sein (*Brunner*, 1976). So kann z. B. U. auftreten, wenn der Besitzer eine zweite Katze anschafft („Eifersucht") oder auch, wenn das ↑ Heim der Stubenkatze durch Umstellen von Möbeln verändert wird. U. ist in solchen Fällen als Entlastungsreaktion aufzufassen. Je nach angeborener Veranlagung reagieren Katzen mit einem Zurückfallen (Regression) in die Jungtierphase oder mit gesteigertem ↑ Aggressionsverhalten. Es gibt aber auch Fälle, in denen schlechte Beispiele gute Sitten verderben. Wird in eine schon stubenreine Katzengruppe ein Neuling gebracht, dem noch U. anhaftet, dann können die schon stubenreinen Tiere diese Unsitte annehmen. Der Besitzer muß dann das neue Tier von den übrigen trennen, um solches „Abgucken" von Unsitten zu vermeiden. Dabei ist darauf zu achten, daß den Alteingesessenen nicht etwa das Recht auf frühere Lieblingsplätze entzogen wird. Eine „Bestrafung" des unsauberen Tieres würde überhaupt nichts nutzen, da sie wiederum Gründe für eine neue Entlastungsreaktion liefert!

Bekannt sind auch Beispiele von Einzelkatzen, die gewöhnt sind, im Mittelpunkt des häuslichen Lebens zu stehen. Bei solchen Tieren ist mit U. immer dann zu rechnen, wenn sie aus dieser Rolle vorübergehend oder ständig verdrängt werden sollen: z.B. durch einen Besuch, eine Nacht außerhalb des gewohnten Schlafplatzes, Partnerwechsel des Besitzers, einen neuen Hausgenossen. In diesen Fällen müssen dem Tier die gewohnten Rechte wieder eingeräumt werden, um sie allmählich auf ein normales Maß zurückzuschrauben. U. ist auch in diesem Fall eine Entlastungsreaktion. Durch die Besonderheiten der ↑ Mensch-Tier-Beziehungen werden bei Stubenhaltung soziale Verhaltensweisen geprägt (↑ Sozialverhalten), die zeitlebens beibehalten werden. Oft entsteht eine wahre soziale Dauergemeinschaft mit dem Menschen, in der die Katze sich gern „verwöhnen" läßt. Wird die Befriedigung dieses Bedürfnisses (es kann auch ein ↑ Trieb, ein Wunsch oder eine gewohnte Tätigkeit sein) nicht erfüllt, darf die Schuld für die U. nicht dem Tier zugeschrieben werden.

Grundsätzlich muß zwischen der *Urinmarkierung* (Harnspritzen, ↑ Duftmarkieren) und dem Harn- und Kotabsetzen außerhalb der Einstreukiste unterschieden werden, da es sich dabei um grundverschiedene Funktionskreise des Verhaltens handelt.

Die Urinmarkierung, also das Harnspritzen, dient ursprünglich der Reviermarkierung (↑ Revierverhalten) und wird an Bäumen, Büschen, Wänden u.ä. ausgeführt. In der Wohnung geschieht dies vorzugsweise in der Nähe von Fenstern und Türen. Unkastrierte Kater spritzen öfter als unkastrierte Katzen oder kastrierte Kater und Katzen. Durch ↑ Kastration konnte in 20 von 23 Fällen bei spritzenden Katern unabhängig vom Alter und vom Andauern der Verhaltensweise das Spritzen unterdrückt werden (*Voith,* 1984). Wenn weibliche Katzen nur im Östrus (↑ Rolligkeit) spritzen, läßt sich auch hier das Problem durch Kastration lösen. Spritzt eine Katze nur an bestimmten Stellen, kann man deren Bedeutung z. B. durch das Aufstellen von Futternäpfen an der Spritzstelle ändern. Auch stark riechende Substanzen, wie Mottenkugeln, können das Spritzen verleiden. Untersuchungen haben gezeigt, daß eine lineare Beziehung zwischen der Anzahl der in einem Haushalt lebenden Katzen und der Wahrscheinlichkeit des Spritzens besteht (*Voith*, 1984). Bei der Befragung von 150 Haushalten konnte Harnspritzen nur bei 25% einzeln gehaltener Katzen und bis zu 100% bei Haltung von zehn und mehr Katzen gefunden werden. Mehrfach verwiesen wurde auf das Spritzen von Stubenkatern beim Auftauchen eines spritzenden freilaufenden Katers.

Das artspezifische Verhalten der Hauskatze beim *Harn- und Kotabsetzen*, also während der Defäkation, verläuft in einer festgelegten Reihenfolge: Aufsuchen eines geeigneten Substrates, Niedergehen, Absetzen von Harn oder Kot in geduckter Haltung und bedecken der Exkremente durch Zuscharren. Gewöhnlich ist das geeignete Substrat die vom Besitzer in einer Katzentoilette bereitgestellte Einstreu. Im Alter von vier bis fünf Wochen beginnen Katzenwelpen ohne jemals andere Katzen dabei beobachtet zu haben, geeignete Einstreu anzunehmen und zum Absetzen von Harn und Kot zu nutzen, auch wenn dieser vorher von anderen Tieren genutzt wurde (vgl. Welpenaufzucht). Die erste Reaktion eines Jungtieres, das mit solchem Substrat konfrontiert wird, besteht darin, das Material zu schmekken. Nach wiederholten Geschmacksproben beginnt der Welpe zu scharren, die Hockstellung einzunehmen, um dann Harn oder Kot abzusetzen. Es scheint also eine angeborene Bevorzugung zum Scharren und Ausscheiden in einstreuähnlichem Material zu bestehen. Die Tendenz, die Körperausscheidungen zu vergraben, zeigt jede normale Katze, sobald der Geruchssinn genügend gereift ist (↑ Sinnesorgane). Bereits im Alter von vier Wochen deuten Jungtiere nach dem Absetzen von Exkrementen Scharrbewegungen an. Das geschieht zuerst mit den Vorder-, später auch mit den Hinterpfoten. Von Katzen, die in lockeren Substraten nicht scharren, hört man oft die Vorgeschichte, daß sie auf glatten Oberflächen, wie etwa in Käfigen ohne Einstreu, aufgezogen wurden (*Voith*, 1984). Scharrbewegungen scheinen somit zwar angeboren zu sein, müssen aber im Verlaufe der ↑ Ontogenese reifen. Beim Fehlen der entsprechenden Ansprüche an die ↑ Umwelt entwickelt sich diese Verhaltensweise nicht. Angeborene Defekte des Geruchssinns oder Hirnschädigungen können ähnliche Auswirkungen haben. Beides wird durch ↑ Inzucht begünstigt und tritt daher häufiger bei ↑ Rassekatzen als bei ↑ Hauskatzen auf. Hohes Alter und Krankheit können ebenfalls zur U. führen. Hier handelt es sich in der Regel um organische Störungen, die tierärztlicher Behandlung bedürfen.

Ein potentieller Katzenkäufer sollte sich im Hause des Züchters informieren, wie dort die Tiere gehalten werden. Nur so kann er sich überzeugen, ob er den unerläßlichen Beteuerungen, die Katze sei absolut stubenrein, auch Glauben schenken darf. Das ist einer der Gründe, warum vor Käufen auf Ausstellungen dringend gewarnt werden muß. Wird ein Jungtier erworben und in das neue Heim gebracht, ist es zunächst durch den Umgebungswechsel (↑ Revierverhalten), durch die Trennung von der Mutter und den Geschwistern (↑ Mutter-Kind-Bindung) stark verunsichert. Das Jungtier sollte zunächst in den Raum gebracht werden, in dem es sich später überwiegend aufhalten wird. Dort muß die Toilettenschale an passender Stelle aufgestellt werden. Der neue Besitzer muß nun beobachten, wann das Tier beginnen will, Kot und Urin abzusetzen. Er soll es dann hochnehmen und an die vorgesehene Stelle setzen. Kommt das Tier aus guten Haltungsbedingungen, ist es bereits an Stubenreinheit gewöhnt und wird die neue Katzentoilette annehmen, vorausgesetzt, sie ist ähnlich gefüllt wie im alten Zuhause. Dennoch kann U. auftreten, einfach, weil dem Tier die Farbe, die Größe oder der Ort, an dem die Katzentoilette aufgestellt wurde, nicht zusagen oder weil sie möglicherweise nicht genügend standfest ist, bei Benutzung wackelt und störende Geräusche verursacht, die das Tier erschrecken.

Die meisten Katzen zeigen eine kombinierte Vorliebe für Ort und Scharrmaterial. Dies muß bei der Behandlung von U. berücksichtigt werden (*Voith*, 1984). Wenn z.B. eine Katze an mehreren Stellen am Rand eines mit Teppich ausgelegten Raumes Harn und Kot absetzt, sollte der gesamte Teppichrand mit dem nicht bevorzugten Material (Plastik) abgedeckt werden. Meist wird dann wieder die vorgesehene Katzentoilette benutzt. Wird jedoch die Teppichmitte benutzt, sollte der gesamte Raum mit Plastik ausgelegt werden und Teppichmaterial in die Kiste gebracht werden.

Wurden aber schlechte Erfahrungen, wie plötzliches Erschrecken beim Verrichten der Ausscheidung während der ↑ sensiblen Phase gemacht, können sie ständige U. zur Folge haben.

Die Katze wird immer schwer zugängliche Stellen, an denen sie sich sicher fühlt, zur Defäkation aufsuchen. Manche Katzen ziehen es vor, Urin und Kot an verschiedenen Stellen abzusetzen, benötigen also schon deshalb zwei an verschiedenen Orten aufgestellte Schalen. Zwei Schalen sind auch immer dann empfehlenswert, wenn geruchsbindende Einstreu nicht zur Verfügung steht. Leben mehrere Katzen in einem Haushalt, muß darauf geachtet werden, daß je Tier mindestens eine Schale bereitgestellt wird.

Voith (1984) bemerkt treffend: „Die Behandlung von Ausscheidungsproblemen bei Katzen gleicht einem Schachspiel mit der Katze. Erst macht der Mensch einen Zug, dann die Katze, dann wieder der Mensch und wieder die Katze, bis einer der Spieler gewinnt."

Unterbiß, *Hinterbiß, Brachygnathia inferior:* Wachstumsanomalie der Kiefer, die zum Vorstehen des Oberkiefers führt (↑ Vorbiß). Der U. steht mit der Langnasigkeit im Zusammenhang und tritt z. B. in bestimmten Siamstämmen auf (↑ Siam). Die Differenz zwischen den beiden Schneidezahnreihen kann nur einige Millimeter betragen und sich der Erfassung entziehen (Mikrosymptomatik), aber auch in den Zentimeterbereich gehen. Hierbei kommt es zur Beeinträchtigung des Greifens und Kauens der Nahrung.

Obwohl der U. in einzelnen Populationen nicht selten ist, steht eine korrekte Erbanalyse bisher noch aus. Die Kieferbildung selbst wird polygen determiniert (↑ Polygenie). Bei Störungen sind Einzelgenwirkungen durchaus denkbar, wurden aber bei der Spezies Katze gegenüber anderen Arten, z.B. dem Hund, bisher nicht nachgewiesen. Ein U. über 2 mm unterliegt der ↑ Disqualifikation.

Unterhaare ↑ Haar.

Unterkieferverkürzung: 1. ↑ Gebißanomalien. – **2.** ↑ Unterbiß.

Unterwolle ↑ Haar.

unvollständige Dominanz: das dominante ↑ Allel wirkt sich bei ↑ Homozygotie stärker als bei ↑ Heterozygotie aus (↑ Genort, ↑ Mendel-Regeln). Die u. D. ist besonders für Genorte mit ↑ multipler Allelie typisch (↑ Pigmentierung). Drastisch zeigt sich das z. B. am

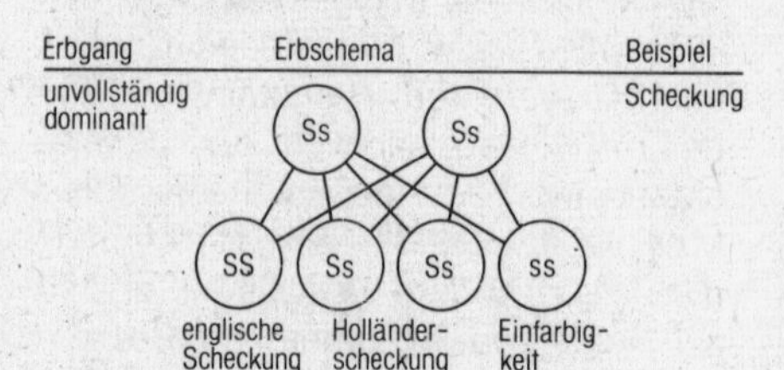

Unvollständige Dominanz, Abb. 2. Spaltungsverhältnisse bei einem monogenen, unvollständig dominanten Erbgang

C-Locus (↑ Albinismus), an dem die Heterozygoten $c^b c^s$ nicht ↑ Burma, sondern ↑ Tonkanesen sind (Abb.). Eine u.D. zeigen auch die Allele der ↑ Tabbyzeichnung. Sie spielt auch in der Erbpathologie als Gruppe der dominanten ↑ Letalfehler mit rezessiver Letalwirkung eine Rolle, z. B. bei der schwanzlosen Katze (↑ Manx).

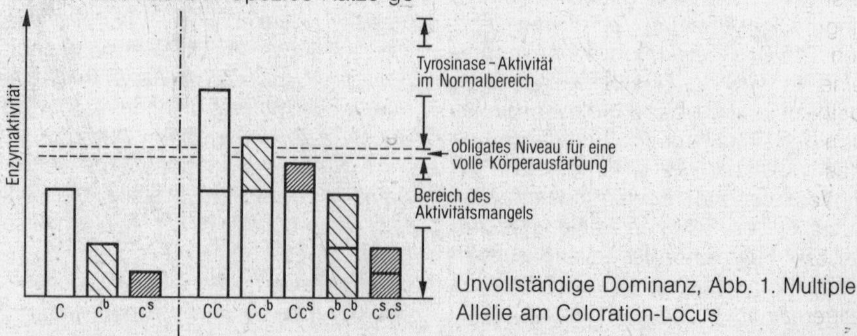

Unvollständige Dominanz, Abb. 1. Multiple Allelie am Coloration-Locus

Ureter ↑ Harnorgane.
Urethra ↑ Harnorgane.
Urolithiasis, *Harngries, felines urologisches Syndrom, Harnsteinkrankheit:* Bildung von Harnsteinen (Urolithen) in den harnbildenden und -ableitenden Organen (Nierensteine, Blasensteine, Harnröhrensteine), die bei der Katze besonders häufig in Form einer Ansammlung von Harngries auftreten. Überwiegend sind die männlichen kastrierten Katzen betroffen. Durch verschiedene Verengungen der Harnröhre (Abb.) sowie deren geschlängelten Verlauf kommt es infolge verlangsamten Harnflusses bzw. Harnstaues zur Auskristallisation von Harnsteinen. Diese bestehen hauptsächlich aus Magnesiumammoniumphosphat (Struvit, $MgNH_4PO_4 \cdot 6H_2O$). Gelegentlich findet man auch andere kristalline Substanzen (saure Ammoniumurate, Calciumoxalate, Calciumcarbonat oder Magnesiumhydrogenphosphat).
Eine klinisch erkennbare U. kommt wahrscheinlich bei 0,5 bis 1% der domestizierten Katzen vor (*Scott*, 1979). Vermutlich liegt der U. eine erbliche Disposition zugrunde. *Livingston* (1965) ermittelte eine Häufung in bestimmten Katerfamilien und *Willeberg* (1975) eine besondere Disposition der Perser. *Scott* (1979) stellte einen Zusammenhang zwischen klinischer U. und der Neigung zum Übergewicht fest.
Die Krankheit manifestiert sich jedoch erst nach Zusammentreffen mehrerer ungünstiger Faktoren. Zu diesen gehören Ernährungsfaktoren, insbesondere eine zu geringe Flüssigkeitsaufnahme bei Trockenfuttergaben (die Konzentration des Urins nimmt zu und damit auch das Risiko der Harnsteinbildung, ↑ Wasserbedarf), Bewegungsarmut besonders der Kastraten, Fehlen geeigneter bzw. ausreichender Toilettenschalen (Harnverhalten), trockene Zimmerluft, allgemeiner ↑ Stress (*Caston*, 1973),

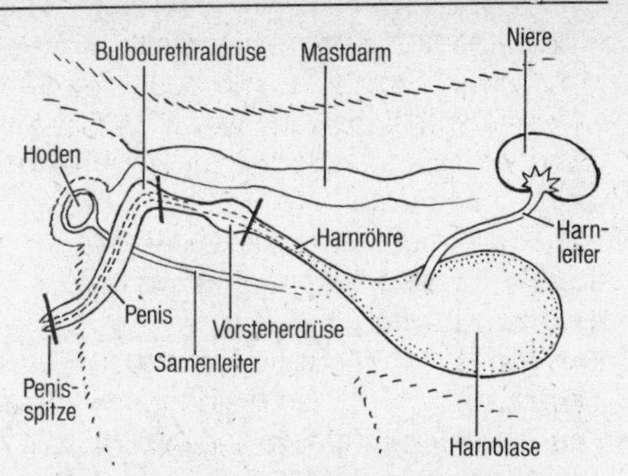

Die drei Striche zeigen die Stellen in der Harnröhre, an denen sich bevorzugt Harnsteine ansammeln und die Harnröhre verlegen

möglicherweise auch biologische Faktoren, wie Bakterien (Staphylokokken), z. B. das Nierenkelchvirus Picorna oder das zweite Katzen-Herpes-Virus.
Das Krankheitsbild besteht aus Harndrang, Blutharnen, Harnträufeln mit Pressen und schließlich Harnverhalten durch Harnröhrenverschluß. Die Blase schwillt prall wie ein Tennisball an; der Tierarzt ist unverzüglich aufzusuchen, da die Tiere innerhalb einer Zeitspanne von einer halben bis zu einer Woche sterben können. Nach *Walker* et al. (1977) ist mit einer Rückfallrate von 30% zu rechnen. Eine recht wirkungsvolle Prophylaxe (Vorbeugung) kann trotzdem getrieben werden:
– *spezifische Prophylaxe* in Form einer der Harnsteinart entsprechenden Diät (*Grünbaum*, 1977),
– *allgemeine Prophylaxe* durch Zugabe von 1% Kochsalz zum Futter bei ständig zugänglichem Frischwasserangebot. Die Wasseraufnahme wird gesteigert, gleichzeitig wird mehr Wasser abgegeben und der Urin verdünnt. Er wirkt in seiner Menge wie ein reißender Bach, der bereits auskristallisierte Partikeln wegspült bzw. die Auskristallisation verzögert.
Uterushörner ↑ Geschlechtsorgane.
Uterusruptur ↑ Geburtsstörungen.

V

Vagina ↑ Geschlechtsorgane.

Vakzine ↑ Schutzimpfungen.

Van-Katze: 1. ↑ Türkisch Van. – **2.** ↑ Van-Zeichnung.

Van-Zeichnung, *vangezeichnet:* neben der ↑ Harlekinzeichnung und der Bi-Colour-Farbaufteilung eine weitere anerkannte Spielart der ↑ Scheckung. Der Name wird von dem Zeichnungsmuster der ↑ Türkisch Van abgeleitet, die nur zwei kastanienrote Flecke im Gesicht aufweist, die durch eine weiße ↑ Blesse getrennt sind. Der Körper und die Beine sind reinweiß. Der Schwanz, dessen Färbung an der Kruppe beginnt, ist bis zur Spitze ebenfalls kastanienrot.
Katzen mit V. sind zum überwiegenden Teil die am Scheckungslocus homozygoten Tiere (SS), aber auch unter Katzen, die nachweislich an diesem Genort nur heterozygot besetzt sein können, da sie aus Verpaarungen zwischen Bi-Colour und nichtgescheckten Tieren (ss) stammen, tritt V. auf. Bei der V. kann die Fleckung des Gesichtes die Ohren einschließen; Bedingung ist, daß die Farbverteilung harmonisch wirkt. Weiße Haare in den pigmentierten Flächen und pigmentierte Haare im Weißanteil werden als Fehler gewertet. V. kann in allen Farbkombinationen auftreten und wird im DDR-Verband bei ↑ Persern in den zugelassenen Bi- und Tri-Colour-Varietäten anerkannt. Tafel 18.

Variabilität: 1. ↑ genetische Variation. – **2.** ↑ phänotypische Variation.

VARIANT (Stammbaumkennzeichnung VAR.): bei Katzen, die aus Paarungen hervorgegangen sind, die den Wechsel von Kurzhaarigkeit (L-) zu Langhaarigkeit (ll) beinhalten, wird seit 1984 auf den Ahnentafeln der F.I.Fe. die Abkürzung VAR. eingetragen. Das Kürzel weist darauf hin, daß das betreffende Tier rezessiv das Gen für Langhaarigkeit trägt. Erlaubt sind Verpaarungen zwischen ↑ Siam und ↑ Balinesen, ↑ Abessiniern und ↑ Somali sowie zwischen ↑ Persern und ↑ Exotic Kurzhaar. Katzen mit dem Vermerk VAR. in der Ahnentafel sollten zweckmäßigerweise nur zur Verbreiterung der Zuchtbasis von Balinesen, Somali und Exotic Kurzhaar eingesetzt werden.

Varietät, *Variante:* durch ↑ Mutation, ↑ genetische Rekombination, ↑ Modifikation oder Gen- bzw. Genotyp-Umwelt-Wechselwirkungen zustande gekommener spezieller ↑ Phänotyp innerhalb der Tiere einer ↑ Rasse (↑ Population), der völlig neu ist oder den Populationsdurchschnitt in erwünschter Richtung (Plusvariante) übertrifft oder unterschreitet (Minusvariante).
Reinerbige V.en können stabil weitergezüchtet werden.
In der Rassekatzenzucht wird der Begriff Farbschlag (Spielart, Abart) synonym benutzt. In Großbritannien, der Wiege der Rassekatzenzucht, unterschied man eine lange Zeit nur zwischen long hair [engl., Langhaar, also Perser] und short hair [engl., Kurzhaar], die wiederum in british und foreign type unterteilt wurden. Da man den Begriff Rasse im Geiste des Gebotes der ↑ Reinzucht hauptsächlich in Farbschlägen identifizierte, kam es zu Überschneidungen der Begriffsinhalte Rasse, V. und Farbschlag. So galten z. B. die ↑ Chinchilla lange als eigene Rasse. Als dann die ↑ Züchtung der ↑ Colourpoint begann, kam neben der

Unterscheidung von Lang- und Kurzhaar ein weiteres Kriterium, der Maskenfaktor, ein Merkmal aus der Kurzhaarzucht, in die Langhaarzucht. Es wurde wiederum als rassebildendes Merkmal und nicht als V. aufgefaßt. Jede der Rassen oder V.en bekam eine eigene Rassebeschreibung mit einer unterschiedlichen Punktskala. Die Unterscheidung von Rasse und V. wurde in erster Linie von der Zweckmäßigkeit bestimmter Anpaarungen und der Vererbungssicherheit der erwünschten Merkmale und nicht von differierenden Exterieurmerkmalen bestimmt. Mit Vertiefung und Verbreitung genetischer Kenntnisse und zunehmender Identifizierung der ↑ Genorte und ↑ Allele erhöhte sich in Abhängigkeit von den erweiterten Zuchtmöglichkeiten die Variabilität der Begriffsbindungen. Heute ist es durchaus nicht ungewöhnlich, Perser und Perser Colourpoint miteinander zu verpaaren, eine Praxis, die auch für Siam und ↑ Orientalisch Kurzhaar zutrifft. Perser, Perser Colourpoint und Exotic Kurzhaar gelten heute als ↑ Rassegruppe und haben identische Standardmerkmale aufzuweisen, die u. a. Körperbautyp und Kopfform betreffen. Für derartige Merkmale besteht ein gemeinsamer ↑ Genpool, aufgrund dessen sie sich von Tieren anderer Rassen unterscheiden. Auf diese Art und Weise werden auch die Unterschiede zwischen Rassen und Rassegruppe fließend. Die Zweckmäßigkeit der Verpaarung steht auch bei diesen Begriffsbildungen Pate. Genpoolerweiterungen sind aber heute durchaus üblich. Jeder Züchter weiß, daß Langhaar und Kurzhaar getrennt zu verpaaren sind. Die Regel wird jedoch durchbrochen, wenn die Einbringung neuer Allele in eine bestimmte Rasse notwendig ist, z. B. beim Aufbau einer Zucht von Exotic Kurzhaar. Es ist bekannt, wie problematisch Verpaarungen zwischen Tieren mit grünen und solchen mit orangefarbenen Augen sind, z. B. Perser ↑ Smoke × Chinchilla. Sie sind meist problematischer als Kreuzungen zwischen Kurz- und Langhaar gleicher Augenfarbe und gleichen Kopf- und Körperbautyps, z. B. Perser ↑ Schwarz × Exotic Kurzhaar ↑ Rot. Einkreuzungen zur Typverbesserung einmal ausgenommen, verpaarte bis zum Auftauchen der ↑ Golden jeder Silberzüchter z. B. nur Chinchilla × Chinchilla. Der frühere Rassebegriff Chinchilla, unter dem die Perser Chinchilla verstanden wurden, hat sich in einen Farbschlagbegriff umgewandelt, als die Britisch Kurzhaar und jetzt auch die Exotic Kurzhaar als Chinchilla-V. gezüchtet wurden (↑ Tipped). Rassedifferenzierungen sind auf dieser Basis kaum möglich. Die ↑ Standards der Rassekatzenzucht sind heute durch große Vielfalt der Beschreibungen des Körperbautyps charakterisiert, deren Unterschiede zu gering sind, um sich auf Dauer in der jetzigen Form halten zu können. Vereinheitlichungen und Differenzierungen werden auch in den kommenden Jahrzehnten eine bedeutende Rolle spielen, und die heute noch synonym verwandten Begriffe V. und Farbschlag werden dann ihren richtigen Stellenwert erhalten.

Verborgenhodigkeit ↑ Kryptorchismus.

Verdauung: Aufnahme der Nährstoffe, ihre Umwandlung im Magendarmkanal in resorbierbare Formen sowie die Ausscheidung der nicht resorbierten Rückstände. Die V. beginnt bereits in der Mundhöhle. Mit den Zähnen wird die Nahrung ergriffen und mit einigen Kaubewegungen lediglich zerquetscht (die spezifische Form der Backenzähne von Katzen gestattet keine Mahlbewegungen); gleichzeitig wird sie eingespeichelt und somit gleitfähiger gemacht. Nach dem Abschlucken gelangt die Nahrung über die Speiseröhre in den

Magen. Die Wirkung der von den Magendrüsen abgesonderten Sekrete (Pepsin, Kathepsin, Salzsäure) erstreckt sich nahezu ausschließlich auf den Eiweißabbau; Kohlehydrat abbauende Fermente fehlen (↑ Ernährung). Die Salzsäure quillt die Eiweißstoffe auf, aktiviert das Pepsinogen zum eiweißabbauenden Pepsin, während Fette und Kohlenhydrate größtenteils unverändert den Magen passieren, in dem nur geringe Mengen Wasser, Salze und Glukose resorbiert werden. Der nunmehr halbflüssige oder flüssige Brei gelangt in den Dünndarm und wird mit Sekreten der Darmschleimhaut, der Gallenblase und der Bauchspeicheldrüse versetzt. Die Sekretabgabe erfolgt nur, wenn sich Nahrung im Darmlumen befindet. Durch überwiegend rhythmische Segmentierung (mehrere gleichzeitige Einschnürungen an einem bestimmten Darmabschnitt, kurze Zeit später Kontrakion der vorher erschlafften Stellen; die Kontraktionsstellen wechseln 28 bis 30 mal/min) wird der Darminhalt gut durchgemischt. Im Dünndarm, insbesondere im Zwölffingerdarm, werden die Nährstoffe fast vollständig abgebaut und resorbiert. Nur noch geringe Mengen unverdauter Stoffe, d. h. unverdaubare Stoffe, wie Knochen, Zellulose und Stärke, oder noch nicht verdaute Stoffe, gelangen infolge peristaltischer Darmbewegungen in den Dickdarm, dessen Funktion hauptsächlich in der Wasserresorption und damit in der Eindickung des Darminhaltes besteht. Die V. wird nun beendet, restliche Spaltprodukte werden resorbiert, und Kot wird gebildet. Die nur hier stattfindende bakterielle V. gestattet den Abbau noch vorhandener Eiweißreste sowie wasserlöslicher ↑ Kohlenhydrate und die Synthese einiger Vitamine (Vitamin K, B_{12}, ↑ Vitaminbedarf). Aus den verbleibenden Nahrungsresten und Substanzen, die vom Körper abgegeben werden (Sekrete, abgestorbene Zellen, Bakterien), entsteht der Kot. Seine Beschaffenheit, Geruch, Farbe und Konsistenz ist abhängig von der Art des aufgenommenen Futters.

Der gesamte V.svorgang, von der Futteraufnahme bis zur Kotausscheidung, dauert in der Regel 20 bis 28 Stunden. Reine Fleischfütterung verzögert den Kotabsatz auf zwei bis drei Tage (↑ Verstopfung), bei ↑ Durchfall ist die Ausscheidungszeit extrem verkürzt.

Verdauungsorgane: ein mit einem Kanal vergleichbares System, in das eine Reihe von Drüsen mündet, die mit ihren Absonderungen die ↑ Verdauung

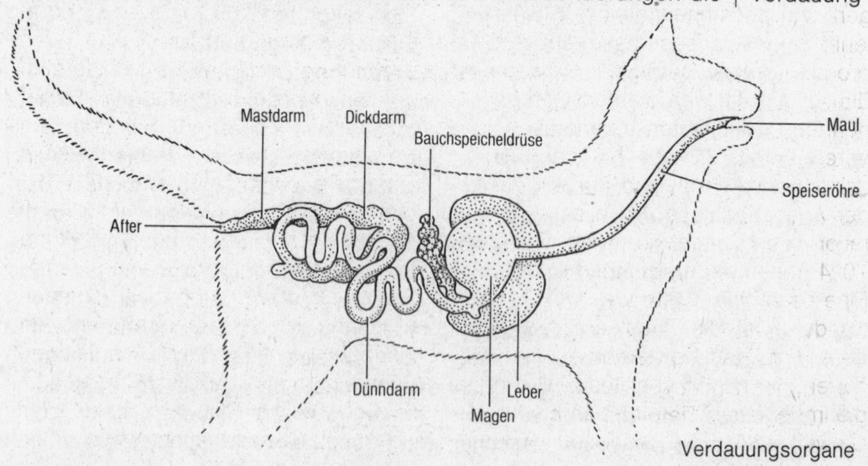

Verdauungsorgane

der aufgenommenen Nahrung fördern bzw. erst ermöglichen. Der Verdauungskanal besteht aus der Mundhöhle, dem Rachen, der Speiseröhre, dem Magen, Dünn- und Dickdarm sowie dem After. Die Ausbildung der verschiedenen Abschnitte ist der Beschaffenheit und der Zusammensetzung der Nahrung angepaßt. So ist der einhöhlige Magen der Katze für die Aufnahme großer Mengen Futter eingerichtet und hat ein Fassungsvermögen von etwa 70% des gesamten Volumens der V. (Tab. 1). Der Darm hingegen ist im Vergleich zur Körperlänge verhältnismäßig kurz, da die nährstoffreichen Futtermittel mit ihrer hohen Verdaulichkeit rasch zerlegt werden (Tab. 2).
Die in den Verdauungskanal mündenden Drüsen sind die Speicheldrüsen, die Leber mit der Gallenblase und die Bauchspeicheldrüse. Abb.

Tab. 1 Durchschnittliches Fassungsvermögen von Magen und Darm

	Fassungsvermögen in %	in ml
Magen	60,3	350
Dünndarm	19,0	110
Dickdarm	20,7	120

Tab. 2 Relative und absolute Länge des Darmes

	Verhältnis von Körperlänge zu Darmlänge	absolute Länge
Hauskatze	1 : 4	1,6...2,3 m
Pferd	1 : 12	22 ...40 m
Schaf	1 : 45	20 ...42 m

Verdrängungskreuzung: Kreuzung von Katzen einer ↑ Population (↑ Rasse) geringerer Qualität mit Katern einer Rasse höherer Qualität, um die unerwünschten Gene durch wiederholte Rückkreuzungen zu verdrängen.
Im Prinzip werden die weiblichen Kreuzungstiere Generation für Generation mit Katern der importierten Edelrasse (↑ Immigration) verpaart. Dabei verringert sich der Ahnenanteil (↑ Blutanteillehre) der Ausgangsrasse am Zuchtprodukt um den Betrag $2^n - 1$, wobei *n* die Anzahl der gezüchteten Generationen ist. In der dritten V.generation gehören bereits $2^3 - 1 = 7/8$ der Ahnen der Importrasse an und nur ein Achtel der Ausgangsrasse. Nach zehn Generationen entstammt nur noch einer von 1024 Ahnen der ursprünglichen Rasse. Eine derartige Methode wird angewandt, wenn die Zuchttiere nicht aus dem Erzeugerland exportiert werden dürfen, der Import sehr teuer wird oder die importierten Tiere erst an die neuen Umweltverhältnisse adaptiert werden müssen. Man spart Kosten und hat die Chance, durch ↑ Selektion über mehrere Generationen die am besten angepaßten Tiere herauszuzüchten. Hierbei kann das Leistungsniveau der importierten Rasse sogar noch übertroffen werden, denn ohne Selektion wäre höchstens das Niveau dieser Rasse zu erreichen.
Durch Beschränkung der Anzahl der Rückkreuzungen und eventuelle Rückpaarungen auf die einheimische Population kann es nur zu einer anteiligen Merkmalkombination kommen (↑ Kombinationskreuzung).

Verdünnung [engl. maltes or blue dilution]: Auftreten des rezessiven Allels d des Gens für ↑ Nicht-Verdünnung D in homozygoter Dosis. Das Merkmal wurde bereits von *Doncaster* (1904) beschrieben und von *Whiting* (1918, 1919) genetisch identifiziert. Die Genwirkung führt zu einer unregelmäßigen Verteilung und Verklumpung des Pigmentkörnchens in der Haarrinde und im Haarmark, woraus sich veränderte Lichtbrechungsverhältnisse ergeben, die Schwarz zu Blau, Braun zu Lilac und Rot zu Creme machen (*Prieur/Col-*

Verdünnte Farben	Genkonstruktion
Blau	aa B- C- **dd**
Lilac	aa bb C- **dd**
Caramel	aa b^lb^lC- **dd**
Blue-Point	aa B- c^sc^s **dd**
Lilac-Point	aa bb c^sc^s **dd**
Caramel-Point	aa $b^lb^lc^sc^s$ **dd**
Creme C- **dd** O(O)	
Creme-Point c^sc^s **dd** O(O)	
Blau-Creme (Blau-Schildpatt)	aa B- C- **dd** Oo
Lilac-Schildpatt (Lilac-Creme)	aa bb C- **dd** Oo
Caramel-Schildpatt	aa b^lb^lC- **dd** Oo
Blue-Tortie-Point	aa B- c^sc^s **dd** Oo
Lilac-Tortie-Point	aa bb c^sc^s **dd** Oo
Caramel-Tortie-Point	aa b^lb^l c^sc^s **dd** Oo
Burmafarbschläge Wechsel von C- bzw. c^sc^s zu c^bc^b	
Blau-Getigert, -Getupft, -Gestromt	A- B- C **dd** T-/t^bt^b
Lilac-Getigert, -Getupft, -Gestromt	A- bb C- **dd** T-/t^bt^b
Caramel-Getigert, -Getupft, -Gestromt	A- b^lb^l C- **dd** T-/t^bt^b
Blue -Tabby-Point	A- B- c^sc^s **dd** T-/t^bt^b
Lilac-Tabby-Point	A- bb c^sc^s **dd** T-/t^bt^b
Caramel-Tabby-Point	A- b^lb^l c^sc^s **dd** T-/t^bt^b
Creme-Getigert, -Getupft, -Gestromt C- **dd** O(O)	
Creme-Tabby-Point c^sc^s**dd** O(O)	
Blue-Tortie-Tabby	A- B- C- **dd** Oo T-/t^bt^b
Lilac-Tortie-Tabby	A- bb C- **dd** Oo T-/t^bt^b
Caramel-Tortie-Tabby	A- b^lb^l C- **dd** Oo T-/t^bt^b
Blue-Tortie-Tabby-Point	A- B- c^sc^s**dd** Oo T-/t^bt^b
Lilac-Tortie-Tabby-Point	A- bb c^sc^s**dd** Oo T-/t^bt^b
Caramel-Tortie-Tabby-Point	A- $b^lb^lc^sc^s$**dd** Oo T-/t^bt^b
Blue-Ticked-Tabby	A- B- C- **dd** T^a-
Lilac-Ticked-Tabby	A- bb C- **dd** T^a-
Caramel-Ticked-Tabby	A- b^lb^lC- **dd** T^a-
Ticked-Tabby-Point: Wechsel von C- zu c^sc^s	
Blue-Smoke	aa B- C- **dd** I-
Lilac-Smoke	aa bb C- **dd** I-
Caramel-Smoke	aa b^lb^l C- **dd** I-
Creme-Smoke C- **dd** I- O(O)	
Blau-Creme-Smoke (Blau-Schildpatt-Smoke), -Shaded, -Shell	aa B- C- **dd** I- Oo
Lilac-Schildpatt Smoke, -Shaded, -Shell	aa bb C- **dd** I- Oo
Caramel-Tortie-Smoke, -Shaded, -Shell (-Tipped)	aa b^lb^l C- **dd** I- Oo
Creme-Cameo-Shaded, -Shell, -Tabby C- **dd** I- O(O)	
Blau-Shaded-Silver, Blau-Chinchilla (Tipped)	A- B- C- **dd** I-
Lilac-Shaded-Silver, Lilac-Chinchilla (Tipped)	A- bb C- **dd** I-
Caramel-Shaded-Silver, Caramel-Tipped	A- b^lb^l C- **dd** I-

Blau-Silber-Getigert, -Getupft, -Gestromt	A- B- C- **dd** I- T-/t^bt^b
Lilac-Silber-Getigert, -Getupft, -Gestromt	A- bb C- **dd** I- T-/t^bt^b
Caramel-Silber-Getigert, -Getupft, -Gestromt	A- b^lb^l C- **dd** I- T-/t^bt^b
Blue-Silver-Abessinier	A- B- C- **dd** I- T^a-
Fawn-Beige, Silver-Abessinier	A- b^lb^l C- **dd** I- T^a-
Creme/Weiß C- dd O(O) S-	
Blau-Weiß	aa B- C- **dd** S-
Lilac-Weiß	aa Bb C- **dd** S-
Caramel-Weiß	aa b^lb^l C- **dd** S-
Blau-Schildpatt-Weiß	aa B- C- **dd** S-
Lilac-Schildpatt-Weiß	aa bb C- **dd** S-
Caramel-Schildpatt-Weiß	aa b^lb^lC **dd** S-
Blau-Tabby-Weiß	A- B- C- **dd** S- T-/t^bt^b
Lilac-Tabby-Weiß	A- bb C- **dd** S- T-/t^bt^b
Caramel-Tabby-Weiß	A- b^lb^l C- **dd** S- T-/t^bt^b

lier, 1981). Es entstehen die sogenannten *verdünnten Farben* (Tab.). Die Melaningranula in der Haut, die sonst einen Durchmesser von 2 µm haben, erreichen Werte von 15 bis 20 µm.
Prieur/Collier (1984) ermittelten, daß die Melanin-Verklumpung nur die Melanozyten der Haut und nicht der Abkömmlinge des Augenbechers betrifft (↑ Albinismus, ↑ Leuzismus). Daher ist die Augenpigmentierung nicht betroffen. Neben der embryonalen Herkunft der Melanozyten (Linearität der Melanoblastendifferenzierung) spielt offensichtlich auch die zelluläre Umwelt der Pigmentzellen in der Peripherie eine Rolle. Es wurde auch die Vermutung geäußert, daß V. durch Integration des felinen Leukämie-Provirus in das Katzengenom zustande gekommen ist, wie es bei der Dilution-Mutante der DBA/2J-Mäuse der Fall ist, die auf Integration eines ökotropen murinen Leukämievirus in Chromosom 9 zurückgeführt werden konnte.

Veredlungskreuzung: Verbesserung der einheimischen ↑ Rasse oder ↑ Population [engl. grading up] durch Einkreuzung von Katern anderer Rassen oder Populationen mit höherer Qualität. Ziel der Züchtung ist der Gewinn überlegener Erbanlagen und die Hebung des Durchschnittsniveaus der einheimischen Population. Die V. kann als „Blutmischung" erfolgen (↑ Blutanteillehre), d. h., man erzeugt die F_1-Kreuzungsgeneration und selektiert diese scharf. Die besten Exemplare dienen dann zur Qualitätsverbesserung der eigenen Stämme. Bei einer anderen Form der V. (Meliorationskreuzung) paart man die Importtiere mit den Tieren der Ausgangspopulation und bildet die Rückkreuzungsgeneration auf die überlegenen Tiere, die dann unter sich vermehrt und selektiert werden (Gründerprinzip, ↑ Verdrängungskreuzung). In der Katzenzucht wird der Veredlungseffekt häufig nur eines Katers genutzt, der der Reihe nach an die eigenen Töchter, Enkelinnen und Urenkelinnen angepaart wird, der Erfolg der V. hängt dabei weitgehend von der ↑ Homozygotie des Veredlungstieres ab. Diese ist hoch, wenn es selbst ein Inzuchtprodukt ist (Topcrossing). Durch die Einkreuzung nimmt zunächst die Homozygotie je Generation ab. Durch Rückpaarung [engl. backcross] kommt es wieder zur Anreicherung erwünschter Gene. Mit der Rückpaarung ist es jedoch nicht getan. Nur durch die einsetzende Selektion kann man die höher bewerteten Anlagen in der Population erhalten. Die Kunst bei dieser Art der Züchtung ist, die Nachteile der ↑ Inzucht und die Rückkreuzung in die unerwünschte Richtung zu vermeiden. Zeigt ein Zuchttier die besondere Fähigkeit, seine Anlagen durchschlagend zu vererben, d.h. unter weitgehendem Ausschluß der Genwirkung des Paarungspartners auf die Nachkommen zu übertragen, spricht man von Präpotenz bzw. Individualpotenz. Genetisch handelt es sich im wesentlichen um Homozygotie für dominante Gene (↑ Epistasie), teilweise auch um Heterosiswirkung.

Vererbung: Übertragung von Merkmalanlagen auf die Nachkommenschaft. Voraussetzung einer V. ist die Existenz von Erbanlagen und deren identische Verdopplung und Verteilung (↑ genetische Rekombination), wodurch eine relative Konstanz des Informationsgehalts gesichert wird. Die Evolution setzt demgegenüber eine Veränderlichkeit der Erbanlagen voraus (↑ Mutation). Die Speicherung der Erbinformationen und die mit der V. verbundenen Stoffwechselprozesse laufen in der grundlegenden Struktureinheit des Katzenkörpers, der Zelle, ab.

Die wichtigsten Erbträger sind die ↑ Chromosomen des Zellkerns. Sie enthalten die ↑ Genorte mit der genetischen Information (↑ Gen). Während die Körperzellen (Somazellen) den väterlichen und mütterlichen Anteil des ↑ Chromosomensatzes enthalten, also diploid sind, wird der Chromosomenbestand der Keimzellen (↑ Gameten) auf die Hälfte, den haploiden Satz, reduziert, damit beim Befruchtungsvorgang wieder ein diploider Satz entstehen kann.

Die Wissenschaft von der V. ist die Genetik, die inzwischen zahlreiche Spezialisierungen erfahren hat. Dabei ist für den Rassekatzenzüchter die Züchtungsgenetik von besonderer Bedeutung.

Kenntnisse über die V. werden u.a. erforderlich, wenn ein neues Merkmal analysiert werden soll, oder ein Merkmal als Selektionskriterium ins Auge gefaßt wurde bzw. als Störfaktor eliminiert werden muß (z. B. ↑ Erbkrankheiten). Ein Verdacht auf Erblichkeit eines Merkmals ist unter folgenden Bedingungen gegeben:

- Vorhergehende repräsentative Untersuchungen haben die Erblichkeit einer gleichartigen Merkmalbildung bei der gleichen Art oder Rasse oder bei einer anderen Art ergeben.
- Das Merkmal wird von Generation zu Generation übertragen.
- Es tritt in einigen Zuchtgruppen auf, z. B. in einigen väterlichen Halbgeschwisterfamilien, in anderen dagegen nicht, d. h., es besteht ein statistisch signifikanter Merkmalträgerüberschuß in Verwandtengruppen gegenüber der allgemeinen ↑ Population (familiäre Häufung).
- Das Merkmal tritt unter speziellen Selektionsverhältnissen in Erscheinung (z. B. selektive Begünstigung bestimmter Merkmale).
- Es tritt in Zuchtgruppen mit ↑ Inzucht o. a. Formen der Verwandtschaftszucht (↑ Linienzucht) auf. Die Inzucht schafft dabei selbst nicht die abweichenden Merkmale, aber die meisten sind rezessiv und treten erst mit ansteigender Homozygotie bei Inzucht zutage.
- Das Merkmal tritt nach Zufuhr fremder Individuen in eine gegebene Population auf (↑ Immigration) und sein Auftreten verstärkt sich bei selektiver Begünstigung der Immigranten (Gründerprinzip).
- Es tritt in bestimmten, in sich geschlossenen Teilpopulationen (Isolaten, ↑ Zucht in geschlossenen Zuchtgruppen) auf (↑ genetische Drift) bzw.

bei Beschränkung der Gametenzahl, die zur Erzeugung der nächsten Generation beiträgt (Zufall, Chance) oder bei Zerlegung einer größeren Population in kleine Teilpopulationen, die in sich vermehrt werden.

- Das Merkmal tritt in mehr als einer Saison bzw. in verschiedenen Regionen auf, in denen die Umweltverhältnisse variieren.

Bei neu auftretenden Merkmalen, die von züchterischer und ökonomischer Relevanz sein könnten, hat aufgrund des Verdachts ein Erblichkeitsnachweis zu erfolgen.

Beim empirischen Nachweis der Erblichkeit anhand von individuellen, Familien-, Linien- und Rasseunterschieden, des Auftretens des Merkmals unter speziellen Selektionsverhältnissen, nach Import usw. sind Fehlinterpretationen möglich, da weitere Einflußfaktoren übersehen werden können. Zunächst erfolgt eine Ermittlung des ↑ Erbganges, dem bestimmte genetisch-statistische Modelle zugrunde liegen, d. h. in der Regel eine Überprüfung auf Mendel-Spaltungsverhältnisse (↑ Mendel-Regeln) bei einfachen Erbgängen und die Berechnung des ↑ Heritabilitätskoeffizienten u. a. genetischer Parameter bei polygen determinierten Merkmalen (↑ Polygenie). Hierbei erhält man bereits genauere Aussagen über die Erblichkeit, insbesondere, wenn man im Zweifelsfalle die Untersuchungen auf nicht-additive Genwirkungen, Bildung eines ↑ genetischen Plateaus, ↑ Genkopplung u.a. ausgedehnt hat. Das Kriterium der Wahrheit sind jedoch die in der Zuchtpraxis erzielten dokumentierten Ergebnisse. Der Zucht- oder Selektionserfolg ist der stärkste Beweis. Dabei hat man nicht immer die Anpaarungs- und Selektionsversuche erst neu anzustellen, sondern man kann bereits vorliegende Zuchtergebnisse wie einen geplanten Versuch behandeln und entsprechend auswerten. Retrospektiven sind jedoch immer mit einer gewissen Unsicherheit belastet.

Vererbungsgitter, *Erbgitter:* Methode zur grafischen Darstellung des relativen Einflusses eines Vatertieres auf die Gesamtqualität oder auf bestimmte Merkmale seiner Nachkommen, wobei der Merkmaldurchschnitt der Mütter horizontal und der der Töchter vertikal als Achsenkreuz eingetragen wird. Es handelt sich um ein besonders gestaltetes Koordinatensystem, dessen Prinzipschema in der Abbildung dargestellt wird. Für jeden Nachkommen eines Katers oder für Wurfmittelwerte wird in dieses System ein Punkt eingetragen. Der maternale Anteil an der Variation befindet sich unterhalb der stark ausgezogenen Linie, da er nicht über 50% liegen kann. Die übrigen 50% trägt der Vater mit seinen Erbanlagen bei. Die Verteilung der Nachkommenkoordinaten bestimmt den vorläufigen Zuchtwert des Katers. Im Beispiel hat der Kater einen positiven Einfluß auf die Zucht ausgeübt. Im allgemeinen sind die Verhältnisse nicht so eindeutig, sondern die Punkte schwanken um die Diagonale. In solchen Fällen kann ein Auszählen der Punkte keinesfalls statisti-

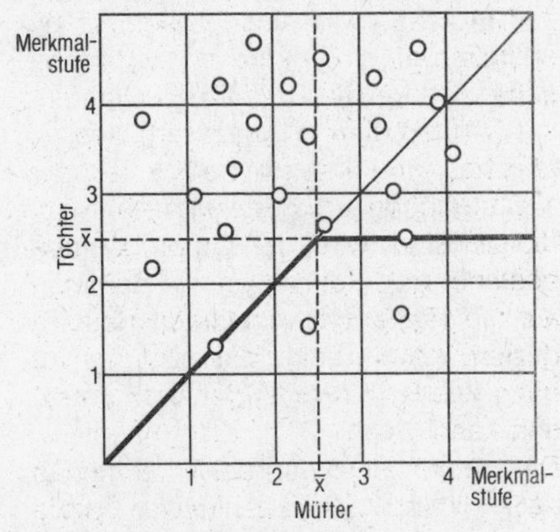

Prinzipschema des Vererbungsgitters ($\bar{x}$ = Mittelwert)

Vergiftungen der Katze

Gift	tödliche Dosis je kg Körpermasse	Wirkungsweise	Symptome/Besonderheiten
Schädlingsbekämpfungsmittel (Rodentizide und Pestizide)			
Kumarin und seine Verbindungen (als Köder und Streupulver)	einmalig 50…300 mg bzw. täglich 1 mg über 7 Tage	Hemmung der Blutgerinnung, da Vitamin K_1-Antagonist, erhöhte Kapillarpermeabilität	innere Blutungen, Schleimhäute werden zyanotisch, schwacher Puls, erschwerte Atmung, Schwäche und Erschöpfung, blutiges Erbrechen, blutiger Kot und Urin, keine Schmerzäußerungen. Kumarine sind besonders gefährlich, wenn mehrmals hintereinander kleinste Mengen aufgenommen werden. Einige Pflanzen (z. B. Steinklee, Waldmeister) enthalten ebenfalls Kumarin.
Metaldehyd (im Schneckengift, Trockenspiritus)	≈ 200 mg	zusammen mit Magensäure entsteht eine Acidose	Gastroenteritis, Erbrechen, vermehrtes Speicheln, Muskelzittern, Koordinationsstörungen, Augenzittern. Katzen werden anscheinend vom Köder angezogen.
Zinkphosphid (Getreide ist rot gefärbt, Giftpasten blau)	20…40 mg	Erhöhung der Zellpermeabilität, Kapillarwandschäden der venösen Gefäße	Der Verlauf ist perakut, Freßunlust, Erbrechen, Koma. Tod nach 1…3 Tagen.
Strychnin (kaum noch angewendet)	2 mg	Stimulation des gesamten Nervensystems	Unruhe, Zuckungen und Krämpfe, Kontraktion der gesamten Muskulatur bis zur Streckstarre mit gleichzeitigem Atemstillstand, zwischendurch Phasen der Entspannung; das Tier ist extrem empfindlich gegenüber äußeren Reizen. Tod durch Schwäche und Atemlähmung.
Thallium (Schwermetall; auch in Kosmetika, z.B. als Enthaarungsmittel)	ab 10 mg	Affinität zum Nervensystem	nach 1…4 Tagen Erbrechen, Durchfall, Durst, später Schleimhautveränderungen, fortschreitende Schwäche und Abmagerung, Rötungen und Pusteln in der Nähe der Körperöffnungen, eventuell Haarausfall, Atemnot, Gleichgewichtsstörungen, Herz-Nieren-Erkrankungen. Tod nach 10 bis 14 Tagen; da nur langsam ausgeschieden, besteht Kumulationsgefahr.

Insektenbekämpfungsmittel (Insektizide)			
chlorierte Kohlenwasserstoffe (z. B. DDT, Lindan, Dieldrin, Aldrin, Toxaphen, Camphen)		Beeinflussung des Zentralnervensystems	bei akuten Vergiftungen in wenigen Minuten Speicheln, Erbrechen, Muskelzittern, Kopfschütteln, Koordinationsstörungen, Krämpfe; bei dauernder Einwirkung Leber- und Nierendegeneration. Vergiftungsgefahr bei Ektoparasitenbekämpfung (Spray, Puder, Bad)! Katzen reagieren empfindlicher als andere Tiere.
organische Phosphorverbindungen (Trichlorphon, Dichlorvos, Parathion u. a.)		Nervengift, Hemmung der Cholinesterase	Speicheln, Pupillenverengung, Erbrechen, Tränenfluß, Muskelkrämpfe, in schweren Fällen Tod durch Atemlähmung. Vergiftungsgefahr bei Ektoparasitenbekämpfung! Dichlorvos als Wirkstoff im Flohhalsband!
Nikotin	relativ giftig	Nervengift; zuerst erregende, dann blockierende Wirkung	Speicheln, Erbrechen, Durchfall, Koliksymptome, Muskelschwäche, Zuckungen, Krämpfe, Tod infolge Atemstillstand. Aufgenommenes Nikotin ist nach 16 Stunden ausgeschieden.
Desinfektionsmittel			
Phenole und Derivate (Phenol, Kresol, Kreolin, auch Naphthalin in Mottenkugeln, Paraffin, Holzteer, Chinosol usw.)	80...120 mg	starkes Protoplasmagift; Aufnahme auch über die intakte Haut	Speicheln, Zuckungen, Krämpfe, Ataxien, Muskelschwäche, Haut- und Schleimhautentzündungen, Aggressivität, Magen-Darmentzündungen, beschleunigte Atmung. Katze reagiert weitaus empfindlicher als andere Tiere, da nur langsame Entgiftung im Organismus; keine phenol- oder kresolhaltige Desinfektionsmittel verwenden! Teer im Fell herausschneiden und nicht mit Lösungsmittel auswaschen.
Hexachlorophen (chloriertes Phenolderivat) (In vielen antiseptischen Mitteln und Toilettenartikeln (Seife, Hautcreme, Fußbodenpflegemittel u. a.) als Bakteriostatikum und/oder Desodorans)		Aufnahme auch über die intakte Haut	Starkes Speicheln, Magen-Darmentzündung, beschleunigte Atmung, Zuckungen, Zittern, Schreien, Krämpfe.

Gift	tödliche Dosis je kg Körpermasse	Wirkungsweise	Symptome/Besonderheiten
Formaldehyd (Formalin)			Entzündung der Schleimhäute durch Einatmen der Dämpfe.
Andere Gifte			
Arsen (In Insektiziden, Pflanzenschutzmitteln, Farben, Schneckengift enthalten)			Schwäche, Taumeln, Zittern, Erbrechen, Speicheln, Durchfall.
Ethylenglykol (Frostschutzmittel)	ab 1,5 ml	Entstehung einer Stoffwechselazidose	30…60 min nach Aufnahme Angst, Depression, Erbrechen, Untertemperatur, Krämpfe, Koma, Tod durch akutes Herzversagen. Der süße Geschmack des Frostschutzmittels verleitet zum Kosten.
Blei (In vielen Pestiziden, Rostschutzfarbe, Kitt, Linoleum, Bleilametta usw. enthalten)		beeinträchtigt die Hämoglobinbildung, eine Anämie entsteht	Magen-Darmstörungen mit Speicheln, Erbrechen, Kolik, Inappetenz, Abmagerung sowie neurologische Symptome mit Aggressivität, Krämpfe, Ängstlichkeit.
Benzoesäure (Konservierungsmittel in Fischkonserven z. B.)			Überempfindlichkeit, Aggressivität, Angstzustände, Muskelzittern, Blindheit. Meist chronisch verlaufend, da durch häufige Fütterung von Fischkonserven erst kumulativ toxisch wirkend. Über 0,2 g/kg Körpermasse führen zu V.
Vitamin A			Trägheit, Ödeme, Lähmungen, Knochenneubildungen an der Wirbelsäule. Welpen zeigen vermindertes Knochenwachstum. Bei ständig hoher Vitamin-A-Gabe oder Verfütterung roher Leber erst nach 2…3 Jahren festzustellen.
Quecksilber			Lähmungen, Muskelzittern, Störungen der Sinnesorgane, Krämpfe. Metallisches Quecksilber wird durch Mikroorganismen in toxische Verbindungen überführt, die mit der Nahrung aufgenommen werden (insbesondere Thunfisch).

29

sche Tests ersetzen. Als einfaches Hilfsmittel kann das V. trotzdem von Züchtern mit Gewinn angewandt werden. Je objektiver die fraglichen Meßwerte erhoben werden, umso präziser kommt man zur Einschätzung des ↑ Zuchtwertes eines Favoriten.

Vererbungskraft: 1. ↑ Blutanteillehre. – **2.** ↑ Erbfestigkeit. – **3.** ↑ Heritabilitätskoeffizient. – **4.** ↑ Nachkommenprüfung. – **5.** ↑ Vererbungsgitter.

Vergiftungen, *Intoxikation:* durch die Einwirkung von mikrobiellen, pflanzlichen, tierischen oder chemischen Giftstoffen (Toxine) hervorgerufene Erkrankung des Organismus (Tab.). Im allgemeinen ist die Stubenkatze (↑ Sozialstatus) aufgrund ihrer Lebensgewohnheiten und ihrer Ernährungsweise weniger der Gefahr einer V. ausgesetzt, als z. B. der Hund. Sie ist selten verfressen und spezialisiert sich rasch auf bestimmte Nährstoffträger (↑ Ernährung). Abfälle oder verdorbenes Futter werden meist nicht beachtet; das Futter wird gut gekaut und widerwärtig riechende Nahrung wird abgelehnt. Allerdings können bestimmte Verhaltensweisen der Katze leicht zum Verhängnis werden:

- das ↑ Erkundungsverhalten: z. B. Beriechen und schließlich Benagen giftiger Pflanzen (↑ Pflanzengifte), das Trinken von Blumenwasser oder Frostschutzmitteln u. a. m.
- bei Tieren mit freiem ↑ Auslauf das ↑ Beutefangverhalten, z. B. das Fangen und Anschneiden vergifteter Nagetiere, das Anfressen vergifteter Köder und Insekten (Rhodentizide, Pestizide, Insektizide).
- die ↑ Körperpflege: flüssige oder pulverförmige Giftstoffe bleiben an den Pfoten oder dem Fell haften und werden mit der ↑ Zunge aufgenommen (Kontaktinsektizide, Pflanzenschutzmittel, Desinfektionsmittel, Medikamente, Pestizide usw.).

Mikrobielle Toxine spielen eine besondere Rolle bei ↑ Infektionskrankheiten und in Ausnahmefällen bei der Aufnahme von verdorbenem oder mit Mikroorganismen kontaminiertem Futter (Aflatoxine der Schimmelpilze, Clostridien und deren Toxine, insbesondere Botulinustoxine u. a.) (↑ Fütterungsfehler).

Eine V. erfolgt häufig über den Magen-Darm-Trakt und über die ↑ Haut, seltener über die ↑ Atmungsorgane. Je nach Art des Giftes, der aufgenommenen Menge, dem Alter und der Konstitution des Tieres ist der Krankheitsverlauf perakut (Tod innerhalb weniger Stunden ohne besondere Symptome), akut, subakut oder chronisch.

In der Regel entwickeln sich die Symptome rasch; ↑ Fieber ist selten, oft werden ↑ Erbrechen, ↑ Durchfall, Schmerzen im hinteren Bauchbereich und Inappetenz (Appetitlosigkeit) beobachtet. Atembeschwerden und Kreislaufstörungen können auftreten; bei plötzlichen Bewußtseinsstörungen, Krämpfen oder Schockzuständen sollte ebenfalls an V. gedacht werden.

Eine Reihe von V. können bei rechtzeitiger und möglichst spezifischer Behandlung überstanden werden. Allerdings ist der Tierarzt wegen der oft unspezifischen Symptomatik und den damit verbundenen diagnostischen Problemen auf möglichst exakte Hinweise des Besitzers angewiesen.

Verhalten [engl. behaviour]: Beziehungen zwischen dem tierischen Organismus und seiner Umwelt auf der Grundlage des Austausches von Informationen. Die Informationen werden zur Steuerung und Regelung der Beziehungen eingesetzt und durch die Bedürfnisse der Tierart und des Individuums bestimmt (↑ Umwelt). Die Organismen fungieren dabei als Informationsträger mit ↑ Gedächtnis. Die Optimierung der Beziehungen zwischen Tier und Um-

welt erfolgt auf der Grundlage einer Evolutionsstrategie, die eine optimale Lebensanpassung beinhaltet. Sichtbares V. drückt sich in Körperhaltung (z.B. ↑ Mimik), Bewegungen (↑ Fortbewegung), ↑ Lautäußerungen, Absonderung von Duftstoffen (↑ Chemokommunikation) aus, die beim jeweiligen Partner V.sänderungen (↑ Auslösemechanismus) hervorrufen. In der modernen V.sbiologie wird auch der innere Zustand der Tiere (↑ Motivation, ↑ Stress usw.) als wichtiger Steuerungsfaktor des V. berücksichtigt.
Bei der Haltung von ↑ Hauskatzen bzw. ↑ Rassekatzen spielen darüber hinaus die ↑ Mensch-Tier-Beziehungen eine entscheidende Rolle für die Ausbildung des V.

Verhaltensanomalie ↑ Verhaltensstörung.

Verhaltensbiologie, *Ethologie* [engl. animal behaviour]: zoologische Wissenschaftsdisziplin, die tierisches Verhalten aus biologischer Sicht und mit biologischen Methoden erforscht. Die V. versteht das ↑ Verhalten als Anpassungsleistung des intakten Organismus an die natürliche ↑ Umwelt. Die Entstehungsgeschichte der V. ist eng mit der Entwicklung des Evolutionsgedankens von *Charles Darwin* (1809 bis 1882) verknüpft. Erste Grundlagen wurden durch Untersuchungen von *O. Heinroth* (1871–1945) an Entenvögeln und durch die Ausarbeitung des Organismus-Umwelt-Konzepts durch *J. v. Uexküll* (1864–1944) geschaffen. Die V. als Wissenschaft etablierte sich unter dem Namen *Ethologie* in den 30er Jahren des 20. Jahrhunderts. Tragende Säulen der ethologischen Forschung, die durch *K. Lorenz* (geb. 1903) und *N. Tinbergen* (geb. 1907) begründet wurde, sind die genaue Kenntnis des Gesamtverhaltens einer Tierart unter natürlichen Lebensbedingungen und der Vergleich des Verhaltens verschiedener Arten. Für die Begründung des Lehrgebäudes der V., in das sie auch Erkenntnisse des Verhaltensphysiologen *E. v. Holst* (1909–1962) einfließen ließen, wurden *Lorenz* und *Tinbergen* 1973 gemeinsam mit dem Zoologen *K. v. Frisch* (1886–1982) mit dem Nobelpreis für Physiologie und Medizin geehrt.
Eine zweite Grundströmung der Erforschung tierischen Verhaltens entwikkelte sich in den zwanziger Jahren in den USA. Sie stellt eine tierexperimentelle Psychologie dar und nennt sich *Behaviorismus*. An wenigen Labortieren (Ratte, Maus, Katze, Taube) werden unter extrem standardisierten Bedingungen Modelluntersuchungen zum menschlichen Verhalten vorgenommen.
Heute gibt es wechselseitige Einflüsse beider Strömungen. Die Ethologen berücksichtigen immer stärker Lerneinflüsse (↑ Lernverhalten), und der Behaviorismus untersucht auch den Anteil genetischer Grundlagen (↑ Auslösemechanismus) am Verhalten. Neben diesen Disziplinen existierte auch lange Zeit die Tierpsychologie, die das tierische Verhalten subjektiv-menschlich beschrieb und deutete. Sie wurde daher auch mit dem Begriff Tierseelenkunde belegt und hat heute jede wissenschaftliche Bedeutung verloren.
Die moderne V. stellt Fragen nach der unmittelbaren Kausalität von Eigenschaften und Prozessen des Organismus (Physiologie), nach ihrer Entstehung und Veränderung im Verlaufe der Individualentwicklung (↑ Ontogenese) und nach ihrem stammesgeschichtlichen Werdegang (Evolution). Auf dieser Grundlage sind eine Reihe von Spezialrichtungen entstanden, die manchmal auch unter dem Begriff Verhaltenswissenschaften zusammengefaßt werden. Es sind dies u. a. Verhaltensphysiologie, Verhaltensökologie (Eth-Ökologie),

Verhaltensontogeneseforschung, Nutztierethologie, Verhaltensgenetik und Humanethologie. Viele Impulse erhält die V. in letzter Zeit von der ↑ Soziobiologie.
Große Verdienste an der Erforschung des Verhaltens von ↑ Katzen hat *Paul Leyhausen*, der seit Beginn der 50er Jahre vergleichende Untersuchungen an einer Vielzahl von Arten vornahm. Seine zusammenfassende Darstellung „Katzen, eine Verhaltenskunde", erschien inzwischen in der 6. Auflage (*Leyhausen*, 1982).

Verhaltensontogenese ↑ Ontogenese.

Verhaltensstörung, *Verhaltensanomalie, anormales Verhalten* [engl. abnormal behaviour]: aufgrund der Vielschichtigkeit der Gründe und Formen von V.en gibt es heute noch keine einheitliche Definition dieses Phänomens. Während *Immelmann* (1982) unter V. jedes von der Norm abweichende ↑ Verhalten versteht, gibt *Hassenstein* (1976) folgende Begriffsbestimmung: „Ein Verhalten gilt als gestört oder als krankhaft, sofern es das Individuum selbst, seinen Sozialverband oder seine Art schädigt oder aber sofern es aufgrund von äußeren Schädigungen oder nachteiligen Einflüssen auftritt, ohne den Organismus gegen sie zu schützen."
Erschwerend wirkt sich zudem noch aus, daß es oft unmöglich ist, festzustellen, ob ein Verhaltensmerkmal noch innerhalb der Norm des artspezifischen Verhaltens liegt. *Mugford* (1984) weist mit vollen Recht darauf hin, daß Verhaltensprobleme mit ↑ Heimtieren zum größten Teil Handlungen betreffen, die normalerweise in einem anderen Verhaltenszusammenhang ausgeführt werden. So sind bellende Hunde und spritzende Katzen Beispiele für das Ausführen artspezifischer Kommunikationsmuster (↑ Biokommunikation), die in vielen Haushalten nicht akzeptabel sind. Derartige Verhaltensweisen sind eher als unerwünscht als als abnorm zu bezeichnen (vgl. Unsauberkeit), dennoch können sie abgestellt werden. Zu den V.en gehören Fixierung auf ein falsches Objekt (↑ Fehlprägung), durch das Ausbleiben bestimmter sozialer Reize bedingte Fehlentwicklung (↑ Umwelt, ↑ Prägung, ↑ Kaspar-Hauser-Tier), durch unnatürliche Haltungsbedingungen hervorgerufene zwanghafte Bewegungen (↑ Stereotypien) u. a. Hypertrophien (↑ Körperpflege, ↑ Zutragehypertrophie). Domestikationsbedingte (↑ Domestikation) genetische Verhaltensänderungen, *Ethopathien* genannt, äußern sich in Änderungen der Handlungsbereitschaft, z. B. die Hypersexualisierung von Haustieren (Häufigkeitssteigerung sexueller Reaktionen, Ablösung des Sexualzyklus von bestimmten Jahreszeiten, vgl. atypisches Sexualverhalten, Jahresrhythmik) oder in Änderungen von angeborenen ↑ Auslösemechanismen (Arterkennung, Beuteerkennung). Zu den V.en sind auch durch ↑ Furcht verursachte Verhaltensweisen (Phobien) zu rechnen, z. B. ein extrem gesteigertes ↑ Aggressionsverhalten auch gegenüber Menschen.
Ursachen für V.en sind oft gestörte ↑ Mensch-Tier-Beziehungen, d. h., eine falsche Erwartungshaltung des Menschen gegenüber seinem Tier (vgl. Trauerverhalten). ↑ Erbkrankheiten, ↑ Erbumweltkrankheiten, ↑ Infektionskrankheiten u. a. Krankheiten können ebenfalls V.en auslösen, und deshalb sollte stets zuerst der Tierarzt konsultiert werden.

Verschleppen ↑ Jungentransport.

Verständigung ↑ Biokommunikation.

Verstopfung: Wenn ganz allgemein von V. gesprochen wird, ist die V. des Darmes gemeint, d. h., daß das Darmlumen durch zu harten Kot oder durch Fremdkörper verlegt ist. Katzen setzen normalerweise einmal täglich Kot ab, einige sogar nur jeden zweiten Tag.

Aus unterschiedlichen Gründen kann sich aber dieser normale Rhythmus verschieben und erst nach drei, vier oder gar fünf Tagen werden steinharte Kotklumpen abgesetzt. Solch ein verzögerter Kotabsatz tritt fast immer bei Ausstellungsbesuchen, Orts- oder Besitzerwechsel auf, aber nach zwei bis drei Tagen pendelt sich der gewohnte Rhythmus von ganz allein wieder ein. In den seltensten Fällen sind zu große Fremdkörper, z. B. Haarballen, Nüsse, Knöpfe usw., für V.en verantwortlich. Die Ursachen für eine V. sind vorwiegend in einer falschen Ernährung, z. B. mangelnde ↑ Ballaststoffe bei reiner Fleischfütterung, oder in mangelnder Bewegung zu suchen. Der Reiz für eine normale Darmtätigkeit fehlt, der Darm wird also träge, befördert den Kot nicht weiter, entzieht ihm das letzte Wasser und der abgesetzte Kot erscheint somit „versteinert" (↑ Verdauung). Leichte V.en (drei bis vier Tage ohne Kotabsatz) können zu Hause reguliert werden. Zuerst sollte die Futterzusammenstellung auf einen ausreichenden Anteil an Ballaststoffen überprüft und dahingehend korrigiert werden. Abführende Futtermittel, wie rohe Leber und Milch, sowie frische ungekochte Milch bei Katzen, die nicht daran gewöhnt sind, tun ein übriges.
Eventuell helfen auch ein bis zwei Teelöffel Paraffinöl, Bauchmassagen oder ein Glyzerinzäpfchen für Kinder. Stets ist aber die Ursache ebenfalls abzustellen und somit weiteren V.en vorzubeugen. Schwere V.en können von Appetitlosigkeit, Erbrechen, Apathie und zunehmender Störung des Allgemeinbefindens begleitet sein. In solchen Fällen ist sofort ein Tierarzt aufzusuchen. Abführmittel, die dem Menschen helfen, sind oft ungeeignet und sollten in keinem Falle verabreicht werden.

Verwandtenselektion ↑ Soziobiologie.

Verwerfen ↑ Abort.

„verzögerte Vererbung" ↑ matrokline Vererbung.

Vibrissen ↑ Schnurrhaare.

Vielehe ↑ Polygamie.

Vielmännerei ↑ Polygamie.

Vielweiberei ↑ Polygamie.

Vielzehigkeit ↑ Polydaktylie.

vier Ohren ↑ Doppelohren.

Vitaminbedarf: Vitamine sind lebenswichtige organische Verbindungen, die in geringen Mengen als Teile von körpereigenen Enzymen und Hormonen benötigt werden. Die meisten Vitamine werden nicht selbst vom Organismus synthetisiert und müssen deshalb durch das Futter aufgenommen werden. Sie werden in fettlösliche und wasserlösliche Vitamine unterteilt:
fettlösliche Vitamine: Vitamin A, D, E und K. Die Aufnahme in den Organismus ist an die Anwesenheit von Fett gebunden. Sie können in der Leber gespeichert und je nach Bedarf abgebaut werden. Das hat zwar den Vorteil, daß sie nicht täglich zugefüttert werden müssen, aber auch den Nachteil, daß bei längerfristigem Überangebot keine Ausscheidung überflüssiger Vitamine erfolgt. Durch die ständige Speicherung treten schließlich Vergiftungen auf, die sogenannten Hypervitaminosen. Fettlösliche Vitamine sind im allgemeinen hitzestabil, jedoch lichtempfindlich.
wasserlösliche Vitamine: Vitamin-B-Komplex und Vitamin C. Sie werden kaum gespeichert und bei Überangebot leicht mit dem Harn ausgeschieden; eine ↑ Vergiftung ist so gut wie ausgeschlossen. Wasserlösliche Vitamine müssen täglich zugeführt werden. Sie sind hitzeempfindlich, d. h., sie werden z. B. beim Kochen oder Erwärmen des Futters zerstört.
Die nachfolgende Tab. ist eine Übersicht über den V. Die angegebenen Bedarfsnormen sind nur als Richtwerte anzusehen, da Faktoren wie Wachstum, Trächtigkeit, Laktation, Deckleistung,

Körpergewicht, Alter und Krankheit den V. beeinflussen. Ebenso wie der ↑ Mineralstoffbedarf steht auch der V. in direkter Beziehung zur Leistung und zum Körpergewicht: ↑ Trächtigkeit und Wachstum erfordern das anderthalb- bis zweifache des Erhaltungsbedarfes, Milchleistung, je nach Anzahl der Welpen, bis zum Vierfachen des Erhaltungsbedarfes. Alte Tiere brauchen ein höheres Vitaminangebot, da die Resorptionsfähigkeit des Darmes vermindert ist und nicht alle zugeführten Vitamine genutzt werden.
Im Gegensatz zu anderen Säugetieren kann die Katze die pflanzliche Vorstufe des Vitamin A, das Karotin, nicht in Vitamin A umwandeln. Zur Deckung des Vitamin-A-Bedarfes sind nur tierische Nährstoffe geeignet, insbesondere rohe Leber. Allerdings enthält rohe Leber vom Rind z. B. so viel Vitamin A (19200 IE/100 g), daß eine wöchentliche Gabe von 100 bis 150 g völlig ausreichend ist. Höhere Mengen führen zu Vergiftungen, die mit schweren Knochenveränderungen einhergehen. Lebertran (85000 IE/100 g) sollte bereits als Medikament betrachtet werden.
Die meisten Vitamine sind in ausreichender Menge in einem korrekt zubereiteten und zusammengestellten Katzenfutter enthalten. Das Vitamin-A-Angebot ist oft zu gering und bei zu hohem Fettanteil im Futter fehlt in der Regel auch Vitamin E, bei dessem Mangel u. a. die sogenannte Gelbfettkrankheit entsteht. Für eine gesunde ↑ Ernährung sollten jedem Futter, ob zu Hause täglich frisch zubereitet oder als Fertigfutter aus der Konserve, Vitaminpräparate hinzugefügt werden. Als günstig erweisen sich die kombinierten Vitamin-Mineralstoffgemische, da gleichzeitig Mineralstoffmängel ausgeglichen werden.

Vollpigmentierung [engl. full colour]: volle Funktion des Enzyms Tyrosinase (↑ Albinismus), das die Bildung von ↑ Melanin bewirkt, Auftreten des Wildtypallels C der ↑ Albinoserie. ↑ Hypostasie besteht gegenüber dem ↑ dominanten Weiß und der ↑ Scheckung, wobei letztere die Enzymfunktion nur mehr oder weniger begrenzt. Die Bezeichnung des ↑ Genorts stammt noch aus einer Zeit, in der man die ↑ Chinchilla, d. h. den später als eigenen Genort identifizierten ↑ Melanininhibitor, dem Coloration-Locus C zuordnete und ist deshalb semantisch nicht mehr ganz korrekt. Auch Tiere der ↑ Silberserie sind genetisch vollpigmentiert C-, obwohl das ↑ Supressorgen I eine volle Ausfärbung des Fells verhindert.
C ist in einfacher Dosis vollständig dominant gegenüber den Allelen des Albinolocus, die ihrerseits wegen der ↑ multiplen Allelie am Genort durch ↑ unvollständige Dominanz gekennzeichnet sind. Eine typische Allelkombination ist Cc^s bei den ↑ Orientalisch Kurzhaar oder die Konstellation Cc^b. Letztere entsteht bei Paarungen zwischen der ↑ Bombay und der amerikanischen ↑ Burma, die in einem amerikanischen Dachverband nach Vereinheitlichung der Standards seit 1985 zur Erweiterung des ↑ Genpools der Burma zugelassen wurde und somit aus der ↑ Rasse Bombay eine ↑ Varietät der amerikanischen Burma machte.

vollständige Dominanz, *regelmäßige Dominanz*: die phänotypische Ausprägung eines Gens (die spezifische Merkmalbildung), die bereits im heterozygoten Zustand (↑ Mendel-Regeln) auftritt; das Merkmalmuster des homozygot-rezessiven Genotyps wird vollständig unterdrückt (↑ Rezessivität).
Hauptcharakteristika eines einfach autosomalen, vollständig dominanten Erbgangs sind:
– Das Merkmal ist (mit Ausnahme von Neumutationen, z. B. dominante ↑ Le-

Zusammenstellung vom Organismus benötigter Vitamine mit ihren Wirkungen

Vitamine	täglicher Bedarf	Funktion im Organismus	Vergiftungserscheinungen (Hypervitaminosen)
fettlösliche Vitamine			
Vitamin A (Retinol)	1500...2100 IE	Schutz der Haut und Schleimhäute, Anpassung des Auges an die Dunkelheit, unterstützt das Wachstum und die Fruchtbarkeit	Leberdegeneration, Knochenneubildungen, Versteifung der Haulswirbelsäule
Vitamin D (Kalziferol)	50...100 IE	(Anti-Rachitis-Vitamin) fördert die Aufnahme von Ca und P im Darm und die Verkalkungsvorgänge im Knochen, reguliert den Ca- und P-Umsatz im Organismus	Kalkablagerungen in Organen
Vitamin E (α-Tokopherol)	0,4...4,0 mg	(Fortpflanzungsvitamin) Erhaltung der Leberfunktion und der Fruchtbarkeit, Aufbau und Erhaltung der Muskulatur, Schutz der Fette vor der Zerstörung infolge Oxidation	Leberdegeneration
Vitamin K (Menadion)	minimal	Sicherung der normalen Blutgerinnung	
wasserlösliche Vitamine			
Vitamin-B-Komplex		Förderung des Stoffwechsels als Bestandteil von Enzymen und Fermenten	im Prinzip nicht auftretend, da bei Überangebot wasserlöslicher Vitamine eine rasche Ausscheidung über die Niere erfolgt
– Vitamin B_1 (Thiamin)	0,2...1,0 mg	Beteiligung am Kohlehydratstoffwechsel	
– Vitamin B_2 (Riboflavin)	0,15...0,2 mg	Beteiligung am Fettstoffwechsel	
– Vitamin B_6 (Pyridoxin)	0,2...0,3 mg	Beteiligung am Eiweißstoffwechsel	
– Niazin (Nikotinsäure)	2,6...4,0 mg	Beteiligung an Fermentreaktionen	

Mangelerscheinungen (Hypervitaminosen)	besonders vorkommend in	Besonderheiten
Augen-, Haut- und Schleimhauterkrankungen, erhöhte Infektionsanfälligkeit, Nachtblindheit, Wachstumshemmung, gestörte Fortpflanzung	Leber, Niere, Butter, Milch, Eidotter, Lebertran	die in der Pflanze vorkommende Vorstufe des Vitamin A, das Karotin, kann nicht verwertet werden
Störungen in der Knochenbildung (Rachitis bei Jungtieren, Knochenweiche bei erwachsenen Tieren)	Hefe, Butter, Milch, Eidotter, Fischöl, Leber, Lebertran, Gemüse	wird unter Einfluß ultravioletter Sonnenstrahlen in der Haut gebildet
Fruchtbarkeits- und Wachstumsstörungen, Schäden im Muskel-, Drüsen- und Nervengewebe, Gelbfettkrankheit (Steatitis)	Butter, Eidotter, Lebertran, Weizen und Haferkeimlinge, grünes Gemüse, Obst	bei Verfütterung großer Mengen ungesättigter Fettsäuren, besonders im Fett von Fisch und Pferdefleisch und Pflanzenölen, hoher Vitamin E-Bedarf; sonst kann die Gelbfettkrankheit auftreten.
erhöhte Blutungsneigung	Spuren in Leber, Gemüse	Eigensynthese im Darm
		teilweise Eigensynthese
Funktionsstörungen des Zentralnervensystems und der Muskulatur, Magen- und Darmstörungen, Absinken der Körpertemperatur	Hefe, Weizenkeime, Leber, Niere, Herz, Fleisch, Getreideschrote- und -mehle, Eidotter	die im rohen Fisch enthaltene Thiaminase zerstört Vitamin B_1, ebenso wirkt ranziges Fett; bei Leistung besonders hoher Vitamin B_1-Bedarf
Wachstumsstörungen, Hornhauttrübung am Auge, Haut- und Schleimhautveränderungen, embryonale Mißbildungen	Hefe, Leber, Herz, Niere, Fleisch, Milch, Getreideschrote- und -mehle	besonders hoher Bedarf bei Leistung und Fieber sowie bei sehr fetthaltiger Nahrung
Freßunlust, Verdauungsstörungen, Wachstumsstörungen, zentral-nervöse Störungen, Anämie	Hefe, Leber, Fleisch, Eidotter, Milch, Weizenkeime, Getreideschrote und -mehle	besonders hoher Bedarf bei Leistung und Fieber
Magen-Darmentzündungen, zentral-nervöse Störungen, Wachstumsstörungen	Hefe, Leber, Fleisch, Getreideschrote und -mehle	muß immer zugeführt werden, da nicht aus Tryptophan aufgebaut werden kann, besonders hoher Bedarf bei Infektionskrankheiten

Vitamine	täglicher Bedarf	Funktion im Organismus	Vergiftungserscheinungen (Hypervitaminosen)
– Pantothensäure	0,25...1,0 mg	Beteiligung am intermediären Stoffwechsel	
– Biotin (Vitamin H)	0,1 mg	Bestandteil von Fermenten	
– Cholin	100 mg	Leberschutz vor fettiger Infiltration	
– Inosit	10 mg	Beteiligung am Fettsäuretransport	
– Folsäure	unbekannt	Beteiligung am Eiweißstoffwechsel, Aufrechterhaltung der normalen Blutbildung	
– Vitamin B_{12}	unbekannt	Aufrechterhaltung normaler Blutbildung, Beteiligung an der Eiweiß- und Fettsäuresynthese	
Vitamin C	gering	beeinflußt die Stoffwechselprozesse im Organismus	im Prinzip nicht auftretend, da bei Überangebot wasserlöslicher Vitamine eine rasche Ausscheidung über die Niere erfolgt

talfehler) mindestens bei einem Elternteil vorhanden.

- In diesem Fall treten unter den Nachkommen 50% Merkmalträger auf, bei Heterozygotenpaarung 75% (Abb.).
- Die Wirkung des dominanten Allels ist im homozygoten Zustand im allgemeinen nicht von der im heterozygoten Zustand zu unterscheiden.

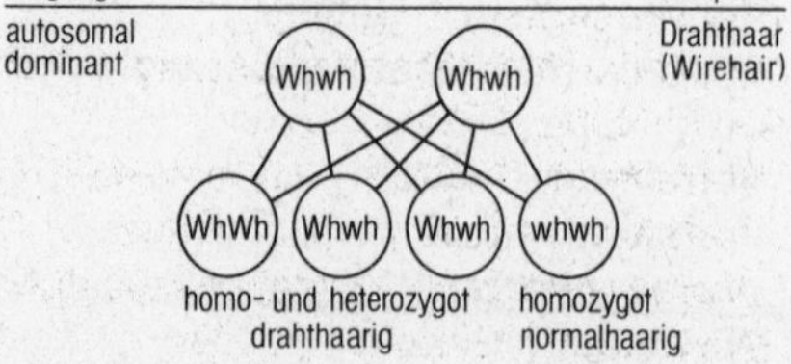

Erbgang	Erbschema	Beispiel
autosomal dominant	Whwh × Whwh → WhWh, Whwh, Whwh, whwh; homo- und heterozygot drahthaarig; homozygot normalhaarig	Drahthaar (Wirehair)

Spaltungsverhältnisse bei einem kompletten autosomal dominanten Erbgang

- Nicht betroffene Familienangehörige bringen anlagefreie Nachkommen.

Vorbiß, *Überbiß*, *Brachygnathia superior*: Wachstumsanomalie der Kiefer, die zum Vorstehen der Unterkiefer führt und bei Rassen mit extremer Kurzköpfigkeit (↑ Brachyzephalie), also überwiegend bei ↑ Persern und ↑ Exotic Kurzhaar auftritt. Der V. wird durch Gesichtsschädelgene determiniert (Polygenie). Es handelt sich um eine Hemmungsmißbildung des Gesichtsschädels, die im Extrem das ↑ Beutefangverhalten, das Kauen und die Fähigkeit der Katzen beeinträchtigt, die Eihäute nach der ↑ Geburt der Welpen auf- und die Nabelschnur durchzubeißen. Diese Erkenntnis führte dazu, daß innerhalb der F.I.Fe. Katzen mit einem Vorbiß über 2 mm disqualifiziert werden. Im Ver-

Mangelerscheinungen (Hypervitaminosen)	besonders vorkommend in	Besonderheiten
Wachstumsstörungen, Pigmentationsstörungen	Leber, Niere, Magermilchpulver, Getreideschrote und -mehle	
gestörter Haarwechsel, Haarausfall, begünstigt Infektionen	Hefe, Leber, Niere, Fleisch, Fisch	das im rohen Eiweiß enthaltene Avidin bindet Biotin und macht es unwirksam, ranzige Fette zerstören es, Eigensynthese im Organismus
Leberverfettung, Nierendegeneration	Eidotter, Leber, Hefe, Fleisch, Fisch	teilweise Eigensynthese
Störungen des Wachstums und der Fortpflanzung	Eidotter, Weizenkeime, Getreideschrote und -mehle	
Störungen der Blutbildung	Hefe, Leber, Gemüse	
Störungen der Blutbildung und der Fortpflanzung, Geburt nichtlebensfähiger Welpen	Fleisch, Leber, Fisch, Quark	Eigensynthese im Darm
verringerte Widerstandsfähigkeit, erhöhte Infektionsanfälligkeit	Gemüse, Leber	Eigensynthese, die aber bei Infektionskrankheiten vermindert ist; deshalb zusätzliche Gaben erforderlich

band der DDR hingegen werden nicht nur alle Katzen am Richtertisch auf korrekte Kiefer- und Zahnstellung kontrolliert, sondern bei V. auch entsprechende Eintragungen auf den bei Ausstellungen mitzuführenden Ahnentafeln vorgenommen. Katzen, die einen leichten Vorbiß haben, d. h., der Unterkiefer steht weniger als 2 mm vor, erhalten eine Zuchteinschränkung, so daß sie nicht mit gleichen Merkmalträgern gepaart werden dürfen (↑ Ausgleichspaarung). Da die Schädelentwicklung erst in einem Alter von zwei bis drei Jahren abgeschlossen ist, sollten Züchter bis zu diesem Zeitpunkt die korrekte Kieferstellung ihrer Tiere selbst überprüfen (↑ Gebiß, ↑ Gebißanomalien). Ein V. setzt nicht unbedingt einen breiten kräftig entwickelten Unterkiefer voraus, sondern kann gleichfalls bei einem schwachen, fliehenden Kinn auftreten. Das Pendant des V. bei kurzköpfigen Katzen ist der ↑ Unterbiß der ↑ Siam und ↑ Orientalisch Kurzhaar, bei denen auf eine lange schmale Kopfform selektiert wurde.

Katzen, bei denen ein „Übertyp" zum rassebildenden Merkmal erhoben wurde, z. B. bei den amerikanischen ↑ Peke-face, leiden alle unter einem V.

Vorderendlage ↑ Geburt.

Vorderextremitätenverkürzung ↑ Känguruhbeine.

Vorfahrenreduktion ↑ Ahnenverlust.

Vorfahrenverlust ↑ Ahnenverlust.

„Vorhangkatzen" ↑ Mutationszüchtung.

Vorwehen ↑ Geburt.

Vorzugstemperatur ↑ Thermoregulation.

W

Wachstumshormon ↑ Zwergwuchs.
Wachstumsstörungen: 1. ↑ Eiweißbedarf. – **2.** ↑ Energiebedarf. – **3.** ↑ Vitaminbedarf. – **4.** ↑ Zwergwuchs.
Wackeln ↑ Beutefangverhalten.
Waldwildkatze, *Europäische Wildkatze, Felis silvestris silvestris* (*Schreber*, 1777): neben der ↑ Falbkatze und der ↑ Steppenwildkatze dritter Vertreter der Großart Wildkatze (↑ Katzen). Trotz großer Ähnlichkeit kann sie nicht als Stammart der ↑ Hauskatze angesehen werden (↑ Domestikation, ↑ Selbstdomestikation). Es ist jedoch wahrscheinlich, daß sich besonders im nord- und mitteleuropäischen Gebiet des öfteren W. mit Hauskatzen verpaart haben (↑ Blendlinge). Durch starke menschliche Verfolgung ist die W. heute in Europa nur noch auf der Pyrenäenhalbinsel, in Schottland, auf Korsika und Sardinien, in Mittel- und Süditalien, auf dem Balkan und in den mitteleuropäischen Mittelgebirgen vom Harz bis Frankreich anzutreffen. In der Bundesrepublik Deutschland kommt sie mit etwa 1500 bis 2000 Exemplaren im Harz, in der Eifel, im Pfälzerwald, dem Weserbergland, dem Sauerland und dem Hunsrück vor. Das Hauptverbreitungsgebiet in der DDR liegt im Harz (200 ± 50 besetzte Reviere); einzelne Tiere sind auch in Thüringen beobachtet worden. Die Grundfarbe des W.fells ist grau marmoriert mit einem mehr oder weniger gelblichen Unterton. Die Oberseite ist dunkler gezeichnet als die Unterseite. An Kehle, Brust und Bauch hat sie kleine, deutlich ausgebildete weiße Haarpartien. Die dunkle Rückenzeichnung beginnt auf Stirn und Scheitel mit maximal sechs Fleckenreihen, die sich im Ohrbereich meist zu vier schwarzen Streifen vereinen und im Nacken auslaufen. Über die Rückenmitte verläuft ein schmaler schwarzer ↑ Aalstrich, der vor der Schwanzwurzel endet. Die Sohlen der Füße haben hinter dem Ballen einen schwarzen Fleck (↑ Sohlenstreifen), der aber kein sicheres Unterscheidungsmerkmal zur Hauskatze sein kann (vgl. Tabbyzeichnung). Wichtigstes Kennzeichen der W. ist der gleichmäßig behaarte, buschige Schwanz mit einer breiten schwarzen Spitze. Davor liegen zwei, seltener drei geschlossene schwärzliche Ringe. Der ↑ Nasenspiegel ist stets kräftig fleischfarben. Die Gesamtlänge variiert bei männlichen Tieren zwischen 88 und 97 cm (Mittelwert 94 cm) und bei weiblichen Tieren zwischen 76 und 94 cm (Mittelwert 84 cm). Die Körpermasse der Kater, in der Jägersprache *Kuder* genannt, liegt zwischen 3,3 und 7,7 kg (im Mittel 5,3 kg) und bei Katzen zwischen 2,0 und 5,8 kg (im Mittel 4,2 kg) (Angaben nach *Piechocki*, 1982, und *Raimer* und *Schneider*, 1983). Bei Tieren aus der Slowakei und der Eifel wurden jedoch auch schon Maximalwerte von 15 bzw. 8 kg gemessen.
Obwohl die W. in Deutschland bereits seit 1922 gesetzlich geschützt ist, kommt es auch heute noch zu nicht unerheblichen Verlusten durch fehlerhaftes Ansprechen bei der Jagd, durch Fang in Tellereisen und auch durch Beeinträchtigung ihres Lebensraumes, hauptsächlich Laub- und Nadelwälder in Mittelgebirgslagen. Die W. ist ein ausgesprochener Einzelgänger, zur Beteiligung von Katern an der Jungenaufzucht gibt es sowohl aus der Gefan-

genschaft (*Bürger*, 1964, *Puschmann*, 1985, *Condé* und *Schauenberg*, 1969) als auch aus freier Wildbahn (*Piechocki*, 1982) widersprüchliche Beobachtungen, die vielleicht von einer hohen ↑ Individualität des Verhaltens sprechen. Die Angaben über Reviergrößen reichen von 38 ha für junge Weibchen über 75 ha für ausgewachsene Weibchen bis zu 127 ha für ausgewachsene Männchen (*Schauenberg*, 1981). Das ↑ Streifgebiet kann eine Größe bis zu 300 ha haben (*Piechocki*, 1982) und sich mit dem anderer Artgenossen überschneiden. Junge Männchen ziehen weit umher und können Hunderte von Kilometern vom eigentlichen Vorkommen entfernt angetroffen werden (vgl. Sozialstatus). Das ↑ Revier ist durch ständig benutzte Pfade gekennzeichnet. Die Männchen markieren auch regelmäßig durch Harnspritzen und unverdeckt abgesetzten Kot (↑ Duftmarkieren, ↑ Defäkation). Die Hauptranzzeit liegt in den Monaten Februar und März, eine zweite Brunst findet im Hochsommer statt (vgl. Jahresrhythmik), im Südharz ist für Oktober/November auch eine dritte nachgewiesen (*Piechocki* und *Möller*, 1983). Die Katzen locken die Kater durch lautes Schreien an (*Schauenberg*, 1981). Bei den darauffolgenden Katerkämpfen sind unverwechselbare jaulende Lautäußerungen zu vernehmen (*de Leuw*, 1970). In der Regel kontrolliert ein Männchen zwei bis drei Weibchen. Die Tragezeit (vgl. Trächtigkeit) liegt zwischen 63 und 70 Tagen (im Mittel 66 Tage). Als Wochenstuben dienen Fels- oder Baumhöhlen sowie andere trockene Plätze unter Reisighaufen und Holzstößen. Die Wurfgröße liegt zwischen zwei und sechs, maximal acht Jungen. Die ↑ Geburtsmasse liegt zwischen 80 und 135 g. Zwischen dem 10. und 12. Lebenstag öffnen sich die Augen der Jungtiere (vgl. Jungtierentwicklung). Sie werden etwa vier Monate von der Mutter gesäugt. Nach dem Durchbruch des Milchgebisses (↑ Zähne) im Alter von 1 1/2 Monaten beginnt die zusätzliche Aufnahme von Fleischnahrung. Selbständig gewordene Jungtiere werden von der Mutter weggebissen und so veranlaßt abzuwandern (vgl. Mutter-Kind-Bindung). Die maximale ↑ Lebenserwartung liegt bei 12 Jahren.

Die W. ist ein vorwiegend dunkelaktives Tier (↑ Tagesrhythmik). *Schuh* u. a. (1971) stellten einen Aktivitätsbeginn etwa eine Stunde vor Sonnenuntergang und ein Ende eine halbe Stunde nach Sonnenaufgang fest. Unter mitteleuropäischen Verhältnissen besteht die Nahrung der W. fast ausschließlich aus Kleinsäugern (Nagetiere, Spitzmäuse, Hasen und Kaninchen, vgl. Beutetiere); es gibt auch Tiere, die sich auf Fisch spezialisiert haben (vgl. Angeln). Den größten Anteil machen Erd- und Feldmäuse aus. Somit ist die W. ein nicht zu unterschätzender Schädlingsvertilger (*Piechocki*, 1982; *Ragni*, 1978; *Schauenberg*, 1981). Im Magen von erlegten W. konnten bis zu 30 Mäuse gefunden werden. Durch gesetzliche Bestimmungen ist die W. in der DDR vollkommen unter Schutz gestellt; durch eine breite Aufklärung der Jäger wird dem irrtümlichen Abschuß weitestgehend vorgebeugt. Tot aufgefundene W. sind über die Naturschutzbeauftragten der Kreise und Bezirke melde- und abgabepflichtig. Dabei sind Vorsichtsmaßnahmen zum Schutz vor Tollwut (↑ Infektionskrankheiten) einzuhalten. Der internationale Handel ist durch das Washingtoner Artenschutzabkommen geregelt. Tafeln 28, 29.

Wangenreiben: 1. ↑ Chemokommunikation. – **2.** ↑ Duftmarkieren.

Wärmeregulation ↑ Thermoregulation.

Wärmerezeptoren: 1. ↑ Sinnesorgan. – **2.** ↑ Thermoregulation.

Warnlaut: **1.**↑ Lautgebung. – **2.**↑ Warnverhalten.

Warnverhalten: Sammelbezeichnung für Verhaltensweisen, die ein Tier bei Auftauchen eines Feindes (↑ Feindverhalten) zeigt. Dadurch werden andere Individuen über die potentielle Gefahr informiert. Das W. wird als Beispiel für altruistisches (uneigennütziges) Verhalten angeführt, da es dem Warnenden scheinbar keinen Vorteil bringt, ihm aber durch Anlockung des Feindes durchaus Nachteile eintragen kann. Es ist jedoch möglich, daß neben der Rettung des eigenen Nachwuchses bzw. anderer verwandter Artgenossen (↑ Soziobiologie) auch Feinde durch aktives W. abgeschreckt werden können. Katzen zeigen W. besonders in der Phase der Jungenaufzucht. So können die dem Muttertier bekannten Eigenschaften von ↑ Beutetieren und auch Feinden über Lern- und Prägungsvorgänge (↑ Lernverhalten) an den Nachwuchs weitergegeben werden.

Waschbärenzeichnung: Auftreten der ↑ Maske des Amerikanischen Waschbären (Procyon lotor) bei Katzen. Dieser besitzt helle Augenringe (Brille), helle Augenbrauen und Schnurrhaarkissen. Die W. ist ein Merkmal der Smoke- und Schildpatt-Smoke-Varietäten (↑ Tortie-Cameo). Die Zeichnung tritt bereits bei den Neugeborenen auf. Sie ist ein sicheres Kriterium zur Unterscheidung der genannten Varietäten von den Einfarbigen. Fehlt dieses Merkmal, ist auch im höheren Lebensalter kein ausreichender Silberanteil zu erwarten, d. h., die weiße Unterwolle wird nicht in ausreichendem Maße vorhanden sein.

Wasserbedarf: allgemeinen Richtwerten folgend, liegt der W. bei Jungtieren mit durchschnittlich 77 ml/kg Körpermasse doppelt so hoch wie bei erwachsenen Katzen (32 ml/kg Körpermasse im Durchschnitt). Jedoch ist die Wasseraufnahme individuell außerordentlich verschieden und eine erwachsene Katze kann durchaus 60 ml und mehr Wasser je kg Körpermasse und Tag zu sich nehmen. Da im Feuchtfutter etwa 70 bis 75% gebundenes Wasser enthalten ist, wird hieraus der tägliche W. zu etwa 90% gedeckt. Das restliche Wasser ergibt sich aus den Stoffwechselprozessen (metabolisches Wasser) bzw. muß zusätzlich aufgenommen werden. Das bedeutet, daß eine 3,5 kg schwere Katze etwa 25 ml je Tag trinkt. Die Toleranzbreite liegt zwischen 5 und 80 ml. Aus diesem Grund scheint es manchmal so, als ob die eine oder die andere Katze überhaupt nicht trinkt. Trotzdem muß das Wasser täglich gewechselt und der Trinknapf an einer stets zugänglichen Stelle aufgestellt sein.

Der Wasserhaushalt der Katze unterliegt einem besonderen Mechanismus, der aus ihrer Wüsten- und Steppenabstammung erklärt wird. Dort hing das Überleben von der Fähigkeit ab, Wasser rationell zu konservieren. In der Niere werden maximale Wassermengen rückresorbiert und dem Organismus wieder zur Verfügung gestellt. Bei Wassermangel, z. B. wenn über längere Zeit Trockenfutter gefüttert wird (etwa 10% Wassergehalt), verstärkt sich dieser Wirkungsmechanismus noch. Im Gegensatz zu anderen Tieren ersetzt die Katze die fehlende Flüssigkeit im

Wassergehalt einiger Futtermittel

	gebundenes Wasser in %
Fleisch	60…75
Fisch, roh (vgl. Ernährung)	75…80
Eiweiß (vgl. Ernährung)	88
Nährmittel, trocken	10
Trockenfutter	10
Feuchtfutter	70…75
Fertigfutter	70

Futter nicht durch zusätzliche Wasseraufnahme, sondern durch erhöhte Wasserrückresorption in den Nieren. Der Harn wird noch konzentrierter als sonst; die Gefahr einer Harnsteinbildung (↑ Urolithiasis) erhöht sich. Wird dem Futter 1% Kochsalz (=1 g/100 g Futter) zugefügt, erhöht sich die Trinkwasseraufnahme beträchtlich. Das Kochsalz bewirkt eine höhere Wasserausscheidung und regt so das Durstgefühl an. Wasseraufnahme und -abgabe werden gleichzeitig angeregt (*Scott*, 1979; *Burger*, 1979).

Trockenfutter enthält zwar in der Regel 1% und mehr Kochsalz, durch den niedrigen Wassergehalt wird aber letztlich im Vergleich zum Feuchtfutter nur halb so viel Wasser aufgenommen, und die Gesamtbilanz bleibt negativ. Tab.

Bei ↑ Durchfall sollte das Futter entzogen werden, niemals aber das Wasser. Durch die Magen/Darmentzündung ist bereits die Wasseraufnahme gestört. Ein zusätzlicher Wasserentzug würde jegliche Möglichkeit, den akuten Wassermangel zu kompensieren, unterbinden.

Wasserkopf ↑ Hydrozephalie.

Wechselkreuzung ↑ Zuchtmethoden.

Wegschleudern: Element des ↑ Beutefangverhaltens bei vielen Raubtieren (Hunden, Mardern, Schleichkatzen), das auch bei unerfahrenen ↑ Katzen zu beobachten ist. Eine furchtsame Katze packt kleinere Beute an einer beliebigen Körperstelle nur lose im Fell, um sie sofort wieder durch W. fallen zu lassen. Nach *Leyhausen* (1982) ist diese Verhaltensweise dem Abschleudern (↑ Rupfen) homolog, das durch beliebige Fremdkörper an den Zähnen ausgelöst wird (Wollknäuel, Lappen, Federn, Haare). Daher wird W. auch oft als Element des ↑ Spielverhaltens sichtbar, wenn nicht beuteadäquate Objekte gefangen und gerupft werden.

Eine andere Hypothese sieht das W. als stammesgeschichtliche Basis des ↑ Totschütteln, wobei der Beute durch intensives Kopfschütteln das Genick gebrochen wird. Dem hält *Leyhausen* die Feststellung entgegen, daß getötete Beutetiere nicht weggeschleudert, sondern abgelegt werden. Es wäre auch denkbar, daß je nach Größe und Kraft der Katzen unterschiedlicher Arten sich zwei unterschiedliche Tötungsformen aus dem W. entwickelt haben: bei kleineren Arten ausschließlich der ↑ Tötungsbiß, bei größeren, in Abhängigkeit wiederum von der Größe der Beute, das Totschütteln und der Tötungsbiß. Das Abschleudern wäre in diesem Falle als weiteres Element des Beutefangverhaltens zur Entfernung von Fremdkörpern aus dem Gebiß zu sehen, das bei Jungtieren spielerisch geprägt sein kann.

Wehenschwäche: **1.** ↑ Geburt. – **2.** ↑ Geburtsstörungen.

„Weinen des Verlassenseins“ ↑ Lautgebung.

Weißfärbung: **1.** ↑ Albinismus. – **2.** ↑ Leuzismus.

Weißlinge: **1.** ↑ Albinismus. – **2.** ↑ Leuzismus.

Weißscheckung: **1.** ↑ Handschuhe. – **2.** ↑ Leuzismus. – **3.** ↑ Scheckung.

Welpenaufzucht: Aufzucht und Haltung der Welpen von der ↑ Geburt bis zur Abgabe. Gesundheit und Wachstum von Katzenwelpen werden durch viele Faktoren beeinflußt: ↑ Geburtsmasse, allgemeine Pflege, ↑ Ernährung, Grad der mütterlichen Betreuung (↑ Mutterverhalten), Krankheiten, ↑ Erbfehler, angeborene ↑ Mißbildungen u. a.

Die Fähigkeit des Muttertieres, ausreichende Milchmengen von guter Qualität zu produzieren, hängt zum Teil von ihrem eigenen Ernährungszustand ab. In den ersten 24 Stunden ist die Muttermilch (Kolostralmilch) mit außerordentlich vielen spezifischen Abwehrstoffen, Antikörpern, angereichert, die die Welpen bis zum Alter von zehn bis zwölf Wochen vor ↑ Infektionen schützen können. Ungefähr 90% der Antikörper sind Immungammaglobuline, die von den Neugeborenen nur in den ersten 12 bis 24 Stunden resorbiert werden können. Deshalb sollen sie sofort an die Zitzen angelegt und nicht der Abschluß der Geburt abgewartet werden. Die kräftigsten Tiere erobern die zwischen den Hinterbeinen gelegenen milchreichsten Zitzen und verdrängen ihre Geschwister in den ersten Tagen von der Milchquelle (↑ Zitzenpräferenz), nachdem sie ihre leergesaugt haben. Solche Welpen wachsen schneller und nehmen im Wurf eine dominierende Stellung ein, die allerdings mit Auflösung der Familie verloren geht. Welpen, die vom Muttertier ausreichend gesäugt werden, sind meist warm und ruhig; erhalten sie zu wenig Milch, sind sie laut, kalt und isolieren sich vom Rest des Wurfes. In solchen Fällen sollte sofort festgestellt werden, ob der Milchmangel auf eine ungenügende Fütterung der Mutter oder einen Grund zurückzuführen ist, der der tierärztlichen Behandlung bedarf. Schwächeren Welpen kann man bei ausreichender Vitalität zusätzlich Mahlzeiten verabreichen (↑ mutterlose Aufzucht), bis sie kräftig genug sind, sich an ihrer Zitze zu behaupten.

Bis zum 45. Tag nach der Geburt ist die ↑ Thermoregulation der Welpen noch nicht voll entwickelt und in den ersten beiden Lebenswochen besonders gering, so daß die Mutter als Wärmequelle besonders wichtig ist. Im allgemeinen sollte eine Umgebungstemperatur von 18 bis 25 °C vor dem Absetzen ausreichen. Im fortgeschrittenen Alter sind sogar niedrigere Temperaturen akzeptabel.

In den ersten Tagen trinken die Welpen 2 g Muttermilch je Mahlzeit. Bis zur vierten Lebenswoche erfolgt eine Steigerung auf 10 g und in dem Maße, wie die aufgenommene Milchmenge zunimmt, nimmt die Anzahl der Saugakte ab: In der ersten und zweiten Lebenswoche wird alle zwei Stunden getrunken, in der vierten Woche werden hingegen nur noch sieben Saugakte in 24 Stunden registriert. Die Häufigkeit der Saugakte nimmt dann ständig weiter ab. Tägliches Wiegen der Welpen in den ersten Lebenswochen gibt nicht nur über die ↑ Masseentwicklung, sondern auch über die Milchleistung der Mutter Auskunft. Spätestens ab zweitem Lebenstag sollten 10 bis 20 g je Tag zugenommen werden.

An einer verminderten Gewichtszunahme sind Erkrankungen einzelner Milchdrüsen ebenso rasch erkennbar, wie ein genereller Abfall der Milchleistung. Außerdem werden bei einer täglichen Gewichtskontrolle die Welpen frühzeitig an die Hand des Menschen gewöhnt und sind später zutraulicher als Tiere, die in den ersten vier Wochen keinen Kontakt mit Menschen hatten. Stagniert das Gewicht in der dritten oder vierten Woche ein oder zwei Tage lang oder erhöht sich nicht im gewohnten Maße, so kann das am Durchbrechen der ↑ Zähne liegen. Die damit einhergehende leichte Erhöhung der ↑ Körpertemperatur ist durchaus normal.

Je nach Anzahl der Welpen und der körperlichen Verfassung des Muttertieres sollte um die vierte Lebenswoche mit dem *Absetzen* begonnen werden, d. h. die Nahrungs- und vor allem die Flüssigkeitsmenge für die Mutterkatze wird in dem Maße reduziert, wie die Jungtiere feste Nahrung zu sich nehmen. Da der Energie-, Eiweiß-, Vitamin- und Mineralstoffbedarf der Welpen sehr hoch ist (nach *Martin*, 1984, werden mehr als 90% der Energie für das Wachstum benötigt und nur 4 bis 9% des täglichen Energieverbrauches wer-

den von zehn bis zwölf Wochen alten Kätzchen für das Spielen beansprucht), dürfen nur biologisch hochwertige Nährstoffträger eingesetzt werden. Auf ↑ Fütterungsfehler reagieren Jungtiere sehr empfindlich und ↑ Durchfall ist oft die Folge.
Mit dem Absetzen übernimmt der Züchter zwangsweise Mutterfunktion, d.h., er nimmt der Mutterkatze die Aufgabe ab, den Welpen festes Futter zuzutragen und sie zum Fressen zu animieren. Es ist falsch, wenn einige Züchter sich auf dieses natürliche Verhalten von Katzen berufen und den Welpen erst dann Futter anbieten, wenn sie allein zum Futternapf der Mutter laufen, um dort nach Nahrung zu suchen. Meist sind es die gleichen Züchter, die eine tägliche oder zumindest regelmäßige Gewichtskontrolle für zu aufwendig halten und untergewichtige Tiere verkaufen. Da Züchter bewußt die natürliche ↑ Selektion durch künstliche ersetzen (↑ Inzestvermeidung), sollten sie sich nicht aus Bequemlichkeit bei der W. auf die natürliche Auslese berufen, um sie dann beim Verkauf der Katze als potentielles Zuchttier sofort wieder zu vergessen. Der Züchter muß auf ein möglichst abwechslungsreiches Futterangebot achten, da das Akzeptanzverhalten gegenüber den angebotenen Futtermitteln ausgeprägt wird (↑ sensible Phase). Gehaltvolle Breizubereitungen, geschabtes oder fein zerkleinertes Fleisch mit Vitamin- und Mineralstoffzusätzen mit Haferschleim oder Kaffeesahne versetzt, auch ↑ Fertigfutter, fein zerkleinert, kann gegeben werden. Der Eiweißanteil soll aber mindestens 20% betragen. In den ersten zwei bis vier Tagen des Zufütterns betupft man zuerst die Mäulchen der Welpen mit einem mit Futterbrei befeuchteten Finger. Schmeckt die Kost, wird er abgeleckt und der schleckende Welpe mit dem Finger an den sehr flachen Futterteller geführt. Der Vorgang wird solange wiederholt, bis direkt vom Teller gefressen wird. Man kann auch etwas nachhelfen, indem man kleine Fleischkügelchen in das Mäulchen schiebt und es solange zuhält, bis abgeschluckt wird (↑ Zwangsernährung). Nach zwei bis drei Tagen haben die Welpen gelernt, selbständig zu fressen. Die Mutterkatze wird von diesem Zeitpunkt an getrennt gefüttert. Spätestens in der fünften Woche fressen die Jungtiere allein, in der achten Woche etwa sollten sie wieder gemeinsam mit der Mutter fressen, d.h. das Futter erwachsener Katzen erhalten. Eine zusätzliche Breifütterung kann bis zum vierten oder fünften Lebensmonat beibehalten werden. Die Anzahl der Mahlzeiten in den jeweiligen Entwicklungsstadien ist unter dem Stichwort Ernährung verzeichnet. Bei schwierigen Fressern kann die Futteraufnahme verbessert werden, wenn die Mahlzeit mit einer Temperatur von 37 bis 40 °C angeboten wird.
Bei Beginn des Absetzens sollten die Welpen mit der Mutterkatze von der ↑ Wurfkiste in ein Jungtierställchen umgesetzt werden: eine etwa 1 bis 1,5 m² große Fläche, die durch 50 bis 60 cm hohe Sperrholzplatten begrenzt wird. Notwendig sind mehrere kleine „Tobestunden“ je Tag, die dem ↑ Erkundungsverhalten und ↑ Spielverhalten der Welpen dienen. Solche Jungtierställchen haben den Vorteil, daß der Wurf an einer übersichtlichen Stelle unter Kontrolle bleibt, denn mit der Aufnahme fester Nahrung wird zum ersten Mal selbständig Kot und Harn abgesetzt und die Tiere müssen lernen, die Katzentoilette zu benutzen. Der Boden des Ställchens sollte sofort gewischt werden, wenn am nicht vorgesehenen Ort Harn und Kot abgesetzt werden. Die Schale wird mit Sand oder Einstreu gefüllt, damit die Exkremente zugescharrt werden können (vgl. Unsauber-

keit). Steht kein Ställchen zur Verfügung, kann eine Ecke des Zimmers oder des ↑ Zwingers entsprechend abgegrenzt werden. Die Erziehung zur Sauberkeit wird schwierig, wenn sich die Welpen in dieser Wachstums- und Lernperiode in mehreren Räumen oder im ganzen Zwinger frei bewegen können. Oft werden schwer zugängliche Ecken aufgesucht und vom Züchter nicht rechtzeitig bemerkt. Bei den Welpen entwickelt sich kein Hemmungsmechanismus, der sie zwingt, nur an bestimmten, hierfür vorgesehenen Stellen ihr Geschäft zu verrichten. Eine Erziehung der Katzen zur Stubenreinheit nach der ↑ Prägephase ist sehr problematisch und Versäumnisse in dieser Zeit können zu lebenslanger Unsauberkeit führen. Neben einer allgemeinen Kontrolle der ↑ Jungtierentwicklung sind ↑ Hygienemaßnahmen und ↑ Fellpflege wichtige Bestandteile der W.

Welpensterben ↑ Fading Kitten Syndrom.

Welpenzahl ↑ Trächtigkeit.

Werfen: 1. ↑ Geburt. – **2.** ↑ Geburtsstörungen. – **3.** ↑ Trächtigkeit.

Wiederholungsimpfung ↑ Schutzimpfungen.

wildfarben: Varietät bei ↑ Abessiniern und ↑ Somali. Das Erbbild setzt sich aus den Genen für ↑ Agouti, ↑ Nicht-Braun und ↑ Abessiniertabby zusammen (A- B- C- D- T^a), wobei man bei den Abessiniern L- für ↑ Kurzhaar und bei den Somali ll für das ↑ Semilanghaar hinzufügen muß. In England wird die w. Abessinier „normal" (normalfarben) oder „usual" (gewöhnlich), in Nordamerika „ruddy" (rötlich) und in Frankreich „lièvre" (hasenfarben) genannt. Bei den w.en Varietäten ist das einzelne Haar auf warmem, bräunlichem Grund schwarz getickt (↑ Tikking); der Haaransatz, der Bauch und die Innenseite der Beine sind dunkelorange. Die bräunliche und dunkelorangene Färbung wird durch Rufuspolygene (↑ Polygenie, ↑ Rufismus) hervorgerufen, die allgemein für diesen Farbton bei Katzen verantwortlich sind. Die w.en Abessinier haben einen ziegelroten, schwarz umrandeten Nasenspiegel, der der Somali darf mit oder ohne Umrandung sein; bei beiden sind die Fußballen und ↑ Sohlenstreifen schwarz.

Die Chocolate-Varietäten, bisher noch nicht als eigenständige Gruppe anerkannt, fallen unter die w.en. Ihr Ticking ist Braun (Genkonstruktion A- bb C- D- T^a- L-/ll) und sie sind im Grunde nur durch die Farbe der Nasenumrandung, der Fußballen und der Schwanzspitze, die die einzige einheitlich gefärbte Stelle ist, voneinander zu unterscheiden. Tafeln 22, 27.

Wildfärbung: 1. ↑ Agouti. – **2.** ↑ Wildtyp.

Wildfleck, *Daumenabdruck* [engl. thumb print]: heller Fleck auf der Ohrrückseite in Form und Größe eines Daumenabdrucks. Der W. ist für Wildkatzen sowie für Haus- und Rassekatzen mit ↑ Agouti typisch. Neben der Umrandung des ↑ Nasenspiegels und den ↑ Sohlenstreifen ist er eines der phänotypischen Kennzeichen der nicht-silbernen (ii) ↑ Agoutikatzen. Ein Daumenabdruck wird jedoch nicht in allen ↑ Standards für diese Tiergruppe gefordert.

Wildkatze: 1. Großart innerhalb der ↑ Katzen, taxonomische Kategorie (Gattung- und Artfestlegung).
2. im weiteren Sinn als zusammenfassende Bezeichnung für alle nicht domestizierten Katzenarten (↑ Domestikation) gebraucht.

In Westeuropa und in den USA ist die Haltung von W. als Heimtier weit verbreitet. Dabei werden in Unkenntnis über die Lebensweise und das ↑ Verhalten viele Arten bis hin zum Ozelot in widernatürliche Daseinsbedingungen gepreßt. Schwierigkeiten ergeben sich

durch fehlende Stubenreinheit, fehlende Spezialnahrung wie lebende Tiere, die hohe Vitalität der W., die bei Raummangel zu ↑ Stereotypien und ausgeprägtem ↑ Aggressionsverhalten führen kann. Dies endet in der Regel mit der Abgabe in zoologische Gärten, die diese Tiere in den seltensten Fällen aufnehmen wollen, oder dem ↑ Einschläfern.
Internationale Artenschutzbestimmungen können nur dem Handel mit W. entgegenwirken und deshalb muß in erster Linie an die Einsicht potentieller Halter appelliert werden.

Wildtyp: Typ des Zuchtstamms oder Individuums bzw. ↑ Genotyp, der in der Wildpopulation vorherrscht (*Darlington/ Mather*, 1949). An der Haustierwerdung der Katze (Felis silvestris f. catus) sind mehrere Unterarten beteiligt gewesen, und der ursprüngliche Zuchtstamm kreuzte sich lokal mit verschiedenen Wildpopulationen der Makrospezies Felis silvestris (*Schreber*, 1777), eventuell auch mit anderen Arten (↑ Hybridisierung). Zur Festlegung des W. wird vom vermutlichen Hauptvorfahren Felis silvestris lybica (*Forster*, 1780), der Falbkatze, ausgegangen, deren typische ↑ Tabbyzeichnung die Tigerung ist. Diese Form wird deshalb als W. bezeichnet und die gestromte Form gilt als Mutante. Der W. wäre dann an den Hauptgenorten mit den Allelen A- B- C- D- T- besetzt. Er ist vom *Standardtyp* zu unterscheiden, der insbesondere im Falle eines unbekannten oder zweifelhaften W. die Bezugsbasis für genetische Untersuchungen ist und in den Standards festgelegt wird. Die W.allele werden in den Kurzbezeichnungen der Genkonstruktion mit + markiert, z. B. $A^{+}a$ oder +a bzw. Oo^{+} oder O+.

Wildtypallel: 1. ↑ Gennomenklatur. – **2.** ↑ Wildtyp.

Wirbelsäule ↑ Skelett.

Wolfskralle: spezielle Form der ↑ Polydaktylie, Auftreten einer fünften Zehe an der medialen Seite der Hinterextremitäten, nämlich des Digitus primus, bzw. einer sechsten Zehe, des Digitus accessorius (doppelte W.).
Als Wolfs-, After- oder Hubertuskralle wurde die Abweichung bei Hunden vor allem großer Rassen angetroffen. Es handelt sich um ein erbliches Merkmal. Neben einem mendelnden Hauptgen wirkt das genotypische Milieu modifizierend mit (Polyphänie).
Die Katze besitzt normalerweise 18 Zehen, vier an jeder Hinterextremität und fünf an jeder Vorderextremität. In der Mehrzahl der Fälle sind die Vorderextremitäten von der Polydaktylie betroffen. Es wurden aber auch typische Fälle einer einfachen oder doppelten W. beobachtet (*Sis/Getty*, 1968). Diese stören häufig beim Laufen und sollten bei Zuchttieren selektiert werden.

Wollhaare ↑ Haar.

Wurfkiste: ungefähr drei Wochen vor der Geburt beginnt die Katze, sich nach einem geeigneten Nest umzusehen. Zu diesem Zeitpunkt sollte die W. aufgestellt werden und zwar in dem Raum, in dem die Katze sich auch sonst überwiegend aufhält. Dort sollte eine ruhige, nicht zu helle Ecke ausgewählt werden, in der sie sich unbehelligt fühlt, aber noch am Familienleben teilnehmen kann. Akzeptiert die Katze die W. schon vor der Geburt als Ruheplatz, ist abzusehen, daß sie ihren Wurf auch dort lassen wird. Nur unvorhergesehene größere Störungen können sie veranlassen, die Jungen später an einen anderen Ort zu verschleppen (↑ Jungentransport). Es ist also wichtig, daß die W. an einer Stelle aufgestellt wird, die der Katze zusagt, denn sie wird in den kommenden Wochen die W. selten verlassen.
Als W. kann ein mittelgroßer Wäschekorb dienen, etwa 50 bis 60 cm Bodenlänge. Er kann innen ausgeschlagen

werden und sollte mit einem festen Stoff überspannt werden. Wer sich eine W. bauen will, die später als Katzenhöhle oder Sitzgelegenheit dienen kann, sollte folgende Maße nicht allzusehr verändern: Länge 50 cm, Breite 35 cm, Höhe 40 cm. Beim Geburtsvorgang soll sich das Tier mit Rücken und Pfoten an den Wänden stemmen können. Der Deckel der W. muß abnehmbar sein, damit die Geburt beobachtet und Mutterkatze mit Welpen kontrolliert werden können. An der schmalen Seite sollte ein Eingang ausgespart werden. Die W. muß nicht steril sein, sollte aber vor dem Aufstellen gründlich gescheuert werden. Als Unterlage kann eine alte, aber gewaschene Decke dienen. Damit sie nicht vom Fruchtwasser durchnäßt wird, sollte sie mit einem Gummituch abgedeckt werden; darüber wird ein frisch gewaschenes, gebügeltes Wäschestück gespannt. So vorbereitet wird die W. auch von einer noch unerfahrenen Katze bald angenommen werden.

Wurftermin ↑ Trächtigkeit.

Wurmbefall ↑ Endoparasiten.

X-Chromosom-Kompensationsmechanismus, *X-Inaktivierungsmechanismus:* Nach einer von *Mary F. Lyon* (1961) aufgestellten Hypothese wird in den Körperzellen weiblicher Individuen das eine oder das andere der beiden X-Chromosomen in frühen Stadien der Embryonalentwicklung heterochromatisch (fakultatives Heterochromatin), d. h., es lockert sich während der biochemisch aktiven Phasen (Interphase) des Zellzyklus (↑ Mitose) nicht auf und bleibt funktionslos. Auf dem X-Chromosom sind außer den Genen der Geschlechtsdetermination wichtige Genorte des Intermediärstoffwechsels, z. B. ein Genort der Glukose-6-Phosphatdehydrogenase (Warburgsches Atmungsferment), lokalisiert. Die von diesem ausgeübten Funktionen müssen auch in einfacher Dosis, d. h. beim männlichen Geschlecht (XY), abgesichert sein (Hemizygotie), sonst wären Kater nicht lebensfähig. Ein X-Chromosom genügt, um die lebenswichtigen Funktionen aufrechtzuerhalten. Das zweite, sich zurückbildende X-Chromosom ist als Geschlechtschromatin nachweisbar und kann zur Ermittlung der primären Geschlechtszugehörigkeit genutzt werden. Geschlechtschromatin tritt im Regelfall nur beim weiblichen Geschlecht auf. Ausnahmen bilden ↑ Geschlechtschromosomenaberrationen. Von Bedeutung ist dieser Mechanismus u. a. für ↑ Schildpatt. Da in den Körperzellen der Torties eines der beiden X-Chromosomen eliminiert wird, entsteht im Prinzip ↑ Mosaik aus Orange (O-) und Schwarz (o^+), wobei Schwarz durch Wirkung anderer autosomaler Genorte ersetzt oder ergänzt werden kann. Schildpattkater müssen über zwei X-Chromosomen verfügen.

X-Inaktivierungsmechanismus ↑ X-Chromosom-Kompensationsmechanismus.

X-Monosomie ↑ Chromosomenaberration.

XO-Syndrom, *Turner-Syndrom* ↑ Geschlechtschromosomenaberration.

XXX-Syndrom [engl. superfemales] ↑ Geschlechtschromosomenaberration.

XX/XY-Syndrom, ↑ Chimäre.

XXY-Syndrom ↑ Geschlechtschromosomenaberration.

Z

Zahmheit: durch individuelle Erfahrung abgebaute ↑ Fluchtdistanz vor Menschen. Die Annäherung des Menschen wird entweder nicht beachtet oder sogar mit gleichzeitiger Annäherung beantwortet. Z. ist eine typische Verhaltensweise von Haustieren und nicht mit der ↑ Prägung zu verwechseln, da bei einer sozialen ↑ Fehlprägung nur sexuelle bzw. aggressive Verhaltensweisen auf den Menschen gerichtet werden. Am Zustandekommen der Z. sind hingegen stärker Gewöhnungs- und Dressureffekte (↑ Dressur) beteiligt. Die Aufhebung der Fluchtdistanz kann nur vom Menschen ausgehen. Der Mensch ist das einzige Lebewesen, das andere aus dem Fluchtkreis, d. h. dem unerbittlichen Zwang der ständigen Feindvermeidung, zu befreien vermag. Da die Zähmung von Wildtieren den Ausgangspunkt der Haustierwerdung (↑ Domestikation) bildet, wird der Begriff Z. heute weitgehend nur für den Umgang mit Wildtieren gebraucht (*Hediger*, 1979).

Zahnausfall: **1.** ↑ Gebißanomalien. – **2.** ↑ Zahn-, Zahnfleisch- und Zahnhalteapparaterkrankungen.

Zahnbelag ↑ Zahn-, Zahnfleisch- und Zahnhalteapparaterkrankungen.

Zähne [lat. dentes]: knochenartige Gebilde, die aus dem sichtbaren Teil, der Zahnkrone, und dem in den Zahnfächern (Alveole) des Ober- bzw. Unterkieferknochens liegenden Teil, der Zahnwurzel, bestehen. Beide werden durch eine leichte Einschnürung, den Zahnhals, getrennt. Ihre Form erhalten sie durch das Zahnbein (Dentin), das von Zahnschmelz (Email) bedeckt und letztlich von einem hauchdünnen aber sehr spröden Zahnhäutchen (Cuticula) überzogen wird. Die Zahnwurzel ist hohl und enthält Blutgefäße und Nerven.

Die Z. der Katze haben verschiedene Aufgaben zu erfüllen: Fangen, Festhalten und Töten von ↑ Beutetieren sowie Ergreifen, Zerschneiden und Zerkleinern der Nahrung (↑ Beutefangverhalten). Darüber hinaus dienen sie auch der Verteidigung. Form, Gestalt und Stellung sind diesen Funktionen angepaßt.

Wie bei allen Säugetieren sind auch bei der Katze bereits embryonal zwei Gebisse angelegt: das Milchgebiß mit seinen Milch-Z. [lat. dentes decidui] und das bleibende Gebiß mit den bleibenden Z. [lat. dentes permanentes].

Das normale Gebiß der Katze umfaßt 26 Milch- und 30 bleibende Z.

Die Zahnformel gibt die Verteilung der verschiedenen Z. in je einer Hälfte des Ober- bzw. Unterkiefers an:

Milchgebiß $\frac{3i\quad 1c\quad 3p}{3i\quad 1c\quad 2p}$

bleibendes Gebiß $\frac{3I\quad 1C\quad 3P\quad 1M}{3I\quad 1C\quad 2P\quad 1M}$

Dabei sind i und I Schneide-Z. [lat. Incisivi] mit je zwei Zangen-, Mittel- und Eck-Z., c und C Fang- oder Haken-Z. [lat. Canini], p und P Vorbacken- oder Vormahl-Z. [lat. Prämolaren] und M Backen- oder Mahl-Z. [lat. Molaren]. Letztere werden als Milch-Z. nicht ausgebildet. Die Backen-Z. greifen scherenartig ineinander und können von der Beute oder anderer Nahrung paßgerechte Stücke abschneiden oder -reißen. Nur jeweils der dritte Backenzahn im Oberkiefer (P^4) und Unterkiefer (M_1), auch Reißzahn genannt, ist so konstruiert, daß mit ihm auch gekaut werden kann. Der P^1 im Oberkiefer und der P_1 und P_2 im Unterkiefer haben sich phylogenetisch rückentwickelt. Dieser Prozeß ist nunmehr auch beim sehr kleinen M^1 im Oberkiefer zu beobachten. Welpen werden ohne Z. geboren, jedoch sind die Zahnanlagen bereits gut erkennbar. Die Übersicht gibt Auskunft über die Zahnentwicklung und den Zahnwechsel.

Nach *Hemmer* (1966) wechseln zuerst die Schneide- und Fang-Z. des Unterkiefers und dann die des Oberkiefers. Bei den Backen-Z. jedoch zuerst die des Oberkiefers und dann die Gegenspieler des Unterkiefers: M^1 des Oberkiefers bricht durch und P^4 des Oberkiefers wechselt, dann bricht M_1 des Unterkiefers durch, danach wechselt P^3 im Oberkiefer und zuletzt P_4 im Unterkiefer. Nach vollendetem Zahnwechsel ist eine sichere Altersbestimmung nicht mehr möglich.

Zahnentwicklung und Zahnwechsel (Übersicht)

Alter der Welpen	Zahnentwicklung und -wechsel
3. bis 4. Woche	die Milch-Z. beginnen durchzubrechen
6. bis 8. Woche	alle Milch-Z. vorhanden
4. bis 5. Monat	Beginn des Zahnwechsels, die Incisivi und die Prämolaren wechseln
5. bis 6. Monat	die Molaren brechen durch
5½ bis 6½ Monate	die Canini wechseln
spätestens im 8. Monat	das bleibende Gebiß ist komplett

Das normale, vollentwickelte Gebiß hat senkrecht aufeinanderstehende Schneide-Z. (Zangengebiß) und gut schließende Backen-Z. Alle abweichenden Formen stellen ↑ Gebißanomalien dar, die zu zuchteinschränkenden Maßnahmen führen können (↑ Vorbiß, ↑ Unterbiß).

Die Z. junger Katzen sind weiß und vergilben mit zunehmendem Alter. Zur Erhaltung der Z. kann eine gewisse Zahnpflege vorgenommen werden, um ↑ Zahn-, Zahnfleisch- und Zahnhalteapparaterkrankungen vorzubeugen. Neben einer artgerechten ↑ Ernährung, die das Gebiß entsprechend beansprucht, sollten auch ein- bis zweimal wöchentlich mit einem angefeuchteten Tuch (Leinen z. B.) die Backenzähne geputzt werden.

Zahnfehler ↑ Gebißanomalien.

Zahnfleischwucherungen: 1. ↑ Gebißanomalien. – **2.** ↑ Zahn-, Zahnfleisch- und Zahnhalteapparaterkrankungen.

Zahnformel ↑ Zähne.

Zahnlosigkeit ↑ Gebißanomalien.

Zahnstein ↑ Zahn-, Zahnfleisch- und Zahnhalteapparaterkrankungen.

Zahnüberzahl ↑ Gebißanomalien.

Zahnunterzahl ↑ Gebißanomalien.

Zahn-, Zahnfleisch- und Zahnhalteapparaterkrankungen: komplexe Krankheitsgruppe, die sich selten voneinander trennen läßt und in der Rassekatzenzucht eine immer größere Rolle spielt. Untersuchungen haben ergeben (*Schlup*, 1982), daß nur noch 23% aller vier bis sechs Jahre alten Katzen ein vollständiges Gebiß haben. Es fehlten im Oberkiefer mehr Zähne als im Unterkiefer, wobei die Schneidezähne und die ersten Backenzähne (P^2 bzw. P_3) betroffen waren.

Häufigste Ursache sind *bakterielle Zahnbeläge* [engl. plaques] an der Zahnoberfläche und in der Regel der hieraus resultierende *Zahnstein* [lat. cremor dentium]. Andere Erkrankungen, wie Karies oder die hierzu gehörenden „neck lesions" [engl., Schäden am Zahnhals], sind nicht unbedeutend, stehen aber nicht im Vordergrund.

Zahnplaques sind schmierig weiße, bakterielle Zahnbeläge, die sich anfangs noch durch Zähneputzen (↑ Zähne) entfernen lassen. Ist der Befall fortgeschritten, kommt es schließlich durch Verkalkung der Zahnbeläge (Einlagerung von Hydroxylapatit) zur Bildung von Zahnstein. Bevorzugt entsteht der harte gelblich braune Zahnbelag zuerst an den großen Backenzähnen (P^4 im Oberkiefer, M_1 im Unterkiefer) und dehnt sich dann auf die übrigen Backenzähne und den Fangzahn aus. Die Plaquesbildung und die Verkalkung werden durch mehrere Faktoren gefördert:

– erbliche Disposition (Veranlagung),
– fehlerhafte ↑ Ernährung (z. B. reine Fleischfütterung mit Calcium- und Vitamin-A-Mangel, hoher Anteil verdaulicher ↑ Kohlenhydrate, Weichfutter),
– chronische Organkrankheiten (z. B. Niereninsuffizienz).

Der Zahnstein muß regelmäßig (etwa alle sechs bis zehn Monate vom Tierarzt entfernt werden, um Folgekrankheiten des Zahnfleisches [lat. Gingivitis, griech. Parodontitis] und des Zahnhalteapparates mit eventueller Ausweitung auf das Zahnfach [lat. Alveole] sowie letztlich das Ausfallen der Zähne zu verhindern. Zahnbeläge und Zahnstein sind die wichtigsten Ursachen für die Entstehung der *Karies*, einer fortschreitenden lokalen Entkalkung und Zerfall der harten Zahnsubstanz durch Säure- und bakterielle Enzymwirkung. Eine besondere Form und oft als Karies bezeichnet sind die *„neck lesions"*, vom Zahnfleischsaum ausgehende Defekte an den Zähnen in Höhe des Zahnhalses, insbesondere der buccalen Seite (Backenseite) der Backenzähne. Trotz dieser Defekte fressen die Katzen normal. Haltung und Fütterung – sofern nicht große Mengen roher Leber mit zu hohem Vitamin-A-Anteil gegeben werden – scheinen keine Rolle zu spielen. Weibliche Tiere sind deutlich anfälliger als männliche (*Schlup*, 1982).

Z. äußern sich im allgemeinen durch:

– Futterverweigerung bei vorhandenem Appetit, d. h., die Katze zeigt Appetit, beriecht das Futter, versucht eventuell zu kauen aber wendet sich dann ab,
– üblen Mundgeruch,
– Speicheln,
– Kau und/oder Schluckbeschwerden,
– Kratzen mit der Pfote am Maul.

Hin und wieder sind auch Zahnfleischwucherungen zu beobachten, die bei ausbleibender tierärztlicher Behandlung (Operation) die Zähne überwuchern, regelrecht einmauern und verdrängen.

Zahnfrakturen sind nicht ungewöhnlich, bleiben aber im wesentlichen auf die Fangzähne, eventuell noch den ersten Prämolaren begrenzt. Betroffen sind vor allem Tiere mit ↑ Auslauf und hierbei vermehrt Kater. Der Tierarzt muß entscheiden, ob zahnerhaltende Maßnahmen vorgenommen werden oder der Zahn gezogen wird.

Zangengebiß: 1. ↑ Gebiß. – **2.** ↑ Zähne.

Zecken ↑ Ektoparasiten.

Zehenballen ↑ Fußballen.

Zehengänger ↑ Fortbewegung.

Zehenverstümmelung, *Perodaktylie, Ektrodaktylie:* angeborene starke Unregelmäßigkeit der Zehenbildung mit abnormer Kleinheit und Fehlen ganzer Zehen oder von Zehengliedern (Phalangen) mit Krallen, abweichender Ballengestaltung (↑ Fußballen), rudimentären Mittelhand- und Mittelfußknochen sowie Hand- bzw. Sprunggelenken (Metacarpi, Metatarsi, Carpi, Tarsi). Das Mißbildungsspektrum ist variabel. Neben erblichen Formen (↑ Spalthand) werden nicht selten Fälle mit unklarer Genese beobachtet, da die defekten Tiere gemerzt und Vererbungsversuche nicht angestellt werden. Merkmalträger sind zumeist bewegungsbehindert (Unfallgefahr) und gegenüber Artgenossen und Feinden benachteiligt (keine artgemäße Verteidigung beim Fehlen von Krallen).

Zeichnung [engl. marking, pattern]: Sammelbegriff für differenzierte ↑ Pigmentierung des Haarkleides, bei der neben einer Grundfarbe ein spezielles Muster entsteht, das die Schönheit der Katze ausmacht. Der Z. liegen unterschiedliche Einzelgenwirkungen zugrunde (↑ Phänotyp). Neben definierten Einzelgenwirkungen gibt es eine Vielzahl von Modifikatorengruppen (↑ Modifikation). Bei allen Diskussionen über Z.en ist zunächst die Grundfarbe der Pigmentierung zu beachten:

1. Bei Katzen, die nicht das Gen für ↑ Orange tragen (Genotyp o^+o^+, o^+), d. h. bei den einfarbigen Schwarzen, Blauen, Chocolate, Lilac, Cinnamon und Caramel, wird jede Art von Z. nur durch zwei ↑ Genorte bestimmt, durch ↑ Agouti und den Scheckungsfaktor (↑ Scheckung). Tritt das Agoutiallel A- auf, werden die im Genotyp einer jeden Katze mehr oder weniger stark vorhandenen Anlagen für Tigerung, Tupfung und Stromung sowie das ↑ Abessiniertabby sichtbar (↑ Tabbyzeichnung). Der Scheckungsfaktor S- erzeugt hingegen die unterschiedlichen Z.en der ↑ Bi-Colour, der van- und harlekingezeichneten Tiere (↑ Van-Zeichnung, ↑ Harlekinzeichnung).
2. Bei roten oder cremefarbenen Katzen (Genotyp 00 bzw. 0) werden die im Genotyp vorhandenen Anlagen für Tabbyzeichnung stets sichtbar, da das Gen 0 nur auf die schwarze Bänderung des Agoutihaares wirkt und die Nicht-Agouti-Gene aa bei Orange nicht. Ein Z. verursachendes Gen ist nur der Scheckungsfaktor, der die Rot- bzw. Creme-Weißen hervorruft.
3. Die Kombination der genannten Gene (Pkt. 1 und 2) ergibt die ↑ Schildpatt bzw. die Schildpatt-Tabbies (↑ Torbies) sowie die respektiven Bi- und Tri-Colour (einschließlich aller Scheckungsformen) mit und ohne Agouti.
4. In Verbindung mit dem homozygot rezessiven Allelpaar c^sc^s (↑ Maskenfaktor) entstehen die unter Pkt. 1, 2 und 3 genannten Varietäten als ↑ Abzeichenfarben, die kombiniert mit Scheckung, z. B. eine Varietät der ↑ Ragdoll, die ↑ Snow Shoe Cat und die ↑ Birma ergeben.

Jede Art von Z. beruht auf dem Zusammenwirken mehrerer Gene (↑ Polygenie), die in unterschiedlicher Weise auf die Pigmentierung des Haarkleides einwirken (↑ Oligogenie). Die ↑ Geister-Z., die zarte Tabby-Z. neugeborener ↑ Chinchillas und ↑ Shaded-Silvers, die ↑ Waschbärenzeichnung hingegen treten nur in bestimmten Entwicklungsstadien der Jugend auf und werden nur der Vollständigkeit halber erwähnt.

Zeitgeber: Bezeichnung für einen von außen auf den Organismus einwirkenden Reiz, der sich auf die innere Uhr (↑ Zeitsinn) so auswirkt, daß sie mit den regelmäßig schwankenden Umweltbedingungen in Übereinstimmung gebracht (synchronisiert) wird. Der wichtigste Z. für die ↑ Tagesrhythmik ist der Hell-Dunkel-Wechsel des Lichtes. Die ↑ Jahresrhythmik wird bei den meisten Tieren durch das Länger- bzw. Kürzerwerden der Tage synchronisiert (↑ Haarwechsel, ↑ Rolligkeit). Für Tiere, die in menschlicher Obhut gehalten werden, treten meist Z. in den Vordergrund, die durch den Pfleger vorgegeben werden (Fütterungsrhythmus usw., ↑ Ernährung).

Zeitplanrevier [engl. time-plane territory]: besonderer Aufteilungsmodus des ↑ Reviers. Es werden räumliche nicht festliegende Territorien mit zeitlicher Begrenzung und räumlich festliegende Territorien, die von den verschiedenen Inhabern zu unterschiedlichen

Zeiten genutzt werden, differenziert. *Leyhausen* und *Wolff* (1959) beschrieben erstmals für die ↑ Hauskatze einen Zeitfahrplan für das Betreten unübersichtlichen Geländes: Stellt eine Katze auf einem von mehreren Tieren begangenen Weg eine frische Duftmarke fest, wartet sie eine gewisse Zeit ab, überdeckt dann aber diese Duftmarke durch eigenen Harn (↑ Durfmarkieren) und läuft weiter.

Zeitprägung: 1. ↑ Prägung. – **2.** ↑ Tagesrhythmik. – **3.** ↑ Zeitsinn.

Zeitsinn: durch innere Zeitmeßeinrichtungen des Organismus (innere Uhr) gesteuerte Verhaltensabläufe, die mit äußeren Zeitabläufen (kosmische Zeit) durch die von außen einwirkenden ↑ Zeitgeber in Übereinstimmung gebracht werden können. So entstehen zeitbestimmte Verhaltensbeziehungen zur ↑ Umwelt. Unter Z. wird weiterhin der Mechanismus zur Bestimmung einer Zeitdauer verstanden. Lokalisation und Funktion der inneren Uhr sind noch unzureichend bekannt. Man nimmt die Existenz einer Hauptuhr an, die zahlreiche Nebenuhren steuert. Für Wirbeltiere weisen neuere Untersuchungen stark auf die zentrale Rolle des Pinealorgans hin, einem bläschenförmigen Organ an der Spitze der Zirbeldrüse (Epiphyse) am Zwischenhirndach.

Katzen haben einen ausgeprägten Z. Er spielt z.B. bei der raumzeitlichen Einmischung verschiedener Tiere innerhalb eines bestimmten Gebietes (↑ Revierverhalten) eine Rolle. Bleibt ein regelmäßiger Zeitgeber, z. B. das Füttern, aus, kann durch ↑ Lautgebung o.a. Verhalten darauf aufmerksam gemacht werden. Bei Nichtbeachten des Z. können ↑ Unsauberkeit und ↑ Verhaltensstörungen auftreten.

Zellkern: 1. ↑ Chromosom. – **2.** ↑ Meiose. – **3.** ↑ Mitose.

Zellteilung ↑ Mitose.

Zenti-Morgan ↑ Genkopplung.

Zentral-Männchen: 1. ↑ Sexualverhalten. – **2.** ↑ Sozialstatus.

Zentralnervensystem ↑ Nervensystem.

Zephalisation ↑ Hirnschädelkapazität.

zerebellare Ataxie: Störung der Bewegungskoordinaten bei normaler Muskelfunktion, deren Ursprung in einer Schädigung der Kleinhirnneurone liegt. Die z.A. ist der am häufigsten zu beobachtende Gehirndefekt der Katzen. Es handelt sich jedoch um eine heterogene Krankheitsgruppe. Angaben über die Erblichkeit der Störungen sind mit Vorsicht zu betrachten, da u. a. auch eine vertikale Übertragung von Viren möglich ist und das Virus der Katzenseuche (Panleukopenie) kongenitale, zerebellare Ausfallerscheinungen induzieren kann (*Kilham* et al., 1966).

Berichte über erbliche Formen, meist über eine familiäre Häufung des Leidens, liegen von vielen Autoren vor. Lediglich *Koch* et al. (1955) konnten ein dominantes Gen mit variabler Expressivität als Ursache sichern. Die weniger schwer betroffenen Tiere (Mikrosymptomatik) waren in den Untersuchungen kaum zu erkennen. Da bisher eine Bestätigung fehlt, werden provisorisch die beiden Allele At und at^+ am ↑ Genort der Ataxie angenommen. *Woodard* et al. (1974) beschrieben als ataktisches Syndrom die einfach autosomal rezessiv erbliche ballonierende Nervendystrophie, die zur Gruppe der Pigmentmangelsyndrome gehört. In dieser Krankheitsgruppe ist eine weitere Aufklärungsarbeit zu leisten.

zimtfarben ↑ Cinnamon.

Zitterkrankheit ↑ Tremor.

Zitzenpräferenz: Rangordnung beim Säugen der Welpen, die sich in den ersten Lebenstagen herausbildet, da die hinteren Zitzen der Katze am ergiebigsten sind. Diese Tatsache ließ die Vermutung aufkommen, daß bereits in den ersten Lebenstagen eine ↑ Rangordnung im Saugen der Welpen entstehen kann. Während Laboruntersuchungen von *Schneirla* et al. (1963) dies nicht bestätigten, zeigte *Ewer* (1960) an zwei Würfen eine Z., die nach wenigen Tagen entstanden ist. Dabei bevorzugte jedes Jungtier deutlich eine Zitze. Beide Würfe bestanden jeweils aus vier Welpen, wovon alle bestrebt waren, die hinteren Zitzen (drittes und viertes Paar) zu nutzen. Nur ein Tier saugte abwechselnd an zwei verschiedenen Zitzen (zweites und drittes Paar) der linken Seite. Die Z. bleibt bis zum Verlassen des Nestes (↑ Jungtierentwicklung) am 32. Lebenstag etwa und dem Übergang zu selbständigem Fressen erhalten. *Leyhausen* (1982) nimmt an, daß einige Tiere durch die Z. einen Entwicklungsvorsprung erreichen können, der dann zur Ausbildung der Rangordnung unter den Geschwistern beiträgt. Die Z. kann durch Störungen der ↑ Mutter-Kind-Bindung beeinflußt werden, besonders aber durch Eingriffe des Menschen. Abb.

Zooanthroponosen ↑ Zoonosen.

Zoonosen: Krankheiten, die von einem Tier auf den Menschen (Zooanthroponosen) bzw. vom Menschen auf das Tier (Anthropozoonosen) übertragen werden können. So können auch Katzen an einer Reihe von Krankheiten leiden, die, bedingt durch zu engen Kontakt, schlechte Pflege des Tieres, unhygienische Haltung oder Nachlässigkeit durch den Besitzer, Ursachen für menschliche Infektionen sein können. Eine besondere Rolle spielen in diesem Zusammenhang latente ↑ Infektionen, denn sie sind nicht nur ein ↑ Infektionsrisiko für andere Tiere, sondern im Falle der Z. auch für den Menschen.
Die tabellarische Übersicht enthält einige Krankheiten der Katze, die als Z. von Bedeutung sind. Herauszuheben sind die *Tollwut* (↑ Infektionskrankheiten) und die *Toxoplasmose* (Endoparasiten). Nach Berichten der Weltgesundheitsorganisation (WHO) aus den Jahren 1977 bis 1984 steht bei festgestellten Tollwutfällen in Europa die Katze nach dem Fuchs an zweiter Stelle (Tab.).

Zitzenpräferenz

Obwohl das durch den Hund entstehende Infektionsrisiko für den Menschen dreimal so hoch ist als durch die Katze (nach WHO 1983 besteht im Vergleich der beiden ↑ Heimtiere mit dem Fuchs eine Infektionsgefährdung für den Menschen in einem Verhältnis von 8 (Hund) : 2,5 (Katze) : 1 (Fuchs)), ist die potentielle Infektionsgefahr durch ungebundene Katzen bzw. Katzen mit freiem ↑ Auslauf nicht zu unterschätzen (↑ Schutzimpfungen).
Die Toxoplasmose, eine parasitäre Z., ist weltweit verbreitet und die Katze wurde in den letzten Jahren eindeutig als tragende Säule bei der Aufrechterhaltung der Infektkette erkannt. Zwischen 30 und 80% der Katzen sind von Toxoplasmoseerregern befallen. Schwangere und Kleinkinder sollten

Tab. 1 Prozentuale Verteilung der an Tollwut erkrankten Tierarten in Europa (nach WHO-Bericht, 1984)

	Fuchs	Katze	Hund	diverse andere Tierarten
Tollwutfälle in %	76,6	4,1	2,0	16,6

Tab. 2 Von der Katze ausgehende Zoonosen

Krankheit	Synonym	Erreger	Übertragung auf den Menschen	Verlauf beim Menschen
Tollwut	Lyssa, Rabies	Rhabdoviren	durch virushaltigen Speichel über Biß- und Kratzwunden oder bereits bestehende Hautläsionen	Unruhe, Kopfschmerz, Hydrophobie (Wasserscheu), Lähmungserscheinungen, Krämpfe, Tod nach 4…10 Tagen
Katzenkratzkrankheit	Katzenkratzfieber [engl. Cat-Scratch-Disease]	vermutlich Chlamydien	Kratz- und Bißwunden	Inkubationszeit: 10…20 Tage (3 Tage…6 Monate) Entzündungen der regionalen Lymphknoten, Fieber, Schwäche, Schmerzen, i. allg. mild verlaufend, meist nach wenigen Wochen spontane Heilung
Mikrosporie, Trichophytie		in der Regel Microsporum canis bzw. Trichophyton mentagrophytes	direkt durch Kontakt mit dem Tier oder indirekt über das Putzzeug, Lagerstellen usw.	Inkubationszeit 1…4 Wochen Haarbruch, Haarausfall, rundliche haarlose Stellen, Hautschuppen, eventuell insbesondere bei Trichophytie, rundliche Entzündungsstellen; am häufigsten tritt die Mikrosporie auf
Toxoplasmose		Toxoplasma gondii	oral durch Oozysten aus Katzenkot, bei Schwangeren diaplazentar (über die Plazenta auf den Fetus)	bei Kindern und Jugendlichen: vorwiegend Hirn- und Hirnhautentzündungen bei Erwachsenen: Leber- und Milzbeschwerden, Lymphknotenentzündungen, Herzmuskelerkrankungen, meist aber symptomlose Infektion; bei Schwangeren: nach der Erstinfektion Abort, Totgeburt, angeborene Defekte des Säuglings
Alveolar-Echinococcose		Echinococcus multilocularis	oral durch Eier des Bandwurms aus dem Katzenkot	die Bandwurmfinnen setzen sich vorwiegend in der Leber fest, die Leber wird schwammig; der Prozeß ist irreparabel
Toxocariasis	Spulwurmbefall	Toxocara mystax (cati) selten Toxoascaris leonina	oral durch Eier des Spulwurms aus dem Katzenkot	überwiegend bei Kindern, nach somatischem Kreislauf in der Muskulatur sich einkapselnde Larven
Flohbefall		Ctenocephalides felis	direkt oder indirekt vom Tier auf den Menschen	zeitweise auf dem Menschen, Stichbelästigung, stark juckende Stiche

deshalb keinen allzu engen Kontakt mit Katzen halten und entsprechende ↑ Hygienemaßnahmen einhalten.

Zuchteignung ↑ Zuchtwert.

Zuchtfehler ↑ Erbfehler.

Zucht in geschlossenen Zuchtgruppen, *geschlossene Zucht* [engl. closed stud method]: Abschirmung der Zuchtgruppe gegenüber dem genetischen Material der allgemeinen ↑ Population. Wenn ein Kater, z.B. ein Champion, anderen Züchtern zur Verfügung gestellt wird, spricht man von „offener Zucht", was weitgehend üblich ist. Um züchterischen Vorlauf zu schaffen, wird häufig die Z.i.g.Z. durchgeführt. Die Züchtung erfolgt nach einem Paarungsplan, der i. allg. durch ↑ Familienselektion mit Nachkommenbewertung, ein gewisses Maß an ↑ Inzucht und strenge ↑ Selektion der Nachkommengeneration charakterisiert ist. Man strebt eine ↑ Homozygotie der erwünschten Merkmale an. Eine Rückkreuzung [engl. backcross] (Eltern × Nachkommen-Paarung) wird vermieden. Dies könnte lediglich als Anfangsschritt der Zuchtgruppenbildung von Bedeutung sein, wenn es gilt, bestimmte Erbanlagen in der Zuchtgruppe anzureichern. Später werden Kater und Katzen für jede Generation erneut ausgewählt. In Abhängigkeit vom Verwandtschaftsgrad der Zuchtbegründer kommt es bei der Z. i. g. Z. zum Abfall der ↑ Heterozygotie und zu einer Erhöhung des Inzuchtgrades, den es zu beachten gilt.

So sinkt in einer Zuchtgruppe mit einem Kater und fünf Katzen der Heterozygotiegrad nach der ersten Generation auf 87% des Ausgangswertes ab, nach zwei Generationen auf 76% und nach fünf Generationen auf 50%. Bei einem Kater und drei bzw. acht Katzen wird die 50%-Grenze nach 4,6 bzw. 5,5 Generationen und bei ≥9 Katzen nach ungefähr sechs Generationen erreicht. Die Zucht mit zwei Katern verschiebt diese Grenze noch erheblich, z.B. im Falle einer Zucht mit zwei Katern und sechs Katzen auf 8,8 Generationen und ≥7 Katzen auf 11,4 Generationen. Der gewählte Inzuchtgrad wird durch die Absichten des Züchters und die Materialbeschaffenheit bestimmt. Im allgemeinen werden Vetter × Base-Paarungen bevorzugt. Ist die Zahl der Kater von hoher Qualität begrenzt, werden auch Halbgeschwisterpaarungen vorgenommen. Erfolgt die Homozygotisierung der Zuchtgruppen zu schnell, werden gute und schlechte Eigenschaften gleichzeitig fixiert.

Erfolgt die Herabsetzung des Homozygotiegrades allmählich, können die selektiven Kräfte eingreifen, um negative Anlagen zu eliminieren. Ganz allgemein kann die Zuchtsteigerung (ΔF) mit der von *Wright* (1931) approximierten Gleichung

$$\Delta F \approx (1/8^{N_m}) + (1/8^{N_w})$$

berechnet werden. Dabei sind N_m die Zahl der züchtenden Kater und N_w die Zahl der züchtenden Katzen. Die von *Robinson* (1977) benutzte Formel lautet:

Abfall der Heterozygotie

$$(A_H) = \frac{1}{2}\left[1 - 2A + \sqrt{4A^2 + 1}\right],$$

dabei sind $A = \frac{m + w}{8m \cdot w}$ und m = Kater, w = Katzen.

Die Anzahl der erforderlichen Generationen (A_G) errechnet sich dann aus der Gleichung

$$A_G = \frac{0{,}301}{\log(A_H)^{-1}}.$$

Der Aufbau zweier Zuchtgruppen bietet die Möglichkeit, auch nicht-additive Genwirkungen, u. a. im Rahmen einer reziproken rekurrenten Selektion (↑ Zuchtverfahren), züchterisch zu nutzen.

Zuchtmethoden: Festlegung der Systematik der Elternpaarung durch den

Züchter. Viele Katzenpopulationen vermehren sich nicht unter züchterischer Kontrolle, sondern durch Zufallspaarung. Bei Rassekatzen wird die Paarung kontrolliert. Die in der Rassekatzenzucht angewandten Z. basieren im wesentlichen auf einer Ausnutzung der Eltern-Nachkommen-Ähnlichkeit. Sie umfassen die ↑ Reinzucht und die ↑ Kreuzungszucht. Reinzucht bedeutet Züchtung innerhalb einer Rasse mit Tieren jeglichen Verwandtschaftsgrades. Ihre besonderen Formen sind ↑ Inzucht, ↑ Linienzucht und Blutauffrischung (↑ Blutanteillehre).

Unter einer Kreuzung versteht man die Paarung von Tieren unterschiedlichen ↑ Genotyps bzw. von Angehörigen verschiedener ↑ Rassen. Die Kreuzungs-Z., bei denen die Selektion auf der Basis der Eltern-Nachkommen-Ähnlichkeit erfolgt, spielen in der Rassekatzenzucht als Alternativen zu den definierten Reinheits- und Reinzuchtregeln eine Rolle. Sie umfassen die Verdrängungskreuzungsmethoden, zu denen die ↑ Verdrängungskreuzung, die ↑ Kombinationskreuzung und die ↑ Veredlungskreuzung gehören. Eine bestimmte Bedeutung hat auch die Zucht mit neu registrierten Spontanmutationen (↑ Mutationszüchtung).

Demgegenüber spielen Z. zur Nutzung des Heterosiszuwachses (Heterosiszüchtung) ohne oder mit Selektion auf Kombinationseignung bisher keine Rolle, da sie an verbandsobligatorische umfassende Zuchtprogramme und Paarungspläne gebunden wären. Das Spektrum der Heterosiszüchtung ohne Selektion auf Kombinationsfähigkeit umfaßt die einfache Gebrauchskreuzung, die Wechsel- und Rotationskreuzung und die Hybridisierung. Die Kombinationseignung wird mit der Linienkreuzung sowie bei der rekurrenten und der rekurrenten reziproken Selektion überprüft. Die beiden letztgenannten Methoden umfassen die ↑ Nachkommenprüfung und die Selektion der Eltern anhand der Prüfungsergebnisse und nicht des eigenen ↑ Phänotyps. Im ersten Fall paart man die zu prüfenden Tiere an eine bekannte Testpopulation an. Im zweiten Teil verbessert man beide Populationen gleichzeitig und eine dient jeweils als Testpopulation der anderen (Abb.).

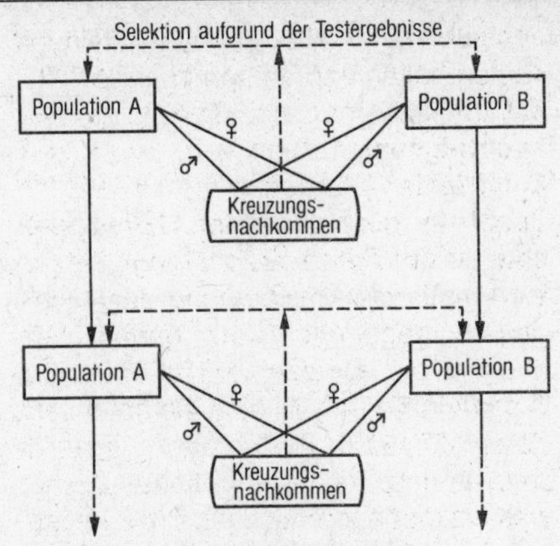

Rekurrente reziproke Selektion (nach *Comstock*, 1949)

Zuchtreife: Entwicklungsstand eines Tieres, in dem es für die Zucht zugelassen werden kann. Das Hauptkriterium ist die Körperentwicklung. Die Z. ist nicht identisch mit der ↑ Geschlechtsreife und wird erst zu einem späteren Zeitpunkt erreicht. Ein zu früher Zuchteinsatz kann bleibende Schäden beim Muttertier, dem Kater und den Früchten zur Folge haben. Im allgemeinen ist die Z. beim weiblichen Tier dann gegeben, wenn es sich insgesamt soweit entwikkelt hat, daß es ohne Schaden für die eigene Gesundheit und Leistung, für den Geburtsverlauf sowie für das Leben der Nachkommen eine ↑ Trächtigkeit übersteht.

Das männliche Tier kann bei Vermeidung übermäßiger Belastungen bereits mit Erreichen der in der Zuchtordnung festgelegten Altersgrenze in der Zucht

eingesetzt werden – vorausgesetzt, es zeigt die entsprechenden Aktivitäten. Manche Kater werden erst mit 2 1/2 bis 3 Jahren aktiv.
Von den meisten Zuchtverbänden wird die Z. mit zwölf Monaten festgelegt, da zu diesem Zeitpunkt eine ausreichende Körperentwicklung der Tiere erwartet werden kann. Das schließt nicht aus, daß bei mangelnder Körperentwicklung die Grenzen nach oben verschoben werden müssen. Im Interesse der Gesundheit der Katze sind auch in einem Alter unter zwölf Monaten Ausnahmen zulässig, z. B. bei starkem Gewichtsverlust infolge anhaltender ↑ Rolligkeit.

Zuchttier: **1.** ↑ Sozialstatus. – **2.** ↑ Zuchtwert.

Züchtung: Verpaarung von Zuchttieren mit der Absicht, die genetische Struktur einer Population in Richtung auf das Zuchtziel zu verändern, d. h., einen Selektionsfortschritt zu erzielen. Deshalb umfaßt die Z. die Vermehrung der Tiere (Reproduktion), die Elternkombination (Festlegung der Zuchtmethodik) und die ↑ Selektion. Der Zuchtpraxis liegen dementsprechend drei Schwerpunkte zugrunde:
- die Merkmalauswahl und die Erarbeitung der Zielvorstellungen (Zuchtziel),
- die Aufstellung von Paarungsplänen (↑ Zuchtmethoden, „Materialherstellung") und Festlegung der Selektionsmethode unter Beachtung der Erbgänge (↑ Erbgang),
- Prüfungswesen, Kontrolle und Registrierung.

In der von Zeit zu Zeit immer wieder neu zu fassenden Zielvorstellung der Z. wird eine permanente Erhöhung des Gebrauchswertes der Tiere bzw. eine bessere Befriedigung ästhetisch-kultureller und sozialer Bedürfnisse des Menschen angestrebt. Zuchtziele unter Berücksichtigung biologischer und ökologischer (biozönotischer) Aspekte sind selten. So berichtete *Schwangart* (1936) über kommunale Deckstationen in Frankreich (Le Havre), in denen im Rahmen des „Club du chat ratier" die „Rattenschärfe" gesteigert werden sollte. Das Zuchtziel kann auf Fixierung, intermediäre oder extreme Ausprägung bzw. auf Eliminierung bestimmter Merkmale gerichtet sein. Die züchterischen Maßnahmen bedingen Abweichungen von der Zufallspaarung. Das Zuchtziel ist aber nur zu erreichen, wenn man die Eigenschaften seines Tiermaterials, d. h. den ↑ Zuchtwert, kennt und dem angepaßt Paarungspläne aufstellt und Selektionsmethoden anwendet. Die zentrale Stellung im Zuchtgeschehen nimmt daher immer die Zuchtwertprüfung bzw. -beurteilung ein, wobei die heute bedeutsamen Eigenschaften, hauptsächlich Form- und Farbmerkmale, im Vordergrund stehen, aber auch andere „selbstverständliche" Merkmale, wie Lebenskraft (Vitalität), Fruchtbarkeit, Streßunempfindlichkeit, Krankheits- und Haltungsresistenz nicht außer Acht gelassen werden dürfen.
Die Paarungspläne umfassen ↑ Inzucht, ↑ Gleich-zu-Gleich-Verpaarung, ↑ Ausgleichspaarung und Aufbesserung [engl. grading up]. Die Selektion der Einzelmerkmale umfaßt hauptsächlich die individuelle und die ↑ Familienselektion sowie den Einschluß der ↑ Nachkommenprüfung.

Zuchtwert: Vererbungsvermögen der Tiere. Grundlage der Zuchtarbeit sind die phänotypischen Merkmalwerte der Katzen. Der ↑ Phänotyp sagt aber noch nichts Genaues über den Z. aus. Er bestimmt lediglich den Liebhaber-, Gebrauchs- oder Marktwert, während der Z. durch den ↑ Genotyp bestimmt wird, also ein biologisch begründeter Wert ist. Er stellt die mittlere Qualität der Nachkommen (↑ Nachkommenprüfung) eines Zuchttieres dar und wird für die einzelnen Merkmale getrennt berechnet

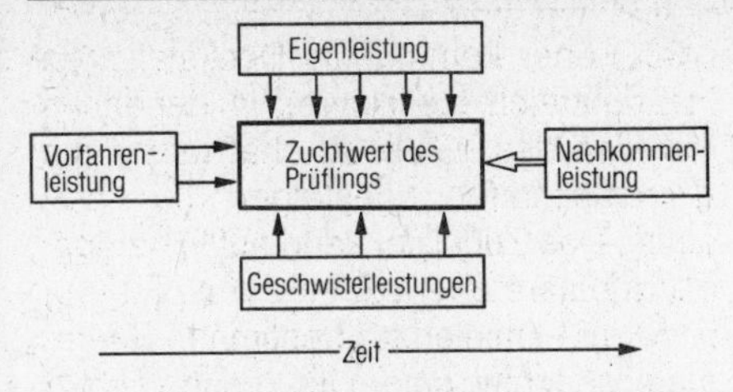

Formen der Zuchtwertbeurteilung in Abhängigkeit vom zeitlichen Ablauf

und angegeben. Ein Tier mit gutem Phänotyp kann ein hervorragender Repräsentant seiner Rasse sein, ohne seine Qualität auf seine Nachkommen zu übertragen, d. h., ohne die Population, an die es angepaart wurde, zu verbessern.

Eine ↑ Selektion ist auf den allgemeinen oder den speziellen Z. gerichtet. Der allgemeine Z. hängt von der additiven Wirkung der ↑ Allele in einer ↑ Population in allen möglichen Kombinationen ab. Der spezielle Z. beruht auf ↑ Dominanz und ↑ Epistasie bzw. auf der Kombinationseignung bestimmter Tiere [engl. nicking]. Zur Erzielung des geplanten ↑ Selektionserfolges ist der Z. wichtiger als der phänotypische Wert. Die Beurteilung des Z. eines Tieres kann anhand der Vorfahrenleistung, der Eigenleistung, der Leistung der kollateralen Verwandten oder der Nachkommen erfolgen (Abb.), wobei die letztgenannte Methode die höchste Genauigkeit liefert (Tab.). Die übrigen Methoden sind nur Hilfsmethoden.

Relative Genauigkeitswerte für verschiedene Formen der Zuchtwertbeurteilung (Beispiele nach *Fewson*, 1959)

Informationsquelle	Erblichkeitsgrad $h^2 = 0,3$	$h^2 = 0,7$
Eigenleistung	1,00	1,00
Mutter	0,25	0,25
1 Großmutter	0,06	0,06
Mutter + beide Großmütter	0,33	0,32
1 Vollgeschwister	0,25	0,25
4 Vollgeschwister	0,69	0,49
1 Halbgeschwister	0,06	0,06
5 Halbgeschwister	0,24	0,18
10 Halbgeschwister	0,37	0,24
1 Tochter	0,25	0,25
10 Töchter	1,49	0,97
20 Töchter	2,06	1,16

Der Z. gilt primär für Bestrebungen, wo es einen bestimmten „Wert" gibt. Geht man von dem Standpunkt aus, daß Rassekatzen „zu überhaupt nichts nutze sind", ist es kein weiter Weg bis zu der Überzeugung, daß eine Katze keinen Z. hat und lediglich eigener Eitelkeit dient. Biologisch gesehen ist das ein Verlust für die Population, vom humanpsychologischen Standpunkt aus sind es nicht genutzte Möglichkeiten einer biologisch orientierten, auf wissenschaftlicher Basis beruhenden „Freizeitgestaltung" (ein wissenschaftlich bedeutungsvolles Hobby).

Zuchtziel ↑ Standard.

Zufallspaarung ↑ Population.

Zunge: Teil des Verdauungsapparates, der bei den Wirbeltieren Träger der Geschmackssinnesorgane ist und unter Umständen auch zur Lautbildung (↑ Lautgebung) beiträgt. Die Z. kann konstruktionsmäßig mit einem Reibeisen verglichen werden. Mit ihrer Hilfe werden festhaftende Futterreste durch die vielen feinen, nach hinten gerichteten Hornstacheln (verhornte Papillen) oder auch Fleisch- und Sehnenreste an Knochen abgeschabt. Die Z. ist das einzige Hilfsmittel zur Flüssigkeitsaufnahme. Mit löffelartig eingebogener Z. wird beim *Trinken* das Wasser (↑ Wasserbedarf) in schnellen Bewegungen in das Maul zum Z.grund befördert, wobei durch die Hornpapillen die Flüssigkeit kurzzeitig auf der Z. haftet. Katzen sind im Gegensatz zu anderen Tierarten nicht in der Lage, die Flüssigkeit aufzusaugen und hinunterzuschlürfen.

Die Z. ist das wichtigste Instrument der ↑ Körperpflege. Beim Putzen des Haarkleides wirken die Hornstacheln wie Staubkamm und Bürste zugleich, die ↑ Haare werden geglättet und gereinigt, die abgestorbenen entfernt. Da sich die Haare in den Hornstacheln zum Teil verfangen, können sie nicht ausgespuckt, sondern müssen zwangsläufig abgeschluckt werden (↑ Fellpflege). Beim Putzen von Körperteilen, die die Z. nicht unmittelbar erreichen kann, wie Gesicht und Ohren, wird die Vorderpfote im Bereich des Mittelhandknochens durch die Z. mit Speichel befeuchtet, der entsprechende Kopfabschnitt abgewischt, die Pfote abgeleckt und erneut befeuchtet, was als „Katzenwäsche" im übertragenen Sinn auf den Menschen bezeichnet wird. Diese läuft stets in gleicher Reihenfolge nach einem festen Verhaltensprogramm ab (↑ Körperpflege). Der Speichelfluß kann anscheinend willkürlich reguliert werden (*Leyhausen*, 1956).

Geschmackspapillen liegen überwiegend am Z.nrand (↑ Sinnesorgan). Wirbeltiere können die vier Grundqualitäten süß, sauer, bitter, salzig sowie eine Vielzahl von Geschmackskombinationen erkennen. Die Mehrzahl der Sinneszellen reagiert gleichzeitig auf mehrere Reize, z. B. sauer und bitter, sauer und salzig. In der Z. der Katze konnten bisher keine Sinneszellen nachgewiesen werden, die auf süße Stoffe reagieren. Somit ist der Begriff „Naschkatze" nur auf das sehr wählerische Verhalten der Hauskatze gegenüber Nahrungsmitteln (↑ Ernährung) zu beziehen. Andererseits reagieren bestimmte Sinneszellen der Katzen-Z. auf destilliertes Wasser, was wahrscheinlich auf die auswaschende Wirkung des Wassers zurückzuführen ist.

Zutragehypertrophie: besonders bei weiblichen ↑ Hauskatzen und teilweise bei kastrierten Katern auftretende Verhaltensweise, die ursprünglich aus dem Funktionskreis des ↑ Mutterverhaltens stammt. Die Z. äußert sich darin, daß die Katzen einen großen Teil ihrer ↑ Beutetiere von den Streifzügen heimbringen und vor der menschlichen Bezugsperson oder an einer von ihr nicht zu übersehenden Stelle (Türschwelle, Terrasse usw.) ablegen. Dieses Verhalten dient nicht der Demonstration eines erfolgreichen ↑ Beutefangverhaltens, sondern soll nach *Leyhausen* (1982) den Menschen als „Jungtierersatz" zur Beuteinspektion verleiten. Oft werden Spitzmäuse präsentiert, die wegen ihres unangenehmen Geschmacks von Katzen in der Regel nicht gefressen werden. Von Stubenkatzen wird auch über das Zutragen von Kleidungsstükken u. ä. berichtet, die wohl als Ersatzobjekte für fehlende Beute angesehen werden.

Zwangsbewegungen ↑ Stereotypie.

Zwangsernährung: besondere Form der ↑ Ernährung zur Aufrechterhaltung der Lebensfunktionen. Futterverweigerung, anhaltende Appetitlosigkeit haben stets ernstzunehmende Ursachen, die nur der Tierarzt feststellen kann. Der Tierarzt legt auch von Fall zu Fall fest, was dem Tier und wie oft zu verabreichen ist.

Mit den Methoden der Z. müssen auch Medikamente verabreicht werden, und sie eignen sich ebenfalls, wenn Welpen vorzeitig abgesetzt oder auf feste Nahrung umgestellt werden müssen (↑ mutterlose Aufzucht, ↑ Welpenaufzucht), bedeuten aber stets eine Einschränkung der Bewegungsfreiheit, die heftige Abwehrreaktionen hervorruft. Um Kratz- und Bißwunden zu vermeiden, sollte die Katze mit einem ↑ Festhaltegriff von einer Person fixiert werden, während eine zweite die Nahrung oder die Medikamente verabreicht. Feste Futtermittel und Tabletten werden in den geöffneten Fang so tief wie möglich auf dem

Zungengrund plaziert, wobei die Mengen sich nach der Größe des Rachens richten. Um den Fang zu öffnen, umfaßt eine Hand den Kopf der Katze so, daß Daumen und Zeigefinger hinter den Fangzähnen (↑ Zähne) liegen und neigt ihn rückwärts nach oben. Dann werden beide Finger gegeneinander gedrückt und der Fang öffnet sich. In der anderen Hand wird das zu Verabreichende zwischen Daumen und Zeigefinger festgehalten, während der Mittelfinger der gleichen Hand auf die Schneidezähne des Unterkiefers drückt und den Rachen weit öffnet. Liegt die Portion auf

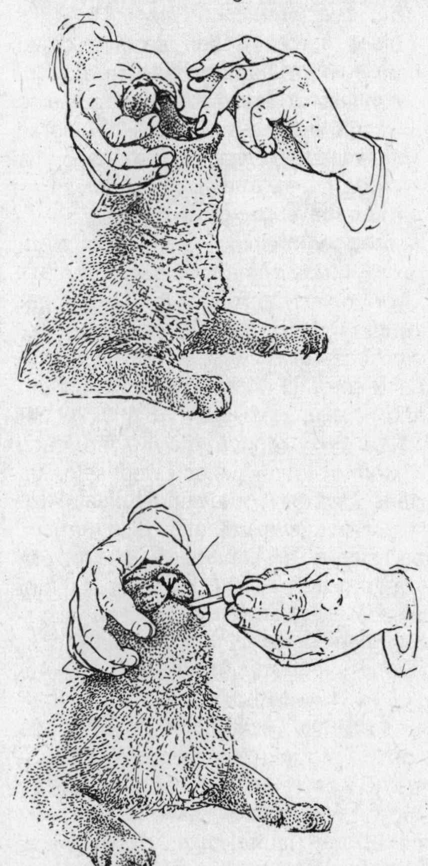

Oben Eingabe von festen Futtermitteln, *unten* Eingabe von flüssigen Futtermitteln

dem Zungengrund, wird der Fang geschlossen und solange zugehalten, bis abgeschluckt wird. Die beschriebene Kopfhaltung (Abb.) und vor allem Schnelligkeit wirken unterstützend.
Flüssige oder halbflüssige Futtermittel oder Medikamente werden mit einer Plastikpipette oder -spritze (ohne Kanüle!) eingegeben. Der Kopf wird wiederum mit einer Hand fixiert, während die andere die Pipette in einem Mundwinkel zwischen die hinteren Backenzähne schiebt. Die Flüssigkeit wird in kleinsten Mengen in die Backentasche langsam eingegeben. Wird zuviel Flüssigkeit zu schnell verabreicht, können die Tiere nicht abschlucken. Sie verschlucken sich, die Flüssigkeit gelangt in die Atemwege und es kann eine Aspirationspneumonie entstehen.
Fehlt eine zweite Person, die Hilfestellung beim Fixieren der Katze leisten kann, muß das Tier auf den Schoß gesetzt und mit dem Ellenbogen des linken Armes an den Körper gedrückt werden, während die linke Hand den Kopf wie eingangs beschrieben fixiert. Mit der rechten Hand werden dann die Futtermittel oder Medikamente je nach Konsistenz verabreicht. Wickelt man das Tier zuvor in eine Decke ein, so daß nur noch der Kopf herausschaut, ist man vor Abwehrbewegungen der Extremitäten (↑ Krallen) relativ sicher.

zweierlei Augen ↑ Irisheterochromie.

zweifarbig ↑ Bi-Colour.

Zwergkatzen ↑ Zwergwuchs.

Zwergwuchs, *Kleinwüchsigkeit* [griech. Nanosomie]: Ausbildung einer unterdurchschnittlichen Körperhöhe und -breite, die auf unterschiedlichen Ursachen beruhen kann. Die Körpergröße wird polygen determiniert (↑ Polygenie). Eine systematische Begünstigung von Verzwergungspolygenen führt zu Ausbildung von Miniaturkatzen (Pummeltypen, Rassenzwergwuchs, echter proportionierter Zwergwuchs). In diesem polygenen Komplex treten sporadisch oligogene Mutationen auf, die zu Veränderungen des Hypothalamus- und Hypophysen- (Wachstumshormon), des Schilddrüsen- (hypo- und athyreotischer Z.) oder des Knorpelstoffwechsels führen (chondrodystrophischer oder unproportionierter Z.). Der *hypophysäre Z.* tritt primär oder im Zusammenhang mit ↑ lysomalen Speicherkrankheiten auf. Er konnte aber auch durch Einwirkung neurotoxischer Substanzen (Piperazin) kopiert werden.

Der achondroplastische Z. kann den Gesamtkörper oder einzelne Körperteile betreffen, z. B. die Vorderextremitäten bei der Känguruhkatze (↑ Känguruhbeine) oder die Ohren. Eine weitere Form ist der *hypokalorische Z.* (Hunger während der Aufzuchtperiode, ↑ Welpenaufzucht). Die apostrophierten Gengruppen sind in allen ↑ Rassen vorhanden. Eine Beschreibung von Miniaturzuchten, z. B. von *Jude* (1977) bei der Kurzhaar-Hauskatze, oder von sporadischen Z.fällen sind daher nicht selten. Im Gegensatz zu den Verhältnissen in der Hundezucht hat sich bisher niemand gefunden, der derartige Abweichungen zur Schaffung neuer Rassen und ↑ Varietäten nutzen möchte, was im Prinzip möglich wäre. Obwohl Z. in den meisten Verbänden der ↑ Disqualifikation unterliegt, werden wahrscheinlich eines Tages auch Zwergkatzen von mittlerer Rattengröße als „leichthandbare" Pets empfohlen werden.

Zwillingsmißbildung ↑ Mißbildung.

Zwinger: 1. Zuchtstätte; Ort, an dem Mitglieder eines Zuchtverbandes unter Beachtung der geltenden Bestimmungen Katzen halten und züchten. Die gezüchteten Jungtiere tragen den Namen dieser Zuchtstätte (*Z.name*).

In der DDR organisierte Rassekatzenzüchter beantragen mit der Zuchtberechtigung einen Z.namen. Der bestätigte Z.name existiert einmalig und ist für die Dauer der Mitgliedschaft gegen eine nochmalige Verwendung geschützt (Z.schutz).

2. begrenzter Auslauf für den ständigen oder vorübergehenden Aufenthalt von Tieren. Durch den Z. wird Katzen eine der natürlichen Lebensweise angenäherte Haltungsform eingeräumt. Männliche Tiere, die die ↑ Geschlechtsreife erreicht haben, werden bei den nachstehend aufgeführten Möglichkeiten stets getrennt gehalten:

- eingezäunter Auslauf, in dem sich die Katzen nur tagsüber aufhalten, abends hingegen in die Wohnung gebracht werden,
- eingezäunter Auslauf, der sich direkt an eine Wohnung bzw. ein Haus anschließt, in das die Tiere durch eine Schlupföffnung nach Belieben ihren Aufenthaltsort wechseln können,
- eingezäunter Auslauf mit einem separaten Katzenhaus.

Nachfolgend einige relativ einfach zu realisierende technische Lösungen.

Über einen Vorraum sind die getrennten Abteile erreichbar. Ein über die gesamte Breite laufendes Fensterband sorgt für ausreichende Belichtung und Lüftung. Durch Schlupflöcher (Ø 250 mm) können die Katzen nach Bedarf in den Auslauf wechseln. Im Haus sind Sitzbretter und Schlafplätze (z. B. Holzkästen 300 mm × 600 mm, mit bezogener Schaumstoffeinlage) an den Wänden angebracht. Ein etwa 300 mm breites Fensterbrett wird gern angenommen. Nachfolgende Konstruktionshinweise sollten beachtet werden: Auf 1,00 m in den Boden reichende Betonfundamente werden 120-mm-Wände aus Normalziegeln oder Holzbetonelementen errichtet. Soll das Katzenhaus auch im Winter genutzt werden, ist eine zusätzliche Dämmschicht (z. B. 50-mm-HWL-Platten) außen anzubringen, vollflächig mit Rabitz- oder Ziegeldrahtgewebe zu überspannen und mit Kalkzementmörtel zu putzen. Eine Raumbeheizung ist dann jedoch erforderlich. Die Dachkonstruktion wird durch eine unten verschalte Balkenlage (120/80) und auf Kanthölzern verlegte Wellasbestzementplatten gebildet. Bei Winternutzung ist auf der Schalung eine etwa 50-mm-Dämmatte zu verlegen. Im Auslaufbereich werden die Balken durch in Beton eingespannte Stahlrohre unterstützt. Die umlaufende Holzblende hat nur gestalterische Bedeutung. Die Wände haben einen abwaschbaren Anstrich. Der Fußboden im Haus hat einen fußwarmen Plastebelag und der Auslauf ist mit Kunststeinplatten ausgelegt. Die Auslauf-, Zwischen- und Außenwände bestehen aus plastummanteltem Zaundraht. Bei richtiger Anordnung zur Himmelsrichtung (siehe Nordpfeil) kommt ausreichend Sonnenlicht in den Auslauf.

Zwingerbuch: Verzeichnis aller im ↑ Zwinger gehaltenen Katzen, das laut Zuchtordnung des DDR-Verbandes folgende Angaben enthalten muß:

- Name, Rasse und Farbe, Zuchtbuchnummer, Geschlecht und Tag der ↑ Geburt der jeweiligen Katzen,
- Deckakte und gefallene Würfe einschließlich deren Entwicklung bis zur zehnten Lebenswoche,
- Tag der Abgabe und Anschrift der neuen Besitzer.

Zwingerleistungspreis ↑ Nachkommenprüfung.

Zwischenwirte: 1. ↑ Ektoparasiten. – **2.** ↑ Endoparasiten.

Zygote: eine aus der Vereinigung (Fusion) zweier haploider Keimzellen (↑ Gameten) hervorgehende diploide Zelle, d. h., die befruchtete Eizelle, das Spermovium. Sie trägt zunächst den kompletten ↑ Chromosomensatz (Holozygote), wobei später in den Körperzellen ein X-Chromosom (↑ Geschlechtschromosom) eliminiert wird (↑ X-Chromosom-Kompensationsmechanismus).

zyklische Neutropenie ↑ lysomale Speicherkrankheiten.

Zytochimäre ↑ Chimäre.

Literaturverzeichnis

Aarde, R.J. van, Carn.Genet.Newsl. **3** (1978) 288
Adalsteinsson, S., Therap.Appl.Genet. **58** (1980) 49
Adalssteinsson, S., B. Blumenberg, Z.Tierzüchtg.Züchtungsbiologie **100** (1983) 161
Albone, E.S., Mammalian semiochemistry. Chichester, New York, Brisbane, Toronto, Singapore: John Wiley & Sons Ltd. 1984
Anonym, Mod.Veter.Pract. **56** (1975) 729
Anonym, WHO-World Health Organization World Survey of Rabies XXI for years 1982/83 WHO/Rabies/84.195 (1984)
Anonym, Rabies Bulletin Europe, Vol. 8/Nr. 4 (1984)
WHO Collaborating Centre for Rabies Surveillance and Research, Tübingen
Apps, P.J., S.Afric.J.Zool. **18** (1983) 393
Archer, D., Vet.Rec. **86** (1970) 640
Avery, O.T., C.M. Macleod, M. McCarthy, J.Exper.Med. **79** (1944) 137

Baerends-van Roon, J.M., G.P. Baerends, Verh.Kon.Ned.Akad.Wet., Afd. Nat. **72** (1979) 1
Bailly-Maitre, J., Rev.d'Histoire Nat.Appl. **5** (1924) 265
Bamber, R.C., Bibl.Genet. **3** (1927) 1
Bamber, R.C., E.C. Herdman, Nature **127** (1931) 558
Barnett, K.C., R. Curtis, J.Heredity **76** (1985) 168
Barnett, K.C., Veter.Med.Small Anim.Clin. 77 (1965) 1543
Barnett, K.C., J.Small Anim.Pract. **23** (1982) 763
Barret, P., P.P.G. Bateson, Behaviour **66** (1978) 10
Barr, M.L., L.F. Bertram, Nature **163** (1949) 676
Basrur, P.K., M.E. DeForest, Carn.Genet.Newsl. **3** (1979) 378
Bateson, P., M. Young, Anim.Behav. **29** (1981) 173
Bayly, C.P., S.Austral.Natur. **51** (1976) 22
Beauchamp, G.K., I.G. Martin, J.L. Wellington, C.J. Wysocki, Chem.Signals.Vertebr. **3** (1983) 73
Beaver, B.V., Lab. Animals **14** (1980) 199
Bedford, P.G.C., Brit.Veter.J. **138** (1982) 93
Bekoff, M., Bioscience **34** (1984) 228
Bellhorn, R.W., C.A. Fischer, J.Amer.Veter.Med.Assoc. **157** (1970) 842
Bellhorn, R.W., G.D. Aguirre, M.B. Bellhorn, Invest.Ophthalm. **13** (1974) 608
Benirschke, K., R. Edwards, R.J. Low, Amer.J.Veter.Res. **35** (1974) 257
Benzer, S., Proc.Nat.Acad.Sci.US **41** (1955) 344
Bergsma, D.R., K.S. Brown, J.Heredity **62** (1973) 171
Bertalanffy, L. von, Theoretische Biologie, Bd. II. Berlin-Zehlendorf: Bornträger Verlag 1942
Blahser, S., C. Labie, Econ.Méd.anim. **5** (1964) 67
Blumenberg, B., N.B. Todd, Carn.Genet.Newsl. **3** (1978) 180

Bonnet, P., Bull.Soc.Hist.Nat., Toulouse, **104** (1968) 260
Borodin, P.M., M.N. Bockharev, I.S. Smirnova, G.P. Manchenko, J.Heredity **69** (1978) 169
Bosher, S.K., F.R.S. Hallpike, Proc. Roy.Soc. London, Ser.B **162**, 1
Braastad, B.O., P. Heggelund, Devel.Psychobiol. **17** (1984) 675
Brentjes, B., Die Haustierwerdung im Orient. Wittenberg: Ziemsen Verlag 1965
Brentjes, B., Die Erfindung des Haustiers. Leipzig, Berlin, Jena: Urania-Verlag 1975
Brewer, N.R., J.Amer.Vet.Med.Assoc. **180** (1982) 1179
Brunner, F., Die Anwendung von Ergebnissen der vergleichenden Verhaltensforschung in der Kleintierpraxis (Beiträge zur Verhaltenspathologie des Hundes und der Katze). Wien: Manuskriptdruck 1967
Brunner, F., K. Hlawacek, Die Katze – richtig verstanden. München: Gersbach und Sohn 1976
Bürger, M., Milu **1** (1964) 286
Buchtholtz, C., Z.Tierpsychol. **9** (1953) 462
Burger, I.H., R.S. Anderson, D.W. Holme, Arch.tierärztl. Fortbildung **5** (1978) 127

Cain, G.R., Y. Suzuki, J.Amer.Vet.Med.Assoc. **187** (1985) 46
Caro, T.M., Z.Tierpsychol. **51** (1974) 158
Caro, T.M., Behaviour **74** (1980) 128
Caro, T.M., Anim.Behav. **29** (1981 a) 271
Caro, T.M., Behaviour **76** (1981 b) 1
Carpentier, C.J., Rev.Zootechn. **10** (1934) 298
Castle, W.E., L.W. Law, J.Heredity **27** (1936) 36
Caston, H., Fel.Pract. **3** (1973) 14
Cats (Nov. 1984–Okt. 1985), Official Journal of the Governing. Council of the Cat Fancy, Cats Limited, Manchester, UK
Cats Magazine (Mai 1983–Mai 1986), published by Cats Magazine Inc., Lincoln, USA
Chesler, P., Science **166** (1969) 901
Christoph, H.J., Klinik der Katzenkrankheiten. Jena: VEB Gustav Fischer Verlag 1977
CFA, Scow standards. Ocean, N.J. 1985
Clark, J.M., J.Heredity **35** (1975) 195
Clark, J.M., Genetica **46** (1976) 401
Cohen, S.N., H.W. Boyer, R.B. Helling, Proc.Nat.Acad.Sci., Washington **70** (1973) 3240
Cole, D.D., J.N. Shafer, Behaviour **27** (1966) 39
Colemnares, F.M., M.J. Blanco, E. Secadas, J.M.R. Delgado, Rev.Mus.argent.cienc. natur.Zool. **13** (1984) 333
Collet, P., M. Jean-Blain, Bull.Soc.Sci.Veter., Lyon **37** (1934) 175
Committee of Standardized Genetics for Cats, J.Heredity **59** (1968) 39
Comstock, R.E., H.F. Robinson, P.H. Harvey, Agron.J. **41** (1949) 360
Conde, B., P. Schauenberg, Rev.Suisse Zool. **76** (1969) 183
Cooper, J.F., Zool.afr. **12** (1977) 250
Corbett, L.K., Carn.Genet.Newsl. **3** (1978) 269
Corbett, L., Feeding ecology and social organization of wild cats (Felis catus) in Scotland. Ph.D.thesis, Aberdeen 1979

Corbett, L.K., Proc.18th Int.Ethol.Conf., Brisbane 1983
Cotter, S.N., R.M. Brenner, W.J. Dodds, J. Amer. Veter. Med. Assoc. **172** (1978) 166
Creel, D., Carn.Genet.Newsl. **3** (1979) 385

Damjan, M., R. Schilling, Mau Mao Miau. Die Katze durch die Jahrtausende. Mönchaltorf/Zürich: Nord-Süd-Verlag 1969
Dards, J.L., Carn.Genet.Newsl. **3** (1978) 242
Darlington, C.D., K. Mather, The elements of genetics. London: Allen and Unwin 1949
Davis, B.K., Carn.Genet.Newsl. **3** (1976) 69
Darwin, C., Die Entstehung der Arten durch natürliche Zuchtwahl. Leipzig: Reclam (1. Aufl. 1859) 1984
De Boer, J.N., Behav.Processes **2** (1977 a) 209
De Boer, J.N., Behav.Processes **2** (1977 b) 227
De Forest, M.E., Congenital malformations in the Manx cat. M.Sc.Thesis, Univ. of Guelph 1977
1.DEKZV, Katzenrassen, Weltstandard. Wiesbaden: Wiesbadener Graphische Betriebe GmbH 1982
Derenne, P., Mammalia **36** (1972) 459
Derenne, P., Mammalia **40** (1976) 531
De Vries, H.; Ber.Dtsch.Bot.Ges. **18** (1900) 83
Ditchfield, J., Southwest Veter. **21** (1968) 125
Dodds, W.J., in: *Slatter, D.H.* (ed.), Textbook of small animal surgery. Philadelphia/Pa.: W.B. Saunders Co. 1984
Doncaster, L., Proc.Camb.Phil.Soc. **13** (1904) 35
Dorn, A.S., R.W. Joiner, Fel.Pract. **6** (1976) 37
Dowling, P., „Devon Rex Project-Interim Report". Devon Rex spasticity research news. Cats Nr. 176 (1985) 6
Dreux, P., Carn.Genet.Newsl. **1** (1966) 3
Dreux, P., Ann.Genet. **10** (1967) 141
Dreux, P., J.Heredity **59** (1968) 37
Dreux, P., Carn.Genet.Newsl. **1** (1968) 64
Dreux, P., Carn.Genet.Newsl. **1** (1969) 170
Drochner, W., S. Müller-Schlösser, Arch.tierärztl.Fortbildung **5** (1978) 80
Dyte, C.E., Carn.Genet.Newsl. **2** (1974) 219

Die Edelkatze (1973–1986), Illustrierte Fachzeitschrift für Katzenfreunde des DEKZV, Wiesbaden, BRD
Elzay, R.P., J.Amer.Veter.Med.Assoc. **154** (1969) 667
Ewer, R.F., Behaviour **15** (1960) 146

Fagen, R.M., Carn.Genet.Newsl. **3** (1978) 276
Falconer, D.S., Einführung in die quantitative Genetik. Stuttgart: E. Ulmer Verlag 1984
Feldman, B.F., C.J. Soares, B.E. Kitchell, C.C. Brown, S. O'Neill, J.Amer.Veter.Med. Assoc. **182** (1983) 589
Fewson, D., Züchtungskunde **31** (1959) 98

Fitzgerald, B.M., B.J. Karl, N.Z. J.Zool. **6** (1979) 107
Fölsch, D.W., Proc.Intern.Congr.appl.Ethol. in farm animals. Kiel 1984, p. 257
Foss, J., G. Flottorp, Acta Otolaryngol. **77** (1974) 202
Freye, H.A., Urban-ökologische Bemerkungen zum Heimtier, in: Die Mensch-Tier-Beziehung. Wien: IEMT 1985, S. 164

GCCF, The official Standards of Points, 1983
Gehring, H., Kleintierprax. **20** (1975) 225
Génermont, J., Carn.Genet.Newsl. **3** (1978) 225
Glenn, B.L., H.G. Glenn, I.T. Omtvedt, Amer.J.Veter.Res. **29** (1968) 1653
Grünbaum, E.-G., Mh.Vet.med. **32** (1977) 488
Grünbaum, E.-G., Mh.Vet.med. **32** (1977) 490
Grünbaum, E.-G., Ernährung und Diätetik von Hund und Katze. Jena: VEB Gustav Fischer Verlag 1982
Guillery, R.W., V.A. Casagrande, Anat.Rec. **181** (1975) 366

Hadorn, E., Letalfaktoren und ihre Bedeutung für Erbpathologie und Genphysiologie der Entwicklung. Stuttgart: Georg Thieme Verlag 1955
Hagemann, R., Wissenschaft u. Fortschritt **34** (1984) 2
Haltenorth, Th., Die Wildkatzen der alten Welt. Leipzig: Akademische Verlagsges. Geest u. Portig KG 1953
Hart, B.L., Fel.Pract. **5** (1975) 11
Hart, B.L., Chem.Signals Vertebr. **3** (1983) 87
Hart, B.L., M.G. Leedy, Behav.Neural.Biol. **41** (1985) 38
Härtel, R., Wiss.Z.Humb.-Univ.Berlin, Math.-Nat. R. **21** (1972) 371
Härtel, R., Biol.Zbl. **94** (1975) 187
Hassenstein, B., Verhaltensbiologie des Kindes. München, Zürich: Piper 1976
Hayes, K.C., R.E. Carey, S.Y. Schmidt, Nutr.Rev. **43** (1985) 84
Hediger, H., Beobachtungen zur Tierpsychologie im Zoo und im Zirkus. Berlin: Henschel Verlag 1979
Hegreberg, G.A., D.E. Norby, Fed.Proc. **33** (1974) 598
Heidemann, G., G. Vauk, Z. Säugetierkde. **35** (1970) 185
Heidemann, G., Z.Säugetierkde. **38** (1973) 216
Helm, J.P., Untersuchungen der Feinstruktur von Katzenfellhaaren zur Möglichkeit einer Rassendifferenzierung. Vet.-med.Diss., München 1964
Hemmer, H., Der Zool. Garten (NF) **32** (1966) 323
Hemmer, H., Experientia **28** (1972) 271
Hemmer, H., Domestikation – Verarmung der Merkwelt. Braunschweig, Wiesbaden: Vieweg und Sohn 1983
Hendy-Ibbs, P.M., J.Heredity **75** (1984) 566
Henricson, B., S. Bornstein, Svensk Veter.Tidn. **17** (1965) 95
Heptner, V.G., Raubtiere (Feloidea), in: *Heptner, V.G., N.P. Naumov* (Hrsg.), Die Säugetiere der Sowjetunion, Bd. 3. Jena: Gustav Fischer Verlag 1980
Herre, W., M. Röhrs, in: *Heberer, G.* (Hrsg.), Die Evolution der Organismen, 3. Aufl., Bd. II/2. Stuttgart: Gustav Fischer Verlag 1971
Herre, W., M. Röhrs, Haustiere zoologisch gesehen. Jena: VEB Gustav Fischer Verlag 1977
Herre, W., Z.Zool.Syst.und Evolutionsforschg. **17** (1979) 151

Herzog, A., Embryonale Entwicklungsstörungen des Zentralnervensystems beim Rind. Vet.Med. Habil.schrift, Gießen 1971
Hiepe, Th., Lehrbuch der Parasitologie, Bd.4, Vet.med.Arachno-Entomologie. Jena: VEB Gustav Fischer Verlag 1982
Hill, J.O., E.J. Pavlik, G.L. Smith, G.M. Burghardt, P.B. Coulson, J.Chem.Ecol. **2** (1977) 239
Hollander, W.F., Carn.Genet.Newsl. **3** (1978) 190
Holm, J.P., Untersuchung der Feinstruktur von Katzenfellhaaren zur Möglichkeit einer Rassendifferenzierung. Vet.med.Diss., München 1964
Holst, D. von, J.comp.Physiol. **120** (1977) 71
Howard, D.R., Veter.Med.Small. Anim.Clin. **68** (1973) 879
Howell, J.M., P.B. Siegel, J.Heredity **57** (1966) 100
Hubbs, E.L., Calif.Fish Game **37** (1951) 177
Hunsperger, R.W., in: Adv.Vertebr.Neuroethol.Proc.NATO Adv.Study Inst. New York, London 1983, S.151
Hussel, L., Urania **19** (1956) 36

Iljin, N.A., V.N. Iljin, J. Heredity **21** (1930) 309
Immelmann, K., Wörterbuch der Verhaltensforschung. Berlin, Hamburg: Parey Verlag 1982
Immelmann, K., Einführung in die Verhaltensforschung, 3. Aufl. Berlin, Hamburg: Parey Verlag 1983
Inderwiesen, S., Kleintierprax. **29** (1984) 39
Izawa, M.T., T. Dio, Y. Ono, Japan.J.Ecol. **32** (1982) 372
Izawa, M., J.Mammal.Soc.Japan **9** (1983) 219

Jacob, F., J. Monod, Compt.Rend.Acad.Sic., Paris **249** (1959) 1282
Jacobs, P.A., J.A. Strong, Nature **182** (1959) 302
Joelle, C.C., Le chat persian, Diss.vet.med., Toulouse 1979
Johannsen, W., Elemente der exakten Erblichkeitslehre. Jena: Gustav Fischer Verlag 1909
Jones, E.E., J.Heredity **13** (1922) 237
Jones, E., Austr.Wildl.Res. **4** (1977) 240
Jones, E., B.J. Coman, Austr.Wildl.Res. **9** (1982) 409
Jude, A.C., Cat genetics. Reigate, Surrey (UK): T.F.H. Publications, Inc. Ltd. 1977

Katzen (1982–1986), Magazin für Katzenfreunde der D.R.U., Köln, BRD
Keeler, C.E., V. Cobb, J.Heredity **24** (1933) 181
Keeler, C.E., J.Heredity **33** (1942) 371
Kerby, G., 19. Intern.Ethol.Conf.Toulouse, Abstr., 1985, S.119
Kerr, S.J., J.Heredity **74** (1983) 349
Kilham, L., G. Margolis, Amer.J.Pathol. **48** (1966) 991
Kilham, L., G. Margolis, E.D. Calby, J.Amer.Vet.Med.Assoc. **158** (1971) 898
Kinghorn, B., J.Anim.Breed Genet. **99** (1982) 1
Klatt, B., Sitz.-Ber.Ges.naturforsch.Freunde, Berlin 1912, S.153–179
Klug, E., Die Fortpflanzung der Hauskatze (Felis domestica) unter besonderer Berücksichtigung der instrumentellen Samenübertragung – Eine Literaturstudie. Vet. Med.Diss. Hannover 1969

Koch, P., H. Fischer, A.E. Stubbe, Berl.Münch.tierärztl.Wschr. **68** (1955) 246
Koch, T., Lehrbuch der Veterinäranatomie, Bd. I–III. Jena: VEB Gustav Fischer Verlag 1976
Kolb, E., Lehrbuch der Physiologie. Jena: VEB Gustav Fischer Verlag 1980
Kraft, W., U.M. Dürr, Katzenkrankheiten. Hannover: Verlag Schaper 1978
Kraft, W., Kleintierkrankheiten, Bd. 1, Innere Medizin. Stuttgart: Verlag Ulmer 1984
Krahmer, R., G. Michel, L. Schröder, Anatomie der Haustiere. Leipzig: Hirzel-Verlag 1976
Kratochvil, Z., Acta Veter.Brno **40** (1971) 33
Kratochvil, Z., Acta Sc.Nat.Brno **7** (1973) 10
Kratochvil, Z., Acta Sc.Nat.Brno **10** (1976) 1
Krum, S., K. Johnson, J. Wilson, J.Amer.Vet.Med.Assoc. **167** (1975) 746
Kühn, A., Nachr.Ges.Wiss.Göttingen, Mathem.-Phys. Klasse 1927, Nr. 407

Lang, B., Bewegungsmessungen an der Wirbelsäule von Hund und Katze. Vet. Med.Diss. Gießen 1972
Lauder, P., J.Cat Genet. **1** (1964) 10
Lauder, P., The Siamese Cat. London: B.T. Batsford Ltd. 1978
Laundré, J.F., Anim.Behav. **25** (1977) 990
Legay, J.M., D. Pontier, C.R.Seances, Acad.Sci.Ser.III. Sci.vie **296** (1983) 33
Legg, J., N. Legg, Cats magazine, April 1985, Beih. Cat World, EE8
Letard, E., J.Heredity **29** (1938) 173
Leuw, A. de, Deutscher Jagdschutzverband e.V., Merkbl. Nr. 16, 2. Aufl. 1970
Leyhausen, P., Das Verhalten der Katzen, in: Handbuch der Zoologie VIII. 10. Teil 21. Berlin: De Gruyter 1956
Leyhausen, P., R. Wolff, Z.Tierpsychol. **16** (1959) 666
Leyhausen, P., Z.Tierzücht.und Züchtungsbiol. **77** (1962) 191
Leyhausen, P., Katzen eine Verhaltenskunde, 6. Aufl. Berlin, Hamburg: Parey Verlag 1982
Leyhausen, P., in: Proc.Intern.Congr.appl.ethol.in farm animals 1984, S. 386
Leyhausen, P., in: Die Mensch-Tier Beziehung. Wien: IEMT 1985, S. 116
Liberg, O., Oikos **35** (1980) 336
Liberg, O., Predation and social behaviour in a population of domestic cat. An evolutionary perspective. Vet.med.Diss., Lund 1981
Liberg, O., Acta Zool.Fenn. **171** (1984 a) 283
Liberg, O., in: Ernährung und Verhalten von Hund und Katze. Hannover: Schlütersche Verlagsanstalt 1984 b, S. 161
Liberg, O., J.Mammal. **65** (1984 c) 424
Liberg, O., in: 19. Intern.Ethol.Conf.Toulouse, Abstr., 1985, S. 272
Liebenow, H., K. Liebenow, Giftpflanzen; Vademekum für Tierärzte, Humanmediziner, Biologen und Landwirte. Jena: VEB Verlag Gustav Fischer 1973
Little, C., J.Heredity **48** (1957) 57
Livingstone, M.L., Veter.Med. Small Anim.Clin. **60** (1965) 705
Loevy, H.T., V. Fenyes, Cleft Palate J. **5** (1968) 57
Loevy, H.T., J.Dent.Res. **53** (1974) 453
Löther, R., Medizin in der Entscheidung. Berlin: VEB Deutscher Verlag der Wissenschaften 1967
Lorenz, K., Z.angew.Psychol.und Charakterkde. **59** (1940) 1

Lundberg, U., Z.Psychol. **188** (1980) 430
Lüps, P., Z.Säugetierkunde **45** (1980) 245
Lutz, H., B. Hauser, M.C. Horcinek, Kleintierpraxis **30** (1985) 51
Lyon, M.F., Proc. Royal Soc., London, B **187** (1974) 243

Macdonald, D.W., Proc.Symp.Olfactions Mammals, London 1978. 1980, p. 107
Macdonald D.W., P.J. Apps, Carn.Genet.Newsl. **3** (1978) 256
Manchenko, G.P., Carn.Genet.Newsl. **4** (1981) 133
Manchenko, G.P., E.S. Balakirev, Genetika, UdSSR **17** (1981) 2191
Manton, S.M., Colourpoint Longhair and Himalayan cats, 2. Aufl. Ferendune Books in association with Springwood Books. Guildford/Surrey: Biddles Ltd. 1979
Martin, P., Z.Tierpsychol. **64** (1984) 298
McClintock, B., Proc.Nat.Acad.Sci. USA **74** (1950) 560
McClintock, B., Brookhaven Sympos. Biol. **8** (1956) 58
McElvain, S.M., R.B. Bright, P.R. Johnson, Chem.Soc. **63** (1941) 1558
McLeod, M.T., Cats magazine **40** (1983) 8
Mellen, I.M., J.Heredity **30** (1939) 435
Mendel, G., Versuche über Pflanzenhybriden. Verh.Naturf.-Ver. Brünn IV, 3.–46.; Neudruck, in: Ostwald's Klassiker der Exakten Wissenschaften Nr. 121, 2. Aufl. Leipzig 1911
Merton, D.A., Compend.Cont.Ed. **4** (1982) 251, 332
Mesent, P., S. Horsfield, Der Heimtierbestand und die Beziehungen zwischen dem Heimtier und seinem Herrn, in: Die Mensch-Tier Beziehung. Wien: IEMT 1985, S.9
Metze, M., Die Lautgebung der Hauskatze. Dipl.-Arbeit, Humboldt-Universität Berlin 1958
Morgan, T.H., Amer.Nat. **44** (1910) 449
Morgan, T.H., Heredity and sex, 2. Aufl. New York: Columbia Univ. Press 1914
Moutschen, J., Nat.Belges **31** (1950) 200
Mugford, R.A., Ch. Thorne, Arch.tierärztl.Fortbildung **5** (1978) 5
Mugford, R.A., Ernährung und Verhalten von Hund und Katze. Hannover: Schlütersche Verlagsanstalt 1984, S. 140

Nachtsheim, H., Vom Wildtier zum Haustier. Berlin: Akademie Verlag 1949
Nachtsheim, H., Verh.Dtsch.Ges.Inn.Med. **64** (1959) 33
Narfström, L.K., Svensk Veter.Tidn. **33** (1981) 147
Narfström, L.K., Cats Magazine 1982
Narfström, L.K., J.Heredity **74** (1983) 273
Narfström, L.K., S.E.G. Nilsson, Veter.Rec. **112** (1983) 525
Natoli, E., Monit.zool.Ital.(N.S.) **17** (1983) 200
Natoli, E., Behaviour **94** (1985 a) 234
Natoli, E., 19. Intern.Ethol.Conf.Toulouse, Abstr. 1985 b, S. 379
Neff, W.D., J.E. Hind, J.Acoust.Soc.Amer. **27** (1955) 480
Negus, D., The Si Sawats, the Passions, the Pleasures – the Losses and the Lavings, in: CFA Yearbook 1981. Ocean, N.J. 1981
Neuschulz, N., Felis **3** (1985) 63
Nickel, R., A. Schummer, E. Seiferle, Lehrbuch der Anatomie der Haustiere, Bd. IV. Berlin, Hamburg: Parey Verlag 1975
Norby, D.E., H.C. Thuline, Nature **227** (1970) 1262

O'Brien S.J., W.G. Nash, Science **216** (1982) 257
Ohkawa, N., T. Hidaka, 19.Intern.Ethol.Conf.Toulouse, Abstr. 1985, S. 200

Palen, G.F., G.V. Goddard, Anim.Behav. **14** (1966) 372
Panaman, R., Z.Tierpsychol. **56** (1981) 59
Pascal, M., Mammalia **44** (1980) 161
Patterson, D.F., R.R. Minov, Lab.Invest. **37** (1977) 170
Patterson, D.F., Prakt.Tierarzt **60** (1979) 1061
Pauli, G., R. Lefert, Kleintierpraxis **28** (1983) 197
Peltz, R.S., Carn.Genet.Newsl. **1** (1967) 326
Peters, G., Säugetierkdl.Mitt. **29 (4)** (1981) 30
Peters, G., Bonn.zool.Beitr. **34** (1983) 107
Peters, G., Z.Säugetierkde. **49** (1984) 157
Pethes, G., Einige Aspekte der Beziehung zwischen Mensch und Heimtier in Ungarn, in: Die Mensch-Tier Beziehung. Wien: IEMT 1985, S. 50
Petzsch, H., Die Katzen. Leipzig, Jena, Berlin: Urania Verlag 1968
Pflueger, S.M.V., K.S. Kagan-Hallet, Cats, No. 176, (1985) 6
Piechocki, R., Schutz und Hege der Wildkatze Felis silvestris Schreber, in: *Stubbe, H.* (Hrsg.), Buch der Hege, Bd. 1. Berlin: Landwirtschaftsverlag 1982
Piechocki, R., H. Möller, Naturschutzarb.Bez.Halle und Magdeburg **20 (2)** (1983) 11
Pielowski, Z., Cats and dogs in the European hare hunting ground, in: Ecology and management of European hare populations. Warszawa: 1976, S. 153
Pirschner, F., Populationsgenetik in der Tierzucht. Hamburg, Berlin: Parey Verlag 1964
Platz, C.C., S.W.J. Seager, J.Amer.Vet.Med.Assoc. **173** (1978) 1353
Pond, G., The Complete Cat Encyclopaedia. London: Heinemann 1972
Pond, G., I. Raleigh, A Standard Guide to Cat Breeds. London, Basingstoke: Papermac 1982
Pouplard, L., Ann.Méd.Vét. **128** (1984) 89
Precht, G., E. Lindenlaub, Z.Tierpsychol. **11** (1954) 485
Prechtl, H.F.R., Experientia **8** (1952) 220
Prieur, D.J., Carn.Genet.Newsl. **4** (1981) 178
Prieur, D.J., L.L. Collier, J.Heredity **75** (1984) 41
Prieur, D.J., L.L. Collier, J.Heredity **72** (1981) 178
Puschmann, W., Felis **3** (1985) 47

Quinio, L., Contribution a l'etude du strabisme chez le chat. Vet.med.Diss., Toulouse 1976

Ragni, B., Carn.Genet.Newsl. **3** (1978) 270
Raimer, F., E. Schneider, Säugetierkdl.Mitt. **31 (1)** (1983) 61
Reinhardt, R., J.G. Vaeth, Das Katzenbuch. Hannover: Schaper Verlag 1931
Renner, O., Artbastard bei Pflanzen, Handbuch der Vererbungswissenschaften, Bd. II A. Berlin: Borntrager Verlag 1929
Richter, J., R. Götze, Tiergeburtshilfe. Berlin: Parey Verlag 1978
Rieger, I., D. Walzthöny, Z.Säugetierkde. **44** (1979) 319
Riska, B., W.R. Atchley, Science **229** (1985) 668
Rivers, J.P., T.L. Frankel, Arch.tierärztl.Fortbildung **5** (1978) 74

Reetz, I., M. Stecker, W. Wegner, Dtsch.tierärztl.Wschr. **84** (1977) 272
Reinig, F., Melanismus, Albinismus und Rufismus. Leipzig: Georg Thieme Verlag 1937
Ritte, U., E. Neufeld, R. Saliternik-Vardy, Carn.Genet.Newsl. **4** (1980) 98
Robinson, R., Carn.Genet.Newsl. **1** (1968) 52
Robinson, R., Genetics **40** (1969) 597
Robinson, R., Carn.Genet.Newsl. **1** (1970) 237
Robinson, R., Genetica **42** (1971) 466
Robinson, R., Carn.Genet.Newsl. **2** (1972) 90
Robinson, R., Genetica **43** (1972) 2
Robinson, R., Carn.Genet.Newsl. **2** (1973) 158
Robinson, R., Genetics **44** (1973) 454
Robinson, R., J.Heredity **64** (1973) 47
Robinson, R., Veter.Rec. **100** (1977) 9
Robinson, R., Genetics for cat breeders. Oxford, New York, Toronto, Sydney, Paris, Frankfurt: Pergamon Press 1977
Robinson, R., Carn.Genet.Newsl. **4** (1980) 46
Robinson, R., Cats, Nr. 152 (1985) 7
Robinson, R., Cats, Nr. 176 (1985) 7
Robinson, G.W., Fel.Pract. **6** (1976) 40
Rogers, Q.R., J.G. Norris, Arch.tierärztl.Fortbildung **5** (1978) 50
Röhrs, M., Z.Säugetierkunde **50** (1985) 234
Romand, R., G. Ehret, Devel.Psychobiol. **17** (1984) 629
Rosenblatt, J., G. Turkewitz, T.C. Schneirla, Transact.N.Y.Acad.Sci.Ser. II **31** (1969), 231
Rubin, L.F., D.E. Lipton, J.Amer.Veter.Med.Assoc. **162** (1973) 467

Sachse, K.-H., Die Variabilität der Wirbelsäule bei der Hauskatze. Vet.med.Diss., Berlin 1968
Saliternik, R., Carn.Genet.Newsl. **3** (1977) 143
Schaible, P.H., Identification of variegated and piebald spotted effects in dominant autosomal mutants, in: *McGovern, V.J., Russell, P.* (ed.), Mechanisms in pigmentation. Basel, München: Karger Verlag 1973
Schaller, R., Licht- und elektronenmikroskopische Untersuchungen am Grannenhaar der Katze. Vet.med.Diss., Hannover 1972
Schauenberg, P., Rev.Suisse Zool. **76** (1969) 433
Schauenberg, P., Terre et vie, Rev.écol. **35 (1)** (1981) 3
Scheur-Karpin, R., Carn.Genet.Newsl. **1** (1970) 246
Schlegel, F., Untersuchungen zum Farbgen-Polymorphismus, zur genetischen Distanz und zur Variation einiger Schädelmerkmale in panmiktischen Katzenpopulationen. Vet.med.Diss., Hannover 1982
Schlesinger-Plath, B., Zur Samengewinnung, Spermauntersuchung und künstlichen Besamung bei der Katze. Vet.med.Diss., München 1984
Schlup, D., Kleintierprax. **27** (1982) 87
Schlup, D., H. Stuck, Kleintierprax. **27** (1982) 179
Schneirla, T.C., J.S. Rosenblatt, E. Tobach, Maternal behaviour in the cat, in: *Rheingold, G.* (ed.), Maternal behaviour in mammals. New York, London: John Wiley & Sons 1963, S. 122

Schuh, J., F. Tietze, P. Schmidt, Hercynia N.F. **8** (1971) 102
Schwalbe, E., Die Morphologie der Missbildungen des Menschen und der Tiere. Jena: Gustav Fischer Verlag 1906
Schwangart, F., Stammesgeschichte, Rassenkunde und Zuchtsystem der Hauskatzen. Leipzig: Arthur Heber & Co. 1929
Schwangart, F., H. Grau, Z.Tierzücht.Züchtungsbiol. **21** (1931) 203
Schwangart, F., Zur Rassenbildung und -züchtung der Hauskatze – Ergebnisse und Probleme. Berlin: Verlag der Deutschen Gesellschaft für Säugetierkunde 1932
Schwangart, F., Z.Hundeforsch. **3** (1933) 65
Schwangart, F., Kleintier u. Pelztier **12** (1936) 77
Schwangart, F., Z. Tierpsychol. **1** (1937) 84
Schwangart, F., Zoolog.Garten **17** (1950) 66
Schwangart, F., Z.Säugetierk. **20** (1954) 1
Scott, P.P., Tierernährung (Hannover) **3** (1975) 1
Scott, P.P., Effem Report Nr. **2** (1975) 1
Scott, P.P., Proc.Royal Soc.Med. **70** (1977) 1
Scott, P.P., Arch.tierärztl.Fortbildung **5** (1978) 140
Searle, A.G., J.Genet. **49** (1949) 214
Searle, A.G., Ann.Eugen. **17** (1953) 279
Searle, A.G., A.C. Jude, J.Genet. **54** (1956) 506
Searle, A.G., J.Genet. **56** (1959) 2
Searle, A.G., New York und London: Academic Press 1968
Shaw, D.H., All-Pets **35** (1964) 22
Siegmund, R., G. Tembrock, Verhaltensbiologische Aspekte im Umgang mit Tieren: Eine Aufgabe für Erziehung und Bildung, in: Die Mensch-Tier Beziehung. Wien: IEMT 1985, S. 139
Silson, M., R. Robinson, Vet.Rec. **84** (1969) 477
Sis, R.F., R. Getty, Vet.Med.Small Anim.Clin **63** (1968) 948
Slatter, D.H., Proc 5th Ann.Conf.Austral.Veter.Soc. 1977, S. 64
Sojka, N.J., L.L. Jennings, C.E. Hamner, Lab.Anim.Care **20** (1970) 198
Sokolow, W.E., A dictionary of animal names in five languages.Mammals. Moscow: Rusky Jazyk 1984
Sponenberg, D.P., J.Heredity **75** (1984) 78
Sponenberg, D.P., M.L. Lamoreux, J.Heredity **76** (1985) 303
Stellmacher, W., K. Scholz, K. Preißler, Desinfektion in: Reihe tierärztliche Praxis. Jena: Gustav Fischer Verlag
Stephens, J.N., The genetics of breeding spotted cats. Cats mag.Oct. 1984, Beil. Cat World EE 11
Sternberger, H., J.Heredity **28** (1937) 115
Strauss, F., Handbuch der Zoologie VIII, 9. Teil (3). Berlin, New York: Walter de Gruyter 1974
Stuart, C.T., Zool.afr. **12** (1977) 239
Sturm, J., Statistische Erhebungen zu Fütterungsverfahren bei Hund und Katze. Fachtierarzt-Abschlußarbeit, Leipzig 1981
Suminski, P., Arch.Sciénces Genève **15** (1962) 277
Suminski, P., Säugetierkundl.Mitteil. **25** (1977) 236
Sutton, W.S., Biol.Bull Wood's Hole **4** (1903) 231

Teichmann, P., Wir und die Katzen. Leipzig: Hirzel Verlag 1977
Tembrock, G., A. Bilsing, H.H. Dathe, J.Oehler, Verhaltensbiologie (Wörterbücher der Biologie). Jena: VEB Gustav Fischer Verlag 1978
Tembrock, G., Grundriß der Verhaltenswissenschaften, 3. Aufl. Jena: VEB Gustav Fischer Verlag 1980
Tembrock G., Biol.Zbl. **101** (1982) 57
Tembrock G., Zool.Jb.Physiol. **90** (1986) 389
Thenius, E., Grundzüge der Faunen- und Verbreitungsgeschichte der Säugetiere, 2. Aufl. Jena: VEB Gustav Fischer Verlag 1980
Thiel, M.E., Zool.Anz. **157** (1956) 219
Thies D., Der Kosmos-Katzenführer. Stuttgart: Franckh'sche Verlagshandlung 1977
Thomas, E., F. Schaller, Naturwiss. **41** (1954) 557
Thompson, J.C., C.E. Keeler, V.C. Cobb, M. Dmytryk, J.Heredity **34** (1943) 119
Thuline, H.C., D.E. Norby, Science **134** (1961) 554
Tinbergen, N., Animal Behaviour. Amsterdam: Time-Life International 1978
Tjebbes, K., J.Genet. **14** (1924) 355
Tobias, G., J.Amer.Veter.Med.Assoc. **145** (1964) 462
Todd, N.B., J.Heredity **52** (1961) 34
Todd, N.B., J.Heredity **53** (1962) 54
Todd, N.B., J.Heredity **57** (1966) 17
Todd, N.B., Carn.Genet.Newsl. **2** (1967) 30
Todd, N.B., J.Heredity **60** (1969) 273
Todd, N.B., J.M. Clark, P. Dreux, Carn.Genet.Newsl. **2** (1974) 225
Todd, N.B., G.E. Glass, I. McLure, Carn.Genet.Newsl. **2** (1974) 230
Todd, N.B., G.E. Glass, D. Creel, Carn.Genet.Newsl. **14** (1976) 43
Todd, N.B., Sci.Amer. **237** (1977) 100
Todd, N.B., L. Sawyer, L.M. Todd, Carn.Genet.Newsl. **3** (1977) 161
Todd, N.B., Carn.Genet.Newsl. **3** (1977) 126
Todd, N.B., L.S. Garrad, B. Blumenberg, Carn.Genet.Newsl. **3** (1979) 388
Toldt, K., Aufbau und natürliche Färbung des Haarkleides der Wildsäugetiere. Leipzig: Verlag Dtsch.Gesellschaft f.Klein- und Pelztierzucht 1935
Triggs, B., H. Brunner, J.M. Cullen, Austr.Wild.Res. **11** (1984) 491
Tschanz, B., Rev.Suisse Zool. **90** (1983) 959
Tudge, C., New Sci. **90** (1249) (1981) 154
Turner, D.C., Die Beziehungen zwischen Mensch und Katze – Methoden der Analyse, in: Die Mensch-Tier Beziehung. Wien: IEMT 1985, S. 157
Turner, P., R. Robinson, J.Heredity **71** (1980) 427

Ueberberg, H., Zbl.Veter.Med., R. A **12** (1965) 192
Ullmann, E. von, A. Hargreaves, Proc.Zool.Soc., London, **130** (1958) 606

Verberne, G., Z.Tierpsychol. **27** (1970) 807
Verberne, G., P. Leyhausen, Behaviour **58** (1976) 192
Verberne, G., J. de Boer, Z.Tierpsychol. **42** (1976) 86 VKSK, Standard für Rassekatzen, 1984
Voith, V.L., Verhaltensprobleme bei der Katze, in: Ernährung und Verhalten von Hund und Katze. Hannover: Schlütersche Verlagsanstalt 1956, S. 217

Voith, V.L., Verhaltensprobleme bei der Katze, in: Ernährung und Verhalten von Hund und Katze. Hannover: Schlütersche Verlagsanstalt 1984, S.217

Waddington, C.H., The strategy of the genes. London: Allen and Unwin 1957
Warner, R.E., J.Wildl.Managem. **49** (1985) 340
Watson, D., F.H. Crick, Nature **171** (1953) 964
Webber, H.J., Science **18** (1903) 501
Wegner, W., Kleine Kynologie für Tierärzte und andere Tierfreunde. Konstanz: Terra Verlag 1979
Wegner, W., Tierärztl.Praxis **7** (1979) 361
Weiss, G., Z.Tierpsychol. **9** (1952) 451
West, M., Amer.Zool. **14** (1974) 427
Westendorf, P., Der Haarwechsel der Haussäugetiere. Vet.med.Diss., Hannover 1974
West-Hyde, L., N. Buyukmihci, J.Amer.Veter.Med.Assoc. **181** (1982) 243
Wetzel, M.-C., Jahrb.Naturhistor.Museum Bern **8** (1983) 263
Whitehead, J.E., Mod.Vet.Pract. **40** (1959) 56
Whiting, P.W., J.Exper.Zool. **25** (1919) 539
Whiting, P.W., Amer.Nat. **53** (1918) 473
Whitney, J.B., M.C. Lamoreux, J.Heredity **73** (1982) 12
Willeberg, P., Nord.Veter.Med. **27** (1975) 1, 15
William-Jones, H.E., Veter.Rec. **56** (1944) 449
Wink, U., F. Ketsch, Keysers praktisches Katzenbuch. München: Keysersche Verlagsbuchhandlung GmbH 1978
Wolff, R., Katzen, Verhalten, Pflege, Rassen Stuttgart: Ulmer Verlag 1984
Woodard, J.C., G.H. Collins, J.R. Hessler, Amer.J.Pathol. **74** (1974) 551
Wright, M., S. Walters, The book of the cat, 2. Aufl. London: Pan Books Ltd. 1981
Wright, S., J.Heredity **9** (1918) 139
Wright, S., Genetics **16** (1931) 97
Wright, S., The roles of mutation, inbreeding, crossbreeding, and selection in evolution, in: Proc.6th Int.Congr.Genet. 1932, S.356
Wright, S., Evolution and the genetics of populations, Vol. 2: The theory of gene frequencies. Chicago, London: Univ. Chicago Press 1970
Wurster, D.H., K. Benirschke, Chromosoma **24** (1968) 336

Zietzschmann, O., O. Kroelling, Lehrbuch der Entwicklungsgeschichte der Haustiere, 2. Aufl. Berlin, Hamburg: Parey Verlag 1955
Zook, B.C., D.J. Draper, E. Graf-Webster, Veter.Med.Small Anim.Clin. **12** (1983) 695

genetische Rekombination (Mendel-Regel 3)